平 成 29 年 度

地域保健・健康増進事業報告

（健康増進編）

厚生労働省政策統括官（統計・情報政策、政策評価担当）編
一般財団法人　厚 生 労 働 統 計 協 会

ま え が き

　この報告書は、全国の保健所及び市区町村における地域保健事業・健康増進事業について、地域保健・健康増進事業報告として報告を求めているものを、平成29年度分について取りまとめたものです。

　地域保健・健康増進事業報告は、地域住民の健康の保持及び増進を目的とした地域の特性に応じた保健施策の展開等を実施主体である保健所及び市区町村ごとに把握するものであり、国及び地方公共団体の地域保健施策の効率的・効果的な推進のための基礎的な資料となっています。

　この報告書は、2分冊で構成されており、第1分冊を「地域保健編」、第2分冊を「健康増進編」としています。

　この報告書が、国及び地方公共団体の行政運営に活用されるだけでなく、広く関係各方面においても活用され、我が国の保健事業のより一層の充実発展に役立てれば幸いです。

　刊行にあたり、本統計作成に御尽力いただいた関係各位に深く感謝するとともに、今後一層の御協力をお願いする次第です。

　　令和元年12月

　　　　厚生労働省政策統括官（統計・情報政策、政策評価担当）

　　　　　　　　　　　　鈴　木　英二郎

担当係

政 策 統 括 官 付 参 事 官 付

行政報告統計室衛生統計第二係

電話 (03)5253－1111　内線 7512

https://www.mhlw.go.jp/

平成29年度

地域保健・健康増進事業報告
（健康増進編）

目　　　次

Ⅰ　報　告　の　概　要 ……………………………………………………………	23
Ⅱ　結　果　の　概　要 ……………………………………………………………	25
Ⅲ　統　　計　　表 ………………………………………………………………	35

健康増進事業等の対象者

第 1 表　健康増進事業等の対象者数，都道府県－指定都市・特別区－中核市－
　　　　その他政令市、事業の内容、年齢階級別（**報告表第15(1)**）……………………… 36

健康教育

第 2 表　個別健康教育実施人員，都道府県－指定都市・特別区－中核市－その他政令市、
　　　　教育内容別（**報告表第15(2)-01**）………………………………………… 44

第 3 表　集団健康教育の開催回数・参加延人員，都道府県－指定都市・特別区－中核市
　　　　－その他政令市、教育内容別（**報告表第15(2)-02**）……………………… 56

健康相談

第 4 表　健康相談の開催回数・被指導延人員，都道府県－指定都市・特別区－中核市－
　　　　その他政令市、相談内容別（**報告表第15(3)**）……………………………… 60

健康診査

第 5 表　健康診査受診者数・保健指導区分別実人員，都道府県－指定都市・特別区－
　　　　中核市－その他政令市、年齢階級別（**報告表第15(4)-01**）……………… 64

第 6 表　健康診査受診者数・検査結果別人員数，都道府県－指定都市・特別区－中核市
　　　　－その他政令市、主な検査項目・年齢階級別（**報告表第15(4)-02**）………… 78

第 7 表　保健指導（動機付け支援）利用区分別延人員・利用実人員，都道府県－
　　　　指定都市・特別区－中核市－その他政令市、年齢階級別
　　　　（**報告表第15(4)-03**）………………………………………………………… 102

第 8 表　保健指導（積極的支援）利用区分別延人員・利用実人員，都道府県－指定都
　　　　市・特別区－中核市－その他政令市、年齢階級別（**報告表第15(4)-03**）……… 106

歯周疾患検診・骨粗鬆症検診

第 9 表 歯周疾患検診受診者数，都道府県－指定都市・特別区－中核市－その他政令市、
指導区分・性・年齢別（**報告表第15(5)-01**） ・・・・・・・・・・・・・・・・・・・・・・・・・・・・・・ 110

第 10 表 骨粗鬆症検診受診者数，都道府県－指定都市・特別区－中核市－その他政令市、
指導区分・年齢別（**報告表第15(5)-02**） ・・・・・・・・・・・・・・・・・・・・・・・・・・・・・・ 118

第 11 表 平成28年度における歯周疾患検診受診者数・要精密検査者数・精密検査受診の
有無別人数，都道府県－指定都市・特別区－中核市－その他政令市、性・年齢
別（**報告表第15(5)-03**） ・・ 126

第 12 表 平成28年度における骨粗鬆症検診受診者数・要精密検査者数・精密検査受診の
有無別人数，都道府県－指定都市・特別区－中核市－その他政令市、年齢別
（**報告表第15(5)-04**） ・・ 138

訪問指導

第 13 表 被訪問指導実人員－延人員，都道府県－指定都市・特別区－中核市－
その他政令市、対象者別（**報告表第15(7)-01**） ・・・・・・・・・・・・・・・・・・・・・・・ 152

第 14 表 訪問指導従事者延人員，都道府県－指定都市・特別区－中核市－その他政令市、
職種別（**報告表第15(7)-02**） ・・・・・・・・・・・・・・・・・・・・・・・・・・・・・・・・・・・・・ 160

がん検診

第15-1表 胃がん検診受診者数，胃部エックス線検査，都道府県－指定都市・特別区－
中核市－その他政令市、検診回数・検診方式・年齢階級別
（**報告表第15(8)-01**） ・・ 162

第15-2表 胃がん検診受診者数，胃内視鏡検査，都道府県－指定都市・特別区－中核市－
その他政令市、検診回数・検診方式・年齢階級別（**報告表第15(8)-01**） ・・・・・・・・ 174

第15-3表 胃がん検診2年連続受診者数，都道府県－指定都市・特別区－中核市－
その他政令市、検診回数・検診方式・年齢階級別（**報告表第15(8)-01**） ・・・・・・・・ 186

第16-1表 肺がん検診受診者数，胸部エックス線検査、都道府県－指定都市・特別区－
中核市－その他政令市、検診回数・検診方式・年齢階級別
（**報告表第15(8)-02,03**） ・・・・・・・・・・・・・・・・・・・・・・・・・・・・・・・・・・・・・・・ 190

第16-2表 肺がん検診問診（質問）者数，都道府県－指定都市・特別区－中核市－
その他政令市、検診回数・検診方式・年齢階級別（**報告表第15(8)-02,03**） ・・・・・・ 202

第16-3表 肺がん検診喀痰細胞診対象者数（胸部エックス線検査受診者中高危険群者数），
都道府県－指定都市・特別区－中核市－その他政令市、検診回数・検診方式・
年齢階級別（**報告表第15(8)-02,03**） ・・・・・・・・・・・・・・・・・・・・・・・・・・・・・・ 214

第16-4表 肺がん検診喀痰容器配布数，都道府県－指定都市・特別区－中核市－
その他政令市、検診回数・検診方式・年齢階級別（**報告表第15(8)-02,03**） ・・・・・・ 226

第16-5表 肺がん検診受診者数，喀痰細胞診（喀痰細胞診のみ受診は除く）、都道府県－
指定都市・特別区－中核市－その他政令市、検診回数・検診方式・年齢階級別
（**報告表第15(8)-02,03**）‥‥‥‥‥‥‥‥‥‥‥‥‥‥‥‥‥ 238

第 17 表 大腸がん検診受診者数，都道府県－指定都市・特別区－中核市－その他政令市、
検診回数・検診方式・年齢階級別（**報告表第15(8)-01**）‥‥‥‥‥‥‥‥ 250

第18-1表 子宮頸がん検診受診者数，都道府県－指定都市・特別区－中核市－
その他政令市、検診回数・検診方式・年齢階級別（**報告表第15(8)-04**）‥‥‥‥‥ 262

第18-2表 子宮頸がん検診2年連続受診者数，都道府県－指定都市・特別区－中核市－
その他政令市、検診方式・年齢階級別（**報告表第15(8)-04**）‥‥‥‥‥‥‥ 274

第19-1表 乳がん検診受診者数，都道府県－指定都市・特別区－中核市－その他政令市、
検診回数・検診方式・年齢階級別（**報告表第15(8)-05**）‥‥‥‥‥‥‥‥ 278

第19-2表 乳がん検診2年連続受診者数，都道府県－指定都市・特別区－中核市－
その他政令市、検診方式・年齢階級別（**報告表第15(8)-05**）‥‥‥‥‥‥‥ 290

第20-1表 健康診査、肺がん検診及び大腸がん検診対象者数・受診者数・受診率，
都道府県－指定都市・特別区－中核市－その他政令市、種類別 ‥‥‥‥‥‥‥ 294

第20-2表 胃がん検診対象者数・受診者数・受診率，都道府県－指定都市・特別区－
中核市－その他政令市別 ‥‥‥‥‥‥‥‥‥‥‥‥‥‥‥‥‥‥‥‥ 300

第20-3表 子宮頸がん検診対象者数・受診者数・受診率，都道府県－指定都市・特別区－
中核市－その他政令市別 ‥‥‥‥‥‥‥‥‥‥‥‥‥‥‥‥‥‥‥‥ 302

第20-4表 乳がん検診対象者数・受診者数・受診率，都道府県－指定都市・特別区－
中核市－その他政令市別 ‥‥‥‥‥‥‥‥‥‥‥‥‥‥‥‥‥‥‥‥ 304

第 21 表 平成28年度における胃がん（胃部エックス線検査）検診受診者数・要精密検査
者数・精密検査受診の有無別人数，都道府県－指定都市・特別区－中核市－そ
の他政令市、年齢階級・検診回数別（**報告表第15(8)-06〜07,10〜11**）‥‥‥‥ 306

第 22 表 平成28年度における胃がん（胃内視鏡検査）検診受診者数・要精密検査者数・
精密検査受診の有無別人数，都道府県－指定都市・特別区－中核市－その他政
令市、年齢階級・検診回数別（**報告表第15(8)-08〜09,12〜13**）‥‥‥‥‥‥ 322

第 23 表 平成28年度における大腸がん検診受診者数・要精密検査者数・精密検査受診の
有無別人数，都道府県－指定都市・特別区－中核市－その他政令市、
年齢階級・検診回数別（**報告表第15(8)-14〜17**）‥‥‥‥‥‥‥‥‥‥ 336

第 24 表 平成28年度における肺がん（全て）検診受診者数・要精密検査者数・
精密検査受診の有無別人数，都道府県－指定都市・特別区－中核市－
その他政令市、年齢階級・検診回数別（**報告表第15(8)-18〜19,24〜25**）‥‥‥‥ 350

第 25 表　平成28年度における肺がん（胸部エックス線検査）検診受診者数・
　　　　　要精密検査者数・精密検査受診の有無別人数，都道府県－指定都市・特別区－
　　　　　中核市－その他政令市、年齢階級・検診回数別
　　　　　（報告表第15(8)-20～21, 26～27） ・・・・・・・・・・・・・・・・・・・・・・・・・・・・・・・・・・・ 362

第 26 表　平成28年度における肺がん（喀痰細胞診）検診受診者数・要精密検査者数・
　　　　　精密検査受診の有無別人数，都道府県－指定都市・特別区－中核市－
　　　　　その他政令市、年齢階級・検診回数別 **（報告表第15(8)-22～23, 28～29）** ・・・・・・・・ 382

第 27 表　平成28年度における子宮頸がん検診受診者数・要精密検査者数・
　　　　　精密検査受診の有無別人数，都道府県－指定都市・特別区－中核市－
　　　　　その他政令市、年齢階級・検診回数別 **（報告表第15(8)-30, 31）** ・・・・・・・・・・・・・・・ 406

第 28 表　平成28年度における乳がん検診受診者数・要精密検査者数・精密検査受診の有
　　　　　無別人数，都道府県－指定都市・特別区－中核市－その他政令市、年齢階級・
　　　　　検診回数別 **（報告表第15(8)-32, 33）** ・・・・・・・・・・・・・・・・・・・・・・・・・・・・・・・・ 434

肝炎ウイルス検診

第29-1表　肝炎ウイルス検診受診者数・判定別人員数，都道府県－指定都市・特別区－
　　　　　中核市－その他政令市、年齢別 **（報告表第15(9)-01）** ・・・・・・・・・・・・・・・・・・・・・ 460

第29-2表　肝炎ウイルスに関する健康教育及び健康相談の開催回数・参加延人員，
　　　　　都道府県－指定都市・特別区－中核市－その他政令市別
　　　　　（報告表第15(9)-02, 03） ・・ 482

Ⅳ　用　語　の　解　説 ・・・ 485
Ⅴ　報　告　表　の　様　式 ・・・ 489

「健康増進編」の統計表は、政府統計の総合窓口（e-Stat）（https://www.e-stat.go.jp/）に掲載している。

【閲覧可能な統計表一覧】

次の統計表は、本報告書には掲載していないが、政府統計の総合窓口（e-Stat）（https://www.e-stat.go.jp/）に掲載している。

健康増進編
都道府県表

第1-1表　健康増進事業等の対象者数，都道府県－指定都市・特別区－中核市－その他政令市、事業の内容、年齢階級別（男）

第1-2表　健康増進事業等の対象者数，都道府県－指定都市・特別区－中核市－その他政令市、事業の内容、年齢階級別（女）

第2-1表　健康診査受診者数・保健指導区分別実人員，都道府県－指定都市・特別区－中核市－その他政令市、年齢階級別（男）

第2-2表　健康診査受診者数・保健指導区分別実人員，都道府県－指定都市・特別区－中核市－その他政令市、年齢階級別（女）

第3-1表　健康診査受診者数・検査結果別人員数，都道府県－指定都市・特別区－中核市－その他政令市、主な検査項目・年齢階級別（男）

第3-2表　健康診査受診者数・検査結果別人員数，都道府県－指定都市・特別区－中核市－その他政令市、主な検査項目・年齢階級別（女）

第4-1表　保健指導（動機付け支援）利用区分別延人員・利用実人員，都道府県－指定都市・特別区－中核市－その他政令市、年齢階級別（男）

第4-2表　保健指導（動機付け支援）利用区分別延人員・利用実人員，都道府県－指定都市・特別区－中核市－その他政令市、年齢階級別（女）

第5-1表　保健指導（積極的支援）利用区分別延人員・利用実人員，都道府県－指定都市・特別区－中核市－その他政令市、年齢階級別（男）

第5-2表　保健指導（積極的支援）利用区分別延人員・利用実人員，都道府県－指定都市・特別区－中核市－その他政令市、年齢階級別（女）

第6-1表　胃がん検診受診者数，胃部エックス線検査，都道府県－指定都市・特別区－中核市－その他政令市、検診回数・検診方式・年齢階級別（男）

第6-2表　胃がん検診受診者数，胃部エックス線検査，都道府県－指定都市・特別区－中核市－その他政令市、検診回数・検診方式・年齢階級別（女）

第6-3表　胃がん検診受診者数，胃内視鏡検査，都道府県－指定都市・特別区－中核市－その他政令市、検診回数・検診方式・年齢階級別（男）

第6-4表　胃がん検診受診者数，胃内視鏡検査，都道府県－指定都市・特別区－中核市－その他政令市、検診回数・検診方式・年齢階級別（女）

第6-5表　胃がん検診2年連続受診者数，都道府県－指定都市・特別区－中核市－その他政令市、検診回数・検診方式・年齢階級別（男）

第6-6表 胃がん検診２年連続受診者数，都道府県－指定都市・特別区－中核市－その他政令市、検診回数・検診方式・年齢階級別（女）

第7-1表 肺がん検診受診者数，胸部エックス線検査、都道府県－指定都市・特別区－中核市－その他政令市、検診回数・検診方式・年齢階級別（男）

第7-2表 肺がん検診受診者数，胸部エックス線検査、都道府県－指定都市・特別区－中核市－その他政令市、検診回数・検診方式・年齢階級別（女）

第7-3表 肺がん検診問診（質問）者数，都道府県－指定都市・特別区－中核市－その他政令市、検診回数・検診方式・年齢階級別（男）

第7-4表 肺がん検診問診（質問）者数，都道府県－指定都市・特別区－中核市－その他政令市、検診回数・検診方式・年齢階級別（女）

第7-5表 肺がん検診喀痰細胞診対象者数（胸部エックス線検査受診者中高危険群者数），都道府県－指定都市・特別区－中核市－その他政令市、検診回数・検診方式・年齢階級別（男）

第7-6表 肺がん検診喀痰細胞診対象者数（胸部エックス線検査受診者中高危険群者数），都道府県－指定都市・特別区－中核市－その他政令市、検診回数・検診方式・年齢階級別（女）

第7-7表 肺がん検診喀痰容器配布数，都道府県－指定都市・特別区－中核市－その他政令市、検診回数・検診方式・年齢階級別（男）

第7-8表 肺がん検診喀痰容器配布数，都道府県－指定都市・特別区－中核市－その他政令市、検診回数・検診方式・年齢階級別（女）

第7-9表 肺がん検診受診者数，喀痰細胞診（喀痰細胞診のみ受診は除く）、都道府県－指定都市・特別区－中核市－その他政令市、検診回数・検診方式・年齢階級別（男）

第7-10表 肺がん検診受診者数，喀痰細胞診（喀痰細胞診のみ受診は除く）、都道府県－指定都市・特別区－中核市－その他政令市、検診回数・検診方式・年齢階級別（女）

第8-1表 大腸がん検診受診者数，都道府県－指定都市・特別区－中核市－その他政令市、検診回数・検診方式・年齢階級別（男）

第8-2表 大腸がん検診受診者数，都道府県－指定都市・特別区－中核市－その他政令市、検診回数・検診方式・年齢階級別（女）

市区町村表

第1-1表 健康増進事業等の対象者数，市区町村、事業の内容、年齢階級別（総数）

第1-2表 健康増進事業等の対象者数，市区町村、事業の内容、年齢階級別（男）

第1-3表 健康増進事業等の対象者数，市区町村、事業の内容、年齢階級別（女）

第 2 表 個別健康教育実施人員，市区町村、教育内容別

第 3 表 集団健康教育の開催回数・参加延人員，市区町村、教育内容別

第 4 表　健康相談の開催回数・被指導延人員，市区町村、相談内容別

第5-1表　健康診査受診者数・保健指導区分別実人員，市区町村、年齢階級別（総数）

第5-2表　健康診査受診者数・保健指導区分別実人員，市区町村、年齢階級別（男）

第5-3表　健康診査受診者数・保健指導区分別実人員，市区町村、年齢階級別（女）

第6-1表　健康診査受診者数・検査結果別人員数，市区町村、主な検査項目・年齢階級別（総数）

第6-2表　健康診査受診者数・検査結果別人員数，市区町村、主な検査項目・年齢階級別（男）

第6-3表　健康診査受診者数・検査結果別人員数，市区町村、主な検査項目・年齢階級別（女）

第7-1表　保健指導（動機付け支援）利用区分別延人員・利用実人員，市区町村、年齢階級別（総数）

第7-2表　保健指導（動機付け支援）利用区分別延人員・利用実人員，市区町村、年齢階級別（男）

第7-3表　保健指導（動機付け支援）利用区分別延人員・利用実人員，市区町村、年齢階級別（女）

第8-1表　保健指導（積極的支援）利用区分別延人員・利用実人員，市区町村、年齢階級別（総数）

第8-2表　保健指導（積極的支援）利用区分別延人員・利用実人員，市区町村、年齢階級別（男）

第8-3表　保健指導（積極的支援）利用区分別延人員・利用実人員，市区町村、年齢階級別（女）

第 9 表　歯周疾患検診受診者数，市区町村、指導区分・性・年齢別

第 10 表　骨粗鬆症検診受診者数，市区町村、指導区分・年齢別

第 11 表　平成28年度における歯周疾患検診受診者数・要精密検査者数・精密検査受診の有無別人数，市区町村、性・年齢別

第 12 表　平成28年度における骨粗鬆症検診受診者数・要精密検査者数・精密検査受診の有無別人数，市区町村、年齢別

第 13 表　被訪問指導実人員－延人員，市区町村、対象者別

第 14 表　訪問指導従事者延人員，市区町村、職種別

第15-1表　胃がん検診受診者数，胃部エックス線検査，市区町村、検診回数・検診方式・年齢階級別（総数）

第15-2表　胃がん検診受診者数，胃部エックス線検査，市区町村、検診回数・検診方式・年齢階級別（男）

第15-3表　胃がん検診受診者数，胃部エックス線検査，市区町村、検診回数・検診方式・年齢階級別（女）

第15-4表 胃がん検診受診者数，胃内視鏡検査，市区町村、検診回数・検診方式・年齢階級別（総数）

第15-5表 胃がん検診受診者数，胃内視鏡検査，市区町村、検診回数・検診方式・年齢階級別（男）

第15-6表 胃がん検診受診者数，胃内視鏡検査，市区町村、検診回数・検診方式・年齢階級別（女）

第15-7表 胃がん検診２年連続受診者数，市区町村、検診回数・検診方式・年齢階級別（総数）

第15-8表 胃がん検診２年連続受診者数，市区町村、検診回数・検診方式・年齢階級別（男）

第15-9表 胃がん検診２年連続受診者数，市区町村、検診回数・検診方式・年齢階級別（女）

第16-1表 肺がん検診受診者数，胸部エックス線検査、市区町村、検診回数・検診方式・年齢階級別（総数）

第16-2表 肺がん検診受診者数，胸部エックス線検査、市区町村、検診回数・検診方式・年齢階級別（男）

第16-3表 肺がん検診受診者数，胸部エックス線検査、市区町村、検診回数・検診方式・年齢階級別（女）

第16-4表 肺がん検診問診（質問）者数，市区町村、検診回数・検診方式・年齢階級別（総数）

第16-5表 肺がん検診問診（質問）者数，市区町村、検診回数・検診方式・年齢階級別（男）

第16-6表 肺がん検診問診（質問）者数，市区町村、検診回数・検診方式・年齢階級別（女）

第16-7表 肺がん検診喀痰細胞診対象者数（胸部エックス線検査受診者中高危険群者数），市区町村、検診回数・検診方式・年齢階級別（総数）

第16-8表 肺がん検診喀痰細胞診対象者数（胸部エックス線検査受診者中高危険群者数），市区町村、検診回数・検診方式・年齢階級別（男）

第16-9表 肺がん検診喀痰細胞診対象者数（胸部エックス線検査受診者中高危険群者数），市区町村、検診回数・検診方式・年齢階級別（女）

第16-10表 肺がん検診喀痰容器配布数，市区町村、検診回数・検診方式・年齢階級別（総数）

第16-11表 肺がん検診喀痰容器配布数，市区町村、検診回数・検診方式・年齢階級別（男）

第16-12表 肺がん検診喀痰容器配布数，市区町村、検診回数・検診方式・年齢階級別（女）

第16-13表 肺がん検診受診者数，喀痰細胞診（喀痰細胞診のみ受診は除く）、市区町村、
　　　　　検診回数・検診方式・年齢階級別（総数）

第16-14表 肺がん検診受診者数，喀痰細胞診（喀痰細胞診のみ受診は除く）、市区町村、
　　　　　検診回数・検診方式・年齢階級別（男）

第16-15表 肺がん検診受診者数，喀痰細胞診（喀痰細胞診のみ受診は除く）、市区町村、
　　　　　検診回数・検診方式・年齢階級別（女）

第17-1表　大腸がん検診受診者数，市区町村、検診回数・検診方式・年齢階級別（総数）

第17-2表　大腸がん検診受診者数，市区町村、検診回数・検診方式・年齢階級別（男）

第17-3表　大腸がん検診受診者数，市区町村、検診回数・検診方式・年齢階級別（女）

第18-1表　子宮頸がん検診受診者数，市区町村、検診回数・検診方式・年齢階級別

第18-2表　子宮頸がん検診２年連続受診者数，市区町村、検診方式・年齢階級別

第19-1表　乳がん検診受診者数，市区町村、検診回数・検診方式・年齢階級別

第19-2表　乳がん検診２年連続受診者数，市区町村、検診方式・年齢階級別

第20-1表　健康診査、肺がん検診及び大腸がん検診対象者数・受診者数・受診率，市区町
　　　　　村、種類別

第20-2表　胃がん検診対象者数・受診者数・受診率，市区町村、種類別

第20-3表　子宮頸がん検診対象者数・受診者数・受診率，市区町村別

第20-4表　乳がん検診対象者数・受診者数・受診率，市区町村別

第21-1表　平成28年度における胃がん（胃部エックス線検査）検診受診者数・要精密検査
　　　　　者数・精密検査受診の有無別人数・偶発症の有無別人数，市区町村、検診方
　　　　　式・検診回数・年齢階級別（男総数）

第21-2表　平成28年度における胃がん（胃部エックス線検査）検診受診者数・要精密検査
　　　　　者数・精密検査受診の有無別人数・偶発症の有無別人数，市区町村、検診方
　　　　　式・検診回数・年齢階級別（男個別総数）

第21-3表　平成28年度における胃がん（胃部エックス線検査）検診受診者数・要精密検査
　　　　　者数・精密検査受診の有無別人数・偶発症の有無別人数，市区町村、検診方
　　　　　式・検診回数・年齢階級別（男個別初回）

第21-4表　平成28年度における胃がん（胃部エックス線検査）検診受診者数・要精密検査
　　　　　者数・精密検査受診の有無別人数・偶発症の有無別人数，市区町村、検診方
　　　　　式・検診回数・年齢階級別（男個別非初回）

第21-5表　平成28年度における胃がん（胃部エックス線検査）検診受診者数・要精密検査
　　　　　者数・精密検査受診の有無別人数・偶発症の有無別人数，市区町村、検診方
　　　　　式・検診回数・年齢階級別（男集団総数）

第21-6表　平成28年度における胃がん（胃部エックス線検査）検診受診者数・要精密検査
　　　　　者数・精密検査受診の有無別人数・偶発症の有無別人数，市区町村、検診方
　　　　　式・検診回数・年齢階級別（男集団初回）

第21-7表 平成28年度における胃がん（胃部エックス線検査）検診受診者数・要精密検査者数・精密検査受診の有無別人数・偶発症の有無別人数，市区町村、検診方式・検診回数・年齢階級別（男集団非初回）

第22-1表 平成28年度における胃がん（胃部エックス線検査）検診受診者数・要精密検査者数・精密検査受診の有無別人数・偶発症の有無別人数，市区町村、検診方式・検診回数・年齢階級別（女総数）

第22-2表 平成28年度における胃がん（胃部エックス線検査）検診受診者数・要精密検査者数・精密検査受診の有無別人数・偶発症の有無別人数，市区町村、検診方式・検診回数・年齢階級別（女個別総数）

第22-3表 平成28年度における胃がん（胃部エックス線検査）検診受診者数・要精密検査者数・精密検査受診の有無別人数・偶発症の有無別人数，市区町村、検診方式・検診回数・年齢階級別（女個別初回）

第22-4表 平成28年度における胃がん（胃部エックス線検査）検診受診者数・要精密検査者数・精密検査受診の有無別人数・偶発症の有無別人数，市区町村、検診方式・検診回数・年齢階級別（女個別非初回）

第22-5表 平成28年度における胃がん（胃部エックス線検査）検診受診者数・要精密検査者数・精密検査受診の有無別人数・偶発症の有無別人数，市区町村、検診方式・検診回数・年齢階級別（女集団総数）

第22-6表 平成28年度における胃がん（胃部エックス線検査）検診受診者数・要精密検査者数・精密検査受診の有無別人数・偶発症の有無別人数，市区町村、検診方式・検診回数・年齢階級別（女集団初回）

第22-7表 平成28年度における胃がん（胃部エックス線検査）検診受診者数・要精密検査者数・精密検査受診の有無別人数・偶発症の有無別人数，市区町村、検診方式・検診回数・年齢階級別（女集団非初回）

第23-1表 平成28年度における胃がん（胃内視鏡検査）検診受診者数・要精密検査者数・精密検査受診の有無別人数・偶発症の有無別人数，市区町村、検診方式・検診回数・年齢階級別（男総数）

第23-2表 平成28年度における胃がん（胃内視鏡検査）検診受診者数・要精密検査者数・精密検査受診の有無別人数・偶発症の有無別人数，市区町村、検診方式・検診回数・年齢階級別（男個別総数）

第23-3表 平成28年度における胃がん（胃内視鏡検査）検診受診者数・要精密検査者数・精密検査受診の有無別人数・偶発症の有無別人数，市区町村、検診方式・検診回数・年齢階級別（男個別初回）

第23-4表 平成28年度における胃がん（胃内視鏡検査）検診受診者数・要精密検査者数・精密検査受診の有無別人数・偶発症の有無別人数，市区町村、検診方式・検診回数・年齢階級別（男個別非初回）

第23-5表　平成28年度における胃がん（胃内視鏡検査）検診受診者数・要精密検査者数・精密検査受診の有無別人数・偶発症の有無別人数，市区町村、検診方式・検診回数・年齢階級別（男集団総数）

第23-6表　平成28年度における胃がん（胃内視鏡検査）検診受診者数・要精密検査者数・精密検査受診の有無別人数・偶発症の有無別人数，市区町村、検診方式・検診回数・年齢階級別（男集団初回）

第23-7表　平成28年度における胃がん（胃内視鏡検査）検診受診者数・要精密検査者数・精密検査受診の有無別人数・偶発症の有無別人数，市区町村、検診方式・検診回数・年齢階級別（男集団非初回）

第24-1表　平成28年度における胃がん（胃内視鏡検査）検診受診者数・要精密検査者数・精密検査受診の有無別人数・偶発症の有無別人数，市区町村、検診方式・検診回数・年齢階級別（女総数）

第24-2表　平成28年度における胃がん（胃内視鏡検査）検診受診者数・要精密検査者数・精密検査受診の有無別人数・偶発症の有無別人数，市区町村、検診方式・検診回数・年齢階級別（女個別総数）

第24-3表　平成28年度における胃がん（胃内視鏡検査）検診受診者数・要精密検査者数・精密検査受診の有無別人数・偶発症の有無別人数，市区町村、検診方式・検診回数・年齢階級別（女個別初回）

第24-4表　平成28年度における胃がん（胃内視鏡検査）検診受診者数・要精密検査者数・精密検査受診の有無別人数・偶発症の有無別人数，市区町村、検診方式・検診回数・年齢階級別（女個別非初回）

第24-5表　平成28年度における胃がん（胃内視鏡検査）検診受診者数・要精密検査者数・精密検査受診の有無別人数・偶発症の有無別人数，市区町村、検診方式・検診回数・年齢階級別（女集団総数）

第24-6表　平成28年度における胃がん（胃内視鏡検査）検診受診者数・要精密検査者数・精密検査受診の有無別人数・偶発症の有無別人数，市区町村、検診方式・検診回数・年齢階級別（女集団初回）

第24-7表　平成28年度における胃がん（胃内視鏡検査）検診受診者数・要精密検査者数・精密検査受診の有無別人数・偶発症の有無別人数，市区町村、検診方式・検診回数・年齢階級別（女集団非初回）

第25-1表　平成28年度における大腸がん検診受診者数・要精密検査者数・精密検査受診の有無別人数・偶発症の有無別人数，市区町村、検診方式・検診回数・年齢階級別（男総数）

第25-2表　平成28年度における大腸がん検診受診者数・要精密検査者数・精密検査受診の有無別人数・偶発症の有無別人数，市区町村、検診方式・検診回数・年齢階級別（男個別総数）

第25-3表　平成28年度における大腸がん検診受診者数・要精密検査者数・精密検査受診の有無別人数・偶発症の有無別人数，市区町村、検診方式・検診回数・年齢階級別（男個別初回）

第25-4表　平成28年度における大腸がん検診受診者数・要精密検査者数・精密検査受診の有無別人数・偶発症の有無別人数，市区町村、検診方式・検診回数・年齢階級別（男個別非初回）

第25-5表　平成28年度における大腸がん検診受診者数・要精密検査者数・精密検査受診の有無別人数・偶発症の有無別人数，市区町村、検診方式・検診回数・年齢階級別（男集団総数）

第25-6表　平成28年度における大腸がん検診受診者数・要精密検査者数・精密検査受診の有無別人数・偶発症の有無別人数，市区町村、検診方式・検診回数・年齢階級別（男集団初回）

第25-7表　平成28年度における大腸がん検診受診者数・要精密検査者数・精密検査受診の有無別人数・偶発症の有無別人数，市区町村、検診方式・検診回数・年齢階級別（男集団非初回）

第26-1表　平成28年度における大腸がん検診受診者数・要精密検査者数・精密検査受診の有無別人数・偶発症の有無別人数，市区町村、検診方式・検診回数・年齢階級別（女総数）

第26-2表　平成28年度における大腸がん検診受診者数・要精密検査者数・精密検査受診の有無別人数・偶発症の有無別人数，市区町村、検診方式・検診回数・年齢階級別（女個別総数）

第26-3表　平成28年度における大腸がん検診受診者数・要精密検査者数・精密検査受診の有無別人数・偶発症の有無別人数，市区町村、検診方式・検診回数・年齢階級別（女個別初回）

第26-4表　平成28年度における大腸がん検診受診者数・要精密検査者数・精密検査受診の有無別人数・偶発症の有無別人数，市区町村、検診方式・検診回数・年齢階級別（女個別非初回）

第26-5表　平成28年度における大腸がん検診受診者数・要精密検査者数・精密検査受診の有無別人数・偶発症の有無別人数，市区町村、検診方式・検診回数・年齢階級別（女集団総数）

第26-6表　平成28年度における大腸がん検診受診者数・要精密検査者数・精密検査受診の有無別人数・偶発症の有無別人数，市区町村、検診方式・検診回数・年齢階級別（女集団初回）

第26-7表　平成28年度における大腸がん検診受診者数・要精密検査者数・精密検査受診の有無別人数・偶発症の有無別人数，市区町村、検診方式・検診回数・年齢階級別（女集団非初回）

第27-1表　平成28年度における肺がん（全て）検診受診者数・要精密検査者数・精密検査受診の有無別人数・偶発症の有無別人数，市区町村、検診方式・検診回数・年齢階級別（男総数）

第27-2表　平成28年度における肺がん（全て）検診受診者数・要精密検査者数・精密検査受診の有無別人数・偶発症の有無別人数，市区町村、検診方式・検診回数・年齢階級別（男個別総数）

第27-3表　平成28年度における肺がん（全て）検診受診者数・要精密検査者数・精密検査受診の有無別人数・偶発症の有無別人数，市区町村、検診方式・検診回数・年齢階級別（男個別初回）

第27-4表　平成28年度における肺がん（全て）検診受診者数・要精密検査者数・精密検査受診の有無別人数・偶発症の有無別人数，市区町村、検診方式・検診回数・年齢階級別（男個別非初回）

第27-5表　平成28年度における肺がん（全て）検診受診者数・要精密検査者数・精密検査受診の有無別人数・偶発症の有無別人数，市区町村、検診方式・検診回数・年齢階級別（男集団総数）

第27-6表　平成28年度における肺がん（全て）検診受診者数・要精密検査者数・精密検査受診の有無別人数・偶発症の有無別人数，市区町村、検診方式・検診回数・年齢階級別（男集団初回）

第27-7表　平成28年度における肺がん（全て）検診受診者数・要精密検査者数・精密検査受診の有無別人数・偶発症の有無別人数，市区町村、検診方式・検診回数・年齢階級別（男集団非初回）

第28-1表　平成28年度における肺がん（全て）検診受診者数・要精密検査者数・精密検査受診の有無別人数・偶発症の有無別人数，市区町村、検診方式・検診回数・年齢階級別（女総数）

第28-2表　平成28年度における肺がん（全て）検診受診者数・要精密検査者数・精密検査受診の有無別人数・偶発症の有無別人数，市区町村、検診方式・検診回数・年齢階級別（女個別総数）

第28-3表　平成28年度における肺がん（全て）検診受診者数・要精密検査者数・精密検査受診の有無別人数・偶発症の有無別人数，市区町村、検診方式・検診回数・年齢階級別（女個別初回）

第28-4表　平成28年度における肺がん（全て）検診受診者数・要精密検査者数・精密検査受診の有無別人数・偶発症の有無別人数，市区町村、検診方式・検診回数・年齢階級別（女個別非初回）

第28-5表　平成28年度における肺がん（全て）検診受診者数・要精密検査者数・精密検査受診の有無別人数・偶発症の有無別人数，市区町村、検診方式・検診回数・年齢階級別（女集団総数）

第28-6表　平成28年度における肺がん（全て）検診受診者数・要精密検査者数・精密検査受診の有無別人数・偶発症の有無別人数，市区町村、検診方式・検診回数・年齢階級別（女集団初回）

第28-7表　平成28年度における肺がん（全て）検診受診者数・要精密検査者数・精密検査受診の有無別人数・偶発症の有無別人数，市区町村、検診方式・検診回数・年齢階級別（女集団非初回）

第29-1表　平成28年度における肺がん（胸部エックス線検査）検診受診者数・要精密検査者数・精密検査受診の有無別人数・偶発症の有無別人数，市区町村、検診方式・検診回数・年齢階級別（男総数）

第29-2表　平成28年度における肺がん（胸部エックス線検査）検診受診者数・要精密検査者数・精密検査受診の有無別人数・偶発症の有無別人数，市区町村、検診方式・検診回数・年齢階級別（男個別総数）

第29-3表　平成28年度における肺がん（胸部エックス線検査）検診受診者数・要精密検査者数・精密検査受診の有無別人数・偶発症の有無別人数，市区町村、検診方式・検診回数・年齢階級別（男個別初回）

第29-4表　平成28年度における肺がん（胸部エックス線検査）検診受診者数・要精密検査者数・精密検査受診の有無別人数・偶発症の有無別人数，市区町村、検診方式・検診回数・年齢階級別（男個別非初回）

第29-5表　平成28年度における肺がん（胸部エックス線検査）検診受診者数・要精密検査者数・精密検査受診の有無別人数・偶発症の有無別人数，市区町村、検診方式・検診回数・年齢階級別（男集団総数）

第29-6表　平成28年度における肺がん（胸部エックス線検査）検診受診者数・要精密検査者数・精密検査受診の有無別人数・偶発症の有無別人数，市区町村、検診方式・検診回数・年齢階級別（男集団初回）

第29-7表　平成28年度における肺がん（胸部エックス線検査）検診受診者数・要精密検査者数・精密検査受診の有無別人数・偶発症の有無別人数，市区町村、検診方式・検診回数・年齢階級別（男集団非初回）

第30-1表　平成28年度における肺がん（胸部エックス線検査）検診受診者数・要精密検査者数・精密検査受診の有無別人数・偶発症の有無別人数，市区町村、検診方式・検診回数・年齢階級別（女総数）

第30-2表　平成28年度における肺がん（胸部エックス線検査）検診受診者数・要精密検査者数・精密検査受診の有無別人数・偶発症の有無別人数，市区町村、検診方式・検診回数・年齢階級別（女個別総数）

第30-3表　平成28年度における肺がん（胸部エックス線検査）検診受診者数・要精密検査者数・精密検査受診の有無別人数・偶発症の有無別人数，市区町村、検診方式・検診回数・年齢階級別（女個別初回）

第30-4表　平成28年度における肺がん（胸部エックス線検査）検診受診者数・要精密検査者数・精密検査受診の有無別人数・偶発症の有無別人数，市区町村、検診方式・検診回数・年齢階級別（女個別非初回）

第30-5表　平成28年度における肺がん（胸部エックス線検査）検診受診者数・要精密検査者数・精密検査受診の有無別人数・偶発症の有無別人数，市区町村、検診方式・検診回数・年齢階級別（女集団総数）

第30-6表　平成28年度における肺がん（胸部エックス線検査）検診受診者数・要精密検査者数・精密検査受診の有無別人数・偶発症の有無別人数，市区町村、検診方式・検診回数・年齢階級別（女集団初回）

第30-7表　平成28年度における肺がん（胸部エックス線検査）検診受診者数・要精密検査者数・精密検査受診の有無別人数・偶発症の有無別人数，市区町村、検診方式・検診回数・年齢階級別（女集団非初回）

第31-1表　平成28年度における肺がん（喀痰細胞診）検診受診者数・要精密検査者数・精密検査受診の有無別人数・偶発症の有無別人数，市区町村、検診方式・検診回数・年齢階級別（男総数）

第31-2表　平成28年度における肺がん（喀痰細胞診）検診受診者数・要精密検査者数・精密検査受診の有無別人数・偶発症の有無別人数，市区町村、検診方式・検診回数・年齢階級別（男個別総数）

第31-3表　平成28年度における肺がん（喀痰細胞診）検診受診者数・要精密検査者数・精密検査受診の有無別人数・偶発症の有無別人数，市区町村、検診方式・検診回数・年齢階級別（男個別初回）

第31-4表　平成28年度における肺がん（喀痰細胞診）検診受診者数・要精密検査者数・精密検査受診の有無別人数・偶発症の有無別人数，市区町村、検診方式・検診回数・年齢階級別（男個別非初回）

第31-5表　平成28年度における肺がん（喀痰細胞診）検診受診者数・要精密検査者数・精密検査受診の有無別人数・偶発症の有無別人数，市区町村、検診方式・検診回数・年齢階級別（男集団総数）

第31-6表　平成28年度における肺がん（喀痰細胞診）検診受診者数・要精密検査者数・精密検査受診の有無別人数・偶発症の有無別人数，市区町村、検診方式・検診回数・年齢階級別（男集団初回）

第31-7表　平成28年度における肺がん（喀痰細胞診）検診受診者数・要精密検査者数・精密検査受診の有無別人数・偶発症の有無別人数，市区町村、検診方式・検診回数・年齢階級別（男集団非初回）

第32-1表　平成28年度における肺がん（喀痰細胞診）検診受診者数・要精密検査者数・精密検査受診の有無別人数・偶発症の有無別人数，市区町村、検診方式・検診回数・年齢階級別（女総数）

第32-2表 平成28年度における肺がん（喀痰細胞診）検診受診者数・要精密検査者数・精密検査受診の有無別人数・偶発症の有無別人数，市区町村、検診方式・検診回数・年齢階級別（女個別総数）

第32-3表 平成28年度における肺がん（喀痰細胞診）検診受診者数・要精密検査者数・精密検査受診の有無別人数・偶発症の有無別人数，市区町村、検診方式・検診回数・年齢階級別（女個別初回）

第32-4表 平成28年度における肺がん（喀痰細胞診）検診受診者数・要精密検査者数・精密検査受診の有無別人数・偶発症の有無別人数，市区町村、検診方式・検診回数・年齢階級別（女個別非初回）

第32-5表 平成28年度における肺がん（喀痰細胞診）検診受診者数・要精密検査者数・精密検査受診の有無別人数・偶発症の有無別人数，市区町村、検診方式・検診回数・年齢階級別（女集団総数）

第32-6表 平成28年度における肺がん（喀痰細胞診）検診受診者数・要精密検査者数・精密検査受診の有無別人数・偶発症の有無別人数，市区町村、検診方式・検診回数・年齢階級別（女集団初回）

第32-7表 平成28年度における肺がん（喀痰細胞診）検診受診者数・要精密検査者数・精密検査受診の有無別人数・偶発症の有無別人数，市区町村、検診方式・検診回数・年齢階級別（女集団非初回）

第33-1表 平成28年度における子宮頸がん検診受診者数・要精密検査者数・精密検査受診の有無別人数・偶発症の有無別人数，市区町村、検診方式・検診回数・年齢階級別（総数）

第33-2表 平成28年度における子宮頸がん検診受診者数・要精密検査者数・精密検査受診の有無別人数・偶発症の有無別人数，市区町村、検診方式・検診回数・年齢階級別（個別総数）

第33-3表 平成28年度における子宮頸がん検診受診者数・要精密検査者数・精密検査受診の有無別人数・偶発症の有無別人数，市区町村、検診方式・検診回数・年齢階級別（個別初回）

第33-4表 平成28年度における子宮頸がん検診受診者数・要精密検査者数・精密検査受診の有無別人数・偶発症の有無別人数，市区町村、検診方式・検診回数・年齢階級別（個別非初回）

第33-5表 平成28年度における子宮頸がん検診受診者数・要精密検査者数・精密検査受診の有無別人数・偶発症の有無別人数，市区町村、検診方式・検診回数・年齢階級別（集団総数）

第33-6表 平成28年度における子宮頸がん検診受診者数・要精密検査者数・精密検査受診の有無別人数・偶発症の有無別人数，市区町村、検診方式・検診回数・年齢階級別（集団初回）

第33-7表　平成28年度における子宮頸がん検診受診者数・要精密検査者数・精密検査受診の有無別人数・偶発症の有無別人数，市区町村、検診方式・検診回数・年齢階級別（集団非初回）

第34-1表　平成28年度における乳がん検診受診者数・要精密検査者数・精密検査受診の有無別人数・偶発症の有無別人数，市区町村、検診方式・検診回数・年齢階級別（総数）

第34-2表　平成28年度における乳がん検診受診者数・要精密検査者数・精密検査受診の有無別人数・偶発症の有無別人数，市区町村、検診方式・検診回数・年齢階級別（個別総数）

第34-3表　平成28年度における乳がん検診受診者数・要精密検査者数・精密検査受診の有無別人数・偶発症の有無別人数，市区町村、検診方式・検診回数・年齢階級別（個別初回）

第34-4表　平成28年度における乳がん検診受診者数・要精密検査者数・精密検査受診の有無別人数・偶発症の有無別人数，市区町村、検診方式・検診回数・年齢階級別（個別非初回）

第34-5表　平成28年度における乳がん検診受診者数・要精密検査者数・精密検査受診の有無別人数・偶発症の有無別人数，市区町村、検診方式・検診回数・年齢階級別（集団総数）

第34-6表　平成28年度における乳がん検診受診者数・要精密検査者数・精密検査受診の有無別人数・偶発症の有無別人数，市区町村、検診方式・検診回数・年齢階級別（集団初回）

第34-7表　平成28年度における乳がん検診受診者数・要精密検査者数・精密検査受診の有無別人数・偶発症の有無別人数，市区町村、検診方式・検診回数・年齢階級別（集団非初回）

第35-1表　肝炎ウイルス検診受診者数・判定別人員数，市区町村、年齢別

第35-2表　肝炎ウイルスに関する健康教育及び健康相談の開催回数・参加延人員，市区町村別

Ⅰ 報告の概要

1 報告の目的及び沿革

　地域保健・健康増進事業報告は、地域住民の健康の保持及び増進を目的とした地域の特性に応じた保健施策の展開等を実施主体である保健所及び市区町村ごとに把握し、国及び地方公共団体の地域保健施策の効率的・効果的な推進のための基礎資料を得ることを目的とする。

　なお、平成20年度より老人保健法が高齢者の医療の確保に関する法律に改正されたことにより、これまで市区町村が担ってきた老人保健事業のうち医療保険者に義務付けられない事業は、市区町村が健康増進法等に基づき実施する健康増進事業となり報告対象となったため、報告名を「地域保健・老人保健事業報告」から「地域保健・健康増進事業報告」と改めた。

2 報告の対象

　全国の保健所及び市区町村

3 報告の種類

　年度報

4 主な報告事項

(1) 地域保健事業（地域保健法、母子保健法、予防接種法　等）
　　母子保健、健康増進、歯科保健、精神保健福祉、衛生教育、職員の設置状況　等
(2) 健康増進事業（健康増進法第17条第1項及び第19条の2）
　　健康教育、健康診査、歯周疾患検診・骨粗鬆症検診、訪問指導、がん検診　等

5 報告の方法及び系統

(1) 都道府県知事、指定都市及び中核市の長は、所定の報告事項について定められた期限までに、厚生労働省政策統括官（統計・情報政策、政策評価担当）に報告する。
(2) 報告の系統は次のとおりである。

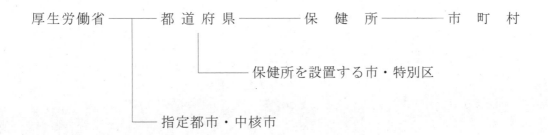

6　報告時期

国への提出期限　翌年6月末日

7　集　　計

厚生労働省政策統括官（統計・情報政策、政策評価担当）において行った。

II 結 果 の 概 要

利用上の注意

（1）事業の実施主体は、「市区町村」である。

（2）「政令市」とは保健所を設置する市、「特別区」とは東京都区部である。

（3）表章記号の規約

計数のない場合	－
計数不明又は計数を表章することが不適当な場合	…
統計項目がありえない場合	・

（4）掲載している割合の数値は四捨五入しているため、内訳の合計が「総数」に合わない場合がある。

健康増進編

1 健康診査

市区町村が実施した健康診査の受診者数は 121,827 人で、男 57,484 人、女 64,343 人となっている（表1）。

検査結果の状況をみると、「糖尿病個別健康教育対象者（ア）」39,257 人、「高血圧症個別健康教育対象者（イ）」35,402 人などとなっている（表2）。

表1　性・年齢階級別にみた健康診査における受診者の状況

（単位：人）　　　　　　　　　　　　　　　　　　　　　　　　　　　　　　　　　　平成 29(2017)年度

		受診者数	40～49歳	50～59歳	60～64歳	65～69歳	70～74歳	75歳以上
総　数		121 827	13 802	18 295	11 833	18 416	19 262	40 219
	男	57 484	6 105	9 913	6 990	10 250	9 325	14 901
	女	64 343	7 697	8 382	4 843	8 166	9 937	25 318

注：1　老人保健法に基づき市区町村が実施していた基本健康診査は、平成 20 年度より高齢者の医療の確保に関する法律に基づき保険者が実施する特定健康診査と、健康増進法に基づき市区町村が実施する健康診査に分かれた。本報告では市区町村が実施した健康診査について計上している。
　　2　健康診査の受診者数は、「健康診査」、「訪問健康診査」及び「介護家族訪問健康診査」の受診者数の合計である。

表2　性別にみた健康診査における検査結果の状況

（単位：人）　　　　　　　　　　　　　　　　　　　　　　　　　　　　　　　　　　平成 29(2017)年度

		受診者数	検査結果								
			血　圧		脂質異常		糖尿病		貧　血 (疑いを含む。)	肝疾患 (疑いを含む。)	腎機能障害 (疑いを含む。)
			高血圧症 個別健康教育 対象者(ア)	高血圧症 個別健康教育 対象者(イ)	脂質異常症 個別健康教育 対象者(ア)	脂質異常症 個別健康教育 対象者(イ)	糖尿病 個別健康教育 対象者(ア)	糖尿病 個別健康教育 対象者(イ)			
総　数		121 827	12 744	35 402	24 502	32 869	39 257	14 652	16 379	19 262	18 672
受診者数に 占める割合(%)		100.0	10.5	29.1	20.1	27.0	32.2	12.0	13.4	15.8	15.3
	男	57 484	6 096	18 032	12 104	15 082	17 966	8 114	7 976	11 581	9 084
受診者数に 占める割合(%)		100.0	10.6	31.4	21.1	26.2	31.3	14.1	13.9	20.1	15.8
	女	64 343	6 648	17 370	12 398	17 787	21 291	6 538	8 403	7 681	9 588
受診者数に 占める割合(%)		100.0	10.3	27.0	19.3	27.6	33.1	10.2	13.1	11.9	14.9

注：「個別健康教育対象者（ア）」は、特定健康診査及び健康増進法に基づく健康診査受診者のうち、検査結果から生活習慣病の発症予防等のため指導が必要な者をいい、「個別健康教育対象者（イ）」は、特定健康診査及び健康増進法に基づく健康診査受診者のうち、検査結果から生活習慣病の重症化予防等のため個別健康教育による指導が有効であると医師が認めた者をいう。

2 歯周疾患検診・骨粗鬆症検診

　市区町村が実施した歯周疾患検診の受診者数は 338,725 人、骨粗鬆症検診の受診者数は 326,344 人となっている。

　受診者数に占める各指導区分の割合をみると、「要精検者」は歯周疾患検診では 69.5 ％、骨粗鬆症検診 16.6 ％となっている。（表3）

　市区町村における平成 29 年度の検診実施率は、歯周疾患検診 68.0 ％、骨粗鬆症検診 62.5 ％となっている（表4）。

表3　歯周疾患検診・骨粗鬆症検診の実施状況

（単位：人）　　　平成 29(2017)年度

| | | 受診者数[1] | 指 導 区 分 | | | | | |
			要精検者	受診者数に占める割合(%)	要指導者	受診者数に占める割合(%)	異常認めず	受診者数に占める割合(%)
歯周疾患検診	総　数	338 725	235 411	69.5	67 136	19.8	36 023	10.6
	40 歳	80 335	52 136	64.9	18 937	23.6	9 196	11.4
	50 歳	72 866	49 964	68.6	15 431	21.2	7 462	10.2
	60 歳	68 650	48 630	70.8	13 217	19.3	6 777	9.9
	70 歳	116 874	84 681	72.5	19 551	16.7	12 588	10.8
骨粗鬆症検診[2]	総　数	326 344	54 331	16.6	92 775	28.4	179 160	54.9
	40 歳	34 457	722	2.1	3 974	11.5	29 754	86.4
	45 歳	26 855	629	2.3	3 252	12.1	22 966	85.5
	50 歳	38 026	1 296	3.4	5 430	14.3	31 290	82.3
	55 歳	34 702	3 090	8.9	8 626	24.9	22 980	66.2
	60 歳	45 762	7 714	16.9	16 008	35.0	22 035	48.2
	65 歳	61 762	14 754	23.9	23 552	38.1	23 434	37.9
	70 歳	84 780	26 126	30.8	31 933	37.7	26 701	31.5

注：1）指導区分の計数が不詳の市区町村があるため、受診者数と指導区分の計が一致しない。
　　2）「骨粗鬆症検診」の対象者は女性である。

表4　歯周疾患検診・骨粗鬆症検診の実施市区町村数及び検診実施率の年次推移

| | 歯周疾患検診 | | | | | 骨粗鬆症検診[2] | | | | |
	平成25年度 (2013)	26年度 ('14)	27年度 ('15)	28年度 ('16)	29年度 ('17)	平成25年度 (2013)	26年度 ('14)	27年度 ('15)	28年度 ('16)	29年度 ('17)
実施市区町村数	1 018	1 049	1 064	1 121	1 181	1 068	1 084	1 076	1 082	1 085
検診実施率(%)[1]	58.6	60.4	61.3	64.5	68.0	61.4	62.4	61.9	62.3	62.5
全国市区町村数	1 738	1 737	1 737	1 737	1 737	1 738	1 737	1 737	1 737	1 737

注：　1）検診実施率＝（実施市区町村数／全国市区町村数）×100
　　　2）「骨粗鬆症検診」の対象者は女性である。

3 健康教育

市区町村が実施した集団健康教育の開催回数は138,994回、参加延人員は2,610,922人となっている。

内容別にみると、開催回数、参加延人員ともに、「一般」が最も多くなっている。（図1）

図1　集団健康教育の実施状況

平成29(2017)年度

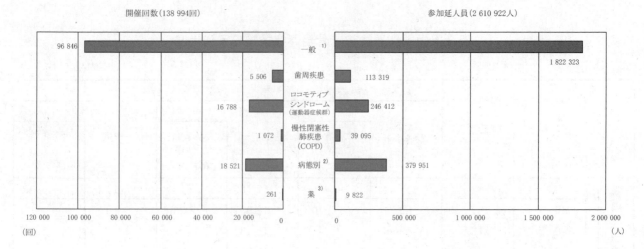

注：1)「一般」とは、生活習慣病の予防のための日常生活上の心得、健康増進の方法、食生活の在り方等健康に必要な事項の教育をいう。
　　2)「病態別」とは、肥満、高血圧、心臓病等と個人の生活習慣との関係及び健康的な生活習慣の形成についての教育をいう。
　　3)「薬」とは、薬の保管、適正な服用方法等に関する留意事項、薬の作用・副作用の発現に関する知識の教育をいう。

4 健康相談

平成29年度に市区町村が実施した健康相談の被指導延人員は1,239,899人であり、そのうち重点健康相談は456,955人となっている。

重点健康相談を内容別にみると、「病態別」が139,588人と最も多くなっている。（表5）

表5　健康相談の年次推移

(単位：人)

		被指導延人員					
		平成25年度 (2013)	26年度 ('14)	27年度 ('15)	28年度 ('16)	29年度 ('17)
総	数	1 431 696	1 390 990	1 336 561	1 296 383	1 239 899
重点健康相談	総　　　　数	506 553	504 815	506 695	479 158	456 955
	高　血　圧	83 169	80 841	75 192	79 985	72 065
	脂質異常症	25 832	24 897	25 287	23 224	23 033
	糖　尿　病	33 300	28 549	29 437	34 186	34 204
	歯周疾患	82 011	80 584	83 311	77 346	73 050
	骨粗鬆症	99 324	100 515	102 284	96 192	93 220
	女性の健康	16 803	18 394	19 728	19 859	21 795
	病態別1)	166 114	171 035	171 456	148 366	139 588
総合健康相談		925 143	886 175	829 866	817 225	782 944

注：1)「病態別」とは、重点健康相談の「高血圧」から「女性の健康」を除く、肥満、心臓病等の病態別に、個人の食生活その他の生活習慣を勘案して行う相談指導等をいう。

5　訪問指導

市区町村が実施した訪問指導の被訪問指導実人員は 189,186 人となっており、訪問指導の対象者別にみると、「要指導者等」が 121,242 人（64.1 %）と最も多くなっている（図２）。

図２　訪問指導の対象者別にみた被訪問指導実人員

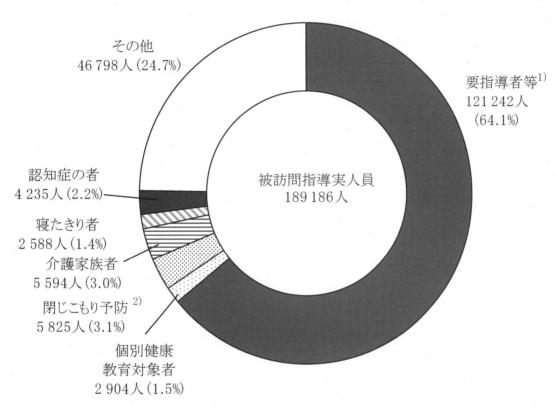

平成 29(2017)年度

注：1)「要指導者等」とは、生活習慣病改善のための指導が必要な者をいう。
2)「閉じこもり予防」とは、介護予防の観点から支援が必要な者で、健康管理上訪問指導が必要と認められた者をいう。

6 がん検診

（1）がん検診の受診者数及び受診率

　　市区町村が実施したがん検診の受診率は、「胃がん」8.4％、「肺がん」7.4％、「大腸がん」8.4％、「子宮頸がん」16.3％、「乳がん」17.4％となっている（表6）。

表6　がん検診受診者数及び受診率

（単位：人）　　　　　　　　　　　　　　　　　　　　　　　　　　　　　　　　　　　　　平成 29(2017)年度

	胃 が ん	肺 が ん	大腸がん	子宮頸がん	乳 が ん
受診者数	1 862 265	3 881 044	4 391 135	3 693 850	2 433 671
受 診 率 （%）[1]	8.4	7.4	8.4	16.3	17.4

注：「がん対策推進基本計画」（平成 24 年 6 月 8 日閣議決定）及び「がん予防重点健康教育及びがん検診実施のための指針」（平成 20 年 3 月 31 日健康局長通知別添）に基づき、がん検診の受診率の算定対象年齢を 40 歳から 69 歳（「胃がん」は 50 歳から 69 歳、「子宮頸がん」は 20 歳から 69 歳）までとした。「受診者数」及び「受診率」については、「Ⅳ　用語の解説」486、487 頁参照。
　1)受診率は、対象者数等の計数が不詳の市区町村を除いた値である。

（2）がん検診受診率の分布状況

　　市区町村のがん検診受診率の分布をみると、がん検診受診率が「0～10 ％未満」と低い市区町村数は、「肺がん」が 782（全国市区町村数に占める割合 45.0 ％）と最も多く、次いで「大腸がん」が 758（同 43.6 ％）となっている（表7、図3）。

表7　市区町村におけるがん検診受診率の分布状況

平成 29(2017)年度

	全国市区町村数[1]	がん検診受診率別市区町村数					
		0～10%未満	10～20%未満	20～30%未満	30～40%未満	40～50%未満	50%以上
胃 が ん	1 737	677	727	179	39	3	3
肺 が ん	1 737	782	705	199	39	7	1
大腸がん	1 737	758	792	161	19	2	2
子宮頸がん	1 737	120	887	529	127	18	7
乳 が ん	1 737	42	676	616	260	69	20

注：「がん対策推進基本計画」（平成 24 年 6 月 8 日閣議決定）及び「がん予防重点健康教育及びがん検診実施のための指針」（平成 20 年 3 月 31 日健康局長通知別添）に基づき、がん検診の受診率の算定対象年齢を 40 歳から 69 歳（「胃がん」は 50 歳から 69 歳、「子宮頸がん」は 20 歳から 69 歳）までとした。「受診率」については、「Ⅳ　用語の解説」486、487 頁参照。
　1)「全国市区町村数」にはがん検診受診率が不詳の市区町村を含む。

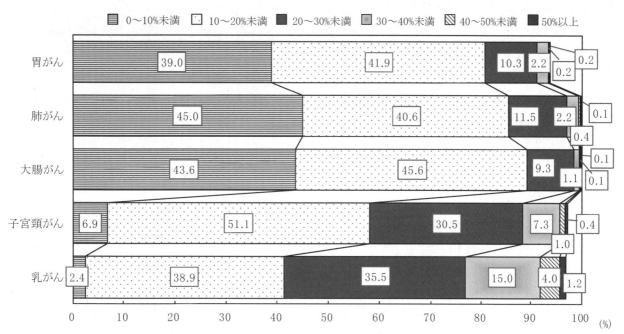

図３　市区町村におけるがん検診受診率の分布状況

平成 29(2017)年度

注：「がん対策推進基本計画」（平成 24 年 6 月 8 日閣議決定）及び「がん予防重点健康教育及びがん検診実施のための指針」（平成 20 年 3 月 31 日健康局長通知別添）に基づき、がん検診の受診率の算定対象年齢を 40 歳から 69 歳（「胃がん」は 50 歳から 69 歳、「子宮頸がん」は 20 歳から 69 歳）までとした。「受診者数」及び「受診率」については、「Ⅳ　用語の解説」486、487 頁参照。
なお、総数にはがん検診受診率が不詳の市区町村を含む。

（３）平成 28 年度がん検診受診者における要精密検査の受診状況

平成 28 年度に市区町村が実施したがん検診における要精密検査者のうちがんであった者数の、がん検診受診者数に対する割合は、「胃がん」0. 10 %、「肺がん」0. 03 %、「大腸がん」0. 17 %、「子宮頸がん」0. 04 %、「乳がん」0. 28 % となっている（表８）。

表８　平成 28 年度がん検診受診者における要精密検査の受診状況 [1)]

（単位：人）　　平成 28(2016)年度

		胃がん	肺がん	大腸がん	子宮頸がん	乳がん
がん検診受診者数 1)		2 482 333	4 075 104	4 633 580	3 804 714	2 584 439
要精密検査者数 1)		168 218	65 041	286 815	80 882	176 836
精密検査受診率 2)	(%)	80.1	79.0	69.5	76.3	87.5
がん検診受診者数に対する割合	(%)	6.78	1.60	6.19	2.13	6.84
がんであった者数 1)		2 523	1 374	7 943	1 355	7 336
がん検診受診者数に対する割合	(%)	0.10	0.03	0.17	0.04	0.28
要精密検査者数に対する割合	(%)	1.50	2.11	2.77	1.68	4.15
精密検査未受診者数 1)		12 310	4 117	37 698	5 628	5 977
精密検査未受診率 2)	(%)	7.3	6.6	13.1	7.2	3.4
精密検査未把握者数 1)		21 105	10 012	49 751	14 289	15 974
精密検査未把握率 2)	(%)	12.6	14.4	17.3	16.5	9.1

注：「がん対策推進基本計画」（平成 24 年 6 月 8 日閣議決定）及び「がん予防重点健康教育及びがん検診実施のための指針」（平成 20 年 3 月 31 日健康局長通知別添）に基づき、がん検診の受診率の算定対象年齢を 40 歳から 69 歳（「胃がん」は 50 歳から 69 歳、「子宮頸がん」は 20 歳から 69 歳）までとした。
1) がん検診受診者数については平成 28 年度受診者を平成 29 年度報告で改めて把握したものであり、平成 29 年度に精密検査を受診し、結果が判明した者についても含めている。
2)　「精密検査未受診者数」及び「精密検査未把握者数」の計数が不詳の市区町村を除いた値である。「精密検査受診率」、「精密検査未受診率」及び「精密検査未把握率」については、「Ⅳ　用語の解説」486、487 頁参照。

7　肝炎ウイルス検診

　市区町村が実施した肝炎ウイルス検診の受診者数は、「Ｂ型肝炎ウイルス検診」731,209 人、「Ｃ型
肝炎ウイルス検診」727,118 人となっている。

　Ｂ型肝炎ウイルス検診において「陽性」と判定された者は4,641 人、Ｃ型肝炎ウイルス検診におい
て「現在、Ｃ型肝炎ウイルスに感染している可能性が高い」と判定された者は2,203 人となっている。
（表9）

　肝炎ウイルスに関する健康教育の開催回数は 992 回、参加延人員は 42,942 人、健康相談の開催
回数は 1,961 回、参加延人員は 9,758 人となっている（表10）。

表9　肝炎ウイルス検診の実施状況

（単位：人）　　　　　　　　　　　　　　　　　　　　　　　　　　　　　　　　　　　　　　平成 29(2017)年度

	B型肝炎ウイルス検診		C型肝炎ウイルス検診	
	受 診 者 数	「陽性」と判定された者	受 診 者 数	「現在、C型肝炎ウイルスに感染している可能性が高い」と判定された者
総　　数	731 209	4 641	727 118	2 203
40歳	90 705	237	90 298	75
41〜44歳	61 637	227	61 648	87
45〜49歳	66 152	319	65 878	118
50〜54歳	57 622	340	57 431	156
55〜59歳	59 155	394	58 914	212
60〜64歳	88 177	662	87 621	219
65〜69歳	128 766	1 097	127 448	362
70〜74歳	97 107	835	96 534	350
75〜79歳	44 811	319	44 443	217
80歳以上	37 077	211	36 903	407

表10　肝炎ウイルスに関する健康教育・健康相談の実施状況

平成 29(2017)年度

健 康 教 育		健 康 相 談	
開催回数（回）	参加延人員（人）	開催回数（回）	参加延人員（人）
992	42 942	1 961	9 758

Ⅲ　統　計　表

利用上の注意

（1）事業の実施主体は、「市区町村」である。

（2）「政令市」とは保健所を設置する市、「特別区」とは東京都区部である。

（3）表章記号の規約

計数のない場合	－
計数不明又は計数を表章することが 不適当な場合	…
統計項目がありえない場合	・
比率等が微小（0.05未満）の場合	0.0

15(1) 健康増進事業等の対象者

第1表（4−1） 健康増進事業等の対象者数，都道府県−

	健康診査					胃がん				
	総数	40〜49歳	50〜59歳	60〜69歳	70歳以上	総数	40〜49歳	50〜59歳	60〜69歳	70歳以上
全国	**1 645 317**	**266 289**	**252 457**	**426 435**	**700 136**	**77 286 130**	**19 082 488**	**15 664 841**	**17 729 736**	**24 809 065**
北海道	115 281	16 484	18 096	30 525	50 176	3 429 277	760 173	684 171	840 979	1 143 954
青森	24 200	3 048	3 897	6 603	10 652	866 308	174 943	176 697	214 447	300 221
岩手	10 420	1 169	1 600	2 948	4 703	820 587	165 000	162 942	199 281	293 364
宮城	31 215	4 060	4 778	9 630	12 747	1 384 007	331 514	284 925	341 107	426 461
秋田	10 601	1 012	1 512	2 951	5 126	695 043	126 517	132 975	177 276	258 275
山形	6 391	656	1 006	1 893	2 836	716 745	137 848	140 468	178 711	259 718
福島	13 606	1 474	2 231	4 150	5 751	1 214 695	251 609	251 888	310 436	400 762
茨城	22 041	2 369	3 336	6 162	10 174	1 791 950	428 782	358 038	441 606	563 524
栃木	35 201	6 819	6 354	9 650	12 378	1 206 880	289 458	244 056	301 115	372 251
群馬	12 596	1 285	1 718	3 580	6 013	1 231 660	292 834	241 988	287 397	409 441
埼玉	76 811	10 858	11 966	20 282	33 705	4 378 492	1 191 125	898 305	997 026	1 292 036
千葉	64 076	8 435	10 316	16 361	28 964	3 781 373	998 426	764 929	852 904	1 165 114
東京	225 463	29 749	35 466	55 127	105 121	7 768 563	2 283 865	1 707 199	1 536 396	2 241 103
神奈川	141 991	63 449	14 930	22 765	40 847	5 423 416	1 512 812	1 167 431	1 139 543	1 603 630
新潟	16 197	2 166	2 765	4 798	6 468	1 454 488	307 822	280 872	359 100	506 694
富山	2 299	208	329	648	1 114	682 783	155 918	126 345	156 560	243 960
石川	5 593	514	799	1 546	2 734	702 418	168 496	135 958	168 018	229 946
福井	3 271	299	474	923	1 575	485 617	107 675	97 236	114 527	166 179
山梨	5 607	582	883	1 544	2 598	526 850	117 758	108 471	123 753	176 868
長野	8 650	1 048	1 465	2 683	3 454	1 328 952	297 250	256 385	303 982	471 335
岐阜	5 990	733	946	1 602	2 709	1 262 256	292 582	250 310	295 692	423 672
静岡	24 796	2 804	3 902	6 813	11 277	2 311 389	544 881	462 664	536 584	767 260
愛知	62 085	8 510	10 195	16 941	26 439	4 324 221	1 192 281	898 323	942 565	1 291 052
三重	11 580	1 363	1 860	3 175	5 182	1 123 080	267 467	225 540	260 287	369 786
滋賀	7 431	1 167	1 291	1 971	3 002	818 924	212 529	168 741	191 019	246 635
京都	38 085	5 019	5 712	9 176	18 178	1 566 816	386 332	307 923	343 796	528 765
大阪	237 750	34 149	36 137	61 086	106 378	5 300 098	1 413 805	1 076 506	1 131 783	1 678 004
兵庫	75 226	11 089	12 150	20 836	31 151	3 377 886	835 487	683 968	772 266	1 086 165
奈良	14 351	1 888	2 231	3 432	6 800	865 129	197 323	170 971	202 045	294 790
和歌山	13 082	2 264	2 252	3 209	5 357	629 206	134 120	122 425	148 596	224 065
鳥取	6 146	759	987	1 682	2 718	358 520	73 978	69 020	88 004	127 518
島根	4 504	538	681	1 384	1 901	442 962	86 647	80 564	107 450	168 301
岡山	19 075	2 682	3 028	4 964	8 401	1 168 855	270 863	219 395	269 052	409 545
広島	32 760	4 939	5 776	9 130	12 915	1 720 330	421 073	327 698	411 846	559 713
山口	8 708	1 033	1 275	2 717	3 683	904 600	186 719	159 833	218 463	339 585
徳島	10 166	1 134	1 554	3 236	4 242	489 668	100 554	92 717	122 747	173 650
香川	7 594	924	1 244	2 448	2 978	616 612	140 946	113 674	149 857	212 135
愛媛	18 333	2 046	2 774	5 810	7 703	884 242	187 477	168 664	218 955	309 146
高知	15 765	1 724	2 366	4 263	7 412	479 715	97 297	87 209	113 845	181 364
福岡	70 699	11 605	11 921	19 605	27 568	3 020 077	734 122	601 194	723 453	961 308
佐賀	5 230	478	913	1 670	2 169	506 111	105 159	102 257	127 116	171 579
長崎	23 864	2 817	3 859	7 351	9 837	873 747	174 064	175 481	220 077	304 125
熊本	19 798	2 210	3 188	5 638	8 762	1 103 612	223 720	219 087	270 289	390 516
大分	16 610	1 597	2 242	4 707	8 064	736 202	151 664	136 997	184 799	262 742
宮崎	13 949	1 528	2 100	4 056	6 265	697 532	141 441	136 128	178 868	241 095
鹿児島	21 687	2 373	3 481	6 505	9 328	1 030 519	200 818	207 278	264 207	358 216
沖縄	28 543	3 232	4 471	8 259	12 581	783 717	209 314	178 995	191 911	203 497
指定都市・特別区(再掲)										
東京都区部	170 500	21 465	26 291	42 430	80 314	5 260 306	1 597 405	1 165 946	1 016 048	1 480 907
札幌市	54 125	9 055	8 949	14 362	21 759	1 192 861	302 595	255 222	284 466	350 578
仙台市	13 367	2 229	2 365	3 686	5 087	599 350	167 533	128 746	138 157	164 914
さいたま市	15 765	2 237	2 615	4 045	6 868	736 014	216 131	162 300	154 031	203 552
千葉市	16 425	2 335	2 911	4 670	6 509	580 902	164 340	120 411	122 824	173 327
横浜市	55 021	8 356	8 821	14 139	23 705	2 176 210	622 857	470 471	468 691	614 191
川崎市	49 782	49 782	-	-	-	815 645	259 131	192 634	152 794	211 086
相模原市	9 832	1 663	1 831	2 130	4 208	428 671	115 886	91 489	91 311	129 985
新潟市	9 317	1 350	1 523	2 599	3 845	490 404	116 616	97 700	119 329	156 759
静岡市	7 240	863	1 143	2 005	3 229	443 397	103 875	89 303	97 575	152 644
浜松市	5 754	812	1 087	1 725	2 130	481 843	120 098	98 221	111 542	151 982
名古屋市	39 640	5 653	6 583	10 975	16 429	1 321 891	360 131	279 967	284 088	397 705
京都市	27 988	3 439	4 150	6 481	13 918	855 724	214 330	174 345	177 602	289 447
大阪市	115 345	13 270	16 677	30 606	54 792	1 584 371	426 014	335 433	320 633	502 291
堺市	20 010	2 918	2 866	5 248	8 978	507 211	136 724	95 521	113 849	161 117
神戸市	35 876	5 522	5 687	9 698	14 969	924 553	225 675	187 720	219 809	291 349
岡山市	10 085	1 561	1 692	2 649	4 183	408 960	107 201	82 073	92 373	127 313
広島市	18 412	3 095	3 476	4 988	6 853	688 426	193 131	139 601	158 828	196 866
北九州市	14 481	3 256	2 774	3 351	5 100	593 517	133 461	113 688	137 361	209 007
福岡市	17 585	3 688	3 557	4 688	5 652	819 477	239 369	177 553	186 796	215 759
熊本市	12 336	1 599	2 081	3 498	5 158	426 774	103 382	91 623	98 504	133 265

指定都市・特別区－中核市－その他政令市、事業の内容、年齢階級別

平成29年度

肺 が ん					大 腸 が ん				
総　　　数	40～49歳	50～59歳	60～69歳	70歳以上	総　　　数	40～49歳	50～59歳	60～69歳	70歳以上
77 292 839	19 088 680	15 664 175	17 731 880	24 808 104	77 340 403	19 086 870	15 670 869	17 771 491	24 811 173
3 429 209	760 176	684 174	840 903	1 143 956	3 429 222	760 175	684 174	840 903	1 143 970
866 402	174 943	176 697	214 447	300 315	866 308	174 943	176 697	214 447	300 221
820 691	165 000	162 942	199 285	293 464	824 331	165 000	166 760	199 281	293 290
1 384 060	331 494	284 924	341 109	426 533	1 384 060	331 494	284 924	341 109	426 533
695 041	126 517	132 976	177 315	258 233	695 041	126 517	132 976	177 315	258 233
716 765	137 848	140 515	178 742	259 660	716 765	137 848	140 515	178 742	259 660
1 214 645	251 609	251 933	310 362	400 741	1 214 645	251 609	251 933	310 362	400 741
1 791 949	428 782	358 034	441 606	563 527	1 793 946	428 782	360 034	441 606	563 524
1 206 869	289 458	244 131	301 115	372 165	1 222 461	289 372	244 131	316 793	372 165
1 231 650	292 834	241 988	287 397	409 431	1 231 650	292 834	241 988	287 397	409 431
4 378 492	1 191 125	898 305	997 026	1 292 036	4 378 492	1 191 125	898 305	997 026	1 292 036
3 781 373	998 426	764 929	852 904	1 165 114	3 781 373	998 426	764 929	852 904	1 165 114
7 771 373	2 287 757	1 705 772	1 538 246	2 239 598	7 768 147	2 285 778	1 705 890	1 535 949	2 240 530
5 423 438	1 512 814	1 167 431	1 139 543	1 603 650	5 423 438	1 512 814	1 167 431	1 139 543	1 603 650
1 454 488	307 822	280 872	359 100	506 694	1 454 488	307 822	280 872	359 100	506 694
682 783	155 918	126 345	156 560	243 960	682 774	155 918	126 345	156 560	243 951
702 418	168 496	135 958	168 018	229 946	702 418	168 496	135 958	168 018	229 946
485 617	107 675	97 236	114 527	166 179	485 693	107 751	97 236	114 527	166 179
526 897	117 763	108 471	123 753	176 910	526 897	117 763	108 471	123 753	176 910
1 329 663	297 250	256 387	304 377	471 649	1 329 557	297 250	256 387	304 377	471 543
1 264 771	295 097	250 310	295 692	423 672	1 266 853	295 066	250 942	294 398	426 447
2 311 351	544 881	462 664	536 546	767 260	2 311 351	544 881	462 664	536 546	767 260
4 324 807	1 192 281	898 912	942 565	1 291 049	4 324 857	1 192 281	898 962	942 565	1 291 049
1 122 880	267 267	225 540	260 287	369 786	1 123 080	267 467	225 540	260 287	369 786
818 924	212 529	168 741	191 019	246 635	818 924	212 529	168 741	191 019	246 635
1 566 811	386 332	307 923	343 791	528 765	1 594 568	386 332	307 923	371 548	528 765
5 300 199	1 413 805	1 076 506	1 131 784	1 678 104	5 300 199	1 413 805	1 076 506	1 131 784	1 678 104
3 377 856	835 487	683 938	772 266	1 086 165	3 377 856	835 487	683 938	772 266	1 086 165
865 152	197 323	170 994	202 045	294 790	865 152	197 323	170 994	202 045	294 790
629 206	134 120	122 425	148 596	224 065	628 936	134 120	122 425	148 326	224 065
358 520	73 978	69 020	88 004	127 518	358 520	73 978	69 020	88 004	127 518
442 969	86 647	80 565	107 455	168 302	442 972	86 652	80 567	107 451	168 302
1 168 856	270 863	219 395	269 053	409 545	1 168 785	270 853	219 395	268 962	409 575
1 720 330	421 073	327 698	411 846	559 713	1 720 295	421 073	327 698	411 846	559 678
904 600	186 719	159 833	218 463	339 585	904 727	186 719	159 833	218 590	339 585
489 668	100 554	92 717	122 747	173 650	489 663	100 554	92 712	122 747	173 650
616 612	140 946	113 674	149 857	212 135	616 612	140 946	113 674	149 857	212 135
884 242	187 477	168 664	218 955	309 146	884 242	187 477	168 664	218 955	309 146
479 685	97 297	87 209	113 845	181 334	479 415	97 297	87 209	113 845	181 064
3 020 077	734 122	601 194	723 453	961 308	3 020 127	734 127	601 239	723 453	961 308
506 168	105 159	102 259	127 126	171 624	506 180	105 159	102 259	127 130	171 632
873 747	174 064	175 481	220 077	304 125	873 747	174 064	175 481	220 077	304 125
1 103 612	223 720	219 087	270 289	390 516	1 103 612	223 720	219 087	270 289	390 516
736 202	151 664	136 997	184 799	262 742	736 203	151 664	136 997	184 800	262 742
697 532	141 441	136 128	178 868	241 095	697 532	141 441	136 128	178 868	241 095
1 030 520	200 813	207 284	264 206	358 217	1 030 534	200 824	207 282	264 210	358 218
783 719	209 314	178 997	191 911	203 497	783 755	209 314	179 033	191 911	203 497
5 263 116	1 601 297	1 164 519	1 017 898	1 479 402	5 259 910	1 599 338	1 164 637	1 015 601	1 480 334
1 192 861	302 595	255 222	284 466	350 578	1 192 861	302 595	255 222	284 466	350 578
599 350	167 533	128 746	138 157	164 914	599 350	167 533	128 746	138 157	164 914
736 014	216 131	162 300	154 031	203 552	736 014	216 131	162 300	154 031	203 552
580 902	164 340	120 411	122 824	173 327	580 902	164 340	120 411	122 824	173 327
2 176 210	622 857	470 471	468 691	614 191	2 176 210	622 857	470 471	468 691	614 191
815 645	259 131	192 634	152 794	211 086	815 645	259 131	192 634	152 794	211 086
428 671	115 886	91 489	91 311	129 985	428 671	115 886	91 489	91 311	129 985
490 404	116 616	97 700	119 329	156 759	490 404	116 616	97 700	119 329	156 759
443 397	103 875	89 303	97 575	152 644	443 397	103 875	89 303	97 575	152 644
481 843	120 098	98 221	111 542	151 982	481 843	120 098	98 221	111 542	151 982
1 321 891	360 131	279 967	284 088	397 705	1 321 891	360 131	279 967	284 088	397 705
855 724	214 330	174 345	177 602	289 447	883 481	214 330	174 345	205 359	289 447
1 584 371	426 014	335 433	320 633	502 291	1 584 371	426 014	335 433	320 633	502 291
507 211	136 724	95 521	113 849	161 117	507 211	136 724	95 521	113 849	161 117
924 553	225 675	187 720	219 809	291 349	924 553	225 675	187 720	219 809	291 349
408 960	107 201	82 073	92 373	127 313	408 900	107 201	82 073	92 283	127 343
688 426	193 131	139 601	158 828	196 866	688 426	193 131	139 601	158 828	196 866
593 517	133 461	113 688	137 361	209 007	593 517	133 461	113 688	137 361	209 007
819 477	239 369	177 553	186 796	215 759	819 477	239 369	177 553	186 796	215 759
426 774	103 382	91 623	98 504	133 265	426 774	103 382	91 623	98 504	133 265

第１表（4−2） 健康増進事業等の対象者数，都道府県−

	健康診査					胃がん				
	総数	40〜49歳	50〜59歳	60〜69歳	70歳以上	総数	40〜49歳	50〜59歳	60〜69歳	70歳以上
中核市(再掲)										
旭川市	1 657	223	242	455	737	222 534	47 444	41 908	55 822	77 360
函館市	9 817	1 246	1 459	2 669	4 443	177 777	36 371	33 428	45 568	62 410
青森市	7 407	1 611	1 547	1 786	2 463	189 060	41 119	39 500	45 588	62 853
八戸市	2 497	410	530	988	569	150 310	33 103	31 026	35 964	50 217
盛岡市	3 446	493	527	969	1 457	176 346	43 131	38 113	41 293	53 809
秋田市	4 566	524	661	1 229	2 152	197 655	44 718	40 889	50 413	61 635
郡山市	2 747	322	483	877	1 065	191 932	47 242	42 412	47 816	54 462
いわき市	3 389	353	489	1 023	1 524	218 822	46 734	45 239	55 647	71 202
宇都宮市	6 758	1 078	1 212	2 043	2 425	300 853	82 984	62 099	70 655	85 115
前橋市	3 341	340	489	897	1 615	207 275	49 566	41 140	48 713	67 856
高崎市	2 851	294	382	780	1 395	229 785	57 479	45 121	49 601	77 584
川越市	3 421	520	563	940	1 398	207 801	56 468	41 002	47 497	62 834
越谷市	2 957	497	497	788	1 175	198 346	58 036	39 578	43 510	57 222
船橋市	7 052	1 023	1 145	1 670	3 214	363 253	109 376	74 099	73 951	105 827
柏市	3 517	518	546	877	1 576	235 526	64 314	46 356	56 955	67 901
八王子市	7 128	1 024	1 264	1 648	3 192	342 931	87 086	72 224	72 142	111 479
横須賀市	4 324	500	674	1 019	2 131	260 470	60 561	50 634	55 863	93 412
富山市	1 497	144	220	403	730	258 083	63 565	49 092	59 863	85 563
金沢市	3 580	382	548	972	1 678	266 947	70 287	54 007	61 970	80 683
長野市	2 637	356	479	774	1 028	234 140	55 855	46 941	53 633	77 711
岐阜市	2 031	348	364	525	794	252 709	62 213	51 704	54 853	83 939
豊橋市	1 829	205	273	538	813	222 962	57 647	46 879	48 284	70 152
豊田市	1 804	277	312	479	736	229 625	65 487	48 444	54 140	61 554
岡崎市	1 566	196	262	379	729	215 710	59 698	47 616	47 176	61 220
大津市	2 709	423	477	709	1 100	202 838	52 765	42 810	47 681	59 582
高槻市	4 322	760	737	1 066	1 759	216 684	57 142	40 251	47 643	71 648
東大阪市	13 792	2 214	2 139	3 486	5 953	296 754	79 931	60 105	65 192	91 526
豊中市	−	−	−	−	−	239 584	66 652	49 557	49 880	73 495
枚方市	6 034	899	933	1 449	2 753	244 709	64 806	48 043	56 769	75 091
姫路市	3 388	624	722	1 438	604	311 205	80 969	62 788	71 475	95 973
西宮市	5 998	1 004	1 020	1 513	2 461	281 902	84 028	60 463	59 010	78 401
尼崎市	13 665	1 794	2 051	3 847	5 973	282 712	73 600	57 594	58 443	93 075
奈良市	5 644	861	983	1 342	2 458	231 769	52 378	46 368	51 650	81 373
和歌山市	7 945	1 861	1 568	1 841	2 675	231 832	54 254	45 661	53 636	78 281
倉敷市	5 496	739	799	1 276	2 682	286 768	72 671	53 773	61 766	98 558
福山市	5 263	744	838	1 490	2 191	278 602	68 903	52 799	68 459	88 441
呉市	3 048	388	464	831	1 365	149 480	31 309	25 611	35 373	57 187
下関市	329	83	53	106	87	174 788	34 537	31 117	42 121	67 013
高松市	4 373	543	754	1 402	1 674	255 445	65 803	49 403	60 742	79 497
松山市	10 319	1 294	1 634	3 114	4 277	308 904	76 680	63 238	74 171	94 815
高知市	9 474	1 228	1 577	2 430	4 239	206 770	50 159	41 221	46 157	69 233
久留米市	4 846	633	787	1 349	2 077	180 094	42 947	36 401	42 405	58 341
長崎市	10 833	1 527	1 896	3 359	4 051	272 817	56 113	55 534	68 821	92 349
佐世保市	4 506	467	622	1 435	1 982	155 108	32 173	29 567	38 947	54 421
大分市	7 162	826	1 087	2 136	3 113	280 609	70 146	56 825	70 795	82 843
宮崎市	7 014	881	1 102	1 900	3 131	239 403	57 365	49 268	60 181	72 589
鹿児島市	11 883	1 498	1 926	3 499	4 960	354 294	83 061	75 198	89 935	106 100
那覇市	9 999	1 217	1 566	2 835	4 381	178 344	49 247	40 105	42 058	46 934
その他政令市(再掲)										
小樽市	3 782	445	544	975	1 818	85 373	15 473	14 757	21 974	33 169
町田市	5 436	980	979	1 166	2 311	260 287	72 092	53 308	54 279	80 608
藤沢市	3 817	620	653	817	1 727	258 955	73 502	56 878	49 360	79 215
茅ヶ崎市	1 654	267	277	357	753	149 497	40 836	31 999	29 494	47 168
四日市市	2 582	352	408	649	1 173	178 773	49 549	38 143	40 481	50 600
大牟田市	…	…	…	…	…	79 659	13 919	14 114	19 854	31 772

注：「…」については対象者が未把握のものである。

指定都市・特別区－中核市－その他政令市、事業の内容、年齢階級別

平成29年度

肺	が		ん		大	腸	が		ん
総　数	40～49歳	50～59歳	60～69歳	70歳以上	総　数	40～49歳	50～59歳	60～69歳	70歳以上
222 534	47 444	41 908	55 822	77 360	222 534	47 444	41 908	55 822	77 360
177 777	36 371	33 428	45 568	62 410	177 777	36 371	33 428	45 568	62 410
189 060	41 119	39 500	45 588	62 853	189 060	41 119	39 500	45 588	62 853
150 310	33 103	31 026	35 964	50 217	150 310	33 103	31 026	35 964	50 217
176 346	43 131	38 113	41 293	53 809	176 346	43 131	38 113	41 293	53 809
197 655	44 718	40 889	50 413	61 635	197 655	44 718	40 889	50 413	61 635
191 932	47 242	42 412	47 816	54 462	191 932	47 242	42 412	47 816	54 462
218 822	46 734	45 239	55 647	71 202	218 822	46 734	45 239	55 647	71 202
300 853	82 984	62 099	70 655	85 115	300 853	82 984	62 099	70 655	85 115
207 275	49 566	41 140	48 713	67 856	207 275	49 566	41 140	48 713	67 856
229 785	57 479	45 121	49 601	77 584	229 785	57 479	45 121	49 601	77 584
207 801	56 468	41 002	47 497	62 834	207 801	56 468	41 002	47 497	62 834
198 346	58 036	39 578	43 510	57 222	198 346	58 036	39 578	43 510	57 222
363 253	109 376	74 099	73 951	105 827	363 253	109 376	74 099	73 951	105 827
235 526	64 314	46 356	56 955	67 901	235 526	64 314	46 356	56 955	67 901
342 931	87 086	72 224	72 142	111 479	342 931	87 086	72 224	72 142	111 479
260 470	60 561	50 634	55 863	93 412	260 470	60 561	50 634	55 863	93 412
258 083	63 565	49 092	59 863	85 563	258 083	63 565	49 092	59 863	85 563
266 947	70 287	54 007	61 970	80 683	266 947	70 287	54 007	61 970	80 683
234 141	55 855	46 941	53 633	77 712	234 135	55 855	46 941	53 633	77 706
252 709	62 213	51 704	54 853	83 939	252 709	62 213	51 704	54 853	83 939
222 962	57 647	46 879	48 284	70 152	222 962	57 647	46 879	48 284	70 152
229 625	65 487	48 444	54 140	61 554	229 625	65 487	48 444	54 140	61 554
215 710	59 698	47 616	47 176	61 220	215 710	59 698	47 616	47 176	61 220
202 838	52 765	42 810	47 681	59 582	202 838	52 765	42 810	47 681	59 582
216 684	57 142	40 251	47 643	71 648	216 684	57 142	40 251	47 643	71 648
296 754	79 931	60 105	65 192	91 526	296 754	79 931	60 105	65 192	91 526
239 584	66 652	49 557	49 880	73 495	239 584	66 652	49 557	49 880	73 495
244 709	64 806	48 043	56 769	75 091	244 709	64 806	48 043	56 769	75 091
311 205	80 969	62 788	71 475	95 973	311 205	80 969	62 788	71 475	95 973
281 902	84 028	60 463	59 010	78 401	281 902	84 028	60 463	59 010	78 401
282 712	73 600	57 594	58 443	93 075	282 712	73 600	57 594	58 443	93 075
231 769	52 378	46 368	51 650	81 373	231 769	52 378	46 368	51 650	81 373
231 832	54 254	45 661	53 636	78 281	231 832	54 254	45 661	53 636	78 281
286 768	72 671	53 773	61 766	98 558	286 768	72 671	53 773	61 766	98 558
278 602	68 903	52 799	68 459	88 441	278 602	68 903	52 799	68 459	88 441
149 480	31 309	25 611	35 373	57 187	149 480	31 309	25 611	35 373	57 187
174 788	34 537	31 117	42 121	67 013	174 788	34 537	31 117	42 121	67 013
255 445	65 803	49 403	60 742	79 497	255 445	65 803	49 403	60 742	79 497
308 904	76 680	63 238	74 171	94 815	308 904	76 680	63 238	74 171	94 815
206 770	50 159	41 221	46 157	69 233	206 770	50 159	41 221	46 157	69 233
180 094	42 947	36 401	42 405	58 341	180 094	42 947	36 401	42 405	58 341
272 817	56 113	55 534	68 821	92 349	272 817	56 113	55 534	68 821	92 349
155 108	32 173	29 567	38 947	54 421	155 108	32 173	29 567	38 947	54 421
280 609	70 146	56 825	70 795	82 843	280 609	70 146	56 825	70 795	82 843
239 403	57 365	49 268	60 181	72 589	239 403	57 365	49 268	60 181	72 589
354 294	83 061	75 198	89 935	106 100	354 294	83 061	75 198	89 935	106 100
178 344	49 247	40 105	42 058	46 934	178 344	49 247	40 105	42 058	46 934
85 373	15 473	14 757	21 974	33 169	85 373	15 473	14 757	21 974	33 169
260 287	72 092	53 308	54 279	80 608	260 287	72 092	53 308	54 279	80 608
258 955	73 502	56 878	49 360	79 215	258 955	73 502	56 878	49 360	79 215
149 519	40 838	31 999	29 494	47 188	149 519	40 838	31 999	29 494	47 188
178 773	49 549	38 143	40 481	50 600	178 773	49 549	38 143	40 481	50 600
79 659	13 919	14 114	19 854	31 772	79 659	13 919	14 114	19 854	31 772

15(1) 健康増進事業等の対象者

第1表（4-3） 健康増進事業等の対象者数，都道府県-

	子　　宮　　頸　　が　　ん				
	総　　数	20 ～ 29 歳	30 ～ 39 歳	40 ～ 49 歳	50 ～ 59 歳	60 ～ 69 歳
全　　　国	54 627 490	6 235 488	7 583 834	9 401 867	7 811 752	9 065 898
北　海　道	2 412 181	237 551	302 772	385 241	354 894	444 244
青　　森	591 266	50 520	67 423	87 286	90 305	111 271
岩　　手	556 064	50 318	65 545	80 453	80 988	100 702
宮　　城	988 359	113 944	144 143	162 491	142 760	173 295
秋　　田	466 824	35 477	50 156	62 790	67 486	91 053
山　　形	489 070	46 297	58 592	67 997	70 933	89 316
福　　島	824 184	82 352	102 506	122 131	124 427	154 005
茨　　城	1 215 043	130 696	163 812	205 253	175 803	222 435
栃　　木	827 081	89 393	114 488	138 610	119 686	150 522
群　　馬	839 088	90 474	107 072	141 793	119 120	144 810
埼　　玉	3 046 296	372 737	444 496	568 697	434 181	505 064
千　　葉	2 627 861	313 138	375 759	479 486	371 305	433 682
東　　京	5 844 335	821 123	988 906	1 120 983	826 349	773 857
神　奈　川	3 809 818	462 811	568 898	731 235	559 812	576 724
新　　潟	992 286	96 490	122 494	151 005	139 457	181 056
富　　山	466 113	45 520	54 983	75 777	63 448	80 847
石　　川	494 051	53 897	63 899	83 318	68 991	86 864
福　　井	337 648	35 817	43 005	53 276	49 247	58 057
山　　梨	360 997	38 864	43 612	58 180	53 966	62 922
長　　野	900 911	88 060	110 748	145 407	127 911	153 772
岐　　阜	876 240	95 670	111 051	145 437	126 745	152 328
静　　岡	1 578 458	165 343	207 353	263 832	228 011	271 172
愛　　知	3 075 744	391 464	460 306	574 121	437 722	479 812
三　　重	778 601	84 843	100 500	131 114	113 255	134 135
滋　　賀	584 450	69 126	86 691	104 826	85 005	97 259
京　　都	1 120 480	131 018	148 551	193 777	157 049	180 367
大　　阪	3 831 497	475 145	540 993	709 562	541 352	587 463
兵　　庫	2 410 165	269 015	325 452	424 346	351 540	401 357
奈　　良	607 246	65 132	74 972	101 344	89 042	106 590
和　歌　山	436 959	43 127	50 587	67 897	64 030	77 232
鳥　　取	249 620	24 209	31 140	36 614	35 254	44 697
島　　根	302 577	28 241	35 283	42 536	40 491	53 618
岡　　山	827 529	93 444	108 419	134 908	111 294	137 984
広　　島	1 221 349	137 496	165 514	209 296	165 571	211 435
山　　口	620 927	56 347	70 827	92 972	82 386	112 844
徳　　島	338 266	32 340	40 934	51 086	47 693	62 238
香　　川	429 009	43 506	55 397	69 946	57 834	76 869
愛　　媛	616 532	57 869	75 768	94 704	87 163	113 825
高　　知	325 787	27 803	36 613	48 729	44 728	58 470
福　　岡	2 241 128	272 559	327 489	370 961	310 002	376 887
佐　　賀	362 897	37 998	47 594	53 394	52 689	65 191
長　　崎	609 200	57 155	72 780	88 731	90 746	113 421
熊　　本	783 794	79 940	100 736	113 596	113 745	138 673
大　　分	514 445	47 757	63 680	76 433	70 906	96 838
宮　　崎	488 772	45 611	61 651	72 779	70 840	92 324
鹿　児　島	728 435	71 773	94 781	103 300	106 702	133 566
沖　　縄	577 907	76 078	95 463	104 217	88 888	94 805

指定都市・特別区（再掲）

東京都区部	4 058 831	594 998	730 289	787 706	563 987	507 557
札　幌　市	888 569	105 300	128 965	156 549	135 043	151 105
仙　台　市	453 621	61 775	74 647	83 097	65 073	72 182
さいたま市	530 417	69 826	83 762	104 989	78 383	77 794
千　葉　市	402 730	48 397	56 935	80 062	57 746	62 675
横　浜　市	1 547 706	188 454	239 591	304 372	227 368	236 659
川　崎　市	608 622	91 197	108 772	123 342	90 023	74 943
相模原市	299 734	40 036	41 248	55 470	44 076	46 766
新　潟　市	347 362	37 382	47 615	57 980	49 445	61 445
静　岡　市	304 837	31 840	38 468	50 929	44 750	49 806
浜　松　市	333 935	37 218	47 508	58 404	47 723	55 813
名古屋市	962 337	128 105	145 711	175 398	137 433	143 229
京　都　市	631 642	81 018	86 274	109 315	89 329	93 234
大　阪　市	1 188 866	169 907	186 154	211 590	166 818	158 662
堺　　市	362 095	40 800	50 011	68 571	48 429	60 808
神　戸　市	676 279	78 787	95 510	116 372	98 220	114 649
岡　山　市	302 771	38 159	44 940	53 937	41 889	47 907
広　島　市	504 728	62 864	76 630	96 958	70 534	82 184
北九州市	423 156	44 645	52 982	67 435	58 677	72 041
福　岡　市	661 950	101 115	117 383	122 440	91 065	97 870
熊　本　市	317 810	37 944	46 164	53 297	48 262	51 694

40

指定都市・特別区－中核市－その他政令市、事業の内容、年齢階級別

平成29年度

	乳	が			ん
70 歳 以 上	総 数	40 ～ 49 歳	50 ～ 59 歳	60 ～ 69 歳	70 歳 以 上
14 528 651	40 809 112	9 401 860	7 812 194	9 065 444	14 529 614
687 479	1 871 851	385 407	354 888	443 943	687 613
184 461	473 323	87 286	90 305	111 271	184 461
178 058	440 201	80 453	80 988	100 702	178 058
251 726	730 155	162 457	142 769	173 281	251 648
159 862	381 191	62 790	67 486	91 053	159 862
155 935	384 226	67 997	70 933	89 316	155 980
238 763	639 325	122 131	124 426	154 005	238 763
317 044	920 405	205 136	175 802	222 435	317 032
214 382	623 200	138 610	119 686	150 522	214 382
235 819	641 526	141 755	119 147	144 858	235 766
721 121	2 229 063	568 697	434 181	505 064	721 121
654 491	1 938 969	479 486	371 312	433 680	654 491
1 313 117	4 034 306	1 120 983	826 349	773 857	1 313 117
910 338	2 777 749	731 235	559 812	576 364	910 338
301 784	773 302	151 005	139 457	181 056	301 784
145 538	365 610	75 777	63 448	80 847	145 538
137 082	376 255	83 318	68 991	86 864	137 082
98 246	258 824	53 274	49 247	58 057	98 246
103 453	278 954	58 149	54 430	62 922	103 453
275 013	702 103	145 407	127 911	153 772	275 013
245 009	669 519	145 437	126 745	152 328	245 009
442 747	1 205 762	263 832	228 011	271 172	442 747
732 319	2 224 083	574 121	437 721	479 922	732 319
214 754	593 258	131 114	113 255	134 135	214 754
141 543	428 633	104 826	85 005	97 259	141 543
309 718	840 911	193 777	157 049	180 367	309 718
976 982	2 815 359	709 562	541 352	587 463	976 982
638 455	1 815 698	424 346	351 540	401 357	638 455
170 166	467 142	101 344	89 042	106 590	170 166
134 086	343 245	67 897	64 030	77 232	134 086
77 706	194 271	36 614	35 254	44 697	77 706
102 408	239 048	42 535	40 489	53 616	102 408
241 480	626 030	134 908	111 294	137 984	241 844
332 037	918 339	209 296	165 571	211 435	332 037
205 551	493 753	92 972	82 386	112 844	205 551
103 975	264 992	51 086	47 693	62 238	103 975
125 457	330 106	69 946	57 834	76 869	125 457
187 203	482 895	94 704	87 163	113 825	187 203
109 444	261 409	48 729	44 728	58 470	109 482
583 230	1 641 082	370 963	310 002	376 887	583 230
106 031	277 266	53 395	52 584	65 205	106 082
186 367	479 278	88 731	90 754	113 426	186 367
237 104	603 118	113 596	113 745	138 673	237 104
158 831	403 654	76 513	70 950	96 886	159 305
145 567	381 510	72 779	70 840	92 324	145 567
218 313	561 880	103 300	106 701	133 566	218 313
118 456	406 333	104 184	88 888	94 805	118 456
874 294	2 733 544	787 706	563 987	507 557	874 294
211 607	654 304	156 549	135 043	151 105	211 607
96 847	317 199	83 097	65 073	72 182	96 847
115 663	376 829	104 989	78 383	77 794	115 663
96 915	297 398	80 062	57 746	62 675	96 915
351 262	1 119 661	304 372	227 368	236 659	351 262
120 345	408 653	123 342	90 023	74 943	120 345
72 138	218 450	55 470	44 076	46 766	72 138
93 495	262 365	57 980	49 445	61 445	93 495
89 044	234 529	50 929	44 750	49 806	89 044
87 269	249 209	58 404	47 723	55 813	87 269
232 461	688 521	175 398	137 433	143 229	232 461
172 472	464 350	109 315	89 329	93 234	172 472
295 735	832 805	211 590	166 818	158 662	295 735
93 476	271 284	68 571	48 429	60 808	93 476
172 741	501 982	116 372	98 220	114 649	172 741
75 939	219 672	53 937	41 889	47 907	75 939
115 558	365 234	96 958	70 534	82 184	115 558
127 376	325 529	67 435	58 677	72 041	127 376
132 077	443 452	122 440	91 065	97 870	132 077
80 449	233 702	53 297	48 262	51 694	80 449

第1表（4−4） 健康増進事業等の対象者数，都道府県−

	子宮頸がん					
	総数	20 ～ 29 歳	30 ～ 39 歳	40 ～ 49 歳	50 ～ 59 歳	60 ～ 69 歳
中核市(再掲)						
旭川市	157 002	14 373	19 164	24 609	22 422	29 984
函館市	125 539	10 502	14 067	18 864	18 058	24 845
青森市	132 200	11 836	16 015	20 874	20 531	24 213
八戸市	103 085	9 700	12 451	16 425	15 837	18 515
盛岡市	129 006	14 614	18 336	21 788	19 658	21 787
秋田市	140 030	13 752	18 137	22 560	21 340	26 510
郡山市	137 458	16 662	19 948	22 977	21 171	24 244
いわき市	145 001	12 614	17 929	22 242	22 094	27 703
宇都宮市	213 883	24 461	33 874	39 814	30 394	36 158
前橋市	144 119	15 995	18 860	24 298	20 611	24 747
高崎市	159 274	17 693	21 344	28 084	22 380	25 342
川越市	145 590	18 052	21 335	26 946	19 815	24 488
越谷市	140 538	17 600	21 751	27 812	19 169	22 530
船橋市	260 773	33 155	41 822	52 584	35 216	38 363
柏市	170 300	20 262	28 012	31 039	23 331	29 910
八王子市	237 001	30 729	30 201	41 886	34 828	36 828
横須賀市	172 612	17 235	19 969	29 243	24 611	28 303
富山市	179 892	18 720	23 381	31 053	24 702	30 956
金沢市	194 524	23 390	27 947	35 087	27 591	32 301
長野市	163 400	16 942	22 138	27 639	23 615	27 517
岐阜市	179 440	20 378	23 116	31 517	26 332	28 748
豊橋市	154 840	18 624	21 864	27 433	22 894	24 296
豊田市	162 510	22 089	25 977	30 749	22 984	27 431
岡崎市	153 686	19 751	24 260	28 426	23 183	23 705
大津市	144 687	16 473	20 697	26 691	21 914	24 640
高槻市	153 862	16 885	20 856	28 783	20 535	25 821
東大阪市	208 845	25 424	26 723	39 359	29 777	33 730
豊中市	175 172	19 795	26 134	34 165	25 303	26 088
枚方市	173 457	19 777	23 502	32 811	24 425	30 295
姫路市	222 628	25 814	30 537	40 623	31 900	36 914
西宮市	209 002	24 678	31 813	43 737	30 896	31 437
尼崎市	201 031	23 961	28 021	36 094	28 515	29 844
奈良市	163 030	17 313	19 548	27 320	24 352	27 591
和歌山市	164 931	17 518	20 819	27 593	23 919	28 250
倉敷市	204 667	24 634	28 495	36 128	27 226	31 692
福山市	199 093	22 715	27 876	34 413	26 837	35 106
呉市	101 729	9 901	11 110	15 248	12 987	18 177
下関市	121 293	10 765	13 327	17 337	16 426	22 170
高松市	182 432	19 530	26 208	32 838	25 149	31 539
松山市	227 850	26 100	32 144	39 433	33 428	39 209
高知市	148 062	14 778	19 062	25 717	21 657	24 370
久留米市	133 262	16 172	18 824	21 755	18 980	22 008
長崎市	194 336	19 440	23 063	29 217	29 413	36 123
佐世保市	109 777	10 582	13 763	16 166	15 300	20 347
大分市	202 186	20 476	30 516	35 606	29 740	37 045
宮崎市	174 253	18 673	24 906	29 631	25 853	31 750
鹿児島市	267 098	32 384	39 948	43 552	40 138	46 778
那覇市	133 249	17 000	21 155	24 656	20 351	21 671
その他政令市(再掲)						
小樽市	58 148	4 319	5 246	8 056	7 900	11 924
町田市	180 794	20 174	24 529	35 360	26 238	28 416
藤沢市	179 666	19 894	25 930	35 955	27 083	25 502
茅ヶ崎市	103 299	10 516	14 786	20 243	15 484	15 615
四日市市	125 949	15 448	17 987	23 671	18 796	20 897
大牟田市	56 031	5 355	6 072	7 035	7 393	10 221

注：「…」については対象者が未把握のものである。

指定都市・特別区－中核市－その他政令市、事業の内容、年齢階級別

平成29年度

	乳	が			ん
70 歳 以 上	総 数	40 ～ 49 歳	50 ～ 59 歳	60 ～ 69 歳	70 歳 以 上
46 450	123 465	24 609	22 422	29 984	46 450
39 203	100 970	18 864	18 058	24 845	39 203
38 731	104 349	20 874	20 531	24 213	38 731
30 157	80 934	16 425	15 837	18 515	30 157
32 823	96 056	21 788	19 658	21 787	32 823
37 731	108 141	22 560	21 340	26 510	37 731
32 456	100 848	22 977	21 171	24 244	32 456
42 419	114 458	22 242	22 094	27 703	42 419
49 182	155 548	39 814	30 394	36 158	49 182
39 608	109 264	24 298	20 611	24 747	39 608
44 431	120 237	28 084	22 380	25 342	44 431
34 954	106 203	26 946	19 815	24 488	34 954
31 676	101 187	27 812	19 169	22 530	31 676
59 633	185 796	52 584	35 216	38 363	59 633
37 746	122 026	31 039	23 331	29 910	37 746
62 529	176 071	41 886	34 828	36 828	62 529
53 251	135 408	29 243	24 611	28 303	53 251
51 080	137 791	31 053	24 702	30 956	51 080
48 208	143 187	35 087	27 591	32 301	48 208
45 549	124 320	27 639	23 615	27 517	45 549
49 349	135 946	31 517	26 332	28 748	49 349
39 729	114 352	27 433	22 894	24 296	39 729
33 280	114 444	30 749	22 984	27 431	33 280
34 361	109 675	28 426	23 183	23 705	34 361
34 272	107 517	26 691	21 914	24 640	34 272
40 982	116 121	28 783	20 535	25 821	40 982
53 832	156 698	39 359	29 777	33 730	53 832
43 687	129 243	34 165	25 303	26 088	43 687
42 647	130 178	32 811	24 425	30 295	42 647
56 840	166 277	40 623	31 900	36 914	56 840
46 441	152 511	43 737	30 896	31 437	46 441
54 596	149 049	36 094	28 515	29 844	54 596
46 906	126 169	27 320	24 352	27 591	46 906
46 832	126 594	27 593	23 919	28 250	46 832
56 492	151 538	36 128	27 226	31 692	56 492
52 146	148 502	34 413	26 837	35 106	52 146
34 306	80 718	15 248	12 987	18 177	34 306
41 268	97 201	17 337	16 426	22 170	41 268
47 168	136 694	32 838	25 149	31 539	47 168
57 536	169 606	39 433	33 428	39 209	57 536
42 478	114 222	25 717	21 657	24 370	42 478
35 523	98 266	21 755	18 980	22 008	35 523
57 080	151 833	29 217	29 413	36 123	57 080
33 619	85 432	16 166	15 300	20 347	33 619
48 803	151 194	35 606	29 740	37 045	48 803
43 440	130 674	29 631	25 853	31 750	43 440
64 298	194 766	43 552	40 138	46 778	64 298
28 416	95 094	24 656	20 351	21 671	28 416
20 703	48 583	8 056	7 900	11 924	20 703
46 077	136 091	35 360	26 238	28 416	46 077
45 302	133 842	35 955	27 083	25 502	45 302
26 655	77 637	20 243	15 484	15 255	26 655
29 150	92 514	23 671	18 796	20 897	29 150
19 955	44 604	7 035	7 393	10 221	19 955

第２表（6－1） 個別健康教育実施人員，都道府県

	（個別健康教育対象者（ア））						
	総数					市町	
	総数	高血圧	脂質異常症	糖尿病	喫煙	総数	高血圧
全国	**11 729**	**2 530**	**3 770**	**4 551**	**878**	**11 084**	**2 342**
北海道	1 080	259	284	363	174	768	160
青森	6	1	1	2	2	6	1
岩手	23	1	－	7	15	23	1
宮城	26	－	－	15	11	26	－
秋田	－	－	－	－	－	－	－
山形	54	5	11	36	2	54	5
福島	95	21	19	20	35	95	21
茨城	553	116	174	256	7	553	116
栃木	167	52	53	51	11	138	43
群馬	28	1	－	3	24	28	1
埼玉	14	－	－	－	14	14	－
千葉	68	－	－	－	68	68	－
東京	184	5	13	166	－	184	5
神奈川	57	6	16	11	24	57	6
新潟	－	－	－	－	－	－	－
富山	－	－	－	－	－	－	－
石川	17	3	7	7	－	17	3
福井	－	－	－	－	－	－	－
山梨	241	43	27	143	28	118	－
長野	4 394	1 104	1 455	1 729	106	4 248	1 092
岐阜	886	132	377	343	34	886	132
静岡	15	－	－	12	3	15	－
愛知	25	－	－	－	25	25	－
三重	60	10	20	30	－	60	10
滋賀	87	10	12	27	38	87	10
京都	18	1	－	－	17	18	1
大阪	46	1	1	38	6	46	1
兵庫	202	43	25	132	2	202	43
奈良	108	36	32	28	12	88	17
和歌山	274	56	112	98	8	274	56
鳥取	13	－	2	11	－	13	－
島根	－	－	－	－	－	－	－
岡山	66	－	34	31	1	66	－
広島	87	31	24	28	4	87	31
山口	－	－	－	－	－	－	－
徳島	5	－	－	5	－	5	－
香川	－	－	－	－	－	－	－
愛媛	－	－	－	－	－	－	－
高知	1 202	306	408	378	110	1 194	303
福岡	1 117	156	456	412	93	1 110	153
佐賀	6	1	－	2	3	6	1
長崎	－	－	－	－	－	－	－
熊本	179	44	33	102	－	179	44
大分	5	－	－	5	－	5	－
宮崎	－	－	－	－	－	－	－
鹿児島	279	72	157	49	1	279	72
沖縄	42	14	17	11	－	42	14
指定都市・特別区(再掲)							
東京都区部	143	－	－	143	－	143	－
札幌市	－	－	－	－	－	－	－
仙台市	11	－	－	－	11	11	－
さいたま市	－	－	－	－	－	－	－
千葉市	59	－	－	－	59	59	－
横浜市	－	－	－	－	－	－	－
川崎市	－	－	－	－	－	－	－
相模原市	2	－	－	－	2	2	－
新潟市	－	－	－	－	－	－	－
静岡市	－	－	－	－	－	－	－
浜松市	－	－	－	－	－	－	－
名古屋市	19	－	－	－	19	19	－
京都市	17	－	－	－	17	17	－
大阪市	－	－	－	－	－	－	－
堺市	－	－	－	－	－	－	－
神戸市	－	－	－	－	－	－	－
岡山市	－	－	－	－	－	－	－
広島市	－	－	－	－	－	－	－
北九州市	446	54	301	47	44	446	54
福岡市	－	－	－	－	－	－	－
熊本市	－	－	－	－	－	－	－

－指定都市・特別区－中核市－その他政令市、教育内容別

平成29年度

| 個別健康教育を開始した者 | | | | | | | |
| 村 実 施 | | | 医 療 機 関 委 託 | | | | |
脂質異常症	糖尿病	喫煙	総数	高血圧	脂質異常症	糖尿病	喫煙
3 590	4 314	838	645	188	180	237	40
178	259	171	312	99	106	104	3
1	2	2	–	–	–	–	–
–	7	15	–	–	–	–	–
–	15	11	–	–	–	–	–
11	36	2	–	–	–	–	–
19	20	35	–	–	–	–	–
174	256	7	–	–	–	–	–
47	46	2	29	9	6	5	9
–	3	24	–	–	–	–	–
–	–	14	–	–	–	–	–
–	–	68	–	–	–	–	–
13	166	–	–	–	–	–	–
16	11	24	–	–	–	–	–
–	–	–	–	–	–	–	–
7	7	–	–	–	–	–	–
–	–	–	–	–	–	–	–
–	118	–	123	43	27	25	28
1 422	1 628	106	146	12	33	101	–
377	343	34	–	–	–	–	–
–	12	3	–	–	–	–	–
–	–	25	–	–	–	–	–
20	30	–	–	–	–	–	–
12	27	38	–	–	–	–	–
–	–	17	–	–	–	–	–
1	38	6	–	–	–	–	–
25	132	2	–	–	–	–	–
31	28	12	20	19	1	–	–
112	98	8	–	–	–	–	–
2	11	–	–	–	–	–	–
–	–	–	–	–	–	–	–
34	31	1	–	–	–	–	–
24	28	4	–	–	–	–	–
–	–	–	–	–	–	–	–
–	5	–	–	–	–	–	–
405	376	110	8	3	3	2	–
452	412	93	7	3	4	–	–
–	2	3	–	–	–	–	–
33	102	–	–	–	–	–	–
–	5	–	–	–	–	–	–
157	49	1	–	–	–	–	–
17	11	–	–	–	–	–	–
–	143	–	–	–	–	–	–
–	–	–	–	–	–	–	–
–	–	11	–	–	–	–	–
–	–	59	–	–	–	–	–
–	–	–	–	–	–	–	–
–	–	2	–	–	–	–	–
–	–	–	–	–	–	–	–
–	–	19	–	–	–	–	–
–	–	17	–	–	–	–	–
–	–	–	–	–	–	–	–
–	–	–	–	–	–	–	–
301	47	44	–	–	–	–	–
–	–	–	–	–	–	–	–
–	–	–	–	–	–	–	–

15(2)－01 健康教育

第2表（6－2） 個別健康教育実施人員，都道府県

	（ 個 別 健 康 教 育 対 象 者 （ア） ）						
	総			数		市	町
	総　数	高 血 圧	脂 質 異 常 症	糖 尿 病	喫　煙	総　数	高 血 圧
中核市（再掲）							
旭　川　市	-	-	-	-	-	-	-
函　館　市	-	-	-	-	-	-	-
青　森　市	-	-	-	-	-	-	-
八　戸　市	-	-	-	-	-	-	-
盛　岡　市	15	-	-	-	15	15	-
秋　田　市	-	-	-	-	-	-	-
郡　山　市	-	-	-	-	-	-	-
い わ き 市	-	-	-	-	-	-	-
宇 都 宮 市	-	-	-	-	-	-	-
前　橋　市	7	1	-	-	6	7	1
高　崎　市	11	-	-	-	11	11	-
川　越　市	-	-	-	-	-	-	-
越　谷　市	5	-	-	-	5	5	-
船　橋　市	-	-	-	-	-	-	-
柏　　　市	-	-	-	-	-	-	-
八 王 子 市	-	-	-	-	-	-	-
横 須 賀 市	11	-	-	-	11	11	-
富　山　市	-	-	-	-	-	-	-
金　沢　市	-	-	-	-	-	-	-
長　野　市	-	-	-	-	-	-	-
岐　阜　市	-	-	-	-	-	-	-
豊　橋　市	-	-	-	-	-	-	-
豊　田　市	-	-	-	-	-	-	-
岡　崎　市	-	-	-	-	-	-	-
大　津　市	-	-	-	-	-	-	-
高　槻　市	-	-	-	-	-	-	-
東 大 阪 市	40	-	-	36	4	40	-
豊　中　市	4	1	1	2	-	4	1
枚　方　市	-	-	-	-	-	-	-
姫　路　市	1	-	-	-	1	1	-
西　宮　市	-	-	-	-	-	-	-
尼　崎　市	-	-	-	-	-	-	-
奈　良　市	-	-	-	-	-	-	-
和 歌 山 市	-	-	-	-	-	-	-
倉　敷　市	-	-	-	-	-	-	-
福　山　市	-	-	-	-	-	-	-
呉　　　市	-	-	-	-	-	-	-
下　関　市	-	-	-	-	-	-	-
高　松　市	-	-	-	-	-	-	-
松　山　市	-	-	-	-	-	-	-
高　知　市	-	-	-	-	-	-	-
久 留 米 市	-	-	-	-	-	-	-
長　崎　市	-	-	-	-	-	-	-
佐 世 保 市	-	-	-	-	-	-	-
大　分　市	-	-	-	-	-	-	-
宮　崎　市	-	-	-	-	-	-	-
鹿 児 島 市	-	-	-	-	-	-	-
那　覇　市	-	-	-	-	-	-	-
その他政令市（再掲）							
小　樽　市	-	-	-	-	-	-	-
町　田　市	-	-	-	-	-	-	-
藤　沢　市	-	-	-	-	-	-	-
茅 ヶ 崎 市	5	-	-	-	5	5	-
四 日 市 市	-	-	-	-	-	-	-
大 牟 田 市	-	-	-	-	-	-	-

－指定都市・特別区－中核市－その他政令市、教育内容別

平成29年度

| 個　別　健　康　教　育　を　開　始　し　た　者 | | | | | | | |
| 村　　実　　施 | | | 医　療　機　関　委　託 | | | | |
脂質異常症	糖　尿　病	喫　　煙	総　　数	高　血　圧	脂質異常症	糖　尿　病	喫　　煙
-	-	-	-	-	-	-	-
-	-	-	-	-	-	-	-
-	-	-	-	-	-	-	-
-	-	15	-	-	-	-	-
-	-	-	-	-	-	-	-
-	-	-	-	-	-	-	-
-	-	6	-	-	-	-	-
-	-	11	-	-	-	-	-
-	-	5	-	-	-	-	-
-	-	-	-	-	-	-	-
-	-	11	-	-	-	-	-
-	-	-	-	-	-	-	-
-	-	-	-	-	-	-	-
-	-	-	-	-	-	-	-
-	-	-	-	-	-	-	-
-	-	-	-	-	-	-	-
-	-	-	-	-	-	-	-
-	36	4	-	-	-	-	-
1	2	-	-	-	-	-	-
-	-	1	-	-	-	-	-
-	-	-	-	-	-	-	-
-	-	-	-	-	-	-	-
-	-	-	-	-	-	-	-
-	-	-	-	-	-	-	-
-	-	-	-	-	-	-	-
-	-	-	-	-	-	-	-
-	-	-	-	-	-	-	-
-	-	-	-	-	-	-	-
-	-	-	-	-	-	-	-
-	-	-	-	-	-	-	-
-	-	5	-	-	-	-	-
-	-	-	-	-	-	-	-
-	-	-	-	-	-	-	-

第2表（6－3） 個別健康教育実施人員，都道府県

	（個別健康教育対象者（ア））						
	総数					市町	
	総数	高血圧	脂質異常症	糖尿病	喫煙	総数	高血圧
全国	**6 390**	**1 374**	**1 907**	**2 567**	**542**	**5 859**	**1 223**
北海道	953	244	262	320	127	656	146
青森	6	1	1	2	2	6	1
岩手	19	1	-	3	15	19	1
宮城	21	-	-	15	6	21	-
秋田	-	-	-	-	-	-	-
山形	48	2	11	35	-	48	2
福島	33	12	10	9	2	33	12
茨城	551	116	174	256	5	551	116
栃木	104	33	36	32	3	102	33
群馬	25	1	-	3	21	25	1
埼玉	5	-	-	-	5	5	-
千葉	36	-	-	-	36	36	-
東京	40	5	12	23	-	40	5
神奈川	47	6	16	11	14	47	6
新潟	-	-	-	-	-	-	-
富山	-	-	-	-	-	-	-
石川	13	2	6	5	-	13	2
福井	-	-	-	-	-	-	-
山梨	168	26	16	109	17	94	-
長野	2 366	609	688	1 005	64	2 225	599
岐阜	35	-	-	1	34	35	-
静岡	10	-	-	10	-	10	-
愛知	25	-	-	-	25	25	-
三重	30	8	13	9	-	30	8
滋賀	86	10	12	27	37	86	10
京都	17	-	-	-	17	17	-
大阪	45	1	1	38	5	45	1
兵庫	103	34	14	54	1	103	34
奈良	85	28	25	22	10	68	11
和歌山	34	10	15	6	3	34	10
鳥取	13	-	2	11	-	13	-
島根	-	-	-	-	-	-	-
岡山	55	-	26	29	-	55	-
広島	2	1	-	-	1	2	1
山口	-	-	-	-	-	-	-
徳島	5	-	-	5	-	5	-
香川	-	-	-	-	-	-	-
愛媛	-	-	-	-	-	-	-
高知	20	4	4	9	3	20	4
福岡	989	127	380	394	88	989	127
佐賀	-	-	-	-	-	-	-
長崎	-	-	-	-	-	-	-
熊本	117	21	23	73	-	117	21
大分	5	-	-	5	-	5	-
宮崎	-	-	-	-	-	-	-
鹿児島	273	72	157	43	1	273	72
沖縄	6	-	3	3	-	6	-
指定都市・特別区(再掲)							
東京都区部	-	-	-	-	-	-	-
札幌市	-	-	-	-	-	-	-
仙台市	6	-	-	-	6	6	-
さいたま市	-	-	-	-	-	-	-
千葉市	27	-	-	-	27	27	-
横浜市	-	-	-	-	-	-	-
川崎市	-	-	-	-	-	-	-
相模原市	-	-	-	-	-	-	-
新潟市	-	-	-	-	-	-	-
静岡市	-	-	-	-	-	-	-
浜松市	-	-	-	-	-	-	-
名古屋市	19	-	-	-	19	19	-
京都市	17	-	-	-	17	17	-
大阪市	-	-	-	-	-	-	-
堺市	-	-	-	-	-	-	-
神戸市	-	-	-	-	-	-	-
岡山市	-	-	-	-	-	-	-
広島市	-	-	-	-	-	-	-
北九州市	382	47	251	42	42	382	47
福岡市	-	-	-	-	-	-	-
熊本市	-	-	-	-	-	-	-

－指定都市・特別区－中核市－その他政令市、教育内容別

平成29年度

個別健康教育を終了した者							
村実施			医療機関委託				
脂質異常症	糖尿病	喫煙	総数	高血圧	脂質異常症	糖尿病	喫煙
1 761	2 353	522	531	151	146	214	20
163	222	125	297	98	99	98	2
1	2	2	－	－	－	－	－
－	3	15	－	－	－	－	－
－	15	6	－	－	－	－	－
11	35	－	－	－	－	－	－
10	9	2	－	－	－	－	－
174	256	5	－	－	－	－	－
36	31	2	2	－	－	1	1
－	3	21	－	－	－	－	－
－	－	5	－	－	－	－	－
－	－	36	－	－	－	－	－
12	23	－	－	－	－	－	－
16	11	14	－	－	－	－	－
－	－	－	－	－	－	－	－
6	5	－	－	－	－	－	－
－	－	－	－	－	－	－	－
－	94	－	74	26	16	15	17
657	905	64	141	10	31	100	－
－	1	34	－	－	－	－	－
－	10	－	－	－	－	－	－
－	－	25	－	－	－	－	－
13	9	－	－	－	－	－	－
12	27	37	－	－	－	－	－
－	－	17	－	－	－	－	－
1	38	5	－	－	－	－	－
14	54	1	－	－	－	－	－
25	22	10	17	17	－	－	－
15	6	3	－	－	－	－	－
2	11	－	－	－	－	－	－
26	29	－	－	－	－	－	－
－	－	1	－	－	－	－	－
－	5	－	－	－	－	－	－
－	－	－	－	－	－	－	－
4	9	3	－	－	－	－	－
380	394	88	－	－	－	－	－
－	－	－	－	－	－	－	－
23	73	－	－	－	－	－	－
－	5	－	－	－	－	－	－
－	－	－	－	－	－	－	－
157	43	1	－	－	－	－	－
3	3	－	－	－	－	－	－
－	－	－	－	－	－	－	－
－	－	－	－	－	－	－	－
－	－	6	－	－	－	－	－
－	－	27	－	－	－	－	－
－	－	－	－	－	－	－	－
－	－	－	－	－	－	－	－
－	－	－	－	－	－	－	－
－	－	－	－	－	－	－	－
－	－	19	－	－	－	－	－
－	－	17	－	－	－	－	－
－	－	－	－	－	－	－	－
－	－	－	－	－	－	－	－
251	42	42	－	－	－	－	－
－	－	－	－	－	－	－	－

49

15(2)－01 健康教育

第2表（6-4） 個別健康教育実施人員，都道府県

| | （ 個 別 健 康 教 育 対 象 者 （ア） ） | | | | | 市 | | 町 |
| | 総 | | | 数 | | | | |
	総 数	高 血 圧	脂 質 異 常 症	糖 尿 病	喫 煙	総 数	高 血 圧	
中核市（再掲）								
旭 川 市	-	-	-	-	-	-	-	
函 館 市	-	-	-	-	-	-	-	
青 森 市	-	-	-	-	-	-	-	
八 戸 市	-	-	-	-	-	-	-	
盛 岡 市	15	-	-	-	15	15	-	
秋 田 市	-	-	-	-	-	-	-	
郡 山 市	-	-	-	-	-	-	-	
い わ き 市	-	-	-	-	-	-	-	
宇 都 宮 市	-	-	-	-	-	-	-	
前 橋 市	6	1	-	-	5	6	1	
高 崎 市	10	-	-	-	10	10	-	
川 越 市	-	-	-	-	-	-	-	
越 谷 市	5	-	-	-	5	5	-	
船 橋 市	-	-	-	-	-	-	-	
柏 市	-	-	-	-	-	-	-	
八 王 子 市	-	-	-	-	-	-	-	
横 須 賀 市	8	-	-	-	8	8	-	
富 山 市	-	-	-	-	-	-	-	
金 沢 市	-	-	-	-	-	-	-	
長 野 市	-	-	-	-	-	-	-	
岐 阜 市	-	-	-	-	-	-	-	
豊 橋 市	-	-	-	-	-	-	-	
豊 田 市	-	-	-	-	-	-	-	
岡 崎 市	-	-	-	-	-	-	-	
大 津 市	-	-	-	-	-	-	-	
高 槻 市	-	-	-	-	-	-	-	
東 大 阪 市	40	-	-	36	4	40	-	
豊 中 市	4	1	1	2	-	4	1	
枚 方 市	-	-	-	-	-	-	-	
姫 路 市	-	-	-	-	-	-	-	
西 宮 市	-	-	-	-	-	-	-	
尼 崎 市	-	-	-	-	-	-	-	
奈 良 市	-	-	-	-	-	-	-	
和 歌 山 市	-	-	-	-	-	-	-	
倉 敷 市	-	-	-	-	-	-	-	
福 山 市	-	-	-	-	-	-	-	
呉 市	-	-	-	-	-	-	-	
下 関 市	-	-	-	-	-	-	-	
高 松 市	-	-	-	-	-	-	-	
松 山 市	-	-	-	-	-	-	-	
高 知 市	-	-	-	-	-	-	-	
久 留 米 市	-	-	-	-	-	-	-	
長 崎 市	-	-	-	-	-	-	-	
佐 世 保 市	-	-	-	-	-	-	-	
大 分 市	-	-	-	-	-	-	-	
宮 崎 市	-	-	-	-	-	-	-	
鹿 児 島 市	-	-	-	-	-	-	-	
那 覇 市	-	-	-	-	-	-	-	
その他政令市（再掲）								
小 樽 市	-	-	-	-	-	-	-	
町 田 市	-	-	-	-	-	-	-	
藤 沢 市	-	-	-	-	-	-	-	
茅 ヶ 崎 市	3	-	-	-	3	3	-	
四 日 市 市	-	-	-	-	-	-	-	
大 牟 田 市	-	-	-	-	-	-	-	

50

－指定都市・特別区－中核市－その他政令市、教育内容別

平成29年度

個別健康教育を終了した者							
村　実　施			医　療　機　関　委　託				
脂質異常症	糖尿病	喫煙	総数	高血圧	脂質異常症	糖尿病	喫煙
-	-	-	-	-	-	-	-
-	-	-	-	-	-	-	-
-	-	-	-	-	-	-	-
-	-	15	-	-	-	-	-
-	-	-	-	-	-	-	-
-	-	-	-	-	-	-	-
-	-	5	-	-	-	-	-
-	-	10	-	-	-	-	-
-	-	-	-	-	-	-	-
-	-	5	-	-	-	-	-
-	-	-	-	-	-	-	-
-	-	8	-	-	-	-	-
-	-	-	-	-	-	-	-
-	-	-	-	-	-	-	-
-	-	-	-	-	-	-	-
-	-	-	-	-	-	-	-
-	-	-	-	-	-	-	-
-	-	-	-	-	-	-	-
-	36	4	-	-	-	-	-
1	2	-	-	-	-	-	-
-	-	-	-	-	-	-	-
-	-	-	-	-	-	-	-
-	-	-	-	-	-	-	-
-	-	-	-	-	-	-	-
-	-	-	-	-	-	-	-
-	-	-	-	-	-	-	-
-	-	-	-	-	-	-	-
-	-	-	-	-	-	-	-
-	-	-	-	-	-	-	-
-	-	-	-	-	-	-	-
-	-	3	-	-	-	-	-
-	-	-	-	-	-	-	-
-	-	-	-	-	-	-	-

第２表（6－5） 個別健康教育実施人員，都道府県

	（個別健康教育対象者（イ））個別健康教育を開始した者											
	総数				市町村実施				医療機関委託			
	総数	高血圧	脂質異常症	糖尿病	総数	高血圧	脂質異常症	糖尿病	総数	高血圧	脂質異常症	糖尿病
全国	**3 386**	**1 059**	**1 190**	**1 137**	**3 330**	**1 041**	**1 170**	**1 119**	**56**	**18**	**20**	**18**
北海道	267	92	63	112	215	76	44	95	52	16	19	17
青森	14	3	3	8	14	3	3	8	－	－	－	－
岩手	17	5	－	12	17	5	－	12	－	－	－	－
宮城	－	－	－	－	－	－	－	－	－	－	－	－
秋田	－	－	－	－	－	－	－	－	－	－	－	－
山形	2	－	－	2	2	－	－	2	－	－	－	－
福島	6	4	－	2	6	4	－	2	－	－	－	－
茨城	499	229	180	90	499	229	180	90	－	－	－	－
栃木	6	－	－	6	6	－	－	6	－	－	－	－
群馬	－	－	－	－	－	－	－	－	－	－	－	－
埼玉	13	－	－	13	13	－	－	13	－	－	－	－
千葉	－	－	－	－	－	－	－	－	－	－	－	－
東京	34	18	13	3	34	18	13	3	－	－	－	－
神奈川	45	16	19	10	45	16	19	10	－	－	－	－
新潟	－	－	－	－	－	－	－	－	－	－	－	－
富山	－	－	－	－	－	－	－	－	－	－	－	－
石川	－	－	－	－	－	－	－	－	－	－	－	－
福井	21	－	－	21	21	－	－	21	－	－	－	－
山梨	34	－	－	34	34	－	－	34	－	－	－	－
長野	843	257	225	361	839	255	224	360	4	2	1	1
岐阜	117	41	59	17	117	41	59	17	－	－	－	－
静岡	－	－	－	－	－	－	－	－	－	－	－	－
愛知	－	－	－	－	－	－	－	－	－	－	－	－
三重	4	－	－	4	4	－	－	4	－	－	－	－
滋賀	－	－	－	－	－	－	－	－	－	－	－	－
京都	3	－	－	3	3	－	－	3	－	－	－	－
大阪	19	－	－	19	19	－	－	19	－	－	－	－
兵庫	64	－	－	64	64	－	－	64	－	－	－	－
奈良	23	4	4	15	23	4	4	15	－	－	－	－
和歌山	138	66	59	13	138	66	59	13	－	－	－	－
鳥取	－	－	－	－	－	－	－	－	－	－	－	－
島根	－	－	－	－	－	－	－	－	－	－	－	－
岡山	－	－	－	－	－	－	－	－	－	－	－	－
広島	6	－	－	6	6	－	－	6	－	－	－	－
山口	－	－	－	－	－	－	－	－	－	－	－	－
徳島	－	－	－	－	－	－	－	－	－	－	－	－
香川	76	－	－	76	76	－	－	76	－	－	－	－
愛媛	－	－	－	－	－	－	－	－	－	－	－	－
高知	－	－	－	－	－	－	－	－	－	－	－	－
福岡	855	221	490	144	855	221	490	144	－	－	－	－
佐賀	1	－	－	1	1	－	－	1	－	－	－	－
長崎	－	－	－	－	－	－	－	－	－	－	－	－
熊本	6	－	－	6	6	－	－	6	－	－	－	－
大分	－	－	－	－	－	－	－	－	－	－	－	－
宮崎	－	－	－	－	－	－	－	－	－	－	－	－
鹿児島	273	103	75	95	273	103	75	95	－	－	－	－
沖縄	－	－	－	－	－	－	－	－	－	－	－	－
指定都市・特別区(再掲)												
東京都区部	1	－	－	1	1	－	－	1	－	－	－	－
札幌市	－	－	－	－	－	－	－	－	－	－	－	－
仙台市	－	－	－	－	－	－	－	－	－	－	－	－
さいたま市	－	－	－	－	－	－	－	－	－	－	－	－
千葉市	－	－	－	－	－	－	－	－	－	－	－	－
横浜市	－	－	－	－	－	－	－	－	－	－	－	－
川崎市	－	－	－	－	－	－	－	－	－	－	－	－
相模原市	－	－	－	－	－	－	－	－	－	－	－	－
新潟市	－	－	－	－	－	－	－	－	－	－	－	－
静岡市	－	－	－	－	－	－	－	－	－	－	－	－
浜松市	－	－	－	－	－	－	－	－	－	－	－	－
名古屋市	－	－	－	－	－	－	－	－	－	－	－	－
京都市	－	－	－	－	－	－	－	－	－	－	－	－
大阪市	－	－	－	－	－	－	－	－	－	－	－	－
堺市	－	－	－	－	－	－	－	－	－	－	－	－
神戸市	－	－	－	－	－	－	－	－	－	－	－	－
岡山市	－	－	－	－	－	－	－	－	－	－	－	－
広島市	－	－	－	－	－	－	－	－	－	－	－	－
北九州市	841	218	488	135	841	218	488	135	－	－	－	－
福岡市	－	－	－	－	－	－	－	－	－	－	－	－
熊本市	－	－	－	－	－	－	－	－	－	－	－	－

－指定都市・特別区－中核市－その他政令市、教育内容別

平成29年度

個別健康教育対象者（イ）個別健康教育を終了した者											
総数				市町村実施				医療機関委託			
総数	高血圧	脂質異常症	糖尿病	総数	高血圧	脂質異常症	糖尿病	総数	高血圧	脂質異常症	糖尿病
2 695	**805**	**910**	**980**	**2 647**	**790**	**893**	**964**	**48**	**15**	**17**	**16**
231	77	53	101	183	62	36	85	48	15	17	16
6	2	1	3	6	2	1	3	－	－	－	－
16	5	－	11	16	5	－	11	－	－	－	－
－	－	－	－	－	－	－	－	－	－	－	－
－	－	－	－	－	－	－	－	－	－	－	－
1	－	－	1	1	－	－	1	－	－	－	－
3	1	－	2	3	1	－	2	－	－	－	－
499	229	180	90	499	229	180	90	－	－	－	－
6	－	－	6	6	－	－	6	－	－	－	－
－	－	－	－	－	－	－	－	－	－	－	－
11	－	－	11	11	－	－	11	－	－	－	－
－	－	－	－	－	－	－	－	－	－	－	－
34	18	13	3	34	18	13	3	－	－	－	－
45	16	19	10	45	16	19	10	－	－	－	－
－	－	－	－	－	－	－	－	－	－	－	－
－	－	－	－	－	－	－	－	－	－	－	－
－	－	－	－	－	－	－	－	－	－	－	－
7	－	－	7	7	－	－	7	－	－	－	－
32	－	－	32	32	－	－	32	－	－	－	－
767	220	194	353	767	220	194	353	－	－	－	－
－	－	－	－	－	－	－	－	－	－	－	－
－	－	－	－	－	－	－	－	－	－	－	－
－	－	－	－	－	－	－	－	－	－	－	－
－	－	－	－	－	－	－	－	－	－	－	－
－	－	－	－	－	－	－	－	－	－	－	－
3	－	－	3	3	－	－	3	－	－	－	－
18	－	－	18	18	－	－	18	－	－	－	－
51	－	－	51	51	－	－	51	－	－	－	－
16	4	4	8	16	4	4	8	－	－	－	－
3	1	2	－	3	1	2	－	－	－	－	－
－	－	－	－	－	－	－	－	－	－	－	－
－	－	－	－	－	－	－	－	－	－	－	－
－	－	－	－	－	－	－	－	－	－	－	－
6	－	－	6	6	－	－	6	－	－	－	－
－	－	－	－	－	－	－	－	－	－	－	－
－	－	－	－	－	－	－	－	－	－	－	－
76	－	－	76	76	－	－	76	－	－	－	－
－	－	－	－	－	－	－	－	－	－	－	－
－	－	－	－	－	－	－	－	－	－	－	－
729	186	410	133	729	186	410	133	－	－	－	－
－	－	－	－	－	－	－	－	－	－	－	－
－	－	－	－	－	－	－	－	－	－	－	－
6	－	－	6	6	－	－	6	－	－	－	－
－	－	－	－	－	－	－	－	－	－	－	－
－	－	－	－	－	－	－	－	－	－	－	－
129	46	34	49	129	46	34	49	－	－	－	－
－	－	－	－	－	－	－	－	－	－	－	－
1	－	－	1	1	－	－	1	－	－	－	－
－	－	－	－	－	－	－	－	－	－	－	－
－	－	－	－	－	－	－	－	－	－	－	－
－	－	－	－	－	－	－	－	－	－	－	－
－	－	－	－	－	－	－	－	－	－	－	－
－	－	－	－	－	－	－	－	－	－	－	－
－	－	－	－	－	－	－	－	－	－	－	－
－	－	－	－	－	－	－	－	－	－	－	－
－	－	－	－	－	－	－	－	－	－	－	－
－	－	－	－	－	－	－	－	－	－	－	－
－	－	－	－	－	－	－	－	－	－	－	－
－	－	－	－	－	－	－	－	－	－	－	－
－	－	－	－	－	－	－	－	－	－	－	－
－	－	－	－	－	－	－	－	－	－	－	－
－	－	－	－	－	－	－	－	－	－	－	－
－	－	－	－	－	－	－	－	－	－	－	－
－	－	－	－	－	－	－	－	－	－	－	－
－	－	－	－	－	－	－	－	－	－	－	－
715	183	408	124	715	183	408	124	－	－	－	－
－	－	－	－	－	－	－	－	－	－	－	－
－	－	－	－	－	－	－	－	－	－	－	－

15（2）－01 健康教育

第2表（6－6） 個別健康教育実施人員，都道府県

| | （個別健康教育対象者（イ））個別健康教育を開始した者 | | | | | | | | | | | |
| | 総　　　　　数 | | | | 市　町　村　実　施 | | | | 医　療　機　関　委　託 | | | |
	総　数	高血圧	脂質異常症	糖尿病	総　数	高血圧	脂質異常症	糖尿病	総　数	高血圧	脂質異常症	糖尿病
中核市（再掲）												
旭　川　市	-	-	-	-	-	-	-	-	-	-	-	-
函　館　市	-	-	-	-	-	-	-	-	-	-	-	-
青　森　市	-	-	-	-	-	-	-	-	-	-	-	-
八　戸　市	-	-	-	-	-	-	-	-	-	-	-	-
盛　岡　市												
秋　田　市	-	-	-	-	-	-	-	-	-	-	-	-
郡　山　市	-	-	-	-	-	-	-	-	-	-	-	-
い　わ　き　市	-	-	-	-	-	-	-	-	-	-	-	-
宇　都　宮　市	-	-	-	-	-	-	-	-	-	-	-	-
前　橋　市												
高　崎　市	-	-	-	-	-	-	-	-	-	-	-	-
川　越　市	-	-	-	-	-	-	-	-	-	-	-	-
越　谷　市	-	-	-	-	-	-	-	-	-	-	-	-
船　橋　市	-	-	-	-	-	-	-	-	-	-	-	-
柏　市												
八　王　子　市	-	-	-	-	-	-	-	-	-	-	-	-
横　須　賀　市	-	-	-	-	-	-	-	-	-	-	-	-
富　山　市	-	-	-	-	-	-	-	-	-	-	-	-
金　沢　市	-	-	-	-	-	-	-	-	-	-	-	-
長　野　市	-	-	-	-	-	-	-	-	-	-	-	-
岐　阜　市	-	-	-	-	-	-	-	-	-	-	-	-
豊　橋　市	-	-	-	-	-	-	-	-	-	-	-	-
豊　田　市	-	-	-	-	-	-	-	-	-	-	-	-
岡　崎　市	-	-	-	-	-	-	-	-	-	-	-	-
大　津　市	-	-	-	-	-	-	-	-	-	-	-	-
高　槻　市	-	-	-	-	-	-	-	-	-	-	-	-
東　大　阪　市	1	-	-	1	1	-	-	1	-	-	-	-
豊　中　市	-	-	-	-	-	-	-	-	-	-	-	-
枚　方　市	-	-	-	-	-	-	-	-	-	-	-	-
姫　路　市	-	-	-	-	-	-	-	-	-	-	-	-
西　宮　市	-	-	-	-	-	-	-	-	-	-	-	-
尼　崎　市	-	-	-	-	-	-	-	-	-	-	-	-
奈　良　市	-	-	-	-	-	-	-	-	-	-	-	-
和　歌　山　市	-	-	-	-	-	-	-	-	-	-	-	-
倉　敷　市												
福　山　市	-	-	-	-	-	-	-	-	-	-	-	-
呉　市	-	-	-	-	-	-	-	-	-	-	-	-
下　関　市	-	-	-	-	-	-	-	-	-	-	-	-
高　松　市	76	-	-	76	76	-	-	76	-	-	-	-
松　山　市	-	-	-	-	-	-	-	-	-	-	-	-
高　知　市	-	-	-	-	-	-	-	-	-	-	-	-
久　留　米　市	-	-	-	-	-	-	-	-	-	-	-	-
長　崎　市	-	-	-	-	-	-	-	-	-	-	-	-
佐　世　保　市	-	-	-	-	-	-	-	-	-	-	-	-
大　分　市	-	-	-	-	-	-	-	-	-	-	-	-
宮　崎　市	-	-	-	-	-	-	-	-	-	-	-	-
鹿　児　島　市	-	-	-	-	-	-	-	-	-	-	-	-
那　覇　市	-	-	-	-	-	-	-	-	-	-	-	-
その他政令市（再掲）												
小　樽　市	-	-	-	-	-	-	-	-	-	-	-	-
町　田　市	-	-	-	-	-	-	-	-	-	-	-	-
藤　沢　市	-	-	-	-	-	-	-	-	-	-	-	-
茅　ヶ　崎　市	-	-	-	-	-	-	-	-	-	-	-	-
四　日　市　市	-	-	-	-	-	-	-	-	-	-	-	-
大　牟　田　市	-	-	-	-	-	-	-	-	-	-	-	-

－指定都市・特別区－中核市－その他政令市、教育内容別

平成29年度

（個別健康教育対象者（イ））個別健康教育を終了した者											
総　　　　　　数				市　町　村　実　施				医　療　機　関　委　託			
総　数	高血圧	脂質異常症	糖尿病	総　数	高血圧	脂質異常症	糖尿病	総　数	高血圧	脂質異常症	糖尿病
－	－	－	－	－	－	－	－	－	－	－	－
－	－	－	－	－	－	－	－	－	－	－	－
－	－	－	－	－	－	－	－	－	－	－	－
－	－	－	－	－	－	－	－	－	－	－	－
－	－	－	－	－	－	－	－	－	－	－	－
－	－	－	－	－	－	－	－	－	－	－	－
－	－	－	－	－	－	－	－	－	－	－	－
－	－	－	－	－	－	－	－	－	－	－	－
－	－	－	－	－	－	－	－	－	－	－	－
－	－	－	－	－	－	－	－	－	－	－	－
－	－	－	－	－	－	－	－	－	－	－	－
－	－	－	－	－	－	－	－	－	－	－	－
－	－	－	－	－	－	－	－	－	－	－	－
－	－	－	－	－	－	－	－	－	－	－	－
－	－	－	－	－	－	－	－	－	－	－	－
－	－	－	－	－	－	－	－	－	－	－	－
1	－	－	1	1	－	－	1	－	－	－	－
－	－	－	－	－	－	－	－	－	－	－	－
－	－	－	－	－	－	－	－	－	－	－	－
－	－	－	－	－	－	－	－	－	－	－	－
－	－	－	－	－	－	－	－	－	－	－	－
76	－	－	76	76	－	－	76	－	－	－	－
－	－	－	－	－	－	－	－	－	－	－	－
－	－	－	－	－	－	－	－	－	－	－	－
－	－	－	－	－	－	－	－	－	－	－	－
－	－	－	－	－	－	－	－	－	－	－	－
－	－	－	－	－	－	－	－	－	－	－	－
－	－	－	－	－	－	－	－	－	－	－	－

第３表（2－1） 集団健康教育の開催回数・参加延人員，

	集団健康教育						
	開催回数						
	総数	一般[1]	歯周疾患	ロコモティブシンドローム(運動器症候群)	慢性閉塞性肺疾患(COPD)	病態別[2]	薬[3]
全国	**138 994**	**96 846**	**5 506**	**16 788**	**1 072**	**18 521**	**261**
北海道	6 477	4 781	174	514	19	973	16
青森	3 600	2 553	80	132	44	776	15
岩手	3 527	2 283	161	725	-	346	12
宮城	3 821	2 942	179	261	10	422	7
秋田	2 542	1 493	74	759	1	214	1
山形	3 470	2 334	76	572	8	474	6
福島	2 978	1 853	76	667	4	375	3
茨城	3 643	2 537	78	317	4	698	9
栃木	2 538	1 438	210	314	4	572	-
群馬	3 161	1 945	98	547	80	486	5
埼玉	3 812	2 780	157	313	16	546	-
千葉	4 137	2 783	255	462	137	498	2
東京	5 345	4 402	177	279	19	464	4
神奈川	4 045	2 321	886	339	112	383	4
新潟	4 993	2 323	117	1 850	8	691	4
富山	1 454	1 113	22	68	3	241	7
石川	1 292	1 099	3	12	3	175	-
福井	1 487	1 325	30	30	1	95	6
山梨	1 832	1 039	44	300	7	438	4
長野	5 967	4 509	243	729	12	471	3
岐阜	3 141	2 040	87	163	11	836	4
静岡	5 046	3 736	184	293	97	716	20
愛知	5 117	3 912	384	425	55	331	10
三重	2 627	1 478	65	985	13	86	-
滋賀	615	402	17	47	5	144	-
京都	2 231	1 640	93	196	47	255	-
大阪	5 172	3 542	247	519	110	737	17
兵庫	5 488	3 923	228	694	78	543	22
奈良	987	753	33	76	5	120	-
和歌山	1 306	888	36	158	21	198	5
鳥取	1 343	965	32	86	1	257	2
島根	1 287	948	68	144	1	125	1
岡山	4 411	3 047	209	178	22	945	10
広島	2 895	1 948	71	603	8	258	7
山口	1 793	1 481	40	96	1	173	2
徳島	814	558	17	29	-	206	4
香川	3 373	2 996	47	171	2	152	5
愛媛	1 857	1 323	44	132	19	338	1
高知	937	722	38	28	-	148	1
福岡	6 327	4 324	71	801	31	1 085	15
佐賀	1 036	714	23	46	1	252	-
長崎	1 352	998	18	64	4	268	-
熊本	2 014	1 649	83	111	-	157	14
大分	2 234	1 711	59	290	1	170	3
宮崎	1 495	1 045	46	250	24	127	3
鹿児島	3 276	1 693	125	921	23	507	7
沖縄	699	557	1	92	-	49	-
指定都市・特別区(再掲)							
東京都区部	3 911	3 537	65	67	4	238	-
札幌市	727	655	10	2	-	50	10
仙台市	199	179	3	2	-	15	-
さいたま市	117	34	41	-	-	42	-
千葉市	121	65	22	10	12	12	-
横浜市	1 034	88	672	96	97	81	-
川崎市	148	113	28	2	-	5	-
相模原市	208	149	20	12	-	27	-
新潟市	192	82	-	6	1	103	-
静岡市	207	176	-	-	-	30	1
浜松市	400	396	4	-	-	-	-
名古屋市	327	198	48	81	-	-	-
京都市	754	549	70	51	-	84	-
大阪市	1 394	1 265	20	10	21	78	-
堺市	611	373	122	79	21	15	1
神戸市	914	702	49	105	14	26	18
岡山市	512	258	81	17	3	152	1
広島市	277	140	14	14	7	98	4
北九州市	928	549	19	78	5	277	-
福岡市	1 950	1 511	14	268	6	149	2
熊本市	635	561	21	2	-	51	-

都道府県－指定都市・特別区－中核市－その他政令市、教育内容別

平成29年度

康	教			育		
参	加		延	人		員
総数	一般[1]	歯周疾患	ロコモティブシンドローム（運動器症候群）	慢性閉塞性肺疾患（COPD）	病態別[2]	薬[3]
2 610 922	1 822 323	113 319	246 412	39 095	379 951	9 822
120 224	87 735	3 047	9 537	746	18 591	568
78 217	52 750	2 297	3 166	1 540	17 326	1 138
32 353	23 734	1 410	3 367	-	3 672	170
70 219	46 341	3 896	4 063	493	15 390	36
32 851	20 322	1 571	7 216	50	3 639	53
60 760	44 554	1 473	9 696	154	4 797	86
53 103	35 596	2 143	10 069	179	5 079	37
105 404	72 843	1 856	7 104	18	23 346	237
60 498	37 209	4 454	5 039	476	13 320	-
56 997	34 584	1 294	6 163	893	13 993	70
73 234	50 085	3 303	6 448	1 393	12 005	-
111 407	62 989	3 934	5 213	7 919	31 344	8
47 110	29 490	3 745	5 183	1 038	7 553	101
99 777	50 678	20 102	14 349	7 073	7 432	143
61 253	37 284	1 866	7 412	377	14 109	205
22 197	17 487	248	1 066	27	3 303	66
17 159	14 650	131	152	51	2 175	-
33 073	29 797	570	561	157	1 837	151
25 624	17 996	658	3 435	10	3 506	19
112 274	83 075	6 089	12 781	309	9 945	75
54 034	36 296	2 036	2 805	300	12 539	58
122 208	93 397	4 039	5 229	2 663	16 195	685
97 289	70 376	11 119	7 363	1 775	6 135	521
50 505	25 658	1 318	21 249	232	2 048	-
12 817	10 237	323	485	183	1 589	-
23 226	17 078	1 043	2 153	763	2 189	-
124 502	93 695	3 846	7 348	3 929	15 397	287
111 090	74 178	5 408	18 593	1 291	9 248	2 372
19 267	13 487	1 203	1 245	80	3 252	-
21 454	15 875	459	2 275	213	2 306	326
15 335	11 598	355	938	2	2 434	8
17 886	13 756	865	1 409	40	1 798	18
105 478	78 855	3 473	3 166	465	18 971	548
57 849	40 648	1 072	8 097	1 137	6 105	790
34 698	30 340	1 043	1 074	11	2 208	22
11 581	8 188	218	278	-	2 893	4
103 586	95 911	1 650	2 943	110	2 854	118
17 454	11 227	392	1 033	666	4 133	3
12 033	9 309	859	229	-	1 624	12
100 660	58 241	1 902	17 447	470	22 333	267
17 061	13 781	359	666	34	2 221	-
26 905	21 247	378	971	55	4 254	-
30 896	23 539	1 852	1 142	-	4 050	313
29 168	19 873	547	4 868	7	3 827	46
30 783	24 254	1 200	1 448	631	3 166	84
81 942	55 936	2 263	8 861	1 135	13 570	177
7 481	6 144	10	1 077	-	250	-
25 466	18 219	1 247	1 534	132	4 334	-
27 975	24 694	245	150	-	2 458	428
3 625	3 149	54	126	-	296	-
3 318	1 807	841	-	-	670	-
6 390	3 472	402	131	820	1 565	-
35 964	4 490	14 378	9 641	6 753	702	-
1 338	904	374	4	-	56	-
1 484	860	244	251	-	129	-
6 876	4 918	-	73	50	1 835	-
14 296	13 486	-	-	-	750	60
4 325	4 205	120	-	-	-	-
1 345	996	210	139	-	-	-
8 684	6 960	424	585	-	715	-
33 409	30 649	230	329	576	1 625	-
17 733	12 550	1 646	2 437	796	264	40
34 647	25 316	1 585	3 453	1 062	1 053	2 178
20 256	17 111	1 091	228	65	1 756	5
13 053	7 350	314	362	1 136	3 147	744
19 913	11 530	456	1 778	87	6 062	-
30 027	19 616	107	8 696	22	1 516	70
7 544	5 900	490	37	-	1 117	-

15(2)-02 健康教育

第3表（2-2） 集団健康教育の開催回数・参加延人員，

	集		団		健	
	開	催		回	数	
総　　数	一　　般1)	歯周疾患	ロコモティブシンドローム（運動器症候群）	慢性閉塞性肺疾患（COPD）	病　態　別2)	薬3)
中核市(再掲)						
旭 川 市　125	120	5	-	-	-	-
函 館 市　77	55	1	2	2	17	-
青 森 市　240	165	4	1	21	48	1
八 戸 市　189	183	1	4	-	-	1
盛 岡 市　387	221	5	125	-	35	1
秋 田 市　97	95	1	1	-	-	-
郡 山 市　145	108	3	18	4	12	-
い わ き 市　80	57	1	11	-	9	2
宇 都 宮 市　195	157	6	-	-	32	-
前 橋 市　743	403	31	276	25	8	-
高 崎 市　232	187	2	41	-	1	1
川 越 市　135	118	4	2	-	11	-
越 谷 市　298	163	2	39	1	93	-
船 橋 市　238	187	36	8	5	-	2
柏 市　135	8	15	-	-	112	-
八 王 子 市　265	240	4	1	-	20	-
横 須 賀 市　254	110	105	1	6	32	-
富 山 市　307	215	4	7	3	76	2
金 沢 市　82	69	-	-	2	11	-
長 野 市　547	501	12	14	4	15	1
岐 阜 市　560	332	6	64	-	158	-
豊 橋 市　17	17	-	-	-	-	-
豊 田 市　97	74	2	10	-	11	-
岡 崎 市　140	28	1	65	46	-	-
大 津 市　118	61	-	17	-	40	-
高 槻 市　28	16	-	-	-	12	-
東 大 阪 市　335	96	8	54	45	132	-
豊 中 市　114	23	13	10	-	68	-
枚 方 市　116	80	6	7	-	20	3
姫 路 市　84	63	10	9	-	-	2
西 宮 市　91	84	2	-	-	5	-
尼 崎 市　212	16	18	112	51	15	-
奈 良 市　70	44	7	-	2	17	-
和 歌 山 市　41	23	5	6	-	7	-
倉 敷 市　982	398	16	11	10	546	1
福 山 市　81	52	5	24	-	-	-
呉 市　162	90	11	40	-	21	-
下 関 市　217	190	11	11	-	3	2
高 松 市　169	132	12	3	-	21	1
松 山 市　39	39	-	-	-	-	-
高 知 市　59	50	-	-	-	9	-
久 留 米 市　94	91	-	-	-	3	-
長 崎 市　358	336	-	2	-	20	-
佐 世 保 市　115	61	11	2	3	38	-
大 分 市　177	135	3	2	-	37	-
宮 崎 市　390	379	9	1	-	1	-
鹿 児 島 市　612	395	-	173	-	44	-
那 覇 市　6	6	-	-	-	-	-
その他政令市(再掲)						
小 樽 市　99	91	7	-	-	1	-
町 田 市　29	19	-	1	-	9	-
藤 沢 市　53	27	4	6	1	15	-
茅 ヶ 崎 市　56	46	4	3	1	2	-
四 日 市 市　110	110	-	-	-	-	-
大 牟 田 市　40	40	-	-	-	-	-

注：1）　「一般」とは、生活習慣病の予防のための日常生活上の心得、健康増進の方法、食生活の在り方等健康に必要な事項の教育をいう。
　　　2）　「病態別」とは、肥満、高血圧、心臓病等と個人の生活習慣との関係及び健康的な生活習慣の形成についての教育をいう。
　　　3）　「薬」とは、薬の保管、適正な服用方法等に関する留意事項、薬の作用・副作用の発現に関する知識の教育をいう。

都道府県－指定都市・特別区－中核市－その他政令市、教育内容別

平成29年度

康 教 育						
参 加 延 人 員						
総 数	一 般1)	歯 周 疾 患	ロコモティブシンドローム（運動器症候群）	慢性閉塞性肺疾患（COPD）	病 態 別2)	薬3)
1 721	1 594	127	–	–	–	–
3 135	2 111	25	343	57	599	–
3 687	2 556	31	37	825	230	8
5 363	5 138	45	101	–	–	79
2 244	1 426	10	531	–	274	3
2 422	2 388	17	17	–	–	–
3 486	2 605	63	500	179	139	–
3 022	2 404	18	143	–	432	25
1 368	1 110	51	–	–	207	–
8 494	4 915	305	2 806	430	38	–
3 298	3 029	45	174	–	18	32
2 464	2 131	122	64	–	147	–
2 184	1 168	6	99	4	907	–
1 198	1 007	131	24	28	–	8
9 693	386	479	–	–	8 828	–
1 860	1 496	230	14	–	120	–
4 467	2 008	1 981	19	9	450	–
3 594	2 916	13	34	27	600	4
593	414	–	–	10	169	–
3 122	2 438	335	171	86	79	13
6 238	1 822	106	885	–	3 425	–
295	295	–	–	–	–	–
1 304	980	125	51	–	148	–
3 907	1 326	28	1 270	1 283	–	–
968	607	–	71	–	290	–
510	276	–	–	–	234	–
9 029	3 374	95	1 526	1 159	2 875	–
761	98	50	65	–	548	–
948	752	45	24	–	109	18
3 802	2 642	566	447	–	–	147
1 385	1 353	5	–	–	27	–
2 212	588	47	882	87	608	–
525	395	58	–	14	58	–
350	70	53	44	–	183	–
22 821	9 291	297	175	213	12 775	70
10 987	10 567	80	340	–	–	–
5 381	3 172	296	1 120	–	793	–
1 623	1 358	157	54	–	32	22
6 674	4 550	1 061	120	–	928	15
862	862	–	–	–	–	–
1 134	1 065	–	–	–	69	–
582	574	–	–	–	8	–
7 721	7 191	–	47	–	483	–
1 036	676	177	2	13	168	–
6 359	4 474	77	67	–	1 741	–
4 432	4 207	195	13	–	17	–
15 625	12 072	–	1 700	–	1 853	–
83	83	–	–	–	–	–
1 648	1 491	143	–	–	14	–
312	270	–	4	–	38	–
1 274	763	95	86	29	301	–
1 377	957	119	132	21	148	–
2 826	2 826	–	–	–	–	–
1 544	1 544	–	–	–	–	–

15(3) 健康相談

第4表（2−1） 健康相談の開催回数・被指導延人員，

	開催回数									
	総数	重点健康相談								総合健康相談
		総数	高血圧	脂質異常症	糖尿病	歯周疾患	骨粗鬆症	女性の健康	病態別[1]	
全国	**199 510**	**68 712**	**11 128**	**6 338**	**9 376**	**7 414**	**5 347**	**3 934**	**25 175**	**130 798**
北海道	14 335	5 576	960	686	839	266	110	234	2 481	8 759
青森	4 199	1 553	326	84	198	70	114	26	735	2 646
岩手	4 088	889	388	53	117	71	38	43	179	3 199
宮城	3 484	1 668	277	229	326	162	118	22	534	1 816
秋田	3 312	732	302	39	58	51	35	11	236	2 580
山形	4 872	1 244	74	39	292	20	19	47	753	3 628
福島	2 859	593	167	31	38	101	55	12	189	2 266
茨城	3 880	1 857	242	137	287	113	129	104	845	2 023
栃木	3 915	2 247	400	371	511	249	50	77	589	1 668
群馬	5 022	1 013	189	45	99	92	130	100	358	4 009
埼玉	9 260	2 402	441	220	288	505	364	127	457	6 858
千葉	8 834	3 436	283	140	285	599	335	434	1 360	5 398
東京	5 614	1 604	95	115	128	166	227	516	357	4 010
神奈川	6 708	2 632	396	316	262	124	208	76	1 250	4 076
新潟	2 185	789	82	6	83	175	173	11	259	1 396
富山	1 908	679	68	30	56	389	20	12	104	1 229
石川	2 841	1 840	160	172	367	33	44	12	1 052	1 001
福井	1 213	385	13	14	18	90	238	1	11	828
山梨	2 361	1 118	125	85	161	202	45	68	432	1 243
長野	8 575	2 645	708	328	440	466	73	49	581	5 930
岐阜	3 934	1 484	123	248	208	40	111	1	753	2 450
静岡	10 066	4 248	730	368	721	262	671	110	1 386	5 818
愛知	5 362	1 140	200	82	112	241	215	11	279	4 222
三重	1 645	160	23	11	10	9	53	25	29	1 485
滋賀	1 909	448	72	75	53	53	34	3	158	1 461
京都	3 319	1 272	81	56	85	18	142	280	610	2 047
大阪	8 116	3 651	416	139	333	603	289	261	1 610	4 465
兵庫	6 713	2 090	319	134	179	668	141	149	500	4 623
奈良	2 363	610	71	89	88	93	44	14	211	1 753
和歌山	1 115	363	93	25	50	20	83	5	87	752
鳥取	723	264	44	18	56	63	20	12	51	459
島根	1 714	412	82	34	114	26	60	7	89	1 302
岡山	5 844	2 869	286	99	152	149	75	565	1 543	2 975
広島	2 025	997	185	108	171	92	137	43	261	1 028
山口	3 256	367	62	38	66	42	47	9	103	2 889
徳島	1 038	453	35	26	194	8	9	1	180	585
香川	1 785	439	33	26	10	57	116	17	180	1 346
愛媛	2 481	799	53	53	70	71	25	13	514	1 682
高知	1 646	197	30	22	21	66	16	9	33	1 449
福岡	9 661	2 584	770	140	141	300	251	37	945	7 077
佐賀	2 484	872	103	142	286	108	41	6	186	1 612
長崎	3 668	1 816	293	364	175	150	68	37	729	1 852
熊本	5 235	3 003	494	483	768	143	40	180	895	2 232
大分	6 085	1 292	410	177	163	3	24	133	382	4 793
宮崎	2 082	579	143	118	142	12	6	3	155	1 503
鹿児島	3 340	1 000	199	54	105	160	96	19	367	2 340
沖縄	2 436	401	82	69	50	13	8	2	177	2 035
指定都市・特別区(再掲)										
東京都区部	3 569	1 027	37	42	42	111	124	423	248	2 542
札幌市	-	-	-	-	-	-	-	-	-	-
仙台市	400	79	6	15	8	6	21	1	22	321
さいたま市	2 841	401	23	46	62	77	5	48	140	2 440
千葉市	2 740	1 283	50	41	96	298	23	156	619	1 457
横浜市	805	786	-	-	-	-	-	-	786	19
川崎市	36	17	9	-	6	-	1	1	-	19
相模原市	1 099	32	-	-	-	12	-	-	20	1 067
新潟市	161	60	-	-	-	3	57	-	-	101
静岡市	586	431	99	64	139	-	-	-	129	155
浜松市	160	20	-	-	-	20	-	-	-	140
名古屋市	671	-	-	-	-	-	-	-	-	671
京都市	1 677	921	43	4	12	4	74	280	504	756
大阪市	498	305	21	2	4	218	10	44	6	193
堺市	643	271	5	5	15	146	50	-	50	372
神戸市	251	102	24	11	13	24	2	1	27	149
岡山市	2 600	196	76	2	-	73	-	39	6	2 404
広島市	443	160	11	11	8	26	22	17	65	283
北九州市	4 728	469	271	7	4	-	4	5	178	4 259
福岡市	932	182	10	-	6	-	153	3	10	750
熊本市	372	69	4	4	14	32	-	-	15	303

都道府県－指定都市・特別区－中核市－その他政令市、相談内容別

平成29年度

| 総数 | 被指導延人員 | | | | | | | | 総合健康相談 |
| | 重点健康相談 | | | | | | | | |
	総数	高血圧	脂質異常症	糖尿病	歯周疾患	骨粗鬆症	女性の健康	病態別[1]	
1 239 899	456 955	72 065	23 033	34 204	73 050	93 220	21 795	139 588	782 944
70 657	25 035	4 554	2 025	2 781	2 547	1 523	448	11 157	45 622
30 150	15 804	3 384	830	1 260	1 985	1 668	577	6 100	14 346
18 223	4 731	1 443	298	873	675	433	138	871	13 492
20 468	8 594	1 139	694	999	1 403	2 036	28	2 295	11 874
29 729	5 839	2 805	172	270	573	686	134	1 199	23 890
20 106	5 120	331	178	640	525	328	770	2 348	14 986
25 151	7 830	3 003	263	437	2 390	717	194	826	17 321
36 745	14 677	3 373	561	979	1 117	2 106	910	5 631	22 068
25 977	10 438	1 889	952	1 241	3 124	933	84	2 215	15 539
32 527	8 563	714	255	382	954	1 107	502	4 649	23 964
37 170	9 060	1 357	380	540	1 817	3 632	152	1 182	28 110
42 536	21 165	917	322	798	4 523	5 364	1 427	7 814	21 371
27 038	11 516	591	585	481	1 535	4 020	3 052	1 252	15 522
43 601	15 406	1 441	569	1 304	1 858	4 704	681	4 849	28 195
22 688	8 578	238	6	233	1 727	1 840	658	3 876	14 110
6 695	1 699	88	85	164	390	208	15	749	4 996
10 749	5 778	378	280	683	397	581	28	3 431	4 971
11 948	2 899	19	14	57	1 343	1 426	7	33	9 049
33 343	18 467	906	851	962	2 216	442	1 283	11 807	14 876
62 900	18 071	7 060	1 339	2 046	3 570	1 740	176	2 140	44 829
26 724	8 553	2 255	424	986	632	2 006	13	2 237	18 171
57 817	26 089	3 762	740	4 818	2 391	6 926	423	7 029	31 728
33 550	13 343	1 472	222	323	5 886	3 963	11	1 466	20 207
8 168	1 752	146	103	49	128	776	226	324	6 416
9 437	3 675	518	498	556	517	862	3	721	5 762
18 837	4 531	115	88	152	255	2 488	280	1 153	14 306
57 681	26 883	2 439	513	612	7 401	5 546	769	9 603	30 798
63 141	24 341	5 707	326	1 151	5 540	3 178	2 329	6 110	38 800
11 731	4 537	164	146	166	1 243	1 845	167	806	7 194
12 352	8 696	883	524	350	276	4 049	30	2 584	3 656
6 612	3 356	133	26	732	1 538	244	127	556	3 256
14 390	3 700	978	381	465	356	817	262	441	10 690
22 382	9 355	1 696	519	586	443	1 893	1 833	2 385	13 027
23 283	10 489	1 144	574	595	1 242	5 459	255	1 220	12 794
9 799	2 681	307	175	115	132	742	166	1 044	7 118
4 536	1 701	285	105	447	122	21	1	720	2 835
21 388	7 653	631	1 320	15	547	4 289	136	715	13 735
12 073	4 384	307	211	318	451	498	221	2 378	7 689
7 051	1 985	118	32	30	1 495	224	9	77	5 066
70 957	24 887	6 012	373	370	880	8 406	494	8 352	46 070
18 479	3 852	342	329	882	490	530	203	1 076	14 627
27 495	10 300	1 635	2 074	324	2 839	1 465	436	1 527	17 195
28 679	12 403	1 190	1 163	1 682	1 946	311	1 056	5 055	16 276
15 663	6 391	1 263	972	517	18	421	678	2 522	9 272
11 732	1 542	566	182	335	76	142	25	216	10 190
24 647	7 684	2 191	253	429	935	615	372	2 889	16 963
12 894	2 922	176	101	69	602	10	6	1 958	9 972
13 547	5 427	38	81	226	999	1 279	1 998	806	8 120
–	–	–	–	–	–	–	–	–	–
495	92	6	16	8	10	21	1	30	403
9 714	620	23	60	69	91	5	48	324	9 094
17 674	4 925	234	111	222	1 842	48	477	1 991	12 749
5 222	3 265	–	–	–	–	–	–	3 265	1 957
208	140	95	–	17	–	18	10	–	68
1 683	71	–	–	–	12	–	–	59	1 612
3 085	1 290	–	–	–	4	1 286	–	–	1 795
1 641	788	171	75	370	–	–	–	172	853
1 174	27	–	–	–	27	–	–	–	1 147
1 045	–	–	–	–	–	–	–	–	1 045
1 677	921	43	4	12	4	74	280	504	756
9 140	2 452	582	52	16	895	27	258	622	6 688
8 363	3 467	8	8	20	2 332	1 040	–	59	4 896
2 552	1 280	252	109	127	494	18	3	277	1 272
2 600	196	76	2	–	73	–	39	6	2 404
996	684	21	21	14	433	42	33	120	312
24 401	6 739	4 866	18	5	–	125	147	1 578	17 662
15 840	7 022	110	–	49	–	6 762	28	73	8 818
3 525	1 335	4	4	16	1 226	–	–	85	2 190

第４表（2−2） 健康相談の開催回数・被指導延人員，

	開催回数									
	総数	重点健康相談								総合健康相談
		総数	高血圧	脂質異常症	糖尿病	歯周疾患	骨粗鬆症	女性の健康	病態別[1]	
中核市（再掲）										
旭川市	199	6	−	−	−	6	−	−	−	193
函館市	67	58	11	19	16	−	−	2	10	9
青森市	219	71	31	1	34	−	−	−	5	148
八戸市	170	55	52	−	−	−	1	2	−	115
盛岡市	255	23	7	−	−	5	9	−	2	232
秋田市	151	12	−	−	−	−	−	4	8	139
郡山市	36	16	2	−	1	−	13	−	−	20
いわき市	42	6	2	−	−	−	−	3	1	36
宇都宮市	437	248	23	12	46	3	1	58	105	189
前橋市	392	23	−	−	4	16	2	1	−	369
高崎市	286	35	2	3	5	−	1	7	17	251
川越市	232	161	24	7	8	98	3	4	17	71
越谷市	271	60	−	8	6	13	19	1	13	211
船橋市	418	299	106	−	−	47	124	3	19	119
柏市	80	25	−	−	−	25	−	−	−	55
八王子市	325	167	12	19	42	25	6	55	8	158
横須賀市	60	6	−	−	2	−	−	4	−	54
富山市	648	409	−	−	21	388	−	−	−	239
金沢市	188	149	39	22	16	1	1	2	68	39
長野市	522	92	6	2	29	42	−	−	13	430
岐阜市	129	−	−	−	−	−	−	−	−	129
豊橋市	13	−	−	−	−	−	−	−	−	13
豊田市	180	49	13	3	1	−	2	4	26	131
岡崎市	39	1	−	−	−	−	−	−	1	38
大津市	141	8	−	−	−	8	−	−	−	133
高槻市	55	16	2	2	2	7	−	−	3	39
東大阪市	1 444	1 180	16	1	61	35	65	5	997	264
豊中市	144	55	11	2	3	7	−	10	22	89
枚方市	172	102	19	7	25	−	−	8	43	70
姫路市	11	8	5	−	3	−	−	−	−	3
西宮市	1 402	108	−	−	−	5	−	103	−	1 294
尼崎市	39	37	2	1	−	29	−	−	5	2
奈良市	428	169	46	63	56	−	1	−	3	259
和歌山市	102	16	−	2	6	−	7	−	1	86
倉敷市	189	94	8	4	27	6	7	21	21	95
福山市	56	22	−	−	−	3	−	−	19	34
呉市	397	282	124	43	41	4	36	9	25	115
下関市	357	53	10	1	2	3	29	−	8	304
高松市	130	41	2	2	−	4	31	2	−	89
松山市	424	86	−	−	−	−	−	−	86	338
高知市	377	79	10	4	7	24	2	6	26	298
久留米市	380	245	245	−	−	−	−	−	−	135
長崎市	1 569	1 185	243	266	143	15	13	13	492	384
佐世保市	168	27	1	−	−	24	−	−	2	141
大分市	3 139	230	77	72	3	−	14	1	63	2 909
宮崎市	176	−	−	−	−	−	−	−	−	176
鹿児島市	381	180	−	−	−	20	−	−	160	201
那覇市	60	−	−	−	−	−	−	−	−	60
その他政令市（再掲）										
小樽市	374	145	2	1	1	8	−	129	4	229
町田市	12	−	−	−	−	−	−	−	−	12
藤沢市	784	723	161	229	114	−	28	16	175	61
茅ヶ崎市	14	2	−	−	1	1	−	−	−	12
四日市市	45	11	1	1	−	−	−	6	3	34
大牟田市	31	−	−	−	−	−	−	−	−	31

注：1）「病態別」とは、相談内容の「高血圧」から「骨粗鬆症」を除く、肥満、心臓病等の病態別に、個人の食生活その他の生活習慣を勘案して行う相談指導等をいう。

都道府県－指定都市・特別区－中核市－その他政令市、相談内容別

平成29年度

被指導延人員									
総数	重点健康相談								総合健康相談
	総数	高血圧	脂質異常症	糖尿病	歯周疾患	骨粗鬆症	女性の健康	病態別[1)]	
259	6	－	－	－	6	－	－	－	253
68	59	11	20	16	－	－	2	10	9
408	244	133	1	93	－	－	－	17	164
1 271	1 072	1 008	－	－	－	62	2	－	199
662	209	15	－	－	5	183	－	6	453
329	81	－	－	－	－	－	63	18	248
455	195	19	－	18	－	158	－	－	260
477	109	20	－	－	－	－	66	23	368
513	259	32	12	46	3	1	59	106	254
1 992	318	－	－	19	178	96	25	－	1 674
299	46	3	7	10	－	1	8	17	253
2 487	469	275	9	12	147	4	4	18	2 018
678	467	－	8	6	18	421	1	13	211
1 654	1 400	347	－	－	246	757	3	47	254
247	86	－	－	－	86	－	－	－	161
1 997	1 067	12	19	42	63	290	633	8	930
72	9	－	－	2	－	－	7	－	63
1 641	435	－	－	47	388	－	－	－	1 206
1 740	1 030	216	98	203	1	2	18	492	710
808	378	8	7	121	187	－	－	55	430
1 041	－	－	－	－	－	－	－	－	1 041
56	－	－	－	－	－	－	－	－	56
1 639	706	198	9	1	－	63	4	431	933
679	4	－	－	－	－	－	－	4	675
501	8	－	－	－	8	－	－	－	493
268	29	2	2	2	20	－	－	3	239
9 292	6 161	253	1	101	201	1 014	11	4 580	3 131
157	61	13	2	3	11	－	10	22	96
2 877	2 603	62	7	52	－	－	63	2 419	274
336	12	7	－	5	－	－	－	－	324
3 734	533	－	－	－	12	－	521	－	3 201
39	37	2	1	－	29	－	－	5	2
699	334	103	117	102	－	4	－	8	365
342	99	－	2	60	－	36	－	1	243
1 463	322	42	5	73	6	78	75	43	1 141
607	48	－	－	－	4	－	－	44	559
3 375	2 874	628	126	87	165	1 592	205	71	501
1 208	472	10	1	2	3	443	－	13	736
6 957	2 747	84	210	－	61	2 307	85	－	4 210
761	99	－	－	－	－	－	－	99	662
755	255	28	4	7	180	4	6	26	500
819	245	245	－	－	－	－	－	－	574
10 277	2 921	1 120	466	216	22	260	15	822	7 356
305	100	1	－	－	86	－	－	13	205
6 083	2 450	765	681	13	－	71	8	912	3 633
921	－	－	－	－	－	－	－	－	921
1 848	763	－	－	－	85	－	－	678	1 085
61	－	－	－	－	－	－	－	－	61
933	389	25	4	6	22	－	292	40	544
26	－	－	－	－	－	－	－	－	26
1 433	1 370	189	272	131	－	563	16	199	63
152	94	－	－	57	37	－	－	－	58
46	12	2	1	－	－	－	6	3	34
1 229	－	－	－	－	－	－	－	－	1 229

第５表（7－1） 健康診査受診者数・保健指導区分別実人員,

	受診								
	健康診査								
	総数	40～49歳	50～59歳	60～64歳	65～69歳	70～74歳	75歳以上	（再掲）個別	（再掲）集団
全国	**120 589**	**13 795**	**18 274**	**11 814**	**18 334**	**19 130**	**39 242**	**101 059**	**19 533**
北海道	2 356	371	459	291	380	350	505	1 068	1 288
青森	1 990	163	260	223	326	348	670	1 196	794
岩手	1 319	119	209	186	241	203	361	782	537
宮城	3 713	286	395	281	354	282	2 115	1 496	2 217
秋田	383	25	68	61	67	58	104	85	298
山形	385	62	86	70	62	42	63	76	309
福島	1 652	207	294	255	305	225	366	920	732
茨城	657	88	115	69	100	109	176	177	480
栃木	907	225	156	92	121	131	182	446	461
群馬	1 529	107	198	147	221	278	578	1 367	165
埼玉	6 896	815	972	664	1 050	1 207	2 188	6 536	360
千葉	5 660	720	876	532	822	943	1 767	5 145	515
東京	45 750	4 360	6 097	3 605	6 511	7 774	17 403	43 762	1 988
神奈川	7 967	1 123	1 349	731	1 110	1 245	2 409	7 853	114
新潟	1 817	237	325	265	309	256	425	1 044	773
富山	237	19	28	17	37	49	87	227	10
石川	934	50	97	107	145	151	384	854	80
福井	163	20	32	24	27	24	36	90	73
山梨	214	33	58	35	24	23	41	29	185
長野	993	67	143	123	189	184	287	750	243
岐阜	422	56	72	41	60	89	104	352	70
静岡	1 541	142	296	172	266	233	432	1 481	60
愛知	3 800	434	583	396	573	571	1 243	3 442	358
三重	1 890	173	296	188	288	298	647	1 873	17
滋賀	482	74	90	55	87	76	100	354	128
京都	1 742	231	286	177	303	283	462	1 370	372
大阪	5 572	934	950	490	857	900	1 441	4 725	847
兵庫	2 104	354	424	225	348	326	427	1 185	919
奈良	798	104	120	70	111	109	284	759	39
和歌山	158	19	24	28	25	21	41	89	69
鳥取	579	70	89	63	99	76	182	533	46
島根	454	35	46	44	67	95	167	417	37
岡山	1 327	188	231	154	186	192	376	1 139	188
広島	1 045	171	216	135	180	156	187	648	397
山口	213	27	35	35	45	28	43	206	7
徳島	218	30	41	29	43	26	49	158	60
香川	1 162	91	141	136	182	188	424	1 145	17
愛媛	221	33	51	39	37	29	32	104	117
高知	236	32	44	33	46	37	44	27	209
福岡	2 634	505	566	364	580	376	243	1 542	1 092
佐賀	273	31	68	62	56	33	23	42	231
長崎	1 601	212	304	223	323	209	330	1 329	272
熊本	1 086	168	226	173	191	123	205	823	263
大分	842	76	125	109	177	113	242	343	499
宮崎	830	74	119	106	140	140	251	746	84
鹿児島	1 073	133	193	139	170	132	306	603	470
沖縄	2 764	301	421	350	493	389	810	1 721	1 043
指定都市・特別区（再掲）									
東京都区部	34 013	3 030	4 380	2 646	4 875	5 889	13 193	32 268	1 745
札幌市	419	75	75	46	81	62	80	338	81
仙台市	1 338	212	272	178	222	175	279	1 338	－
さいたま市	2 308	294	361	251	343	419	640	2 308	－
千葉市	833	105	163	96	126	140	203	833	－
横浜市	1 634	379	400	171	213	195	276	1 634	－
川崎市	2 786	346	462	260	389	465	864	2 786	－
相模原市	641	95	102	48	94	107	195	641	－
新潟市	1 120	140	162	139	198	167	314	966	154
静岡市	224	26	46	23	31	37	61	224	－
浜松市	416	42	101	68	96	48	61	416	－
名古屋市	1 185	190	254	170	159	130	282	1 185	－
京都市	665	111	125	59	82	85	203	558	107
大阪市	743	151	140	52	99	114	187	743	－
堺市	239	63	57	26	34	19	40	239	－
神戸市	290	77	80	30	36	32	35	－	290
岡山市	741	120	130	86	93	94	218	741	－
広島市	810	125	161	100	142	121	161	505	305
北九州市	67	19	18	13	10	6	1	46	21
福岡市	864	209	230	105	157	88	75	864	－
熊本市	746	135	163	108	125	76	139	746	－

都道府県－指定都市・特別区－中核市－その他政令市、年齢階級別

平成29年度

者				数				
	(再掲) 詳細な項目実施							
総数	40～49歳	50～59歳	60～64歳	65～69歳	70～74歳	75歳以上	(再掲) 個別	(再掲) 集団
55 938	**6 097**	**8 329**	**5 145**	**8 495**	**9 130**	**18 742**	**50 348**	**5 590**
407	73	87	54	69	68	56	168	239
703	64	99	88	132	141	179	415	288
338	26	54	53	59	44	102	280	58
1 728	221	291	187	247	189	593	1 390	338
99	8	17	18	17	15	24	36	63
313	49	69	62	55	32	46	60	253
552	83	112	89	99	85	84	492	60
252	42	48	26	39	30	67	118	134
413	63	67	47	60	78	98	242	171
421	25	46	33	78	76	163	405	16
1 348	158	202	130	207	238	413	1 224	124
2 519	340	411	243	370	416	739	2 313	206
25 636	2 391	3 401	1 944	3 662	4 459	9 779	24 423	1 213
5 371	700	841	447	745	831	1 807	5 272	99
1 012	129	168	136	184	144	251	677	335
16	－	3	1	3	3	6	16	－
125	3	11	17	16	16	62	112	13
147	15	29	22	24	24	33	89	58
87	18	24	12	9	8	16	3	84
507	30	72	54	78	79	194	478	29
288	42	53	27	42	37	87	278	10
939	74	151	88	146	157	323	915	24
1 969	156	244	161	306	344	758	1 814	155
905	109	159	99	190	193	155	902	3
71	19	13	10	9	16	4	54	17
1 230	173	210	124	183	174	366	1 083	147
1 895	299	351	198	332	296	419	1 577	318
960	148	179	94	148	134	257	549	411
725	89	104	65	96	102	269	708	17
68	8	9	6	8	8	29	55	13
186	18	26	17	30	17	78	173	13
254	14	24	26	35	58	97	248	6
417	56	103	59	86	86	27	404	13
188	20	41	22	35	30	40	160	28
166	23	29	28	34	17	35	161	5
55	10	12	8	8	3	14	48	7
1 050	85	131	129	174	180	351	1 044	6
58	10	11	9	10	7	11	22	36
24	2	6	5	4	3	4	1	23
259	46	52	44	53	29	35	120	139
22	－	2	5	8	2	5	3	19
951	124	167	118	206	114	222	875	76
335	38	47	31	40	29	150	313	22
236	17	42	24	43	34	76	161	75
67	4	18	9	16	14	6	53	14
320	42	56	35	44	36	107	254	66
306	33	37	41	56	34	105	160	146
18 404	1 604	2 370	1 366	2 651	3 282	7 131	17 232	1 172
15	5	5	4	－	1	－	15	－
1 338	212	272	178	222	175	279	1 338	－
－	－	－	－	－	－	－	－	－
294	27	62	43	45	48	69	294	－
1 169	220	279	118	160	152	240	1 169	－
1 200	158	187	95	164	187	409	1 200	－
589	88	90	45	83	92	191	589	－
792	94	106	100	147	115	230	664	128
134	13	26	14	20	23	38	134	－
8	－	1	－	1	3	3	8	－
350	39	63	48	43	59	98	350	－
665	111	125	59	82	85	203	558	107
－	－	－	－	－	－	－	－	－
23	3	5	4	6	－	5	23	－
2	1	1	－	－	－	－	－	2
114	18	31	15	23	25	2	114	－
157	11	34	18	29	29	36	129	28
…	…	…	…	…	…	…	…	…
8	3	1	1	1	1	1	8	－
300	35	44	29	34	25	133	300	－

15（4）－01 健康診査

第5表（7-2） 健康診査受診者数・保健指導区分別実人員，

	受			診				査	
	健	康		診		査			
	総　数	40～49歳	50～59歳	60～64歳	65～69歳	70～74歳	75歳以上	(再掲) 個別	(再掲) 集団
中核市（再掲）									
旭　川　市	69	23	13	8	8	6	11	69	－
函　館　市	148	16	20	5	14	15	78	100	48
青　森　市	765	51	74	70	114	143	313	720	45
八　戸　市	246	33	53	32	41	36	51	47	199
盛　岡　市	527	47	78	73	91	85	153	527	－
秋　田　市	26	3	5	4	5	3	6	25	1
郡　山　市	246	33	56	31	51	36	39	244	2
い わ き 市	277	33	38	39	50	35	82	254	23
宇 都 宮 市	343	123	64	33	39	30	54	190	153
前　橋　市	551	43	81	43	84	107	193	548	3
高　崎　市	296	21	31	29	45	52	118	296	－
川　越　市	49	11	16	1	5	8	8	49	－
越　谷　市	309	37	46	24	40	50	112	260	49
船　橋　市	1 430	162	181	130	181	232	544	1 430	－
柏　　　市	278	39	31	30	47	40	91	278	－
八 王 子 市	1 744	186	254	128	253	321	602	1 744	－
横 須 賀 市	206	31	42	18	29	36	50	151	55
富　山　市	125	11	13	8	22	25	46	125	－
金　沢　市	704	35	67	75	102	118	307	693	11
長　野　市	198	17	25	18	43	36	59	198	－
岐　阜　市	195	38	40	17	28	23	49	195	－
豊　橋　市	24	2	2	1	4	8	7	23	1
豊　田　市	85	18	19	10	11	4	23	－	85
岡　崎　市	377	25	27	14	61	71	179	317	60
大　津　市	274	29	48	32	55	52	58	242	32
高　槻　市	399	50	53	33	53	80	130	399	－
東 大 阪 市	444	44	34	39	69	108	150	444	－
豊　中　市	657	106	143	96	114	107	91	539	118
枚　方　市	469	71	94	42	105	71	86	469	－
姫　路　市	275	37	69	38	67	64	－	275	－
西　宮　市	107	20	17	7	14	6	43	73	34
尼　崎　市	828	100	141	83	134	122	248	466	362
奈　良　市	512	65	78	47	68	70	184	512	－
和 歌 山 市	51	5	5	3	5	7	26	51	－
倉　敷　市	207	31	40	16	34	42	44	207	－
福　山　市	50	11	13	3	8	6	9	50	－
呉　　　市	35	11	9	3	4	4	4	19	16
下　関　市	26	8	2	5	4	1	6	26	－
高　松　市	733	56	71	76	100	124	306	733	－
松　山　市	99	19	22	14	17	14	13	99	－
高　知　市	23	6	5	2	4	4	2	19	4
久 留 米 市	378	56	78	56	74	44	70	376	2
長　崎　市	788	105	132	101	177	102	171	741	47
佐 世 保 市	26	2	8	6	4	3	3	24	2
大　分　市	100	10	13	13	14	17	33	－	100
宮　崎　市	353	38	45	41	58	71	100	333	20
鹿 児 島 市	533	63	81	52	86	79	172	357	176
那　覇　市	1 041	110	146	117	172	157	339	1 030	11
その他政令市（再掲）									
小　樽　市	27	3	9	3	3	5	4	12	15
町　田　市	1 505	204	212	126	175	238	550	1 505	－
藤　沢　市	873	88	115	74	119	154	323	873	－
茅 ヶ 崎 市	254	26	23	17	32	29	127	254	－
四 日 市 市	589	48	75	39	100	104	223	589	－
大 牟 田 市	4	1	1	1	－	－	1	4	－

注：1）　「保健指導区分別実人員」については、計数不詳の市区町村があるため、受診者数と保健指導区分別実人員の計が一致しない場合がある。

都道府県－指定都市・特別区－中核市－その他政令市、年齢階級別

平成29年度

	者						数	
	(再掲)		詳　細　な　項　目			実　施		
総　数	40～49歳	50～59歳	60～64歳	65～69歳	70～74歳	75歳以上	(再掲) 個別	(再掲) 集団
8	2	1	－	3	1	1	8	－
3	1	－	－	－	2	－	2	1
105	13	10	11	14	23	34	105	－
79	10	22	17	11	16	3	3	76
65	6	12	11	6	10	20	65	－
16	1	3	2	5	1	4	15	1
25	4	8	2	4	7	－	25	－
277	33	38	39	50	35	82	254	23
－	－	－	－	－	－	－	－	－
121	12	20	8	30	22	29	120	1
…	…	…	…	…	…	…	…	－
49	11	16	1	5	8	8	49	－
39	9	2	1	7	7	13	36	3
285	44	40	22	37	36	106	285	－
169	24	19	18	27	24	57	169	－
1 744	186	254	128	253	321	602	1 744	－
193	30	37	17	26	33	50	138	55
13	－	3	－	3	2	5	13	－
81	1	6	12	10	11	41	77	4
1	1	－	－	－	－	－	1	－
195	38	40	17	28	23	49	195	－
10	－	1	－	1	4	4	10	－
85	18	19	10	11	4	23	－	85
320	4	8	3	60	69	176	310	10
32	8	4	5	5	10	－	31	1
－	－	－	－	－	－	－	－	－
134	7	12	9	14	32	60	134	－
657	106	143	96	114	107	91	539	118
469	71	94	42	105	71	86	469	－
－	－	－	－	－	－	－	－	－
44	20	17	7	－	－	－	21	23
824	100	141	83	132	121	247	464	360
512	65	78	47	68	70	184	512	－
51	5	5	3	5	7	26	51	－
177	31	40	16	34	42	14	177	－
22	5	6	3	5	1	2	22	－
4	3	－	－	1	－	－	4	－
26	8	2	5	4	1	6	26	－
733	56	71	76	100	124	306	733	－
19	4	7	2	4	2	－	19	－
1	－	－	－	1	－	－	1	－
58	4	9	7	12	11	15	57	1
788	105	132	101	177	102	171	741	47
26	2	8	6	4	3	3	24	2
5	－	2	2	－	1	－	－	5
－	－	－	－	－	－	－	－	－
117	12	18	5	15	12	55	105	12
102	8	7	14	18	8	47	100	2
－	－	－	－	－	－	－	－	－
505	61	73	44	49	95	183	505	－
644	62	79	51	91	110	251	644	－
254	26	23	17	32	29	127	254	－
366	48	75	39	100	104	－	366	－
3	1	1	1	－	－	－	3	－

第５表（7－3）　健康診査受診者数・保健指導区分別実人員，

	受診								
	訪問健康診査								
	総数	40～49歳	50～59歳	60～64歳	65～69歳	70～74歳	75歳以上	（再掲）個別	（再掲）集団
全国	1 236	6	21	19	82	132	976	1 233	3
北海道	1	－	－	－	－	1	－	1	－
青森	－	－	－	－	－	－	－	－	－
岩手	19	1	－	－	2	5	11	19	－
宮城	27	－	－	1	2	3	21	27	－
秋田	－	－	－	－	－	－	－	－	－
山形	－	－	－	－	－	－	－	－	－
福島	1	－	－	1	－	－	－	1	－
茨城	－	－	－	－	－	－	－	－	－
栃木	－	－	－	－	－	－	－	－	－
群馬	－	－	－	－	－	－	－	－	－
埼玉	…	…	…	…	…	…	…	…	…
千葉	29	2	1	－	－	1	25	29	－
東京	948	3	14	13	71	109	738	945	3
神奈川	112	－	1	2	2	3	104	112	－
新潟	－	－	－	－	－	－	－	－	－
富山	－	－	－	－	－	－	－	－	－
石川	－	－	－	－	－	－	－	－	－
福井	－	－	－	－	－	－	－	－	－
山梨	－	－	－	－	－	－	－	－	－
長野	－	－	－	－	－	－	－	－	－
岐阜	…	…	…	…	…	…	…	…	－
静岡	7	－	－	－	－	1	6	7	－
愛知	…	…	…	…	…	…	…	…	…
三重	－	－	－	－	－	－	－	－	－
滋賀	－	－	－	－	－	－	－	－	－
京都	－	－	－	－	－	－	－	－	－
大阪	1	－	－	－	－	－	1	1	－
兵庫	－	－	－	－	－	－	－	－	－
奈良	86	－	5	1	5	9	66	86	－
和歌山	－	－	－	－	－	－	－	－	－
鳥取	5	－	－	1	－	－	4	5	－
島根	－	－	－	－	－	－	－	－	－
岡山	－	－	－	－	－	－	－	－	－
広島	－	－	－	－	－	－	－	－	－
山口	－	－	－	－	－	－	－	－	－
徳島	－	－	－	－	－	－	－	－	－
香川	－	－	－	－	－	－	－	－	－
愛媛	－	－	－	－	－	－	－	－	－
高知	－	－	－	－	－	－	－	－	－
福岡	…	…	…	…	…	…	…	…	…
佐賀	－	－	－	－	－	－	－	－	－
長崎	－	－	－	－	－	－	－	－	－
熊本	－	－	－	－	－	－	－	－	－
大分	－	－	－	－	－	－	－	－	－
宮崎	－	－	－	－	－	－	－	－	－
鹿児島	－	－	－	－	－	－	－	－	－
沖縄	－	－	－	－	－	－	－	－	－
指定都市・特別区（再掲）									
東京都区部	787	3	14	12	64	98	596	784	3
札幌市	－	－	－	－	－	－	－	－	－
仙台市	27	－	－	1	2	3	21	27	－
さいたま市	－	－	－	－	－	－	－	－	－
千葉市	－	－	－	－	－	－	－	－	－
横浜市	－	－	－	－	－	－	－	－	－
川崎市	－	－	－	－	－	－	－	－	－
相模原市	－	－	－	－	－	－	－	－	－
新潟市	－	－	－	－	－	－	－	－	－
静岡市	－	－	－	－	－	－	－	－	－
浜松市	－	－	－	－	－	－	－	－	－
名古屋市	－	－	－	－	－	－	－	－	－
京都市	－	－	－	－	－	－	－	－	－
大阪市	－	－	－	－	－	－	－	－	－
堺市	－	－	－	－	－	－	－	－	－
神戸市	－	－	－	－	－	－	－	－	－
岡山市	－	－	－	－	－	－	－	－	－
広島市	－	－	－	－	－	－	－	－	－
北九州市	…	…	…	…	…	…	…	…	…
福岡市	－	－	－	－	－	－	－	－	－
熊本市	－	－	－	－	－	－	－	－	－

都道府県－指定都市・特別区－中核市－その他政令市、年齢階級別

平成29年度

| 者 | | | | | 数 | | | |
| 介　護　家　族　訪　問　健 | | | | 康　診　査 | | | | |
総　　数	40～49歳	50～59歳	60～64歳	65～69歳	70～74歳	75歳以上	(再掲) 個別	(再掲) 集団
2	1	…	…	…	…	1	1	1
-	-	-	-	-	-	-	-	-
-	-	-	-	-	-	-	-	-
-	-	-	-	-	-	-	-	-
-	-	-	-	-	-	-	-	-
1	1	-	-	-	-	-	-	1
-	-	-	-	-	-	-	-	-
…	…	…	…	…	…	…	…	…
…	…	…	…	…	…	…	…	…
-	-	-	-	-	-	-	-	-
-	-	-	-	-	-	-	-	-
-	-	-	-	-	-	-	-	-
…	…	…	…	…	…	…	…	-
…	…	…	…	…	…	…	…	-
-	-	-	-	-	-	-	-	-
…	…	…	…	…	…	…	…	…
-	-	-	-	-	-	-	-	-
1	-	-	-	-	-	1	1	-
-	-	-	-	-	-	-	-	-
-	-	-	-	-	-	-	-	-
…	…	…	…	…	…	…	…	…
-	-	-	-	-	-	-	-	-
-	-	-	-	-	-	-	-	-
-	-	-	-	-	-	-	-	-
…	…	…	…	…	…	…	…	…
-	-	-	-	-	-	-	-	-
-	-	-	-	-	-	-	-	-
-	-	-	-	-	-	-	-	-
-	-	-	-	-	-	-	-	-
-	-	-	-	-	-	-	-	-
-	-	-	-	-	-	-	-	-
…	…	…	…	…	…	…	…	…
-	-	-	-	-	-	-	-	-

15(4)-01 健康診査

第5表（7-4） 健康診査受診者数・保健指導区分別実人員，

| | 受 | | | | | | | 診 | |
| | 訪　　　問　　　健　　　康　　　診　　　査 | | | | | | | | |
	総　　数	40〜49歳	50〜59歳	60〜64歳	65〜69歳	70〜74歳	75歳以上	（再掲）個別	（再掲）集団
中核市（再掲）									
旭　川　市	-	-	-	-	-	-	-	-	-
函　館　市	-	-	-	-	-	-	-	-	-
青　森　市	-	-	-	-	-	-	-	-	-
八　戸　市	-	-	-	-	-	-	-	-	-
盛　岡　市	19	1	-	-	2	5	11	19	-
秋　田　市	-	-	-	-	-	-	-	-	-
郡　山　市	-	-	-	-	-	-	-	-	-
い　わ　き　市	-	-	-	-	-	-	-	-	-
宇　都　宮　市	-	-	-	-	-	-	-	-	-
前　橋　市	-	-	-	-	-	-	-	-	-
高　崎　市	-	-	-	-	-	-	-	-	-
川　越　市	-	-	-	-	-	-	-	-	-
越　谷　市	-	-	-	-	-	-	-	-	-
船　橋　市	-	-	-	-	-	-	-	-	-
柏　　　市	-	-	-	-	-	-	-	-	-
八　王　子　市	11	-	-	-	1	1	9	11	-
横　須　賀　市	-	-	-	-	-	-	-	-	-
富　山　市	-	-	-	-	-	-	-	-	-
金　沢　市	-	-	-	-	-	-	-	-	-
長　野　市	-	-	-	-	-	-	-	-	-
岐　阜　市	-	-	-	-	-	-	-	-	-
豊　橋　市	-	-	-	-	-	-	-	-	-
豊　田　市	-	-	-	-	-	-	-	-	-
岡　崎　市	-	-	-	-	-	-	-	-	-
大　津　市	-	-	-	-	-	-	-	-	-
高　槻　市	-	-	-	-	-	-	-	-	-
東　大　阪　市	-	-	-	-	-	-	-	-	-
豊　中　市	-	-	-	-	-	-	-	-	-
枚　方　市	-	-	-	-	-	-	-	-	-
姫　路　市	-	-	-	-	-	-	-	-	-
西　宮　市	-	-	-	-	-	-	-	-	-
尼　崎　市	-	-	-	-	-	-	-	-	-
奈　良　市	86	-	5	1	5	9	66	86	-
和　歌　山　市	-	-	-	-	-	-	-	-	-
倉　敷　市	-	-	-	-	-	-	-	-	-
福　山　市	-	-	-	-	-	-	-	-	-
呉　　　市	-	-	-	-	-	-	-	-	-
下　関　市	-	-	-	-	-	-	-	-	-
高　松　市	-	-	-	-	-	-	-	-	-
松　山　市	-	-	-	-	-	-	-	-	-
高　知　市	-	-	-	-	-	-	-	-	-
久　留　米　市	-	-	-	-	-	-	-	-	-
長　崎　市	-	-	-	-	-	-	-	-	-
佐　世　保　市	-	-	-	-	-	-	-	-	-
大　分　市	-	-	-	-	-	-	-	-	-
宮　崎　市	-	-	-	-	-	-	-	-	-
鹿　児　島　市	-	-	-	-	-	-	-	-	-
那　覇　市	-	-	-	-	-	-	-	-	-
その他政令市（再掲）									
小　樽　市	-	-	-	-	-	-	-	-	-
町　田　市	2	-	-	-	-	1	1	2	-
藤　沢　市	14	-	1	1	1	1	10	14	-
茅　ヶ　崎　市	1	-	-	-	1	-	-	1	-
四　日　市　市	-	-	-	-	-	-	-	-	-
大　牟　田　市	-	-	-	-	-	-	-	-	-

注：1）「保健指導区分別実人員」については、計数不詳の市区町村があるため、受診者数と保健指導区分別実人員の計が一致しない場合がある。

都道府県－指定都市・特別区－中核市－その他政令市、年齢階級別

平成29年度

者							数		
	介　　護　　家　　族　　訪　　問					健　　康　　診　　査			
総　　数	40～49歳	50～59歳	60～64歳	65～69歳	70～74歳	75歳以上	(再掲) 個別	(再掲) 集団	
－	－	－	－	－	－	－	－	－	
－	－	－	－	－	－	－	－	－	
－	－	－	－	－	－	－	－	－	
－	－	－	－	－	－	－	－	－	
－	－	－	－	－	－	－	－	－	
－	－	－	－	－	－	－	－	－	
－	－	－	－	－	－	－	－	－	
－	－	－	－	－	－	－	－	－	
－	－	－	－	－	－	－	－	－	
－	－	－	－	－	－	－	－	－	
－	－	－	－	－	－	－	－	－	
－	－	－	－	－	－	－	－	－	
－	－	－	－	－	－	－	－	－	
－	－	－	－	－	－	－	－	－	
－	－	－	－	－	－	－	－	－	
－	－	－	－	－	－	－	－	－	
－	－	－	－	－	－	－	－	－	
－	－	－	－	－	－	－	－	－	
－	－	－	－	－	－	－	－	－	
－	－	－	－	－	－	－	－	－	
－	－	－	－	－	－	－	－	－	
－	－	－	－	－	－	－	－	－	
－	－	－	－	－	－	－	－	－	
－	－	－	－	－	－	－	－	－	
－	－	－	－	－	－	－	－	－	
－	－	－	－	－	－	－	－	－	
－	－	－	－	－	－	－	－	－	
－	－	－	－	－	－	－	－	－	

第５表（7－5） 健康診査受診者数・保健指導区分別実人員，

	保健指導区											
	保健指導非対象者						服薬中のため保健指導の対象から除外した者					
	総数	40～49歳	50～59歳	60～64歳	65～69歳	70～74歳	総数	40～49歳	50～59歳	60～64歳	65～69歳	70～74歳
全国	**42 976**	**8 364**	**9 899**	**6 062**	**9 113**	**9 538**	**25 104**	**2 254**	**4 957**	**3 769**	**6 667**	**7 457**
北海道	1 095	231	287	171	220	186	481	51	91	76	128	135
青森	622	85	143	107	142	145	549	42	90	90	153	174
岩手	480	66	100	98	118	98	366	32	80	72	94	88
宮城	645	146	169	107	112	111	695	69	163	130	186	147
秋田	192	17	47	40	48	40	58	4	11	15	14	14
山形	190	34	48	39	43	26	84	12	24	21	16	11
福島	691	124	153	137	171	106	402	40	97	72	93	100
茨城	288	51	63	47	58	69	113	19	29	15	26	24
栃木	567	182	121	67	93	104	100	18	23	18	20	21
群馬	323	41	71	58	67	86	369	25	68	48	100	128
埼玉	3 498	604	722	487	764	921	734	90	163	111	175	195
千葉	2 323	456	499	312	484	572	1 040	133	226	154	244	283
東京	13 981	2 584	3 221	1 694	2 931	3 551	9 817	741	1 724	1 287	2 663	3 402
神奈川	2 618	644	656	315	463	540	1 605	142	314	234	407	508
新潟	667	148	155	126	139	99	594	57	136	110	148	143
富山	60	5	14	12	12	17	43	3	4	3	14	19
石川	243	23	44	41	68	67	259	19	49	51	69	71
福井	104	18	27	18	20	21	8	1	2	1	3	1
山梨	101	19	28	24	14	16	44	5	14	9	9	7
長野	444	36	90	73	127	118	185	14	33	35	48	55
岐阜	213	40	42	26	33	72	68	8	21	10	16	13
静岡	560	90	148	86	126	110	388	27	93	59	111	98
愛知	1 414	251	345	222	308	288	674	55	123	96	193	207
三重	495	83	103	76	118	115	532	46	121	80	143	142
滋賀	222	39	57	31	45	50	102	21	20	14	29	18
京都	536	138	126	71	108	93	553	34	107	82	168	162
大阪	2 289	595	532	260	422	480	1 062	130	217	133	284	298
兵庫	690	190	176	86	127	111	455	53	102	59	119	122
奈良	316	70	67	39	66	74	156	18	34	24	40	40
和歌山	77	11	14	20	18	14	26	4	7	5	6	4
鳥取	180	40	42	32	37	29	161	17	30	24	52	38
島根	147	24	25	13	38	47	111	6	17	19	26	43
岡山	324	92	89	44	52	47	397	31	82	77	102	105
広島	448	97	109	71	86	85	235	26	68	34	56	51
山口	77	13	18	15	19	12	54	9	6	9	19	11
徳島	69	18	13	11	15	12	75	8	20	12	22	13
香川	271	49	61	42	61	58	331	22	51	65	85	108
愛媛	93	17	25	22	16	13	62	7	15	10	18	12
高知	146	20	36	25	37	28	23	3	5	4	5	6
福岡	1 989	418	471	300	481	319	127	20	32	23	32	20
佐賀	156	21	42	35	32	26	48	4	13	13	15	3
長崎	740	127	165	129	189	130	342	37	78	65	100	62
熊本	451	107	117	83	88	56	256	22	57	57	69	51
大分	296	43	56	57	88	52	207	13	44	37	65	48
宮崎	340	44	63	61	83	89	157	11	37	34	38	37
鹿児島	436	80	119	76	91	70	213	24	44	41	60	44
沖縄	869	133	180	156	235	165	743	81	172	131	184	175
指定都市・特別区(再掲)												
東京都区部	9 753	1 812	2 272	1 184	2 038	2 447	7 842	547	1 317	1 007	2 155	2 816
札幌市	255	48	58	34	64	51	52	9	10	5	17	11
仙台市	363	108	106	48	55	46	527	52	121	102	136	116
さいたま市	1 668	294	361	251	343	419	－	－	－	－	－	－
千葉市	333	56	87	53	64	73	134	18	37	20	28	31
横浜市	803	243	216	94	119	131	－	－	－	－	－	－
川崎市	616	186	182	70	84	94	979	74	193	141	248	323
相模原市	203	52	42	19	41	49	156	17	37	18	37	47
新潟市	323	88	61	55	68	51	426	40	85	72	119	110
静岡市	66	12	20	9	9	16	57	8	14	6	14	15
浜松市	251	32	66	50	64	39	57	2	16	12	21	6
名古屋市	632	118	177	115	116	106	63	6	14	13	21	9
京都市	193	69	52	22	27	23	177	15	45	26	39	52
大阪市	344	108	83	31	57	65	129	22	24	14	32	37
堺市	138	57	43	16	18	4	58	5	14	10	14	15
神戸市	167	49	52	19	26	21	40	11	12	5	6	6
岡山市	179	59	48	21	29	22	233	25	50	46	54	58
広島市	316	75	81	44	58	58	193	20	50	29	50	44
北九州市	45	16	8	10	6	5	7	1	5	1	－	－
福岡市	789	209	230	105	157	88	－	－	－	－	－	－
熊本市	293	85	80	48	51	29	175	19	42	34	46	34

都道府県－指定都市・特別区－中核市－その他政令市、年齢階級別

平成29年度

分　別　実　人　員¹⁾									
保健指導対象者　動機付け支援						保健指導対象者　積極的支援			
総数	40～49歳	50～59歳	60～64歳	65～69歳	70～74歳	総数	40～49歳	50～59歳	60～64歳
7 527	1 143	1 126	594	2 496	2 168	5 474	1 943	2 207	1 324
128	32	27	12	30	27	140	57	53	30
88	9	9	10	31	29	61	27	18	16
78	10	12	3	31	22	42	12	17	13
147	26	18	18	58	27	117	45	45	27
16	1	5	1	5	4	13	3	5	5
26	9	5	4	3	5	22	7	9	6
100	13	15	12	41	19	95	31	29	35
48	3	9	4	16	16	32	15	14	3
33	11	5	3	8	6	25	14	7	4
48	9	12	6	9	12	35	11	16	8
300	48	34	17	110	91	173	72	52	49
294	43	52	16	94	89	240	90	100	50
2 743	356	363	172	932	920	1 820	635	758	427
746	149	150	67	209	171	469	162	207	100
75	16	13	10	22	14	56	16	21	19
28	3	–	1	11	13	19	8	10	1
29	1	3	4	8	13	19	7	1	11
9	–	1	2	4	2	6	1	2	3
7	4	2	–	1	–	21	5	14	2
46	6	8	7	14	11	29	10	11	8
19	2	2	1	10	4	16	5	7	4
93	10	23	5	29	26	69	15	32	22
226	35	27	23	70	71	231	92	84	55
125	21	24	12	27	41	91	23	48	20
33	–	7	5	13	8	25	14	6	5
89	14	15	5	27	28	102	45	38	19
455	93	56	33	151	122	325	116	145	64
286	39	33	19	102	93	246	72	113	61
47	9	17	7	10	4	15	7	7	1
7	1	1	1	1	3	7	3	2	2
29	4	3	3	10	9	28	9	14	5
14	1	1	4	3	5	15	4	3	8
130	18	29	11	32	40	100	47	31	22
88	14	9	7	38	20	87	34	30	23
23	1	4	6	7	5	16	4	7	5
16	3	5	1	6	1	9	1	3	5
75	7	4	6	36	22	61	13	25	23
17	3	4	3	3	4	17	6	7	4
11	3	1	–	4	3	12	6	2	4
158	18	25	11	67	37	117	49	38	30
23	2	5	3	9	4	23	4	8	11
114	25	24	14	34	17	75	23	37	15
85	13	15	7	34	16	89	26	37	26
55	5	9	4	24	13	42	15	16	11
45	5	7	–	19	14	37	14	12	11
65	9	9	10	19	18	53	20	21	12
210	39	24	24	74	49	132	48	45	39
2 082	234	226	122	746	754	1 364	440	579	345
11	7	2	2	–	–	21	11	5	5
90	19	9	13	33	16	85	33	36	16
–	–	–	–	–	–	–	–	–	–
97	12	12	3	34	36	66	19	27	20
235	33	34	10	94	64	320	103	150	67
327	86	87	49	57	48	–	–	–	–
44	10	5	2	16	11	43	16	18	9
37	6	8	6	11	6	20	6	8	6
22	1	5	2	8	6	18	5	7	6
27	4	8	1	11	3	20	4	11	5
82	19	13	13	22	15	126	47	50	29
41	8	6	1	16	10	51	19	22	10
44	6	12	4	10	12	39	15	21	3
2	–	–	–	2	–	1	1	–	–
25	8	6	2	4	5	23	9	10	4
50	8	14	4	10	14	61	28	18	15
76	10	7	6	34	19	64	20	23	21
5	–	–	–	4	1	9	2	5	2
–	–	–	–	–	–	–	–	–	–
69	10	11	7	28	13	70	21	30	19

15(4)−01　健康診査

第5表（7−6）　健康診査受診者数・保健指導区分別実人員，

| | 保　　　健　　　指　　　導　　　区 | | | | | | | | | | | |
| | 保　健　指　導　非　対　象　者 | | | | | | 服薬中のため保健指導の対象から除外した者 | | | | | |
	総　数	40〜49歳	50〜59歳	60〜64歳	65〜69歳	70〜74歳	総　数	40〜49歳	50〜59歳	60〜64歳	65〜69歳	70〜74歳
中核市（再掲）												
旭　川　市	37	16	7	4	6	4	-	-	-	-	-	-
函　館　市	42	9	13	1	10	9	17	5	2	4	3	3
青　森　市	112	23	21	10	30	28	314	23	47	55	80	109
八　戸　市	156	20	46	29	31	30	-	-	-	-	-	-
盛　岡　市	194	23	36	38	52	45	173	21	38	33	37	44
秋　田　市	20	3	5	4	5	3	-	-	-	-	-	-
郡　山　市	99	16	23	12	32	16	73	10	23	11	11	18
い わ き 市	96	16	20	23	24	13	66	9	11	6	21	19
宇 都 宮 市	289	123	64	33	39	30	-	-	-	-	-	-
前　橋　市	108	20	29	11	26	22	208	11	36	26	54	81
高　崎　市	...	...	...	...	...	...	...	...	...	...	...	...
川　越　市	22	3	9	-	4	6	-	-	-	-	-	-
越　谷　市	107	21	21	11	25	29	57	7	19	8	9	14
船　橋　市	454	92	77	67	93	125	324	43	69	48	76	88
柏　　　市	187	39	31	30	47	40	-	-	-	-	-	-
八 王 子 市	587	98	130	57	123	179	396	38	82	54	101	121
横 須 賀 市	79	15	23	7	12	22	42	6	9	8	8	11
富　山　市	19	1	2	6	5	5	22	1	3	-	7	11
金　沢　市	188	16	29	31	52	60	184	16	36	38	45	49
長　野　市	63	7	12	7	24	13	47	2	6	7	12	20
岐　阜　市	118	29	35	13	23	18	16	6	3	3	-	4
豊　橋　市	5	-	-	-	3	2	9	-	2	-	1	6
豊　田　市	29	11	8	2	6	2	17	1	6	6	3	1
岡　崎　市	88	11	17	7	29	24	82	7	8	3	25	39
大　津　市	109	9	23	15	28	34	68	14	15	8	18	13
高　槻　市	153	32	29	21	28	43	80	10	15	7	18	30
東 大 阪 市	159	25	18	20	32	64	101	11	6	16	30	38
豊　中　市	365	67	89	63	78	68	118	16	33	18	21	30
枚　方　市	169	40	34	13	47	35	65	6	16	10	19	14
姫　路　市	73	13	23	10	16	11	147	13	31	21	37	45
西　宮　市	43	12	12	3	10	6	10	3	3	4	-	-
尼　崎　市	160	50	35	20	28	27	109	6	18	10	41	34
奈　良　市	160	36	30	17	35	42	136	15	31	24	32	34
和 歌 山 市	20	3	4	2	4	7	5	2	1	1	1	-
倉　敷　市	59	15	17	6	9	12	75	6	15	8	20	26
福　山　市	19	4	5	1	5	4	10	1	5	1	1	2
呉　　　市	19	6	5	3	3	2	6	1	3	-	-	2
下　関　市	9	3	-	3	2	1	2	2	-	-	-	-
高　松　市	116	27	25	16	22	26	256	17	34	49	65	91
松　山　市	36	11	12	5	4	4	32	3	6	5	11	7
高　知　市	16	3	5	2	3	3	2	1	-	-	-	1
久 留 米 市	239	34	63	46	59	37	-	-	-	-	-	-
長　崎　市	322	62	56	52	95	57	202	19	51	34	62	36
佐 世 保 市	12	2	3	5	2	-	9	-	3	1	2	3
大　分　市	43	6	8	7	10	12	13	2	2	5	3	1
宮　崎　市	155	26	20	27	37	45	70	4	19	12	14	21
鹿 児 島 市	186	31	43	24	42	46	106	16	22	17	29	22
那　覇　市	314	43	60	54	84	73	280	39	67	46	65	63
その他政令市（再掲）												
小　樽　市	17	2	7	2	1	5	4	-	2	1	1	-
町　田　市	444	95	87	59	85	118	352	51	75	53	73	100
藤　沢　市	288	48	62	39	67	72	182	16	32	31	40	63
茅 ヶ 崎 市	...	...	...	...	...	...	...	...	...	...	...	...
四 日 市 市	168	24	33	20	49	42	135	12	22	15	41	45
大 牟 田 市	3	1	1	1	-	-	-	-	-	-	-	-

注：1）　「保健指導区分別実人員」については、計数不詳の市区町村があるため、受診者数と保健指導区分別実人員の計が一致しない場合がある。

都道府県－指定都市・特別区－中核市－その他政令市、年齢階級別

平成29年度

分　　　別　　　実　　　人　　　員[1]									
保　健　指　導　対　象　者　　動　機　付　け　支　援						保　健　指　導　対　象　者　　積　極　的　支　援			
総　数	40～49歳	50～59歳	60～64歳	65～69歳	70～74歳	総　数	40～49歳	50～59歳	60～64歳
8	2	2	–	2	2	13	5	4	4
8	2	2	–	1	3	3	–	3	–
16	–	2	4	4	6	10	5	4	1
16	–	–	–	10	6	23	13	7	3
10	3	2	–	4	1	5	1	2	2
–	–	–	–	–	–	–	–	–	–
15	1	2	2	8	2	20	6	8	6
12	1	1	2	5	3	21	7	6	8
–	–	–	–	–	–	–	–	–	–
25	4	9	4	4	4	17	8	7	2
…	…	…	…	…	…	…	…	…	…
13	4	5	1	1	2	6	4	2	–
20	4	2	1	6	7	13	5	4	4
56	7	12	6	12	19	52	20	23	9
–	–	–	–	–	–	–	–	–	–
92	14	21	5	30	22	69	36	21	12
19	3	4	–	9	3	16	7	6	3
23	3	–	1	10	9	15	6	8	1
16	–	1	1	5	9	9	3	1	5
17	3	3	1	7	3	12	5	4	3
10	2	1	1	5	1	2	1	1	–
1	1	–	–	–	–	2	1	–	1
6	–	2	1	2	1	10	6	3	1
16	–	1	–	7	8	12	7	1	4
23	–	5	4	9	5	16	6	5	5
24	3	4	3	7	7	12	5	5	2
22	3	4	2	7	6	12	5	6	1
57	14	10	9	15	9	26	9	11	6
76	8	5	2	39	22	73	17	39	17
33	5	4	2	14	8	22	6	11	5
8	3	1	–	4	–	3	2	1	–
152	5	12	9	65	61	159	39	76	44
38	7	15	7	6	3	14	7	7	–
–	–	–	–	–	–	–	–	–	–
18	3	5	1	5	4	11	7	3	1
4	1	1	–	2	–	8	5	2	1
2	1	–	–	1	–	4	3	1	–
4	1	1	–	2	–	5	2	1	2
25	3	–	2	13	7	30	9	12	9
10	2	1	2	2	3	8	3	3	2
1	–	–	–	1	–	2	2	–	–
35	5	5	3	15	7	34	17	10	7
70	16	15	10	20	9	23	8	10	5
–	–	–	–	–	–	2	–	2	–
7	2	–	–	1	4	4	–	3	1
17	3	2	–	7	5	11	5	4	2
40	6	4	4	15	11	29	10	12	7
70	14	3	9	23	21	38	14	16	8
2	1	–	–	1	–	–	–	–	–
76	20	14	4	17	21	84	38	36	10
50	5	12	–	13	20	34	19	10	5
…	…	…	…	…	…	…	…	…	…
36	6	2	1	10	17	27	6	18	3
–	–	–	–	–	–	–	–	–	–

第５表（7－7） 健康診査受診者数・保健指導区分別実人員，

	内臓脂肪症候群											
	内臓脂肪症候群予備群						内臓脂肪症候群該当者					
	総数	40～49歳	50～59歳	60～64歳	65～69歳	70～74歳	総数	40～49歳	50～59歳	60～64歳	65～69歳	70～74歳
全国	**11 706**	**2 270**	**2 937**	**1 655**	**2 406**	**2 438**	**21 316**	**2 666**	**4 595**	**3 315**	**5 381**	**5 359**
北海道	208	50	57	24	41	36	327	64	74	60	67	62
青森	172	30	38	27	40	37	343	42	66	63	88	84
岩手	131	19	32	25	26	29	207	20	43	46	59	39
宮城	217	51	58	33	44	31	429	58	109	77	111	74
秋田	21	3	7	4	3	4	45	4	7	12	13	9
山形	39	18	9	6	4	2	76	12	23	22	12	7
福島	191	36	52	36	40	27	369	48	86	73	89	73
茨城	65	12	16	6	17	14	77	14	23	7	16	17
栃木	75	24	19	8	15	9	100	21	25	13	18	23
群馬	117	15	28	15	30	29	234	22	56	34	55	67
埼玉	634	132	153	92	127	130	1 291	170	277	188	325	331
千葉	594	111	158	87	117	121	907	121	209	133	213	231
東京	4 126	743	993	522	851	1 017	8 980	982	1 751	1 261	2 362	2 624
神奈川	883	195	250	104	174	160	1 371	198	300	223	334	316
新潟	198	42	48	34	41	33	288	35	81	53	59	60
富山	21	5	2	2	8	4	33	6	7	2	7	11
石川	96	15	16	24	21	20	222	15	46	46	62	53
福井	8	－	2	3	1	2	51	3	13	7	17	11
山梨	19	3	9	2	3	2	30	4	12	8	3	3
長野	65	11	18	10	12	14	184	18	39	35	44	48
岐阜	55	10	11	10	14	10	61	10	20	7	11	13
静岡	116	14	41	17	16	28	211	21	53	31	62	44
愛知	385	102	82	51	73	77	686	82	147	119	180	158
三重	240	36	67	33	47	57	280	28	75	49	68	60
滋賀	48	12	14	7	10	5	121	23	26	18	32	22
京都	152	37	41	22	22	30	280	40	69	45	74	52
大阪	594	145	143	72	115	119	784	138	175	97	193	181
兵庫	304	68	84	47	53	52	390	61	103	60	89	77
奈良	53	10	16	6	12	9	187	28	47	28	38	46
和歌山	12	3	4	1	2	2	23	5	4	6	4	4
鳥取	75	16	19	9	17	14	94	12	21	15	26	20
島根	31	1	6	10	6	8	76	9	12	14	18	23
岡山	172	34	44	30	30	34	237	45	60	33	54	45
広島	111	26	26	18	24	17	245	32	67	34	63	49
山口	28	4	7	6	8	3	35	8	7	7	8	5
徳島	29	5	12	5	4	3	32	2	6	6	12	6
香川	110	12	20	21	30	27	194	21	44	34	48	47
愛媛	33	6	11	6	6	4	37	5	12	9	7	4
高知	12	4	2	1	4	1	19	5	5	4	2	3
福岡	214	47	45	36	51	35	317	43	71	56	83	64
佐賀	32	5	9	5	11	2	58	4	17	19	14	4
長崎	195	36	57	39	40	23	322	37	86	55	88	56
熊本	137	26	44	20	32	15	172	27	41	42	41	21
大分	82	13	21	11	24	13	158	17	35	24	50	32
宮崎	98	13	22	21	19	23	115	10	23	23	31	28
鹿児島	131	22	36	23	32	18	146	29	35	28	25	29
沖縄	377	48	88	64	89	88	472	67	87	89	106	123
指定都市・特別区(再掲)												
東京都区部	2 987	513	687	386	635	766	6 831	687	1 279	941	1 845	2 079
札幌市	42	11	11	4	10	6	63	18	9	11	13	12
仙台市	146	39	39	20	26	22	281	40	73	53	67	48
さいたま市	259	50	64	36	49	60	469	69	113	73	107	107
千葉市	86	14	24	8	16	24	114	12	29	24	23	26
横浜市	243	58	88	25	45	27	285	64	87	48	49	37
川崎市	289	63	76	40	52	58	510	61	87	84	143	135
相模原市	69	16	23	7	12	11	147	17	34	20	35	41
新潟市	121	21	31	16	29	24	159	23	37	21	41	37
静岡市	30	6	10	3	3	8	34	6	9	4	10	5
浜松市	－	－	－	－	－	－	－	－	－	－	－	－
名古屋市	179	55	43	31	27	23	201	31	60	39	43	28
京都市	50	16	17	3	8	6	119	15	36	18	27	23
大阪市	94	20	25	10	17	22	118	24	36	10	24	24
堺市	24	3	7	6	4	4	4	－	－	－	4	－
神戸市	34	13	11	5	4	1	51	13	17	8	9	4
岡山市	85	18	27	18	12	10	143	32	35	21	29	26
広島市	89	17	21	16	20	15	190	21	47	28	54	40
北九州市	9	2	4	1	2	－	12	2	4	3	1	2
福岡市	－	－	－	－	－	－	－	－	－	－	－	－
熊本市	101	19	31	16	26	9	122	23	29	25	29	16

都道府県－指定都市・特別区－中核市－その他政令市、年齢階級別

平成29年度

	内臓脂肪症候群											
	内臓脂肪症候群予備群						内臓脂肪症候群該当者					
	総数	40～49歳	50～59歳	60～64歳	65～69歳	70～74歳	総数	40～49歳	50～59歳	60～64歳	65～69歳	70～74歳
中核市(再掲)												
旭川市	10	4	1	1	2	2	4	1	1	2	－	－
函館市	9	2	4	－	1	2	12	2	1	4	3	2
青森市	52	8	16	9	8	11	98	8	19	17	22	32
八戸市	18	7	3	－	7	1	59	14	16	8	12	9
盛岡市	48	3	11	12	10	12	50	5	11	12	10	12
秋田市	－	－	－	－	－	－	－	－	－	－	－	－
郡山市	46	10	14	7	9	6	53	6	17	10	8	12
いわき市	37	5	11	8	5	8	61	11	7	8	24	11
宇都宮市	－	－	－	－	－	－	－	－	－	－	－	－
前橋市	69	6	20	8	17	18	106	14	23	13	24	32
高崎市	…	…	…	…	…	…	…	…	…	…	…	…
川越市	9	1	5	1	1	1	6	3	2	－	－	1
越谷市	37	9	11	7	4	6	51	4	13	7	9	18
船橋市	139	31	36	22	25	25	251	33	59	33	57	69
柏市	31	6	9	4	8	4	41	6	4	8	13	10
八王子市	176	38	39	16	34	49	316	36	69	47	86	78
横須賀市	33	11	13	2	3	4	38	4	6	8	12	8
富山市	17	5	2	1	6	3	13	1	5	1	3	3
金沢市	73	11	11	17	19	15	159	10	36	33	44	36
長野市	14	4	4	3	1	2	51	5	9	8	14	15
岐阜市	32	6	6	7	9	4	24	8	5	2	3	6
豊橋市	3	2	－	－	－	1	8	－	2	－	1	5
豊田市	12	2	6	1	2	1	11	3	1	5	2	－
岡崎市	31	9	3	1	8	10	67	4	6	5	22	30
大津市	25	6	8	4	5	2	79	14	17	11	21	16
高槻市	27	4	7	3	6	7	88	14	17	8	18	31
東大阪市	41	7	6	5	10	13	64	8	6	11	18	21
豊中市	78	14	17	17	19	11	49	11	8	10	10	10
枚方市	58	14	16	3	16	9	74	7	14	12	27	14
姫路市	41	10	10	7	7	7	83	10	21	10	20	22
西宮市	11	4	3	－	3	1	11	2	2	5	2	－
尼崎市	130	19	39	16	29	27	130	18	33	25	31	23
奈良市	32	6	13	5	4	4	152	21	40	25	32	34
和歌山市	1	－	－	1	－	－	3	2	1	－	－	－
倉敷市	26	7	3	1	6	9	41	5	12	3	12	9
福山市	11	4	2	1	3	1	10	2	6	1	－	1
呉市	6	5	1	－	－	－	7	－	4	－	1	2
下関市	5	2	1	1	1	－	6	3	1	1	1	－
高松市	62	7	10	12	15	18	137	18	29	24	30	36
松山市	19	4	5	3	5	2	7	1	1	2	2	1
高知市	1	－	－	－	1	－	2	2	－	－	－	－
久留米市	52	12	8	10	13	9	84	15	25	12	19	13
長崎市	83	21	22	17	12	11	173	11	42	28	60	32
佐世保市	2	－	2	－	－	－	1	－	1	－	－	－
大分市	5	1	2	1	－	1	14	2	3	3	4	2
宮崎市	50	8	11	10	7	14	52	4	13	6	15	14
鹿児島市	63	11	13	4	23	12	80	12	18	17	14	19
那覇市	180	14	36	26	48	56	115	15	19	17	26	38
その他政令市(再掲)												
小樽市	2	1	－	－	－	1	4	－	1	1	2	－
町田市	140	42	40	14	16	28	302	50	71	46	57	78
藤沢市	99	16	23	16	19	25	153	19	32	23	33	46
茅ヶ崎市	－	－	－	－	－	－	－	－	－	－	－	－
四日市市	104	12	24	11	25	32	55	8	5	7	17	18
大牟田市	－	－	－	－	－	－	－	－	－	－	－	－

注：1）「保健指導区分別実人員」については、計数不詳の市区町村があるため、受診者数と保健指導区分別実人員の計が一致しない場合がある。

15(4)－02 健康診査

第6表（12－1）　健康診査受診者数・検査結果別人員数，

	血									
	総					数		（再 掲）高 血 圧 症		
	総　数	40～49歳	50～59歳	60～64歳	65～69歳	70～74歳	75歳以上	総　数	40～49歳	50～59歳
全　　国	118 628	13 365	17 763	11 508	17 907	18 769	39 316	12 744	1 430	1 945
北 海 道	2 237	356	434	276	352	334	485	206	46	30
青　森	1 898	154	247	211	312	334	640	145	12	23
岩　手	1 319	119	209	186	241	203	361	202	14	32
宮　城	3 681	280	390	279	353	277	2 102	519	39	43
秋　田	320	21	63	48	58	51	79	25	5	5
山　形	331	49	71	58	54	41	58	22	5	5
福　島	1 638	202	294	253	302	223	364	235	23	45
茨　城	566	80	102	65	86	92	141	74	10	13
栃　木	849	210	146	89	113	117	174	74	10	13
群　馬	1 524	106	198	146	221	276	577	114	13	26
埼　玉	6 733	784	941	658	1 032	1 184	2 134	1 014	97	148
千　葉	5 526	704	857	521	802	919	1 723	457	62	80
東　京	46 393	4 347	6 075	3 606	6 558	7 851	17 956	4 551	468	608
神 奈 川	7 967	1 110	1 338	723	1 100	1 228	2 468	1 007	152	175
新　潟	1 735	220	306	250	298	249	412	442	23	66
富　山	223	19	24	16	35	47	82	24	2	6
石　川	909	48	91	105	139	150	376	83	8	11
福　井	160	19	32	24	25	24	36	8	–	5
山　梨	196	29	49	33	23	23	39	11	2	6
長　野	948	60	126	115	185	179	283	64	4	11
岐　阜	417	54	71	41	59	89	103	61	8	12
静　岡	1 504	132	287	168	261	226	430	117	8	18
愛　知	3 570	404	550	380	532	536	1 168	424	34	61
三　重	1 816	170	287	185	273	284	617	189	23	31
滋　賀	455	68	82	50	84	75	96	26	9	5
京　都	1 512	220	263	155	220	215	439	161	24	25
大　阪	5 295	868	896	466	820	859	1 386	542	94	94
兵　庫	2 050	350	421	220	347	286	426	164	28	43
奈　良	849	95	120	68	109	117	340	65	8	14
和 歌 山	154	19	24	27	23	21	40	13	2	3
鳥　取	576	64	87	64	99	76	186	58	12	8
島　根	453	35	45	44	67	95	167	28	2	3
岡　山	1 295	181	220	150	183	189	372	157	26	26
広　島	1 027	168	210	130	180	155	184	105	11	20
山　口	210	27	34	34	44	28	43	34	5	6
徳　島	177	23	34	25	38	23	34	13	1	–
香　川	1 159	90	141	135	181	188	424	121	10	15
愛　媛	199	27	44	36	35	27	30	24	4	5
高　知	122	24	20	18	21	17	22	9	5	1
福　岡	2 517	480	548	343	554	364	228	287	36	52
佐　賀	232	25	58	54	49	28	18	18	–	4
長　崎	1 535	203	287	214	313	200	318	114	8	23
熊　本	1 040	165	217	162	183	115	198	201	23	46
大　分	834	76	123	108	175	111	241	70	7	12
宮　崎	756	67	105	98	125	130	231	64	4	9
鹿 児 島	1 056	130	192	137	169	131	297	132	16	18
沖　縄	2 665	283	404	334	474	382	788	270	27	40
指定都市・特別区（再掲）										
東京都区部	34 720	3 032	4 371	2 658	4 933	5 976	13 750	3 385	330	424
札　幌　市	419	75	75	46	81	62	80	44	7	5
仙　台　市	1 338	212	272	178	222	175	279	135	28	24
さいたま市	2 308	294	361	251	343	419	640	525	44	77
千　葉　市	833	105	163	96	126	140	203	59	12	24
横　浜　市	1 634	379	400	171	213	195	276	362	61	72
川　崎　市	2 785	346	461	260	389	465	864	266	41	52
相 模 原 市	641	95	102	48	94	107	195	66	11	14
新　潟　市	1 120	140	162	139	198	167	314	410	20	57
静　岡　市	224	26	46	23	31	37	61	26	1	4
浜　松　市	416	42	101	68	96	48	61	–	–	–
名 古 屋 市	1 185	190	254	170	159	130	282	142	22	25
京　都　市	665	111	125	59	82	85	203	62	6	8
大　阪　市	743	151	140	52	99	114	187	79	15	17
堺　　市	25	3	7	4	3	2	6	25	3	7
神　戸　市	258	77	80	30	36	–	35	57	13	17
岡　山　市	741	120	130	86	93	94	218	110	19	19
広　島　市	808	124	161	99	142	121	161	85	7	15
北 九 州 市	67	19	18	13	10	6	1	7	3	1
福　岡　市	864	209	230	105	157	88	75	–	–	–
熊　本　市	746	135	163	108	125	76	139	154	15	40

都道府県－指定都市・特別区－中核市－その他政令市、主な検査項目・年齢階級別

平成29年度

圧										
個別健康教育対象者（ア）				（再掲）高血圧症個別健康教育対象者（イ）						
60～64歳	65～69歳	70～74歳	75歳以上	総数	40～49歳	50～59歳	60～64歳	65～69歳	70～74歳	75歳以上
1 324	1 929	2 010	4 106	35 402	2 023	4 182	3 323	5 736	6 455	13 683
32	28	37	33	395	52	68	50	80	67	78
18	15	23	54	516	30	64	51	94	100	177
34	35	28	59	295	28	43	41	65	58	60
33	42	29	333	1 255	55	143	119	152	134	652
5	1	1	8	35	1	7	7	8	4	8
2	2	3	5	69	9	14	8	7	14	17
37	52	30	48	406	23	61	69	91	66	96
8	12	15	16	212	16	32	22	29	44	69
8	10	16	17	120	9	11	13	20	23	44
9	14	18	34	762	30	78	76	107	151	320
95	155	204	315	1 853	130	235	185	307	334	662
45	54	80	136	953	86	183	143	107	141	293
426	660	755	1 634	15 518	631	1 448	1 072	2 323	2 947	7 097
100	137	136	307	3 061	220	463	334	570	683	791
43	97	81	132	453	29	52	48	73	75	176
3	1	4	8	44	2	1	3	6	15	17
15	10	10	29	196	5	20	23	28	34	86
1	－	－	2	25	3	13	9	－	－	－
2	－	1	－	15	－	2	5	4	－	4
6	10	14	19	277	11	26	26	46	56	112
4	9	11	17	98	7	16	12	20	15	28
9	11	29	42	504	22	65	49	89	90	189
50	65	70	144	1 303	92	173	142	205	204	487
24	25	31	55	663	31	90	57	114	111	260
2	2	2	6	50	8	5	2	12	9	14
16	23	20	53	190	12	26	22	38	33	59
49	87	83	135	1 698	135	206	154	293	347	563
17	29	21	26	421	46	93	52	97	79	54
9	7	5	22	128	28	39	34	6	5	16
1	4	3	－	51	2	4	13	10	6	16
8	3	10	17	303	12	37	26	60	50	118
4	3	6	10	75	3	7	7	10	9	39
18	23	19	45	437	42	74	64	68	78	111
14	26	13	21	154	14	24	21	37	32	26
6	6	5	6	76	8	9	14	19	8	18
3	3	2	4	76	4	13	9	19	12	19
15	19	19	43	297	10	34	32	47	41	133
5	4	3	3	47	3	7	10	12	7	8
－	1	1	1	23	5	1	4	2	4	7
38	72	65	24	422	42	72	52	104	88	64
9	1	2	2	59	5	18	15	12	6	3
18	27	13	25	31	7	1	6	7	6	4
31	41	20	40	285	23	40	45	56	39	82
5	20	6	20	378	15	38	40	81	60	144
10	11	15	15	99	8	7	15	21	16	32
10	24	17	47	147	25	20	17	24	15	46
27	48	34	94	927	44	99	105	156	139	384
305	489	570	1 267	11 478	409	1 012	784	1 736	2 195	5 342
3	10	12	7	105	12	16	11	18	22	26
16	24	16	27	688	50	121	91	121	108	197
46	93	103	162	717	64	105	70	109	137	232
9	－	14	－	105	19	43	43	－	－	－
43	52	52	82	397	56	120	52	77	72	20
30	40	38	65	1 303	90	195	154	260	338	266
6	9	9	17	390	24	41	32	68	81	144
41	91	75	126	387	24	39	35	60	67	162
2	3	7	9	88	9	18	11	15	19	16
－	－	－	－	－	－	－	－	－	－	－
21	18	17	39	436	53	93	81	66	40	103
6	13	7	22	－	－	－	－	－	－	－
5	9	12	21	376	35	49	30	57	74	131
4	3	2	6	－	－	－	－	－	－	－
5	13	－	9	56	13	19	7	8	－	9
14	16	15	27	303	30	49	37	49	57	81
11	24	11	17	92	5	11	14	25	21	16
－	1	1	1	11	1	5	2	2	1	－
－	－	－	－	－	－	－	－	－	－	－
24	29	16	30	191	20	30	28	36	22	55

第６表（12－2） 健康診査受診者数・検査結果別人員数，

	血									
	総数							(再 掲) 高血圧症		
	総数	40～49歳	50～59歳	60～64歳	65～69歳	70～74歳	75歳以上	総数	40～49歳	50～59歳
中核市(再掲)										
旭川市	69	23	13	8	8	6	11	16	3	1
函館市	148	16	20	5	14	15	78	1	1	－
青森市	760	51	73	70	112	142	312	51	4	9
八戸市	246	33	53	32	41	36	51	26	4	6
盛岡市	527	47	78	73	91	85	153	109	7	16
秋田市	26	3	5	4	5	3	6	5	1	1
郡山市	246	33	56	31	51	36	39	48	7	7
いわき市	277	33	38	39	50	35	82	76	6	7
宇都宮市	343	123	64	33	39	30	54	－	－	－
前橋市	551	43	81	43	84	107	193	55	7	13
高崎市	296	21	31	29	45	52	118	6	2	1
川越市	27	5	5	1	3	6	7	10	2	2
越谷市	309	37	46	24	40	50	112	45	4	7
船橋市	1 430	162	181	130	181	232	544	131	20	21
柏市	278	39	31	30	47	40	91	－	－	－
八王子市	1 755	186	254	128	254	322	611	146	19	25
横須賀市	206	31	42	18	29	36	50	25	2	8
富山市	125	11	13	8	22	25	46	15	－	4
金沢市	704	35	67	75	102	118	307	60	5	9
長野市	198	17	25	18	43	36	59	20	1	5
岐阜市	195	38	40	17	28	23	49	41	6	8
豊橋市	24	2	2	1	4	8	7	2	－	1
豊田市	85	18	19	10	11	4	23	4	－	1
岡崎市	377	25	27	14	61	71	179	21	－	1
大津市	274	29	48	32	55	52	58	－	－	－
高槻市	399	50	53	33	53	80	130	34	6	4
東大阪市	403	41	30	39	65	85	143	34	4	9
豊中市	657	106	143	96	114	107	91	90	14	16
枚方市	469	71	94	42	105	71	86	62	8	8
姫路市	274	37	69	38	67	63	－	22	3	7
西宮市	107	20	17	7	14	6	43	10	2	5
尼崎市	828	100	141	83	134	122	248	－	－	－
奈良市	598	65	83	48	73	79	250	21	6	8
和歌山市	51	5	5	3	5	7	26	6	－	－
倉敷市	207	31	40	16	34	42	44	3	2	－
福山市	50	11	13	3	8	6	9	5	1	2
呉市	35	11	9	3	4	4	4	5	2	1
下関市	26	8	2	5	4	1	6	4	2	－
高松市	733	56	71	76	100	124	306	63	6	5
松山市	99	19	22	14	17	14	13	13	2	5
高知市	23	6	5	2	4	4	2	4	4	－
久留米市	378	56	78	56	74	44	70	88	13	13
長崎市	788	105	132	101	177	102	171	78	5	14
佐世保市	26	2	8	6	4	3	3	7	－	1
大分市	100	10	13	13	14	17	33	9	2	1
宮崎市	353	38	45	41	58	71	100	38	2	5
鹿児島市	533	63	81	52	86	79	172	84	10	7
那覇市	1 041	110	146	117	172	157	339	90	12	13
その他政令市(再掲)										
小樽市	27	3	9	3	3	5	4	6	－	1
町田市	1 506	203	212	126	175	239	551	155	22	32
藤沢市	887	88	116	75	120	155	333	138	13	11
茅ヶ崎市	255	26	23	17	33	29	127	21	4	1
四日市市	588	48	75	39	100	103	223	43	7	8
大牟田市	－	－	－	－	－	－	－	－	－	－

都道府県－指定都市・特別区－中核市－その他政令市、主な検査項目・年齢階級別

平成29年度

圧										
個別健康教育対象者 （ア）				(再掲) 高血圧症個別健康教育対象者 （イ）						
60～64歳	65～69歳	70～74歳	75歳以上	総数	40～49歳	50～59歳	60～64歳	65～69歳	70～74歳	75歳以上
4	2	3	3	14	3	3	1	3	–	4
–	–	–	–	5	3	1	1	–	–	–
7	3	5	23	210	7	21	15	37	40	90
3	5	3	5	146	15	26	17	23	26	39
21	21	17	27	39	3	3	4	3	8	18
1	–	1	1	2	–	–	–	1	–	1
10	11	5	8	45	4	5	6	10	8	12
9	19	9	26	77	6	6	9	16	10	30
–	–	–	–	–	–	–	–	–	–	–
4	10	8	13	356	14	39	29	52	76	146
–	2	–	1	190	7	16	21	24	33	89
–	–	4	2	17	3	3	1	3	2	5
7	2	11	14	181	9	21	10	28	32	81
10	18	21	41	381	19	35	34	48	77	168
–	–	–	–	–	–	–	–	–	–	–
11	22	32	37	1 104	49	115	77	164	231	468
2	6	4	3	108	9	17	7	15	22	38
3	–	3	5	–	–	–	–	–	–	–
9	6	5	26	180	5	17	21	24	34	79
3	4	5	2	112	4	7	10	25	22	44
1	5	8	13	66	7	10	7	13	9	20
–	–	1	–	16	–	1	1	2	5	7
–	–	1	2	37	3	10	4	3	3	14
1	4	3	12	254	6	12	8	38	58	132
–	–	–	–	–	–	–	–	–	–	–
–	7	4	13	148	10	16	10	21	32	59
2	3	7	9	210	9	11	16	41	39	94
11	13	17	19	151	5	22	31	35	40	18
6	18	9	13	225	16	33	29	48	41	58
2	3	7	–	171	15	37	27	47	45	–
–	–	1	2	53	2	4	5	8	2	32
–	–	–	–	–	–	–	–	–	–	–
7	–	–	–	88	22	36	30	–	–	–
–	3	3	–	16	2	–	–	1	1	12
1	–	–	–	33	9	14	10	–	–	–
1	–	–	1	24	1	4	1	7	5	6
–	–	1	1	14	2	5	1	–	3	3
1	–	–	1	13	4	1	2	3	–	3
6	8	12	26	196	7	22	18	28	27	94
2	2	1	1	16	1	1	4	4	4	2
–	–	–	–	1	1	–	–	–	–	–
17	20	14	11	112	7	21	14	28	15	27
12	22	12	13	–	–	–	–	–	–	–
3	–	–	3	1	–	–	–	1	–	–
–	–	1	5	36	2	–	5	6	6	17
8	6	10	7	36	4	1	2	8	6	15
4	15	13	35	77	18	7	6	17	9	20
7	18	13	27	637	24	71	62	100	98	282
1	–	2	2	–	–	–	–	–	–	–
13	14	27	47	429	36	47	24	52	86	184
6	8	14	86	378	18	44	46	73	96	101
4	3	1	8	96	6	5	5	9	10	61
3	7	11	7	156	5	20	6	35	24	66
–	–	–	–	–	–	–	–	–	–	–

第６表（12－3） 健康診査受診者数・検査結果別人員数，

	脂質									
	総数							(再掲) 脂質異常症		
	総数	40～49歳	50～59歳	60～64歳	65～69歳	70～74歳	75歳以上	総数	40～49歳	50～59歳
全国	**117 781**	**13 351**	**17 670**	**11 430**	**17 755**	**18 617**	**38 958**	**24 502**	**3 060**	**3 803**
北海道	2 243	355	435	277	358	336	482	425	82	94
青森	1 860	155	244	204	309	325	623	327	32	47
岩手	1 317	119	209	186	241	201	361	377	42	66
宮城	3 388	241	342	240	295	243	2 027	778	58	65
秋田	324	22	66	49	56	52	79	43	2	11
山形	326	53	79	60	50	37	47	59	12	16
福島	1 629	202	290	252	301	223	361	407	56	76
茨城	568	80	102	65	86	90	145	119	13	26
栃木	855	214	147	88	114	118	174	122	24	23
群馬	1 517	106	198	143	219	276	575	257	21	47
埼玉	6 747	792	955	655	1 027	1 190	2 128	1 772	206	268
千葉	5 530	708	854	520	802	927	1 719	818	149	162
東京	45 991	4 303	6 034	3 584	6 498	7 779	17 793	9 289	982	1 279
神奈川	7 925	1 109	1 301	723	1 096	1 229	2 467	1 793	265	320
新潟	1 747	223	312	253	299	249	411	447	66	59
富山	223	19	24	15	36	47	82	53	7	7
石川	911	48	91	106	138	150	378	187	12	21
福井	157	17	31	24	25	24	36	14	4	8
山梨	197	30	49	34	24	23	37	18	5	4
長野	948	60	126	115	185	178	284	218	22	32
岐阜	384	54	71	41	58	58	102	93	14	16
静岡	1 486	134	279	167	258	221	427	254	22	46
愛知	3 631	422	560	381	542	541	1 185	852	91	129
三重	1 818	169	287	185	275	284	618	448	44	53
滋賀	455	71	83	50	82	74	95	40	9	5
京都	1 509	220	264	155	220	216	434	399	60	71
大阪	5 349	887	901	466	827	869	1 399	1 336	258	215
兵庫	2 049	349	422	221	346	286	425	284	59	76
奈良	850	98	122	68	108	116	338	124	30	32
和歌山	154	19	24	27	23	21	40	29	1	5
鳥取	572	64	88	62	98	75	185	137	17	20
島根	445	34	44	43	65	94	165	56	6	4
岡山	1 223	175	215	142	175	182	334	277	52	46
広島	1 028	170	209	130	180	155	184	211	36	53
山口	206	26	33	34	43	28	42	62	5	11
徳島	167	22	33	24	32	22	34	30	1	7
香川	1 151	89	140	134	179	187	422	259	26	26
愛媛	202	27	47	36	35	27	30	35	7	6
高知	120	23	18	20	21	16	22	17	3	2
福岡	2 520	484	546	346	552	365	227	331	61	66
佐賀	244	28	63	56	51	29	17	56	6	12
長崎	1 502	203	287	208	307	198	299	139	16	23
熊本	1 045	166	221	162	183	115	198	312	57	68
大分	828	76	124	108	174	109	237	221	19	30
宮崎	773	71	108	103	130	131	230	122	17	20
鹿児島	1 055	131	192	137	169	131	295	256	25	52
沖縄	2 612	283	400	331	463	370	765	599	58	78
指定都市・特別区(再掲)										
東京都区部	34 721	3 032	4 372	2 657	4 935	5 975	13 750	6 957	675	929
札幌市	419	75	75	46	81	62	80	137	28	28
仙台市	1 042	170	222	137	164	141	208	216	40	44
さいたま市	2 308	294	361	251	343	419	640	759	90	114
千葉市	833	105	163	96	126	140	203	105	30	44
横浜市	1 595	379	361	171	213	195	276	381	87	101
川崎市	2 781	346	462	259	388	465	861	614	79	105
相模原市	641	95	102	48	94	107	195	143	31	20
新潟市	1 120	140	162	139	198	167	314	373	52	46
静岡市	223	26	45	23	31	37	61	53	7	13
浜松市	416	42	101	68	96	48	61	－	－	－
名古屋市	1 185	190	254	170	159	130	282	290	45	60
京都市	665	111	125	59	82	85	203	199	30	40
大阪市	739	150	139	51	99	113	187	180	42	32
堺市	55	18	11	5	6	3	12	55	18	11
神戸市	258	77	80	30	36	－	35	72	19	22
岡山市	741	120	130	86	93	94	218	180	36	24
広島市	809	125	160	100	142	121	161	175	32	38
北九州市	67	19	18	13	10	6	1	19	6	5
福岡市	864	209	230	105	157	88	75	－	－	－
熊本市	746	135	163	108	125	76	139	244	42	54

都道府県－指定都市・特別区－中核市－その他政令市、主な検査項目・年齢階級別

平成29年度

異				常						
個 別 健 康 教 育 対 象 者 （ア）				（再 掲） 脂 質 異 常 症 個 別 健 康 教 育 対 象 者 （イ）						
60～64歳	65～69歳	70～74歳	75歳以上	総 数	40～49歳	50～59歳	60～64歳	65～69歳	70～74歳	75歳以上
2 461	3 690	3 783	7 705	32 869	3 504	5 380	3 384	5 081	5 298	10 222
48	73	56	72	531	90	124	77	85	79	76
36	52	55	105	409	42	61	48	82	70	106
54	62	51	102	200	17	43	32	53	27	28
52	70	51	482	1 168	81	157	101	139	111	579
7	6	6	11	24	4	8	6	1	2	3
10	6	10	5	62	10	23	8	8	8	5
68	73	49	85	501	73	104	86	102	57	79
9	21	21	29	220	32	36	31	31	35	55
13	14	25	23	121	18	19	11	17	22	34
26	37	49	77	613	42	87	60	91	115	218
200	286	286	526	1 816	235	300	184	287	316	494
107	89	105	206	1 022	166	252	138	98	148	220
731	1 367	1 578	3 352	13 859	1 189	1 906	1 155	2 020	2 398	5 191
154	213	293	548	3 067	388	548	312	484	501	834
65	77	68	112	414	34	69	60	77	63	111
6	7	13	13	36	2	2	3	5	12	12
19	30	30	75	247	14	30	37	38	44	84
1	–	–	1	31	7	13	10	–	1	–
3	2	1	3	16	–	3	5	6	1	1
19	39	32	74	239	11	33	24	46	40	85
12	16	12	23	107	19	26	11	13	13	25
24	36	43	83	443	38	74	42	79	75	135
105	138	123	266	1 073	141	187	104	159	158	324
51	71	72	157	602	49	114	61	98	97	183
3	6	5	12	37	11	7	3	5	6	5
45	57	52	114	174	25	33	15	34	31	36
127	211	211	314	1 345	172	253	127	222	238	333
37	44	37	31	414	69	96	48	91	65	45
17	7	8	30	144	29	56	31	7	7	14
4	6	3	10	46	6	10	8	7	8	7
17	25	19	39	255	26	39	27	45	39	79
3	11	6	26	66	5	5	9	7	11	29
37	31	44	67	505	66	92	71	71	63	142
24	34	24	40	224	36	58	30	25	39	36
9	12	10	15	69	10	11	14	17	10	7
6	8	1	7	57	6	12	9	11	8	11
32	40	41	94	277	25	48	30	41	51	82
5	4	8	5	55	8	14	12	12	3	6
1	3	3	5	24	6	4	6	3	3	2
41	79	47	37	379	74	66	55	85	68	31
15	13	7	3	53	5	17	13	9	4	5
19	35	23	23	49	7	14	4	7	2	15
38	62	31	56	350	54	72	64	69	39	52
38	44	36	54	316	27	48	32	77	44	88
16	20	12	37	101	9	14	21	16	11	30
27	49	30	73	262	44	49	34	43	26	66
80	104	96	183	846	82	143	115	158	129	219
532	1 035	1 223	2 563	10 157	805	1 331	829	1 498	1 749	3 945
17	26	18	20	111	18	20	10	23	16	24
25	40	26	41	544	61	114	78	98	79	114
90	117	135	213	705	121	134	75	100	130	145
31	–	–	–	115	27	62	26	–	–	–
36	52	51	54	475	129	137	48	61	47	53
57	74	119	180	1 375	130	227	144	217	229	428
11	18	21	42	349	34	55	25	57	67	111
50	65	55	105	331	24	50	44	60	54	99
5	6	9	13	98	11	24	12	18	11	22
–	–	–	–	–	–	–	–	–	–	–
51	37	30	67	382	72	94	48	58	37	73
21	20	22	66	–	–	–	–	–	–	–
18	20	27	41	351	51	71	17	58	57	97
5	6	3	12	–	–	–	–	–	–	–
13	8	–	10	88	24	30	9	15	–	10
22	19	28	51	364	48	61	46	51	46	112
21	27	21	36	166	21	45	25	18	29	28
6	1	–	1	19	3	7	2	4	3	–
–	–	–	–	–	–	–	–	–	–	–
27	52	23	46	263	49	57	47	44	29	37

第6表（12－4） 健康診査受診者数・検査結果別人員数，

	脂							質		
	総			数				（再 掲） 脂質異常症		
	総 数	40～49歳	50～59歳	60～64歳	65～69歳	70～74歳	75歳以上	総 数	40～49歳	50～59歳
中核市(再掲)										
旭川市	69	23	13	8	8	6	11	18	6	2
函館市	148	16	20	5	14	15	78	5	2	3
青森市	765	51	74	70	114	143	313	139	9	17
八戸市	246	33	53	32	41	36	51	58	11	14
盛岡市	527	47	78	73	91	85	153	147	18	26
秋田市	26	3	5	4	5	3	6	8	－	1
郡山市	246	33	56	31	51	36	39	92	12	22
いわき市	277	33	38	39	50	35	82	89	12	9
宇都宮市	343	123	64	33	39	30	54	－	－	－
前橋市	550	43	81	43	84	107	192	132	11	23
高崎市	296	21	31	29	45	52	118	1	－	1
川越市	31	6	11	－	3	7	4	16	3	7
越谷市	309	37	46	24	40	50	112	80	10	11
船橋市	1 430	162	181	130	181	232	544	287	46	38
柏市	278	39	31	30	47	40	91	－	－	－
八王子市	1 755	186	254	128	254	322	611	376	44	54
横須賀市	206	31	42	18	29	36	50	40	7	8
富山市	125	11	13	8	22	25	46	38	4	5
金沢市	704	35	67	75	102	118	307	151	9	14
長野市	198	17	25	18	43	36	59	89	9	13
岐阜市	195	38	40	17	28	23	49	64	12	11
豊橋市	24	2	2	1	4	8	7	2	－	－
豊田市	85	18	19	10	11	4	23	19	3	6
岡崎市	377	25	27	14	61	71	179	93	6	8
大津市	274	29	48	32	55	52	58	－	－	－
高槻市	399	50	53	33	53	80	130	86	15	11
東大阪市	431	44	34	39	69	95	150	200	28	13
豊中市	657	106	143	96	114	107	91	185	28	42
枚方市	469	71	94	42	105	71	86	163	27	31
姫路市	275	37	69	38	67	64	－	66	8	13
西宮市	107	20	17	7	14	6	43	24	5	9
尼崎市	828	100	141	83	134	122	248	－	－	－
奈良市	598	65	83	48	73	79	250	55	19	24
和歌山市	51	5	5	3	5	7	26	13	1	－
倉敷市	207	31	40	16	34	42	44	28	9	13
福山市	50	11	13	3	8	6	9	16	1	8
呉市	35	11	9	3	4	4	4	7	2	2
下関市	26	8	2	5	4	1	6	5	1	－
高松市	733	56	71	76	100	124	306	169	15	17
松山市	99	19	22	14	17	14	13	16	3	4
高知市	23	6	5	2	4	4	2	－	－	－
久留米市	378	56	78	56	74	44	70	141	16	31
長崎市	788	105	132	101	177	102	171	92	11	12
佐世保市	26	2	8	6	4	3	3	5	－	1
大分市	99	10	13	13	13	17	33	25	5	3
宮崎市	353	38	45	41	58	71	100	48	7	7
鹿児島市	533	63	81	52	86	79	172	183	19	32
那覇市	1 041	110	146	117	172	157	339	236	23	24
その他政令市(再掲)										
小樽市	27	3	9	3	3	5	4	2	1	1
町田市	1 504	203	212	126	174	238	551	327	55	44
藤沢市	887	88	116	75	120	155	333	226	18	30
茅ヶ崎市	255	26	23	17	33	29	127	57	11	2
四日市市	588	48	75	39	100	103	223	188	16	19
大牟田市	－	－	－	－	－	－	－	－	－	－

都道府県－指定都市・特別区－中核市－その他政令市、主な検査項目・年齢階級別

平成29年度

異 常										
個別健康教育対象者　（ア）				（再掲）脂質異常症個別健康教育対象者　（イ）						
60～64歳	65～69歳	70～74歳	75歳以上	総　数	40～49歳	50～59歳	60～64歳	65～69歳	70～74歳	75歳以上
1	3	1	5	25	5	5	5	3	4	3
-	-	-	-	17	4	11	2	-	-	-
12	20	24	57	161	14	20	14	30	31	52
9	5	8	11	122	15	24	13	24	18	28
20	24	19	40	9	2	-	2	2	1	2
1	2	2	2	5	1	2	1	-	-	1
17	16	12	13	61	9	17	10	12	5	8
13	18	10	27	78	13	11	12	14	7	21
-	-	-	-	-	-	-	-	-	-	-
8	23	30	37	259	16	45	23	40	47	88
-	-	-	-	143	10	14	11	24	28	56
-	1	3	2	15	3	4	-	2	4	2
7	14	13	25	156	17	24	6	20	24	65
18	33	48	104	397	45	66	39	42	83	122
-	-	-	-	-	-	-	-	-	-	-
26	49	75	128	829	86	121	63	121	165	273
6	6	5	8	109	12	24	11	19	18	25
5	6	9	9	-	-	-	-	-	-	-
14	26	25	63	207	12	26	31	29	38	71
8	20	15	24	60	2	4	5	15	15	19
6	12	10	13	80	18	20	5	8	9	20
-	-	2	-	14	2	1	1	2	5	3
1	3	1	5	23	3	7	4	4	-	5
3	14	15	47	178	14	9	7	28	44	76
-	-	-	-	-	-	-	-	-	-	-
10	13	13	24	103	7	19	10	13	24	30
18	27	46	68	113	10	11	9	20	25	38
23	35	27	30	199	29	43	42	36	28	21
15	37	21	32	156	3	43	14	38	26	32
10	18	17	-	146	17	33	21	37	38	-
-	3	-	7	59	7	4	6	9	5	28
-	-	-	-	-	-	-	-	-	-	-
12	-	-	-	97	25	47	25	-	-	-
1	2	1	8	14	2	4	-	1	2	5
6	-	-	-	32	10	13	9	-	-	-
1	3	1	2	18	4	3	1	3	3	4
-	1	1	1	8	1	3	-	1	2	1
2	1	-	1	13	5	2	2	2	1	1
19	21	24	73	197	18	26	21	33	35	64
2	1	4	2	30	5	7	6	7	2	3
-	-	-	-	-	-	-	-	-	-	-
19	39	15	21	18	8	4	-	1	-	5
12	28	16	13	-	-	-	-	-	-	-
2	-	2	-	-	-	-	-	-	-	-
2	2	5	8	28	1	5	4	5	3	10
6	6	6	16	53	5	6	8	9	7	18
17	35	24	56	152	27	22	17	24	19	43
27	42	43	77	510	44	80	66	85	90	145
-	-	-	-	3	-	-	1	-	1	1
25	42	60	101	412	57	70	42	47	60	136
11	17	30	120	373	41	56	48	64	88	76
6	4	10	24	53	6	9	4	9	4	21
13	31	31	78	159	14	21	9	32	34	49
-	-	-	-	-	-	-	-	-	-	-

15(4)−02 健康診査

第6表（12−5） 健康診査受診者数・検査結果別人員数，

	糖							尿		
	総				数			（再掲）糖尿病		
	総数	40〜49歳	50〜59歳	60〜64歳	65〜69歳	70〜74歳	75歳以上	総数	40〜49歳	50〜59歳
全　国	116 579	13 204	17 521	11 334	17 633	18 404	38 483	39 257	3 369	5 369
北海道	2 237	351	430	278	353	335	490	687	107	140
青森	1 866	154	243	208	310	329	622	741	48	75
岩手	1 318	119	209	186	241	202	361	497	27	70
宮城	3 690	280	391	280	353	281	2 105	1 898	69	152
秋田	333	24	64	53	56	51	85	63	6	15
山形	268	43	66	45	45	28	41	122	17	32
福島	1 631	202	291	252	302	223	361	561	43	101
茨城	562	80	102	63	86	91	140	209	17	30
栃木	803	208	139	82	105	110	159	151	17	27
群馬	1 397	104	188	136	205	256	508	558	41	80
埼玉	6 696	785	938	653	1 022	1 177	2 121	3 365	322	458
千葉	5 323	682	820	507	771	894	1 649	911	114	186
東京	45 738	4 282	6 006	3 566	6 468	7 746	17 670	15 082	1 068	1 755
神奈川	7 921	1 103	1 329	717	1 097	1 219	2 456	2 830	300	399
新潟	1 747	223	308	251	302	250	413	693	50	93
富山	223	19	24	15	37	47	81	79	4	7
石川	914	46	93	105	142	150	378	226	8	11
福井	160	19	31	24	26	24	36	22	2	7
山梨	194	26	52	34	23	23	36	55	6	19
長野	943	59	123	115	183	178	285	289	16	30
岐阜	372	52	70	41	58	50	101	118	13	22
静岡	1 418	126	271	163	250	205	403	315	21	34
愛知	3 263	383	505	340	491	485	1 059	1 195	121	169
三重	1 806	167	285	185	270	284	615	557	50	99
滋賀	448	66	80	52	83	73	94	46	10	6
京都	1 481	216	258	156	217	211	423	632	82	103
大阪	5 378	890	912	469	831	872	1 404	1 709	198	277
兵庫	2 052	349	423	221	347	287	425	484	76	119
奈良	845	94	119	69	110	116	337	90	19	23
和歌山	150	19	23	26	23	21	38	56	5	7
鳥取	546	61	84	57	93	73	178	133	12	22
島根	448	34	45	44	66	94	165	95	3	8
岡山	1 024	151	198	125	151	150	249	276	39	59
広島	1 018	169	207	129	180	154	179	343	47	69
山口	206	27	33	33	43	28	42	84	6	14
徳島	161	20	32	21	33	21	34	69	6	12
香川	1 152	89	140	134	181	187	421	406	22	44
愛媛	198	27	45	38	31	27	30	86	16	18
高知	119	24	18	21	18	17	21	33	8	5
福岡	2 525	486	544	341	557	366	231	509	80	97
佐賀	237	27	59	57	47	28	19	75	7	18
長崎	1 460	201	277	205	299	185	293	434	46	77
熊本	1 061	166	221	169	186	118	201	529	54	118
大分	828	75	124	108	174	109	238	292	18	31
宮崎	751	68	105	97	130	124	227	288	24	36
鹿児島	1 052	129	192	137	169	131	294	363	29	58
沖縄	2 616	279	404	326	468	374	765	1 001	75	137
指定都市・特別区（再掲）										
東京都区部	34 484	3 015	4 350	2 642	4 907	5 944	13 626	10 826	700	1 209
札幌市	419	75	75	46	81	62	80	179	25	22
仙台市	1 338	212	272	178	222	175	279	569	44	99
さいたま市	2 308	294	361	251	343	419	640	1 416	136	209
千葉市	833	105	163	96	126	140	203	133	34	68
横浜市	1 634	379	400	171	213	195	276	690	115	141
川崎市	2 781	346	462	260	389	463	861	897	79	114
相模原市	641	95	102	48	94	107	195	226	32	31
新潟市	1 120	140	162	139	198	167	314	540	35	60
静岡市	223	26	46	23	31	36	61	58	3	10
浜松市	416	42	101	68	96	48	61	−	−	−
名古屋市	1 127	181	247	156	153	126	264	460	62	95
京都市	665	111	125	59	82	85	203	338	58	56
大阪市	743	151	140	52	99	114	187	162	16	31
堺市	94	20	22	8	20	6	18	94	20	22
神戸市	258	77	80	30	36	−	35	128	28	39
岡山市	629	104	117	75	82	80	171	169	32	35
広島市	803	125	159	100	142	120	157	299	41	60
北九州市	67	19	18	13	10	6	1	23	4	7
福岡市	864	209	230	105	157	88	75	−	−	−
熊本市	746	135	163	108	125	76	139	384	42	90

都道府県－指定都市・特別区－中核市－その他政令市、主な検査項目・年齢階級別

平成29年度

病										
個別健康教育対象者　（ア）				（再掲）糖尿病個別健康教育対象者　（イ）						
60～64歳	65～69歳	70～74歳	75歳以上	総　数	40～49歳	50～59歳	60～64歳	65～69歳	70～74歳	75歳以上
3 828	5 913	6 325	14 453	14 652	949	1 960	1 598	2 518	2 639	4 988
101	120	98	121	163	15	29	18	35	31	35
78	116	148	276	348	25	43	45	67	64	104
68	101	90	141	219	13	29	39	49	25	64
143	151	159	1 224	462	22	47	33	69	33	258
13	10	4	15	15	2	3	4	1	－	5
18	20	17	18	32	6	8	5	7	5	1
93	117	92	115	239	18	40	38	42	46	55
21	41	31	69	71	7	13	9	10	16	16
16	28	33	30	34	3	8	5	10	2	6
43	74	118	202	312	14	30	45	52	60	111
312	527	595	1 151	925	58	107	106	162	199	293
99	107	140	265	409	47	78	66	57	57	104
1 159	2 073	2 529	6 498	6 410	354	751	586	1 022	1 197	2 500
282	422	474	953	1 063	80	164	89	178	191	361
105	129	120	196	163	12	24	30	32	23	42
5	15	16	32	9	1	1	－	2	3	2
26	39	40	102	130	3	16	17	19	23	52
6	－	1	6	12	2	5	4	1	－	－
10	7	6	7	6	－	1	3	1	－	1
25	51	51	116	83	3	16	10	19	17	18
11	17	17	38	22	－	5	4	7	3	3
25	54	54	127	204	11	37	24	39	24	69
119	165	185	436	552	34	67	59	115	85	192
55	93	96	164	279	11	35	33	47	47	106
7	6	5	12	14	2	3	－	4	3	2
62	90	102	193	94	2	11	13	22	16	30
167	285	308	474	526	55	74	53	93	107	144
55	97	63	74	164	18	35	23	34	37	17
12	9	3	24	146	15	35	27	11	24	34
9	8	7	20	21	2	3	4	4	6	2
12	19	19	49	79	8	11	3	20	9	28
9	16	18	41	39	1	4	6	5	8	15
35	40	47	56	141	15	25	24	22	25	30
49	66	42	70	83	14	17	4	10	24	14
14	19	14	17	18	3	3	4	6	1	1
12	15	7	17	20	1	5	3	3	5	3
51	69	70	150	69	3	8	9	11	13	25
16	11	13	12	33	4	7	7	7	4	4
6	6	4	4	11	1	2	1	1	2	4
79	111	62	80	252	23	35	34	66	70	24
19	15	12	4	41	4	11	13	8	3	2
60	91	60	100	17	2	5	3	1	2	4
79	101	65	112	74	4	9	17	21	9	14
37	62	41	103	162	6	23	16	41	33	43
34	55	51	88	50	2	7	10	11	6	14
47	57	51	121	87	7	14	14	16	13	23
124	188	147	330	349	16	56	38	58	68	113
814	1 449	1 826	4 828	4 348	216	471	392	700	834	1 735
23	41	32	36	45	5	6	5	9	9	11
93	89	92	152	176	15	35	22	47	24	33
131	232	272	436	421	30	54	48	65	94	130
31	－	－	－	41	8	15	18	－	－	－
89	109	99	137	240	28	60	20	40	37	55
90	135	166	313	309	15	43	22	41	57	131
16	31	38	78	111	11	14	12	18	21	35
75	103	96	171	132	10	19	22	25	18	38
3	14	8	20	33	5	7	5	4	6	6
－	－	－	－	－	－	－	－	－	－	－
69	52	60	122	189	15	29	25	38	22	60
33	43	42	106	－	－	－	－	－	－	－
11	25	27	52	107	9	21	7	18	24	28
8	20	6	18	－	－	－	－	－	－	－
16	21	－	24	27	6	7	3	6	－	5
22	19	24	37	91	12	16	14	12	17	20
42	58	36	62	57	7	10	4	6	19	11
5	5	1	1	4	1	2	－	－	1	－
－	－	－	－	－	－	－	－	－	－	－
54	75	41	82	31	3	4	8	6	2	8

第6表（12－6） 健康診査受診者数・検査結果別人員数，

	糖						尿			
	総					数	(再 掲) 糖 尿 病			
	総 数	40～49歳	50～59歳	60～64歳	65～69歳	70～74歳	75歳以上	総 数	40～49歳	50～59歳
中核市(再掲)										
旭 川 市	69	23	13	8	8	6	11	32	8	7
函 館 市	148	16	20	5	14	15	78	14	4	8
青 森 市	765	51	74	70	114	143	313	411	20	25
八 戸 市	246	33	53	32	41	36	51	125	15	28
盛 岡 市	527	47	78	73	91	85	153	138	7	19
秋 田 市	26	3	5	4	5	3	6	7	1	2
郡 山 市	246	33	56	31	51	36	39	108	11	25
い わ き 市	277	33	38	39	50	35	82	88	9	14
宇 都 宮 市	343	123	64	33	39	30	54	－	－	－
前 橋 市	550	43	81	43	84	106	193	279	26	37
高 崎 市	180	21	21	22	31	33	52	38	2	3
川 越 市	10	3	－	1	－	3	3	9	2	－
越 谷 市	309	37	46	24	40	50	112	113	9	12
船 橋 市	1 430	162	181	130	181	232	544	308	17	33
柏 市	278	39	31	30	47	40	91	－	－	－
八 王 子 市	1 755	186	254	128	254	322	611	656	58	75
横 須 賀 市	206	31	42	18	29	36	50	89	6	19
富 山 市	125	11	13	8	22	25	46	38	1	2
金 沢 市	704	35	67	75	102	118	307	183	7	7
長 野 市	198	17	25	18	43	36	59	115	9	15
岐 阜 市	195	38	40	17	28	23	49	62	10	9
豊 橋 市	24	2	2	1	4	8	7	11	1	－
豊 田 市	85	18	19	10	11	4	23	49	10	8
岡 崎 市	377	25	27	14	61	71	179	203	13	10
大 津 市	274	29	48	32	55	52	58	－	－	－
高 槻 市	399	50	53	33	53	80	130	118	8	17
東 大 阪 市	420	44	34	38	59	95	150	218	18	15
豊 中 市	657	106	143	96	114	107	91	215	31	46
枚 方 市	469	71	94	42	105	71	86	208	19	40
姫 路 市	275	37	69	38	67	64	－	135	10	32
西 宮 市	107	20	17	7	14	6	43	20	6	3
尼 崎 市	828	100	141	83	134	122	248	－	－	－
奈 良 市	598	65	83	48	73	79	250	41	12	19
和 歌 山 市	51	5	5	3	5	7	26	28	3	－
倉 敷 市	207	31	40	16	34	42	44	69	6	12
福 山 市	50	11	13	3	8	6	9	20	4	4
呉 市	35	11	9	3	4	4	4	5	－	1
下 関 市	26	8	2	5	4	1	6	12	1	2
高 松 市	733	56	71	76	100	124	306	277	17	25
松 山 市	99	19	22	14	17	14	13	54	12	12
高 知 市	23	6	5	2	4	4	2	7	3	－
久 留 米 市	378	56	78	56	74	44	70	212	23	37
長 崎 市	788	105	132	101	177	102	171	337	35	58
佐 世 保 市	26	2	8	6	4	3	3	7	－	3
大 分 市	99	10	13	13	13	17	33	41	－	4
宮 崎 市	353	38	45	41	58	71	100	164	13	18
鹿 児 島 市	533	63	81	52	86	79	172	269	22	34
那 覇 市	1 041	110	146	117	172	157	339	475	34	55
その他政令市(再掲)										
小 樽 市	27	3	9	3	3	5	4	9	1	4
町 田 市	1 504	203	212	126	174	238	551	598	66	67
藤 沢 市	887	88	116	75	120	155	333	328	15	31
茅 ヶ 崎 市	255	26	23	17	33	29	127	121	12	11
四 日 市 市	588	48	75	39	100	103	223	128	11	25
大 牟 田 市	－	－	－	－	－	－	－	－	－	－

都道府県－指定都市・特別区－中核市－その他政令市、主な検査項目・年齢階級別

平成29年度

病

個別健康教育対象者　（ア）				（再掲）糖尿病個別健康教育対象者　（イ）						
60～64歳	65～69歳	70～74歳	75歳以上	総数	40～49歳	50～59歳	60～64歳	65～69歳	70～74歳	75歳以上
4	4	3	6	3	–	–	1	–	1	1
2	–	–	–	2	–	2	–	–	–	–
38	57	85	186	152	9	20	15	22	23	63
17	25	17	23	57	6	11	9	8	13	10
19	26	32	35	126	8	16	22	19	14	47
–	1	1	2	1	–	–	–	1	–	–
16	22	14	20	38	5	9	5	4	9	6
15	15	18	17	32	2	4	4	8	5	9
–	–	–	–	–	–	–	–	–	–	–
20	45	56	95	146	2	14	18	25	33	54
2	4	14	13	31	3	4	4	6	4	10
1	–	3	3	1	1	–	–	–	–	–
9	13	19	51	46	4	6	2	9	9	16
28	40	63	127	167	11	21	18	27	28	62
–	–	–	–	–	–	–	–	–	–	–
43	97	128	255	331	20	49	27	56	66	113
9	11	19	25	30	3	3	4	8	3	9
2	8	7	18	–	–	–	–	–	–	–
20	25	35	89	99	3	12	14	12	17	41
9	23	22	37	25	–	2	2	7	5	9
4	9	8	22	8	–	2	1	1	2	2
1	3	4	2	7	–	2	–	1	2	2
6	7	2	16	10	–	2	2	1	–	5
10	24	41	105	98	3	7	2	29	17	40
–	–	–	–	–	–	–	–	–	–	–
9	19	26	39	44	7	4	4	6	7	16
18	28	53	86	64	3	2	5	17	16	21
37	44	34	23	79	5	14	14	13	21	12
16	45	42	46	58	9	10	7	15	5	12
21	40	32	–	66	8	15	10	14	19	–
–	1	–	10	20	–	2	2	4	2	10
–	–	–	–	–	–	–	–	–	–	–
10	–	–	–	57	8	20	16	–	13	–
2	2	2	19	8	1	2	–	2	2	1
8	14	15	14	31	3	6	3	5	4	10
1	5	4	2	5	1	1	–	1	–	2
1	1	–	2	8	2	2	–	1	2	1
2	3	–	4	2	1	–	–	1	–	–
24	41	47	123	22	2	1	3	2	5	9
8	6	8	8	17	2	2	2	5	3	3
–	2	1	1	–	–	–	–	–	–	–
36	49	27	40	62	5	13	10	14	8	12
44	75	48	77	–	–	–	–	–	1	–
2	–	1	1	1	–	–	–	–	1	–
6	3	9	19	13	1	2	–	4	1	5
14	33	36	50	19	1	2	2	3	4	7
31	42	40	100	48	3	2	6	11	11	15
48	89	74	175	197	6	34	20	30	41	66
2	1	–	1	–	–	–	–	–	–	–
57	70	103	235	536	48	69	39	64	91	225
24	40	66	152	160	10	21	14	29	34	52
8	16	15	59	45	1	2	2	6	8	26
8	22	41	21	50	1	5	2	7	8	27
–	–	–	–	–	–	–	–	–	–	–

15(4)－02 健康診査

第6表（12-7） 健康診査受診者数・検査結果別人員数，

	貧　血（疑　い　を　含　む。）							肝 総		
	総　数	40～49歳	50～59歳	60～64歳	65～69歳	70～74歳	75歳以上	総　数	40～49歳	50～59歳
全　　国	16 379	1 590	1 855	1 212	2 141	2 447	7 134	19 262	2 804	3 908
北海道	195	37	37	19	26	21	55	435	80	118
青森	256	26	17	28	26	42	117	403	42	69
岩手	226	11	26	28	42	34	85	354	38	63
宮城	314	32	55	37	49	40	101	488	82	111
秋田	11	2	3	－	3	－	3	33	4	9
山形	105	18	16	23	20	9	19	108	15	22
福島	259	29	35	24	27	34	110	225	41	47
茨城	22	1	1	2	2	3	13	109	19	26
栃木	77	16	9	8	6	8	30	89	23	21
群馬	212	11	15	9	25	41	111	263	31	52
埼玉	682	54	61	53	97	114	303	1 038	156	196
千葉	679	71	80	43	84	83	318	722	106	138
東京	7 282	561	683	417	861	1 163	3 597	7 137	798	1 284
神奈川	870	100	92	50	88	124	416	1 500	243	343
新潟	269	31	21	27	42	34	114	457	73	111
富山	8	1	1	－	1	4	1	31	5	5
石川	239	6	11	21	29	34	138	241	17	30
福井	36	3	4	5	7	4	13	50	6	8
山梨	44	8	12	7	5	5	7	48	5	16
長野	205	8	20	12	30	30	105	160	13	39
岐阜	20	…	5	2	1	6	6	38	2	12
静岡	372	23	59	34	58	56	142	304	37	79
愛知	745	57	49	36	114	133	356	429	77	87
三重	384	46	61	27	70	74	106	285	30	47
滋賀	53	17	10	7	6	11	2	30	3	9
京都	267	29	32	27	36	28	115	196	34	30
大阪	401	78	56	31	45	57	134	585	149	132
兵庫	42	11	7	1	5	6	12	264	67	72
奈良	66	11	9	4	9	6	27	101	21	19
和歌山	25	2	1	2	3	3	14	18	5	1
鳥取	53	－	3	3	5	4	38	146	20	25
島根	99	4	12	4	14	16	49	58	8	9
岡山	69	10	7	10	11	14	17	241	46	51
広島	59	9	4	9	8	8	21	114	22	27
山口	30	1	6	5	2	7	9	32	7	11
徳島	17	4	3	2	2	－	6	31	4	7
香川	247	10	22	23	35	34	123	162	18	29
愛媛	8	－	1	3	1	－	3	20	2	7
高知	2	1	－	－	－	－	1	23	5	6
福岡	922	219	238	113	167	97	88	1 031	246	266
佐賀	3	－	－	－	2	－	1	21	3	9
長崎	61	4	10	7	10	9	21	83	13	17
熊本	123	7	17	12	22	12	53	228	44	57
大分	68	3	8	5	13	8	31	162	21	35
宮崎	109	8	14	14	11	17	45	148	18	29
鹿児島	68	7	14	12	9	5	21	147	33	29
沖縄	75	3	8	6	12	9	37	474	72	98
指定都市・特別区（再掲） 東京都区部	5 683	419	538	314	700	918	2 794	5 724	610	1 011
札幌市	41	13	10	7	5	3	3	127	31	27
仙台市	243	27	46	25	40	29	76	295	63	78
さいたま市	－	－	－	－	－	－	－	248	46	53
千葉市	－	－	－	－	－	－	－	－	－	－
横浜市	126	28	21	9	16	21	31	238	61	76
川崎市	270	26	31	14	32	40	127	663	90	153
相模原市	104	15	7	5	7	11	59	136	29	31
新潟市	187	23	14	11	31	18	90	336	52	73
静岡市	31	1	2	3	4	3	18	43	8	11
浜松市	84	5	21	18	19	13	8	69	10	23
名古屋市	27	－	1	2	3	6	15	136	34	33
京都市	46	6	4	2	5	4	25	60	16	13
大阪市	－	－	－	－	－	－	－	107	27	26
堺市	41	8	9	1	8	4	11	37	15	10
神戸市	－	－	－	－	－	－	－	74	26	25
岡山市	19	2	4	3	4	5	1	152	34	35
広島市	48	6	2	5	6	8	21	79	9	18
北九州市	1	－	－	1	－	－	－	5	1	1
福岡市	864	209	230	105	157	88	75	864	209	230
熊本市	81	4	11	6	14	7	39	199	42	53

都道府県－指定都市・特別区－中核市－その他政令市、主な検査項目・年齢階級別

平成29年度

疾患（疑いを含む。）										
数				（再掲）うちアルコール性（疑いを含む。）						
60～64歳	65～69歳	70～74歳	75歳以上	総数	40～49歳	50～59歳	60～64歳	65～69歳	70～74歳	75歳以上
2 348	**3 251**	**2 896**	**4 055**	**5 906**	**809**	**1 223**	**735**	**1 074**	**949**	**1 116**
56	59	68	54	41	3	11	8	5	12	2
67	69	70	86	60	7	3	12	15	14	9
68	71	44	70	50	5	11	5	17	6	6
68	83	51	93	351	62	77	51	51	34	76
7	4	5	4	7	1	3	1	1	1	－
24	23	11	13	2	1	1	－	－	－	－
39	42	23	33	86	14	21	14	20	9	8
12	14	14	24	3	－	－	－	1	1	1
12	16	8	9	2	1	…	1	…	…	…
31	38	40	71	108	12	26	14	15	18	23
120	174	157	235	176	29	38	25	27	26	31
80	114	132	152	142	15	34	13	23	28	29
743	1 255	1 232	1 825	2 679	303	505	296	509	487	579
171	227	223	293	766	109	169	92	126	122	148
61	64	61	87	29	5	8	3	6	7	－
3	4	8	6	11	1	2	2	2	3	1
35	32	40	87	－	－	－	－	－	－	－
5	10	11	10	2	－	－	－	1	－	1
10	4	9	4	－	－	－	－	－	－	－
22	30	21	35	74	5	17	11	12	11	18
9	5	6	4	6	…	1	2	…	3	…
35	46	40	67	89	14	28	8	12	7	20
51	71	55	88	121	16	15	12	25	19	34
46	35	32	95	41	5	7	7	7	8	7
5	4	4	5	7	2	－	－	1	1	3
26	35	31	40	45	14	9	8	7	5	2
49	80	77	98	140	26	36	11	26	18	23
36	49	30	10	83	17	27	13	14	10	2
14	14	11	22	23	5	4	2	3	4	5
3	2	2	5	2	－	－	1	1	－	－
16	28	29	28	125	16	19	12	25	27	26
9	8	9	15	7	3	1	1	1	1	－
37	33	27	47	138	28	34	26	19	15	16
19	24	9	13	23	10	6	3	3	－	1
3	6	2	3	16	5	7	－	3	1	－
5	6	4	5	19	2	5	5	4	2	1
20	31	28	36	12	2	2	－	6	2	…
4	4	2	1	4	－	1	1	2	－	－
3	3	2	4	2	1	1	－	－	－	－
131	193	117	78	8	5	2	1	…	…	…
5	4	－	－	11	1	6	2	2	－	－
15	16	14	8	26	6	7	5	5	2	1
39	48	21	19	128	22	33	19	33	10	11
19	36	24	27	79	12	13	11	17	14	12
30	23	25	23	26	－	3	8	7	5	3
20	28	9	28	20	3	6	2	5	－	4
65	86	58	95	116	21	24	27	15	16	13
594	1 032	1 034	1 443	2 177	234	390	237	419	419	478
13	20	20	16	－	－	－	－	－	－	－
39	50	29	36	236	51	65	34	36	23	27
30	42	39	38	－	－	－	－	－	－	－
－	－	－	－	－	－	－	－	－	－	－
36	28	26	11	25	5	5	5	4	5	1
77	106	97	140	553	69	124	68	92	87	113
16	20	20	20	62	16	14	5	12	9	6
45	50	42	74	7	1	4	－	1	1	－
5	7	4	8	31	5	9	2	6	2	7
13	14	2	7	9	2	2	2	2	－	1
20	21	13	15	－	－	－	－	－	－	－
8	8	8	7	32	9	8	5	5	4	1
8	14	13	19	33	6	8	3	7	5	4
2	5	2	3	18	6	5	1	4	2	－
11	6	－	6	13	2	4	5	－	－	2
26	19	18	20	121	26	27	22	17	14	15
14	16	9	13	10	4	3	2	－	－	1
2	－	1	－	…	…	…	…	…	…	…
105	157	88	75	－	－	－	－	－	－	－
33	38	19	14	121	22	32	18	30	9	10

第6表（12－8） 健康診査受診者数・検査結果別人員数，

	貧血（疑いを含む。）							肝		
								総		
	総数	40～49歳	50～59歳	60～64歳	65～69歳	70～74歳	75歳以上	総数	40～49歳	50～59歳
中核市（再掲）										
旭川市	2	－	1	－	1	－	－	7	3	3
函館市	27	2	2	－	1	－	22	11	1	4
青森市	118	12	3	6	12	15	70	149	15	30
八戸市	5	－	1	3	－	1	－	34	7	9
盛岡市	63	1	8	7	8	6	33	108	11	26
秋田市	1	－	－	－	1	－	－	－	－	－
郡山市	12	2	3	－	1	2	4	33	6	8
いわき市	52	6	3	4	3	11	25	84	12	14
宇都宮市	－	－	－	－	－	－	－	－	－	－
前橋市	135	7	10	5	17	27	69	160	17	35
高崎市	…	…	…	…	…	…	…	…	…	…
川越市	2	2	－	－	－	－	－	11	3	3
越谷市	24	5	2	－	5	2	10	32	4	6
船橋市	213	11	18	18	20	26	120	201	34	27
柏市	42	4	2	1	4	5	26	17	3	1
八王子市	438	33	41	25	56	78	205	370	48	69
横須賀市	－	－	－	－	－	－	－	－	－	－
富山市	3	－	－	－	1	1	1	9	3	－
金沢市	219	6	9	18	20	32	134	212	14	27
長野市	50	1	7	3	11	5	23	37	5	7
岐阜市	…	…	…	…	…	…	…	…	…	…
豊橋市	2	－	－	－	－	2	－	8	1	1
豊田市	11	－	2	1	3	－	5	6	1	3
岡崎市	90	1	2	1	17	13	56	49	6	5
大津市	32	8	4	5	5	10	－	－	－	－
高槻市	32	6	2	1	4	4	15	22	3	5
東大阪市	22	3	1	2	1	4	11	36	7	7
豊中市	46	12	5	6	2	9	12	57	18	9
枚方市	4	1	－	1	－	－	2	6	2	2
姫路市	－	－	－	－	－	－	－	80	13	18
西宮市	18	3	3	1	2	2	7	11	1	3
尼崎市	－	－	－	－	－	－	－	－	－	－
奈良市	34	4	3	－	4	3	20	47	10	8
和歌山市	12	1	－	－	1	1	9	6	2	1
倉敷市	9	1	1	1	2	2	2	24	5	6
福山市	3	－	1	2	－	－	－	5	1	1
呉市	2	1	－	－	1	－	－	6	1	2
下関市	3	－	－	2	－	－	1	2	－	－
高松市	163	4	9	14	21	21	94	117	12	21
松山市	－	－	－	－	－	－	－	－	－	－
高知市	－	－	－	－	－	－	－	5	3	－
久留米市	－	－	－	－	－	－	－	－	－	－
長崎市	－	－	－	－	－	－	－	－	－	－
佐世保市	1	1	－	－	－	－	－	－	－	－
大分市	5	－	2	2	－	1	－	7	1	3
宮崎市	61	7	10	8	6	11	19	84	11	18
鹿児島市	17	－	2	2	3	1	9	80	11	13
那覇市	32	1	－	4	5	2	20	295	46	59
その他政令市（再掲）										
小樽市	－	－	－	－	－	－	－	5	－	2
町田市	－	－	－	－	－	－	－	－	－	－
藤沢市	118	11	9	8	10	17	63	120	22	22
茅ヶ崎市	35	5	4	－	3	4	19	26	3	2
四日市市	214	25	44	19	52	46	28	35	4	6
大牟田市	－	－	－	－	－	－	－	1	1	－

都道府県－指定都市・特別区－中核市－その他政令市、主な検査項目・年齢階級別

平成29年度

疾患（疑いを含む。）										
数				（再掲）うちアルコール性（疑いを含む。）						
60～64歳	65～69歳	70～74歳	75歳以上	総数	40～49歳	50～59歳	60～64歳	65～69歳	70～74歳	75歳以上
1	－	－	－	－	－	－	－	－	－	－
2	1	2	1	3	－	1	－	1	1	－
22	19	21	42	－	－	－	－	－	－	－
9	4	4	1	－	－	－	－	－	－	－
23	22	13	13	－	－	－	－	－	－	－
－	－	－	－	－	－	－	－	－	－	－
4	5	5	5	14	2	5	1	4	2	－
13	19	10	16	53	6	11	9	13	7	7
－	－	－	－	－	－	－	－	－	－	－
16	23	25	44	78	8	23	10	9	14	14
…	…	…	…	…	…	…	…	…	…	…
－	2	1	2	－	－	－	－	－	－	－
5	7	4	6	－	－	－	－	－	－	－
22	32	37	49	－	－	－	－	－	－	－
3	1	5	4	－	－	－	－	－	－	－
39	54	54	106	124	13	30	14	27	18	22
－	－	－	－	－	－	－	－	－	－	－
－	1	3	2	－	－	－	－	－	－	－
27	23	38	83	－	－	－	－	－	－	－
4	8	3	10	－	－	－	－	－	－	－
…	…	…	…	…	…	…	…	…	…	…
－	－	2	4	5	－	1	－	－	2	2
1	1	－	－	－	－	－	－	－	－	－
3	15	6	14	36	1	2	3	13	5	12
－	－	－	－	－	－	－	－	－	－	－
3	7	3	1	8	－	2	2	3	1	－
5	6	8	3	9	3	2	－	2	2	－
10	2	9	9	－	－	－	－	－	－	－
－	1	－	1	3	－	2	－	－	－	1
13	18	18	－	40	6	13	7	6	8	－
1	3	1	2	－	－	－	－	－	－	－
－	－	－	－	－	－	－	－	－	－	－
8	5	3	13	3	1	1	－	1	－	－
－	－	－	3	－	－	－	－	－	－	－
3	6	2	2	12	1	5	3	2	1	－
－	3	－	－	－	－	－	－	－	－	－
1	2	－	－	2	－	1	－	1	－	－
1	－	－	1	－	－	－	－	－	－	－
16	18	22	28	－	－	－	－	－	－	－
－	－	－	－	－	－	－	－	－	－	－
1	1	－	－	1	1	－	－	－	－	－
－	－	－	－	－	－	－	－	－	－	－
－	－	－	－	－	－	－	－	－	－	－
－	－	－	－	－	－	－	－	－	－	－
－	2	－	1	－	－	－	－	－	－	－
10	11	17	17	15	－	1	4	3	5	2
10	20	8	18	5	1	－	－	2	－	2
37	52	42	59	63	9	11	17	5	11	10
2	－	1	－	1	－	－	1	－	－	－
－	－	－	－	－	－	－	－	－	－	－
7	15	23	31	46	10	10	3	6	9	8
4	3	4	10	－	－	－	－	－	－	－
6	4	4	11	4	－	1	1	1	1	－
－	－	－	－	－	－	－	－	－	－	－

15(4)－02 健康診査

第6表（12－9）　健康診査受診者数・検査結果別人員数，

腎機能障害（疑いを含む。）

	総　数	40 ～ 49 歳	50 ～ 59 歳	60 ～ 64 歳	65 ～ 69 歳	70 ～ 74 歳	75 歳 以 上
全　　国	18 672	1 466	2 104	1 555	2 666	3 003	7 878
北　海　道	290	38	48	33	52	48	71
青　　森	344	17	27	37	60	66	137
岩　　手	168	6	15	21	28	24	74
宮　　城	275	14	35	32	57	29	108
秋　　田	39	3	12	7	8	5	4
山　　形	34	6	9	4	6	3	6
福　　島	215	13	39	28	30	40	65
茨　　城	94	10	21	10	11	12	30
栃　　木	63	3	10	4	5	18	23
群　　馬	119	6	5	6	16	23	63
埼　　玉	678	48	71	47	91	121	300
千　　葉	714	56	77	49	103	131	298
東　　京	8 539	488	757	542	1 071	1 390	4 291
神　奈　川	1 283	117	140	100	167	212	547
新　　潟	278	35	34	29	48	43	89
富　　山	6	-	-	1	-	1	4
石　　川	121	-	4	14	24	17	62
福　　井	39	2	6	8	5	8	10
山　　梨	37	6	3	12	3	5	8
長　　野	65	7	10	6	8	13	21
岐　　阜	32	1	5	4	3	6	13
静　　岡	275	10	32	38	39	46	110
愛　　知	271	16	23	23	50	54	105
三　　重	222	15	23	18	32	34	100
滋　　賀	34	11	8	6	4	1	4
京　　都	492	68	78	48	72	66	160
大　　阪	520	52	58	50	71	98	191
兵　　庫	194	37	44	19	38	26	30
奈　　良	118	8	14	10	13	23	50
和　歌　山	17	1	1	3	2	2	8
鳥　　取	169	9	13	16	20	25	86
島　　根	92	4	9	7	10	16	46
岡　　山	120	10	16	17	19	18	40
広　　島	112	12	15	12	14	26	33
山　　口	19	2	4	3	7	3	-
徳　　島	13	2	2	1	2	-	6
香　　川	227	10	25	22	37	31	102
愛　　媛	21	2	5	2	5	1	6
高　　知	20	3	1	4	2	3	7
福　　岡	1 001	220	248	121	192	132	88
佐　　賀	35	1	8	4	13	5	4
長　　崎	84	5	12	11	19	12	25
熊　　本	294	52	52	38	60	30	62
大　　分	239	10	18	26	35	38	112
宮　　崎	121	8	6	10	24	22	51
鹿　児　島	148	5	20	18	22	26	57
沖　　縄	381	17	41	34	68	50	171
指定都市・特別区（再掲） 東京都区部	6 615	346	570	421	842	1 061	3 375
札　幌　市	84	13	15	10	12	13	21
仙　台　市	137	9	17	15	26	12	58
さいたま市	-	-	-	-	-	-	-
千　葉　市	-	-	-	-	-	-	-
横　浜　市	285	43	50	28	38	46	80
川　崎　市	113	5	8	6	17	19	58
相模原市	315	34	39	18	50	60	114
新　潟　市	188	22	22	22	31	26	65
静　岡　市	7	-	1	-	-	1	5
浜　松　市	75	3	11	21	18	9	13
名古屋市	29	4	4	5	11	5	-
京　都　市	368	58	61	33	55	50	111
大　阪　市	61	3	7	7	9	10	25
堺　　市	9	-	2	1	1	2	3
神　戸　市	80	18	21	11	14	-	16
岡　山　市	17	4	-	4	3	-	6
広　島　市	90	8	11	12	12	21	26
北九州市	1	-	-	1	-	-	-
福　岡　市	864	209	230	105	157	88	75
熊　本　市	262	52	49	32	48	26	55

94

都道府県－指定都市・特別区－中核市－その他政令市、主な検査項目・年齢階級別

平成29年度

(再掲) 血清クレアチニン検査						
総数	40 ～ 49 歳	50 ～ 59 歳	60 ～ 64 歳	65 ～ 69 歳	70 ～ 74 歳	75 歳 以 上
16 472	1 277	1 857	1 362	2 331	2 669	6 976
158	17	22	16	28	33	42
292	15	18	32	52	60	115
101	2	9	13	18	17	42
265	13	34	32	52	28	106
34	3	10	6	8	4	3
16	2	3	2	4	3	2
50	1	11	7	8	11	12
88	10	20	9	10	11	28
47	3	7	3	4	11	19
118	5	5	6	16	23	63
477	24	44	37	62	83	227
697	54	75	49	101	130	288
7 914	453	713	505	997	1 303	3 943
1 139	109	132	94	143	182	479
251	29	31	27	45	37	82
－	－	－	－	－	－	－
121	－	4	14	24	17	62
39	2	6	8	5	8	10
37	6	3	12	3	5	8
63	6	10	5	8	13	21
23	…	4	2	2	6	9
209	8	26	31	31	34	79
201	12	14	15	41	45	74
186	14	17	16	24	25	90
31	10	8	5	3	1	4
465	65	72	46	69	63	150
474	46	55	47	62	92	172
189	37	44	19	34	25	30
97	4	11	7	9	21	45
15	－	1	2	2	2	8
167	9	13	14	20	25	86
85	3	7	5	10	16	44
102	5	16	13	16	18	34
13	1	3	－	2	4	3
5	1	1	1	1	1	－
10	1	2	－	2	－	5
224	10	25	22	37	29	101
17	2	4	2	4	1	4
8	2	1	2	1	－	2
990	219	246	120	192	129	84
34	1	7	4	13	5	4
80	5	11	11	17	12	24
203	35	46	32	42	25	23
187	6	12	22	18	27	102
118	8	6	9	23	21	51
132	5	17	13	20	24	53
300	14	31	25	48	39	143
6 033	313	528	387	776	983	3 046
－	－	－	－	－	－	－
137	9	17	15	26	12	58
－	－	－	－	－	－	－
－	－	－	－	－	－	－
285	43	50	28	38	46	80
－	－	－	－	－	－	－
315	34	39	18	50	60	114
188	22	22	22	31	26	65
7	－	1	－	－	1	5
75	3	11	21	18	9	13
29	4	4	5	11	5	－
368	58	61	33	55	50	111
61	3	7	7	9	10	25
－	－	－	－	－	－	－
80	18	21	11	14	－	16
－	－	－	－	－	－	－
－	－	－	－	－	－	－
1	－	－	1	－	－	－
864	209	230	105	157	88	75
182	35	44	31	33	21	18

15(4)－02 健康診査

第6表（12－10） 健康診査受診者数・検査結果別人員数，

	腎 機 能 障 害（疑 い を 含 む。）						
	総　　数	40 ～ 49 歳	50 ～ 59 歳	60 ～ 64 歳	65 ～ 69 歳	70 ～ 74 歳	75 歳 以 上
中核市（再掲）							
旭 川 市	4	1	－	1	1	－	1
函 館 市	9	1	2	2	1	1	2
青 森 市	141	8	7	11	19	25	71
八 戸 市	7	－	1	2	2	2	－
盛 岡 市	39	1	1	3	4	6	24
秋 田 市	－	－	－	－	－	－	－
郡 山 市	59	5	15	4	10	12	13
い わ き 市	19	－	－	4	2	8	5
宇 都 宮 市	－	－	－	－	－	－	－
前 橋 市	45	1	1	4	6	8	25
高 崎 市	…	…	…	…	…	…	…
川 越 市	5	1	－	－	－	2	2
越 谷 市	35	1	2	1	6	3	22
船 橋 市	179	8	14	12	22	27	96
柏 市	62	5	1	5	10	10	31
八 王 子 市	600	44	68	29	78	123	258
横 須 賀 市	－	－	－	－	－	－	－
富 山 市	1	－	－	－	－	－	1
金 沢 市	87	－	3	7	12	14	51
長 野 市	33	3	4	2	4	5	15
岐 阜 市	…	…	…	…	…	…	…
豊 橋 市	24	2	2	1	4	8	7
豊 田 市	5	－	1	1	－	－	3
岡 崎 市	34	1	2	1	8	6	16
大 津 市	－	－	－	－	－	－	－
高 槻 市	107	6	13	11	10	24	43
東 大 阪 市	9	－	－	－	－	－	9
豊 中 市	19	－	－	3	3	5	8
枚 方 市	15	2	1	1	5	2	4
姫 路 市	36	5	12	5	6	8	－
西 宮 市	10	1	－	1	－	2	6
尼 崎 市	－	－	－	－	－	－	－
奈 良 市	33	1	1	3	4	6	18
和 歌 山 市	6	－	－	1	1	－	4
倉 敷 市	48	2	11	4	7	11	13
福 山 市	3	1	－	－	－	1	1
呉 市	4	－	1	－	－	1	2
下 関 市	－	－	－	－	－	－	－
高 松 市	114	3	8	10	18	14	61
松 山 市	－	－	－	－	－	－	－
高 知 市	－	－	－	－	－	－	－
久 留 米 市	－	－	－	－	－	－	－
長 崎 市	－	－	－	－	－	－	－
佐 世 保 市	－	－	－	－	－	－	－
大 分 市	74	4	6	9	10	14	31
宮 崎 市	69	6	4	4	12	15	28
鹿 児 島 市	91	4	12	6	13	19	37
那 覇 市	220	9	22	20	35	30	104
その他政令市（再掲）							
小 樽 市	2	－	1	1	－	－	－
町 田 市	369	40	34	24	37	57	177
藤 沢 市	183	10	17	18	18	28	92
茅 ヶ 崎 市	35	3	1	－	4	2	25
四 日 市 市	38	1	2	3	4	7	21
大 牟 田 市	－	－	－	－	－	－	－

都道府県－指定都市・特別区－中核市－その他政令市、主な検査項目・年齢階級別

平成29年度

（再掲）血清クレアチニン検査						
総数	40～49歳	50～59歳	60～64歳	65～69歳	70～74歳	75歳以上
4	1	－	1	1	－	1
9	1	2	2	1	1	2
141	8	7	11	19	25	71
7	－	1	2	2	2	－
39	1	1	3	4	6	24
－	－	－	－	－	－	－
9	－	2	－	2	－	5
19	－	－	4	2	8	5
－	－	－	－	－	－	－
45	1	1	4	6	8	25
…	…	…	…	…	…	…
－	－	－	－	－	－	－
35	1	2	1	6	3	22
179	8	14	12	22	27	96
62	5	1	5	10	10	31
600	44	68	29	78	123	258
－	－	－	－	－	－	－
－	－	－	－	－	－	－
87	－	3	7	12	14	51
33	3	4	2	4	5	15
…	…	…	…	…	…	…
24	2	2	1	4	8	7
－	－	－	－	－	－	－
34	1	2	1	8	6	16
－	－	－	－	－	－	－
107	6	13	11	10	24	43
9	－	－	－	－	－	9
19	－	－	3	3	5	8
15	2	1	1	5	2	4
36	5	12	5	6	8	－
10	1	－	1	－	2	6
－	－	－	－	－	－	－
33	1	1	3	4	6	18
6	－	－	1	1	－	4
48	2	11	4	7	11	13
－	－	－	－	－	－	－
2	－	1	－	－	1	－
－	－	－	－	－	－	－
114	3	8	10	18	14	61
－	－	－	－	－	－	－
－	－	－	－	－	－	－
－	－	－	－	－	－	－
－	－	－	－	－	－	－
－	－	－	－	－	－	－
74	4	6	9	10	14	31
69	6	4	4	12	15	28
91	4	12	6	13	19	37
220	9	22	20	35	30	104
－	－	－	－	－	－	－
369	40	34	24	37	57	177
183	10	17	18	18	28	92
35	3	1	－	4	2	25
38	1	2	3	4	7	21
－	－	－	－	－	－	－

15(4)－02 健康診査

第6表（12－11）　健康診査受診者数・検査結果別人員数，

	た							ば		
	総	数						習 慣 的 に		
	総　数	40～49歳	50～59歳	60～64歳	65～69歳	70～74歳	75歳以上	総　数	40～49歳	50～59歳
全　　国	115 894	13 108	17 484	11 288	17 545	18 390	38 079	80 496	7 604	10 208
北 海 道	2 207	354	434	273	355	327	464	1 583	215	271
青　森	1 901	151	245	212	311	328	654	1 457	86	156
岩　手	1 316	119	208	185	240	203	361	986	76	140
宮　城	3 357	285	392	281	351	276	1 772	2 668	167	237
秋　田	284	19	52	46	47	42	78	217	13	35
山　形	278	48	68	46	42	30	44	197	31	44
福　島	1 635	200	292	254	299	224	366	1 203	123	188
茨　城	532	79	98	59	83	78	135	410	58	70
栃　木	497	86	82	55	72	85	117	334	49	50
群　馬	1 484	104	196	137	218	271	558	1 075	61	118
埼　玉	6 650	783	930	639	1 016	1 158	2 124	4 644	459	534
千　葉	5 442	686	838	516	785	909	1 708	3 795	412	489
東　京	45 249	4 234	5 955	3 528	6 414	7 695	17 423	30 986	2 455	3 418
神 奈 川	7 886	1 112	1 336	726	1 089	1 231	2 392	5 228	586	722
新　潟	1 413	160	251	205	229	203	365	1 185	129	190
富　山	222	18	25	16	35	47	81	151	12	14
石　川	871	45	84	96	136	144	366	609	27	49
福　井	148	17	30	21	24	23	33	99	8	16
山　梨	201	30	52	35	22	23	39	128	13	25
長　野	934	63	123	116	173	176	283	714	36	80
岐　阜	410	55	70	40	58	86	101	282	32	50
静　岡	1 452	135	285	169	256	211	396	1 005	82	182
愛　知	3 690	428	572	380	557	550	1 203	2 401	200	298
三　重	1 885	173	296	187	286	297	646	1 292	107	150
滋　賀	453	71	85	51	81	72	93	293	41	45
京　都	1 502	217	257	155	220	215	438	1 089	135	156
大　阪	5 415	910	926	475	836	866	1 402	3 890	580	571
兵　庫	2 033	350	420	222	345	282	414	1 368	202	257
奈　良	857	102	123	69	110	115	338	605	59	65
和 歌 山	155	19	24	28	24	20	40	121	12	16
鳥　取	558	69	83	57	93	74	182	391	34	45
島　根	439	34	42	44	66	92	161	344	22	22
岡　山	1 113	162	210	135	161	162	283	783	93	137
広　島	1 021	170	206	129	178	155	183	733	110	151
山　口	194	26	28	32	42	26	40	134	10	20
徳　島	185	24	33	23	37	24	44	126	10	18
香　川	1 140	89	137	132	176	186	420	454	43	60
愛　媛	106	12	27	22	17	12	16	88	10	18
高　知	116	22	19	20	21	15	19	72	9	11
福　岡	2 575	493	553	358	566	365	240	1 668	278	309
佐　賀	229	26	59	54	43	25	22	149	13	36
長　崎	1 589	211	300	222	321	207	328	1 061	109	168
熊　本	1 071	167	226	166	190	121	201	708	96	124
大　分	787	70	118	105	165	103	226	571	40	67
宮　崎	811	74	115	105	136	138	243	584	30	70
鹿 児 島	1 062	132	192	138	170	132	298	686	70	95
沖　縄	2 539	274	387	324	449	366	739	1 929	161	221
指定都市・特別区（再掲） 東 京 都 区 部	34 523	3 033	4 372	2 658	4 933	5 975	13 552	23 426	1 735	2 507
札 幌 市	419	75	75	46	81	62	80	307	48	45
仙 台 市	1 338	212	272	178	222	175	279	959	129	167
さいたま市	2 308	294	361	251	343	419	640	1 622	171	217
千 葉 市	833	105	163	96	126	140	203	549	58	90
横 浜 市	1 634	379	400	171	213	195	276	1 026	200	204
川 崎 市	2 784	346	462	260	389	464	863	1 779	176	251
相 模 原 市	638	94	102	48	92	107	195	432	53	50
新 潟 市	817	79	109	97	134	124	274	817	79	109
静 岡 市	223	26	46	23	31	36	61	154	18	26
浜 松 市	416	42	101	68	96	48	61	304	30	76
名 古 屋 市	1 185	190	254	170	159	130	282	687	77	119
京 都 市	665	111	125	59	82	85	203	480	71	71
大 阪 市	742	151	140	51	99	114	187	516	101	86
堺 市	132	44	38	18	18	2	12	66	22	19
神 戸 市	258	77	80	30	36	－	35	172	47	53
岡 山 市	735	118	130	85	93	93	216	531	70	88
広 島 市	810	125	161	100	142	121	161	581	84	120
北 九 州 市	67	19	18	13	10	6	1	64	18	18
福 岡 市	864	209	230	105	157	88	75	482	105	114
熊 本 市	746	135	163	108	125	76	139	469	74	78

都道府県－指定都市・特別区－中核市－その他政令市、主な検査項目・年齢階級別

平成29年度

こ

吸　っ　て　い　な　い				習　慣　的　に　吸　っ　て　い　る						
60～64歳	65～69歳	70～74歳	75歳以上	総　数	40～49歳	50～59歳	60～64歳	65～69歳	70～74歳	75歳以上
6 843	11 270	12 825	31 746	35 398	5 504	7 276	4 445	6 275	5 565	6 333
161	251	269	416	624	139	163	112	104	58	48
144	224	257	590	444	65	89	68	87	71	64
122	174	154	320	330	43	68	63	66	49	41
179	261	203	1 621	689	118	155	102	90	73	151
34	32	29	74	67	6	17	12	15	13	4
32	27	26	37	81	17	24	14	15	4	7
187	210	173	322	432	77	104	67	89	51	44
42	61	59	120	122	21	28	17	22	19	15
29	52	58	96	163	37	32	26	20	27	21
86	139	205	466	409	43	78	51	79	66	92
395	653	833	1 770	2 006	324	396	244	363	325	354
316	523	622	1 433	1 647	274	349	200	262	287	275
2 008	3 839	4 995	14 271	14 263	1 779	2 537	1 520	2 575	2 700	3 152
411	668	865	1 976	2 658	526	614	315	421	366	416
155	185	178	348	228	31	61	50	44	25	17
12	16	32	65	71	6	11	4	19	15	16
56	79	94	304	262	18	35	40	57	50	62
18	15	17	25	49	9	14	3	9	6	8
26	12	16	36	73	17	27	9	10	7	3
83	129	142	244	220	27	43	33	44	34	39
24	32	68	76	128	23	20	16	26	18	25
105	171	137	328	447	53	103	64	85	74	68
196	324	387	996	1 289	228	274	184	233	163	207
106	172	204	553	593	66	146	81	114	93	93
35	47	51	74	160	30	40	16	34	21	19
99	154	160	385	413	82	101	56	66	55	53
310	573	676	1 180	1 525	330	355	165	263	190	222
135	223	201	350	665	148	163	87	122	81	64
45	80	89	267	252	43	58	24	30	26	71
17	20	16	40	34	7	8	11	4	4	–
33	58	50	171	167	35	38	24	35	24	11
27	52	69	152	95	12	20	17	14	23	9
80	107	110	256	330	69	73	55	54	52	27
88	120	123	141	288	60	55	41	58	32	42
20	29	19	36	60	16	8	12	13	7	4
17	29	17	35	59	14	15	6	8	7	9
66	87	77	121	686	46	77	66	89	109	299
19	14	11	16	18	2	9	3	3	1	–
11	12	12	17	44	13	8	9	9	3	2
220	388	279	194	907	215	244	138	178	86	46
33	32	17	18	80	13	23	21	11	8	4
132	214	147	291	528	102	132	90	107	60	37
98	127	89	174	363	71	102	68	63	32	27
59	115	81	209	216	30	51	46	50	22	17
68	91	108	217	227	44	45	37	45	30	26
83	106	88	244	376	62	97	55	64	44	54
221	343	312	671	610	113	166	103	106	54	68
1 475	2 906	3 747	11 056	11 097	1 298	1 865	1 183	2 027	2 228	2 496
28	63	53	70	112	27	30	18	18	9	10
111	172	133	247	379	83	105	67	50	42	32
155	211	313	555	686	123	144	96	132	106	85
48	84	95	174	284	47	73	48	42	45	29
90	147	157	228	608	179	196	81	66	38	48
145	208	302	697	1 005	170	211	115	181	162	166
30	64	74	161	206	41	52	18	28	33	34
97	134	124	274	–	–	–	–	–	–	–
11	21	25	53	69	8	20	12	10	11	8
51	71	30	46	112	12	25	17	25	18	15
78	85	94	234	498	113	135	92	74	36	48
39	52	65	182	185	40	54	20	30	20	21
29	63	86	151	226	50	54	22	36	28	36
9	9	1	6	66	22	19	9	9	1	6
19	23	–	30	86	30	27	11	13	–	5
48	63	63	199	204	48	42	37	30	30	17
68	91	95	123	229	41	41	32	51	26	38
11	10	6	1	3	1	–	2	–	–	–
53	99	52	59	382	104	116	52	58	36	16
59	85	54	119	277	61	85	49	40	22	20

15(4)−02 健康診査

第6表（12−12） 健康診査受診者数・検査結果別人員数，

	た							ば		
	総				数			習 慣 的 に		
	総　数	40～49歳	50～59歳	60～64歳	65～69歳	70～74歳	75歳以上	総　数	40～49歳	50～59歳
中核市（再掲）										
旭 川 市	69	23	13	8	8	6	11	41	12	6
函 館 市	148	16	20	5	14	15	78	129	13	12
青 森 市	765	51	74	70	114	143	313	593	28	46
八 戸 市	245	33	53	32	41	35	51	156	13	28
盛 岡 市	524	47	77	72	90	85	153	383	31	42
秋 田 市	26	3	5	4	5	3	6	22	2	4
郡 山 市	246	33	56	31	51	36	39	161	21	30
い わ き 市	277	33	38	39	50	35	82	201	17	23
宇 都 宮 市	－	－	－	－	－	－	－	－	－	－
前 橋 市	539	43	81	42	83	107	183	389	24	49
高 崎 市	296	21	31	29	45	52	118	214	13	19
川 越 市	49	11	16	1	5	8	8	41	9	13
越 谷 市	309	37	46	24	40	50	112	227	26	24
船 橋 市	1 430	162	181	130	181	232	544	1 034	95	99
柏 市	278	39	31	30	47	40	91	207	25	23
八 王 子 市	1 755	186	254	128	254	322	611	1 256	109	149
横 須 賀 市	206	31	42	18	29	36	50	152	22	26
富 山 市	125	11	13	8	22	25	46	90	8	7
金 沢 市	704	35	67	75	102	118	307	489	19	40
長 野 市	198	17	25	18	43	36	59	151	10	16
岐 阜 市	195	38	40	17	28	23	49	127	22	26
豊 橋 市	24	2	2	1	4	8	7	17	1	1
豊 田 市	85	18	19	10	11	4	23	62	8	12
岡 崎 市	377	25	27	14	61	71	179	258	11	14
大 津 市	272	29	48	32	55	51	57	179	20	25
高 槻 市	399	50	53	33	53	80	130	296	31	28
東 大 阪 市	430	43	34	39	69	95	150	309	25	18
豊 中 市	657	106	143	96	114	107	91	516	78	106
枚 方 市	454	68	91	39	103	69	84	290	36	51
姫 路 市	275	37	69	38	67	64	－	166	23	37
西 宮 市	107	20	17	7	14	6	43	85	13	10
尼 崎 市	814	100	141	83	134	118	238	556	47	84
奈 良 市	598	65	83	48	73	79	250	450	37	48
和 歌 山 市	51	5	5	3	5	7	26	44	4	3
倉 敷 市	205	31	39	16	34	42	43	148	18	28
福 山 市	50	11	13	3	8	6	9	35	5	9
呉 市	35	11	9	3	4	4	4	31	8	8
下 関 市	26	8	2	5	4	1	6	15	2	1
高 松 市	733	56	71	76	100	124	306	174	24	22
松 山 市	－	－	－	－	－	－	－	－	－	－
高 知 市	23	6	5	2	4	4	2	11	2	2
久 留 米 市	378	56	78	56	74	44	70	214	30	37
長 崎 市	788	105	132	101	177	102	171	533	55	79
佐 世 保 市	26	2	8	6	4	3	3	18	2	6
大 分 市	100	10	13	13	14	17	33	83	10	6
宮 崎 市	353	38	45	41	58	71	100	263	17	30
鹿 児 島 市	533	63	81	52	86	79	172	307	30	31
那 覇 市	1 041	110	146	117	172	157	339	830	62	90
その他政令市（再掲）										
小 樽 市	27	3	9	3	3	5	4	23	3	8
町 田 市	1 507	204	212	126	175	239	551	1 123	128	124
藤 沢 市	884	88	116	74	120	155	331	653	52	77
茅 ヶ 崎 市	255	26	23	17	33	29	127	180	10	12
四 日 市 市	588	48	75	39	100	103	223	395	25	31
大 牟 田 市	4	1	1	1	－	－	1	2	1	－

100

都道府県－指定都市・特別区－中核市－その他政令市、主な検査項目・年齢階級別

平成29年度

こ

吸 っ て い な い				習 慣 的 に 吸 っ て い る						
60～64歳	65～69歳	70～74歳	75歳以上	総　数	40～49歳	50～59歳	60～64歳	65～69歳	70～74歳	75歳以上
5	6	4	8	28	11	7	3	2	2	3
3	12	13	76	19	3	8	2	2	2	2
46	80	109	284	172	23	28	24	34	34	29
18	28	23	46	89	20	25	14	13	12	5
49	66	60	135	141	16	35	23	24	25	18
4	4	2	6	4	1	1	–	1	1	–
18	34	25	33	85	12	26	13	17	11	6
27	31	28	75	76	16	15	12	19	7	7
–	–	–	–	–	–	–	–	–	–	–
28	54	82	152	150	19	32	14	29	25	31
23	25	40	94	82	8	12	6	20	12	24
1	5	6	7	8	2	3	–	–	2	1
14	28	34	101	82	11	22	10	12	16	11
84	125	157	474	396	67	82	46	56	75	70
21	39	33	66	71	14	8	9	8	7	25
78	171	247	502	499	77	105	50	83	75	109
15	22	25	42	54	9	16	3	7	11	8
7	12	17	39	35	3	6	1	10	8	7
41	53	80	256	215	16	27	34	49	38	51
15	29	27	54	47	7	9	3	14	9	5
11	15	16	37	68	16	14	6	13	7	12
–	2	6	7	7	1	1	1	2	2	–
9	9	3	21	23	10	7	1	2	1	2
9	33	48	143	119	14	13	5	28	23	36
20	30	35	49	93	9	23	12	25	16	8
18	36	66	117	103	19	25	15	17	14	13
27	45	68	126	121	18	16	12	24	27	24
68	92	94	78	141	28	37	28	22	13	13
24	58	52	69	164	32	40	15	45	17	15
20	43	43	–	109	14	32	18	24	21	–
4	9	6	43	22	7	7	3	5	–	–
56	88	85	196	258	53	57	27	46	33	42
32	51	66	216	148	28	35	16	22	13	34
1	3	7	26	7	1	2	2	2	–	–
13	23	31	35	57	13	11	3	11	11	8
2	6	5	8	15	6	4	1	2	1	1
3	4	4	4	4	3	1	–	–	–	–
5	1	1	5	11	6	1	–	3	–	1
31	34	34	29	559	32	49	45	66	90	277
–	–	–	–	–	–	–	–	–	–	–
1	2	2	2	12	4	3	1	2	2	–
26	38	29	54	164	26	41	30	36	15	16
61	118	72	148	255	50	53	40	59	30	23
3	2	2	3	8	–	2	3	2	1	–
8	11	16	32	17	–	7	5	3	1	1
27	44	56	89	90	21	15	14	14	15	11
24	40	46	136	226	33	50	28	46	33	36
84	140	140	314	211	48	56	33	32	17	25
2	2	4	4	4	–	1	1	1	1	–
89	110	182	490	384	76	88	37	65	57	61
49	72	114	289	231	36	39	25	48	41	42
10	21	22	105	75	16	11	7	12	7	22
20	62	65	192	193	23	44	19	38	38	31
1	–	–	–	2	–	1	–	–	–	1

第７表（2－1） 保健指導（動機付け支援）利用区分別延人員・

	利用区分別											
	年度中に全て終了						年度を越えて保健					
							初回面接					
	総数	40～49歳	50～59歳	60～64歳	65～69歳	70～74歳	総数	40～49歳	50～59歳	60～64歳	65～69歳	70～74歳
全国	**653**	**68**	**75**	**96**	**229**	**185**	**969**	**90**	**79**	**96**	**400**	**304**
北海道	32	4	10	5	8	5	28	9	4	2	10	3
青森	11	2	-	4	4	1	10	1	-	1	4	4
岩手	106	5	3	14	44	40	281	8	13	27	127	106
宮城	37	1	3	4	17	12	42	2	6	6	17	11
秋田	2	1	1	-	-	-	-	-	-	-	-	-
山形	-	-	-	-	-	-	2	1	-	1	-	-
福島	2	-	1	-	1	-	37	2	1	4	21	9
茨城	41	1	1	4	25	10	54	3	1	8	31	11
栃木	1	-	-	-	-	1	1	-	-	-	1	-
群馬	1	-	1	-	-	-	9	1	1	1	6	-
埼玉	3	…	…	1	1	1	16	2	2	2	5	5
千葉	24	6	4	-	8	6	11	3	-	1	4	3
東京	44	1	5	9	12	17	44	5	9	5	10	15
神奈川	3	-	-	1	-	2	13	1	3	-	7	2
新潟	3	-	-	-	2	1	8	4	-	2	-	2
富山	17	1	-	-	6	10	108	2	2	8	45	51
石川	3	-	1	1	1	-	2	-	-	-	-	2
福井	-	-	-	-	-	-	1	-	1	-	-	-
山梨	23	5	6	1	6	5	4	-	2	1	1	-
長野	29	4	2	3	11	9	15	2	5	3	1	4
岐阜	-	-	-	-	-	-	-	-	-	-	-	-
静岡	1	-	1	-	-	-	2	-	-	-	1	1
愛知	16	1	…	1	8	6	4	…	1	…	3	…
三重	-	-	-	-	-	-	34	5	-	3	12	14
滋賀	2	-	-	-	2	-	2	1	-	-	-	1
京都	7	-	-	-	3	4	5	2	2	-	1	-
大阪	5	2	-	-	1	2	10	4	-	-	3	3
兵庫	59	5	3	6	24	21	109	11	12	12	44	30
奈良	-	-	-	-	-	-	-	-	-	-	-	-
和歌山	3	3	-	-	-	-	-	-	-	-	-	-
鳥取	-	-	-	-	-	-	-	-	-	-	-	-
島根	7	1	1	1	1	3	-	-	-	-	-	-
岡山	-	-	-	-	-	-	13	1	-	1	5	6
広島	59	10	12	25	9	3	1	-	-	1	-	-
山口	3	-	1	1	1	-	1	-	-	-	1	-
徳島	7	2	2	1	2	-	1	-	-	-	1	-
香川	-	-	-	-	-	-	5	2	-	-	1	2
愛媛	1	1	-	-	-	-	3	2	-	-	-	1
高知	1	1	-	-	-	-	2	2	-	-	-	-
福岡	38	2	6	1	15	14	26	3	3	3	13	4
佐賀	3	-	1	1	1	-	5	-	2	-	2	1
長崎	6	1	1	1	2	1	5	1	1	-	1	2
熊本	9	1	2	3	2	1	-	-	-	-	-	-
大分	-	-	-	-	-	-	10	2	1	1	4	2
宮崎	-	-	-	-	-	-	1	-	1	-	-	-
鹿児島	11	3	2	4	-	2	5	-	-	1	1	3
沖縄	33	4	5	4	12	8	39	8	6	2	17	6
指定都市・特別区(再掲)												
東京都区部	5	1	1	2	-	1	36	5	8	4	9	10
札幌市	-	-	-	-	-	-	2	1	-	-	1	-
仙台市	-	-	-	-	-	-	-	-	-	-	-	-
さいたま市	-	-	-	-	-	-	-	-	-	-	-	-
千葉市	3	1	2	-	-	-	-	-	-	-	-	-
横浜市	-	-	-	-	-	-	-	-	-	-	-	-
川崎市	-	-	-	-	-	-	-	-	-	-	-	-
相模原市	3	-	-	1	-	2	12	1	3	-	6	2
新潟市	-	-	-	-	-	-	-	-	-	-	-	-
静岡市	-	-	-	-	-	-	-	-	-	-	-	-
浜松市	-	-	-	-	-	-	-	-	-	-	-	-
名古屋市	-	-	-	-	-	-	-	-	-	-	-	-
京都市	1	-	-	-	1	-	5	2	2	-	1	-
大阪市	-	-	-	-	-	-	-	-	-	-	-	-
堺市	-	-	-	-	-	-	-	-	-	-	-	-
神戸市	-	-	-	-	-	-	-	-	-	-	-	-
岡山市	-	-	-	-	-	-	-	-	-	-	-	-
広島市	59	10	12	25	9	3	1	-	-	1	-	-
北九州市	…	…	…	…	…	…	…	…	…	…	…	…
福岡市	-	-	-	-	-	-	-	-	-	-	-	-
熊本市	7	1	2	2	1	1	-	-	-	-	-	-

利用実人員，都道府県－指定都市・特別区－中核市－その他政令市、年齢階級別

平成29年度

延人員						利用実人員					
指導を行う場合											
実績評価											
総数	40～49歳	50～59歳	60～64歳	65～69歳	70～74歳	総数	40～49歳	50～59歳	60～64歳	65～69歳	70～74歳
648	**60**	**48**	**60**	**281**	**199**	**1 992**	**197**	**186**	**225**	**803**	**581**
13	1	3	2	5	2	66	12	15	9	21	9
6	–	1	2	3	–	25	3	1	7	9	5
206	9	16	19	100	62	504	20	28	49	241	166
50	5	3	2	25	15	102	7	10	10	45	30
–	–	–	–	–	–	2	1	1	–	–	–
1	1	–	–	–	–	2	1	–	1	–	–
–	–	–	–	–	–	39	2	2	4	22	9
31	5	1	3	10	12	126	9	3	15	66	33
–	–	–	–	–	–	2	–	–	–	1	1
–	–	–	–	–	–	10	1	2	1	6	–
21	3	2	…	5	11	40	5	4	3	11	17
20	8	1	–	5	6	53	17	5	1	17	13
20	3	1	5	8	3	106	9	14	18	30	35
9	2	3	1	2	1	24	3	6	2	8	5
4	1	1	–	1	1	15	5	1	2	3	4
21	2	–	1	8	10	112	3	2	9	47	51
–	–	–	–	–	–	5	–	1	1	1	2
–	–	–	–	–	–	1	–	1	–	–	–
5	–	1	–	3	1	27	5	8	2	7	5
45	2	2	5	25	11	88	8	9	11	37	23
–	–	–	–	–	–	–	–	–	–	–	–
–	–	–	–	–	–	3	–	1	–	1	1
42	9	3	3	16	11	62	10	4	4	27	17
21	–	1	–	11	9	55	5	1	3	23	23
–	–	–	–	–	–	4	1	–	–	2	1
1	–	–	–	–	1	13	2	2	–	4	5
4	1	1	–	1	1	18	6	1	–	5	6
94	5	5	12	38	34	176	13	16	20	70	57
–	–	–	–	–	–	–	–	–	–	–	–
–	–	–	–	–	–	3	3	–	–	–	–
–	–	–	–	–	–	–	–	–	–	–	–
3	–	–	–	3	–	10	1	1	1	4	3
–	–	–	–	–	–	13	1	–	1	5	6
–	–	–	–	–	–	60	10	12	26	9	3
–	–	–	–	–	–	4	–	1	1	2	–
1	–	–	–	1	–	7	2	2	1	2	–
–	–	–	–	–	–	5	2	–	–	1	2
1	–	–	–	–	1	4	3	–	–	–	1
1	1	–	–	–	–	3	3	–	–	–	–
4	…	1	…	1	2	64	5	10	4	27	18
–	–	–	–	–	–	8	–	3	1	3	1
10	–	2	3	3	2	19	2	2	4	6	5
–	–	–	–	–	–	9	1	2	3	2	1
–	–	–	–	–	–	10	2	1	1	4	2
–	–	–	–	–	–	1	–	1	–	–	–
2	1	–	–	1	–	12	2	2	2	2	4
12	1	–	2	6	3	80	12	11	8	32	17
14	1	1	4	5	3	54	7	9	10	14	14
–	–	–	–	–	–	2	1	–	–	1	–
–	–	–	–	–	–	–	–	–	–	–	–
–	–	–	–	–	–	–	–	–	–	–	–
3	2	–	–	–	1	6	3	2	–	–	1
–	–	–	–	–	–	–	–	–	–	–	–
–	–	–	–	–	–	–	–	–	–	–	–
8	1	3	1	2	1	22	2	6	2	7	5
–	–	–	–	–	–	–	–	–	–	–	–
–	–	–	–	–	–	–	–	–	–	–	–
–	–	–	–	–	–	–	–	–	–	–	–
–	–	–	–	–	–	–	–	–	–	–	–
1	–	–	–	–	1	7	2	2	–	2	1
–	–	–	–	–	–	–	–	–	–	–	–
–	–	–	–	–	–	–	–	–	–	–	–
–	–	–	–	–	–	–	–	–	–	–	–
–	–	–	–	–	–	–	–	–	–	–	–
–	–	–	–	–	–	60	10	12	26	9	3
…	…	…	…	…	…	…	…	…	…	…	…
–	–	–	–	–	–	–	–	–	–	–	–
–	–	–	–	–	–	7	1	2	2	1	1

第７表（2－2） 保健指導（動機付け支援）利用区分別延人員・

	利用区分別											
	年度中に全て終了						年度を越えて保健					
							初回面接					
	総数	40～49歳	50～59歳	60～64歳	65～69歳	70～74歳	総数	40～49歳	50～59歳	60～64歳	65～69歳	70～74歳
中核市(再掲)												
旭川市	1	－	1	－	－	－	5	2	1	－	1	1
函館市	2	1	1	－	－	－	1	－	－	－	1	－
青森市	2	－	－	1	－	1	1	－	－	－	1	－
八戸市	1	－	－	1	－	－	1	－	－	－	1	－
盛岡市	－	－	－	－	－	－	－	－	－	－	－	－
秋田市	－	－	－	－	－	－	－	－	－	－	－	－
郡山市	－	－	－	－	－	－	5	－	1	－	3	1
いわき市	－	－	－	－	－	－	－	－	－	－	－	－
宇都宮市	－	－	－	－	－	－	－	－	－	－	－	－
前橋市	1	－	1	－	－	－	－	－	－	－	－	－
高崎市	－	－	－	－	－	－	－	－	－	－	－	－
川越市	－	－	－	－	－	－	－	－	－	－	－	－
越谷市	－	－	－	－	－	－	4	－	－	1	1	2
船橋市	4	1	－	－	2	1	8	3	－	1	2	2
柏市	－	－	－	－	－	－	－	－	－	－	－	－
八王子市	－	－	－	－	－	－	1	－	－	1	－	－
横須賀市	－	－	－	－	－	－	1	－	－	－	1	－
富山市	－	－	－	－	－	－	－	－	－	－	－	－
金沢市	－	－	－	－	－	－	－	－	－	－	－	－
長野市	6	1	1	1	1	2	－	－	－	－	－	－
岐阜市	－	－	－	－	－	－	－	－	－	－	－	－
豊橋市	－	－	－	－	－	－	－	－	－	－	－	－
豊田市	－	－	－	－	－	－	－	－	－	－	－	－
岡崎市	－	－	－	－	－	－	－	－	－	－	－	－
大津市	－	－	－	－	－	－	－	－	－	－	－	－
高槻市	－	－	－	－	－	－	－	－	－	－	－	－
東大阪市	2	－	－	－	1	1	－	－	－	－	－	－
豊中市	－	－	－	－	－	－	－	－	－	－	－	－
枚方市	－	－	－	－	－	－	－	－	－	－	－	－
姫路市	－	－	－	－	－	－	－	－	－	－	－	－
西宮市	－	－	－	－	－	－	－	－	－	－	－	－
尼崎市	－	－	－	－	－	－	－	－	－	－	－	－
奈良市	－	－	－	－	－	－	－	－	－	－	－	－
和歌山市	－	－	－	－	－	－	－	－	－	－	－	－
倉敷市	－	－	－	－	－	－	－	－	－	－	－	－
福山市	－	－	－	－	－	－	－	－	－	－	－	－
呉市	－	－	－	－	－	－	－	－	－	－	－	－
下関市	－	－	－	－	－	－	－	－	－	－	－	－
高松市	－	－	－	－	－	－	5	2	－	－	1	2
松山市	1	1	－	－	－	－	2	1	－	－	－	1
高知市	－	－	－	－	－	－	－	－	－	－	－	－
久留米市	－	－	－	－	－	－	－	－	－	－	－	－
長崎市	2	－	－	1	1	－	－	－	－	－	－	－
佐世保市	－	－	－	－	－	－	－	－	－	－	－	－
大分市	－	－	－	－	－	－	－	－	－	－	－	－
宮崎市	－	－	－	－	－	－	－	－	－	－	－	－
鹿児島市	7	3	－	4	－	－	4	－	－	－	1	3
那覇市	－	－	－	－	－	－	2	1	1	－	－	－
その他政令市(再掲)												
小樽市	1	－	－	－	1	－	－	－	－	－	－	－
町田市	－	－	－	－	－	－	－	－	－	－	－	－
藤沢市	－	－	－	－	－	－	－	－	－	－	－	－
茅ヶ崎市	－	－	－	－	－	－	－	－	－	－	－	－
四日市市	－	－	－	－	－	－	4	1	－	1	2	－
大牟田市	－	－	－	－	－	－	－	－	－	－	－	－

利用実人員，都道府県－指定都市・特別区－中核市－その他政令市、年齢階級別

平成29年度

延人員 指導を行う場合 実績評価						利用実人員					
総数	40～49歳	50～59歳	60～64歳	65～69歳	70～74歳	総数	40～49歳	50～59歳	60～64歳	65～69歳	70～74歳
3	–	1	–	1	1	9	2	3	–	2	2
–	–	–	–	–	–	3	1	1	–	1	–
2	–	1	1	–	–	5	–	1	2	1	1
–	–	–	–	–	–	2	–	–	1	1	–
–	–	–	–	–	–	–	–	–	–	–	–
–	–	–	–	–	–	–	–	–	–	–	–
–	–	–	–	–	–	5	–	1	–	3	1
–	–	–	–	–	–	–	–	–	–	–	–
–	–	–	–	–	–	–	–	–	–	–	–
–	–	–	–	–	–	1	–	1	–	–	–
–	–	–	–	–	–	–	–	–	–	–	–
–	–	–	–	–	–	–	–	–	–	–	–
7	2	1	–	1	3	11	2	1	1	2	5
13	5	–	–	5	3	25	9	–	1	9	6
–	–	–	–	–	–	–	–	–	–	–	–
1	–	–	1	–	–	1	–	–	1	–	–
–	–	–	–	–	–	1	–	–	–	1	–
–	–	–	–	–	–	–	–	–	–	–	–
–	–	–	–	–	–	–	–	–	–	–	–
–	–	–	–	–	–	6	1	1	1	1	2
–	–	–	–	–	–	–	–	–	–	–	–
–	–	–	–	–	–	–	–	–	–	–	–
–	–	–	–	–	–	–	–	–	–	–	–
–	–	–	–	–	–	–	–	–	–	–	–
–	–	–	–	–	–	–	–	–	–	–	–
–	–	–	–	–	–	–	–	–	–	–	–
1	–	–	–	1	–	3	–	–	–	2	1
–	–	–	–	–	–	–	–	–	–	–	–
–	–	–	–	–	–	–	–	–	–	–	–
–	–	–	–	–	–	–	–	–	–	–	–
–	–	–	–	–	–	–	–	–	–	–	–
–	–	–	–	–	–	–	–	–	–	–	–
–	–	–	–	–	–	–	–	–	–	–	–
–	–	–	–	–	–	–	–	–	–	–	–
–	–	–	–	–	–	–	–	–	–	–	–
–	–	–	–	–	–	–	–	–	–	–	–
–	–	–	–	–	–	–	–	–	–	–	–
–	–	–	–	–	–	–	–	–	–	–	–
–	–	–	–	–	–	5	2	–	–	1	2
1	–	–	–	–	1	3	2	–	–	–	1
–	–	–	–	–	–	–	–	–	–	–	–
–	–	–	–	–	–	–	–	–	–	–	–
6	–	–	2	3	1	8	–	–	3	4	1
–	–	–	–	–	–	–	–	–	–	–	–
–	–	–	–	–	–	–	–	–	–	–	–
–	–	–	–	–	–	–	–	–	–	–	–
2	1	–	–	1	–	7	2	–	1	2	2
–	–	–	–	–	–	2	1	1	–	–	–
–	–	–	–	–	–	1	–	–	–	1	–
–	–	–	–	–	–	–	–	–	–	–	–
–	–	–	–	–	–	–	–	–	–	–	–
–	–	–	–	–	–	–	–	–	–	–	–
1	–	1	–	–	–	5	1	1	1	2	–
–	–	–	–	–	–	–	–	–	–	–	–

第8表（2−1） 保健指導（積極的支援）利用区分別延人員・

	利用区分 年度中に全て終了 総数	年度中に全て終了 40～49歳	年度中に全て終了 50～59歳	年度中に全て終了 60～64歳	年度を越えて 初回面接 総数	初回面接 40～49歳	初回面接 50～59歳	初回面接 60～64歳
全国	**229**	**77**	**92**	**60**	**433**	**151**	**142**	**140**
北海道	18	3	10	5	30	16	6	8
青森	1	−	−	1	16	6	8	2
岩手	15	7	2	6	86	16	32	38
宮城	13	4	3	6	16	7	6	3
秋田	−	−	−	−	2	−	−	2
山形	−	−	−	−	−	−	−	−
福島	1	−	1	−	10	5	1	4
茨城	6	3	−	3	7	2	1	4
栃木	−	−	−	−	2	1	1	−
群馬	1	−	−	1	2	−	−	2
埼玉	1	1	…	…	8	…	5	3
千葉	22	5	16	1	20	8	8	4
東京	20	7	7	6	30	14	11	5
神奈川	8	3	4	1	11	5	3	3
新潟	2	−	2	−	6	2	3	1
富山	7	3	−	4	21	8	5	8
石川	1	1	−	−	4	1	−	3
福井	−	−	−	−	−	−	−	−
山梨	−	−	−	−	5	2	2	1
長野	16	6	4	6	8	3	4	1
岐阜	−	−	−	−	−	−	−	−
静岡	−	−	−	−	−	−	−	−
愛知	3	1	1	1	10	3	7	…
三重	1	1	−	−	10	2	2	6
滋賀	2	1	−	1	1	−	1	−
京都	5	4	−	1	7	4	−	3
大阪	9	4	5	−	14	6	4	4
兵庫	3	2	−	1	26	12	8	6
奈良	1	−	1	−	−	−	−	−
和歌山	−	−	−	−	−	−	−	−
鳥取	−	−	−	−	−	−	−	−
島根	−	−	−	−	2	−	−	2
岡山	−	−	−	−	2	1	−	1
広島	12	4	5	3	2	1	−	1
山口	1	−	1	−	2	−	2	−
徳島	−	−	−	−	−	−	−	−
香川	−	−	−	−	2	1	1	−
愛媛	2	1	1	−	2	1	1	−
高知	2	1	−	1	−	−	−	−
福岡	11	4	4	3	8	5	…	3
佐賀	4	−	1	3	3	−	1	2
長崎	10	3	5	2	5	3	1	1
熊本	10	3	5	2	−	−	−	−
大分	2	1	1	−	3	2	−	1
宮崎	−	−	−	−	1	−	1	−
鹿児島	9	−	9	−	16	7	1	8
沖縄	10	4	4	2	33	7	16	10
指定都市・特別区(再掲)								
東京都区部	10	3	5	2	21	8	8	5
札幌市	−	−	−	−	1	1	−	−
仙台市	−	−	−	−	−	−	−	−
さいたま市	−	−	−	−	−	−	−	−
千葉市	1	−	1	−	6	3	1	2
横浜市	−	−	−	−	−	−	−	−
川崎市	−	−	−	−	−	−	−	−
相模原市	8	3	4	1	9	4	3	2
新潟市	−	−	−	−	−	−	−	−
静岡市	−	−	−	−	−	−	−	−
浜松市	−	−	−	−	−	−	−	−
名古屋市	1	−	−	1	−	−	−	−
京都市	3	2	−	1	4	3	−	1
大阪市	−	−	−	−	−	−	−	−
堺市	−	−	−	−	−	−	−	−
神戸市	−	−	−	−	−	−	−	−
岡山市	−	−	−	−	−	−	−	−
広島市	12	4	5	3	2	1	−	1
北九州市	…	…	…	…	…	…	…	…
福岡市	−	−	−	−	−	−	−	−
熊本市	9	3	5	1	−	−	−	−

利用実人員，都道府県－指定都市・特別区－中核市－その他政令市、年齢階級別

平成29年度

別延人員								利用実人員			
保健指導を行う場合											
継続的支援				実績評価							
総数	40～49歳	50～59歳	60～64歳	総数	40～49歳	50～59歳	60～64歳	総数	40～49歳	50～59歳	60～64歳
333	**96**	**119**	**118**	**189**	**60**	**67**	**62**	**846**	**283**	**307**	**256**
9	2	3	4	10	4	4	2	55	23	19	13
9	4	3	2	4	2	1	1	24	9	10	5
127	25	43	59	48	7	16	25	146	30	48	68
16	7	6	3	9	3	4	2	37	15	12	10
-	-	-	-	-	-	-	-	2	-	-	2
-	-	-	-	1	-	-	1	1	-	-	1
2	-	-	2	4	2	2	-	15	7	4	4
1	-	-	1	9	3	4	2	22	8	5	9
1	1	-	-	-	-	-	-	2	1	1	-
2	-	-	2	-	-	-	-	3	-	-	3
5	…	3	2	4	…	3	1	13	1	8	4
20	5	10	5	13	3	6	4	56	16	30	10
11	3	4	4	19	8	7	4	68	24	28	16
10	4	4	2	3	1	1	1	20	9	7	4
4	2	2	-	2	2	-	-	12	6	5	1
7	3	-	4	7	3	-	4	21	8	5	8
2	1	-	1	-	-	-	-	5	2	-	3
-	-	-	-	-	-	-	-	-	-	-	-
3	1	2	-	-	-	-	-	4	1	2	1
13	8	3	2	11	3	2	6	47	19	13	15
-	-	-	-	-	-	-	-	-	-	-	-
-	-	-	-	-	-	-	-	-	-	-	-
15	5	10	…	2	1	1	…	25	6	18	1
1	-	-	1	3	1	-	2	14	4	2	8
-	-	-	-	1	1	-	-	4	2	1	1
7	4	1	2	4	3	1	-	16	11	1	4
10	4	5	1	12	4	6	2	35	14	15	6
18	5	7	6	2	2	-	-	31	14	8	9
-	-	-	-	-	-	-	-	1	-	1	-
-	-	-	-	-	-	-	-	-	-	-	-
-	-	-	-	-	-	-	-	-	-	-	-
3	1	-	2	1	1	-	-	4	2	-	2
2	1	-	1	-	-	-	-	2	1	-	1
-	-	-	-	2	2	-	-	16	7	5	4
-	-	-	-	1	1	-	-	4	1	3	-
-	-	-	-	-	-	-	-	-	-	-	-
-	-	-	-	-	-	-	-	2	1	1	-
2	1	1	-	1	-	1	-	3	2	1	-
1	-	1	-	-	-	-	-	3	1	1	1
4	2	1	1	7	3	3	1	25	11	6	8
-	-	-	-	-	-	-	-	7	-	2	5
6	2	3	1	4	-	2	2	22	6	11	5
-	-	-	-	-	-	-	-	10	3	5	2
2	1	-	1	-	-	-	-	4	2	1	1
1	-	1	-	1	-	1	-	2	-	2	-
4	1	1	2	-	-	-	-	9	3	3	3
15	3	5	7	4	-	2	2	54	13	23	18
4	-	-	4	11	5	2	4	39	12	15	12
-	-	-	-	-	-	-	-	1	1	-	-
-	-	-	-	-	-	-	-	-	-	-	-
-	-	-	-	-	-	-	-	-	-	-	-
3	1	-	2	3	2	-	1	11	5	2	4
-	-	-	-	-	-	-	-	-	-	-	-
-	-	-	-	-	-	-	-	-	-	-	-
9	3	4	2	3	1	1	1	18	8	7	3
-	-	-	-	-	-	-	-	-	-	-	-
-	-	-	-	-	-	-	-	-	-	-	-
-	-	-	-	-	-	-	-	-	-	-	-
-	-	-	-	-	-	-	-	1	-	-	1
4	3	1	-	3	2	1	-	11	8	1	2
-	-	-	-	-	-	-	-	-	-	-	-
-	-	-	-	-	-	-	-	-	-	-	-
-	-	-	-	-	-	-	-	-	-	-	-
-	-	-	-	-	-	-	-	-	-	-	-
-	-	-	-	2	2	-	-	16	7	5	4
…	…	…	…	…	…	…	…	…	…	…	…
-	-	-	-	-	-	-	-	-	-	-	-
-	-	-	-	-	-	-	-	9	3	5	1

15(4)−03 健康診査

第8表（2−2） 保健指導（積極的支援）利用区分別延人員・

	利 用 区 分							
	年 度 中 に 全 て 終 了				年 度 を 越 え て			
					初 回 面 接			
	総 数	40 〜 49 歳	50 〜 59 歳	60 〜 64 歳	総 数	40 〜 49 歳	50 〜 59 歳	60 〜 64 歳
中核市(再掲)								
旭 川 市	2	−	1	1	11	5	3	3
函 館 市	−	−	−	−	−	−	−	−
青 森 市	−	−	−	−	1	−	1	−
八 戸 市	−	−	−	−	8	5	2	1
盛 岡 市	−	−	−	−	−	−	−	−
秋 田 市	−	−	−	−	−	−	−	−
郡 山 市	1	−	1	−	2	1	−	1
い わ き 市	−	−	−	−	−	−	−	−
宇 都 宮 市	−	−	−	−	−	−	−	−
前 橋 市	−	−	−	−	−	−	−	−
高 崎 市	−	−	−	−	−	−	−	−
川 越 市	−	−	−	−	−	−	−	−
越 谷 市	−	−	−	−	2	−	1	1
船 橋 市	3	2	1	−	11	4	6	1
柏 市	−	−	−	−	−	−	−	−
八 王 子 市	−	−	−	−	5	4	1	−
横 須 賀 市	−	−	−	−	2	1	−	1
富 山 市	−	−	−	−	−	−	−	−
金 沢 市	−	−	−	−	−	−	−	−
長 野 市	9	4	3	2	−	−	−	−
岐 阜 市	−	−	−	−	−	−	−	−
豊 橋 市	−	−	−	−	−	−	−	−
豊 田 市	−	−	−	−	−	−	−	−
岡 崎 市	−	−	−	−	−	−	−	−
大 津 市	−	−	−	−	−	−	−	−
高 槻 市	−	−	−	−	−	−	−	−
東 大 阪 市	3	1	2	−	3	1	2	−
豊 中 市	−	−	−	−	−	−	−	−
枚 方 市	−	−	−	−	−	−	−	−
姫 路 市	−	−	−	−	−	−	−	−
西 宮 市	−	−	−	−	−	−	−	−
尼 崎 市	−	−	−	−	−	−	−	−
奈 良 市	−	−	−	−	−	−	−	−
和 歌 山 市	−	−	−	−	−	−	−	−
倉 敷 市	−	−	−	−	−	−	−	−
福 山 市	−	−	−	−	−	−	−	−
呉 市	−	−	−	−	−	−	−	−
下 関 市	−	−	−	−	−	−	−	−
高 松 市	−	−	−	−	2	1	1	−
松 山 市	1	1	−	−	1	1	−	−
高 知 市	−	−	−	−	−	−	−	−
久 留 米 市	−	−	−	−	−	−	−	−
長 崎 市	4	2	1	1	−	−	−	−
佐 世 保 市	1	−	1	−	−	−	−	−
大 分 市	−	−	−	−	−	−	−	−
宮 崎 市	−	−	−	−	−	−	−	−
鹿 児 島 市	8	−	8	−	11	5	−	6
那 覇 市	−	−	−	−	15	4	8	3
その他政令市(再掲)								
小 樽 市	−	−	−	−	−	−	−	−
町 田 市	−	−	−	−	−	−	−	−
藤 沢 市	−	−	−	−	−	−	−	−
茅 ヶ 崎 市	−	−	−	−	−	−	−	−
四 日 市 市	−	−	−	−	−	−	−	−
大 牟 田 市	−	−	−	−	−	−	−	−

利用実人員，都道府県−指定都市・特別区−中核市−その他政令市、年齢階級別

平成29年度

別 延 人 員								利 用 実 人 員			
保 健 指 導 を 行 う 場 合											
継 続 的 支 援				実 績 評 価							
総 数	40～49歳	50～59歳	60～64歳	総 数	40～49歳	50～59歳	60～64歳	総 数	40～49歳	50～59歳	60～64歳
3	2	－	1	2	1	1	－	15	6	5	4
－	－	－	－	－	－	－	－	－	－	－	－
3	2	1	－	2	2	－	－	3	2	1	－
3	1	1	1	2	－	1	1	13	6	4	3
－	－	－	－	－	－	－	－	－	－	－	－
－	－	－	－	－	－	－	－	－	－	－	－
1	－	－	1	4	2	2	－	7	3	3	1
－	－	－	－	－	－	－	－	－	－	－	－
－	－	－	－	－	－	－	－	－	－	－	－
－	－	－	－	－	－	－	－	－	－	－	－
－	－	－	－	－	－	－	－	－	－	－	－
4	－	3	1	3	－	3	－	5	－	4	1
17	4	10	3	9	1	5	3	23	7	12	4
－	－	－	－	－	－	－	－	－	－	－	－
2	2	－	－	3	2	1	－	5	4	1	－
1	1	－	－	－	－	－	－	2	1	－	1
－	－	－	－	－	－	－	－	－	－	－	－
－	－	－	－	－	－	－	－	9	4	3	2
－	－	－	－	－	－	－	－	－	－	－	－
－	－	－	－	－	－	－	－	－	－	－	－
－	－	－	－	－	－	－	－	－	－	－	－
－	－	－	－	－	－	－	－	－	－	－	－
－	－	－	－	－	－	－	－	－	－	－	－
1	－	－	1	3	－	1	2	9	2	5	2
－	－	－	－	－	－	－	－	－	－	－	－
－	－	－	－	－	－	－	－	－	－	－	－
－	－	－	－	－	－	－	－	－	－	－	－
－	－	－	－	－	－	－	－	－	－	－	－
－	－	－	－	－	－	－	－	－	－	－	－
－	－	－	－	－	－	－	－	－	－	－	－
－	－	－	－	－	－	－	－	－	－	－	－
－	－	－	－	－	－	－	－	2	1	1	－
1	1	－	－	－	－	－	－	2	2	－	－
－	－	－	－	－	－	－	－	－	－	－	－
－	－	－	－	－	－	－	－	－	－	－	－
2	－	2	－	2	－	2	－	8	2	5	1
1	－	1	－	－	－	－	－	2	－	2	－
－	－	－	－	－	－	－	－	－	－	－	－
－	－	－	－	－	－	－	－	3	1	1	1
－	－	－	－	－	－	－	－	15	4	8	3
－	－	－	－	－	－	－	－	－	－	－	－
－	－	－	－	－	－	－	－	－	－	－	－
－	－	－	－	－	－	－	－	－	－	－	－
－	－	－	－	－	－	－	－	－	－	－	－

15(5)−01 歯周疾患検診

第9表（4−1） 歯周疾患検診受診者数，都道府県−

	受　　数					診	
	総　　数						
	総　数	40　歳	50　歳	60　歳	70　歳	総　　数	40　歳
全　　国	338 725	80 335	72 866	68 650	116 874	119 110	26 095
北海道	6 607	1 750	1 554	1 284	2 019	2 360	555
青森	6 320	1 424	1 346	1 482	2 068	2 240	472
岩手	4 423	909	824	1 032	1 658	1 503	270
宮城	11 749	2 191	2 263	2 582	4 713	4 131	699
秋田	3 824	654	618	926	1 626	1 288	198
山形	1 675	310	301	417	647	640	102
福島	1 651	574	436	263	378	580	216
茨城	5 035	1 170	1 153	990	1 722	1 798	390
栃木	5 691	1 166	944	1 158	2 423	2 043	407
群馬	4 112	785	810	851	1 666	1 172	190
埼玉	10 949	2 885	2 417	2 112	3 535	3 712	921
千葉	15 271	3 796	3 229	2 639	5 607	5 182	1 275
東京	57 171	15 274	14 453	10 557	16 887	20 940	5 352
神奈川	16 000	3 064	3 332	2 870	6 734	5 907	1 061
新潟	11 704	2 370	2 405	2 642	4 287	4 129	718
富山	2 612	388	473	586	1 165	894	119
石川	2 779	478	553	615	1 133	865	140
福井	2 414	512	453	556	893	863	165
山梨	1 959	354	482	421	702	736	101
長野	8 432	1 761	1 817	1 847	3 007	2 907	587
岐阜	6 561	1 511	1 331	1 518	2 201	2 190	431
静岡	9 559	2 636	1 646	1 849	3 428	3 213	810
愛知	36 172	9 084	7 871	7 673	11 544	12 875	2 949
三重	8 435	1 912	1 902	1 974	2 647	2 948	641
滋賀	857	459	117	98	183	262	118
京都	1 872	474	425	392	581	636	120
大阪	19 517	3 963	4 298	3 691	7 565	6 942	1 314
兵庫	14 368	4 181	3 947	2 279	3 961	5 135	1 303
奈良	1 656	329	286	295	746	509	99
和歌山	3 239	576	661	745	1 257	1 128	198
鳥取	963	307	165	189	302	290	78
島根	1 970	545	449	496	480	663	176
岡山	1 461	248	247	330	636	487	75
広島	11 988	2 640	2 350	2 486	4 512	4 222	871
山口	866	264	177	209	216	198	57
徳島	1 375	219	246	324	586	482	70
香川	7 062	1 671	1 164	1 478	2 749	2 356	512
愛媛	5 532	1 685	1 153	1 318	1 376	1 916	552
高知	406	104	78	113	111	127	28
福岡	8 448	2 263	1 354	1 575	3 256	2 935	655
佐賀	948	265	202	174	307	310	83
長崎	2 434	542	512	630	750	764	139
熊本	2 214	414	389	578	833	814	142
大分	792	198	198	228	168	278	72
宮崎	2 109	409	360	510	830	693	108
鹿児島	7 350	1 571	1 440	1 623	2 716	2 773	536
沖縄	193	50	35	45	63	74	20
指定都市・特別区（再掲） 東京都区部	44 108	12 292	11 344	7 957	12 515	16 103	4 364
札幌市	3 856	943	878	832	1 203	1 438	322
仙台市	6 378	1 291	1 310	1 239	2 538	2 274	415
さいたま市	1 281	521	202	177	381	392	137
千葉市	4 714	789	991	801	2 133	1 458	233
横浜市	970	148	237	212	373	372	62
川崎市	3 936	957	963	700	1 316	1 500	322
相模原市	478	69	82	66	261	171	22
新潟市	3 290	727	635	761	1 167	1 158	211
静岡市	546	476	11	20	39	147	127
浜松市	2 046	498	451	409	688	706	159
名古屋市	10 335	2 944	2 173	2 477	2 741	3 620	941
京都市	54	14	15	6	19	13	1
大阪市	565	98	139	137	191	210	31
堺市	300	58	57	66	119	91	15
神戸市	3 174	1 542	1 607	7	18	942	386
岡山市	143	30	28	37	48	34	7
広島市	8 027	1 826	1 568	1 430	3 203	2 902	625
北九州市	2 799	462	412	466	1 459	1 021	130
福岡市	1 409	780	168	187	274	455	212
熊本市	−	−	−	−	−	−	−

指定都市・特別区－中核市－その他政令市、指導区分・性・年齢別

平成29年度

者			数				
男			女				
50　歳	60　歳	70　歳	総　数	40　歳	50　歳	60　歳	70　歳
23 041	**23 198**	**46 776**	**219 615**	**54 240**	**49 825**	**45 452**	**70 098**
486	483	836	4 247	1 195	1 068	801	1 183
420	522	826	4 080	952	926	960	1 242
228	336	669	2 920	639	596	696	989
663	834	1 935	7 618	1 492	1 600	1 748	2 778
165	274	651	2 536	456	453	652	975
94	145	299	1 035	208	207	272	348
134	89	141	1 071	358	302	174	237
372	314	722	3 237	780	781	676	1 000
251	363	1 022	3 648	759	693	795	1 401
189	214	579	2 940	595	621	637	1 087
749	719	1 323	7 237	1 964	1 668	1 393	2 212
935	827	2 145	10 089	2 521	2 294	1 812	3 462
4 847	3 800	6 941	36 231	9 922	9 606	6 757	9 946
1 180	1 029	2 637	10 093	2 003	2 152	1 841	4 097
758	889	1 764	7 575	1 652	1 647	1 753	2 523
110	185	480	1 718	269	363	401	685
139	163	423	1 914	338	414	452	710
162	197	339	1 551	347	291	359	554
159	159	317	1 223	253	323	262	385
560	598	1 162	5 525	1 174	1 257	1 249	1 845
341	487	931	4 371	1 080	990	1 031	1 270
458	584	1 361	6 346	1 826	1 188	1 265	2 067
2 569	2 625	4 732	23 297	6 135	5 302	5 048	6 812
596	702	1 009	5 487	1 271	1 306	1 272	1 638
35	32	77	595	341	82	66	106
148	146	222	1 236	354	277	246	359
1 479	1 261	2 888	12 575	2 649	2 819	2 430	4 677
1 315	849	1 668	9 233	2 878	2 632	1 430	2 293
86	80	244	1 147	230	200	215	502
213	242	475	2 111	378	448	503	782
54	49	109	673	229	111	140	193
127	153	207	1 307	369	322	343	273
69	101	242	974	173	178	229	394
736	839	1 776	7 766	1 769	1 614	1 647	2 736
32	44	65	668	207	145	165	151
66	109	237	893	149	180	215	349
324	478	1 042	4 706	1 159	840	1 000	1 707
365	456	543	3 616	1 133	788	862	833
15	37	47	279	76	63	76	64
442	525	1 313	5 513	1 608	912	1 050	1 943
51	54	122	638	182	151	120	185
136	185	304	1 670	403	376	445	446
115	215	342	1 400	272	274	363	491
62	70	74	514	126	136	158	94
91	155	339	1 416	301	269	355	491
502	562	1 173	4 577	1 035	938	1 061	1 543
13	18	23	119	30	22	27	40
3 819	2 877	5 043	28 005	7 928	7 525	5 080	7 472
282	332	502	2 418	621	596	500	701
415	407	1 037	4 104	876	895	832	1 501
50	56	149	889	384	152	121	232
261	208	756	3 256	556	730	593	1 377
80	76	154	598	86	157	136	219
379	252	547	2 436	635	584	448	769
30	22	97	307	47	52	44	164
211	256	480	2 132	516	424	505	687
3	5	12	399	349	8	15	27
140	136	271	1 340	339	311	273	417
719	843	1 117	6 715	2 003	1 454	1 634	1 624
6	1	5	41	13	9	5	14
53	52	74	355	67	86	85	117
14	17	45	209	43	43	49	74
548	-	8	2 232	1 156	1 059	7	10
5	10	12	109	23	23	27	36
511	498	1 268	5 125	1 201	1 057	932	1 935
133	154	604	1 778	332	279	312	855
62	68	113	954	568	106	119	161
-	-	-	-	-	-	-	-

第９表（4－2） 歯周疾患検診受診者数，都道府県－

	受					診	
	総		数				
	総数	40歳	50歳	60歳	70歳	総数	40歳
中核市(再掲)							
旭川市	68	30	7	7	24	16	3
函館市	538	273	256	6	3	165	88
青森市	1 850	417	386	435	612	629	130
八戸市	1 581	421	325	317	518	583	143
盛岡市	229	14	24	50	141	59	-
秋田市	1 373	247	201	294	631	444	72
郡山市	664	70	343	91	160	218	17
いわき市	86	8	7	21	50	27	2
宇都宮市	1 325	378	210	172	565	409	115
前橋市	1 131	254	230	229	418	277	47
高崎市	450	80	90	131	149	104	13
川越市	50	8	15	10	17	8	2
越谷市	1 086	205	194	170	517	428	79
船橋市	2 765	835	547	367	1 016	1 016	335
柏市	599	261	174	164	-	204	88
八王子市	38	8	11	2	17	10	3
横須賀市	3 106	630	639	583	1 254	1 174	210
富山市	388	55	79	69	185	84	6
金沢市	1 002	146	180	180	496	241	23
長野市	2 014	375	453	451	735	656	118
岐阜市	2 143	544	410	543	646	729	154
豊橋市	1 384	315	257	303	509	363	83
豊田市	778	150	180	131	317	254	31
岡崎市	1 586	406	391	343	446	576	132
大津市	231	231	-	-	-	60	60
高槻市	161	42	42	35	42	52	14
東大阪市	1 537	348	309	239	641	549	121
豊中市	388	73	85	65	165	104	9
枚方市	758	188	166	139	265	265	67
姫路市	316	80	67	72	97	104	20
西宮市	1 011	243	227	164	377	372	76
尼崎市	1 562	413	302	312	535	578	147
奈良市	440	95	93	83	169	79	18
和歌山市	816	125	176	175	340	344	54
倉敷市	666	106	111	150	299	208	27
福山市	42	8	6	6	22	7	2
呉市	91	13	21	19	38	29	4
下関市	-	-	-	-	-	-	-
高松市	3 475	1 031	527	728	1 189	1 073	294
松山市	4 261	1 270	920	1 038	1 033	1 450	406
高知市	-	-	-	-	-	-	-
久留米市	809	193	163	177	276	272	59
長崎市	1 017	204	235	224	354	332	52
佐世保市	407	142	112	133	20	117	41
大分市	-	-	-	-	-	-	-
宮崎市	1 302	291	239	325	447	377	70
鹿児島市	1 061	527	355	57	122	354	168
那覇市	81	20	19	25	17	26	5
その他政令市(再掲)							
小樽市	-	-	-	-	-	-	-
町田市	119	30	25	18	46	48	12
藤沢市	2 186	363	448	409	966	750	124
茅ヶ崎市	121	30	19	22	50	39	12
四日市市	1 210	212	290	217	491	438	59
大牟田市	-	-	-	-	-	-	-

注：1）「指導区分」には計数不詳の市区町村があるため、受診者数と指導区分の計が一致しない場合がある。

指定都市・特別区－中核市－その他政令市、指導区分・性・年齢別

平成29年度

者			数				
男			女				
50　歳	60　歳	70　歳	総　数	40　歳	50　歳	60　歳	70　歳
–	3	10	52	27	7	4	14
75	–	2	373	185	181	6	1
123	153	223	1 221	287	263	282	389
109	117	214	998	278	216	200	304
3	9	47	170	14	21	41	94
50	90	232	929	175	151	204	399
107	30	64	446	53	236	61	96
2	5	18	59	6	5	16	32
28	34	232	916	263	182	138	333
41	47	142	854	207	189	182	276
15	32	44	346	67	75	99	105
–	3	3	42	6	15	7	14
74	69	206	658	126	120	101	311
160	128	393	1 749	500	387	239	623
58	58	–	395	173	116	106	–
2	1	4	28	5	9	1	13
219	227	518	1 932	420	420	356	736
6	18	54	304	49	73	51	131
24	23	171	761	123	156	157	325
126	128	284	1 358	257	327	323	451
112	196	267	1 414	390	298	347	379
41	78	161	1 021	232	216	225	348
47	29	147	524	119	133	102	170
123	115	206	1 010	274	268	228	240
–	–	–	171	171	–	–	–
11	9	18	109	28	31	26	24
121	84	223	988	227	188	155	418
25	12	58	284	64	60	53	107
45	40	113	493	121	121	99	152
19	22	43	212	60	48	50	54
65	71	160	639	167	162	93	217
87	117	227	984	266	215	195	308
19	12	30	361	77	74	71	139
79	75	136	472	71	97	100	204
27	41	113	458	79	84	109	186
–	–	5	35	6	6	6	17
10	4	11	62	9	11	15	27
–	–	–	–	–	–	–	–
131	211	437	2 402	737	396	517	752
278	357	409	2 811	864	642	681	624
–	–	–	–	–	–	–	–
39	55	119	537	134	124	122	157
72	75	133	685	152	163	149	221
30	36	10	290	101	82	97	10
–	–	–	–	–	–	–	–
47	86	174	925	221	192	239	273
133	6	47	707	359	222	51	75
7	9	5	55	15	12	16	12
–	–	–	–	–	–	–	–
12	6	18	71	18	13	12	28
177	149	300	1 436	239	271	260	666
4	7	16	82	18	15	15	34
105	76	198	772	153	185	141	293
–	–	–	–	–	–	–	–

15(5)-01 歯周疾患検診

第9表 （4-3） 歯周疾患検診受診者数，都道府県-

| | 要　精　検　者[1] | | | | | 要 | |
	総　　数	40　歳	50　歳	60　歳	70　歳	総　　数	40　歳
全　　国	235 411	52 136	49 964	48 630	84 681	67 136	18 937
北　海　道	3 902	1 017	892	782	1 211	1 759	468
青　　森	4 309	936	914	1 038	1 421	1 401	361
岩　　手	2 940	593	541	687	1 119	799	168
宮　　城	8 785	1 532	1 694	1 919	3 640	2 273	499
秋　　田	3 053	494	493	754	1 312	391	91
山　　形	1 358	237	249	337	535	147	33
福　　島	1 145	353	318	194	280	244	80
茨　　城	2 698	587	661	487	963	1 210	312
栃　　木	4 008	765	656	828	1 759	1 090	270
群　　馬	2 769	491	515	588	1 175	858	195
埼　　玉	6 697	1 631	1 441	1 325	2 300	2 635	799
千　　葉	10 884	2 589	2 308	1 862	4 125	2 967	863
東　　京	40 512	10 477	10 145	7 565	12 325	10 554	3 159
神　奈　川	11 776	2 161	2 454	2 149	5 012	2 285	514
新　　潟	8 406	1 560	1 640	1 955	3 251	2 436	618
富　　山	1 936	285	329	430	892	415	66
石　　川	2 097	322	399	479	897	451	116
福　　井	1 786	358	354	409	665	265	69
山　　梨	1 809	316	458	391	644	75	22
長　　野	5 852	1 179	1 237	1 313	2 123	1 629	372
岐　　阜	4 682	973	913	1 098	1 698	1 268	340
静　　岡	6 135	1 532	1 034	1 218	2 351	2 319	774
愛　　知	25 639	5 877	5 442	5 651	8 669	7 643	2 396
三　　重	5 860	1 246	1 289	1 429	1 896	1 545	391
滋　　賀	428	213	56	51	108	277	138
京　　都	1 186	314	289	259	324	479	108
大　　阪	13 338	2 509	2 873	2 562	5 394	3 969	989
兵　　庫	8 877	2 484	2 543	1 382	2 468	3 699	1 197
奈　　良	1 246	218	205	229	594	270	80
和　歌　山	2 816	467	566	640	1 143	182	53
鳥　　取	679	205	114	137	223	185	75
島　　根	1 463	356	347	367	393	353	140
岡　　山	784	110	125	183	366	436	99
広　　島	8 362	1 664	1 622	1 699	3 377	2 502	686
山　　口	516	157	97	135	127	224	66
徳　　島	790	113	120	186	371	390	66
香　　川	4 994	1 054	784	1 074	2 082	1 518	482
愛　　媛	4 110	1 139	860	1 034	1 077	1 041	422
高　　知	174	36	29	57	52	97	22
福　　岡	5 972	1 540	937	1 116	2 379	1 436	465
佐　　賀	557	149	105	114	189	273	76
長　　崎	1 719	348	358	474	539	473	124
熊　　本	1 396	258	236	371	531	515	96
大　　分	484	111	119	137	117	169	45
宮　　崎	1 514	275	273	378	588	394	99
鹿　児　島	4 882	880	917	1 130	1 955	1 539	419
沖　　縄	86	25	13	27	21	56	14
指定都市・特別区(再掲)							
東京都区部	31 411	8 518	8 009	5 703	9 181	8 029	2 464
札　幌　市	2 347	584	502	516	745	1 059	255
仙　台　市	5 134	974	1 064	1 015	2 081	1 095	271
さいたま市	705	264	106	103	232	469	206
千　葉　市	3 278	511	658	562	1 547	982	202
横　浜　市	648	95	171	145	237	245	46
川　崎　市	3 060	745	761	546	1 008	403	108
相模原市	423	63	73	58	229	19	4
新　潟　市	2 752	587	509	641	1 015	407	110
静　岡　市	240	191	7	12	30	217	200
浜　松　市	1 220	276	275	251	418	639	176
名　古　屋　市	7 952	2 096	1 633	1 960	2 263	1 877	685
京　都　市	44	10	14	5	15	3	2
大　阪　市	454	69	106	114	165	36	17
堺　　市	218	40	40	42	96	44	12
神　戸　市	2 185	1 018	1 152	3	12	840	444
岡　山　市	85	18	16	24	27	35	7
広　島　市	5 678	1 189	1 067	1 007	2 415	1 629	446
北　九　州　市	2 145	321	302	359	1 163	481	108
福　岡　市	1 013	539	121	142	211	272	175
熊　本　市	-	-	-	-	-	-	-

指定都市・特別区－中核市－その他政令市、指導区分・性・年齢別

平成29年度

指　導　者[1]			異　常　認　め　ず[1]				
50　歳	60　歳	70　歳	総　数	40　歳	50　歳	60　歳	70　歳
15 431	13 217	19 551	36 023	9 196	7 462	6 777	12 588
444	324	523	944	265	218	178	283
314	307	419	610	127	118	137	228
154	200	277	645	146	127	134	238
459	511	804	691	160	110	152	269
61	75	164	379	69	63	97	150
21	40	53	165	37	31	38	59
76	37	51	262	141	42	32	47
246	264	388	1 127	271	246	239	371
191	218	411	582	131	97	108	246
200	183	280	485	99	95	80	211
624	471	741	1 615	454	352	316	493
650	537	917	1 420	344	271	240	565
2 841	1 919	2 635	6 102	1 638	1 467	1 073	1 924
470	390	911	1 939	389	408	331	811
593	506	719	862	192	172	181	317
93	96	160	261	37	51	60	113
94	85	156	227	40	59	51	77
30	69	97	363	85	69	78	131
11	15	27	75	16	13	15	31
370	341	546	949	210	210	193	336
291	307	330	611	198	127	113	173
432	441	672	1 100	330	177	190	403
1 843	1 489	1 915	2 889	811	586	533	959
398	329	427	1 030	275	215	216	324
42	38	59	92	48	19	9	16
92	100	179	207	52	44	33	78
918	751	1 311	2 210	465	507	378	860
1 027	576	899	1 786	500	376	316	594
62	46	82	135	31	19	18	67
46	49	34	241	56	49	56	80
31	34	45	99	27	20	18	34
71	96	46	154	49	31	33	41
83	96	158	233	39	38	49	107
496	563	757	1 124	290	232	224	378
49	45	64	126	41	31	29	25
90	93	141	195	40	36	45	74
282	309	445	550	135	98	95	222
207	206	206	381	124	86	78	93
21	30	24	135	46	28	26	35
266	262	443	1 040	258	151	197	434
73	47	77	118	40	24	13	41
103	100	146	242	70	51	56	65
106	136	177	303	60	47	71	125
53	48	23	139	42	26	43	28
62	93	140	201	35	25	39	102
335	333	452	928	272	188	160	308
10	12	20	51	11	12	6	22
2 176	1 461	1 928	4 668	1 310	1 159	793	1 406
269	223	312	450	104	107	93	146
222	199	403	149	46	24	25	54
76	64	123	107	51	20	10	26
240	176	364	454	76	93	63	222
46	52	101	77	7	20	15	35
97	67	131	473	104	105	87	177
4	3	8	36	2	5	5	24
100	91	106	131	30	26	29	46
3	6	8	89	85	1	2	1
139	126	198	187	46	37	32	72
454	405	333	506	163	86	112	145
–	–	1	7	2	1	1	3
6	9	4	75	12	27	14	22
12	8	12	38	6	5	16	11
391	2	3	149	80	64	2	3
8	7	13	23	5	4	6	8
343	319	521	720	191	158	104	267
88	85	200	173	33	22	22	96
35	26	36	124	66	12	19	27
–	–	–	–	–	–	–	–

15(5)-01 歯周疾患検診

第9表（4-4） 歯周疾患検診受診者数，都道府県-

	要　精　検　者[1]					要	
	総　数	40　歳	50　歳	60　歳	70　歳	総　数	40　歳
中核市（再掲）							
旭　川　市	48	21	5	6	16	13	5
函　館　市	319	160	152	4	3	148	80
青　森　市	1 685	381	353	407	544	29	9
八　戸　市	931	228	187	201	315	476	151
盛　岡　市	193	12	22	39	120	…	…
秋　田　市	1 047	173	150	236	488	217	53
郡　山　市	525	57	258	74	136	100	10
い わ き 市	64	5	5	16	38	8	1
宇 都 宮 市	948	260	140	139	409	238	76
前　橋　市	776	168	141	158	309	286	77
高　崎　市	249	42	40	78	89	135	25
川　越　市	28	4	5	7	12	16	4
越　谷　市	877	170	142	136	429	112	19
船　橋　市	2 047	583	402	264	798	528	200
柏　　　市	410	166	124	120	-	144	73
八 王 子 市	18	4	5	1	8	13	2
横 須 賀 市	2 315	420	479	450	966	321	99
富　山　市	306	41	63	52	150	50	11
金　沢　市	833	109	145	152	427	129	32
長　野　市	1 419	237	306	325	551	393	91
岐　阜　市	1 644	373	296	432	543	390	127
豊　橋　市	990	198	177	219	396	298	90
豊　田　市	581	105	133	95	248	140	30
岡　崎　市	1 447	361	360	318	408	33	8
大　津　市	111	111	-	-	-	47	47
高　槻　市	51	13	12	10	16	70	16
東 大 阪 市	1 011	197	204	162	448	372	108
豊　中　市	233	34	54	34	111	104	28
枚　方　市	572	145	127	96	204	124	27
姫　路　市	181	44	36	40	61	87	29
西　宮　市	870	205	206	146	313	30	10
尼　崎　市	1 241	320	233	253	435	239	74
奈　良　市	344	65	76	66	137	57	18
和 歌 山 市	759	114	162	161	322	26	7
倉　敷　市	372	46	61	87	178	198	40
福　山　市	34	7	4	4	19	5	1
呉　　　市	37	2	11	5	19	41	8
下　関　市	-	-	-	-	-	-	-
高　松　市	2 193	590	322	472	809	1 028	374
松　山　市	3 360	910	724	854	872	730	308
高　知　市	-	-	-	-	-	-	-
久 留 米 市	631	147	127	142	215	71	15
長　崎　市	772	131	176	190	275	201	60
佐 世 保 市	259	85	82	84	8	46	17
大　分　市	-	-	-	-	-	-	-
宮　崎　市	973	202	187	247	337	205	63
鹿 児 島 市	525	233	191	34	67	263	135
那　覇　市	44	10	7	15	12	19	3
その他政令市（再掲）							
小　樽　市	-	-	-	-	-	-	-
町　田　市	70	12	14	11	33	36	11
藤　沢　市	2 020	333	410	377	900	91	15
茅 ヶ 崎 市	104	25	15	20	44	8	2
四 日 市 市	753	122	175	135	321	315	51
大 牟 田 市	-	-	-	-	-	-	-

注：1） 「指導区分」には計数不詳の市区町村があるため、受診者数と指導区分の計が一致しない場合がある。

指定都市・特別区－中核市－その他政令市、指導区分・性・年齢別

平成29年度

指導者[1]			異常認めず[※1]				
50　歳	60　歳	70　歳	総　数	40　歳	50　歳	60　歳	70　歳
2	–	6	7	4	–	1	2
66	2	–	71	33	38	–	–
11	1	8	136	27	22	27	60
99	80	146	174	42	39	36	57
…	…	…	…	…	…	…	…
38	30	96	109	21	13	28	47
62	14	14	39	3	23	3	10
1	3	3	14	2	1	2	9
42	23	97	139	42	28	10	59
73	60	76	69	9	16	11	33
34	39	37	66	13	16	14	23
6	3	3	6	–	4	–	2
30	19	44	97	16	22	15	44
115	73	140	190	52	30	30	78
36	35	–	45	22	14	9	–
4	1	6	7	2	2	–	3
61	53	108	470	111	99	80	180
8	11	20	32	3	8	6	15
28	22	47	40	5	7	6	22
95	91	116	202	47	52	35	68
89	96	78	109	44	25	15	25
63	67	78	96	27	17	17	35
36	24	50	57	15	11	12	19
9	5	11	106	37	22	20	27
–	–	–	13	13	–	–	–
20	20	14	40	13	10	5	12
75	56	133	154	43	30	21	60
20	24	32	51	11	11	7	22
33	29	35	62	16	6	14	26
19	25	14	48	7	12	7	22
2	5	13	111	28	19	13	51
57	44	64	82	19	12	15	36
14	12	13	39	12	3	5	19
6	4	9	31	4	8	10	9
38	45	75	96	20	12	18	46
–	2	2	3	–	2	–	1
7	12	14	13	3	3	2	5
–	–	–	–	–	–	–	–
162	211	281	254	67	43	45	99
158	143	121	171	52	38	41	40
–	–	–	–	–	–	–	–
13	12	31	107	31	23	23	30
48	31	62	44	13	11	3	17
12	15	2	102	40	18	34	10
–	–	–	–	–	–	–	–
34	53	55	124	26	18	25	55
77	17	34	273	159	87	6	21
6	7	3	18	7	6	3	2
–	–	–	–	–	–	–	–
9	6	10	13	7	2	1	3
22	16	38	75	15	16	16	28
1	2	3	9	3	3	–	3
94	65	105	142	39	21	17	65
–	–	–	–	–	–	–	–

15(5)-02 骨粗鬆症検診

第10表（4-1） 骨粗鬆症検診受診者数，都道府県-

	受診者数（女）							
	総　数	40　歳	45　歳	50　歳	55　歳	60　歳	65　歳	70　歳
全　　国	326 344	34 457	26 855	38 026	34 702	45 762	61 762	84 780
北　海　道	3 203	248	204	310	383	498	744	816
青　森	5 980	425	344	607	687	1 005	1 316	1 596
岩　手	5 180	374	332	478	656	764	1 228	1 348
宮　城	14 119	1 743	914	2 578	1 382	1 782	2 627	3 093
秋　田	6 642	454	451	639	750	987	1 533	1 828
山　形	3 479	234	142	218	309	560	1 043	973
福　島	13 874	876	944	1 105	1 426	2 049	3 475	3 999
茨　城	11 014	826	952	1 126	1 179	1 860	2 518	2 553
栃　木	13 661	1 568	1 353	1 445	1 460	1 875	2 808	3 152
群　馬	13 098	1 235	1 197	1 508	1 403	1 843	2 477	3 435
埼　玉	20 560	2 713	1 872	2 434	1 976	2 452	3 485	5 628
千　葉	28 966	2 897	3 133	3 368	3 298	3 457	5 102	7 711
東　京	27 651	3 093	3 421	3 851	3 843	3 525	3 837	6 081
神　奈　川	3 707	200	252	338	354	455	818	1 290
新　潟	4 303	266	315	606	643	656	813	1 004
富　山	1 712	338	117	342	225	272	212	206
石　川	6 985	639	732	747	653	795	1 193	2 226
福　井	2 423	325	212	283	242	353	407	601
山　梨	4 934	408	411	560	538	688	1 000	1 329
長　野	5 249	470	459	676	638	765	1 010	1 231
岐　阜	5 996	638	675	713	870	843	1 226	1 031
静　岡	13 615	981	939	1 518	1 461	2 035	2 730	3 951
愛　知	32 461	6 500	2 128	5 403	2 566	5 643	3 406	6 815
三　重	2 307	148	125	145	199	257	630	803
滋　賀	1 902	139	128	214	264	304	438	415
京　都	1 325	115	108	111	148	163	301	379
大　阪	10 496	1 227	807	1 161	989	1 292	1 982	3 038
兵　庫	8 523	546	450	744	811	1 116	1 957	2 899
奈　良	2 403	253	166	429	255	307	428	565
和　歌　山	542	49	42	56	62	73	128	132
鳥　取	651	58	39	60	57	95	126	216
島　根	161	9	9	7	14	21	37	64
岡　山	1 600	113	92	113	158	205	370	549
広　島	4 248	264	305	333	344	501	879	1 622
山　口	1 715	290	103	142	174	217	352	437
徳　島	845	64	50	55	75	128	220	253
香　川	1 883	138	131	183	193	239	413	586
愛　媛	2 412	157	168	186	261	318	590	732
高　知	-	-	-	-	-	-	-	-
福　岡	8 598	767	679	753	825	1 079	1 941	2 554
佐　賀	3 751	327	288	341	448	557	889	901
長　崎	3 053	209	162	289	327	632	619	815
熊　本	4 866	445	321	396	511	759	1 113	1 321
大　分	2 874	169	186	229	260	376	573	1 081
宮　崎	2 797	185	197	229	322	403	617	844
鹿　児　島	9 055	1 168	672	852	904	1 379	1 810	2 270
沖　縄	1 525	166	128	145	159	179	341	407
指定都市・特別区（再掲）								
東京都区部	23 373	2 885	2 811	3 373	3 021	2 969	3 140	5 174
札　幌　市	-	-	-	-	-	-	-	-
仙　台　市	2 342	890	-	1 452	-	-	-	-
さいたま市	7 062	1 370	755	678	513	524	1 105	2 117
千　葉　市	11 477	1 158	1 196	1 405	1 191	1 278	1 874	3 375
横　浜　市	-	-	-	-	-	-	-	-
川　崎　市	2 773	149	213	273	302	364	591	881
相　模　原　市	138	2	2	6	9	12	25	82
新　潟　市	-	-	-	-	-	-	-	-
静　岡　市	2 789	136	187	278	329	341	556	962
浜　松　市	3 352	164	273	335	295	408	714	1 163
名　古　屋　市	20 748	5 121	1 159	3 998	1 335	4 004	1 296	3 835
京　都　市	-	-	-	-	-	-	-	-
大　阪　市	2 548	375	244	314	243	293	432	647
堺　市	139	5	2	12	7	17	43	53
神　戸　市	2 307	169	98	135	158	271	531	945
岡　山　市	-	-	-	-	-	-	-	-
広　島　市	2 759	169	212	209	241	337	496	1 095
北　九　州　市	575	22	20	32	53	66	137	245
福　岡　市	1 054	89	70	98	98	113	212	374
熊　本　市	-	-	-	-	-	-	-	-

指定都市・特別区－中核市－その他政令市、指導区分・年齢別

平成29年度

要精検者[1) 総数	40歳	45歳	50歳	55歳	60歳	65歳	70歳
54 331	722	629	1 296	3 090	7 714	14 754	26 126
529	5	6	20	46	89	155	208
732	1	1	8	17	119	216	370
987	42	38	54	84	135	256	378
2 346	43	16	121	142	361	667	996
945	2	3	21	38	103	308	470
719	11	2	8	35	106	271	286
2 006	3	5	23	85	276	611	1 003
1 964	30	31	42	121	325	639	776
1 576	14	16	22	89	217	489	729
1 568	13	18	20	84	209	442	782
3 575	14	16	35	142	471	1 013	1 884
6 403	84	98	127	366	781	1 674	3 273
3 206	44	60	105	258	422	720	1 597
546	6	6	9	25	50	162	288
1 323	17	14	60	123	198	405	506
232	5	1	10	13	67	68	68
2 031	39	55	56	109	217	458	1 097
379	25	14	22	29	52	93	144
617	28	34	47	57	117	157	177
1 059	21	24	46	86	161	273	448
1 173	7	9	13	88	177	369	510
2 308	8	10	21	84	301	644	1 240
3 996	116	39	176	247	919	687	1 812
171	-	-	2	8	22	49	90
513	1	-	13	38	93	169	199
128	1	-	2	10	13	38	64
2 254	33	26	42	117	275	610	1 151
712	20	8	17	53	84	173	357
493	5	4	11	31	58	142	242
160	6	3	3	17	22	51	58
117	1	-	5	6	17	31	57
29	-	-	-	3	4	9	13
204	3	2	8	18	28	39	106
1 595	38	36	50	100	175	369	827
269	8	1	10	13	36	88	113
155	-	2	1	5	23	49	75
269	2	-	2	6	35	76	148
352	3	6	9	21	35	95	183
-	-	-	-	-	-	-	-
2 638	4	8	12	84	321	815	1 394
491	4	3	3	23	60	164	234
764	2	1	6	23	129	222	381
627	-	2	7	18	83	197	320
285	2	1	4	13	35	91	139
687	2	6	11	32	98	174	364
1 110	8	4	12	58	178	303	547
88	1	-	-	25	17	23	22
2 282	43	49	87	165	297	467	1 174
-	-	-	-	-	-	-	-
107	26	-	81	-	-	-	-
554	-	1	4	8	23	122	396
3 431	45	55	87	180	394	831	1 839
-	-	-	-	-	-	-	-
391	5	5	9	20	41	127	184
10	-	-	-	2	1	-	7
-	-	-	-	-	-	-	-
432	1	3	4	17	34	124	249
541	1	1	3	15	52	151	318
2 772	106	33	146	165	743	376	1 203
-	-	-	-	-	-	-	-
314	9	3	7	20	37	78	160
1	-	-	-	-	-	-	1
75	1	-	2	1	8	15	48
-	-	-	-	-	-	-	-
1 314	38	35	46	92	149	281	673
280	-	-	-	10	29	80	161
423	-	-	1	13	44	117	248
-	-	-	-	-	-	-	-

第10表（4－2） 骨粗鬆症検診受診者数，都道府県－

	受診者数（女）							
	総数	40歳	45歳	50歳	55歳	60歳	65歳	70歳
中核市(再掲)								
旭川市	-	-	-	-	-	-	-	-
函館市	199	4	5	13	22	27	50	78
青森市	844	108	47	117	88	152	155	177
八戸市	803	19	29	65	74	112	159	345
盛岡市	66	1	2	5	8	10	23	17
秋田市	2 621	254	228	321	281	306	506	725
郡山市	2 820	213	259	326	345	394	578	705
いわき市	1 534	71	44	85	89	184	423	638
宇都宮市	3 450	505	394	414	396	458	695	588
前橋市	4 779	489	530	569	554	582	844	1 211
高崎市	2 160	223	213	232	208	295	373	616
川越市	304	24	41	37	37	29	61	75
越谷市	221	5	14	17	23	18	48	96
船橋市	-	-	-	-	-	-	-	-
柏市	5 045	560	596	529	538	530	941	1 351
八王子市	-	-	-	-	-	-	-	-
横須賀市	497	26	25	34	22	43	129	218
富山市	379	188	-	191	-	-	-	-
金沢市	5 397	499	581	551	497	575	897	1 797
長野市	925	44	82	125	121	142	180	231
岐阜市	-	-	-	-	-	-	-	-
豊橋市	1 862	187	212	224	252	240	322	425
豊田市	902	218	4	270	18	245	64	83
岡崎市	2 245	335	176	176	176	243	467	672
大津市	-	-	-	-	-	-	-	-
高槻市	…	…	…	…	…	…	…	…
東大阪市	-	-	-	-	-	-	-	-
豊中市	220	13	13	19	30	33	42	70
枚方市	-	-	-	-	-	-	-	-
姫路市	326	-	52	11	67	16	128	52
西宮市	323	26	6	81	9	54	14	133
尼崎市	-	-	-	-	-	-	-	-
奈良市	1 656	152	125	276	194	231	279	399
和歌山市	-	-	-	-	-	-	-	-
倉敷市	-	-	-	-	-	-	-	-
福山市	722	50	47	75	61	91	192	206
呉市	-	-	-	-	-	-	-	-
下関市	182	11	6	12	10	27	49	67
高松市	-	-	-	-	-	-	-	-
松山市	-	-	-	-	-	-	-	-
高知市	-	-	-	-	-	-	-	-
久留米市	1 746	178	134	230	163	225	359	457
長崎市	-	-	-	-	-	-	-	-
佐世保市	106	5	2	4	12	21	27	35
大分市	590	23	27	44	47	83	104	262
宮崎市	1 196	78	77	83	112	138	253	455
鹿児島市	1 757	335	141	212	127	217	293	432
那覇市	-	-	-	-	-	-	-	-
その他政令市(再掲)								
小樽市	-	-	-	-	-	-	-	-
町田市	-	-	-	-	-	-	-	-
藤沢市	-	-	-	-	-	-	-	-
茅ヶ崎市	-	-	-	-	-	-	-	-
四日市市	-	-	-	-	-	-	-	-
大牟田市	-	-	-	-	-	-	-	-

注：対象者は女性である。

1）「指導区分」には計数不詳の市区町村があるため、受診者数と指導区分の計が一致しない場合がある。

指定都市・特別区－中核市－その他政令市、指導区分・年齢別

平成29年度

要精検者[1)							
総数	40歳	45歳	50歳	55歳	60歳	65歳	70歳
–	–	–	–	–	–	–	–
24	–	–	–	1	5	7	11
106	1	–	–	2	27	33	43
198	–	–	6	5	26	41	120
7	–	–	–	–	1	3	3
416	1	2	6	18	43	140	206
829	1	2	7	43	145	254	377
457	1	2	6	8	40	127	273
334	3	6	5	32	52	110	126
373	5	14	8	29	55	103	159
328	3	–	1	8	27	78	211
28	–	–	–	1	1	9	17
22	–	–	–	3	1	4	14
–	–	–	–	–	–	–	–
1 202	21	22	13	76	143	345	582
–	–	–	–	–	–	–	–
108	–	–	–	–	4	21	83
14	4	–	10	–	–	–	–
1 897	37	54	52	103	198	422	1 031
298	4	3	11	25	44	80	131
–	–	–	–	–	–	–	–
131	1	1	2	7	15	34	71
9	–	–	–	–	8	1	–
308	3	–	4	9	26	77	189
–	–	–	–	–	–	–	–
…	…	…	…	…	…	…	…
–	–	–	–	–	–	–	–
122	7	5	9	14	18	25	44
–	–	–	–	–	–	–	–
23	–	–	–	2	1	13	7
62	4	–	1	–	10	4	43
–	–	–	–	–	–	–	–
344	4	1	8	16	45	93	177
–	–	–	–	–	–	–	–
–	–	–	–	–	–	–	–
139	–	–	–	2	15	50	72
–	–	–	–	–	–	–	–
20	–	–	–	–	–	6	14
–	–	–	–	–	–	–	–
–	–	–	–	–	–	–	–
–	–	–	–	–	–	–	–
538	2	4	7	18	78	167	262
–	–	–	–	–	–	–	–
16	–	–	–	–	2	6	8
26	–	–	–	–	3	4	19
361	2	4	7	17	43	73	215
186	1	2	2	9	22	47	103
–	–	–	–	–	–	–	–
–	–	–	–	–	–	–	–
–	–	–	–	–	–	–	–
–	–	–	–	–	–	–	–
–	–	–	–	–	–	–	–
–	–	–	–	–	–	–	–
–	–	–	–	–	–	–	–

15(5)－02 骨粗鬆症検診

第10表（4－3） 骨粗鬆症検診受診者数，都道府県－

		要	指		導		者[1]	
		総　数	40　歳	45　歳	50　歳	55　歳	60　歳	65　歳	70　歳
全　　国		92 775	3 974	3 252	5 430	8 626	16 008	23 552	31 933
北　海　道		838	37	20	53	92	131	244	261
青　　森		1 546	22	22	51	101	274	479	597
岩　　手		1 881	47	34	85	182	339	570	624
宮　　城		5 176	343	182	633	497	810	1 269	1 442
秋　　田		2 476	24	33	39	173	443	794	970
山　　形		1 036	22	25	40	85	202	337	325
福　　島		5 130	68	95	132	397	869	1 658	1 911
茨　　城		3 988	135	178	232	418	764	1 118	1 143
栃　　木		4 621	220	164	237	458	825	1 266	1 451
群　　馬		3 757	118	95	168	275	641	1 009	1 451
埼　　玉		4 858	143	137	244	419	801	1 167	1 947
千　　葉		6 906	331	335	452	734	1 057	1 626	2 371
東　　京		9 557	477	537	731	1 277	1 608	·1 910	3 017
神　奈　川		850	15	13	28	52	129	205	408
新　　潟		1 151	55	62	144	190	208	228	264
富　　山		262	16	6	21	32	76	53	58
石　　川		1 866	113	115	144	173	255	403	663
福　　井		744	70	38	50	61	102	153	270
山　　梨		1 199	54	51	91	97	192	299	415
長　　野		1 548	87	71	121	164	257	394	454
岐　　阜		1 149	48	50	48	151	239	326	287
静　　岡		2 732	30	33	85	170	497	780	1 137
愛　　知		7 175	612	213	539	540	1 696	1 178	2 397
三　　重		578	12	15	14	34	65	179	259
滋　　賀		402	4	7	27	54	89	111	110
京　　都		534	14	10	12	37	67	155	239
大　　阪		3 054	163	133	209	262	457	758	1 072
兵　　庫		2 058	70	66	110	166	296	544	806
奈　　良		563	27	28	58	52	94	140	164
和　歌　山		185	16	15	11	25	27	45	46
鳥　　取		182	5	4	7	13	23	44	86
島　　根		35	1	4	2	3	5	4	16
岡　　山		678	22	18	25	58	90	186	279
広　　島		869	28	42	44	56	107	233	359
山　　口		460	38	12	16	40	87	123	144
徳　　島		219	6	4	2	8	45	61	93
香　　川		451	4	6	10	30	45	142	214
愛　　媛		398	10	18	21	33	53	119	144
高　　知		－	－	－	－	－	－	－	－
福　　岡		2 352	101	103	105	235	395	667	746
佐　　賀		1 011	35	27	29	74	175	347	324
長　　崎		806	18	14	40	78	211	196	249
熊　　本		1 328	34	33	34	120	247	398	462
大　　分		941	22	29	31	62	114	208	475
宮　　崎		688	16	18	21	63	112	201	257
鹿　児　島		3 886	241	135	226	367	708	995	1 214
沖　　縄		651	－	2	8	18	81	230	312
指定都市・特別区（再掲）									
東京都区部		8 400	456	430	666	1 041	1 405	1 677	2 725
札　幌　市		－	－	－	－	－	－	－	－
仙　台　市		527	170	－	357	－	－	－	－
さいたま市		1 359	17	13	15	55	126	345	788
千　葉　市		2 823	183	140	213	309	446	592	940
横　浜　市		－	－	－	－	－	－	－	－
川　崎　市		674	12	10	24	45	110	163	310
相模原市		66	－	－	2	2	6	11	45
新　潟　市		－	－	－	－	－	－	－	－
静　岡　市		614	3	6	13	43	87	172	290
浜　松　市		744	5	10	13	25	98	214	379
名古屋市		3 720	386	113	344	259	1 106	348	1 164
京　都　市		－	－	－	－	－	－	－	－
大　阪　市		952	83	59	70	90	127	223	300
堺　　市		36	2	－	3	1	2	14	14
神　戸　市		696	15	9	12	18	80	193	369
岡　山　市		－	－	－	－	－	－	－	－
広　島　市		425	19	35	32	38	56	93	152
北九州市		131	－	1	－	13	20	35	62
福　岡　市		220	－	3	6	17	42	59	93
熊　本　市									

指定都市・特別区－中核市－その他政令市、指導区分・年齢別

平成29年度

異常認めず[1]							
総数	40歳	45歳	50歳	55歳	60歳	65歳	70歳
179 160	**29 754**	**22 966**	**31 290**	**22 980**	**22 035**	**23 434**	**26 701**
1 836	206	178	237	245	278	345	347
3 702	402	321	548	569	612	621	629
2 312	285	260	339	390	290	402	346
6 597	1 357	716	1 824	743	611	691	655
3 221	428	415	579	539	441	431	388
1 724	201	115	170	189	252	435	362
6 702	798	840	945	940	900	1 201	1 078
5 062	661	743	852	640	771	761	634
7 464	1 334	1 173	1 186	913	833	1 053	972
7 773	1 104	1 084	1 320	1 044	993	1 026	1 202
12 093	2 556	1 715	2 150	1 413	1 179	1 289	1 791
15 657	2 482	2 700	2 789	2 198	1 619	1 802	2 067
14 884	2 572	2 824	3 015	2 308	1 495	1 207	1 463
2 311	179	233	301	277	276	451	594
1 829	194	239	402	330	250	180	234
1 218	317	110	311	180	129	91	80
3 088	487	562	547	371	323	332	466
1 300	230	160	211	152	199	161	187
3 118	326	326	422	384	379	544	737
2 642	362	364	509	388	347	343	329
3 674	583	616	652	631	427	531	234
8 575	943	896	1 412	1 207	1 237	1 306	1 574
21 290	5 772	1 876	4 688	1 779	3 028	1 541	2 606
1 558	136	110	129	157	170	402	454
987	134	121	174	172	122	158	106
663	100	98	97	101	83	108	76
5 188	1 031	648	910	610	560	614	815
5 753	456	376	617	592	736	1 240	1 736
1 347	221	134	360	172	155	146	159
197	27	24	42	20	24	32	28
352	52	35	48	38	55	51	73
97	8	5	5	8	12	24	35
718	88	72	80	82	87	145	164
1 784	198	227	239	188	219	277	436
986	244	90	116	121	94	141	180
471	58	44	52	62	60	110	85
1 163	132	125	171	157	159	195	224
1 662	144	144	156	207	230	376	405
-	-	-	-	-	-	-	-
3 608	662	568	636	506	363	459	414
2 249	288	258	309	351	322	378	343
1 483	189	147	243	226	292	201	185
2 911	411	286	355	373	429	518	539
1 646	145	156	194	185	227	273	466
1 422	167	173	197	227	193	242	223
4 058	919	533	614	479	493	512	508
785	165	126	137	116	81	88	72
12 687	2 386	2 332	2 620	1 815	1 267	996	1 271
-	-	-	-	-	-	-	-
1 708	694	-	1 014	-	-	-	-
5 149	1 353	741	659	450	375	638	933
5 223	930	1 001	1 105	702	438	451	596
-	-	-	-	-	-	-	-
1 708	132	198	240	237	213	301	387
62	2	2	4	5	5	14	30
-	-	-	-	-	-	-	-
1 743	132	178	261	269	220	260	423
2 067	158	262	319	255	258	349	466
14 256	4 629	1 013	3 508	911	2 155	572	1 468
-	-	-	-	-	-	-	-
1 282	283	182	237	133	129	131	187
102	3	2	9	6	15	29	38
1 536	153	89	121	139	183	323	528
-	-	-	-	-	-	-	-
1 020	112	142	131	111	132	122	270
164	22	19	32	30	17	22	22
411	89	67	91	68	27	36	33
-	-	-	-	-	-	-	-

第10表（4－4） 骨粗鬆症検診受診者数，都道府県－

	要指導者[1]							
	総数	40歳	45歳	50歳	55歳	60歳	65歳	70歳
中核市(再掲)								
旭川市	–	–	–	–	–	–	–	–
函館市	2	–	1	1	–	–	–	–
青森市	142	–	–	1	4	27	50	60
八戸市	253	15	17	31	31	40	55	64
盛岡市	31	–	1	–	1	6	13	10
秋田市	589	13	23	17	51	84	144	257
郡山市	677	11	17	37	77	118	193	224
いわき市	610	18	11	25	36	86	179	255
宇都宮市	1 172	63	54	65	144	209	332	305
前橋市	1 170	37	33	38	79	167	296	520
高崎市	516	16	7	23	23	88	142	217
川越市	74	–	–	1	2	10	24	37
越谷市	106	1	3	4	4	11	26	57
船橋市	–	–	–	–	–	–	–	–
柏市	1 177	59	67	75	127	148	277	424
八王子市	–	–	–	–	–	–	–	–
横須賀市	–	–	–	–	–	–	–	–
富山市	31	13	–	18	–	–	–	–
金沢市	1 344	97	106	121	133	162	263	462
長野市	214	4	11	18	31	42	55	53
岐阜市	–	–	–	–	–	–	–	–
豊橋市	474	20	20	24	48	84	110	168
豊田市	283	42	–	44	1	96	40	60
岡崎市	725	46	18	24	50	101	205	281
大津市	–	–	–	–	–	–	–	–
高槻市	…	…	…	…	…	…	…	…
東大阪市	–	–	–	–	–	–	–	–
豊中市	19	2	3	5	2	–	3	4
枚方市	–	–	–	–	–	–	–	–
姫路市	135	–	7	3	24	7	65	29
西宮市	143	9	1	25	5	28	8	67
尼崎市	–	–	–	–	–	–	–	–
奈良市	386	15	12	34	39	71	98	117
和歌山市	–	–	–	–	–	–	–	–
倉敷市	–	–	–	–	–	–	–	–
福山市	177	2	–	3	8	28	60	76
呉市	–	–	–	–	–	–	–	–
下関市	88	2	3	1	4	20	29	29
高松市	–	–	–	–	–	–	–	–
松山市	–	–	–	–	–	–	–	–
高知市	–	–	–	–	–	–	–	–
久留米市	441	17	18	32	44	71	116	143
長崎市	–	–	–	–	–	–	–	–
佐世保市	44	1	–	–	5	8	11	19
大分市	126	1	3	–	4	15	27	76
宮崎市	330	8	11	14	24	42	100	131
鹿児島市	750	57	38	48	63	129	173	242
那覇市	–	–	–	–	–	–	–	–
その他政令市(再掲)								
小樽市	–	–	–	–	–	–	–	–
町田市	–	–	–	–	–	–	–	–
藤沢市	–	–	–	–	–	–	–	–
茅ヶ崎市	–	–	–	–	–	–	–	–
四日市市	–	–	–	–	–	–	–	–
大牟田市	–	–	–	–	–	–	–	–

注：対象者は女性である。
1）「指導区分」には計数不詳の市区町村があるため、受診者数と指導区分の計が一致しない場合がある。

指定都市・特別区－中核市－その他政令市、指導区分・年齢別

平成29年度

異常認めず[1)]							
総数	40歳	45歳	50歳	55歳	60歳	65歳	70歳
–	–	–	–	–	–	–	–
173	4	4	12	21	22	43	67
596	107	47	116	82	98	72	74
352	4	12	28	38	46	63	161
28	1	1	5	7	3	7	4
1 616	240	203	298	212	179	222	262
1 314	201	240	282	225	131	131	104
467	52	31	54	45	58	117	110
1 944	439	334	344	220	197	253	157
3 236	447	483	523	446	360	445	532
1 316	204	206	208	177	180	153	188
202	24	41	36	34	18	28	21
93	4	11	13	16	6	18	25
–	–	–	–	–	–	–	–
2 666	480	507	441	335	239	319	345
–	–	–	–	–	–	–	–
389	26	25	34	22	39	108	135
334	171	–	163	–	–	–	–
2 156	365	421	378	261	215	212	304
413	36	68	96	65	56	45	47
–	–	–	–	–	–	–	–
1 257	166	191	198	197	141	178	186
610	176	4	226	17	141	23	23
1 212	286	158	148	117	116	185	202
–	–	–	–	–	–	–	–
…	…	…	…	…	…	…	…
–	–	–	–	–	–	–	–
79	4	5	5	14	15	14	22
–	–	–	–	–	–	–	–
168	–	45	8	41	8	50	16
118	13	5	55	4	16	2	23
–	–	–	–	–	–	–	–
926	133	112	234	139	115	88	105
–	–	–	–	–	–	–	–
–	–	–	–	–	–	–	–
406	48	47	72	51	48	82	58
–	–	–	–	–	–	–	–
74	9	3	11	6	7	14	24
–	–	–	–	–	–	–	–
–	–	–	–	–	–	–	–
–	–	–	–	–	–	–	–
767	159	112	191	101	76	76	52
–	–	–	–	–	–	–	–
46	4	2	4	7	11	10	8
438	22	24	44	43	65	73	167
505	68	62	62	71	53	80	109
821	277	101	162	55	66	73	87
–	–	–	–	–	–	–	–
–	–	–	–	–	–	–	–
–	–	–	–	–	–	–	–
–	–	–	–	–	–	–	–
–	–	–	–	–	–	–	–
–	–	–	–	–	–	–	–
–	–	–	–	–	–	–	–

15(5)-03 歯周疾患検診 精密検査

第11表（6-1）　平成28年度における歯周疾患検診受診者数・要精密検査者数・精密

	受					診	
	総				数		
	総　数	40　歳	50　歳	60　歳	70　歳	総　数	40　歳
全　　国	298 517	80 957	62 451	67 305	87 804	104 503	26 416
北海道	6 168	1 797	1 393	1 371	1 607	2 146	564
青森	4 906	1 169	1 046	1 239	1 452	1 704	376
岩手	4 008	913	717	1 009	1 369	1 410	278
宮城	9 955	2 160	1 933	2 598	3 264	3 392	669
秋田	3 476	719	610	962	1 185	1 183	225
山形	1 388	318	258	419	393	503	115
福島	1 500	593	403	276	228	525	223
茨城	3 711	981	695	804	1 231	1 305	324
栃木	4 783	1 212	745	1 094	1 732	1 636	351
群馬	3 534	792	635	889	1 218	975	175
埼玉	10 224	3 316	2 177	1 976	2 755	3 442	1 046
千葉	14 217	3 890	2 817	2 797	4 713	4 769	1 290
東京	52 483	15 750	12 769	10 428	13 536	19 379	5 546
神奈川	15 279	3 771	3 037	2 996	5 475	5 712	1 346
新潟	9 937	2 214	1 911	2 558	3 254	3 500	676
富山	2 091	392	332	517	850	703	120
石川	2 173	490	439	505	739	610	121
福井	2 113	565	423	517	608	745	191
山梨	1 971	459	455	489	568	709	131
長野	7 006	1 642	1 397	1 816	2 151	2 453	528
岐阜	6 348	1 642	1 263	1 618	1 825	2 098	460
静岡	7 831	2 293	1 377	1 767	2 394	2 642	766
愛知	33 247	9 357	6 766	7 810	9 314	11 830	3 044
三重	6 846	1 802	1 358	1 900	1 786	2 454	620
滋賀	879	513	124	119	123	276	153
京都	1 639	480	327	383	449	530	143
大阪	15 156	3 472	3 198	3 161	5 325	5 405	1 132
兵庫	13 761	4 276	3 891	2 410	3 184	4 882	1 293
奈良	1 323	321	250	300	452	387	96
和歌山	2 737	643	581	703	810	979	222
鳥取	794	275	140	187	192	243	81
島根	1 903	560	421	552	370	580	168
岡山	1 227	268	173	283	503	428	87
広島	9 285	2 443	1 834	2 195	2 813	3 248	863
山口	803	284	172	168	179	191	57
徳島	1 136	183	177	324	452	369	55
香川	6 728	1 904	1 292	1 607	1 925	2 261	608
愛媛	5 220	1 750	1 213	1 302	955	1 799	582
高知	382	121	56	108	97	108	33
福岡	6 312	1 792	957	1 322	2 241	2 091	561
佐賀	656	179	149	160	168	177	37
長崎	2 261	533	506	587	635	713	152
熊本	1 783	399	301	568	515	660	147
大分	590	156	118	224	92	195	42
宮崎	2 181	455	335	613	778	767	159
鹿児島	6 384	1 647	1 243	1 636	1 858	2 334	547
沖縄	182	66	37	38	41	55	13
指定都市・特別区（再掲）							
東京都区部	40 563	12 755	9 910	7 875	10 023	14 995	4 533
札幌市	3 919	1 084	822	955	1 058	1 324	322
仙台市	5 389	1 272	1 137	1 199	1 781	1 867	386
さいたま市	1 362	644	211	173	334	391	172
千葉市	4 277	843	877	855	1 702	1 308	235
横浜市	970	148	237	212	373	372	62
川崎市	4 211	1 456	922	785	1 048	1 628	534
相模原市	382	80	59	62	181	129	19
新潟市	3 290	727	635	761	1 167	1 158	211
静岡市	71	7	12	18	34	21	2
浜松市	1 882	562	352	435	533	684	195
名古屋市	10 335	2 944	2 173	2 477	2 741	3 620	941
京都市	54	14	15	6	19	13	1
大阪市	382	94	73	108	107	148	35
堺市	265	61	61	69	74	84	13
神戸市	3 377	1 523	1 843	4	7	936	360
岡山市	40	30	10	-	-	2	2
広島市	6 715	1 878	1 288	1 467	2 082	2 404	665
北九州市	2 135	434	306	355	1 040	760	161
福岡市	1 023	592	130	172	129	327	177
熊本市	-	-	-	-	-	-	-

検査受診の有無別人数，都道府県－指定都市・特別区－中核市－その他政令市、性・年齢別

平成29年度

者			数				
男			女				
50 歳	60 歳	70 歳	総 数	40 歳	50 歳	60 歳	70 歳
20 020	22 937	35 130	194 014	54 541	42 431	44 368	52 674
452	489	641	4 022	1 233	941	882	966
303	431	594	3 202	793	743	808	858
235	343	554	2 598	635	482	666	815
572	831	1 320	6 563	1 491	1 361	1 767	1 944
171	304	483	2 293	494	439	658	702
86	133	169	885	203	172	286	224
130	87	85	975	370	273	189	143
214	262	505	2 406	657	481	542	726
200	346	739	3 147	861	545	748	993
129	228	443	2 559	617	506	661	775
718	641	1 037	6 782	2 270	1 459	1 335	1 718
820	827	1 832	9 448	2 600	1 997	1 970	2 881
4 447	3 946	5 440	33 104	10 204	8 322	6 482	8 096
1 060	1 091	2 215	9 567	2 425	1 977	1 905	3 260
631	884	1 309	6 437	1 538	1 280	1 674	1 945
106	163	314	1 388	272	226	354	536
113	112	264	1 563	369	326	393	475
114	190	250	1 368	374	309	327	358
162	177	239	1 262	328	293	312	329
450	607	868	4 553	1 114	947	1 209	1 283
336	536	766	4 250	1 182	927	1 082	1 059
409	543	924	5 189	1 527	968	1 224	1 470
2 242	2 738	3 806	21 417	6 313	4 524	5 072	5 508
470	655	709	4 392	1 182	888	1 245	1 077
39	27	57	603	360	85	92	66
96	123	168	1 109	337	231	260	281
1 082	1 140	2 051	9 751	2 340	2 116	2 021	3 274
1 279	915	1 395	8 879	2 983	2 612	1 495	1 789
61	82	148	936	225	189	218	304
179	244	334	1 758	421	402	459	476
41	50	71	551	194	99	137	121
104	162	146	1 323	392	317	390	224
37	109	195	799	181	136	174	308
540	738	1 107	6 037	1 580	1 294	1 457	1 706
40	42	52	612	227	132	126	127
51	91	172	767	128	126	233	280
390	487	776	4 467	1 296	902	1 120	1 149
381	454	382	3 421	1 168	832	848	573
8	30	37	274	88	48	78	60
282	414	834	4 221	1 231	675	908	1 407
40	37	63	479	142	109	123	105
142	179	240	1 548	381	364	408	395
91	201	221	1 123	252	210	367	294
37	74	42	395	114	81	150	50
84	206	318	1 414	296	251	407	460
436	554	797	4 050	1 100	807	1 082	1 061
10	14	18	127	53	27	24	23
3 481	2 980	4 001	25 568	8 222	6 429	4 895	6 022
255	338	409	2 595	762	567	617	649
349	386	746	3 522	886	788	813	1 035
59	48	112	971	472	152	125	222
251	208	614	2 969	608	626	647	1 088
80	76	154	598	86	157	136	219
317	305	472	2 583	922	605	480	576
15	17	78	253	61	44	45	103
211	256	480	2 132	516	424	505	687
2	4	13	50	5	10	14	21
121	153	215	1 198	367	231	282	318
719	843	1 117	6 715	2 003	1 454	1 634	1 624
6	1	5	41	13	9	5	14
32	43	38	234	59	41	65	69
21	24	26	181	48	40	45	48
573	1	2	2 441	1 163	1 270	3	5
–	–	–	38	28	10	–	–
409	502	828	4 311	1 213	879	965	1 254
104	116	379	1 375	273	202	239	661
37	68	45	696	415	93	104	84
–	–	–	–	–	–	–	–

127

第11表（6－2） 平成28年度における歯周疾患検診受診者数・要精密検査者数・精密

	受					診	
	総				数		
	総数	40歳	50歳	60歳	70歳	総数	40歳
中核市(再掲)							
旭川市	34	13	4	11	6	9	1
函館市	538	282	244	6	6	198	101
青森市	1 552	376	346	376	454	562	117
八戸市	1 193	270	220	311	392	438	95
盛岡市	229	14	24	50	141	59	-
秋田市	1 073	240	186	259	388	350	63
郡山市	581	76	313	101	91	194	20
いわき市	73	8	13	18	34	21	2
宇都宮市	1 274	404	170	233	467	370	100
前橋市	878	214	170	216	278	228	48
高崎市	410	98	53	143	116	81	15
川越市	48	12	10	11	15	11	1
越谷市	905	231	168	152	354	345	95
船橋市	2 601	818	485	439	859	953	310
柏市	679	315	185	179	-	220	114
八王子市	23	10	-	8	5	6	2
横須賀市	2 874	738	551	616	969	1 111	256
富山市	301	48	70	50	133	53	6
金沢市	861	203	137	164	357	182	26
長野市	1 556	360	331	423	442	500	106
岐阜市	2 143	544	410	543	646	729	154
豊橋市	1 324	363	206	367	388	362	82
豊田市	664	158	104	138	264	225	47
岡崎市	1 234	375	249	276	334	452	126
大津市	231	231	-	-	-	60	60
高槻市	-	-	-	-	-	-	-
東大阪市	1 289	365	223	238	463	483	132
豊中市	342	67	68	74	133	97	15
枚方市	419	103	93	86	137	136	31
姫路市	287	79	63	73	72	89	29
西宮市	1 254	366	268	242	378	466	110
尼崎市	1 562	413	302	312	535	578	147
奈良市	391	100	86	95	110	79	26
和歌山市	662	159	128	179	196	287	73
倉敷市	675	139	86	149	301	230	54
福山市	41	9	3	14	15	11	1
呉市	78	14	16	19	29	31	8
下関市	-	-	-	-	-	-	-
高松市	3 533	1 240	757	772	764	1 135	386
松山市	4 122	1 284	1 062	1 066	710	1 426	414
高知市	-	-	-	-	-	-	-
久留米市	600	153	131	122	194	171	40
長崎市	1 017	204	235	224	354	332	52
佐世保市	407	142	112	133	20	117	41
大分市	-	-	-	-	-	-	-
宮崎市	1 481	317	232	394	538	490	103
鹿児島市	987	540	315	54	78	323	171
那覇市	92	41	22	16	13	22	7
その他政令市(再掲)							
小樽市	-	-	-	-	-	-	-
町田市	119	38	30	25	26	44	18
藤沢市	2 186	363	448	409	966	750	124
茅ヶ崎市	137	51	22	28	36	39	19
四日市市	1 065	259	191	260	355	374	94
大牟田市	-	-	-	-	-	-	-

注：1）精密検査受診の有無別人数については、計数不詳の市区町村がある場合、要精密検査者数と一致しないことがある。

検査受診の有無別人数，都道府県－指定都市・特別区－中核市－その他政令市、性・年齢別

平成29年度

者			数				
男			女				
50 歳	60 歳	70 歳	総 数	40 歳	50 歳	60 歳	70 歳
1	3	4	25	12	3	8	2
95	2	–	340	181	149	4	6
104	141	200	990	259	242	235	254
65	114	164	755	175	155	197	228
3	9	47	170	14	21	41	94
45	83	159	723	177	141	176	229
108	38	28	387	56	205	63	63
4	2	13	52	6	9	16	21
28	46	196	904	304	142	187	271
28	52	100	650	166	142	164	178
8	35	23	329	83	45	108	93
4	1	5	37	11	6	10	10
59	45	146	560	136	109	107	208
134	136	373	1 648	508	351	303	486
54	52	–	459	201	131	127	–
–	1	3	17	8	–	7	2
201	236	418	1 763	482	350	380	551
10	5	32	248	42	60	45	101
17	19	120	679	177	120	145	237
99	129	166	1 056	254	232	294	276
112	196	267	1 414	390	298	347	379
44	89	147	962	281	162	278	241
14	31	133	439	111	90	107	131
81	98	147	782	249	168	178	187
–	–	–	171	171	–	–	–
–	–	–	–	–	–	–	–
84	87	180	806	233	139	151	283
17	18	47	245	52	51	56	86
24	31	50	283	72	69	55	87
17	18	25	198	50	46	55	47
87	84	185	788	256	181	158	193
87	117	227	984	266	215	195	308
13	19	21	312	74	73	76	89
57	77	80	375	86	71	102	116
16	56	104	445	85	70	93	197
1	–	9	30	8	2	14	6
4	6	13	47	6	12	13	16
–	–	–	–	–	–	–	–
209	221	319	2 398	854	548	551	445
339	375	298	2 696	870	723	691	412
–	–	–	–	–	–	–	–
32	33	66	429	113	99	89	128
72	75	133	685	152	163	149	221
30	36	10	290	101	82	97	10
44	120	223	991	214	188	274	315
113	14	25	664	369	202	40	53
6	4	5	70	34	16	12	8
–	–	–	–	–	–	–	–
10	8	8	75	20	20	17	18
177	149	300	1 436	239	271	260	666
4	7	9	98	32	18	21	27
55	78	147	691	165	136	182	208
–	–	–	–	–	–	–	–

第11表（6－3） 平成28年度における歯周疾患検診受診者数・要精密検査者数・精密

	要精密検査者数					異常	
	総数	40歳	50歳	60歳	70歳	総数	40歳
全国	219 448	56 467	46 038	50 281	66 662	3 191	922
北海道	4 704	1 358	1 090	1 044	1 212	11	3
青森	3 033	703	633	795	902	93	18
岩手	2 461	553	422	621	865	31	6
宮城	7 583	1 552	1 479	1 978	2 574	54	10
秋田	2 805	539	506	803	957	2	-
山形	1 174	265	216	351	342	55	17
福島	1 038	357	300	204	177	-	-
茨城	2 077	507	393	436	741	24	9
栃木	3 661	905	578	834	1 344	93	28
群馬	2 378	488	416	627	847	62	18
埼玉	6 907	2 082	1 475	1 389	1 961	411	152
千葉	11 084	3 045	2 163	2 150	3 726	89	12
東京	38 429	11 168	9 381	7 837	10 043	360	89
神奈川	12 492	3 002	2 528	2 461	4 501	25	5
新潟	7 800	1 585	1 461	2 077	2 677	17	5
富山	1 682	292	268	433	689	24	10
石川	1 609	319	324	364	602	25	5
福井	1 568	418	328	384	438	433	137
山梨	1 801	406	420	450	525	9	3
長野	5 292	1 202	1 070	1 395	1 625	10	2
岐阜	4 573	1 052	887	1 187	1 447	72	17
静岡	5 608	1 659	946	1 263	1 740	74	12
愛知	24 243	6 326	4 885	5 797	7 235	194	55
三重	4 787	1 159	964	1 385	1 279	72	22
滋賀	421	223	63	59	76	4	2
京都	951	291	201	219	240	-	-
大阪	10 574	2 274	2 203	2 224	3 873	199	55
兵庫	10 003	3 082	3 016	1 638	2 267	169	37
奈良	984	216	174	234	360	61	19
和歌山	2 281	505	477	611	688	10	2
鳥取	640	223	108	153	156	10	4
島根	1 501	390	345	448	318	12	7
岡山	691	152	98	151	290	6	4
広島	8 153	2 109	1 624	1 912	2 508	6	-
山口	490	163	102	107	118	2	1
徳島	690	100	105	199	286	-	-
香川	4 628	1 170	863	1 136	1 459	132	47
愛媛	3 674	1 126	853	980	715	101	28
高知	125	33	11	36	45	-	-
福岡	4 756	1 264	724	1 013	1 755	32	19
佐賀	419	92	94	119	114	5	3
長崎	1 634	336	377	455	466	50	24
熊本	1 072	233	175	348	316	16	-
大分	358	83	76	140	59	5	1
宮崎	1 538	295	227	437	579	25	4
鹿児島	4 991	1 129	975	1 378	1 509	105	30
沖縄	85	36	14	19	16	1	-
指定都市・特別区(再掲)							
東京都区部	29 823	9 134	7 297	5 932	7 460	310	79
札幌市	3 296	908	692	804	892	-	-
仙台市	4 379	994	911	989	1 485	-	-
さいたま市	705	312	97	88	208	108	56
千葉市	3 032	572	591	589	1 280	74	9
横浜市	970	148	237	212	373	…	…
川崎市	3 230	1 093	729	601	807	-	-
相模原市	340	71	49	56	164	-	-
新潟市	2 752	587	509	641	1 015	-	-
静岡市	2	1	-	1	-	-	-
浜松市	1 511	455	288	346	422	-	-
名古屋市	7 952	2 096	1 633	1 960	2 263	-	-
京都市	44	10	14	5	15	-	-
大阪市	337	79	66	97	95	-	-
堺市	202	39	48	57	58	34	2
神戸市	2 941	1 295	1 637	4	5	-	-
岡山市	29	23	6	-	-	5	4
広島市	6 079	1 672	1 179	1 328	1 900	-	-
北九州市	1 607	291	214	272	830	-	-
福岡市	753	421	97	129	106	23	15
熊本市	-	-	-	-	-	-	-

検査受診の有無別人数，都道府県－指定都市・特別区－中核市－その他政令市、性・年齢別

平成29年度

精密検査受診の有無別人数 1)							
認めず			歯周疾患であった者				
50歳	60歳	70歳	総数	40歳	50歳	60歳	70歳
629	713	927	46 387	10 075	8 966	11 692	15 654
4	3	1	506	212	203	41	50
12	26	37	1 388	294	290	368	436
10	6	9	319	42	53	105	119
15	15	14	1 476	230	255	447	544
-	1	1	614	110	99	172	233
12	22	4	152	32	23	52	45
-	-	-	20	-	4	7	9
2	6	7	568	99	98	131	240
20	25	20	1 666	347	279	403	637
5	14	25	1 430	263	255	366	546
81	70	108	1 897	516	355	355	671
12	20	45	1 385	248	234	307	596
82	71	118	3 561	966	818	751	1 026
6	5	9	1 161	240	170	218	533
2	3	7	1 048	169	179	327	373
2	3	9	554	102	68	113	271
6	10	4	382	56	80	95	151
93	97	106	463	115	97	122	129
4	-	2	759	137	164	215	243
3	2	3	1 235	250	231	328	426
17	16	22	1 069	199	197	294	379
13	16	33	1 974	395	348	508	723
41	39	59	2 697	617	482	714	884
14	21	15	1 409	374	329	451	255
1	1	-	208	66	36	45	61
-	-	-	-	-	-	-	-
37	47	60	3 573	679	791	838	1 265
38	33	61	1 155	254	187	279	435
12	10	20	629	115	106	158	250
4	2	2	1 787	366	383	476	562
-	4	2	153	41	28	46	38
4	1	-	676	168	145	203	160
1	1	-	23	6	2	3	12
3	1	2	359	50	54	105	150
-	1	-	238	75	44	60	59
-	-	-	59	5	8	32	14
17	21	47	2 952	717	549	747	939
20	27	26	2 468	655	615	699	499
-	-	-	72	19	5	24	24
5	3	5	1 731	373	227	335	796
1	1	-	241	46	55	71	69
7	10	9	107	19	29	38	21
-	16	-	145	23	22	21	79
1	3	-	136	32	38	58	8
4	10	7	464	79	58	139	188
18	29	28	1 470	273	271	423	503
-	1	-	8	1	2	2	3
73	57	101	2 426	748	545	476	657
-	-	-	-	-	-	-	-
-	-	-	-	-	-	-	-
9	9	34	184	57	11	30	86
8	15	42	959	153	173	200	433
…	…	…	…	…	…	…	…
-	-	-	-	-	-	-	-
-	-	-	-	-	-	-	-
-	-	-	-	-	-	-	-
-	-	-	-	-	-	-	-
-	-	-	-	-	-	-	-
-	-	-	-	-	-	-	-
-	-	-	-	-	-	-	-
6	14	12	28	1	8	10	9
-	-	-	-	-	-	-	-
1	-	-	4	3	1	-	-
-	-	-	-	-	-	-	-
-	-	-	1 287	208	160	224	695
5	1	2	253	124	33	54	42
-	-	-	-	-	-	-	-

15(5)－03 歯周疾患検診 精密検査

第11表（6－4）　平成28年度における歯周疾患検診受診者数・要精密検査者数・精密

| | 要　精　密　検　査　者　数 | | | | | 異　　　常 | |
	総　数	40　歳	50　歳	60　歳	70　歳	総　数	40　歳
中核市（再掲）							
旭　川　市	26	9	3	9	5	1	1
函　館　市	425	212	203	5	5	－	－
青　森　市	1 267	298	276	313	380	40	6
八　戸　市	651	139	120	184	208	16	3
盛　岡　市	193	12	22	39	120	－	－
秋　田　市	849	168	143	225	313	－	－
郡　山　市	461	57	244	81	79	－	－
い わ き 市	64	5	12	17	30	－	－
宇 都 宮 市	1 133	350	155	207	421	－	－
前　橋　市	573	129	100	152	192	4	1
高　崎　市	214	45	31	83	55	－	－
川　越　市	28	5	6	7	10	－	－
越　谷　市	774	192	146	125	311	48	14
船　橋　市	2 316	747	428	395	746	－	－
柏　　　市	496	220	140	136	－	－	－
八 王 子 市	9	2	－	5	2	－	－
横 須 賀 市	2 534	650	489	563	832	3	－
富　山　市	261	38	62	46	115	－	－
金　沢　市	724	144	115	138	327	－	－
長　野　市	1 285	294	283	359	349	－	－
岐　阜　市	1 644	373	296	432	543	－	－
豊　橋　市	938	231	140	274	293	35	12
豊　田　市	512	107	85	107	213	－	－
岡　崎　市	1 057	308	222	244	283	－	－
大　津　市	111	111	－	－	－	－	－
高　槻　市	－	－	－	－	－	－	－
東 大 阪 市	812	211	142	155	304	77	28
豊　中　市	245	46	52	51	96	－	－
枚　方　市	299	74	61	68	96	－	－
姫　路　市	206	52	46	50	58	11	－
西　宮　市	1 124	323	253	217	331	－	－
尼　崎　市	1 241	320	233	253	435	25	7
奈　良　市	266	65	53	67	81	30	9
和 歌 山 市	604	143	117	167	177	－	－
倉　敷　市	410	83	54	90	183	－	－
福　山　市	32	7	1	10	14	－	－
呉　　　市	61	11	13	14	23	－	－
下　関　市	－	－	－	－	－	－	－
高　松　市	2 191	705	483	493	510	－	－
松　山　市	3 022	864	760	831	567	51	20
高　知　市	－	－	－	－	－	－	－
久 留 米 市	472	126	106	101	139	－	－
長　崎　市	772	131	176	190	275	－	－
佐 世 保 市	259	85	82	84	8	－	－
大　分　市	－	－	－	－	－	－	－
宮　崎　市	1 116	217	160	305	434	24	4
鹿 児 島 市	540	254	205	39	42	2	1
那　覇　市	46	20	8	8	10	－	－
その他政令市（再掲）							
小　樽　市	－	－	－	－	－	－	－
町　田　市	77	25	15	17	20	－	－
藤　沢　市	2 020	333	410	377	900	－	－
茅 ヶ 崎 市	118	43	21	24	30	5	4
四 日 市 市	639	140	113	159	227	28	7
大 牟 田 市	－	－	－	－	－	－	－

注：1）精密検査受診の有無別人数については、計数不詳の市区町村がある場合、要精密検査者数と一致しないことがある。

検査受診の有無別人数，都道府県－指定都市・特別区－中核市－その他政令市、性・年齢別

平成29年度

精密検査受診の有無別人数[1]							
認めず			歯周疾患であった者				
50歳	60歳	70歳	総数	40歳	50歳	60歳	70歳
-	-	-	20	5	3	7	5
-	-	-	322	160	158	3	1
7	10	17	913	194	196	233	290
1	4	8	345	71	63	105	106
-	-	-	-	-	-	-	-
-	-	-	417	72	72	106	167
-	-	-	-	-	-	-	-
-	-	-	-	-	-	-	-
-	-	3	437	91	82	120	144
-	-	-	-	-	-	-	-
-	-	-	23	5	4	4	10
6	8	20	603	133	114	99	257
-	-	-	-	-	-	-	-
-	-	-	-	-	-	-	-
-	1	2	4	-	-	2	2
-	-	-	-	-	-	-	-
-	-	-	-	-	-	-	-
-	-	-	-	-	-	-	-
7	7	9	421	81	57	138	145
-	-	-	-	-	-	-	-
-	-	-	-	-	-	-	-
-	-	-	-	-	-	-	-
11	12	26	582	123	105	117	237
-	-	-	198	49	41	48	60
4	2	5	54	10	11	14	19
-	-	-	-	-	-	-	-
3	3	12	656	169	105	139	243
8	2	11	181	42	36	50	53
-	-	-	517	103	105	148	161
-	-	-	-	-	-	-	-
-	-	-	-	-	-	-	-
-	-	-	-	-	-	-	-
-	-	-	-	-	-	-	-
-	-	-	1 548	499	340	357	352
9	13	9	2 367	620	600	676	471
-	-	-	-	-	-	-	-
-	-	-	-	-	-	-	-
-	-	-	-	-	-	-	-
3	10	7	346	60	41	100	145
1	-	-	99	47	36	7	9
-	-	-	-	-	-	-	-
-	-	-	-	-	-	-	-
-	-	1	77	25	14	14	24
3	8	10	292	56	51	78	107
-	-	-	-	-	-	-	-

15(5)-03 歯周疾患検診 精密検査

第11表（6−5） 平成28年度における歯周疾患検診受診者数・要精密検査者数・精密

| | 精　密　検　査 | | | | 受　診 | |
| | 歯周疾患以外であった者 | | | | 未 | |
	総　数	40　歳	50　歳	60　歳	70　歳	総　数	40　歳
全　　　国	13 202	3 819	2 622	3 035	3 726	5 930	1 577
北　海　道	83	31	20	22	10	54	25
青　　森	365	94	80	87	104	351	96
岩　　手	84	21	11	15	37	49	13
宮　　城	288	66	46	81	95	305	52
秋　　田	286	64	54	91	77	-	-
山　　形	55	11	17	15	12	55	12
福　　島	-	-	-	-	-	5	1
茨　　城	165	69	25	35	36	84	19
栃　　木	263	71	47	54	91	80	16
群　　馬	203	60	33	41	69	133	30
埼　　玉	1 004	309	221	205	269	349	152
千　　葉	496	123	102	127	144	70	20
東　　京	1 429	400	278	308	443	542	162
神　奈　川	207	59	36	38	74	102	34
新　　潟	169	42	36	55	36	54	10
富　　山	50	8	9	9	24	67	7
石　　川	112	27	22	25	38	3	1
福　　井	391	121	99	63	108	-	-
山　　梨	158	41	42	45	30	28	4
長　　野	418	109	89	110	110	19	5
岐　　阜	275	81	52	68	74	124	34
静　　岡	406	126	63	101	116	250	83
愛　　知	1 010	278	199	250	283	565	164
三　　重	140	51	34	37	18	368	96
滋　　賀	40	10	9	6	15	29	21
京　　都	-	-	-	-	-	-	-
大　　阪	1 307	388	277	256	386	181	53
兵　　庫	373	106	65	76	126	270	59
奈　　良	99	27	20	23	29	73	17
和　歌　山	378	116	72	97	93	18	6
鳥　　取	40	12	10	10	8	29	9
島　　根	194	52	53	48	41	125	35
岡　　山	27	9	3	3	12	55	3
広　　島	180	41	39	36	64	24	4
山　　口	58	19	9	14	16	4	1
徳　　島	18	5	1	2	10	42	1
香　　川	983	308	196	228	251	85	14
愛　　媛	460	180	105	111	64	172	60
高　　知	14	2	-	4	8	1	1
福　　岡	444	138	73	87	146	3	1
佐　　賀	25	4	9	8	4	49	9
長　　崎	24	10	2	11	1	21	3
熊　　本	59	18	8	20	13	122	19
大　　分	41	17	2	21	1	25	6
宮　　崎	104	20	19	28	37	-	-
鹿　児　島	269	68	35	64	102	942	218
沖　　縄	8	7	-	-	1	3	1
指定都市・特別区(再掲)							
東京都区部	1 064	307	189	224	344	244	86
札　幌　市	-	-	-	-	-	-	-
仙　台　市	-	-	-	-	-	-	-
さいたま市	140	80	18	14	28	111	54
千　葉　市	246	64	52	45	85	-	-
横　浜　市	…	…	…	…	…	…	…
川　崎　市	-	-	-	-	-	-	-
相模原市	-	-	-	-	-	-	-
新　潟　市	-	-	-	-	-	-	-
静　岡　市	-	-	-	-	-	-	-
浜　松　市	-	-	-	-	-	-	-
名古屋市	-	-	-	-	-	-	-
京　都　市	-	-	-	-	-	-	-
大　阪　市	-	-	-	-	-	-	-
堺　　市	31	8	7	8	8	7	3
神　戸　市	-	-	-	-	-	-	-
岡　山　市	4	2	2	-	-	1	1
広　島　市	-	-	-	-	-	-	-
北九州市	320	83	54	48	135	-	-
福　岡　市	34	22	6	4	2	-	-
熊　本　市	-	-	-	-	-	-	-

検査受診の有無別人数，都道府県－指定都市・特別区－中核市－その他政令市、性・年齢別

平成29年度

の　　　有　　　無　　　別　　　人　　　数 1)							
受　　　　　診			未　　　　　把　　　　　握				
50　歳	60　歳	70　歳	総　数	40　歳	50　歳	60　歳	70　歳
1 158	**1 462**	**1 733**	**149 106**	**39 802**	**32 318**	**32 993**	**43 993**
5	15	9	4 050	1 087	858	963	1 142
68	93	94	836	201	183	221	231
11	17	8	1 978	471	337	478	692
58	83	112	5 460	1 194	1 105	1 352	1 809
–	–	–	1 903	365	353	539	646
12	14	17	857	193	152	248	264
–	4	–	1 013	356	296	193	168
20	19	26	1 236	311	248	245	432
9	22	33	1 559	443	223	330	563
29	38	36	550	117	94	168	171
67	59	71	3 082	930	728	662	762
11	30	9	9 044	2 642	1 804	1 666	2 932
140	108	132	32 537	9 551	8 063	6 599	8 324
22	22	24	10 027	2 516	2 057	1 966	3 488
8	15	21	6 512	1 359	1 236	1 677	2 240
11	21	28	987	165	178	287	357
1	1	–	1 087	230	215	233	409
–	–	–	281	45	39	102	95
3	4	17	847	221	207	186	233
2	3	9	3 610	836	745	952	1 077
21	32	37	3 033	721	600	777	935
43	41	83	2 904	1 043	479	597	785
100	119	182	19 777	5 212	4 063	4 675	5 827
78	87	107	2 300	515	424	653	708
4	4	–	140	124	13	3	–
–	–	–	951	291	201	219	240
34	32	62	5 314	1 099	1 064	1 051	2 100
51	64	96	8 036	2 626	2 675	1 186	1 549
12	20	24	122	38	24	23	37
3	5	4	88	15	15	31	27
8	6	6	408	157	62	87	102
28	33	29	494	128	115	163	88
5	11	36	580	130	87	133	230
4	3	13	7 584	2 014	1 524	1 767	2 279
1	–	2	188	67	48	32	41
5	12	24	571	89	91	153	238
15	18	38	476	84	86	122	184
53	32	27	473	203	60	111	99
–	–	–	38	11	6	8	13
–	2	–	2 546	733	419	586	808
14	19	7	99	30	15	20	34
3	13	2	1 432	280	336	383	433
19	43	41	730	173	126	248	183
7	11	1	151	27	28	47	49
–	–	–	945	192	146	260	347
172	287	265	2 205	540	479	575	611
1	–	1	65	27	11	16	11
51	39	68	25 779	7 914	6 439	5 136	6 290
–	–	–	3 296	908	692	804	892
–	–	–	4 379	994	911	989	1 485
14	16	27	162	65	45	19	33
–	–	–	1 753	346	358	329	720
...	...	...	...	...	...	...	...
–	–	–	3 230	1 093	729	601	807
–	–	–	340	71	49	56	164
–	–	–	2 752	587	509	641	1 015
–	–	–	2	1	–	1	–
–	–	–	1 511	455	288	346	422
–	–	–	7 952	2 096	1 633	1 960	2 263
–	–	–	44	10	14	5	15
–	–	–	337	79	66	97	95
3	1	–	102	25	24	24	29
–	–	–	2 941	1 295	1 637	4	5
–	–	–	15	13	2	–	–
–	–	–	6 079	1 672	1 179	1 328	1 900
–	–	–	–	–	–	–	–
–	–	–	443	260	53	70	60
–	–	–	–	–	–	–	–

15(5)－03 歯周疾患検診 精密検査

第11表（6－6） 平成28年度における歯周疾患検診受診者数・要精密検査者数・精密

| | 精　　密　　検　　査 | | | | | 受　　診 | |
| | 歯　周　疾　患　以　外　で　あ　っ　た　者 | | | | | 未 | |
	総　数	40　歳	50　歳	60　歳	70　歳	総　数	40　歳
中核市（再掲）							
旭　川　市	1	1	–	–	–	3	2
函　館　市	16	7	8	1	–	6	5
青　森　市	178	54	41	41	42	96	37
八　戸　市	90	18	23	21	28	200	47
盛　岡　市	…	…	…	…	…	–	–
秋　田　市	194	50	39	65	40	–	–
郡　山　市	–	–	–	–	–	–	–
い わ き 市	–	–	–	–	–	–	–
宇　都　宮　市							
前　橋　市	67	27	8	11	21	65	10
高　崎　市	–	–	–	–	–	–	–
川　越　市						5	–
越　谷　市	110	39	26	18	27	5	2
船　橋　市	–	–	–	–	–	–	–
柏　　　市	–	–	–	–	–	–	–
八　王　子　市							
横　須　賀　市	5	1	–	1	3	–	–
富　山　市	–	–	–	–	–	–	–
金　沢　市	–	–	–	–	–	–	–
長　野　市	–	–	–	–	–	–	–
岐　阜　市	–	–	–	–	–	–	–
豊　橋　市	86	28	12	22	24	–	–
豊　田　市	–	–	–	–	–	–	–
岡　崎　市	–	–	–	–	–	–	–
大　津　市	–	–	–	–	–	17	17
高　槻　市	–	–	–	–	–	–	–
東　大　阪　市	43	20	7	8	8	3	1
豊　中　市	–	–	–	–	–	–	–
枚　方　市	43	14	6	10	13	58	11
姫　路　市	14	1	8	1	4	35	12
西　宮　市	–	–	–	–	–	–	–
尼　崎　市	103	38	24	15	26	–	–
奈　良　市	17	6	1	4	6	35	7
和　歌　山　市	87	40	12	19	16		
倉　敷　市	–	–	–	–	–	–	–
福　山　市	–	–	–	–	–	–	–
呉　　　市	–	–	–	–	–	–	–
下　関　市							
高　松　市	643	206	143	136	158	–	–
松　山　市	442	172	101	107	62	153	51
高　知　市	–	–	–	–	–	–	–
久　留　米　市	–	–	–	–	–	–	–
長　崎　市	–	–	–	–	–	–	–
佐　世　保　市	–	–	–	–	–	–	–
大　分　市	–	–	–	–	–	–	–
宮　崎　市	89	17	17	24	31	–	–
鹿　児　島　市	9	4	1	4	–	–	–
那　覇　市	–	–	–	–	–	–	–
その他政令市（再掲）							
小　樽　市	–	–	–	–	–	–	–
町　田　市	–	–	–	–	–	–	–
藤　沢　市	–	–	–	–	–	–	–
茅　ヶ　崎　市	20	10	5	4	1	14	4
四　日　市　市	29	12	7	5	5	290	65
大　牟　田　市	–	–	–	–	–	–	–

注：1）精密検査受診の有無別人数については、計数不詳の市区町村がある場合、要精密検査者数と一致しないことがある。

検査受診の有無別人数，都道府県－指定都市・特別区－中核市－その他政令市、性・年齢別

平成29年度

の　有　無　別　人　数 [1]							
受　　　　診			未　　　　把　　　　握				
50　歳	60　歳	70　歳	総　数	40　歳	50　歳	60　歳	70　歳
–	1	–	1	–	–	1	–
–	–	1	81	40	37	1	3
24	19	16	40	7	8	10	15
33	54	66	–	–	–	–	–
–	–	–	193	12	22	39	120
–	–	–	238	46	32	54	106
–	–	–	461	57	244	81	79
–	–	–	64	5	12	17	30
–	–	–	1 133	350	155	207	421
10	21	24	–	–	–	–	–
–	–	–	214	45	31	83	55
2	3	–	–	–	–	–	–
–	–	3	8	4	–	–	4
–	–	–	2 316	747	428	395	746
–	–	–	496	220	140	136	–
–	–	–	9	2	–	5	2
–	–	–	2 522	649	489	559	825
–	–	–	261	38	62	46	115
–	–	–	724	144	115	138	327
–	–	–	1 285	294	283	359	349
–	–	–	1 644	373	296	432	543
–	–	–	396	110	64	107	115
–	–	–	512	107	85	107	213
–	–	–	1 057	308	222	244	283
–	–	–	94	94	–	–	–
–	–	–	–	–	–	–	–
–	–	2	107	39	19	18	31
–	–	–	245	46	52	51	96
14	10	23	–	–	–	–	–
7	8	8	92	29	16	25	22
–	–	–	1 124	323	253	217	331
–	–	–	457	106	101	96	154
6	11	11	3	1	2	–	–
–	–	–	–	–	–	–	–
–	–	–	410	83	54	90	183
–	–	–	32	7	1	10	14
–	–	–	61	11	13	14	23
–	–	–	–	–	–	–	–
49	31	22	9	1	1	4	3
–	–	–	–	–	–	–	–
–	–	–	472	126	106	101	139
–	–	–	772	131	176	190	275
–	–	–	259	85	82	84	8
–	–	–	–	–	–	–	–
–	–	–	657	136	99	171	251
–	–	–	430	202	167	28	33
–	–	–	46	20	8	8	10
–	–	–	–	–	–	–	–
–	–	–	77	25	15	17	20
–	–	–	2 020	333	410	377	900
1	6	3	2	–	1	–	1
52	68	105	–	–	–	–	–
–	–	–	–	–	–	–	–

15(5)-04 骨粗鬆症検診 精密検査

第12表（7-1） 平成28年度における骨粗鬆症検診受診者数・要精密検査者数・

	受診者数（女）							
	総数	40歳	45歳	50歳	55歳	60歳	65歳	70歳
全国	306 500	36 119	25 936	32 680	34 002	47 184	64 745	65 834
北海道	2 879	229	175	272	362	486	726	629
青森	5 402	458	326	461	657	891	1 324	1 285
岩手	4 549	379	324	429	584	770	1 096	967
宮城	12 709	1 703	860	2 163	1 308	1 891	2 593	2 191
秋田	5 513	452	407	427	688	840	1 397	1 302
山形	3 469	283	146	202	321	602	1 030	885
福島	11 795	948	862	898	1 270	2 054	3 258	2 505
茨城	10 769	949	840	940	1 257	1 900	2 819	2 064
栃木	12 905	1 505	1 310	1 092	1 453	2 005	3 063	2 477
群馬	12 263	1 388	1 146	1 265	1 385	1 814	2 609	2 656
埼玉	19 377	2 858	1 993	2 065	1 868	2 660	3 870	4 063
千葉	27 360	3 036	3 010	2 877	3 239	3 675	5 484	6 039
東京	25 576	3 255	3 195	3 245	3 393	3 387	4 104	4 997
神奈川	3 241	200	222	286	333	474	828	898
新潟	3 837	282	304	406	628	621	815	781
富山	1 519	325	141	319	174	241	157	162
石川	6 419	759	724	585	634	777	1 277	1 663
福井	2 361	349	232	251	301	340	522	366
山梨	4 749	454	443	527	523	778	1 062	962
長野	4 773	421	410	536	628	815	1 041	922
岐阜	5 529	709	643	621	839	842	1 238	637
静岡	13 053	969	947	1 223	1 678	2 055	3 010	3 171
愛知	33 640	6 785	2 314	5 316	2 801	6 021	3 914	6 489
三重	2 158	161	122	155	210	303	685	522
滋賀	2 312	242	210	246	388	385	506	335
京都	1 210	111	119	101	121	181	315	262
大阪	9 623	1 073	777	994	1 029	1 280	2 172	2 298
兵庫	8 711	886	396	790	759	1 328	1 982	2 570
奈良	2 142	261	121	361	254	333	429	383
和歌山	449	42	33	40	51	71	121	91
鳥取	680	58	44	47	85	117	167	162
島根	138	10	11	12	14	26	28	37
岡山	1 517	89	95	95	168	186	410	474
広島	3 755	314	295	263	333	522	925	1 103
山口	1 611	317	112	99	157	193	373	360
徳島	732	76	41	50	58	135	198	174
香川	1 824	185	138	150	185	269	454	443
愛媛	2 395	175	156	157	279	332	642	654
高知	–	–	–	–	–	–	–	–
福岡	8 251	793	608	662	778	1 209	2 048	2 153
佐賀	3 316	321	266	286	416	569	774	684
長崎	2 710	204	150	260	285	556	641	614
熊本	4 217	447	256	312	505	718	1 076	903
大分	2 660	161	150	164	241	463	621	860
宮崎	2 465	148	165	204	276	416	573	683
鹿児島	8 432	1 169	550	691	919	1 435	2 029	1 639
沖縄	1 505	180	147	135	167	218	339	319
指定都市・特別区（再掲）								
東京都区部	22 141	2 999	2 855	2 845	2 891	2 887	3 329	4 335
札幌市	–	–	–	–	–	–	–	–
仙台市	2 028	851	–	1 177	–	–	–	–
さいたま市	6 264	1 471	833	630	518	546	1 021	1 245
千葉市	10 571	1 245	1 232	1 134	1 118	1 322	1 948	2 572
横浜市	–	–	–	–	–	–	–	–
川崎市	2 347	142	180	231	264	363	572	595
相模原市	186	6	3	8	14	21	52	82
新潟市	–	–	–	–	–	–	–	–
静岡市	2 789	136	187	278	329	341	556	962
浜松市	3 211	201	281	265	387	447	777	853
名古屋市	20 748	5 121	1 159	3 998	1 335	4 004	1 296	3 835
京都市	132	5	4	3	7	20	49	44
大阪市	2 548	375	244	314	243	293	432	647
堺市	155	7	6	8	12	16	58	48
神戸市	2 498	360	98	135	158	271	531	945
岡山市	–	–	–	–	–	–	–	–
広島市	2 363	214	219	181	217	322	523	687
北九州市	512	39	26	25	42	70	151	159
福岡市	1 011	85	66	79	88	118	267	308
熊本市	–	–	–	–	–	–	–	–

精密検査受診の有無別人数，都道府県－指定都市・特別区－中核市－その他政令市、年齢別

平成29年度

要　　精　　密　　検　　査　　者　　数							
総　数	40　歳	45　歳	50　歳	55　歳	60　歳	65　歳	70　歳
49 886	1 880	556	993	2 937	7 927	15 489	20 104
397	2	4	7	40	76	113	155
614	1	1	1	16	84	218	293
737	4	2	12	55	123	251	290
1 925	35	15	65	136	377	651	646
849	2	6	6	35	127	304	369
748	2	3	7	28	135	268	305
1 181	10	3	10	49	194	427	488
1 757	17	13	24	124	318	641	620
1 636	10	9	22	95	254	580	666
1 464	15	10	24	86	222	504	603
3 453	14	14	30	147	563	1 225	1 460
5 606	76	78	117	331	802	1 734	2 468
2 808	56	60	72	197	399	793	1 231
490	3	3	11	22	64	154	233
1 151	19	9	32	109	201	369	412
251	10	4	14	39	78	38	68
1 768	42	44	43	95	234	475	835
356	18	14	11	34	46	134	99
513	31	31	31	52	100	154	114
909	20	16	36	79	153	288	317
1 004	17	12	11	74	187	384	319
2 036	6	7	14	91	261	718	939
4 514	124	53	185	321	1 047	877	1 907
150	5	－	3	7	14	59	62
885	50	37	55	90	156	272	225
125	3	3	3	10	17	42	47
1 693	22	12	19	91	236	594	719
1 825	1 178	16	18	40	90	187	296
424	4	1	3	29	79	141	167
91	2	2	2	6	12	36	31
86	2	1	1	9	17	23	33
10	2	1	－	1	1	3	2
105	1	－	4	12	15	24	49
1 333	27	34	47	81	200	389	555
247	7	3	5	10	36	100	86
134	1	1	－	2	18	55	57
280	－	－	－	7	39	89	145
290	－	1	2	25	38	87	137
－	－	－	－	－	－	－	－
2 316	4	2	13	51	314	815	1 117
467	4	5	3	28	77	169	181
620	4	－	5	25	107	212	267
572	4	3	2	22	81	216	244
294	4	4	3	8	46	101	128
496	－	5	5	23	69	144	250
1 181	20	14	15	78	198	409	447
95	2	－	－	27	22	22	22
2 047	55	59	64	146	275	496	952
－	－	－	－	－	－	－	－
64	21	－	43	－	－	－	－
392	1	2	1	12	28	116	232
2 900	49	50	70	175	388	826	1 342
－	－	－	－	－	－	－	－
342	2	3	11	16	52	113	145
28	1	－	－	2	1	7	17
－	－	－	－	－	－	－	－
432	1	3	4	17	34	124	249
470	1	－	4	19	52	175	219
2 772	106	33	146	165	743	376	1 203
12	－	－	－	－	－	6	6
305	4	4	6	30	46	98	117
24	－	－	－	－	3	9	12
1 237	1 163	－	2	1	8	15	48
1 066	27	32	46	73	155	297	436
226	1	－	1	4	22	81	117
406	－	－	1	8	42	147	208
－	－	－	－	－	－	－	－

15(5)-04 骨粗鬆症検診 精密検査

第12表（7－2） 平成28年度における骨粗鬆症検診受診者数・要精密検査者数・

	受		診		者		数（女）	
	総　数	40　歳	45　歳	50　歳	55　歳	60　歳	65　歳	70　歳
中核市（再掲）								
旭　川　市	－	－	－	－	－	－	－	－
函　館　市	148	3	5	6	14	32	38	50
青　森　市	658	99	48	70	73	96	167	105
八　戸　市	796	30	31	54	80	118	189	294
盛　岡　市	45	1	1	4	8	6	9	16
秋　田　市	2 002	239	214	168	260	230	455	436
郡　山　市	2 499	253	260	270	351	374	533	458
い　わ　き　市	1 285	70	52	70	110	160	413	410
宇　都　宮　市	3 293	523	388	295	381	570	749	387
前　橋　市	4 318	464	532	442	488	594	875	923
高　崎　市	2 018	287	174	209	210	252	377	509
川　越　市	355	45	45	35	38	39	94	59
越　谷　市	252	6	13	19	28	28	52	106
船　橋　市	－	－	－	－	－	－	－	－
柏　　市	4 894	587	550	480	538	636	1 037	1 066
八　王　子　市	－	－	－	－	－	－	－	－
横　須　賀　市	473	33	23	28	41	51	142	155
富　山　市	366	197	－	169	－	－	－	－
金　沢　市	4 869	553	569	435	456	584	926	1 346
長　野　市	821	40	63	95	117	133	207	166
岐　阜　市	－	－	－	－	－	－	－	－
豊　橋　市	3 987	473	462	416	559	599	754	724
豊　田　市	834	236	5	198	25	243	60	67
岡　崎　市	2 128	348	193	136	179	268	480	524
大　津　市	－	－	－	－	－	－	－	－
高　槻　市	－	－	－	－	－	－	－	－
東　大　阪　市	－	－	－	－	－	－	－	－
豊　中　市	203	11	17	18	32	28	52	45
枚　方　市	－	－	－	－	－	－	－	－
姫　路　市	706	95	10	152	34	180	135	100
西　宮　市	328	58	6	77	9	57	16	105
尼　崎　市	－	－	－	－	－	－	－	－
奈　良　市	1 323	134	92	215	165	220	238	259
和　歌　山　市	－	－	－	－	－	－	－	－
倉　敷　市	－	－	－	－	－	－	－	－
福　山　市	642	66	50	55	63	97	177	134
呉　　市	－	－	－	－	－	－	－	－
下　関　市	122	2	4	6	10	15	44	41
高　松　市	－	－	－	－	－	－	－	－
松　山　市	－	－	－	－	－	－	－	－
高　知　市	－	－	－	－	－	－	－	－
久　留　米　市	1 727	175	130	190	168	242	372	450
長　崎　市	－	－	－	－	－	－	－	－
佐　世　保　市	110	－	2	7	12	18	32	39
大　分　市	699	53	37	60	50	135	128	236
宮　崎　市	866	44	46	60	68	126	195	327
鹿　児　島　市	1 592	355	105	163	138	225	332	274
那　覇　市	－	－	－	－	－	－	－	－
その他政令市（再掲）								
小　樽　市	－	－	－	－	－	－	－	－
町　田　市	－	－	－	－	－	－	－	－
藤　沢　市	－	－	－	－	－	－	－	－
茅　ヶ　崎　市	－	－	－	－	－	－	－	－
四　日　市　市	－	－	－	－	－	－	－	－
大　牟　田　市	－	－	－	－	－	－	－	－

注：対象者は女性である。
　　1）精密検査受診の有無別人数については、計数不詳の市区町村がある場合、要精密検査者数と一致しないことがある。

140

精密検査受診の有無別人数，都道府県－指定都市・特別区－中核市－その他政令市、年齢別

平成29年度

| 要　　　精　　　密　　　検　　　査　　　者　　　数 | | | | | | | |
総　　数	40　歳	45　歳	50　歳	55　歳	60　歳	65　歳	70　歳
–	–	–	–	–	–	–	–
14	–	–	–	–	1	4	9
84	–	1	–	–	13	35	35
118	–	–	–	3	8	31	76
27	–	–	2	4	4	5	12
328	1	3	1	16	37	112	158
665	2	2	7	26	125	249	254
188	2	–	–	11	21	58	96
358	4	5	6	27	70	137	109
388	9	4	8	29	74	125	139
280	3	2	7	15	29	78	146
58	–	–	–	2	4	25	27
17	1	–	–	2	2	2	10
–	–	–	–	–	–	–	–
1 015	15	14	16	66	144	347	413
–	–	–	–	–	–	–	–
85	–	–	–	2	4	24	55
12	3	–	9	–	–	–	–
1 630	39	44	41	90	212	423	781
254	1	4	12	25	34	88	90
–	–	–	–	–	–	–	–
691	6	9	14	83	136	203	240
3	–	–	–	1	2	–	–
290	3	3	4	7	29	93	151
–	–	–	–	–	–	–	–
–	–	–	–	–	–	–	–
–	–	–	–	–	–	–	–
44	1	–	1	3	10	12	17
–	–	–	–	–	–	–	–
41	–	–	3	1	8	18	11
77	2	2	7	2	15	8	41
–	–	–	–	–	–	–	–
281	3	–	3	19	52	83	121
–	–	–	–	–	–	–	–
166	–	1	–	7	27	62	69
–	–	–	–	–	–	–	–
27	–	–	–	–	1	15	11
–	–	–	–	–	–	–	–
–	–	–	–	–	–	–	–
377	3	1	5	9	62	108	189
–	–	–	–	–	–	–	–
13	–	–	–	–	1	3	9
44	–	–	–	–	6	8	30
249	–	3	2	11	29	63	141
241	11	7	5	22	40	77	79
–	–	–	–	–	–	–	–
–	–	–	–	–	–	–	–
–	–	–	–	–	–	–	–
–	–	–	–	–	–	–	–
–	–	–	–	–	–	–	–

第12表（7−3） 平成28年度における骨粗鬆症検診受診者数・要精密検査者数・

	精密検査受診							
	異常認めず							
	総数	40歳	45歳	50歳	55歳	60歳	65歳	70歳
全国	**4 785**	**168**	**124**	**172**	**408**	**769**	**1 400**	**1 744**
北海道	48	1	−	2	6	15	10	14
青森	71	−	−	−	4	12	29	26
岩手	72	1	−	4	15	11	15	26
宮城	328	12	3	26	32	74	91	90
秋田	80	−	1	2	6	19	28	24
山形	24	−	1	−	2	6	11	4
福島	96	6	1	2	5	17	32	33
茨城	148	2	−	3	18	30	44	51
栃木	193	2	1	7	14	46	59	64
群馬	173	5	2	1	9	32	60	64
埼玉	232	3	4	4	16	61	67	77
千葉	190	4	2	7	17	32	64	64
東京	217	13	20	7	30	37	54	56
神奈川	99	1	…	…	4	5	27	62
新潟	144	2	3	5	21	27	51	35
富山	31	3	−	2	6	14	3	3
石川	140	8	10	9	9	20	35	49
福井	33	7	2	3	4	1	7	9
山梨	59	12	8	9	8	4	8	10
長野	21	1	−	−	−	2	7	11
岐阜	89	1	1	1	9	12	32	33
静岡	487	1	4	5	20	46	143	268
愛知	99	4	2	3	10	17	29	34
三重	−	−	−	−	−	−	−	−
滋賀	476	50	37	49	60	62	120	98
京都	14	2	−	−	1	2	1	8
大阪	245	6	3	7	16	35	85	93
兵庫	49	2	5	2	7	6	11	16
奈良	2	−	−	−	−	−	−	2
和歌山	1	−	−	−	−	−	−	1
鳥取	13	1	−	−	5	2	3	2
島根	−	−	−	−	−	−	−	−
岡山	7	−	−	1	−	5	−	1
広島	214	6	7	6	15	27	44	109
山口	11	2	1	−	−	1	4	3
徳島	21	−	−	−	−	5	8	8
香川	14	−	−	−	−	1	7	6
愛媛	20	−	−	−	−	1	7	12
高知	−	−	−	−	−	−	−	−
福岡	247	1	1	1	6	30	83	125
佐賀	54	1	−	−	5	8	15	25
長崎	48	2	−	−	1	10	15	20
熊本	53	1	−	−	4	8	20	20
大分	30	−	−	−	2	4	10	14
宮崎	36	−	3	−	2	2	12	17
鹿児島	154	5	2	4	17	20	49	57
沖縄	2	−	−	−	2	−	−	−
指定都市・特別区(再掲)								
東京都区部	177	13	20	7	24	32	32	49
札幌市	−	−	−	−	−	−	−	−
仙台市	26	6	−	20	−	−	−	−
さいたま市	−	−	−	−	−	−	−	−
千葉市	−	−	−	−	−	−	−	−
横浜市	…	…	…	…	…	…	…	…
川崎市	−	−	−	−	−	−	−	−
相模原市	12	1	−	−	2	1	2	6
新潟市	−	−	−	−	−	−	−	−
静岡市	432	1	3	4	17	34	124	249
浜松市	−	−	−	−	−	−	−	−
名古屋市	−	−	−	−	−	−	−	−
京都市	−	−	−	−	−	−	−	−
大阪市	33	1	−	3	6	7	7	9
堺市	−	−	−	−	−	−	−	−
神戸市	−	−	−	−	−	−	−	−
岡山市	−	−	−	−	−	−	−	−
広島市	206	6	6	6	15	23	43	107
北九州市	17	−	−	−	1	3	6	7
福岡市	67	−	−	−	3	5	24	35
熊本市	−	−	−	−	−	−	−	−

精密検査受診の有無別人数，都道府県－指定都市・特別区－中核市－その他政令市、年齢別

平成29年度

の有無別人数 1)							
骨粗鬆症であった者							
総数	40歳	45歳	50歳	55歳	60歳	65歳	70歳
9 950	32	40	97	484	1 508	3 289	4 500
123	−	1	1	14	26	35	46
274	−	1	−	6	32	96	139
222	−	1	2	19	29	77	94
553	9	2	12	24	97	190	219
300	1	1	3	15	40	108	132
46	−	−	1	1	14	21	9
228	−	1	−	2	26	95	104
251	−	1	2	15	32	98	103
411	1	−	2	20	55	139	194
459	3	1	9	18	67	165	196
627	1	1	2	21	113	175	314
566	−	2	5	23	93	188	255
536	−	5	6	32	72	147	274
5	…	…	…	…	1	1	3
257	3	2	9	29	50	87	77
105	−	−	3	16	27	22	37
293	−	1	3	11	38	80	160
67	2	−	−	3	9	30	23
129	−	4	3	15	38	36	33
69	1	−	−	8	15	21	24
311	3	1	3	24	58	114	108
145	−	−	−	8	29	50	58
215	−	−	4	12	31	60	108
22	−	−	−	1	2	6	13
198	−	−	3	16	50	71	58
14	−	1	1	2	2	2	6
553	−	2	2	24	69	180	276
124	2	−	−	6	18	35	63
14	−	−	−	−	5	7	2
8	−	−	−	−	−	6	2
20	−	−	1	1	3	5	10
−	−	−	−	−	−	−	−
25	−	−	2	−	2	6	15
361	2	2	6	20	34	87	210
44	−	−	1	3	8	19	13
40	−	−	−	−	4	18	18
99	−	−	−	3	19	29	48
71	−	−	−	6	11	25	29
−	−	−	−	−	−	−	−
614	−	−	1	12	61	208	332
224	−	3	2	10	43	88	78
311	1	−	1	8	45	111	145
306	−	3	1	6	39	109	148
95	2	−	−	1	13	38	41
189	−	−	−	7	27	62	93
404	1	4	6	18	59	132	184
22	−	−	−	4	2	10	6
459	−	5	5	24	61	114	250
−	−	−	−	−	−	−	−
17	7	−	10	−	−	−	−
−	−	−	−	−	−	−	−
−	−	−	−	−	−	−	−
…	…	…	…	…	…	…	…
−	−	−	−	−	−	−	−
2	−	−	−	−	−	−	2
−	−	−	−	−	−	−	−
−	−	−	−	−	−	−	−
−	−	−	−	−	−	−	−
−	−	−	−	−	−	−	−
−	−	−	−	−	−	−	−
92	−	−	1	7	15	27	42
−	−	−	−	−	−	−	−
−	−	−	−	−	−	−	−
−	−	−	−	−	−	−	−
335	2	2	6	20	31	80	194
81	−	−	−	1	10	24	46
78	−	−	−	1	10	26	41
−	−	−	−	−	−	−	−

第12表（7－4） 平成28年度における骨粗鬆症検診受診者数・要精密検査者数・

	精密検査受診							
	異常認めず							
	総数	40歳	45歳	50歳	55歳	60歳	65歳	70歳
中核市（再掲）								
旭川市	-	-	-	-	-	-	-	-
函館市	6	-	-	-	-	-	2	4
青森市	9	-	-	-	-	2	6	1
八戸市	10	-	-	-	1	-	4	5
盛岡市	7	-	-	1	2	1	1	2
秋田市	13	-	1	-	-	2	6	4
郡山市	65	1	1	-	3	13	24	23
いわき市	-	-	-	-	-	-	-	-
宇都宮市	39	1	-	2	4	14	8	10
前橋市	73	5	2	1	5	21	17	22
高崎市	-	-	-	-	-	-	-	-
川越市	6	-	-	-	-	1	2	3
越谷市	3	1	-	-	-	2	-	-
船橋市	-	-	-	-	-	-	-	-
柏市	-	-	-	-	-	-	-	-
八王子市	-	-	-	-	-	-	-	-
横須賀市	85	-	-	-	2	4	24	55
富山市	-	-	-	-	-	-	-	-
金沢市	140	8	10	9	9	20	35	49
長野市	-	-	-	-	-	-	-	-
岐阜市	-	-	-	-	-	-	-	-
豊橋市	-	-	-	-	-	-	-	-
豊田市	1	-	-	-	-	1	-	-
岡崎市	-	-	-	-	-	-	-	-
大津市	-	-	-	-	-	-	-	-
高槻市	-	-	-	-	-	-	-	-
東大阪市	-	-	-	-	-	-	-	-
豊中市	-	-	-	-	-	-	-	-
枚方市	-	-	-	-	-	-	-	-
姫路市	3	-	-	2	-	-	-	1
西宮市	-	-	-	-	-	-	-	-
尼崎市	-	-	-	-	-	-	-	-
奈良市	-	-	-	-	-	-	-	-
和歌山市	-	-	-	-	-	-	-	-
倉敷市	-	-	-	-	-	-	-	-
福山市	-	-	-	-	-	-	-	-
呉市	-	-	-	-	-	-	-	-
下関市	2	-	-	-	-	-	2	-
高松市	-	-	-	-	-	-	-	-
松山市	-	-	-	-	-	-	-	-
高知市	-	-	-	-	-	-	-	-
久留米市	24	1	1	-	-	4	6	12
長崎市	-	-	-	-	-	-	-	-
佐世保市	4	-	-	-	-	-	2	2
大分市	1	-	-	-	-	-	-	1
宮崎市	36	-	3	-	2	2	12	17
鹿児島市	33	-	2	-	6	3	6	16
那覇市	-	-	-	-	-	-	-	-
その他政令市（再掲）								
小樽市	-	-	-	-	-	-	-	-
町田市	-	-	-	-	-	-	-	-
藤沢市	-	-	-	-	-	-	-	-
茅ヶ崎市	-	-	-	-	-	-	-	-
四日市市	-	-	-	-	-	-	-	-
大牟田市	-	-	-	-	-	-	-	-

注：対象者は女性である。
1）精密検査受診の有無別人数については、計数不詳の市区町村がある場合、要精密検査者数と一致しないことがある。

精密検査受診の有無別人数，都道府県−指定都市・特別区−中核市−その他政令市、年齢別

平成29年度

の　有　無　別　人　数 1)							
骨　粗　鬆　症　で　あ　っ　た　者							
総　数	40　歳	45　歳	50　歳	55　歳	60　歳	65　歳	70　歳
–	–	–	–	–	–	–	–
1	–	–	–	–	–	–	1
43	–	1	–	–	6	15	21
44	–	–	–	–	4	7	33
5	–	–	–	1	–	1	3
160	–	1	1	11	19	56	72
216	–	1	–	2	25	88	100
–	–	–	–	–	–	–	–
76	1	–	–	4	17	28	26
182	1	–	4	13	30	61	73
–	–	–	–	–	–	–	–
28	–	–	–	–	3	8	17
5	–	–	–	1	–	1	3
–	–	–	–	–	–	–	–
–	–	–	–	–	–	–	–
–	–	–	–	–	–	–	–
–	–	–	–	–	–	–	–
293	–	1	3	11	38	80	160
–	–	–	–	–	–	–	–
–	–	–	–	–	–	–	–
1	–	–	–	–	1	–	–
37	–	–	–	1	4	14	18
–	–	–	–	–	–	–	–
–	–	–	–	–	–	–	–
–	–	–	–	–	–	–	–
–	–	–	–	–	–	–	–
7	–	–	–	1	–	3	3
–	–	–	–	–	–	–	–
–	–	–	–	–	–	–	–
–	–	–	–	–	–	–	–
–	–	–	–	–	–	–	–
–	–	–	–	–	–	–	–
15	–	–	–	–	1	6	8
–	–	–	–	–	–	–	–
–	–	–	–	–	–	–	–
117	–	–	–	5	13	28	71
1	–	–	–	–	–	–	1
15	–	–	–	–	1	1	13
99	–	–	–	2	13	28	56
67	–	–	2	5	13	23	24
–	–	–	–	–	–	–	–
–	–	–	–	–	–	–	–
–	–	–	–	–	–	–	–
–	–	–	–	–	–	–	–
–	–	–	–	–	–	–	–
–	–	–	–	–	–	–	–

第12表（7－5） 平成28年度における骨粗鬆症検診受診者数・要精密検査者数・

	精密検査受診							
	骨粗鬆症以外であった者							
	総数	40歳	45歳	50歳	55歳	60歳	65歳	70歳
全国	**3 083**	**41**	**34**	**62**	**200**	**531**	**1 004**	**1 211**
北海道	12	−	−	1	2	2	5	2
青森	45	−	−	−	−	5	16	24
岩手	81	−	−	2	−	19	31	29
宮城	71	2	−	4	4	19	27	15
秋田	117	−	1	−	6	23	42	45
山形	28	1	1	−	4	8	12	2
福島	269	1	1	5	10	63	95	94
茨城	41	−	−	2	2	7	18	12
栃木	275	−	2	3	18	34	101	117
群馬	111	2	2	2	10	21	34	40
埼玉	114	−	−	1	4	9	43	57
千葉	185	1	3	2	7	25	57	90
東京	126	5	1	4	18	23	34	41
神奈川	…	…	…	…	…	…	…	…
新潟	89	−	1	4	12	19	28	25
富山	39	5	2	−	9	23	−	−
石川	332	6	8	12	23	47	85	151
福井	4	−	1	−	−	1	2	−
山梨	48	5	4	7	7	9	9	7
長野	17	−	−	−	−	3	5	9
岐阜	69	1	…	…	5	12	29	22
静岡	54	−	−	−	3	8	16	27
愛知	58	3	−	2	10	9	17	17
三重	1	1	−	−	−	−	−	−
滋賀	62	−	−	−	1	11	28	22
京都	4	−	−	−	1	−	1	2
大阪	53	2	−	1	1	7	18	24
兵庫	33	1	1	2	−	6	8	15
奈良	1	−	−	−	−	−	−	1
和歌山	8	−	−	−	−	2	3	3
鳥取	3	−	−	−	−	−	1	2
島根	−	−	−	−	−	−	−	−
岡山	−	−	−	−	−	−	−	−
広島	3	−	−	−	−	1	−	2
山口	3	−	−	−	−	−	2	1
徳島	2	−	−	−	1	−	−	1
香川	11	−	−	−	1	2	2	6
愛媛	56	−	−	2	7	12	15	20
高知	−	−	−	−	−	−	−	−
福岡	265	1	−	2	6	34	96	126
佐賀	21	1	2	−	3	4	3	8
長崎	14	−	−	−	−	2	6	6
熊本	47	1	−	1	4	5	17	19
大分	29	−	1	−	1	5	11	11
宮崎	31	−	1	2	2	4	5	17
鹿児島	239	1	2	1	14	44	82	95
沖縄	12	1	−	−	4	3	−	4
指定都市・特別区(再掲)								
東京都区部	109	5	1	4	16	19	28	36
札幌市	−	−	−	−	−	−	−	−
仙台市	5	2	−	3	−	−	−	−
さいたま市	−	−	−	−	−	−	−	−
千葉市	−	−	−	−	−	−	−	−
横浜市	…	…	…	…	…	…	…	…
川崎市	−	−	−	−	−	−	−	−
相模原市	−	−	−	−	−	−	−	−
新潟市	−	−	−	−	−	−	−	−
静岡市	−	−	−	−	−	−	−	−
浜松市	−	−	−	−	−	−	−	−
名古屋市	−	−	−	−	−	−	−	−
京都市	−	−	−	−	−	−	−	−
大阪市	8	−	−	−	−	1	2	5
堺市	−	−	−	−	−	−	−	−
神戸市	−	−	−	−	−	−	−	−
岡山市	−	−	−	−	−	−	−	−
広島市	−	−	−	−	−	−	−	−
北九州市	42	−	−	−	−	5	19	18
福岡市	4	−	−	−	−	1	1	2
熊本市	−	−	−	−	−	−	−	−

精密検査受診の有無別人数，都道府県－指定都市・特別区－中核市－その他政令市、年齢別

平成29年度

の	有	無	別	人	数 1)		
未			受				診
総　　数	40　歳	45　歳	50　歳	55　歳	60　歳	65　歳	70　歳
4 426	60	50	81	283	676	1 475	1 801
71	–	1	–	3	16	28	23
109	1	–	1	2	12	39	54
86	–	–	–	5	17	27	37
125	6	1	12	4	24	31	47
67	–	–	–	1	6	28	32
20	–	–	1	3	5	8	3
33	1	–	–	1	10	10	11
297	–	3	2	24	44	120	104
37	–	–	–	–	2	16	19
186	1	2	2	16	31	66	68
396	–	–	1	20	66	153	156
85	–	–	2	2	12	25	44
153	2	3	4	11	16	43	74
17	…	…	…	1	3	1	12
200	7	2	10	22	33	51	75
44	–	2	–	7	11	8	16
559	12	14	9	33	68	143	280
–	–	–	–	–	–	–	–
129	9	4	5	15	23	40	33
11	–	–	–	–	1	5	5
130	2	2	3	6	25	55	37
224	2	3	3	16	41	72	87
129	–	–	4	12	26	38	49
1	–	–	–	–	–	1	–
65	–	–	2	7	13	28	15
6	–	–	–	–	1	2	3
174	5	1	5	6	23	73	61
125	2	6	2	8	13	45	49
8	–	–	–	–	1	3	4
9	–	–	–	–	1	3	5
21	1	1	–	1	3	8	7
6	2	1	–	1	–	2	–
18	1	–	–	3	–	3	11
144	1	1	5	9	19	36	73
46	3	–	4	3	12	13	11
20	–	–	–	1	5	7	7
22	–	–	–	2	3	7	10
61	–	1	–	5	7	18	30
–	–	–	–	–	–	–	–
228	–	–	1	6	20	80	121
48	–	–	–	4	6	17	21
38	–	–	–	1	7	14	16
77	1	–	–	3	11	37	25
50	–	–	2	4	10	15	19
15	–	–	–	–	1	10	4
130	1	2	1	12	25	46	43
6	–	–	–	3	3	–	–
132	2	3	4	9	13	35	66
–	–	–	–	–	–	–	–
16	6	–	10	–	–	–	–
–	–	–	–	–	–	–	–
–	–	–	–	–	–	–	–
…	…	…	…	…	…	…	…
–	–	–	–	–	–	–	–
4	–	–	–	–	–	–	4
–	–	–	–	–	–	–	–
–	–	–	–	–	–	–	–
–	–	–	–	–	–	–	–
–	–	–	–	–	–	–	–
–	–	–	–	–	–	–	–
–	–	–	–	–	–	–	–
–	–	–	–	–	–	–	–
–	–	–	–	–	–	–	–
128	1	1	5	9	16	30	66
68	–	–	–	1	4	26	37
116	–	–	1	4	9	35	67
–	–	–	–	–	–	–	–

第12表（7−6） 平成28年度における骨粗鬆症検診受診者数・要精密検査者数・

	精密検査受診						
	骨粗鬆症以外であった者						
	総数	40歳	45歳	50歳	55歳	60歳	65歳	70歳
中核市(再掲)								
旭川市	-	-	-	-	-	-	-	-
函館市	-	-	-	-	-	-	-	-
青森市	14	-	-	-	-	2	5	7
八戸市	7	-	-	-	-	1	3	3
盛岡市	8	-	-	1	-	1	3	3
秋田市	44	-	-	-	3	7	19	15
郡山市	264	1	-	5	10	63	91	94
いわき市	-	-	-	-	-	-	-	-
宇都宮市	61	-	2	1	7	8	22	21
前橋市	20	2	-	1	2	4	5	6
高崎市	-	-	-	-	-	-	-	-
川越市	1	-	-	-	-	-	-	1
越谷市	2	-	-	-	-	-	1	1
船橋市	-	-	-	-	-	-	-	-
柏市	-	-	-	-	-	-	-	-
八王子市	-	-	-	-	-	-	-	-
横須賀市	-	-	-	-	-	-	-	-
富山市	1	1	-	-	-	-	-	-
金沢市	332	6	8	12	23	47	85	151
長野市	-	-	-	-	-	-	-	-
岐阜市	-	-	-	-	-	-	-	-
豊橋市	-	-	-	-	-	-	-	-
豊田市	-	-	-	-	-	-	-	-
岡崎市	21	2	-	-	1	4	6	8
大津市	-	-	-	-	-	-	-	-
高槻市	-	-	-	-	-	-	-	-
東大阪市	-	-	-	-	-	-	-	-
豊中市	-	-	-	-	-	-	-	-
枚方市	-	-	-	-	-	-	-	-
姫路市	5	-	-	1	-	1	2	1
西宮市	-	-	-	-	-	-	-	-
尼崎市	-	-	-	-	-	-	-	-
奈良市	-	-	-	-	-	-	-	-
和歌山市	-	-	-	-	-	-	-	-
倉敷市	-	-	-	-	-	-	-	-
福山市	-	-	-	-	-	-	-	-
呉市	-	-	-	-	-	-	-	-
下関市	-	-	-	-	-	-	-	-
高松市	-	-	-	-	-	-	-	-
松山市	-	-	-	-	-	-	-	-
高知市	-	-	-	-	-	-	-	-
久留米市	79	1	-	1	1	15	26	35
長崎市	-	-	-	-	-	-	-	-
佐世保市	-	-	-	-	-	-	-	-
大分市	7	-	-	-	-	1	2	4
宮崎市	5	-	-	-	-	1	1	3
鹿児島市	50	-	1	-	3	13	12	21
那覇市	-	-	-	-	-	-	-	-
その他政令市(再掲)								
小樽市	-	-	-	-	-	-	-	-
町田市	-	-	-	-	-	-	-	-
藤沢市	-	-	-	-	-	-	-	-
茅ヶ崎市	-	-	-	-	-	-	-	-
四日市市	-	-	-	-	-	-	-	-
大牟田市	-	-	-	-	-	-	-	-

注：対象者は女性である。
1）精密検査受診の有無別人数については、計数不詳の市区町村がある場合、要精密検査者数と一致しないことがある。

精密検査受診の有無別人数，都道府県－指定都市・特別区－中核市－その他政令市、年齢別

平成29年度

の有無別人数 1)							
未受診							
総数	40歳	45歳	50歳	55歳	60歳	65歳	70歳
-	-	-	-	-	-	-	-
5	-	-	-	-	1	2	2
11	-	-	-	-	2	5	4
57	-	-	-	2	3	17	35
-	-	-	-	-	-	-	-
-	-	-	-	-	-	-	-
-	-	-	-	-	-	-	-
-	-	-	-	-	-	-	-
1	-	-	-	-	-	1	-
113	1	2	2	9	19	42	38
-	-	-	-	-	-	-	-
23	-	-	-	2	-	15	6
3	-	-	-	-	-	-	3
-	-	-	-	-	-	-	-
-	-	-	-	-	-	-	-
-	-	-	-	-	-	-	-
-	-	-	-	-	-	-	-
-	-	-	-	-	-	-	-
559	12	14	9	33	68	143	280
-	-	-	-	-	-	-	-
-	-	-	-	-	-	-	-
-	-	-	-	-	-	-	-
-	-	-	-	-	-	-	-
-	-	-	-	-	-	-	-
-	-	-	-	-	-	-	-
-	-	-	-	-	-	-	-
-	-	-	-	-	-	-	-
-	-	-	-	-	-	-	-
-	-	-	-	-	-	-	-
-	-	-	-	-	-	-	-
-	-	-	-	-	-	-	-
-	-	-	-	-	-	-	-
-	-	-	-	-	-	-	-
-	-	-	-	-	-	-	-
-	-	-	-	-	-	-	-
-	-	-	-	-	-	-	-
-	-	-	-	-	-	-	-
-	-	-	-	-	-	-	-
-	-	-	-	-	-	-	-
-	-	-	-	-	-	-	-
-	-	-	-	-	-	-	-
10	-	-	-	-	1	5	4
-	-	-	-	-	-	-	-
-	-	-	-	-	-	-	-
-	-	-	-	-	-	-	-
-	-	-	-	-	-	-	-
13	-	-	-	-	2	7	4
-	-	-	-	-	-	-	-
-	-	-	-	-	-	-	-
-	-	-	-	-	-	-	-
-	-	-	-	-	-	-	-
-	-	-	-	-	-	-	-
-	-	-	-	-	-	-	-
-	-	-	-	-	-	-	-

15(5)-04 骨粗鬆症検診 精密検査

第12表（7－7）　平成28年度における骨粗鬆症検診受診者数・要精密検査者数・

| | 精　密　検　査　受　診 | | | | | | | |
| | 未 | | | 把 | | | 握 | |
	総　数	40　歳	45　歳	50　歳	55　歳	60　歳	65　歳	70　歳
全　　国	27 525	1 579	308	581	1 562	4 416	8 244	10 835
北　海　道	143	1	2	3	15	17	35	70
青　　森	115	–	–	–	4	23	38	50
岩　　手	276	3	1	4	16	47	101	104
宮　　城	848	6	9	11	72	163	312	275
秋　　田	285	1	3	1	7	39	98	136
山　　形	630	1	1	5	18	102	216	287
福　　島	555	2	–	3	31	78	195	246
茨　　城	1 020	15	9	15	65	205	361	350
栃　　木	720	7	6	10	43	117	265	272
群　　馬	535	4	3	10	33	71	179	235
埼　　玉	1 967	10	9	22	86	287	710	843
千　　葉	4 580	71	71	101	282	640	1 400	2 015
東　　京	1 776	36	31	51	106	251	515	786
神　奈　川	369	2	3	11	17	55	125	156
新　　潟	461	7	1	4	25	72	152	200
富　　山	32	2	–	9	1	3	5	12
石　　川	444	16	11	10	19	61	132	195
福　　井	252	9	11	8	27	35	95	67
山　　梨	148	5	11	7	7	26	61	31
長　　野	791	18	16	36	71	132	250	268
岐　　阜	405	10	8	4	30	80	154	119
静　　岡	1 126	3	–	6	44	137	437	499
愛　　知	4 013	117	51	172	277	964	733	1 699
三　　重	126	4	–	3	6	12	52	49
滋　　賀	84	–	–	1	6	20	25	32
京　　都	87	1	2	2	6	12	36	28
大　　阪	668	9	6	4	44	102	238	265
兵　　庫	1 494	1 171	4	12	19	47	88	153
奈　　良	399	4	1	3	29	73	131	158
和　歌　山	65	2	2	2	6	9	24	20
鳥　　取	29	–	–	–	2	9	6	12
島　　根	4	–	–	–	–	1	1	2
岡　　山	55	–	–	1	9	8	15	22
広　　島	611	18	24	30	37	119	222	161
山　　口	143	2	2	–	4	15	62	58
徳　　島	51	1	1	–	–	4	22	23
香　　川	134	–	–	–	1	14	44	75
愛　　媛	82	–	–	–	7	7	22	46
高　　知	–	–	–	–	–	–	–	–
福　　岡	962	2	1	8	21	169	348	413
佐　　賀	120	2	–	1	6	16	46	49
長　　崎	209	1	–	4	15	43	66	80
熊　　本	89	1	–	–	5	18	33	32
大　　分	90	2	3	1	–	14	27	43
宮　　崎	225	–	1	3	12	35	55	119
鹿　児　島	254	12	4	3	17	50	100	68
沖　　縄	53	1	–	–	14	14	12	12
指定都市・特別区(再掲)								
東京都区部	1 170	35	30	44	73	150	287	551
札　幌　市	–	–	–	–	–	–	–	–
仙　台　市	–	–	–	–	–	–	–	–
さいたま市	392	1	2	1	12	28	116	232
千　葉　市	2 900	49	50	70	175	388	826	1 342
横　浜　市	…	…	…	…	…	…	…	…
川　崎　市	342	2	3	11	16	52	113	145
相模原市	10	–	–	–	–	–	5	5
新　潟　市	–	–	–	–	–	–	–	–
静　岡　市	–	–	–	–	–	–	–	–
浜　松　市	470	1	–	4	19	52	175	219
名古屋市	2 772	106	33	146	165	743	376	1 203
京　都　市	12	–	–	–	–	–	6	6
大　阪　市	172	3	4	2	17	23	62	61
堺　　市	24	–	–	–	–	3	9	12
神　戸　市	1 237	1 163	–	2	1	8	15	48
岡　山　市	–	–	–	–	–	–	–	–
広　島　市	397	18	23	29	29	85	144	69
北九州市	18	1	–	1	1	–	6	9
福　岡　市	141	–	–	–	–	17	61	63
熊　本　市								

精密検査受診の有無別人数，都道府県－指定都市・特別区－中核市－その他政令市、年齢別

平成29年度

| | の　有　無　別　人　数 1) | | | | | | | |
| | 未 | | | 把 | | | | 握 |
	総　数	40　歳	45　歳	50　歳	55　歳	60　歳	65　歳	70　歳
中核市（再掲）								
旭　川　市	-	-	-	-	-	-	-	-
函　館　市	2	-	-	-	-	-	-	2
青　森　市	7	-	-	-	-	1	4	2
八　戸　市	-	-	-	-	-	-	-	-
盛　岡　市	7	-	-	-	1	2	-	4
秋　田　市	111	1	1	-	2	9	31	67
郡　山　市	120	-	-	2	11	24	46	37
い　わ　き　市	188	2	-	-	11	21	58	96
宇　都　宮　市	181	2	3	3	12	31	78	52
前　橋　市	-	-	-	-	-	-	-	-
高　崎　市	280	3	2	7	15	29	78	146
川　越　市	-	-	-	-	-	-	-	-
越　谷　市	4	-	-	-	1	-	-	3
船　橋　市	-	-	-	-	-	-	-	-
柏　　　市	1 015	15	14	16	66	144	347	413
八　王　子　市	-	-	-	-	-	-	-	-
横　須　賀　市	-	-	-	-	-	-	-	-
富　山　市	11	2	-	9	-	-	-	-
金　沢　市	306	13	11	8	14	39	80	141
長　野　市	254	1	4	12	25	34	88	90
岐　阜　市	-	-	-	-	-	-	-	-
豊　橋　市	691	6	9	14	83	136	203	240
豊　田　市	1	-	-	-	1	-	-	-
岡　崎　市	232	1	3	4	5	21	73	125
大　津　市	-	-	-	-	-	-	-	-
高　槻　市	-	-	-	-	-	-	-	-
東　大　阪　市	-	-	-	-	-	-	-	-
豊　中　市	44	1	-	1	3	10	12	17
枚　方　市	-	-	-	-	-	-	-	-
姫　路　市	26	-	-	-	-	7	13	6
西　宮　市	77	2	2	7	2	15	8	41
尼　崎　市	-	-	-	-	-	-	-	-
奈　良　市	281	3	-	3	19	52	83	121
和　歌　山　市	-	-	-	-	-	-	-	-
倉　敷　市	-	-	-	-	-	-	-	-
福　山　市	166	-	1	-	7	27	62	69
呉　　　市	-	-	-	-	-	-	-	-
下　関　市	10	-	-	-	-	-	7	3
高　松　市	-	-	-	-	-	-	-	-
松　山　市	-	-	-	-	-	-	-	-
高　知　市	-	-	-	-	-	-	-	-
久　留　米　市	147	1	-	4	3	29	43	67
長　崎　市	-	-	-	-	-	-	-	-
佐　世　保　市	8	-	-	-	-	1	1	6
大　分　市	21	-	-	-	-	4	5	12
宮　崎　市	109	-	-	2	7	13	22	65
鹿　児　島　市	78	11	4	3	8	9	29	14
那　覇　市	-	-	-	-	-	-	-	-
その他政令市（再掲）								
小　樽　市	-	-	-	-	-	-	-	-
町　田　市	-	-	-	-	-	-	-	-
藤　沢　市	-	-	-	-	-	-	-	-
茅　ヶ　崎　市	-	-	-	-	-	-	-	-
四　日　市　市	-	-	-	-	-	-	-	-
大　牟　田　市	-	-	-	-	-	-	-	-

注：対象者は女性である。
　　1）精密検査受診の有無別人数については、計数不詳の市区町村がある場合、要精密検査者数と一致しないことがある。

第13表（4－1） 被訪問指導実人員－延人員，都道府県－

	被訪問指				
	総数	要指導者等[1]	個別健康教育対象者	閉じこもり予防[2]	介護家族者
全国	**189 186**	**121 242**	**2 904**	**5 825**	**5 594**
北海道	18 222	12 334	129	583	1 077
青森	5 124	4 105	－	15	80
岩手	5 521	3 116	6	270	59
宮城	2 232	1 331	7	130	12
秋田	2 508	1 444	2	167	42
山形	4 514	2 590	326	260	206
福島	10 571	4 869	155	476	611
茨城	4 520	3 710	12	124	6
栃木	2 553	1 827	19	169	155
群馬	2 580	1 637	2	32	107
埼玉	1 548	1 119	4	157	21
千葉	2 754	1 112	4	100	38
東京	7 385	647	8	207	194
神奈川	3 219	1 708	74	100	202
新潟	6 375	4 835	30	41	138
富山	1 762	1 299	2	31	37
石川	1 520	1 418	12	15	－
福井	1 260	974	8	－	－
山梨	5 694	2 363	214	161	364
長野	11 358	7 770	260	320	237
岐阜	8 341	7 574	27	41	29
静岡	4 451	3 384	－	156	51
愛知	1 687	632	61	25	171
三重	471	258	18	2	12
滋賀	1 560	740	12	181	4
京都	1 806	389	－	50	56
大阪	1 720	776	21	159	96
兵庫	3 266	2 007	18	135	68
奈良	729	404	23	40	94
和歌山	2 414	1 507	5	392	81
鳥取	1 733	1 287	8	31	53
島根	2 780	1 775	41	82	56
岡山	3 615	1 839	7	369	204
広島	2 201	1 160	56	128	133
山口	1 993	1 491	33	58	107
徳島	4 019	2 998	142	5	1
香川	1 756	1 377	8	98	47
愛媛	2 045	1 357	41	40	62
高知	1 828	762	22	71	102
福岡	5 692	3 425	723	142	37
佐賀	3 507	2 433	108	7	8
長崎	3 306	1 956	43	97	211
熊本	10 630	9 522	10	70	237
大分	2 638	2 054	－	6	17
宮崎	4 629	2 910	－	1	3
鹿児島	5 601	3 831	9	64	61
沖縄	3 548	3 186	194	17	7
指定都市・特別区(再掲)					
東京都区部	7 214	613	8	149	187
札幌市	758	31	－	12	671
仙台市	570	58	－	2	2
さいたま市	4	－	－	－	－
千葉市	119	32	2	5	1
横浜市	150	98	－	－	－
川崎市	52	34	2	1	3
相模原市	69	69	－	－	－
新潟市	309	79	－	2	67
静岡市	397	20	－	1	1
浜松市	118	39	－	7	27
名古屋市	427	53	16	6	158
京都市	－	－	－	－	－
大阪市	736	134	－	112	51
堺市	15	－	－	8	7
神戸市	51	19	－	1	4
岡山市	49	36	－	3	－
広島市	187	158	－	－	12
北九州市	1 386	8	573	2	1
福岡市	82	61	－	1	－
熊本市	211	174	3	－	－

指定都市・特別区－中核市－その他政令市、対象者別

平成29年度

導実人員				
寝たきり者			認知症の者	その他
	（再掲）口腔衛生指導	（再掲）栄養指導		
2 588	**765**	**392**	**4 235**	**46 798**
59	15	8	189	3 851
4	2	1	126	794
40	–	6	72	1 958
38	28	1	8	706
15	2	3	58	780
307	2	214	232	593
245	49	65	288	3 927
9	3	1	12	647
34	23	11	89	260
1	–	1	6	795
35	18	1	18	194
42	34	1	28	1 430
238	8	3	252	5 839
106	54	31	179	850
8	–	–	47	1 276
1	–	–	3	389
–	–	–	1	74
–	–	–	2	276
498	–	5	749	1 345
369	335	2	388	2 014
7	–	–	5	658
13	6	3	23	824
7	–	1	27	764
1	1	–	15	165
–	–	–	1	622
12	–	–	13	1 286
36	21	12	52	580
142	124	1	112	784
5	–	–	52	111
19	2	4	95	315
29	–	1	38	287
23	–	–	77	726
46	7	4	295	855
34	28	–	138	552
18	–	–	24	262
–	–	–	3	870
6	–	2	73	147
2	–	–	12	531
11	–	–	94	766
63	–	–	30	1 272
2	2	2	1	948
40	–	–	85	874
6	1	–	56	729
1	–	–	24	536
7	–	1	13	1 695
7	–	7	119	1 510
2	–	–	11	131
238	8	3	247	5 772
14	…	…	20	10
–	–	–	–	508
–	–	–	–	4
5	1	–	2	72
52	52	30	–	–
1	–	1	6	5
–	–	–	–	–
1	–	–	2	158
7	6	–	–	368
1	–	–	1	43
4	–	–	9	181
–	–	–	–	–
12	7	11	17	410
–	–	–	–	–
1	–	–	15	11
–	–	–	–	10
–	–	–	–	17
24	–	–	–	778
4	–	–	3	13
–	–	–	–	34

第13表（4－2） 被訪問指導実人員－延人員，都道府県－

	被	訪	問	指	
	総数	要指導者等[1]	個別健康教育対象者	閉じこもり予防[2]	介護家族者
中核市（再掲）					
旭川市	102	102	－	－	－
函館市	198	198	－	－	－
青森市	27	21	－	－	－
八戸市	969	748	－	2	－
盛岡市	656	411	－	214	3
秋田市	－	－	－	－	－
郡山市	172	61	－	2	55
いわき市	95	82	11	1	－
宇都宮市	37	9	－	2	1
前橋市	85	47	－	－	－
高崎市	－	－	－	－	－
川越市	17	8	－	－	－
越谷市	9	－	－	－	－
船橋市	59	－	－	－	－
柏市	－	－	－	－	－
八王子市	－	－	－	－	－
横須賀市	9	－	－	－	4
富山市	366	214	－	7	8
金沢市	154	154	－	－	－
長野市	1 151	994	－	4	50
岐阜市	386	349	－	9	11
豊橋市	3	3	－	－	－
豊田市	25	6	－	－	－
岡崎市	18	18	－	－	－
大津市	7	－	－	1	－
高槻市	4	4	－	－	－
東大阪市	270	187	－	1	26
豊中市	14	1	10	－	－
枚方市	33	8	2	21	－
姫路市	101	6	－	－	－
西宮市	65	－	－	－	－
尼崎市	－	－	－	－	－
奈良市	4	3	－	1	－
和歌山市	5	2	－	－	－
倉敷市	58	24	－	8	9
福山市	125	43	－	－	3
呉市	305	236	－	36	9
下関市	33	－	－	1	19
高松市	190	156	－	1	19
松山市	113	－	－	2	－
高知市	83	48	－	2	－
久留米市	37	14	4	8	－
長崎市	601	102	43	60	88
佐世保市	194	－	－	6	96
大分市	137	134	－	－	－
宮崎市	217	210	－	1	－
鹿児島市	785	783	－	1	1
那覇市	11	11	－	－	－
その他政令市（再掲）					
小樽市	2	2	－	－	－
町田市	－	－	－	－	－
藤沢市	－	－	－	－	－
茅ヶ崎市	10	－	－	－	－
四日市市	－	－	－	－	－
大牟田市	177	177	－	－	－

注：1）「要指導者等」とは、生活習慣病改善のための指導を行った者をいう。
　　2）「閉じこもり予防」とは、介護予防の観点から支援が必要な者で、健康管理上訪問指導が必要と認められた者をいう。

指定都市・特別区－中核市－その他政令市、対象者別

平成29年度

導実人員				
寝たきり者			認知症の者	その他
	(再掲)口腔衛生指導	(再掲)栄養指導		
-	-	-	-	-
-	-	-	-	-
-	-	-	-	6
-	-	-	-	219
1	-	-	9	18
-	-	-	-	-
1	-	-	2	51
-	-	-	-	1
-	-	-	-	25
-	-	-	-	38
-	-	-	-	-
9	-	-	-	-
2	-	-	-	7
-	-	-	-	59
-	-	-	-	-
-	-	-	-	-
2	2	-	1	2
1	-	-	1	135
-	-	-	-	-
1	-	-	28	74
5	-	-	1	11
-	-	-	-	-
-	-	-	-	19
-	-	-	-	-
-	-	-	-	6
-	-	-	-	-
10	1	-	-	46
2	2	-	-	1
1	1	-	-	1
2	-	-	65	28
-	-	-	-	65
-	-	-	-	-
-	-	-	-	-
-	-	-	-	3
7	6	1	4	6
1	-	-	1	77
4	-	-	14	6
-	-	-	-	13
-	-	-	-	14
-	-	-	-	111
-	-	-	2	31
-	-	-	1	10
36	-	-	44	228
2	-	-	8	82
-	-	-	-	3
-	-	-	1	5
-	-	-	-	-
-	-	-	-	-
-	-	-	-	-
-	-	-	-	-
-	-	-	-	-
-	-	-	-	10
-	-	-	-	-
-	-	-	-	-

第13表（4－3） 被訪問指導実人員－延人員，都道府県－

	被	訪	問	指	
	総数	要指導者等[1]	個別健康教育対象者	閉じこもり予防[2]	介護家族者
全国	**266 262**	**152 344**	**3 816**	**12 447**	**9 153**
北海道	25 653	15 750	163	1 148	1 644
青森	6 301	4 901	－	44	116
岩手	8 474	4 290	15	340	78
宮城	4 281	2 031	7	347	25
秋田	3 102	1 658	7	192	121
山形	6 214	3 106	477	561	325
福島	15 527	6 865	220	763	882
茨城	5 310	4 042	12	487	13
栃木	3 108	2 074	23	227	195
群馬	2 923	1 861	2	45	122
埼玉	2 275	1 308	4	433	54
千葉	4 225	1 487	15	190	58
東京	17 295	1 654	14	412	382
神奈川	5 095	2 466	79	129	304
新潟	7 843	5 545	31	63	224
富山	1 990	1 398	2	48	119
石川	1 793	1 647	12	49	－
福井	1 401	1 106	8	－	－
山梨	11 273	4 696	231	302	631
長野	14 881	9 098	342	901	552
岐阜	9 747	8 836	59	49	44
静岡	6 213	4 691	－	178	66
愛知	2 267	858	74	76	228
三重	708	358	23	13	22
滋賀	1 727	821	32	193	6
京都	2 074	484	－	91	69
大阪	4 288	1 013	38	841	493
兵庫	4 750	2 625	19	241	127
奈良	1 257	600	45	85	112
和歌山	3 000	1 630	10	596	116
鳥取	2 048	1 424	15	48	82
島根	3 216	1 963	47	145	93
岡山	5 641	2 042	9	1 247	284
広島	3 508	1 352	103	259	299
山口	2 753	1 742	33	99	173
徳島	5 337	3 961	150	14	1
香川	2 318	1 591	12	140	79
愛媛	2 919	1 697	126	103	116
高知	2 838	893	28	127	176
福岡	6 409	3 715	781	391	40
佐賀	4 220	3 001	168	31	18
長崎	4 956	2 795	112	174	263
熊本	15 010	12 601	17	399	250
大分	3 235	2 596	－	9	26
宮崎	5 562	3 553	－	1	3
鹿児島	6 545	4 291	13	184	91
沖縄	4 752	4 228	238	32	31
指定都市・特別区(再掲)					
東京都区部	16 788	1 600	14	289	344
札幌市	1 097	41	－	16	955
仙台市	1 059	75	－	8	2
さいたま市	7	－	－	－	－
千葉市	458	162	13	20	1
横浜市	330	236	－	－	－
川崎市	86	57	6	1	6
相模原市	73	73	－	－	－
新潟市	536	81	－	3	116
静岡市	463	28	－	1	1
浜松市	212	61	－	25	35
名古屋市	597	105	24	6	208
京都市	－	－	－	－	－
大阪市	2 746	145	－	758	386
堺市	16	－	－	8	8
神戸市	90	20	－	6	14
岡山市	97	64	－	7	－
広島市	205	174	－	－	12
北九州市	1 441	10	605	2	1
福岡市	97	72	－	2	－
熊本市	248	205	3	－	－

指定都市・特別区－中核市－その他政令市、対象者別

平成29年度

導延人員				
寝たきり者	（再掲）口腔衛生指導	（再掲）栄養指導	認知症の者	その他
6 486	2 228	515	8 746	73 270
183	54	20	628	6 137
11	3	7	189	1 040
61	–	10	138	3 552
115	45	2	16	1 740
19	5	3	193	912
400	11	283	426	919
337	64	65	538	5 922
19	12	1	27	710
45	33	12	119	425
1	–	1	9	883
95	19	1	40	341
99	85	1	55	2 321
677	14	3	577	13 579
188	96	43	277	1 652
11	–	–	81	1 888
5	–	–	5	413
–	–	–	2	83
–	–	–	2	285
1 692	–	10	1 306	2 415
1 057	1 011	2	604	2 327
21	–	–	6	732
19	6	4	41	1 218
15	–	1	29	987
1	1	–	22	269
–	–	–	1	674
50	–	–	29	1 351
172	43	12	178	1 553
268	236	2	352	1 118
6	–	–	247	162
25	2	4	148	475
32	–	2	67	380
35	–	–	130	803
74	7	11	648	1 337
481	475	–	184	830
39	–	–	58	609
–	–	–	10	1 201
8	–	2	243	245
2	–	–	32	843
16	–	–	223	1 375
80	–	–	66	1 336
10	5	5	1	991
90	–	–	288	1 234
7	1	–	139	1 597
3	–	–	30	571
8	–	1	13	1 984
7	–	7	283	1 676
2	–	–	46	175
677	14	3	567	13 297
31	…	…	36	18
–	–	–	–	974
–	–	–	–	7
11	1	–	7	244
94	94	42	–	–
1	–	1	6	9
–	–	–	–	–
1	–	–	6	329
12	6	–	–	421
1	–	–	2	88
7	–	–	10	237
–	–	–	–	–
102	8	11	100	1 255
–	–	–	–	–
5	–	–	29	16
–	–	–	–	26
–	–	–	–	19
40	–	–	–	783
5	–	–	5	13
–	–	–	–	40

15(7)－01 訪問指導

第13表（4－4）　被訪問指導実人員－延人員，都道府県－

| | 被 | 訪 | 問 | 指 |
	総　　数	要　指　導　者　等1)	個別健康教育対象者	閉じこもり予防2)	介　護　家　族　者
中核市（再掲）					
旭　川　市	122	122	-	-	-
函　館　市	200	200	-	-	-
青　森　市	27	21	-	-	-
八　戸　市	1 010	761	-	3	-
盛　岡　市	729	428	-	263	4
秋　田　市	-	-	-	-	-
郡　山　市	183	63	-	3	59
い　わ　き　市	108	93	11	2	-
宇　都　宮　市	60	9	-	2	1
前　橋　市	85	47	-	-	-
高　崎　市	-	-	-	-	-
川　越　市	60	27	-	-	-
越　谷　市	53	-	-	-	-
船　橋　市	202	-	-	-	-
柏　　市	-	-	-	-	-
八　王　子　市	-	-	-	-	-
横　須　賀　市	15	-	-	-	10
富　山　市	421	222	-	13	27
金　沢　市	154	154	-	-	-
長　野　市	1 214	1 046	-	4	61
岐　阜　市	636	569	-	10	21
豊　橋　市	3	3	-	-	-
豊　田　市	34	7	-	-	-
岡　崎　市	21	21	-	-	-
大　津　市	21	-	-	4	-
高　槻　市	12	12	-	-	-
東　大　阪　市	519	299	-	2	76
豊　中　市	45	1	19	-	-
枚　方　市	57	22	2	31	-
姫　路　市	299	8	-	-	-
西　宮　市	152	-	-	-	-
尼　崎　市	-	-	-	-	-
奈　良　市	8	6	-	2	-
和　歌　山　市	7	4	-	-	-
倉　敷　市	95	44	-	10	18
福　山　市	212	43	-	-	3
呉　　市	455	309	-	86	21
下　関　市	57	-	-	2	40
高　松　市	231	166	-	3	37
松　山　市	133	-	-	2	-
高　知　市	246	70	-	3	-
久　留　米　市	49	17	4	16	-
長　崎　市	912	108	112	117	99
佐　世　保　市	320	-	-	7	129
大　分　市	166	163	-	-	-
宮　崎　市	295	286	-	1	-
鹿　児　島　市	797	795	-	1	1
那　覇　市	11	11	-	-	-
その他政令市（再掲）					
小　樽　市	6	6	-	-	-
町　田　市	-	-	-	-	-
藤　沢　市	-	-	-	-	-
茅　ヶ　崎　市	10	-	-	-	-
四　日　市　市	-	-	-	-	-
大　牟　田　市	179	179	-	-	-

注：1)　「要指導者等」とは、生活習慣病改善のための指導を行った者をいう。
　　2)　「閉じこもり予防」とは、介護予防の観点から支援が必要な者で、健康管理上訪問指導が必要と認められた者をいう。

指定都市・特別区－中核市－その他政令市、対象者別

平成29年度

導	延	人	員	
寝たきり者	(再掲)口腔衛生指導	(再掲)栄養指導	認知症の者	その他
-	-	-	-	-
-	-	-	-	-
-	-	-	-	6
-	-	-	-	246
1	-	-	14	19
-	-	-	-	-
1	-	-	3	54
-	-	-	-	2
-	-	-	-	48
-	-	-	-	38
-	-	-	-	-
33	-	-	-	-
22	-	-	-	31
-	-	-	-	202
-	-	-	-	-
-	-	-	-	-
2	2	-	1	2
5	-	-	1	153
-	-	-	-	-
1	-	-	28	74
15	-	-	1	20
-	-	-	-	-
-	-	-	-	27
-	-	-	-	-
-	-	-	-	17
-	-	-	-	-
35	1	-	-	107
23	23	-	-	2
1	1	-	-	1
2	-	-	234	55
-	-	-	-	152
-	-	-	-	-
-	-	-	-	-
-	-	-	-	3
9	6	3	5	9
1	-	-	4	161
4	-	-	27	8
-	-	-	-	15
-	-	-	-	25
-	-	-	-	131
-	-	-	8	165
-	-	-	1	11
61	-	-	87	328
27	-	-	14	143
-	-	-	-	3
-	-	-	1	7
-	-	-	-	-
-	-	-	-	-
-	-	-	-	-
-	-	-	-	-
-	-	-	-	-
-	-	-	-	10
-	-	-	-	-
-	-	-	-	-

15(7)−02 訪問指導

第14表　訪問指導従事者延人員，都道府県

	総　数	医　師	保　健　師	看　護　師	管理栄養士及び栄養士	歯科衛生士	そ　の　他
全　　　国	198 218	23	150 445	20 331	19 986	2 809	4 624
北　海　道	16 662	-	14 802	74	1 661	73	52
青　　森	3 821	-	3 201	348	265	2	5
岩　　手	4 267	-	2 755	724	307	16	465
宮　　城	3 629	3	1 901	815	518	168	224
秋　　田	1 911	-	1 668	74	36	-	133
山　　形	4 043	-	3 767	225	27	24	-
福　　島	14 950	-	9 903	3 419	964	362	302
茨　　城	4 184	2	3 323	405	439	14	1
栃　　木	2 796	1	1 815	834	116	7	23
群　　馬	2 126	1	1 708	75	306	11	25
埼　　玉	2 081	3	1 608	131	237	4	98
千　　葉	2 897	-	2 440	120	185	57	95
東　　京	18 452	4	17 693	288	24	37	406
神　奈　川	3 347	-	2 220	160	720	153	94
新　　潟	6 033	-	4 660	445	795	-	133
富　　山	1 662	-	978	161	191	330	2
石　　川	1 782	-	1 403	10	369	-	-
福　　井	770	-	522	115	133	-	-
山　　梨	6 779	-	6 685	14	19	3	58
長　　野	9 753	-	7 241	356	1 439	472	245
岐　　阜	6 159	-	5 372	61	672	-	54
静　　岡	3 714	-	2 420	130	865	16	283
愛　　知	1 991	-	1 909	49	16	4	13
三　　重	631	-	454	106	27	1	43
滋　　賀	1 321	-	1 293	5	16	-	7
京　　都	969	-	802	31	70	-	66
大　　阪	4 117	-	2 030	1 663	164	180	80
兵　　庫	3 663	-	3 032	6	153	225	247
奈　　良	797	-	618	146	10	3	20
和　歌　山	2 412	1	2 312	58	33	-	8
鳥　　取	1 606	-	1 099	282	207	-	18
島　　根	2 635	4	2 537	13	64	-	17
岡　　山	4 883	-	4 674	76	76	-	57
広　　島	3 300	-	2 572	93	56	498	81
山　　口	1 769	-	1 527	133	101	-	8
徳　　島	2 539	-	2 012	48	466	-	13
香　　川	2 046	-	1 554	233	122	-	137
愛　　媛	1 863	-	1 557	121	106	19	60
高　　知	1 622	-	1 493	19	66	-	44
福　　岡	4 486	-	2 546	702	940	-	298
佐　　賀	2 870	-	2 000	439	431	-	-
長　　崎	5 324	-	2 982	838	1 249	109	146
熊　　本	8 363	1	5 020	1 606	1 731	-	5
大　　分	2 317	-	1 211	659	443	-	4
宮　　崎	5 533	-	2 070	1 723	1 728	12	-
鹿　児　島	3 861	-	2 410	1 048	380	9	14
沖　　縄	5 482	3	2 646	1 250	1 043	-	540
指定都市・特別区（再掲）							
東京都区部	17 573	-	17 024	267	5	36	241
札　幌　市	204	-	204	-	-	-	-
仙　台　市	1 007	3	310	418	49	3	224
さいたま市	11	-	11	-	-	-	-
千　葉　市	458	-	371	32	2	1	52
横　浜　市	330	-	194	-	42	94	-
川　崎　市	146	-	86	-	52	8	-
相模原市	73	-	72	-	1	-	-
新　潟　市	315	-	314	1	-	-	-
静　岡　市	230	-	214	-	1	6	9
浜　松　市	212	-	205	-	7	-	-
名古屋市	597	-	597	-	-	-	-
京　都　市	-	-	-	-	-	-	-
大　阪　市	2 746	-	1 038	1 456	108	144	-
堺　　市	17	-	17	-	-	-	-
神　戸　市	108	-	108	-	-	-	-
岡　山　市	93	-	93	-	-	-	-
広　島　市	205	-	150	48	7	-	-
北九州市	559	-	301	192	18	-	48
福　岡　市	87	-	82	5	-	-	-
熊　本　市	247	-	146	53	47	-	1

－指定都市・特別区－中核市－その他政令市、職種別

平成29年度

	総　　数	医　　師	保　健　師	看　護　師	管 理 栄 養 士 及 び 栄 養 士	歯 科 衛 生 士	そ　の　他
中核市（再掲）							
旭　川　市	105	－	104	－	1	－	－
函　館　市	200	－	200	－	－	－	－
青　森　市	28	－	27	－	1	－	－
八　戸　市	438	－	30	326	82	－	－
盛　岡　市	339	－	275	62	2	－	－
秋　田　市	－	－	－	－	－	－	－
郡　山　市	163	－	155	3	4	－	1
い わ き 市	91	－	91	－	－	－	－
宇 都 宮 市	65	－	64	1	－	－	－
前　橋　市	75	－	66	－	8	－	1
高　崎　市	－	－	－	－	－	－	－
川　越　市	60	－	60	－	－	－	－
越　谷　市	53	－	31	－	－	－	22
船　橋　市	185	－	183	－	1	1	－
柏　　　市	－	－	－	－	－	－	－
八 王 子 市	－	－	－	－	－	－	－
横 須 賀 市	16	－	13	－	－	1	2
富　山　市	482	－	372	62	48	－	－
金　沢　市	530	－	530	－	－	－	－
長　野　市	375	－	178	－	194	2	1
岐　阜　市	660	－	629	－	－	－	31
豊　橋　市	3	－	3	－	－	－	－
豊　田　市	25	－	25	－	－	－	－
岡　崎　市	21	－	21	－	－	－	－
大　津　市	21	－	21	－	－	－	－
高　槻　市	12	－	12	－	－	－	－
東 大 阪 市	372	－	205	167	－	－	－
豊　中　市	48	－	22	－	3	23	－
枚　方　市	57	－	23	－	3	1	30
姫　路　市	322	－	206	－	1	－	115
西　宮　市	152	－	152	－	－	－	－
尼　崎　市	－	－	－	－	－	－	－
奈　良　市	8	－	6	－	－	－	2
和 歌 山 市	7	－	7	－	－	－	－
倉　敷　市	68	－	68	－	－	－	－
福　山　市	276	－	199	－	－	－	77
呉　　　市	455	－	455	－	－	－	－
下　関　市	68	－	60	－	－	－	8
高　松　市	304	－	52	－	115	－	137
松　山　市	95	－	95	－	－	－	－
高　知　市	278	－	263	－	11	－	4
久 留 米 市	49	－	49	－	－	－	－
長　崎　市	1 049	－	802	－	114	－	133
佐 世 保 市	235	－	224	11	－	－	－
大　分　市	242	－	82	158	2	－	－
宮　崎　市	307	－	140	139	16	12	－
鹿 児 島 市	125	－	25	100	－	－	－
那　覇　市	11	－	11	－	－	－	－
その他政令市（再掲）							
小　樽　市	6	－	6	－	－	－	－
町　田　市	－	－	－	－	－	－	－
藤　沢　市	－	－	－	－	－	－	－
茅 ヶ 崎 市	2	－	2	－	－	－	－
四 日 市 市	－	－	－	－	－	－	－
大 牟 田 市	59	－	－	59	－	－	－

15(8)－01 がん検診 胃がん

第15－1表（6－1） 胃がん検診受診者数，胃部エックス線検査，都道府県

	総						
	総数					集団	
	総数	40～49歳	50～59歳	60～69歳	70歳以上	総数	40～49歳
全国	3 040 310	442 650	421 278	1 018 968	1 157 414	2 273 669	318 113
北海道	144 565	17 462	20 709	50 525	55 869	107 899	11 353
青森	93 524	9 279	12 744	33 006	38 495	74 764	7 453
岩手	78 357	7 373	10 074	27 307	33 603	72 924	6 748
宮城	144 850	15 998	18 483	49 985	60 384	143 497	15 926
秋田	46 139	4 078	7 994	16 366	17 701	43 961	3 863
山形	84 720	7 247	10 845	34 850	31 778	83 002	7 118
福島	58 673	5 554	7 610	24 166	21 343	46 218	3 975
茨城	78 046	11 358	11 019	27 050	28 619	76 529	11 170
栃木	85 089	13 757	13 045	30 977	27 310	83 482	13 438
群馬	40 082	6 732	5 866	13 284	14 200	34 134	5 727
埼玉	108 401	17 372	14 667	35 316	41 046	73 545	11 074
千葉	189 413	30 866	24 894	56 389	77 264	141 291	23 611
東京	214 784	55 682	41 091	58 198	59 813	118 738	30 446
神奈川	112 480	20 119	14 967	32 326	45 068	36 688	6 338
新潟	99 476	9 231	11 193	35 841	43 211	87 154	8 756
富山	32 227	3 625	3 414	10 328	14 860	23 995	2 928
石川	28 342	3 731	3 642	9 769	11 200	26 295	3 645
福井	8 914	934	1 090	3 054	3 836	8 093	751
山梨	33 868	5 919	5 583	11 388	10 978	26 968	5 240
長野	42 228	6 825	5 912	13 809	15 682	41 606	6 744
岐阜	54 587	8 304	7 637	19 898	18 748	45 676	6 947
静岡	91 776	13 489	13 160	30 505	34 622	56 066	7 800
愛知	243 868	38 189	29 837	70 649	105 193	69 446	13 409
三重	34 269	4 712	4 443	12 245	12 869	21 788	3 284
滋賀	22 416	3 597	2 991	8 287	7 541	20 919	3 297
京都	31 893	5 136	5 058	10 552	11 147	31 870	5 134
大阪	130 171	23 935	20 158	41 041	45 037	73 647	14 307
兵庫	89 398	14 176	11 708	30 755	32 759	84 890	13 150
奈良	29 113	4 246	3 822	9 528	11 517	22 100	3 439
和歌山	17 478	2 412	3 250	6 711	5 105	14 769	2 162
鳥取	11 776	1 616	1 679	4 245	4 236	9 751	1 409
島根	9 593	807	794	2 941	5 051	9 432	716
岡山	41 516	1 742	4 437	13 703	21 634	23 145	1 474
広島	57 610	8 744	6 519	19 869	22 478	33 853	4 248
山口	17 535	2 112	1 754	5 713	7 956	11 559	1 412
徳島	16 936	2 160	1 924	5 959	6 893	15 115	1 936
香川	30 219	4 944	3 817	9 910	11 548	25 218	4 314
愛媛	39 297	3 996	5 328	13 958	16 015	39 172	3 984
高知	25 834	2 706	3 153	9 091	10 884	25 758	2 696
福岡	91 677	14 241	13 263	34 888	29 285	84 592	12 939
佐賀	24 280	3 318	3 952	10 414	6 596	24 180	3 315
長崎	16 689	1 958	2 407	6 175	6 149	13 421	1 385
熊本	52 291	6 813	7 398	19 565	18 515	49 108	6 449
大分	32 861	3 281	3 676	11 846	14 058	25 398	2 024
宮崎	18 393	1 383	2 338	6 760	7 912	17 220	1 306
鹿児島	59 035	6 687	7 689	21 003	23 656	59 027	6 685
沖縄	25 621	4 804	4 244	8 823	7 750	15 766	2 588
指定都市・特別区（再掲）							
東京都区部	154 990	45 359	32 662	39 234	37 735	70 568	20 489
札幌市	34 272	4 077	4 620	12 037	13 538	13 971	977
仙台市	47 358	5 737	6 080	14 769	20 772	47 358	5 737
さいたま市	19 679	3 243	2 582	5 380	8 474		
千葉市	37 819	6 373	4 614	9 783	17 049	5 624	1 689
横浜市	44 685	8 576	6 315	13 677	16 117	2 790	346
川崎市	10 244	1 809	1 576	2 789	4 070	－	－
相模原市	11 284	2 060	1 477	3 018	4 729	3 023	795
新潟市	22 105	2 127	2 548	8 448	8 982	9 783	1 652
静岡市	11 127	1 581	1 557	3 867	4 122	9 843	1 545
浜松市	13 656	2 275	2 302	4 536	4 543	700	23
名古屋市	41 470	10 013	6 308	10 923	14 226	2 480	828
京都市	3 370	－	819	1 241	1 310	3 370	
大阪市	25 555	5 541	4 208	7 288	8 518	10 280	2 373
堺市	3 979	－	527	1 257	2 195	3 061	－
神戸市	18 379	4 447	2 160	5 433	6 339	18 379	4 447
岡山市	10 764		1 354	3 303	6 107	1 955	
広島市	21 356	4 788	2 677	6 472	7 419	5 252	1 145
北九州市	6 464	1 185	974	2 368	1 937	2 655	450
福岡市	9 501	2 103	1 712	3 389	2 297	7 397	1 659
熊本市	8 952	1 179	1 117	3 394	3 262	8 952	1 179

－指定都市・特別区－中核市－その他政令市、検診回数・検診方式・年齢階級別

平成29年度

数								
検診			個別検診					
50 ～ 59 歳	60 ～ 69 歳	70 歳 以 上	総 数	40 ～ 49 歳	50 ～ 59 歳	60 ～ 69 歳	70 歳 以 上	
316 327	**788 814**	**850 415**	**766 641**	**124 537**	**104 951**	**230 154**	**306 999**	
14 158	37 248	45 140	36 666	6 109	6 551	13 277	10 729	
10 611	27 299	29 401	18 760	1 826	2 133	5 707	9 094	
9 435	25 717	31 024	5 433	625	639	1 590	2 579	
18 361	49 303	59 907	1 353	72	122	682	477	
7 723	15 428	16 947	2 178	215	271	938	754	
10 663	34 152	31 069	1 718	129	182	698	709	
5 820	19 415	17 008	12 455	1 579	1 790	4 751	4 335	
10 784	26 550	28 025	1 517	188	235	500	594	
12 790	30 563	26 691	1 607	319	255	414	619	
4 895	11 503	12 009	5 948	1 005	971	1 781	2 191	
9 664	25 577	27 230	34 856	6 298	5 003	9 739	13 816	
19 422	43 820	54 438	48 122	7 255	5 472	12 569	22 826	
24 134	33 463	30 695	96 046	25 236	16 957	24 735	29 118	
4 771	10 910	14 669	75 792	13 781	10 196	21 416	30 399	
9 884	30 941	37 573	12 322	475	1 309	4 900	5 638	
2 643	8 078	10 346	8 232	697	771	2 250	4 514	
3 375	8 722	10 553	2 047	86	267	1 047	647	
970	2 776	3 596	821	183	120	278	240	
4 775	8 804	8 149	6 900	679	808	2 584	2 829	
5 803	13 571	15 488	622	81	109	238	194	
6 500	16 667	15 562	8 911	1 357	1 137	3 231	3 186	
7 691	19 632	20 943	35 710	5 689	5 469	10 873	13 679	
9 670	21 996	24 371	174 422	24 780	20 167	48 653	80 822	
2 995	7 767	7 742	12 481	1 428	1 448	4 478	5 127	
2 770	7 740	7 112	1 497	300	221	547	429	
5 055	10 545	11 136	23	2	3	7	11	
12 045	23 832	23 463	56 524	9 628	8 113	17 209	21 574	
10 869	29 283	31 588	4 508	1 026	839	1 472	1 171	
3 013	7 706	7 942	7 013	807	809	1 822	3 575	
2 726	5 674	4 207	2 709	250	524	1 037	898	
1 440	3 513	3 389	2 025	207	239	732	847	
780	2 909	5 027	161	91	14	32	24	
2 175	7 659	11 837	18 371	268	2 262	6 044	9 797	
3 525	11 859	14 221	23 757	4 496	2 994	8 010	8 257	
1 205	4 110	4 832	5 976	700	549	1 603	3 124	
1 735	5 271	6 173	1 821	224	189	688	720	
3 234	8 159	9 511	5 001	630	583	1 751	2 037	
5 312	13 894	15 982	125	12	16	64	33	
3 141	9 065	10 856	76	10	12	26	28	
12 091	32 307	27 255	7 085	1 302	1 172	2 581	2 030	
3 943	10 390	6 532	100	3	9	24	64	
1 924	5 056	5 056	3 268	573	483	1 119	1 093	
6 897	18 274	17 488	3 183	364	501	1 291	1 027	
2 606	8 890	11 878	7 463	1 257	1 070	2 956	2 180	
2 141	6 314	7 459	1 173	77	197	446	453	
7 688	21 001	23 653	8	2	1	2	3	
2 475	5 461	5 242	9 855	2 216	1 769	3 362	2 508	
15 931	18 888	15 260	84 422	24 870	16 731	20 346	22 475	
1 096	4 635	7 263	20 301	3 100	3 524	7 402	6 275	
6 080	14 769	20 772	–	–	–	–	–	
–	–	–	19 679	3 243	2 582	5 380	8 474	
946	1 611	1 378	32 195	4 684	3 668	8 172	15 671	
267	811	1 366	41 895	8 230	6 048	12 866	14 751	
–	–	–	10 244	1 809	1 576	2 789	4 070	
569	888	771	8 261	1 265	908	2 130	3 958	
1 239	3 548	3 344	12 322	475	1 309	4 900	5 638	
1 495	3 584	3 219	1 284	36	62	283	903	
74	223	380	12 956	2 252	2 228	4 313	4 163	
461	637	554	38 990	9 185	5 847	10 286	13 672	
819	1 241	1 310	–	–	–	–	–	
1 605	2 999	3 303	15 275	3 168	2 603	4 289	5 215	
363	917	1 781	918	–	164	340	414	
2 160	5 433	6 339	–	–	–	–	–	
234	667	1 054	8 809	–	1 120	2 636	5 053	
491	1 494	2 122	16 104	3 643	2 186	4 978	5 297	
343	908	954	3 809	735	631	1 460	983	
1 294	2 675	1 769	2 104	444	418	714	528	
1 117	3 394	3 262	–	–	–	–	–	

15(8)-01 がん検診 胃がん

第15-1表 (6-2) 胃がん検診受診者数，胃部エックス線検査，都道府県

	総						
	総 数					集 団	
	総　数	40 ～ 49 歳	50 ～ 59 歳	60 ～ 69 歳	70 歳 以 上	総　数	40 ～ 49 歳
中核市(再掲)							
旭 川 市	8 488	796	1 114	3 193	3 385	8 488	796
函 館 市	2 751	406	430	1 089	826	1 790	178
青 森 市	13 676	1 471	1 554	4 609	6 042	4 539	634
八 戸 市	14 925	999	1 499	5 300	7 127	14 618	999
盛 岡 市	8 414	1 009	1 103	2 655	3 647	3 001	389
秋 田 市	4 918	422	1 331	1 480	1 685	4 918	422
郡 山 市	2 927	456	486	1 206	779	431	44
い わ き 市	3 215	334	384	1 320	1 177	2 297	212
宇 都 宮 市	11 549	2 366	2 030	4 180	2 973	10 634	2 113
前 橋 市	5 676	1 022	868	1 883	1 903	1 866	382
高 崎 市	3 872	789	416	1 020	1 647	3 872	789
川 越 市	2 285	463	331	813	678	2 285	463
越 谷 市	305	45	42	92	126	–	–
船 橋 市	4 629	1 376	664	1 136	1 453	1 353	395
柏 市	9 623	1 311	1 165	2 950	4 197	9 530	1 310
八 王 子 市	7 555	1 395	1 174	2 268	2 718	7 555	1 395
横 須 賀 市	–	–	–	–	–	–	–
富 山 市	13 105	1 633	1 461	3 884	6 127	9 055	1 231
金 沢 市	3 876	612	730	1 583	951	2 234	612
長 野 市	3 638	478	458	1 147	1 555	3 638	478
岐 阜 市	3 757	686	552	1 420	1 099	3 757	686
豊 橋 市	6 060	1 348	784	1 380	2 548	1 535	399
豊 田 市	16 179	1 819	1 919	5 759	6 682	–	–
岡 崎 市	18 495	3 092	2 476	6 364	6 563	18 247	3 084
大 津 市	2 646	599	256	905	886	2 646	599
高 槻 市	7 595	1 563	1 125	2 455	2 452	2 516	568
東 大 阪 市	15 283	2 625	2 114	4 714	5 830	–	–
豊 中 市	4 535	752	708	1 331	1 744	2 216	385
枚 方 市	4 484	776	608	1 550	1 550	–	–
姫 路 市	6 457	737	1 274	2 475	1 971	5 831	681
西 宮 市	5 664	1 001	809	1 668	2 186	5 664	1 001
尼 崎 市	3 830	1 196	566	1 075	993	1 539	577
奈 良 市	2 513	291	245	870	1 107	2 513	291
和 歌 山 市	986	–	242	415	329	514	–
倉 敷 市	7 827	–	968	3 214	3 645	724	–
福 山 市	6 546	764	730	2 372	2 680	4 212	446
呉 市	3 609	434	370	1 424	1 381	3 601	434
下 関 市	557	–	41	230	286	308	–
高 松 市	7 115	1 415	787	2 261	2 652	7 016	1 415
松 山 市	7 674	–	1 084	2 935	3 655	7 674	–
高 知 市	5 384	926	834	2 120	1 504	5 384	926
久 留 米 市	4 013	692	608	1 450	1 263	4 013	692
長 崎 市	736	84	88	315	249	547	34
佐 世 保 市	1 148	178	191	475	304	875	131
大 分 市	5 476	1 034	797	1 881	1 764	1 787	74
宮 崎 市	2 886	–	492	1 282	1 112	2 171	–
鹿 児 島 市	10 805	1 438	1 199	3 489	4 679	10 805	1 438
那 覇 市	3 881	919	777	1 261	924	503	152
その他政令市(再掲)							
小 樽 市	1 618	127	177	533	781	1 533	118
町 田 市	–	–	–	–	–	–	–
藤 沢 市	7 393	1 332	893	1 652	3 516	–	–
茅 ヶ 崎 市	6 265	1 085	697	1 613	2 870	993	316
四 日 市 市	5 740	840	740	1 943	2 217	2 880	313
大 牟 田 市	1 042	188	148	416	290	1 042	188

注：検診回数の初回・非初回については、計数不詳の市区町村があるため、総数と一致しない場合がある。

－指定都市・特別区－中核市－その他政令市、検診回数・検診方式・年齢階級別

平成29年度

数							
検　　診			個　　別　　検　　診				
50 ～ 59 歳	60 ～ 69 歳	70 歳 以 上	総　　数	40 ～ 49 歳	50 ～ 59 歳	60 ～ 69 歳	70 歳 以 上
1 114	3 193	3 385	–	–	–	–	–
214	752	646	961	228	216	337	180
741	1 987	1 177	9 137	837	813	2 622	4 865
1 499	5 250	6 870	307	–	–	50	257
467	1 069	1 076	5 413	620	636	1 586	2 571
1 331	1 480	1 685	–	–	–	–	–
42	165	180	2 496	412	444	1 041	599
239	943	903	918	122	145	377	274
1 837	3 946	2 738	915	253	193	234	235
259	711	514	3 810	640	609	1 172	1 389
416	1 020	1 647	–	–	–	–	–
331	813	678	–	–	–	–	–
–	–	–	305	45	42	92	126
236	314	408	3 276	981	428	822	1 045
1 165	2 949	4 106	93	1	–	1	91
1 174	2 268	2 718	–	–	–	–	–
1 049	2 838	3 937	4 050	402	412	1 046	2 190
484	642	496	1 642	–	246	941	455
458	1 147	1 555	–	–	–	–	–
552	1 420	1 099	–	–	–	–	–
281	350	505	4 525	949	503	1 030	2 043
–	–	–	16 179	1 819	1 919	5 759	6 682
2 468	6 340	6 355	248	8	8	24	208
256	905	886	–	–	–	–	–
377	908	663	5 079	995	748	1 547	1 789
–	–	–	15 283	2 625	2 114	4 714	5 830
361	668	802	2 319	367	347	663	942
–	–	–	4 484	776	608	1 550	1 550
1 016	2 185	1 949	626	56	258	290	22
809	1 668	2 186	–	–	–	–	–
212	373	377	2 291	619	354	702	616
245	870	1 107	–	–	–	–	–
126	220	168	472	–	116	195	161
124	600	–	7 103	–	844	2 614	3 645
483	1 598	1 685	2 334	318	247	774	995
370	1 422	1 375	8	–	–	2	6
15	118	175	249	–	26	112	111
756	2 193	2 652	99	–	31	68	–
1 084	2 935	3 655	–	–	–	–	–
834	2 120	1 504	–	–	–	–	–
608	1 450	1 263	–	–	–	–	–
49	245	219	189	50	39	70	30
154	387	203	273	47	37	88	101
131	568	1 014	3 689	960	666	1 313	750
359	981	831	715	–	133	301	281
1 199	3 489	4 679	–	–	–	–	–
129	159	63	3 378	767	648	1 102	861
166	498	751	85	9	11	35	30
–	–	–	–	–	–	–	–
–	–	–	7 393	1 332	893	1 652	3 516
145	277	255	5 272	769	552	1 336	2 615
405	918	1 244	2 860	527	335	1 025	973
148	416	290	–	–	–	–	–

第15－１表（6－3） 胃がん検診受診者数，胃部エックス線検査，都道府県

	初						
	総数					集団	
	総数	40 ～ 49 歳	50 ～ 59 歳	60 ～ 69 歳	70 歳 以 上	総数	40 ～ 49 歳
全国	**615 598**	**169 027**	**102 008**	**199 877**	**144 686**	**428 513**	**118 597**
北海道	47 020	7 865	6 851	16 399	15 905	29 966	4 377
青森	14 745	3 384	2 595	5 135	3 631	10 935	2 466
岩手	6 448	1 747	1 171	2 038	1 492	5 691	1 568
宮城	19 213	4 450	3 176	7 004	4 583	19 060	4 437
秋田	7 150	1 232	2 222	2 267	1 429	6 780	1 143
山形	6 742	1 462	1 145	2 758	1 377	6 648	1 446
福島	9 936	2 017	1 585	4 160	2 174	7 319	1 411
茨城	15 394	4 059	2 527	5 370	3 438	14 785	3 941
栃木	16 377	5 269	2 870	5 454	2 784	15 846	5 102
群馬	8 238	2 632	1 410	2 512	1 684	6 742	2 186
埼玉	21 821	6 226	3 565	7 131	4 899	17 575	4 927
千葉	29 786	9 396	4 697	9 065	6 628	20 396	7 181
東京	47 039	18 277	10 005	11 593	7 164	28 118	10 864
神奈川	39 591	10 957	6 173	10 790	11 671	8 123	2 785
新潟	16 166	3 612	2 302	6 225	4 027	13 589	3 150
富山	3 286	775	493	1 160	858	2 490	644
石川	5 844	1 577	964	1 921	1 382	5 126	1 535
福井	2 956	601	408	1 018	929	2 539	453
山梨	4 467	1 363	822	1 494	788	3 676	1 174
長野	8 301	2 217	1 347	2 658	2 079	8 100	2 188
岐阜	10 425	3 121	1 736	3 718	1 850	8 594	2 601
静岡	16 939	4 592	2 840	5 781	3 726	9 594	2 586
愛知	52 631	16 879	8 036	14 835	12 881	15 818	6 016
三重	6 951	1 776	1 006	2 446	1 723	4 374	1 186
滋賀	6 062	1 873	911	2 004	1 274	5 389	1 672
京都	6 011	2 016	846	1 813	1 336	6 001	2 015
大阪	39 274	12 368	7 239	11 691	7 976	23 237	7 757
兵庫	21 282	6 933	3 396	6 825	4 128	19 346	6 268
奈良	7 969	2 167	1 272	2 594	1 936	6 134	1 734
和歌山	3 862	884	824	1 414	740	3 023	764
鳥取	2 400	732	421	830	417	1 929	629
島根	2 666	438	287	930	1 011	2 550	367
岡山	8 525	772	1 338	3 473	2 942	4 208	602
広島	12 822	3 415	1 607	4 276	3 524	6 467	1 746
山口	4 130	1 051	488	1 355	1 236	2 426	645
徳島	3 879	876	524	1 340	1 139	3 403	762
香川	5 788	1 753	831	1 846	1 358	4 791	1 520
愛媛	5 863	1 263	1 014	2 116	1 470	5 848	1 261
高知	4 861	1 142	750	1 812	1 157	4 839	1 139
福岡	16 350	4 555	2 673	5 945	3 177	16 099	4 509
佐賀	5 196	1 400	910	2 130	756	5 172	1 398
長崎	3 490	848	639	1 238	765	2 696	583
熊本	10 932	2 728	1 688	4 080	2 436	10 145	2 605
大分	4 821	899	669	1 832	1 421	4 142	774
宮崎	3 876	545	649	1 490	1 192	3 410	492
鹿児島	11 245	2 936	1 778	3 840	2 691	11 244	2 935
沖縄	6 828	1 947	1 308	2 071	1 502	4 130	1 053
指定都市・特別区(再掲)							
東京都区部	29 953	12 636	6 479	6 559	4 279	12 868	5 407
札幌市	26 515	3 208	3 478	9 144	10 685	13 609	954
仙台市	6 456	1 535	995	2 223	1 703	6 456	1 535
さいたま市	…	…	…	…	…	-	-
千葉市	7 799	2 139	1 177	2 236	2 247	1 106	499
横浜市	15 306	4 830	2 609	4 380	3 487	820	183
川崎市	10 244	1 809	1 576	2 789	4 070	-	-
相模原市	3 147	949	469	809	920	850	413
新潟市	4 565	1 128	733	1 780	924	1 988	666
静岡市	2 644	619	428	925	672	2 389	599
浜松市	2 833	799	465	930	639	53	5
名古屋市	14 168	5 338	2 361	3 360	3 109	1 300	531
京都市	-	-	-	-	-	-	-
大阪市	7 962	2 888	1 448	1 967	1 659	3 410	1 373
堺市	1 359	-	287	531	541	898	-
神戸市	5 710	2 764	678	1 429	839	5 710	2 764
岡山市	2 524	-	525	1 097	902	432	-
広島市	5 424	1 711	670	1 344	1 699	1 198	460
北九州市	…	…	…	…	…	…	…
福岡市	-	-	-	-	-	-	-
熊本市	2 745	677	404	1 080	584	2 745	677

－指定都市・特別区－中核市－その他政令市、検診回数・検診方式・年齢階級別

平成29年度

回

検　診			個　別　検　診				
50 ～ 59 歳	60 ～ 69 歳	70 歳 以 上	総　数	40 ～ 49 歳	50 ～ 59 歳	60 ～ 69 歳	70 歳 以 上
71 265	143 825	94 826	187 085	50 430	30 743	56 052	49 860
3 719	10 430	11 440	17 054	3 488	3 132	5 969	4 465
2 011	3 962	2 496	3 810	918	584	1 173	1 135
1 075	1 827	1 221	757	179	96	211	271
3 159	6 917	4 547	153	13	17	87	36
2 141	2 133	1 363	370	89	81	134	66
1 141	2 712	1 349	94	16	4	46	28
1 137	3 066	1 705	2 617	606	448	1 094	469
2 407	5 152	3 285	609	118	120	218	153
2 764	5 330	2 650	531	167	106	124	134
1 122	2 048	1 386	1 496	446	288	464	298
2 808	6 032	3 808	4 246	1 299	757	1 099	1 091
3 357	6 314	3 544	9 390	2 215	1 340	2 751	3 084
6 357	7 080	3 817	18 921	7 413	3 648	4 513	3 347
1 210	2 128	2 000	31 468	8 172	4 963	8 662	9 671
1 825	5 149	3 465	2 577	462	477	1 076	562
394	877	575	796	131	99	283	283
804	1 647	1 140	718	42	160	274	242
368	887	831	417	148	40	131	98
683	1 173	646	791	189	139	321	142
1 298	2 583	2 031	201	29	49	75	48
1 467	3 021	1 505	1 831	520	269	697	345
1 600	3 486	1 922	7 345	2 006	1 240	2 295	1 804
2 554	4 539	2 709	36 813	10 863	5 482	10 296	10 172
644	1 512	1 032	2 577	590	362	934	691
797	1 813	1 107	673	201	114	191	167
846	1 810	1 330	10	1	–	3	6
4 551	7 081	3 848	16 037	4 611	2 688	4 610	4 128
2 947	6 226	3 905	1 936	665	449	599	223
971	2 056	1 373	1 835	433	301	538	563
620	1 098	541	839	120	204	316	199
349	641	310	471	103	72	189	107
278	908	997	116	71	9	22	14
542	1 604	1 460	4 317	170	796	1 869	1 482
813	2 356	1 552	6 355	1 669	794	1 920	1 972
303	885	593	1 704	406	185	470	643
473	1 173	995	476	114	51	167	144
692	1 483	1 096	997	233	139	363	262
1 012	2 106	1 469	15	2	2	10	1
749	1 800	1 151	22	3	1	12	6
2 637	5 844	3 109	251	46	36	101	68
905	2 121	748	24	2	5	9	8
504	991	618	794	265	135	247	147
1 566	3 796	2 178	787	123	122	284	258
571	1 556	1 241	679	125	98	276	180
549	1 317	1 052	466	53	100	173	140
1 778	3 840	2 691	1	1	–	–	–
767	1 315	995	2 698	894	541	756	507
2 908	3 047	1 506	17 085	7 229	3 571	3 512	2 773
1 071	4 502	7 082	12 906	2 254	2 407	4 642	3 603
995	2 223	1 703	–	–	…	…	…
214	269	124	6 693	1 640	963	1 967	2 123
90	205	342	14 486	4 647	2 519	4 175	3 145
–	–	–	10 244	1 809	1 576	2 789	4 070
172	180	85	2 297	536	297	629	835
256	704	362	2 577	462	477	1 076	562
411	864	515	255	20	17	61	157
6	18	24	2 780	794	459	912	615
* 250	318	201	12 868	4 807	2 111	3 042	2 908
–	–	–	–	–	–	–	–
625	850	562	4 552	1 515	823	1 117	1 097
182	354	362	461	–	105	177	179
678	1 429	839	–	–	–	–	–
70	180	182	2 092	–	455	917	720
136	294	308	4 226	1 251	534	1 050	1 391
…	…	…	…	…	…	…	…
–	–	–	–	–	–	–	–
404	1 080	584	–	–	–	–	–

第15－1表（6－4） 胃がん検診受診者数，胃部エックス線検査，都道府県

	初						
	総数					集団	
	総数	40 ～ 49 歳	50 ～ 59 歳	60 ～ 69 歳	70 歳 以 上	総数	40 ～ 49 歳
中核市（再掲）							
旭川市	1 762	294	293	670	505	1 762	294
函館市	804	192	142	304	166	454	84
青森市	2 947	797	430	948	772	1 060	279
八戸市	2 180	350	300	900	630	2 111	350
盛岡市	1 116	273	154	324	365	361	94
秋田市	1 412	179	604	377	252	1 412	179
郡山市	858	224	171	340	123	93	19
いわき市	841	119	111	377	234	553	71
宇都宮市	3 449	1 199	735	1 075	440	3 120	1 072
前橋市	1 247	401	205	403	238	467	160
高崎市	923	330	130	227	236	923	330
川越市	442	186	68	127	61	442	186
越谷市	90	26	10	19	35	－	－
船橋市	－	－	－	－	－	－	－
柏市	1 720	463	281	722	254	1 708	462
八王子市	1 809	623	431	482	273	1 809	623
横須賀市	－	－	－	－	－	－	－
富山市	…	…	…	…	…	…	…
金沢市	1 424	318	346	439	321	801	318
長野市	846	189	105	288	264	846	189
岐阜市	1 226	393	221	410	202	1 226	393
豊橋市	1 330	681	161	206	282	387	218
豊田市	2 630	631	442	844	713	－	－
岡崎市	3 799	1 211	565	1 331	692	3 713	1 204
大津市	977	392	97	281	207	977	392
高槻市	2 651	812	501	762	576	804	303
東大阪市	3 344	1 118	526	886	814	－	－
豊中市	1 454	389	277	396	392	707	207
枚方市	1 296	367	217	411	301	－	－
姫路市	2 370	426	692	968	284	1 884	393
西宮市	1 749	496	272	496	485	1 749	496
尼崎市	1 621	845	220	334	222	767	456
奈良市	630	151	89	202	188	630	151
和歌山市	473	－	142	195	136	301	－
倉敷市	1 625	－	280	819	526	180	－
福山市	1 709	387	218	611	493	855	190
呉市	766	168	101	336	161	762	168
下関市	212	－	23	96	93	68	－
高松市	1 634	583	221	448	382	1 571	583
松山市	1 366	－	283	654	429	1 366	－
高知市	1 744	493	267	701	283	1 744	493
久留米市	1 047	351	208	308	180	1 047	351
長崎市	…	…	…	…	…	…	…
佐世保市	394	109	86	146	53	296	78
大分市	…	…	…	…	…	…	…
宮崎市	946	－	213	445	288	697	－
鹿児島市	2 896	783	426	984	703	2 896	783
那覇市	975	376	216	250	133	200	76
その他政令市（再掲）							
小樽市	309	31	41	121	116	273	26
町田市	－	－	－	－	－	－	－
藤沢市	2 235	633	331	514	757	－	－
茅ヶ崎市	1 641	514	216	405	506	329	157
四日市市	875	330	110	262	173	265	88
大牟田市	410	103	56	146	105	410	103

注：検診回数の初回・非初回については、計数不詳の市区町村があるため、総数と一致しない場合がある。

－指定都市・特別区－中核市－その他政令市、検診回数・検診方式・年齢階級別

平成29年度

	回						
検 診			個 別 検 診				
50 ～ 59 歳	60 ～ 69 歳	70 歳 以 上	総 数	40 ～ 49 歳	50 ～ 59 歳	60 ～ 69 歳	70 歳 以 上
293	670	505	－	－	－	－	－
65	184	121	350	108	77	120	45
207	391	183	1 887	518	223	557	589
300	879	582	69	－	－	21	48
58	114	95	755	179	96	210	270
604	377	252	－	－	－	－	－
11	36	27	765	205	160	304	96
64	250	168	288	48	47	127	66
656	999	393	329	127	79	76	47
69	159	79	780	241	136	244	159
130	227	236	－	－	－	－	－
68	127	61	－	－	－	－	－
－	－	－	90	26	10	19	35
－	－	－	－	－	－	－	－
281	722	243	12	1	－	－	11
431	482	273	－	－	－	－	－
…	…	…	…	…	…	…	…
192	188	103	623	－	154	251	218
105	288	264	－	－	－	－	－
221	410	202	－	－	－	－	－
67	58	44	943	463	94	148	238
－	－	－	2 630	631	442	844	713
560	1 320	629	86	7	5	11	63
97	281	207	－	－	－	－	－
163	242	96	1 847	509	338	520	480
－	－	－	3 344	1 118	526	886	814
133	189	178	747	182	144	207	214
－	－	－	1 296	367	217	411	301
486	726	279	486	33	206	242	5
272	496	485	－	－	－	－	－
91	127	93	854	389	129	207	129
89	202	188	－	－	－	－	－
92	124	85	172	－	50	71	51
46	134	－	1 445	－	234	685	526
118	316	231	854	197	100	295	262
101	336	157	4	－	－	－	4
3	29	36	144	－	20	67	57
204	402	382	63	－	17	46	－
283	654	429	－	－	－	－	－
267	701	283	－	－	－	－	－
208	308	180	－	－	－	－	－
…	…	…	…	…	…	…	…
72	114	32	98	31	14	32	21
…	…	…	…	…	…	…	…
153	340	204	249	－	60	105	84
426	984	703	－	－	－	－	－
56	59	9	775	300	160	191	124
36	102	109	36	5	5	19	7
－	－	－	－	－	－	－	－
－	－	－	2 235	633	331	514	757
53	74	45	1 312	357	163	331	461
40	75	62	610	242	70	187	111
56	146	105	－	－	－	－	－

15(8)-01 がん検診 胃がん

第15-1表（6-5） 胃がん検診受診者数，胃部エックス線検査，都道府県

| | 非 | | | | | | |
| | 総 数 | | | | | 集 団 | |
	総数	40～49歳	50～59歳	60～69歳	70歳以上	総数	40～49歳
全国	2 269 340	246 407	296 872	769 235	956 826	1 757 537	186 560
北海道	90 352	8 818	13 042	31 790	36 702	71 584	6 344
青森	74 716	5 373	9 562	26 382	33 399	60 556	4 603
岩手	71 909	5 626	8 903	25 269	32 111	67 233	5 180
宮城	125 637	11 548	15 307	42 981	55 801	124 437	11 489
秋田	38 296	2 789	5 686	13 814	16 007	37 181	2 720
山形	59 026	3 849	7 323	24 391	23 463	58 008	3 787
福島	48 231	3 435	5 913	19 818	19 065	38 899	2 564
茨城	62 652	7 299	8 492	21 680	25 181	61 744	7 229
栃木	68 610	8 476	10 168	25 473	24 493	67 636	8 336
群馬	31 844	4 100	4 456	10 772	12 516	27 392	3 541
埼玉	66 901	7 903	8 520	22 805	27 673	55 970	6 147
千葉	157 704	20 681	19 827	46 925	70 271	120 392	16 213
東京	133 593	27 482	24 839	37 712	43 560	73 850	15 659
神奈川	72 614	9 140	8 754	21 446	33 274	28 290	3 531
新潟	83 310	5 619	8 891	29 616	39 184	73 565	5 606
富山	14 497	1 108	1 351	4 745	7 293	11 116	946
石川	22 498	2 154	2 678	7 848	9 818	21 169	2 110
福井	5 958	333	682	2 036	2 907	5 554	298
山梨	27 558	4 379	4 566	9 160	9 453	22 752	3 954
長野	26 721	3 414	3 596	8 773	10 938	26 381	3 380
岐阜	44 162	5 183	5 901	16 180	16 898	37 082	4 346
静岡	74 633	8 887	10 293	24 636	30 817	46 268	5 204
愛知	181 439	20 236	20 891	53 060	87 252	53 177	7 300
三重	27 318	2 936	3 437	9 799	11 146	17 414	2 098
滋賀	16 354	1 724	2 080	6 283	6 267	15 530	1 625
京都	22 512	3 120	3 393	7 498	8 501	22 499	3 119
大阪	90 897	11 567	12 919	29 350	37 061	50 410	6 550
兵庫	62 586	6 583	7 693	21 706	26 604	60 014	6 222
奈良	21 144	2 079	2 550	6 934	9 581	15 966	1 705
和歌山	13 616	1 528	2 426	5 297	4 365	11 746	1 398
鳥取	9 376	884	1 258	3 415	3 819	7 822	780
島根	6 927	369	507	2 011	4 040	6 882	349
岡山	32 991	970	3 099	10 230	18 692	18 937	872
広島	44 775	5 329	4 909	15 584	18 953	27 379	2 502
山口	13 405	1 061	1 266	4 358	6 720	9 133	767
徳島	13 057	1 284	1 400	4 619	5 754	11 712	1 174
香川	24 431	3 191	2 986	8 064	10 190	20 427	2 794
愛媛	33 434	2 733	4 314	11 842	14 545	33 324	2 723
高知	20 973	1 564	2 403	7 279	9 727	20 919	1 557
福岡	59 124	6 383	7 876	23 093	21 772	58 203	6 306
佐賀	19 084	1 918	3 042	8 284	5 840	19 008	1 917
長崎	11 989	996	1 630	4 427	4 936	9 736	741
熊本	41 359	4 085	5 710	15 485	16 079	38 963	3 844
大分	22 564	1 348	2 210	8 133	10 873	19 469	1 176
宮崎	14 462	830	1 680	5 247	6 705	13 755	806
鹿児島	47 790	3 751	5 911	17 163	20 965	47 783	3 750
沖縄	16 311	2 342	2 532	5 822	5 615	10 270	1 298
指定都市・特別区（再掲）							
東京都区部	95 310	23 355	20 522	25 447	25 986	45 355	11 714
札幌市	7 757	869	1 142	2 893	2 853	362	23
仙台市	40 902	4 202	5 085	12 546	19 069	40 902	4 202
さいたま市	…					…	
千葉市	30 020	4 234	3 437	7 547	14 802	4 518	1 190
横浜市	29 379	3 746	3 706	9 297	12 630	1 970	163
川崎市	-	-	-	-	-	-	-
相模原市	8 137	1 111	1 008	2 209	3 809	2 173	382
新潟市	17 540	999	1 815	6 668	8 058	7 795	986
静岡市	8 483	962	1 129	2 942	3 450	7 454	946
浜松市	10 823	1 476	1 837	3 606	3 904	647	18
名古屋市	27 302	4 675	3 947	7 563	11 117	1 180	297
京都市	-	-	-	-	-	-	-
大阪市	17 593	2 653	2 760	5 321	6 859	6 870	1 000
堺市	2 620	-	240	726	1 654	2 163	-
神戸市	12 669	1 683	1 482	4 004	5 500	12 669	1 683
岡山市	8 240	-	829	2 206	5 205	1 523	-
広島市	15 932	3 077	2 007	5 128	5 720	4 054	685
北九州市	…	…	…	…	…	…	…
福岡市	-	-	-	-	-	-	-
熊本市	6 207	502	713	2 314	2 678	6 207	502

－指定都市・特別区－中核市－その他政令市、検診回数・検診方式・年齢階級別

平成29年度

初			回				
検診			個別検診				
50 ～ 59 歳	60 ～ 69 歳	70 歳 以 上	総 数	40 ～ 49 歳	50 ～ 59 歳	60 ～ 69 歳	70 歳 以 上
232 591	**614 528**	**723 858**	**511 803**	**59 847**	**64 281**	**154 707**	**232 968**
9 747	24 796	30 697	18 768	2 474	3 295	6 994	6 005
8 138	22 167	25 648	14 160	770	1 424	4 215	7 751
8 360	23 890	29 803	4 676	446	543	1 379	2 308
15 202	42 386	55 360	1 200	59	105	595	441
5 582	13 295	15 584	1 115	69	104	519	423
7 209	23 935	23 077	1 018	62	114	456	386
4 683	16 349	15 303	9 332	871	1 230	3 469	3 762
8 377	21 398	24 740	908	70	115	282	441
10 026	25 233	24 041	974	140	142	240	452
3 773	9 455	10 623	4 452	559	683	1 317	1 893
6 856	19 545	23 422	10 931	1 756	1 664	3 260	4 251
15 954	37 400	50 825	37 312	4 468	3 873	9 525	19 446
14 809	21 661	21 721	59 743	11 823	10 030	16 051	21 839
3 521	8 692	12 546	44 324	5 609	5 233	12 754	20 728
8 059	25 792	34 108	9 745	13	832	3 824	5 076
1 092	3 826	5 252	3 381	162	259	919	2 041
2 571	7 075	9 413	1 329	44	107	773	405
602	1 889	2 765	404	35	80	147	142
4 001	7 438	7 359	4 806	425	565	1 722	2 094
3 548	8 642	10 811	340	34	48	131	127
5 033	13 646	14 057	7 080	837	868	2 534	2 841
6 064	16 058	18 942	28 365	3 683	4 229	8 578	11 875
7 016	17 284	21 577	128 262	12 936	13 875	35 776	65 675
2 351	6 255	6 710	9 904	838	1 086	3 544	4 436
1 973	5 927	6 005	824	99	107	356	262
3 390	7 494	8 496	13	1	3	4	5
7 494	16 751	19 615	40 487	5 017	5 425	12 599	17 446
7 303	20 833	25 656	2 572	361	390	873	948
2 042	5 650	6 569	5 178	374	508	1 284	3 012
2 106	4 576	3 666	1 870	130	320	721	699
1 091	2 872	3 079	1 554	104	167	543	740
502	2 001	4 030	45	20	5	10	10
1 633	6 055	10 377	14 054	98	1 466	4 175	8 315
2 709	9 500	12 668	17 396	2 827	2 200	6 084	6 285
902	3 225	4 239	4 272	294	364	1 133	2 481
1 262	4 098	5 178	1 345	110	138	521	576
2 542	6 676	8 415	4 004	397	444	1 388	1 775
4 300	11 788	14 513	110	10	14	54	32
2 392	7 265	9 705	54	7	11	14	22
7 789	22 787	21 321	921	77	87	306	451
3 038	8 269	5 784	76	1	4	15	56
1 324	3 638	4 033	2 253	255	306	789	903
5 331	14 478	15 310	2 396	241	379	1 007	769
1 904	6 766	9 623	3 095	172	306	1 367	1 250
1 583	4 974	6 392	707	24	97	273	313
5 910	17 161	20 962	7	1	1	2	3
1 497	3 637	3 838	6 041	1 044	1 035	2 185	1 777
10 641	12 784	10 216	49 955	11 641	9 881	12 663	15 770
25	133	181	7 395	846	1 117	2 760	2 672
5 085	12 546	19 069	–	–	–	–	–
–	–	–	…	…	…	…	…
732	1 342	1 254	25 502	3 044	2 705	6 205	13 548
177	606	1 024	27 409	3 583	3 529	8 691	11 606
–	–	–	–	–	–	–	–
397	708	686	5 964	729	611	1 501	3 123
983	2 844	2 982	9 745	13	832	3 824	5 076
1 084	2 720	2 704	1 029	16	45	222	746
68	205	356	10 176	1 458	1 769	3 401	3 548
211	319	353	26 122	4 378	3 736	7 244	10 764
–	–	–	–	–	–	–	–
980	2 149	2 741	10 723	1 653	1 780	3 172	4 118
181	563	1 419	457	–	59	163	235
1 482	4 004	5 500	–	–	–	–	–
164	487	872	6 717	–	665	1 719	4 333
355	1 200	1 814	11 878	2 392	1 652	3 928	3 906
…	…	…	…	…	…	…	…
–	–	–	–	–	–	–	–
713	2 314	2 678	–	–	–	–	–

第15－1表（6－6） 胃がん検診受診者数，胃部エックス線検査，都道府県

	非						
	総数					集団	
	総数	40 ～ 49 歳	50 ～ 59 歳	60 ～ 69 歳	70 歳 以 上	総数	40 ～ 49 歳
中核市(再掲)							
旭川市	6 726	502	821	2 523	2 880	6 726	502
函館市	1 947	214	288	785	660	1 336	94
青森市	10 729	674	1 124	3 661	5 270	3 479	355
八戸市	12 745	649	1 199	4 400	6 497	12 507	649
盛岡市	7 298	736	949	2 331	3 282	2 640	295
秋田市	3 506	243	727	1 103	1 433	3 506	243
郡山市	2 069	232	315	866	656	338	25
いわき市	2 374	215	273	943	943	1 744	141
宇都宮市	8 100	1 167	1 295	3 105	2 533	7 514	1 041
前橋市	4 429	621	663	1 480	1 665	1 399	222
高崎市	2 949	459	286	793	1 411	2 949	459
川越市	1 843	277	263	686	617	1 843	277
越谷市	215	19	32	73	91	－	－
船橋市	2 706	587	294	737	1 088	850	178
柏市	7 903	848	884	2 228	3 943	7 822	848
八王子市	5 746	772	743	1 786	2 445	5 746	772
横須賀市	－	－	－	－	－	－	－
富山市	…	…	…	…	…	…	…
金沢市	2 452	294	384	1 144	630	1 433	294
長野市	2 792	289	353	859	1 291	2 792	289
岐阜市	2 531	293	331	1 010	897	2 531	293
豊橋市	4 730	667	623	1 174	2 266	1 148	181
豊田市	13 549	1 188	1 477	4 915	5 969	－	－
岡崎市	14 696	1 881	1 911	5 033	5 871	14 534	1 880
大津市	1 669	207	159	624	679	1 669	207
高槻市	4 944	751	624	1 693	1 876	1 712	265
東大阪市	11 939	1 507	1 588	3 828	5 016	－	－
豊中市	3 081	363	431	935	1 352	1 509	178
枚方市	3 188	409	391	1 139	1 249	－	－
姫路市	4 087	311	582	1 507	1 687	3 947	288
西宮市	3 915	505	537	1 172	1 701	3 915	505
尼崎市	2 209	351	346	741	771	772	121
奈良市	1 883	140	156	668	919	1 883	140
和歌山市	513	－	100	220	193	213	－
倉敷市	6 202	－	688	2 395	3 119	544	－
福山市	4 837	377	512	1 761	2 187	3 357	256
呉市	2 843	266	269	1 088	1 220	2 839	266
下関市	345	－	18	134	193	240	－
高松市	5 481	832	566	1 813	2 270	5 445	832
松山市	6 308	－	801	2 281	3 226	6 308	－
高知市	3 640	433	567	1 419	1 221	3 640	433
久留米市	2 966	341	400	1 142	1 083	2 966	341
長崎市	…	…	…	…	…	…	…
佐世保市	754	69	105	329	251	579	53
大分市	…	…	…	…	…	…	…
宮崎市	1 940	－	279	837	824	1 474	－
鹿児島市	7 909	655	773	2 505	3 976	7 909	655
那覇市	2 906	543	561	1 011	791	303	76
その他政令市(再掲)							
小樽市	1 309	96	136	412	665	1 260	92
町田市	－	－	－	－	－	－	－
藤沢市	5 158	699	562	1 138	2 759	－	－
茅ヶ崎市	4 624	571	481	1 208	2 364	664	159
四日市市	4 865	510	630	1 681	2 044	2 615	225
大牟田市	632	85	92	270	185	632	85

注：検診回数の初回・非初回については、計数不詳の市区町村があるため、総数と一致しない場合がある。

－指定都市・特別区－中核市－その他政令市、検診回数・検診方式・年齢階級別

平成29年度

初			回				
検診			個別検診				
50 ～ 59 歳	60 ～ 69 歳	70 歳 以 上	総数	40 ～ 49 歳	50 ～ 59 歳	60 ～ 69 歳	70 歳 以 上
821	2 523	2 880	-	-	-	-	-
149	568	525	611	120	139	217	135
534	1 596	994	7 250	319	590	2 065	4 276
1 199	4 371	6 288	238	-	-	29	209
409	955	981	4 658	441	540	1 376	2 301
727	1 103	1 433	-	-	-	-	-
31	129	153	1 731	207	284	737	503
175	693	735	630	74	98	250	208
1 181	2 947	2 345	586	126	114	158	188
190	552	435	3 030	399	473	928	1 230
286	793	1 411	-	-	-	-	-
263	686	617	-	-	-	-	-
-	-	-	215	19	32	73	91
125	208	339	1 856	409	169	529	749
884	2 227	3 863	81	-	-	1	80
743	1 786	2 445	-	-	-	-	-
-	-	-	-	-	-	-	-
…	…	…	…	…	…	…	…
292	454	393	1 019	-	92	690	237
353	859	1 291	-	-	-	-	-
331	1 010	897	-	-	-	-	-
214	292	461	3 582	486	409	882	1 805
-	-	-	13 549	1 188	1 477	4 915	5 969
1 908	5 020	5 726	162	1	3	13	145
159	624	679	-	-	-	-	-
214	666	567	3 232	486	410	1 027	1 309
-	-	-	11 939	1 507	1 588	3 828	5 016
228	479	624	1 572	185	203	456	728
-	-	-	3 188	409	391	1 139	1 249
530	1 459	1 670	140	23	52	48	17
537	1 172	1 701	-	-	-	-	-
121	246	284	1 437	230	225	495	487
156	668	919	-	-	-	-	-
34	96	83	300	-	66	124	110
78	466	-	5 658	-	610	1 929	3 119
365	1 282	1 454	1 480	121	147	479	733
269	1 086	1 218	4	-	-	2	2
12	89	139	105	-	6	45	54
552	1 791	2 270	36	-	14	22	-
801	2 281	3 226	-	-	-	-	-
567	1 419	1 221	-	-	-	-	-
400	1 142	1 083	-	-	-	-	-
…	…	…	…	…	…	…	…
82	273	171	175	16	23	56	80
…	…	…	…	…	…	…	…
206	641	627	466	-	73	196	197
773	2 505	3 976	-	-	-	-	-
73	100	54	2 603	467	488	911	737
130	396	642	49	4	6	16	23
-	-	-	-	-	-	-	-
-	-	-	5 158	699	562	1 138	2 759
92	203	210	3 960	412	389	1 005	2 154
365	843	1 182	2 250	285	265	838	862
92	270	185	-	-	-	-	-

第15－２表（6－1） 胃がん検診受診者数，胃内視鏡検査，都道府県

	総						
	総数					集団	
	総数	40 ～ 49 歳	50 ～ 59 歳	60 ～ 69 歳	70 歳 以 上	総数	40 ～ 49 歳
全国	**898 528**	・	**118 696**	**303 323**	**476 509**	**18 455**	・
北海道	3 282	・	400	1 279	1 603	525	・
青森	43	・	3	18	22	－	・
岩手	4 547	・	524	1 425	2 598	－	・
宮城	5	・	－	1	4	－	・
秋田	－	・	－	－	－	－	・
山形	2 253	・	216	988	1 049	1 626	・
福島	72 742	・	7 398	24 107	41 237	351	・
茨城	3 066	・	359	934	1 773	114	・
栃木	14 608	・	1 286	3 614	9 708	－	・
群馬	62 628	・	8 306	19 422	34 900	－	・
埼玉	102 450	・	13 817	29 969	58 664	…	・
千葉	19 945	・	3 465	6 040	10 440	－	・
東京	33 722	・	8 522	11 698	13 502	957	・
神奈川	66 207	・	9 680	18 515	38 012	－	・
新潟	43 417	・	2 754	14 451	26 212	－	・
富山	31 327	・	2 801	9 866	18 660	385	・
石川	21 094	・	3 158	11 875	6 061	－	・
福井	5 416	・	887	2 374	2 155	－	・
山梨	10 768	・	1 654	5 168	3 946	4 664	・
長野	8 629	・	1 278	3 733	3 618	1 093	・
岐阜	5 082	・	856	1 950	2 276	680	・
静岡	59 196	・	5 496	17 917	35 783	2	・
愛知	44 310	・	7 252	14 073	22 985	－	・
三重	60 433	・	6 311	18 948	35 174	521	・
滋賀	49	・	5	15	29	－	・
京都	1 635	・	344	592	699	－	・
大阪	7 704	・	1 800	3 224	2 680	－	・
兵庫	3 733	・	438	1 509	1 786	437	・
奈良	2 100	・	990	701	409	－	・
和歌山	14 017	・	2 638	5 611	5 768	－	・
鳥取	36 906	・	3 959	12 981	19 966	－	・
島根	2 389	・	526	1 234	629	－	・
岡山	14 091	・	1 375	4 493	8 223	－	・
広島	23 832	・	2 385	9 063	12 384	5	・
山口	9 906	・	1 231	3 264	5 411	－	・
徳島	796	・	114	342	340	－	・
香川	4 350	・	902	2 019	1 429	1 384	・
愛媛	526	・	108	267	151	－	・
高知	83	・	48	22	13	－	・
福岡	29 176	・	4 940	10 710	13 526	757	・
佐賀	81	・	80	1	－	－	・
長崎	37 309	・	5 261	14 574	17 474	…	・
熊本	6 760	・	1 281	3 431	2 048	2 738	・
大分	4 471	・	343	1 785	2 343	1 608	・
宮崎	1 922	・	418	735	769	71	・
鹿児島	73	・	12	39	22	－	・
沖縄	21 449	・	3 075	8 346	10 028	537	・
指定都市・特別区(再掲)							
東京都区部	31 809	・	8 268	10 923	12 618	106	・
札幌市	－	・	－	－	－	－	・
仙台市	－	・	－	－	－	－	・
さいたま市	62 283	・	8 717	17 150	36 416	－	・
千葉市	7 536	・	1 181	1 967	4 388	－	・
横浜市	13 771	・	3 108	5 511	5 152	－	・
川崎市	12 896	・	2 337	3 734	6 825	－	・
相模原市	15 068	・	1 383	3 461	10 224	－	・
新潟市	42 959	・	2 631	14 259	26 069	－	・
静岡市	8 130	・	721	2 471	4 938	1	・
浜松市	29 191	・	2 256	8 559	18 376	－	・
名古屋市	22 785	・	4 357	7 531	10 897	－	・
京都市	1 272	・	309	479	484	－	・
大阪市	3 043	・	883	1 252	908	－	・
堺市	2 601	・	552	1 086	963	－	・
神戸市	－	・	－	－	－	－	・
岡山市	4 602	・	501	1 352	2 749	－	・
広島市	11 984	・	1 463	4 349	6 172	－	・
北九州市	4 133	・	694	1 640	1 799	－	・
福岡市	23 134	・	3 951	8 115	11 068	348	・
熊本市	－	・	－	－	－	－	・

－指定都市・特別区－中核市－その他政令市、検診回数・検診方式・年齢階級別

平成29年度

数							
検診			個別検診				
50 ～ 59 歳	60 ～ 69 歳	70 歳 以 上	総数	40 ～ 49 歳	50 ～ 59 歳	60 ～ 69 歳	70 歳 以 上
2 911	8 804	6 740	880 073	·	115 785	294 519	469 769
46	223	256	2 757	·	354	1 056	1 347
-	-	-	43	·	3	18	22
-	-	-	4 547	·	524	1 425	2 598
-	-	-	5	·	-	1	4
-	-	-	-	·	-	-	-
162	694	770	627	·	54	294	279
44	307	-	72 391	·	7 354	23 800	41 237
14	46	54	2 952	·	345	888	1 719
-	-	-	14 608	·	1 286	3 614	9 708
-	-	-	62 628	·	8 306	19 422	34 900
…	…	…	102 450	·	13 817	29 969	58 664
-	-	-	19 945	·	3 465	6 040	10 440
145	365	447	32 765	·	8 377	11 333	13 055
-	-	-	66 207	·	9 680	18 515	38 012
-	-	-	43 417	·	2 754	14 451	26 212
19	212	154	30 942	·	2 782	9 654	18 506
-	-	-	21 094	·	3 158	11 875	6 061
-	-	-	5 416	·	887	2 374	2 155
893	2 235	1 536	6 104	·	761	2 933	2 410
138	510	445	7 536	·	1 140	3 223	3 173
142	316	222	4 402	·	714	1 634	2 054
-	1	1	59 194	·	5 496	17 916	35 782
-	-	-	44 310	·	7 252	14 073	22 985
102	185	234	59 912	·	6 209	18 763	34 940
-	-	-	49	·	5	15	29
-	-	-	1 635	·	344	592	699
-	-	-	7 704	·	1 800	3 224	2 680
88	216	133	3 296	·	350	1 293	1 653
-	-	-	2 100	·	990	701	409
-	-	-	14 017	·	2 638	5 611	5 768
-	-	-	36 906	·	3 959	12 981	19 966
-	-	-	2 389	·	526	1 234	629
-	-	-	14 091	·	1 375	4 493	8 223
1	2	2	23 827	·	2 384	9 061	12 382
-	-	-	9 906	·	1 231	3 264	5 411
-	-	-	796	·	114	342	340
132	634	618	2 966	·	770	1 385	811
-	-	-	526	·	108	267	151
-	-	-	83	·	48	22	13
189	371	197	28 419	·	4 751	10 339	13 329
-	-	-	81	·	80	1	-
…	…	…	37 309	·	5 261	14 574	17 474
492	1 454	792	4 022	·	789	1 977	1 256
135	728	745	2 863	·	208	1 057	1 598
44	21	6	1 851	·	374	714	763
-	-	-	73	·	12	39	22
125	284	128	20 912	·	2 950	8 062	9 900
4	41	61	31 703	·	8 264	10 882	12 557
-	-	-	-	·	-	-	-
-	-	-	-	·	-	-	-
-	-	-	62 283	·	8 717	17 150	36 416
-	-	-	7 536	·	1 181	1 967	4 388
-	-	-	13 771	·	3 108	5 511	5 152
-	-	-	12 896	·	2 337	3 734	6 825
-	-	-	15 068	·	1 383	3 461	10 224
-	-	-	42 959	·	2 631	14 259	26 069
-	-	1	8 129	·	721	2 471	4 937
-	-	-	29 191	·	2 256	8 559	18 376
-	-	-	22 785	·	4 357	7 531	10 897
-	-	-	1 272	·	309	479	484
-	-	-	3 043	·	883	1 252	908
-	-	-	2 601	·	552	1 086	963
-	-	-	-	·	-	-	-
-	-	-	4 602	·	501	1 352	2 749
-	-	-	11 984	·	1 463	4 349	6 172
-	-	-	4 133	·	694	1 640	1 799
105	170	73	22 786	·	3 846	7 945	10 995
-	-	-	-	·	-	-	-

15(8)－01 がん検診 胃がん

第15－2表（6－2） 胃がん検診受診者数，胃内視鏡検査，都道府県

	総						
	総　　　　　数					集　　　　団	
	総　　数	40 ～ 49 歳	50 ～ 59 歳	60 ～ 69 歳	70 歳 以 上	総　　　　数	40 ～ 49 歳
中核市（再掲）							
旭 川 市	-	・	-	-	-	-	・
函 館 市	-	・	-	-	-	-	・
青 森 市	-	・	-	-	-	-	・
八 戸 市	-	・	-	-	-	-	・
盛 岡 市	4 547	・	524	1 425	2 598	-	・
秋 田 市	-	・	-	-	-	-	・
郡 山 市	20 845	・	2 257	7 383	11 205	-	・
い わ き 市	11 253	・	771	3 464	7 018	-	・
宇 都 宮 市	13 538	・	1 202	3 247	9 089	-	・
前 橋 市	27 439	・	3 569	8 558	15 312	-	・
高 崎 市	5 354	・	748	1 642	2 964	-	・
川 越 市	-	・	-	-	-	-	・
越 谷 市	11 636	・	1 335	2 955	7 346	-	・
船 橋 市	4 698	・	1 306	1 592	1 800	-	・
柏 市	-	・	-	-	-	-	・
八 王 子 市	-	・	-	-	-	-	・
横 須 賀 市	-	・	-	-	-	-	・
富 山 市	12 529	・	937	3 226	8 366	-	・
金 沢 市	16 386	・	2 296	9 535	4 555	-	・
長 野 市	-	・	-	-	-	-	・
岐 阜 市	-	・	-	-	-	-	・
豊 橋 市	2 916	・	451	861	1 604	-	・
豊 田 市	-	・	-	-	-	-	・
岡 崎 市	-	・	-	-	-	-	・
大 津 市	49	・	5	15	29	-	・
高 槻 市	-	・	-	-	-	-	・
東 大 阪 市	156	・	44	55	57	-	・
豊 中 市	-	・	-	-	-	-	・
枚 方 市	1 407	・	196	570	641	-	・
姫 路 市	-	・	-	-	-	-	・
西 宮 市	-	・	-	-	-	-	・
尼 崎 市	139	・	42	66	31	-	・
奈 良 市	932	・	764	168	-	-	・
和 歌 山 市	2 696	・	708	1 186	802	-	・
倉 敷 市	5 188	・	465	1 766	2 957	-	・
福 山 市	-	・	-	-	-	-	・
呉 市	-	・	-	-	-	-	・
下 関 市	1 807	・	180	556	1 071	-	・
高 松 市	1 292	・	425	867	-	-	・
松 山 市	526	・	108	267	151	-	・
高 知 市	38	・	38	-	-	-	・
久 留 米 市	-	・	-	-	-	-	・
長 崎 市	7 426	・	1 406	2 808	3 212	-	・
佐 世 保 市	12 720	・	1 624	4 793	6 303	-	・
大 分 市	-	・	-	-	-	-	・
宮 崎 市	1 440	・	220	572	648	-	・
鹿 児 島 市	-	・	-	-	-	-	・
那 覇 市	8 191	・	1 184	2 896	4 111	-	・
その他政令市（再掲）							
小 樽 市	-	・	-	-	-	-	・
町 田 市	-	・	-	-	-	-	・
藤 沢 市	-	・	-	-	-	-	・
茅 ヶ 崎 市	2 313	・	238	505	1 570	-	・
四 日 市 市	9 620	・	952	3 236	5 432	-	・
大 牟 田 市	403	・	66	175	162	-	・

注：1 胃がん検診の胃内視鏡検査については、受診対象が50歳以上のため、「40～49歳」の項目は「・」としている。
　　2 検診回数の初回・非初回については、計数不詳の市区町村があるため、総数と一致しない場合がある。

－指定都市・特別区－中核市－その他政令市、検診回数・検診方式・年齢階級別

平成29年度

数								
検診			個別検診					
50 ～ 59 歳	60 ～ 69 歳	70 歳 以 上	総数	40 ～ 49 歳	50 ～ 59 歳	60 ～ 69 歳	70 歳 以 上
-	-	-	-	·	-	-	-
-	-	-	-	·	-	-	-
-	-	-	-	·	-	-	-
-	-	-	-	·	-	-	-
-	-	-	4 547	·	524	1 425	2 598
-	-	-	-	·	-	-	-
-	-	-	20 845	·	2 257	7 383	11 205
-	-	-	11 253	·	771	3 464	7 018
-	-	-	13 538	·	1 202	3 247	9 089
-	-	-	27 439	·	3 569	8 558	15 312
-	-	-	5 354	·	748	1 642	2 964
-	-	-	-	·	-	-	-
-	-	-	11 636	·	1 335	2 955	7 346
-	-	-	4 698	·	1 306	1 592	1 800
-	-	-	-	·	-	-	-
-	-	-	-	·	-	-	-
-	-	-	-	·	-	-	-
-	-	-	12 529	·	937	3 226	8 366
-	-	-	16 386	·	2 296	9 535	4 555
-	-	-	-	·	-	-	-
-	-	-	-	·	-	-	-
-	-	-	2 916	·	451	861	1 604
-	-	-	-	·	-	-	-
-	-	-	-	·	-	-	-
-	-	-	49	·	5	15	29
-	-	-	-	·	-	-	-
-	-	-	156	·	44	55	57
-	-	-	-	·	-	-	-
-	-	-	1 407	·	196	570	641
-	-	-	-	·	-	-	-
-	-	-	-	·	-	-	-
-	-	-	139	·	42	66	31
-	-	-	932	·	764	168	-
-	-	-	2 696	·	708	1 186	802
-	-	-	5 188	·	465	1 766	2 957
-	-	-	-	·	-	-	-
-	-	-	-	·	-	-	-
-	-	-	1 807	·	180	556	1 071
-	-	-	1 292	·	425	867	-
-	-	-	526	·	108	267	151
-	-	-	38	·	38	-	-
-	-	-	-	·	-	-	-
-	-	-	7 426	·	1 406	2 808	3 212
-	-	-	12 720	·	1 624	4 793	6 303
-	-	-	-	·	-	-	-
-	-	-	1 440	·	220	572	648
-	-	-	-	·	-	-	-
-	-	-	8 191	·	1 184	2 896	4 111
-	-	-	-	·	-	-	-
-	-	-	-	·	-	-	-
-	-	-	-	·	-	-	-
-	-	-	2 313	·	238	505	1 570
-	-	-	9 620	·	952	3 236	5 432
-	-	-	403	·	66	175	162

第15－２表（6－3） 胃がん検診受診者数，胃内視鏡検査，都道府県

	初						
	総数					集団	
	総数	40 ～ 49 歳	50 ～ 59 歳	60 ～ 69 歳	70 歳 以 上	総数	40 ～ 49 歳
全国	**283 859**	・	**50 847**	**101 524**	**131 488**	**4 364**	・
北海道	1 104	・	172	457	475	85	・
青森	30	・	3	9	18	－	・
岩手	534	・	81	190	263	－	・
宮城	2	・	－	1	1	－	・
秋田	－	・	－	－	－	－	・
山形	287	・	23	111	153	185	・
福島	17 201	・	2 603	6 527	8 071	154	・
茨城	1 923	・	237	586	1 100	114	・
栃木	4 672	・	595	1 261	2 816	－	・
群馬	20 171	・	3 642	6 584	9 945	－	・
埼玉	10 094	・	1 802	3 516	4 776	…	・
千葉	6 869	・	1 189	2 153	3 527	－	・
東京	13 262	・	3 699	4 565	4 998	139	・
神奈川	37 493	・	6 810	11 580	19 103	－	・
新潟	5 471	・	1 088	2 236	2 147	－	・
富山	4 760	・	709	1 766	2 285	…	・
石川	7 195	・	1 664	2 996	2 535	－	・
福井	3 933	・	681	1 777	1 475	－	・
山梨	2 054	・	329	941	784	806	・
長野	2 663	・	511	1 310	842	208	・
岐阜	2 760	・	527	1 052	1 181	287	・
静岡	20 667	・	2 567	7 008	11 092	1	・
愛知	30 607	・	5 794	10 124	14 689	－	・
三重	16 456	・	2 696	5 743	8 017	179	・
滋賀	44	・	5	12	27	－	・
京都	183	・	19	55	109	－	・
大阪	5 129	・	1 312	2 166	1 651	－	・
兵庫	1 186	・	195	545	446	…	・
奈良	1 539	・	825	491	223	－	・
和歌山	6 695	・	1 576	2 781	2 338	－	・
鳥取	8 825	・	1 529	3 414	3 882	－	・
島根	2 063	・	489	1 061	513	－	・
岡山	8 883	・	983	2 888	5 012	－	・
広島	7 043	・	891	2 627	3 525	－	・
山口	7 886	・	1 006	2 634	4 246	－	・
徳島	553	・	92	243	218	－	・
香川	2 043	・	505	1 057	481	514	・
愛媛	323	・	62	177	84	－	・
高知	31	・	21	4	6	－	・
福岡	980	・	157	488	335	…	・
佐賀	64	・	63	1	－	－	・
長崎	10 970	・	1 917	4 395	4 658	…	・
熊本	1 732	・	419	879	434	686	・
大分	710	・	72	375	263	439	・
宮崎	1 802	・	384	697	721	30	・
鹿児島	48	・	8	24	16	－	・
沖縄	4 919	・	895	2 017	2 007	537	・
指定都市・特別区(再掲)							
東京都区部	12 567	・	3 618	4 241	4 708	42	・
札幌市	－	・	－	－	－	－	・
仙台市	－	・	－	－	－	－	・
さいたま市	…	・	…	…	…	－	・
千葉市	3 982	・	695	1 027	2 260	－	・
横浜市	9 918	・	2 453	3 932	3 533	－	・
川崎市	12 896	・	2 337	3 734	6 825	－	・
相模原市	5 886	・	707	1 597	3 582	－	・
新潟市	5 221	・	1 009	2 120	2 092	－	・
静岡市	2 933	・	327	884	1 722	－	・
浜松市	9 643	・	939	3 065	5 639	－	・
名古屋市	22 704	・	4 350	7 513	10 841	－	・
京都市	－	・	－	－	－	－	・
大阪市	2 049	・	632	828	589	－	・
堺市	1 829	・	418	781	630	－	・
神戸市	－	・	－	－	－	－	・
岡山市	3 909	・	463	1 166	2 280	－	・
広島市	4 095	・	566	1 348	2 181	－	・
北九州市	…	・	…	…	…	…	・
福岡市	－	・	－	－	－	－	・
熊本市	－	・	－	－	－	－	・

－指定都市・特別区－中核市－その他政令市、検診回数・検診方式・年齢階級別

平成29年度

回							
検診			個別検診				
50 ～ 59 歳	60 ～ 69 歳	70 歳 以 上	総数	40 ～ 49 歳	50 ～ 59 歳	60 ～ 69 歳	70 歳 以 上
815	**2 107**	**1 442**	**279 495**	**・**	**50 032**	**99 417**	**130 046**
11	46	28	1 019	・	161	411	447
－	－	－	30	・	3	9	18
－	－	－	534	・	81	190	263
－	－	－	2	・	－	1	1
－	－	－	－	・	－	－	－
19	64	102	102	・	4	47	51
29	125	－	17 047	・	2 574	6 402	8 071
14	46	54	1 809	・	223	540	1 046
－	－	－	4 672	・	595	1 261	2 816
－	－	－	20 171	・	3 642	6 584	9 945
…	…	…	10 094	・	1 802	3 516	4 776
－	－	－	6 869	・	1 189	2 153	3 527
19	67	53	13 123	・	3 680	4 498	4 945
－	－	－	37 493	・	6 810	11 580	19 103
－	－	－	5 471	・	1 088	2 236	2 147
…	…	…	4 760	・	709	1 766	2 285
－	－	－	7 195	・	1 664	2 996	2 535
－	－	－	3 933	・	681	1 777	1 475
150	354	302	1 248	・	179	587	482
45	102	61	2 455	・	466	1 208	781
74	133	80	2 473	・	453	919	1 101
…	1	…	20 666	・	2 567	7 007	11 092
－	－	－	30 607	・	5 794	10 124	14 689
50	54	75	16 277	・	2 646	5 689	7 942
－	－	－	44	・	5	12	27
－	－	－	183	・	19	55	109
－	－	－	5 129	・	1 312	2 166	1 651
…	…	…	1 186	・	195	545	446
－	－	－	1 539	・	825	491	223
－	－	－	6 695	・	1 576	2 781	2 338
－	－	－	8 825	・	1 529	3 414	3 882
－	－	－	2 063	・	489	1 061	513
－	－	－	8 883	・	983	2 888	5 012
－	－	－	7 043	・	891	2 627	3 525
－	－	－	7 886	・	1 006	2 634	4 246
－	－	－	553	・	92	243	218
72	252	190	1 529	・	433	805	291
－	－	－	323	・	62	177	84
－	－	－	31	・	21	4	6
…	…	…	980	・	157	488	335
－	－	－	64	・	63	1	－
…	…	…	10 970	・	1 917	4 395	4 658
140	334	212	1 046	・	279	545	222
42	240	157	271	・	30	135	106
25	5	－	1 772	・	359	692	721
－	－	－	48	・	8	24	16
125	284	128	4 382	・	770	1 733	1 879
1	15	26	12 525	・	3 617	4 226	4 682
－	－	－	－	・	－	－	－
－	－	－	－	・	－	－	－
－	－	－	…	・	…	…	…
－	－	－	3 982	・	695	1 027	2 260
－	－	－	9 918	・	2 453	3 932	3 533
－	－	－	12 896	・	2 337	3 734	6 825
－	－	－	5 886	・	707	1 597	3 582
－	－	－	5 221	・	1 009	2 120	2 092
－	－	－	2 933	・	327	884	1 722
－	－	－	9 643	・	939	3 065	5 639
－	－	－	22 704	・	4 350	7 513	10 841
－	－	－	－	・	－	－	－
－	－	－	2 049	・	632	828	589
－	－	－	1 829	・	418	781	630
－	－	－	－	・	－	－	－
－	－	－	3 909	・	463	1 166	2 280
－	－	－	4 095	・	566	1 348	2 181
…	…	…	…	・	…	…	…
－	－	－	－	・	－	－	－
－	－	－	－	・	－	－	－

第15－２表（6－4） 胃がん検診受診者数，胃内視鏡検査，都道府県

	初						
	総数					集団	
	総数	40 ～ 49 歳	50 ～ 59 歳	60 ～ 69 歳	70 歳 以 上	総数	40 ～ 49 歳
中核市(再掲)							
旭川市	－	・	－	－	－	－	・
函館市	－	・	－	－	－	－	・
青森市	－	・	－	－	－	－	・
八戸市	－	・	－	－	－	－	・
盛岡市	534	・	81	190	263	－	・
秋田市	－	・	－	－	－	－	・
郡山市	4 806	・	768	1 887	2 151	－	・
いわき市	3 502	・	303	1 202	1 997	－	・
宇都宮市	4 479	・	577	1 214	2 688	－	・
前橋市	7 065	・	1 325	2 361	3 379	－	・
高崎市	4 219	・	566	1 261	2 392	－	・
川越市	－	・	－	－	－	－	・
越谷市	1 878	・	340	527	1 011	－	・
船橋市	－	・	－	－	－	－	・
柏市	－	・	－	－	－	－	・
八王子市	－	・	－	－	－	－	・
横須賀市	－	・	－	－	－	－	・
富山市	…	・	…	…	…	－	・
金沢市	4 957	・	1 195	1 815	1 947	－	・
長野市	－	・	－	－	－	－	・
岐阜市	－	・	－	－	－	－	・
豊橋市	1 155	・	212	374	569	－	・
豊田市	－	・	－	－	－	－	・
岡崎市	－	・	－	－	－	－	・
大津市	44	・	5	12	27	－	・
高槻市	－	・	－	－	－	－	・
東大阪市	84	・	28	32	24	－	・
豊中市	－	・	－	－	－	－	・
枚方市	780	・	127	321	332	－	・
姫路市	－	・	－	－	－	－	・
西宮市	－	・	－	－	－	－	・
尼崎市	139	・	42	66	31	－	・
奈良市	844	・	694	150	－	－	・
和歌山市	1 611	・	493	693	425	－	・
倉敷市	2 737	・	271	962	1 504	－	・
福山市	－	・	－	－	－	－	・
呉市	－	・	－	－	－	－	・
下関市	1 157	・	139	387	631	－	・
高松市	837	・	229	608	－	－	・
松山市	323	・	62	177	84	－	・
高知市	20	・	20	－	－	－	・
久留米市	－	・	－	－	－	－	・
長崎市	…	・	…	…	…	…	・
佐世保市	5 053	・	861	1 902	2 290	－	・
大分市	－	・	－	－	－	－	・
宮崎市	1 440	・	220	572	648	－	・
鹿児島市	－	・	－	－	－	－	・
那覇市	1 362	・	261	502	599	－	・
その他政令市(再掲)							
小樽市	－	・	－	－	－	－	・
町田市	－	・	－	－	－	－	・
藤沢市	－	・	－	－	－	－	・
茅ヶ崎市	1 458	・	150	311	997	－	・
四日市市	2 053	・	315	774	964	－	・
大牟田市	368	・	61	158	149	－	・

注：1　胃がん検診の胃内視鏡検査については、受診対象が50歳以上のため、「40～49歳」の項目は「・」としている。
　　2　検診回数の初回・非初回については、計数不詳の市区町村があるため、総数と一致しない場合がある。

－指定都市・特別区－中核市－その他政令市、検診回数・検診方式・年齢階級別

平成29年度

回							
検診			個別検診				
50 ～ 59 歳	60 ～ 69 歳	70 歳 以 上	総数	40 ～ 49 歳	50 ～ 59 歳	60 ～ 69 歳	70 歳 以 上
-	-	-	-	・	-	-	-
-	-	-	-	・	-	-	-
-	-	-	-	・	-	-	-
-	-	-	-	・	-	-	-
-	-	-	534	・	81	190	263
-	-	-	-	・	-	-	-
-	-	-	4 806	・	768	1 887	2 151
-	-	-	3 502	・	303	1 202	1 997
-	-	-	4 479	・	577	1 214	2 688
-	-	-	7 065	・	1 325	2 361	3 379
-	-	-	4 219	・	566	1 261	2 392
-	-	-	-	・	-	-	-
-	-	-	1 878	・	340	527	1 011
-	-	-	-	・	-	-	-
-	-	-	-	・	-	-	-
-	-	-	-	・	-	-	-
-	-	-	-	・	-	-	-
-	-	-	…	・	…	…	…
-	-	-	4 957	・	1 195	1 815	1 947
-	-	-	-	・	-	-	-
-	-	-	-	・	-	-	-
-	-	-	1 155	・	212	374	569
-	-	-	-	・	-	-	-
-	-	-	-	・	-	-	-
-	-	-	44	・	5	12	27
-	-	-	-	・	-	-	-
-	-	-	84	・	28	32	24
-	-	-	-	・	-	-	-
-	-	-	780	・	127	321	332
-	-	-	-	・	-	-	-
-	-	-	-	・	-	-	-
-	-	-	139	・	42	66	31
-	-	-	844	・	694	150	-
-	-	-	1 611	・	493	693	425
-	-	-	2 737	・	271	962	1 504
-	-	-	-	・	-	-	-
-	-	-	-	・	-	-	-
-	-	-	1 157	・	139	387	631
-	-	-	837	・	229	608	-
-	-	-	323	・	62	177	84
-	-	-	20	・	20	-	-
-	-	-	-	・	-	-	-
…	…	…	…	・	…	…	…
-	-	-	5 053	・	861	1 902	2 290
-	-	-	-	・	-	-	-
-	-	-	1 440	・	220	572	648
-	-	-	-	・	-	-	-
-	-	-	1 362	・	261	502	599
-	-	-	-	・	-	-	-
-	-	-	-	・	-	-	-
-	-	-	-	・	-	-	-
-	-	-	1 458	・	150	311	997
-	-	-	2 053	・	315	774	964
-	-	-	368	・	61	158	149

第15－２表（6－5） 胃がん検診受診者数，胃内視鏡検査，都道府県

	非						
	総数					集団	
	総数	40 ～ 49 歳	50 ～ 59 歳	60 ～ 69 歳	70 歳 以 上	総数	40 ～ 49 歳
全国	**476 438**	**・**	**46 166**	**158 353**	**271 919**	**11 215**	**・**
北海道	1 429	・	125	531	773	316	・
青森	13	・	－	9	4	－	・
岩手	4 013	・	443	1 235	2 335	－	・
宮城	3	・	－	－	3	－	・
秋田	－	・	－	－	－	－	・
山形	1 006	・	117	515	374	481	・
福島	55 246	・	4 731	17 413	33 102	197	・
茨城	1 143	・	122	348	673	－	・
栃木	9 448	・	658	2 101	6 689	－	・
群馬	42 457	・	4 664	12 838	24 955	－	・
埼玉	30 073	・	3 298	9 303	17 472	…	・
千葉	9 908	・	1 242	2 774	5 892	－	・
東京	6 120	・	1 515	2 424	2 181	630	・
神奈川	28 714	・	2 870	6 935	18 909	－	・
新潟	37 946	・	1 666	12 215	24 065	－	・
富山	13 016	・	1 079	4 359	7 578	…	・
石川	13 899	・	1 494	8 879	3 526	－	・
福井	1 483	・	206	597	680	－	・
山梨	8 689	・	1 317	4 218	3 154	3 833	・
長野	5 815	・	756	2 328	2 731	885	・
岐阜	2 322	・	329	898	1 095	393	・
静岡	38 529	・	2 929	10 909	24 691	1	・
愛知	12 244	・	1 365	3 540	7 339	－	・
三重	43 977	・	3 615	13 205	27 157	342	・
滋賀	5	・	－	3	2	－	・
京都	180	・	16	58	106	－	・
大阪	2 575	・	488	1 058	1 029	－	・
兵庫	2 055	・	152	714	1 189	…	・
奈良	561	・	165	210	186	－	・
和歌山	7 322	・	1 062	2 830	3 430	－	・
鳥取	28 081	・	2 430	9 567	16 084	－	・
島根	283	・	30	153	100	－	・
岡山	5 208	・	392	1 605	3 211	－	・
広島	16 658	・	1 485	6 365	8 808	5	・
山口	2 020	・	225	630	1 165	－	・
徳島	243	・	22	99	122	－	・
香川	2 307	・	397	962	948	870	・
愛媛	203	・	46	90	67	－	・
高知	52	・	27	18	7	－	・
福岡	520	・	54	266	200	…	・
佐賀	17	・	17	－	－	－	・
長崎	18 016	・	1 813	7 021	9 182	…	・
熊本	5 028	・	862	2 552	1 614	2 052	・
大分	3 761	・	271	1 410	2 080	1 169	・
宮崎	120	・	34	38	48	41	・
鹿児島	25	・	4	15	6	－	・
沖縄	13 705	・	1 633	5 115	6 957	…	・
指定都市・特別区(再掲)							
東京都区部	5 090	・	1 397	2 049	1 644	64	・
札幌市	－	・	－	－	－	－	・
仙台市	－	・	－	－	－	－	・
さいたま市	…	・	…	…	…	－	・
千葉市	3 554	・	486	940	2 128	－	・
横浜市	3 853	・	655	1 579	1 619	－	・
川崎市	－	・	－	－	－	－	・
相模原市	9 182	・	676	1 864	6 642	－	・
新潟市	37 738	・	1 622	12 139	23 977	－	・
静岡市	5 197	・	394	1 587	3 216	1	・
浜松市	19 548	・	1 317	5 494	12 737	－	・
名古屋市	81	・	7	18	56	－	・
京都市	－	・	－	－	－	－	・
大阪市	994	・	251	424	319	－	・
堺市	772	・	134	305	333	－	・
神戸市	－	・	－	－	－	－	・
岡山市	693	・	38	186	469	－	・
広島市	7 889	・	897	3 001	3 991	－	・
北九州市	…	・	…	…	…	…	・
福岡市	－	・	－	－	－	－	・
熊本市	－	・	－	－	－	－	・

－指定都市・特別区－中核市－その他政令市、検診回数・検診方式・年齢階級別

平成29年度

初回							
検診			個別検診				
50 ～ 59 歳	60 ～ 69 歳	70 歳 以 上	総数	40 ～ 49 歳	50 ～ 59 歳	60 ～ 69 歳	70 歳 以 上
1 643	**5 393**	**4 179**	**465 223**	**・**	**44 523**	**152 960**	**267 740**
17	119	180	1 113	・	108	412	593
－	－	－	13	・	－	9	4
－	－	－	4 013	・	443	1 235	2 335
－	－	－	3	・	－	－	3
－	－	－	－	・	－	－	－
67	268	146	525	・	50	247	228
15	182	－	55 049	・	4 716	17 231	33 102
－	－	－	1 143	・	122	348	673
－	－	－	9 448	・	658	2 101	6 689
－	－	－	42 457	・	4 664	12 838	24 955
…	…	…	30 073	・	3 298	9 303	17 472
－	－	－	9 908	・	1 242	2 774	5 892
71	222	337	5 490	・	1 444	2 202	1 844
－	－	－	28 714	・	2 870	6 935	18 909
－	－	－	37 946	・	1 666	12 215	24 065
…	…	…	13 016	・	1 079	4 359	7 578
－	－	－	13 899	・	1 494	8 879	3 526
－	－	－	1 483	・	206	597	680
735	1 872	1 226	4 856	・	582	2 346	1 928
93	408	384	4 930	・	663	1 920	2 347
68	183	142	1 929	・	261	715	953
…	…	1	38 528	・	2 929	10 909	24 690
－	－	－	12 244	・	1 365	3 540	7 339
52	131	159	43 635	・	3 563	13 074	26 998
－	－	－	5	・	－	3	2
－	－	－	180	・	16	58	106
－	－	－	2 575	・	488	1 058	1 029
…	…	…	2 055	・	152	714	1 189
－	－	－	561	・	165	210	186
－	－	－	7 322	・	1 062	2 830	3 430
－	－	－	28 081	・	2 430	9 567	16 084
－	－	－	283	・	30	153	100
－	－	－	5 208	・	392	1 605	3 211
1	2	2	16 653	・	1 484	6 363	8 806
－	－	－	2 020	・	225	630	1 165
－	－	－	243	・	22	99	122
60	382	428	1 437	・	337	580	520
－	－	－	203	・	46	90	67
－	－	－	52	・	27	18	7
…	…	…	520	・	54	266	200
－	－	－	17	・	17	－	－
…	…	…	18 016	・	1 813	7 021	9 182
352	1 120	580	2 976	・	510	1 432	1 034
93	488	588	2 592	・	178	922	1 492
19	16	6	79	・	15	22	42
－	－	－	25	・	4	15	6
…	…	…	13 705	・	1 633	5 115	6 957
3	26	35	5 026	・	1 394	2 023	1 609
－	－	－	－	・	－	－	－
－	－	－	－	・	－	－	－
－	－	－	…	・	…	…	…
－	－	－	3 554	・	486	940	2 128
－	－	－	3 853	・	655	1 579	1 619
－	－	－	－	・	－	－	－
－	－	－	9 182	・	676	1 864	6 642
－	－	－	37 738	・	1 622	12 139	23 977
－	－	1	5 196	・	394	1 587	3 215
－	－	－	19 548	・	1 317	5 494	12 737
－	－	－	81	・	7	18	56
－	－	－	－	・	－	－	－
－	－	－	994	・	251	424	319
－	－	－	772	・	134	305	333
－	－	－	－	・	－	－	－
－	－	－	693	・	38	186	469
－	－	－	7 889	・	897	3 001	3 991
…	…	…	…	・	…	…	…
－	－	－	－	・	－	－	－
－	－	－	－	・	－	－	－

第15－2表（6－6） 胃がん検診受診者数，胃内視鏡検査，都道府県

	非						
	総数					集団	
	総数	40～49歳	50～59歳	60～69歳	70歳以上	総数	40～49歳
中核市（再掲）							
旭川市	－	・	－	－	－	－	・
函館市	－	・	－	－	－	－	・
青森市	－	・	－	－	－	－	・
八戸市	－	・	－	－	－	－	・
盛岡市	4 013	・	443	1 235	2 335	－	・
秋田市	－	・	－	－	－	－	・
郡山市	16 039	・	1 489	5 496	9 054	－	・
いわき市	7 751	・	468	2 262	5 021	－	・
宇都宮市	9 059	・	625	2 033	6 401	－	・
前橋市	20 374	・	2 244	6 197	11 933	－	・
高崎市	1 135	・	182	381	572	－	・
川越市	－	・	－	－	－	－	・
越谷市	9 758	・	995	2 428	6 335	－	・
船橋市	1 530	・	272	479	779	－	・
柏市	－	・	－	－	－	－	・
八王子市	－	・	－	－	－	－	・
横須賀市	－	・	－	－	－	－	・
富山市	…	・	…	…	…	－	・
金沢市	11 429	・	1 101	7 720	2 608	－	・
長野市	－	・	－	－	－	－	・
岐阜市	－	・	－	－	－	－	・
豊橋市	1 761	・	239	487	1 035	－	・
豊田市	－	・	－	－	－	－	・
岡崎市	－	・	－	－	－	－	・
大津市	5	・	－	3	2	－	・
高槻市	－	・	－	－	－	－	・
東大阪市	72	・	16	23	33	－	・
豊中市	－	・	－	－	－	－	・
枚方市	627	・	69	249	309	－	・
姫路市	－	・	－	－	－	－	・
西宮市	－	・	－	－	－	－	・
尼崎市	－	・	－	－	－	－	・
奈良市	88	・	70	18	－	－	・
和歌山市	1 085	・	215	493	377	－	・
倉敷市	2 451	・	194	804	1 453	－	・
福山市	－	・	－	－	－	－	・
呉市	－	・	－	－	－	－	・
下関市	650	・	41	169	440	－	・
高松市	455	・	196	259	－	－	・
松山市	203	・	46	90	67	－	・
高知市	18	・	18	－	－	－	・
久留米市	－	・	－	－	－	－	・
長崎市	…	・	…	…	…	…	・
佐世保市	7 667	・	763	2 891	4 013	－	・
大分市	－	・	－	－	－	－	・
宮崎市	－	・	－	－	－	－	・
鹿児島市	－	・	－	－	－	－	・
那覇市	6 829	・	923	2 394	3 512	－	・
その他政令市（再掲）							
小樽市	－	・	－	－	－	－	・
町田市	－	・	－	－	－	－	・
藤沢市	－	・	－	－	－	－	・
茅ヶ崎市	855	・	88	194	573	－	・
四日市市	7 567	・	637	2 462	4 468	－	・
大牟田市	35	・	5	17	13	－	・

注：1　胃がん検診の胃内視鏡検査については、受診対象が50歳以上のため、「40～49歳」の項目は「・」としている。
　　2　検診回数の初回・非初回については、計数不詳の市区町村があるため、総数と一致しない場合がある。

－指定都市・特別区－中核市－その他政令市、検診回数・検診方式・年齢階級別

平成29年度

初			回				
検診			個別検診				
50 ～ 59 歳	60 ～ 69 歳	70 歳 以 上	総数	40 ～ 49 歳	50 ～ 59 歳	60 ～ 69 歳	70 歳 以 上
－	－	－	－	・	－	－	－
－	－	－	－	・	－	－	－
－	－	－	－	・	－	－	－
－	－	－	－	・	－	－	－
－	－	－	4 013	・	443	1 235	2 335
－	－	－	－	・	－	－	－
－	－	－	16 039	・	1 489	5 496	9 054
－	－	－	7 751	・	468	2 262	5 021
－	－	－	9 059	・	625	2 033	6 401
－	－	－	20 374	・	2 244	6 197	11 933
－	－	－	1 135	・	182	381	572
－	－	－	－	・	－	－	－
－	－	－	9 758	・	995	2 428	6 335
－	－	－	1 530	・	272	479	779
－	－	－	－	・	－	－	－
－	－	－	－	・	－	－	－
－	－	－	－	・	－	－	－
－	－	－	…	・	…	…	…
－	－	－	11 429	・	1 101	7 720	2 608
－	－	－	－	・	－	－	－
－	－	－	－	・	－	－	－
－	－	－	1 761	・	239	487	1 035
－	－	－	－	・	－	－	－
－	－	－	－	・	－	－	－
－	－	－	5	・	－	3	2
－	－	－	－	・	－	－	－
－	－	－	72	・	16	23	33
－	－	－	－	・	－	－	－
－	－	－	627	・	69	249	309
－	－	－	－	・	－	－	－
－	－	－	－	・	－	－	－
－	－	－	－	・	－	－	－
－	－	－	88	・	70	18	－
－	－	－	1 085	・	215	493	377
－	－	－	2 451	・	194	804	1 453
－	－	－	－	・	－	－	－
－	－	－	－	・	－	－	－
－	－	－	650	・	41	169	440
－	－	－	455	・	196	259	－
－	－	－	203	・	46	90	67
－	－	－	18	・	18	－	－
－	－	－	－	・	－	－	－
…	…	…	…	・	…	…	…
－	－	－	7 667	・	763	2 891	4 013
－	－	－	－	・	－	－	－
－	－	－	－	・	－	－	－
－	－	－	－	・	－	－	－
－	－	－	6 829	・	923	2 394	3 512
－	－	－	－	・	－	－	－
－	－	－	－	・	－	－	－
－	－	－	－	・	－	－	－
－	－	－	855	・	88	194	573
－	－	－	7 567	・	637	2 462	4 468
－	－	－	35	・	5	17	13

15(8)-01 がん検診 胃がん

第15-3表（2-1） 胃がん検診2年連続受診者数，都道府県

	総　　数					集　　団	
	総　　数	40 ～ 49 歳	50 ～ 59 歳	60 ～ 69 歳	70 歳 以 上	総　　数	40 ～ 49 歳
全　　国	2 176 652	185 321	265 739	733 296	992 296	1 382 367	139 857
北　海　道	66 564	6 083	9 285	23 551	27 645	52 518	4 438
青　　森	59 589	4 158	7 553	21 064	26 814	48 002	3 565
岩　　手	54 082	3 857	6 320	18 805	25 100	50 221	3 547
宮　　城	107 363	9 184	12 695	37 077	48 407	106 191	9 126
秋　　田	30 753	2 107	4 383	11 147	13 116	30 037	2 077
山　　形	48 710	2 979	5 827	20 240	19 664	47 171	2 914
福　　島	85 631	2 541	8 308	30 095	44 687	28 534	1 901
茨　　城	52 647	5 872	6 989	18 266	21 520	51 307	5 817
栃　　木	56 838	6 713	8 232	21 268	20 625	55 710	6 613
群　　馬	63 716	2 804	7 543	20 191	33 178	19 180	2 369
埼　　玉	128 173	6 780	14 606	38 857	67 930	42 875	4 343
千　　葉	141 804	16 934	17 550	42 399	64 921	103 161	13 618
東　　京	111 006	20 965	20 630	32 038	37 373	56 474	11 803
神　奈　川	76 115	6 130	8 237	20 838	40 910	19 038	2 284
新　　潟	55 846	3 686	5 869	19 546	26 745	55 662	3 686
富　　山	25 017	903	2 066	8 522	13 526	10 399	784
石　　川	28 122	1 645	3 219	13 190	10 068	17 062	1 616
福　　井	2 717	85	268	965	1 399	2 204	80
山　　梨	26 337	3 086	3 962	9 546	9 743	18 648	2 774
長　　野	21 757	2 538	2 879	7 524	8 816	19 951	2 513
岐　　阜	38 536	4 223	5 056	14 270	14 987	31 534	3 562
静　　岡	98 348	7 258	11 072	30 887	49 131	39 515	4 244
愛　　知	159 736	14 845	17 680	46 731	80 480	38 668	5 015
三　　重	65 057	2 390	6 246	20 677	35 744	14 569	1 684
滋　　賀	12 492	1 233	1 533	4 767	4 959	11 942	1 174
京　　都	17 215	2 331	2 606	5 800	6 478	17 029	2 331
大　　阪	70 245	7 921	9 410	23 364	29 550	36 898	4 212
兵　　庫	51 356	5 047	6 096	18 098	22 115	50 465	4 992
奈　　良	16 166	1 423	1 944	5 397	7 402	12 216	1 195
和　歌　山	13 049	1 089	2 152	4 894	4 914	7 191	1 007
鳥　　取	31 353	591	2 903	10 700	17 159	5 334	518
島　　根	4 907	220	367	1 468	2 852	4 741	220
岡　　山	23 188	740	2 087	7 676	12 685	13 978	674
広　　島	41 480	3 715	4 248	14 805	18 712	22 017	1 830
山　　口	11 699	781	1 099	3 768	6 051	7 013	562
徳　　島	10 511	990	1 098	3 776	4 647	9 385	907
香　　川	21 886	2 573	2 580	7 509	9 224	17 546	2 249
愛　　媛	23 802	1 766	2 999	8 421	10 616	23 642	1 763
高　　知	14 373	1 058	1 694	4 984	6 637	14 320	1 054
福　　岡	49 426	5 116	6 453	19 754	18 103	46 505	4 777
佐　　賀	15 001	1 474	2 375	6 546	4 606	14 934	1 474
長　　崎	26 765	758	3 021	10 244	12 742	7 871	593
熊　　本	35 400	3 020	5 010	13 964	13 406	32 090	2 873
大　　分	20 311	1 043	1 890	7 339	10 039	16 763	930
宮　　崎	8 377	530	1 057	3 031	3 759	7 832	517
鹿　児　島	37 787	2 826	4 559	13 643	16 759	37 782	2 826
沖　　縄	15 399	1 310	2 083	5 654	6 352	6 242	806
指定都市・特別区（再掲）							
東京都区部	80 448	18 145	17 519	21 952	22 832	35 615	9 151
札　幌　市	6 048	640	878	2 258	2 272	154	3
仙　台　市	34 469	3 169	4 080	10 804	16 416	34 469	3 169
さいたま市	53 495	1 166	5 907	14 164	32 258	－	－
千　葉　市	26 159	3 021	2 950	6 648	13 540	3 650	881
横　浜　市	22 379	2 385	2 830	7 394	9 770	－	－
川　崎　市	－	－	－	－	－	－	－
相模原市	14 831	806	1 329	3 439	9 257	1 705	270
新　潟　市	…	…	…	…	…	…	…
静　岡　市	11 970	743	1 246	3 998	5 983	6 135	731
浜　松　市	28 102	1 231	2 755	8 396	15 720	551	16
名古屋市	23 664	3 282	3 492	6 804	10 086	831	226
京　都　市	－	－	－	－	－	－	－
大　阪　市	14 327	1 951	2 241	4 482	5 653	5 343	698
堺　　市	2 131	－	204	636	1 291	1 485	－
神　戸　市	11 078	1 424	1 261	3 588	4 805	11 078	1 424
岡　山　市	617	－	77	226	314	96	－
広　島　市	12 809	1 995	1 550	4 181	5 083	2 791	442
北九州市	2 929	334	413	1 235	947	1 001	51
福　岡　市	－	－	－	－	－	－	－
熊　本　市	4 744	338	533	1 799	2 074	4 744	338

－指定都市・特別区－中核市－その他政令市、検診回数・検診方式・年齢階級別

平成29年度

検	診		個	別	検	診		
50 ～ 59 歳	60 ～ 69 歳	70 歳 以 上	総 数	40 ～ 49 歳	50 ～ 59 歳	60 ～ 69 歳	70 歳 以 上	
179 056	**488 040**	**575 414**	**794 285**	**45 464**	**86 683**	**245 256**	**416 882**	
7 020	18 338	22 722	14 046	1 645	2 265	5 213	4 923	
6 442	17 601	20 394	11 587	593	1 111	3 463	6 420	
5 865	17 617	23 192	3 861	310	455	1 188	1 908	
12 590	36 494	47 981	1 172	58	105	583	426	
4 344	10 811	12 805	716	30	39	336	311	
5 656	19 537	19 064	1 539	65	171	703	600	
3 496	12 021	11 116	57 097	640	4 812	18 074	33 571	
6 840	17 832	20 818	1 340	55	149	434	702	
8 095	21 014	19 988	1 128	100	137	254	637	
2 570	6 762	7 479	44 536	435	4 973	13 429	25 699	
5 029	15 081	18 422	85 298	2 437	9 577	23 776	49 508	
13 541	32 262	43 740	38 643	3 316	4 009	10 137	21 181	
11 427	16 914	16 330	54 532	9 162	9 203	15 124	21 043	
2 354	5 746	8 654	57 077	3 846	5 883	15 092	32 256	
5 836	19 474	26 666	184	…	33	72	79	
953	3 758	4 904	14 618	119	1 113	4 764	8 622	
2 003	5 732	7 711	11 060	29	1 216	7 458	2 357	
213	761	1 150	513	5	55	204	249	
3 172	6 351	6 351	7 689	312	790	3 195	3 392	
2 648	6 732	8 058	1 806	25	231	792	758	
4 211	11 725	12 036	7 002	661	845	2 545	2 951	
5 051	13 860	16 360	58 833	3 014	6 021	17 027	32 771	
5 139	12 874	15 640	121 068	9 830	12 541	33 857	64 840	
1 952	5 224	5 709	50 488	706	4 294	15 453	30 035	
1 465	4 528	4 775	550	59	68	239	184	
2 589	5 739	6 370	186	-	17	61	108	
5 051	12 631	15 004	33 347	3 709	4 359	10 733	14 546	
5 989	17 766	21 718	891	55	107	332	397	
1 523	4 409	5 089	3 950	228	421	988	2 313	
1 337	2 785	2 062	5 858	82	815	2 109	2 852	
709	1 983	2 124	26 019	73	2 194	8 717	15 035	
360	1 375	2 786	166	-	7	93	66	
1 162	4 555	7 587	9 210	66	925	3 121	5 098	
2 120	7 768	10 299	19 463	1 885	2 128	7 037	8 413	
693	2 486	3 272	4 686	219	406	1 282	2 779	
991	3 328	4 159	1 126	83	107	448	488	
2 089	5 912	7 296	4 340	324	491	1 597	1 928	
2 971	8 348	10 560	160	3	28	73	56	
1 677	4 965	6 624	53	4	17	19	13	
6 020	18 571	17 137	2 921	339	433	1 183	966	
2 358	6 534	4 568	67	-	17	12	38	
1 055	2 957	3 266	18 894	165	1 966	7 287	9 476	
4 419	12 403	12 395	3 310	147	591	1 561	1 011	
1 603	5 838	8 392	3 548	113	287	1 501	1 647	
982	2 826	3 507	545	13	75	205	252	
4 558	13 641	16 757	5	-	1	2	2	
888	2 171	2 377	9 157	504	1 195	3 483	3 975	
8 454	10 188	7 822	44 833	8 994	9 065	11 764	15 010	
10	61	80	5 894	637	868	2 197	2 192	
4 080	10 804	16 416	-	-	-	-	-	
-	-	-	53 495	1 166	5 907	14 164	32 258	
585	1 134	1 050	22 509	2 140	2 365	5 514	12 490	
-	-	-	22 379	2 385	2 830	7 394	9 770	
-	-	-	-	-	-	-	-	
290	570	575	13 126	536	1 039	2 869	8 682	
…	…	…	…	…	…	…	…	
840	2 307	2 257	5 835	12	406	1 691	3 726	
57	183	295	27 551	1 215	2 698	8 213	15 425	
151	223	231	22 833	3 056	3 341	6 581	9 855	
-	-	-	-	-	-	-	-	
731	1 703	2 211	8 984	1 253	1 510	2 779	3 442	
115	382	988	646	-	89	254	303	
1 261	3 588	4 805	-	-	-	-	-	
9	36	51	521	-	68	190	263	
219	832	1 298	10 018	1 553	1 331	3 349	3 785	
83	440	427	1 928	283	330	795	520	
-	-	-	-	-	-	-	-	
533	1 799	2 074	-	-	-	-	-	

15(8)－01 がん検診 胃がん

第15－3表（2－2） 胃がん検診2年連続受診者数，都道府県

	総　　　　　数					集　　　団	
	総　　数	40 ～ 49 歳	50 ～ 59 歳	60 ～ 69 歳	70 歳 以 上	総　　数	40 ～ 49 歳
中核市（再掲）							
旭 川 市	4 955	343	592	1 891	2 129	4 955	343
函 館 市	1 629	178	247	652	552	1 106	72
青 森 市	8 762	507	864	2 998	4 393	2 757	271
八 戸 市	10 562	500	966	3 650	5 446	10 383	500
盛 岡 市	5 709	504	732	1 848	2 625	1 848	194
秋 田 市	2 855	176	604	924	1 151	2 855	176
郡 山 市	17 589	190	1 697	6 177	9 525	276	17
い わ き 市	9 502	167	683	2 916	5 736	1 449	112
宇 都 宮 市	6 175	808	954	2 425	1 988	5 705	719
前 橋 市	23 744	516	2 731	7 352	13 145	1 181	186
高 崎 市	3 119	350	348	922	1 499	2 396	350
川 越 市	1 208	148	171	433	456	1 208	148
越 谷 市	8 201	13	811	2 022	5 355	－	－
船 橋 市	4 236	587	566	1 216	1 867	850	178
柏 　 市	6 806	695	749	1 937	3 425	6 752	695
八 王 子 市	4 875	618	647	1 568	2 042	4 875	618
横 須 賀 市	－	－	－	－	－	－	－
富 山 市	…	…	…	…	…	…	…
金 沢 市	10 464	224	1 192	7 061	1 987	1 255	224
長 野 市	2 191	224	282	679	1 006	2 191	224
岐 阜 市	1 965	217	252	790	706	1 965	217
豊 橋 市	5 228	499	685	1 334	2 710	1 004	139
豊 田 市	10 260	796	999	3 644	4 821	－	－
岡 崎 市	12 076	1 417	1 516	4 250	4 893	11 965	1 416
大 津 市	1 137	137	96	418	486	1 133	137
高 槻 市	3 666	470	418	1 275	1 503	1 213	131
東 大 阪 市	9 901	1 164	1 270	3 268	4 199	－	－
豊 中 市	2 243	238	286	700	1 019	1 114	115
枚 方 市	2 829	276	319	1 057	1 177	－	－
姫 路 市	3 195	235	399	1 201	1 360	3 094	215
西 宮 市	3 106	368	412	947	1 379	3 106	368
尼 崎 市	－	－	－	－	－	－	－
奈 良 市	1 541	109	153	570	709	1 498	109
和 歌 山 市	282	－	50	123	109	41	－
倉 敷 市	6 577	－	687	2 495	3 395	461	－
福 山 市	3 665	276	396	1 376	1 617	2 668	191
呉 　 市	2 298	203	210	916	969	2 295	203
下 関 市	873	－	49	260	564	186	－
高 松 市	4 562	654	432	1 626	1 850	4 356	654
松 山 市	5 081	－	606	1 841	2 634	4 946	－
高 知 市	2 545	274	413	953	905	2 537	274
久 留 米 市	2 420	283	312	939	886	2 420	283
長 崎 市	…	…	…	…	…	…	…
佐 世 保 市	8 204	51	831	3 128	4 194	466	41
大 分 市	…	…	…	…	…	…	…
宮 崎 市	1 492	－	211	638	643	1 131	－
鹿 児 島 市	5 536	320	465	1 720	3 031	5 536	320
那 覇 市	3 161	168	498	1 183	1 312	89	21
その他政令市（再掲）							
小 樽 市	983	76	102	313	492	983	76
町 田 市	－	－	－	－	－	－	－
藤 沢 市	4 072	520	428	907	2 217	－	－
茅 ヶ 崎 市	4 640	437	474	1 203	2 526	557	115
四 日 市 市	11 386	413	1 096	3 772	6 105	1 997	152
大 牟 田 市	406	49	65	173	119	389	49

－指定都市・特別区－中核市－その他政令市、検診回数・検診方式・年齢階級別

平成29年度

検診			個別検診				
50 ～ 59 歳	60 ～ 69 歳	70 歳 以 上	総 数	40 ～ 49 歳	50 ～ 59 歳	60 ～ 69 歳	70 歳 以 上
592	1 891	2 129	–	–	–	–	–
124	464	446	523	106	123	188	106
401	1 285	800	6 005	236	463	1 713	3 593
966	3 628	5 289	179	–	–	22	157
277	660	717	3 861	310	455	1 188	1 908
604	924	1 151	–	–	–	–	–
26	107	126	17 313	173	1 671	6 070	9 399
151	569	617	8 053	55	532	2 347	5 119
864	2 293	1 829	470	89	90	132	159
153	475	367	22 563	330	2 578	6 877	12 778
229	669	1 148	723	–	119	253	351
171	433	456					
–	–	–	8 201	13	811	2 022	5 355
125	208	339	3 386	409	441	1 008	1 528
749	1 936	3 372	54	–	–	1	53
647	1 568	2 042	–	–	–	–	–
…	…	…	…	…	…	…	…
248	421	362	9 209	–	944	6 640	1 625
282	679	1 006	–	–	–	–	–
252	790	706	–	–	–	–	–
183	260	422	4 224	360	502	1 074	2 288
–	–	–	10 260	796	999	3 644	4 821
1 514	4 243	4 792	111	1	2	7	101
96	415	485	4	–	–	3	1
126	496	460	2 453	339	292	779	1 043
–	–	–	9 901	1 164	1 270	3 268	4 199
153	372	474	1 129	123	133	328	545
–	–	–	2 829	276	319	1 057	1 177
369	1 165	1 345	101	20	30	36	15
412	947	1 379	–	–	–	–	–
–	–	–	–	–	–	–	–
120	560	709	43	–	33	10	–
9	15	17	241	–	41	108	92
69	392	–	6 116	–	618	2 103	3 395
282	1 032	1 163	997	85	114	344	454
210	914	968	3	–	–	2	1
7	72	107	687	–	42	188	457
383	1 469	1 850	206	–	49	157	–
579	1 782	2 585	135	–	27	59	49
405	953	905	8	–	8	–	–
312	939	886	–	–	–	–	–
…	…	…	…	…	…	…	…
66	226	133	7 738	10	765	2 902	4 061
…	…	…	…	…	…	…	…
159	483	489	361	–	52	155	154
465	1 720	3 031	–	–	–	–	–
23	22	23	3 072	147	475	1 161	1 289
102	313	492	–	–	–	–	–
–	–	–	4 072	520	428	907	2 217
73	174	195	4 083	322	401	1 029	2 331
257	621	967	9 389	261	839	3 151	5 138
60	167	113	17	–	5	6	6

15(8)－02,03 がん検診 肺がん

第16－1表 （6－1） 肺がん検診受診者数，胸部エックス線検査、都道府県

	総						
	総数					集団	
	総数	40～49歳	50～59歳	60～69歳	70歳以上	総数	40～49歳
全国	7 941 580	729 396	788 445	2 363 203	4 060 536	4 502 849	427 009
北海道	191 829	18 525	22 689	64 137	86 478	152 055	14 210
青森	108 197	8 929	13 309	38 680	47 279	99 647	8 138
岩手	140 978	9 484	13 999	44 141	73 354	111 851	7 753
宮城	263 783	20 850	26 348	87 034	129 551	262 063	20 766
秋田	79 499	5 399	8 483	28 434	37 183	76 557	5 178
山形	147 350	9 223	14 746	55 763	67 618	141 022	8 935
福島	210 058	12 665	19 402	71 534	106 457	114 582	7 106
茨城	241 256	22 153	23 545	78 070	117 488	229 556	21 417
栃木	171 113	18 706	19 070	55 041	78 296	133 319	17 178
群馬	198 874	16 036	18 172	56 318	108 348	153 544	12 127
埼玉	464 907	42 568	41 539	122 684	258 116	110 938	12 973
千葉	573 486	58 113	53 446	150 621	311 306	226 671	24 788
東京	464 341	78 858	71 537	111 287	202 659	102 351	27 223
神奈川	490 179	38 698	41 201	114 851	295 429	35 883	5 341
新潟	216 986	13 551	17 652	70 252	115 531	216 986	13 551
富山	112 150	6 592	7 269	29 262	69 027	59 721	4 046
石川	84 321	7 450	8 580	30 830	37 461	49 733	6 230
福井	51 318	4 167	4 440	15 960	26 751	34 680	3 128
山梨	104 814	11 824	12 782	34 190	46 018	84 476	10 080
長野	80 481	5 786	6 797	21 917	45 981	68 845	4 883
岐阜	132 902	11 224	12 407	41 515	67 756	111 270	9 342
静岡	344 185	24 721	28 831	97 808	192 825	205 941	14 145
愛知	586 203	54 564	54 197	154 196	323 246	135 616	16 308
三重	136 123	8 994	10 479	40 798	75 852	45 814	3 684
滋賀	50 304	5 378	5 029	16 603	23 294	21 127	3 219
京都	84 971	10 667	9 581	26 633	38 090	84 557	10 649
大阪	351 178	43 588	41 466	102 232	163 892	114 126	18 829
兵庫	238 201	25 082	23 175	71 190	118 754	151 396	16 839
奈良	41 010	4 742	4 627	13 048	18 593	31 075	4 024
和歌山	67 462	7 609	9 106	23 452	27 295	33 398	4 494
鳥取	54 759	4 055	4 716	18 106	27 882	25 596	2 133
島根	33 462	1 504	2 158	9 315	20 485	32 557	1 455
岡山	155 897	8 941	11 635	43 328	91 993	87 000	4 274
広島	146 689	14 115	12 929	48 107	71 538	57 964	5 797
山口	65 889	3 969	4 288	19 131	38 501	32 563	2 513
徳島	28 840	2 575	2 559	9 588	14 118	27 323	2 421
香川	85 741	6 741	7 048	25 431	46 521	76 571	6 118
愛媛	60 167	6 056	6 475	20 111	27 525	56 791	5 516
高知	62 175	4 244	5 422	19 228	33 281	61 619	4 216
福岡	152 187	18 252	18 094	57 566	58 275	125 605	15 935
佐賀	49 089	4 873	6 093	18 767	19 356	48 302	4 810
長崎	103 698	6 656	10 691	36 764	49 587	39 930	3 007
熊本	135 133	10 461	14 210	46 822	63 640	120 938	9 393
大分	98 745	6 762	8 451	32 755	50 777	79 036	4 701
宮崎	48 232	3 168	4 213	15 240	25 611	48 232	3 168
鹿児島	133 321	9 119	12 237	42 027	69 938	133 299	9 117
沖縄	99 097	11 759	13 322	32 436	41 580	50 723	5 851
指定都市・特別区(再掲)							
東京都区部	371 969	65 965	59 693	85 964	160 347	60 591	19 705
札幌市	17 924	1 910	1 929	6 562	7 523	15 114	1 143
仙台市	72 786	6 361	7 050	21 909	37 466	72 786	6 361
さいたま市	126 211	11 818	11 513	29 981	72 899	–	–
千葉市	100 097	9 068	8 774	23 301	58 954	4 586	1 665
横浜市	93 598	9 587	10 778	27 022	46 211	4 176	367
川崎市	83 164	6 990	7 389	18 218	50 567	–	–
相模原市	48 902	4 287	3 711	10 546	30 358	3 536	869
新潟市	39 943	3 205	3 194	13 739	19 805	39 943	3 205
静岡市	50 235	2 336	2 737	13 953	31 209	50 235	2 336
浜松市	74 841	5 299	6 320	19 852	43 370	1 637	44
名古屋市	135 293	14 737	14 866	33 768	71 922	2 308	816
京都市	30 315	4 059	3 375	9 171	13 710	30 315	4 059
大阪市	52 269	9 007	7 995	14 610	20 657	13 891	2 523
堺市	17 860	2 071	1 862	5 227	8 700	6 170	721
神戸市	27 723	4 823	2 550	6 592	13 758	–	–
岡山市	53 750	3 551	4 379	13 928	31 892	9 616	679
広島市	62 515	7 365	6 072	18 912	30 166	9 334	1 355
北九州市	10 905	1 203	1 263	4 541	3 898	10 905	1 203
福岡市	14 202	2 259	1 910	5 664	4 369	14 202	2 259
熊本市	21 233	1 496	1 854	7 527	10 356	21 233	1 496

－指定都市・特別区－中核市－その他政令市、検診回数・検診方式・年齢階級別

平成29年度

数							
検診			個別検診				
50 ～ 59 歳	60 ～ 69 歳	70 歳 以 上	総数	40 ～ 49 歳	50 ～ 59 歳	60 ～ 69 歳	70 歳 以 上
470 160	1 471 349	2 134 331	3 438 731	302 387	318 285	891 854	1 926 205
17 997	51 522	68 326	39 774	4 315	4 692	12 615	18 152
12 197	35 800	43 512	8 550	791	1 112	2 880	3 767
11 666	36 879	55 553	29 127	1 731	2 333	7 262	17 801
26 208	86 167	128 922	1 720	84	140	867	629
8 174	27 181	36 024	2 942	221	309	1 253	1 159
14 267	53 832	63 988	6 328	288	479	1 931	3 630
11 577	42 811	53 088	95 476	5 559	7 825	28 723	53 369
22 650	75 182	110 307	11 700	736	895	2 888	7 181
17 013	47 948	51 180	37 794	1 528	2 057	7 093	27 116
13 855	44 360	83 202	45 330	3 909	4 317	11 958	25 146
11 934	38 764	47 267	353 969	29 595	29 605	83 920	210 849
23 540	71 412	106 931	346 815	33 325	29 906	79 209	204 375
22 609	27 516	25 003	361 990	51 635	48 928	83 771	177 656
4 519	11 006	15 017	454 296	33 357	36 682	103 845	280 412
17 652	70 252	115 531	-	-	-	-	-
4 307	16 947	34 421	52 429	2 546	2 962	12 315	34 606
5 350	16 375	21 778	34 588	1 220	3 230	14 455	15 683
3 180	11 125	17 247	16 638	1 039	1 260	4 835	9 504
10 482	25 855	38 059	20 338	1 744	2 300	8 335	7 959
5 701	18 445	39 816	11 636	903	1 096	3 472	6 165
10 380	34 895	56 653	21 632	1 882	2 027	6 620	11 103
16 609	61 916	113 271	138 244	10 576	12 222	35 892	79 554
13 604	40 003	65 701	450 587	38 256	40 593	114 193	257 545
3 639	14 342	24 149	90 309	5 310	6 840	26 456	51 703
2 910	8 066	6 932	29 177	2 159	2 119	8 537	16 362
9 556	26 488	37 864	414	18	25	145	226
16 467	37 615	41 215	237 052	24 759	24 999	64 617	122 677
16 845	50 733	66 979	86 805	8 243	6 330	20 457	51 775
3 776	10 650	12 625	9 935	718	851	2 398	5 968
4 878	12 127	11 899	34 064	3 115	4 228	11 325	15 396
2 391	8 267	12 805	29 163	1 922	2 325	9 839	15 077
2 076	8 967	20 059	905	49	82	348	426
6 337	25 109	51 280	68 897	4 667	5 298	18 219	40 713
4 898	18 933	28 336	88 725	8 318	8 031	29 174	43 202
2 475	10 677	16 898	33 326	1 456	1 813	8 454	21 603
2 416	8 928	13 558	1 517	154	143	660	560
6 330	22 368	41 755	9 170	623	718	3 063	4 766
6 000	19 037	26 238	3 376	540	475	1 074	1 287
5 389	19 078	32 936	556	28	33	150	345
15 371	49 368	44 931	26 582	2 317	2 723	8 198	13 344
6 040	18 494	18 958	787	63	53	273	398
4 677	14 810	17 436	63 768	3 649	6 014	21 954	32 151
12 436	41 387	57 722	14 195	1 068	1 774	5 435	5 918
6 399	26 103	41 833	19 709	2 061	2 052	6 652	8 944
4 213	15 240	25 611	-	-	-	-	-
12 234	42 018	69 930	22	2	3	9	8
6 936	16 351	21 585	48 374	5 908	6 386	16 085	19 995
16 283	14 712	9 891	311 378	46 260	43 410	71 252	150 456
1 388	5 672	6 911	2 810	767	541	890	612
7 050	21 909	37 466	-	-	-	-	-
-	-	-	126 211	11 818	11 513	29 981	72 899
1 021	1 408	492	95 511	7 403	7 753	21 893	58 462
485	1 234	2 090	89 422	9 220	10 293	25 788	44 121
-	-	-	83 164	6 990	7 389	18 218	50 567
640	1 069	958	45 366	3 418	3 071	9 477	29 400
3 194	13 739	19 805	-	-	-	-	-
2 737	13 953	31 209	-	-	-	-	-
132	404	1 057	73 204	5 255	6 188	19 448	42 313
455	648	389	132 985	13 921	14 411	33 120	71 533
3 375	9 171	13 710	-	-	-	-	-
2 150	4 477	4 741	38 378	6 484	5 845	10 133	15 916
597	1 763	3 089	11 690	1 350	1 265	3 464	5 611
-	-	-	27 723	4 823	2 550	6 592	13 758
932	3 133	4 872	44 134	2 872	3 447	10 795	27 020
672	2 463	4 844	53 181	6 010	5 400	16 449	25 322
1 263	4 541	3 898	-	-	-	-	-
1 910	5 664	4 369	-	-	-	-	-
1 854	7 527	10 356	-	-	-	-	-

15(8)－02,03 がん検診 肺がん

第16－1表（6－2）　肺がん検診受診者数，胸部エックス線検査、都道府県

	総						
	総　　　数					集　　　団	
	総　　数	40 ～ 49 歳	50 ～ 59 歳	60 ～ 69 歳	70 歳 以 上	総　　数	40 ～ 49 歳
中核市（再掲）							
旭 川 市	10 883	980	1 357	3 994	4 552	10 883	980
函 館 市	8 656	599	773	2 930	4 354	8 656	599
青 森 市	9 016	824	1 124	3 636	3 432	8 079	782
八 戸 市	17 660	1 068	1 665	6 202	8 725	17 660	1 068
盛 岡 市	29 482	1 727	2 291	7 394	18 070	643	34
秋 田 市	9 169	520	983	3 271	4 395	9 169	520
郡 山 市	29 926	1 929	2 754	10 013	15 230	684	47
い わ き 市	25 035	1 136	1 704	7 199	14 996	6 560	399
宇 都 宮 市	44 795	4 053	4 061	11 440	25 241	18 986	2 942
前 橋 市	49 433	4 521	4 803	13 443	26 666	4 110	612
高 崎 市	23 506	1 724	1 679	5 959	14 144	23 506	1 724
川 越 市	2 519	537	339	793	850	2 519	537
越 谷 市	23 560	1 225	1 540	5 166	15 629	5 411	521
船 橋 市	85 120	9 968	7 219	17 439	50 494	－	－
柏 市	17 264	1 488	1 416	4 990	9 370	17 264	1 488
八 王 子 市	23 940	3 202	2 956	6 570	11 212	－	－
横 須 賀 市	28 705	1 894	2 198	8 110	16 503	5 442	545
富 山 市	37 518	2 607	2 726	9 155	23 030	11 456	1 366
金 沢 市	30 980	2 147	3 518	13 226	12 089	4 527	1 329
長 野 市	12 280	561	981	3 072	7 666	12 280	561
岐 阜 市	8 540	904	862	2 997	3 777	8 540	904
豊 橋 市	23 163	2 773	2 551	6 128	11 711	2 482	582
豊 田 市	21 105	1 522	1 840	5 897	11 846	－	－
岡 崎 市	23 342	3 402	2 847	8 312	8 781	23 342	3 402
大 津 市	21 115	1 600	1 572	6 186	11 757	498	121
高 槻 市	40 170	3 747	3 367	10 694	22 362	5 881	930
東 大 阪 市	22 574	3 181	2 692	6 762	9 939	2 062	355
豊 中 市	4 951	762	746	1 461	1 982	4 951	762
枚 方 市	25 635	1 819	2 178	8 106	13 532	－	－
姫 路 市	9 717	1 546	1 380	3 344	3 447	9 717	1 546
西 宮 市	7 393	1 132	974	2 116	3 171	7 393	1 132
尼 崎 市	10 324	1 633	1 040	2 977	4 674	10 324	1 633
奈 良 市	2 978	313	300	1 040	1 325	2 978	313
和 歌 山 市	10 659	969	1 329	3 672	4 689	1 902	228
倉 敷 市	29 205	1 985	2 232	9 319	15 669	16 538	762
福 山 市	21 680	1 849	1 907	7 479	10 445	7 006	706
呉 市	7 055	883	583	2 480	3 109	6 872	883
下 関 市	4 068	173	267	1 690	1 938	3 774	173
高 松 市	18 841	1 926	1 717	6 440	8 758	18 841	1 926
松 山 市	16 114	1 574	1 775	5 344	7 421	12 772	1 036
高 知 市	7 452	1 249	1 134	2 904	2 165	7 452	1 249
久 留 米 市	20 951	1 811	2 120	6 265	10 755	－	－
長 崎 市	14 969	1 091	1 591	5 545	6 742	2 949	238
佐 世 保 市	18 985	1 088	1 700	6 922	9 275	3 598	336
大 分 市	28 901	2 685	2 651	9 768	13 797	23 605	1 237
宮 崎 市	21 205	1 507	2 043	6 965	10 690	21 205	1 507
鹿 児 島 市	23 400	2 026	2 012	7 220	12 142	23 400	2 026
那 覇 市	18 721	2 467	2 611	5 806	7 837	892	232
その他政令市（再掲）							
小 樽 市	2 219	108	186	675	1 250	2 219	108
町 田 市	－	－	－	－	－	－	－
藤 沢 市	54 162	3 407	3 741	10 839	36 175	－	－
茅 ヶ 崎 市	29 213	1 668	1 962	5 928	19 655	－	－
四 日 市 市	13 070	1 228	1 103	3 908	6 831	5 925	262
大 牟 田 市	1 539	232	195	612	500	1 195	205

注：検診回数の初回・非初回については、計数不詳の市区町村があるため、総数と一致しない場合がある。

－指定都市・特別区－中核市－その他政令市、検診回数・検診方式・年齢階級別

平成29年度

数							
検 診			個 別 検 診				
50 ～ 59 歳	60 ～ 69 歳	70 歳 以 上	総 数	40 ～ 49 歳	50 ～ 59 歳	60 ～ 69 歳	70 歳 以 上
1 357	3 994	4 552	-	-	-	-	-
773	2 930	4 354	-	-	-	-	-
1 049	3 369	2 879	937	42	75	267	553
1 665	6 202	8 725	-	-	-	-	-
69	268	272	28 839	1 693	2 222	7 126	17 798
983	3 271	4 395	-	-	-	-	-
52	258	327	29 242	1 882	2 702	9 755	14 903
563	2 344	3 254	18 475	737	1 141	4 855	11 742
2 716	6 939	6 389	25 809	1 111	1 345	4 501	18 852
488	1 488	1 522	45 323	3 909	4 315	11 955	25 144
1 679	5 959	14 144	-	-	-	-	-
339	793	850	-	-	-	-	-
641	1 806	2 443	18 149	704	899	3 360	13 186
-	-	-	85 120	9 968	7 219	17 439	50 494
1 416	4 990	9 370					
-	-	-	23 940	3 202	2 956	6 570	11 212
514	1 634	2 749	23 263	1 349	1 684	6 476	13 754
1 202	3 523	5 365	26 062	1 241	1 524	5 632	17 665
940	1 305	953	26 453	818	2 578	11 921	11 136
981	3 072	7 666	-	-	-	-	-
862	2 997	3 777	-	-	-	-	-
415	698	787	20 681	2 191	2 136	5 430	10 924
-	-	-	21 105	1 522	1 840	5 897	11 846
2 847	8 312	8 781	-	-	-	-	-
97	216	64	20 617	1 479	1 475	5 970	11 693
730	2 325	1 896	34 289	2 817	2 637	8 369	20 466
329	658	720	20 512	2 826	2 363	6 104	9 219
746	1 461	1 982	-	-	-	-	-
-	-	-	25 635	1 819	2 178	8 106	13 532
1 380	3 344	3 447	-	-	-	-	-
974	2 116	3 171	-	-	-	-	-
1 040	2 977	4 674	-	-	-	-	-
300	1 040	1 325	-	-	-	-	-
174	634	866	8 757	741	1 155	3 038	3 823
1 139	4 912	9 725	12 667	1 223	1 093	4 407	5 944
746	2 568	2 986	14 674	1 143	1 161	4 911	7 459
576	2 435	2 978	183	-	7	45	131
239	1 544	1 818	294	-	28	146	120
1 717	6 440	8 758	-	-	-	-	-
1 307	4 291	6 138	3 342	538	468	1 053	1 283
1 134	2 904	2 165	-	-	-	-	-
-	-	-	20 951	1 811	2 120	6 265	10 755
347	1 435	929	12 020	853	1 244	4 110	5 813
430	1 543	1 289	15 387	752	1 270	5 379	7 986
1 640	7 865	12 863	5 296	1 448	1 011	1 903	934
2 043	6 965	10 690	-	-	-	-	-
2 012	7 220	12 142	-	-	-	-	-
201	312	147	17 829	2 235	2 410	5 494	7 690
186	675	1 250	-	-	-	-	-
-	-	-	54 162	3 407	3 741	10 839	36 175
-	-	-	29 213	1 668	1 962	5 928	19 655
386	1 550	3 727	7 145	966	717	2 358	3 104
154	464	372	344	27	41	148	128

第16－1表（6－3） 肺がん検診受診者数，胸部エックス線検査、都道府県

	初						
	総数					集団	
	総数	40～49歳	50～59歳	60～69歳	70歳以上	総数	40～49歳
全国	**2 078 677**	**334 761**	**260 685**	**644 180**	**839 051**	**1 128 216**	**191 885**
北海道	61 157	8 773	7 958	21 119	23 307	48 841	6 401
青森	25 739	3 772	3 851	8 956	9 160	23 958	3 495
岩手	22 236	3 480	2 807	7 098	8 851	17 619	2 878
宮城	51 331	8 641	6 810	17 740	18 140	51 022	8 620
秋田	15 973	1 962	2 108	5 925	5 978	15 469	1 867
山形	18 907	2 366	2 414	7 180	6 947	18 250	2 318
福島	46 093	5 333	5 760	17 186	17 814	23 857	2 879
茨城	60 181	9 286	6 865	20 532	23 498	55 799	8 844
栃木	51 002	9 226	6 710	15 868	19 198	39 073	8 348
群馬	57 028	7 703	6 318	16 922	26 085	45 634	5 954
埼玉	99 227	16 103	11 833	28 672	42 619	35 691	6 941
千葉	112 516	20 932	13 962	33 322	44 300	49 634	10 039
東京	127 561	33 976	22 586	29 986	41 013	36 361	12 133
神奈川	158 370	22 656	18 803	41 508	75 403	10 336	2 725
新潟	44 472	5 898	4 767	15 767	18 040	44 472	5 898
富山	15 489	1 742	1 414	4 771	7 562	8 433	1 083
石川	25 215	4 130	3 622	9 559	7 904	14 635	3 140
福井	17 458	2 368	1 936	5 728	7 426	10 545	1 682
山梨	16 552	3 159	2 527	5 688	5 178	12 712	2 584
長野	21 199	2 543	2 361	6 346	9 949	16 291	1 982
岐阜	37 210	5 114	3 933	12 162	16 001	29 290	4 104
静岡	87 042	11 588	9 426	27 290	38 738	49 445	6 453
愛知	170 394	28 266	20 350	46 650	75 128	35 018	8 096
三重	32 311	4 149	3 375	10 563	14 224	9 731	1 573
滋賀	21 025	3 425	2 417	6 719	8 464	8 816	1 988
京都	16 070	3 123	1 902	4 992	6 053	15 893	3 112
大阪	135 965	26 195	19 834	39 325	50 611	46 273	11 613
兵庫	67 048	13 055	8 059	19 719	26 215	39 348	7 815
奈良	15 631	3 009	2 203	5 048	5 371	12 269	2 567
和歌山	23 353	3 764	3 524	7 698	8 367	10 249	1 978
鳥取	15 051	2 261	1 952	5 148	5 690	6 430	1 153
島根	10 384	875	907	3 542	5 060	9 986	837
岡山	38 516	4 210	3 731	11 698	18 877	17 709	1 721
広島	49 358	6 995	4 947	15 825	21 591	15 149	2 838
山口	21 885	2 328	1 759	6 841	10 957	10 423	1 442
徳島	9 239	1 355	1 040	3 136	3 708	8 733	1 259
香川	20 145	3 106	2 180	6 472	8 387	18 019	2 816
愛媛	16 271	2 875	2 206	5 562	5 628	14 284	2 457
高知	15 347	2 105	1 766	5 411	6 065	15 161	2 094
福岡	40 441	7 536	5 610	14 837	12 458	31 642	6 287
佐賀	15 866	2 572	2 256	5 942	5 096	15 410	2 517
長崎	31 434	3 490	4 082	11 579	12 283	10 249	1 432
熊本	39 011	5 130	4 946	14 136	14 799	35 213	4 667
大分	15 664	1 785	1 667	5 444	6 768	13 689	1 600
宮崎	17 695	2 071	2 019	5 994	7 611	17 695	2 071
鹿児島	37 444	4 829	4 337	12 727	15 551	37 434	4 827
沖縄	31 171	5 501	4 845	9 847	10 978	16 026	2 757
指定都市・特別区(再掲)							
東京都区部	94 520	26 383	17 364	20 734	30 039	17 956	7 469
札幌市	7 962	1 307	998	2 891	2 766	6 367	714
仙台市	17 510	3 013	2 239	5 497	6 761	17 510	3 013
さいたま市	…	…	…	…	…	-	-
千葉市	30 416	4 913	3 754	8 012	13 737	2 201	965
横浜市	49 855	6 945	6 791	14 567	21 552	1 976	236
川崎市	30 430	4 588	3 668	7 222	14 952	-	-
相模原市	16 544	2 528	1 773	4 108	8 135	1 464	558
新潟市	12 021	1 845	1 173	4 346	4 657	12 021	1 845
静岡市	15 259	1 443	1 190	5 151	7 475	15 259	1 443
浜松市	20 773	2 416	2 070	6 012	10 275	307	12
名古屋市	58 778	9 133	7 345	14 579	27 721	1 452	551
京都市	-	-	-	-	-	-	-
大阪市	23 724	5 869	4 152	6 219	7 484	6 856	1 786
堺市	12 110	1 562	1 352	3 549	5 647	2 941	436
神戸市	9 660	3 199	774	1 744	3 943	-	-
岡山市	15 620	1 836	1 631	4 369	7 784	2 747	298
広島市	22 564	3 282	2 313	6 356	10 613	1 711	509
北九州市	…	…	…	…	…	…	…
福岡市	-	-	-	-	-	-	-
熊本市	7 821	1 002	917	2 924	2 978	7 821	1 002

－指定都市・特別区－中核市－その他政令市、検診回数・検診方式・年齢階級別

平成29年度

回							
検診			個別検診				
50 ～ 59 歳	60 ～ 69 歳	70 歳 以 上	総数	40 ～ 49 歳	50 ～ 59 歳	60 ～ 69 歳	70 歳 以 上
145 895	**380 812**	**409 624**	**950 461**	**142 876**	**114 790**	**263 368**	**429 427**
6 238	17 156	19 046	12 316	2 372	1 720	3 963	4 261
3 529	8 385	8 549	1 781	277	322	571	611
2 319	5 772	6 650	4 617	602	488	1 326	2 201
6 781	17 583	18 038	309	21	29	157	102
2 023	5 717	5 862	504	95	85	208	116
2 372	6 984	6 576	657	48	42	196	371
3 174	9 829	7 975	22 236	2 454	2 586	7 357	9 839
6 446	19 379	21 130	4 382	442	419	1 153	2 368
5 822	13 427	11 476	11 929	878	888	2 441	7 722
4 910	13 800	20 970	11 394	1 749	1 408	3 122	5 115
4 759	12 441	11 550	63 536	9 162	7 074	16 231	31 069
6 155	16 665	16 775	62 882	10 893	7 807	16 657	27 525
7 707	9 209	7 312	91 200	21 843	14 879	20 777	33 701
1 526	2 873	3 212	148 034	19 931	17 277	38 635	72 191
4 767	15 767	18 040	-	-	-	-	-
845	2 763	3 742	7 056	659	569	2 008	3 820
1 924	4 917	4 654	10 580	990	1 698	4 642	3 250
1 299	3 553	4 011	6 913	686	637	2 175	3 415
1 965	4 118	4 045	3 840	575	562	1 570	1 133
1 804	4 922	7 583	4 908	561	557	1 424	2 366
3 082	9 663	12 441	7 920	1 010	851	2 499	3 560
5 035	16 386	21 571	37 597	5 135	4 391	10 904	17 167
4 455	10 435	12 032	135 376	20 170	15 895	36 215	63 096
1 078	3 431	3 649	22 580	2 576	2 297	7 132	10 575
1 393	3 226	2 209	12 209	1 437	1 024	3 493	6 255
1 890	4 934	5 957	177	11	12	58	96
8 085	14 656	11 919	89 692	14 582	11 749	24 669	38 692
5 560	13 185	12 788	27 700	5 240	2 499	6 534	13 427
1 793	4 158	3 751	3 362	442	410	890	1 620
1 548	3 477	3 246	13 104	1 786	1 976	4 221	5 121
872	2 059	2 346	8 621	1 108	1 080	3 089	3 344
860	3 354	4 935	398	38	47	188	125
1 666	5 680	8 642	20 807	2 489	2 065	6 018	10 235
1 610	5 174	5 527	34 209	4 157	3 337	10 651	16 064
976	3 638	4 367	11 462	886	783	3 203	6 590
985	2 924	3 565	506	96	55	212	143
1 962	5 772	7 469	2 126	290	218	700	918
1 895	4 913	5 019	1 987	418	311	649	609
1 755	5 356	5 956	186	11	11	55	109
4 485	12 015	8 855	8 799	1 249	1 125	2 822	3 603
2 216	5 787	4 890	456	55	40	155	206
1 560	3 970	3 287	21 185	2 058	2 522	7 609	8 996
4 373	12 629	13 544	3 798	463	573	1 507	1 255
1 470	4 762	5 857	1 975	185	197	682	911
2 019	5 994	7 611	-	-	-	-	-
4 337	12 721	15 549	10	2	-	6	2
2 570	5 253	5 446	15 145	2 744	2 275	4 594	5 532
4 500	3 911	2 076	76 564	18 914	12 864	16 823	27 963
694	2 450	2 509	1 595	593	304	441	257
2 239	5 497	6 761	-	-	-	-	-
-	-	-	…	…	…	…	…
479	551	206	28 215	3 948	3 275	7 461	13 531
249	585	906	47 879	6 709	6 542	13 982	20 646
-	-	-	30 430	4 588	3 668	7 222	14 952
299	377	230	15 080	1 970	1 474	3 731	7 905
1 173	4 346	4 657	-	-	-	-	-
1 190	5 151	7 475	-	-	-	-	-
27	69	199	20 466	2 404	2 043	5 943	10 076
282	406	213	57 326	8 582	7 063	14 173	27 508
-	-	-	-	-	-	-	-
1 206	2 072	1 792	16 868	4 083	2 946	4 147	5 692
320	832	1 353	9 169	1 126	1 032	2 717	4 294
-	-	-	9 660	3 199	774	1 744	3 943
315	879	1 255	12 873	1 538	1 316	3 490	6 529
192	430	580	20 853	2 773	2 121	5 926	10 033
…	…	…	…	…	…	…	…
-	-	-	-	-	-	-	-
917	2 924	2 978	-	-	-	-	-

第16－1表（6－4） 肺がん検診受診者数，胸部エックス線検査、都道府県

	初						
	総数					集団	
	総数	40～49歳	50～59歳	60～69歳	70歳以上	総数	40～49歳
中核市(再掲)							
旭川市	4 377	573	618	1 539	1 647	4 377	573
函館市	5 739	475	535	1 976	2 753	5 739	475
青森市	3 467	475	519	1 309	1 164	3 166	460
八戸市	5 560	489	541	1 780	2 750	5 560	489
盛岡市	4 693	611	480	1 351	2 251	120	15
秋田市	2 977	297	413	1 089	1 178	2 977	297
郡山市	7 097	891	908	2 514	2 784	198	26
いわき市	6 901	490	618	2 179	3 614	1 771	164
宇都宮市	14 662	2 434	1 882	3 981	6 365	6 900	1 777
前橋市	12 429	2 033	1 548	3 471	5 377	1 037	284
高崎市	6 322	907	652	1 813	2 950	6 322	907
川越市	855	298	127	245	185	855	298
越谷市	7 611	711	643	1 819	4 438	1 604	272
船橋市	-	-	-	-	-	-	-
柏市	4 271	656	467	1 554	1 594	4 271	656
八王子市	9 964	2 076	1 309	2 701	3 878	-	-
横須賀市	9 155	1 019	874	2 716	4 546	1 558	275
富山市	…	…	…	…	…	…	…
金沢市	10 887	1 645	1 929	4 521	2 792	2 091	827
長野市	3 421	266	301	942	1 912	3 421	266
岐阜市	3 256	535	409	1 110	1 202	3 256	535
豊橋市	6 799	1 447	954	1 919	2 479	784	341
豊田市	5 060	754	600	1 417	2 289	-	-
岡崎市	6 820	1 788	985	2 388	1 659	6 820	1 788
大津市	8 830	1 066	753	2 524	4 487	427	111
高槻市	13 764	2 161	1 656	3 904	6 043	2 510	596
東大阪市	7 804	1 796	1 155	2 132	2 721	1 162	270
豊中市	2 226	503	381	631	711	2 226	503
枚方市	9 235	1 048	1 004	2 957	4 226	-	-
姫路市	4 551	1 265	878	1 507	901	4 551	1 265
西宮市	2 128	541	311	604	672	2 128	541
尼崎市	4 925	1 283	558	1 353	1 731	4 925	1 283
奈良市	1 242	197	162	411	472	1 242	197
和歌山市	5 637	621	710	1 840	2 466	1 459	165
倉敷市	8 117	950	754	2 804	3 609	4 160	322
福山市	8 807	1 134	891	2 977	3 805	2 183	389
呉市	2 248	493	215	775	765	2 165	493
下関市	1 415	98	112	689	516	1 235	98
高松市	5 691	978	622	1 874	2 217	5 691	978
松山市	6 217	1 007	874	2 163	2 173	4 231	589
高知市	3 806	828	583	1 546	849	3 806	828
久留米市	7 227	1 019	911	2 212	3 085	-	-
長崎市	6 752	735	888	2 707	2 422	1 663	163
佐世保市	6 978	626	782	2 525	3 045	1 404	207
大分市	…	…	…	…	…	…	…
宮崎市	7 092	944	892	2 469	2 787	7 092	944
鹿児島市	8 035	1 206	891	2 567	3 371	8 035	1 206
那覇市	5 619	1 167	846	1 630	1 976	449	148
その他政令市(再掲)							
小樽市	863	64	77	282	440	863	64
町田市	-	-	-	-	-	-	-
藤沢市	11 015	1 732	1 245	2 808	5 230	-	-
茅ヶ崎市	6 004	801	659	1 550	2 994	-	-
四日市市	2 484	535	267	710	972	607	83
大牟田市	1 116	190	136	453	337	925	170

注：検診回数の初回・非初回については、計数不詳の市区町村があるため、総数と一致しない場合がある。

－指定都市・特別区－中核市－その他政令市、検診回数・検診方式・年齢階級別

平成29年度

回							
検　診			個別検診				
50～59歳	60～69歳	70歳以上	総数	40～49歳	50～59歳	60～69歳	70歳以上
618	1 539	1 647	-	-	-	-	-
535	1 976	2 753	-	-	-	-	-
486	1 221	999	301	15	33	88	165
541	1 780	2 750	-	-	-	-	-
14	41	50	4 573	596	466	1 310	2 201
413	1 089	1 178	-	-	-	-	-
16	72	84	6 899	865	892	2 442	2 700
191	676	740	5 130	326	427	1 503	2 874
1 273	2 440	1 410	7 762	657	609	1 541	4 955
140	350	263	11 392	1 749	1 408	3 121	5 114
652	1 813	2 950	-	-	-	-	-
127	245	185	-	-	-	-	-
194	524	614	6 007	439	449	1 295	3 824
-	-	-	-	-	-	-	-
467	1 554	1 594	-	-	-	-	-
-	-	-	9 964	2 076	1 309	2 701	3 878
174	472	637	7 597	744	700	2 244	3 909
…	…	…	…	…	…	…	…
433	513	318	8 796	818	1 496	4 008	2 474
301	942	1 912	-	-	-	-	-
409	1 110	1 202	-	-	-	-	-
144	171	128	6 015	1 106	810	1 748	2 351
-	-	-	5 060	754	600	1 417	2 289
985	2 388	1 659	-	-	-	-	-
91	171	54	8 403	955	662	2 353	4 433
419	922	573	11 254	1 565	1 237	2 982	5 470
216	361	315	6 642	1 526	939	1 771	2 406
381	631	711	-	-	-	-	-
-	-	-	9 235	1 048	1 004	2 957	4 226
878	1 507	901	-	-	-	-	-
311	604	672	-	-	-	-	-
558	1 353	1 731	-	-	-	-	-
162	411	472	-	-	-	-	-
103	448	743	4 178	456	607	1 392	1 723
330	1 346	2 162	3 957	628	424	1 458	1 447
288	768	738	6 624	745	603	2 209	3 067
212	758	702	83	-	3	17	63
92	603	442	180	-	20	86	74
622	1 874	2 217	-	-	-	-	-
563	1 514	1 565	1 986	418	311	649	608
583	1 546	849	-	-	-	-	-
-	-	-	7 227	1 019	911	2 212	3 085
224	854	422	5 089	572	664	1 853	2 000
198	565	434	5 574	419	584	1 960	2 611
…	…	…	…	…	…	…	…
892	2 469	2 787	-	-	-	-	-
891	2 567	3 371	-	-	-	-	-
104	144	53	5 170	1 019	742	1 486	1 923
77	282	440	-	-	-	-	-
-	-	-	-	-	-	-	-
-	-	-	11 015	1 732	1 245	2 808	5 230
-	-	-	6 004	801	659	1 550	2 994
71	194	259	1 877	452	196	516	713
114	375	266	191	20	22	78	71

第16－1表（6－5） 肺がん検診受診者数，胸部エックス線検査、都道府県

	非						
	総数					集団	
	総数	40 ～ 49 歳	50 ～ 59 歳	60 ～ 69 歳	70 歳 以 上	総数	40 ～ 49 歳
全国	**5 275 304**	**332 148**	**467 866**	**1 558 757**	**2 916 533**	**3 165 682**	**212 322**
北海道	113 868	8 546	13 202	37 930	54 190	94 121	6 930
青森	77 449	4 599	8 832	27 929	36 089	71 599	4 211
岩手	116 450	5 833	10 963	36 327	63 327	91 940	4 704
宮城	212 452	12 209	19 538	69 294	111 411	211 041	12 146
秋田	62 491	3 394	6 297	22 098	30 702	61 088	3 311
山形	97 908	4 407	9 105	36 694	47 702	95 560	4 323
福島	162 918	7 161	13 428	53 962	88 367	90 725	4 227
茨城	181 075	12 867	16 680	57 538	93 990	173 757	12 573
栃木	119 489	9 437	12 318	38 869	58 865	94 246	8 830
群馬	139 976	8 257	11 700	38 840	81 179	106 045	6 097
埼玉	239 469	14 647	18 193	64 031	142 598	75 247	6 032
千葉	375 850	27 213	32 265	99 860	216 512	177 037	14 749
東京	242 719	28 759	33 771	56 931	123 258	44 137	9 616
神奈川	305 791	14 618	20 706	67 273	203 194	24 032	2 532
新潟	172 514	7 653	12 885	54 485	97 491	172 514	7 653
富山	49 285	1 908	2 667	12 719	31 991	30 227	1 279
石川	59 106	3 320	4 958	21 271	29 557	35 098	3 090
福井	33 860	1 799	2 504	10 232	19 325	24 135	1 446
山梨	84 599	8 313	9 834	27 076	39 376	69 404	7 209
長野	44 005	2 477	3 713	11 963	25 852	37 381	2 140
岐阜	95 692	6 110	8 474	29 353	51 755	81 980	5 238
静岡	254 930	13 047	19 242	69 994	152 647	154 283	7 606
愛知	405 058	25 448	32 869	104 860	241 881	97 137	8 015
三重	103 812	4 845	7 104	30 235	61 628	36 083	2 111
滋賀	29 279	1 953	2 612	9 884	14 830	12 311	1 231
京都	38 586	3 485	4 304	12 470	18 327	38 349	3 478
大阪	215 213	17 393	21 632	62 907	113 281	67 853	7 216
兵庫	154 873	10 289	13 436	45 143	86 005	100 106	8 046
奈良	25 379	1 733	2 424	8 000	13 222	18 806	1 457
和歌山	44 109	3 845	5 582	15 754	18 928	23 149	2 516
鳥取	39 708	1 794	2 764	12 958	22 192	19 166	980
島根	22 654	621	1 227	5 650	15 156	22 571	618
岡山	117 381	4 731	7 904	31 630	73 116	69 291	2 553
広島	97 147	7 106	7 970	32 186	49 885	42 804	2 959
山口	44 004	1 641	2 529	12 290	27 544	22 140	1 071
徳島	19 601	1 220	1 519	6 452	10 410	18 590	1 162
香川	65 596	3 635	4 868	18 959	38 134	58 552	3 302
愛媛	43 896	3 181	4 269	14 549	21 897	42 507	3 059
高知	46 828	2 139	3 656	13 817	27 216	46 458	2 122
福岡	83 209	6 997	8 926	31 297	35 989	67 135	6 022
佐賀	33 223	2 301	3 837	12 825	14 260	32 892	2 293
長崎	71 858	3 155	6 583	25 046	37 074	29 275	1 564
熊本	96 122	5 331	9 264	32 686	48 841	85 725	4 726
大分	49 651	2 135	3 883	16 354	27 279	41 742	1 864
宮崎	30 502	1 088	2 188	9 229	17 997	30 502	1 088
鹿児島	95 877	4 290	7 900	29 300	54 387	95 865	4 290
沖縄	59 842	5 218	7 341	19 607	27 676	31 076	2 637
指定都市・特別区(再掲)							
東京都区部	188 434	24 199	27 813	42 698	93 724	25 828	7 502
札幌市	9 962	603	931	3 671	4 757	8 747	429
仙台市	55 276	3 348	4 811	16 412	30 705	55 276	3 348
さいたま市	…	…	…	…	…	－	－
千葉市	69 681	4 155	5 020	15 289	45 217	2 385	700
横浜市	43 743	2 642	3 987	12 455	24 659	2 200	131
川崎市	52 734	2 402	3 721	10 996	35 615	－	－
相模原市	32 358	1 759	1 938	6 438	22 223	2 072	311
新潟市	27 922	1 360	2 021	9 393	15 148	27 922	1 360
静岡市	34 976	893	1 547	8 802	23 734	34 976	893
浜松市	54 068	2 883	4 250	13 840	33 095	1 330	32
名古屋市	76 515	5 604	7 521	19 189	44 201	856	265
京都市	－	－	－	－	－	－	－
大阪市	28 545	3 138	3 843	8 391	13 173	7 035	737
堺市	5 750	509	510	1 678	3 053	3 229	285
神戸市	13 790	869	1 116	2 939	8 866	－	－
岡山市	38 130	1 715	2 748	9 559	24 108	6 869	381
広島市	39 951	4 083	3 759	12 556	19 553	7 623	846
北九州市	…	…	…	…	…	…	…
福岡市	－	－	－	－	－	－	－
熊本市	13 412	494	937	4 603	7 378	13 412	494

－指定都市・特別区－中核市－その他政令市、検診回数・検診方式・年齢階級別

平成29年度

初回 検診 50～59歳	初回 検診 60～69歳	初回 検診 70歳以上	初回 個別検診 総数	初回 個別検診 40～49歳	初回 個別検診 50～59歳	初回 個別検診 60～69歳	初回 個別検診 70歳以上
301 904	**1 021 936**	**1 629 520**	**2 109 622**	**119 826**	**165 962**	**536 821**	**1 287 013**
10 796	31 617	44 778	19 747	1 616	2 406	6 313	9 412
8 150	25 997	33 241	5 850	388	682	1 932	2 848
9 118	30 391	47 727	24 510	1 129	1 845	5 936	15 600
19 427	68 584	110 884	1 411	63	111	710	527
6 151	21 464	30 162	1 403	83	146	634	540
8 919	35 808	46 510	2 348	84	186	886	1 192
8 403	32 982	45 113	72 193	2 934	5 025	20 980	43 254
16 204	55 803	89 177	7 318	294	476	1 735	4 813
11 191	34 521	39 704	25 243	607	1 127	4 348	19 161
8 793	30 006	61 149	33 931	2 160	2 907	8 834	20 030
7 175	26 323	35 717	164 222	8 615	11 018	37 708	106 881
17 385	54 747	90 156	198 813	12 464	14 880	45 113	126 356
10 572	12 456	11 493	198 582	19 143	23 199	44 475	111 765
2 865	7 658	10 977	281 759	12 086	17 841	59 615	192 217
12 885	54 485	97 491	-	-	-	-	-
1 813	8 174	18 961	19 058	629	854	4 545	13 030
3 426	11 458	17 124	24 008	230	1 532	9 813	12 433
1 881	7 572	13 236	9 725	353	623	2 660	6 089
8 200	20 852	33 143	15 195	1 104	1 634	6 224	6 233
3 181	9 982	22 078	6 624	337	532	1 981	3 774
7 298	25 232	44 212	13 712	872	1 176	4 121	7 543
11 411	45 006	90 260	100 647	5 441	7 831	24 988	62 387
8 901	28 505	51 716	307 921	17 433	23 968	76 355	190 165
2 561	10 911	20 500	67 729	2 734	4 543	19 324	41 128
1 517	4 840	4 723	16 968	722	1 095	5 044	10 107
4 291	12 383	18 197	237	7	13	87	130
8 382	22 959	29 296	147 360	10 177	13 250	39 948	83 985
10 270	33 166	48 624	54 767	2 243	3 166	11 977	37 381
1 983	6 492	8 874	6 573	276	441	1 508	4 348
3 330	8 650	8 653	20 960	1 329	2 252	7 104	10 275
1 519	6 208	10 459	20 542	814	1 245	6 750	11 733
1 216	5 613	15 124	83	3	11	37	32
4 671	19 429	42 638	48 090	2 178	3 233	12 201	30 478
3 286	13 754	22 805	54 343	4 147	4 684	18 432	27 080
1 499	7 039	12 531	21 864	570	1 030	5 251	15 013
1 431	6 004	9 993	1 011	58	88	448	417
4 368	16 596	34 286	7 044	333	500	2 363	3 848
4 105	14 124	21 219	1 389	122	164	425	678
3 634	13 722	26 980	370	17	22	95	236
7 488	26 405	27 220	16 074	975	1 438	4 892	8 769
3 824	12 707	14 068	331	8	13	118	192
3 091	10 701	13 919	42 583	1 591	3 492	14 345	23 155
8 063	28 758	44 178	10 397	605	1 201	3 928	4 663
3 289	13 476	23 113	7 909	271	594	2 878	4 166
2 188	9 229	17 997	-	-	-	-	-
7 897	29 297	54 381	12	-	3	3	6
3 856	9 850	14 733	28 766	2 581	3 485	9 757	12 943
8 117	6 788	3 421	162 606	16 697	19 696	35 910	90 303
694	3 222	4 402	1 215	174	237	449	355
4 811	16 412	30 705	-	-	-	-	-
-	-	-	…	…	…	…	…
542	857	286	67 296	3 455	4 478	14 432	44 931
236	649	1 184	41 543	2 511	3 751	11 806	23 475
-	-	-	52 734	2 402	3 721	10 996	35 615
341	692	728	30 286	1 448	1 597	5 746	21 495
2 021	9 393	15 148	-	-	-	-	-
1 547	8 802	23 734	-	-	-	-	-
105	335	858	52 738	2 851	4 145	13 505	32 237
173	242	176	75 659	5 339	7 348	18 947	44 025
-	-	-	-	-	-	-	-
944	2 405	2 949	21 510	2 401	2 899	5 986	10 224
277	931	1 736	2 521	224	233	747	1 317
-	-	-	13 790	869	1 116	2 939	8 866
617	2 254	3 617	31 261	1 334	2 131	7 305	20 491
480	2 033	4 264	32 328	3 237	3 279	10 523	15 289
…	…	…	…	…	…	…	…
-	-	-	-	-	-	-	-
937	4 603	7 378	-	-	-	-	-

第16－１表（6－6） 肺がん検診受診者数，胸部エックス線検査、都道府県

	非						
	総数					集団	
	総数	40 ～ 49 歳	50 ～ 59 歳	60 ～ 69 歳	70 歳 以 上	総数	40 ～ 49 歳
中核市(再掲)							
旭川市	6 506	407	739	2 455	2 905	6 506	407
函館市	2 917	124	238	954	1 601	2 917	124
青森市	5 549	349	605	2 327	2 268	4 913	322
八戸市	12 100	579	1 124	4 422	5 975	12 100	579
盛岡市	24 789	1 116	1 811	6 043	15 819	523	19
秋田市	6 192	223	570	2 182	3 217	6 192	223
郡山市	22 829	1 038	1 846	7 499	12 446	486	21
いわき市	18 134	646	1 086	5 020	11 382	4 789	235
宇都宮市	30 133	1 619	2 179	7 459	18 876	12 086	1 165
前橋市	37 004	2 488	3 255	9 972	21 289	3 073	328
高崎市	17 184	817	1 027	4 146	11 194	17 184	817
川越市	1 664	239	212	548	665	1 664	239
越谷市	15 949	514	897	3 347	11 191	3 807	249
船橋市	-	-	-	-	-	-	-
柏市	12 993	832	949	3 436	7 776	12 993	832
八王子市	13 976	1 126	1 647	3 869	7 334	-	-
横須賀市	19 550	875	1 324	5 394	11 957	3 884	270
富山市	…	…	…	…	…	…	…
金沢市	20 093	502	1 589	8 705	9 297	2 436	502
長野市	8 859	295	680	2 130	5 754	8 859	295
岐阜市	5 284	369	453	1 887	2 575	5 284	369
豊橋市	16 364	1 326	1 597	4 209	9 232	1 698	241
豊田市	16 045	768	1 240	4 480	9 557	-	-
岡崎市	16 522	1 614	1 862	5 924	7 122	16 522	1 614
大津市	12 285	534	819	3 662	7 270	71	10
高槻市	26 406	1 586	1 711	6 790	16 319	3 371	334
東大阪市	14 770	1 385	1 537	4 630	7 218	900	85
豊中市	2 725	259	365	830	1 271	2 725	259
枚方市	16 400	771	1 174	5 149	9 306	-	-
姫路市	5 166	281	502	1 837	2 546	5 166	281
西宮市	5 265	591	663	1 512	2 499	5 265	591
尼崎市	5 399	350	482	1 624	2 943	5 399	350
奈良市	1 736	116	138	629	853	1 736	116
和歌山市	5 022	348	619	1 832	2 223	443	63
倉敷市	21 088	1 035	1 478	6 515	12 060	12 378	440
福山市	12 873	715	1 016	4 502	6 640	4 823	317
呉市	4 807	390	368	1 705	2 344	4 707	390
下関市	2 653	75	155	1 001	1 422	2 539	75
高松市	13 150	948	1 095	4 566	6 541	13 150	948
松山市	9 897	567	901	3 181	5 248	8 541	447
高知市	3 646	421	551	1 358	1 316	3 646	421
久留米市	13 724	792	1 209	4 053	7 670	-	-
長崎市	8 217	356	703	2 838	4 320	1 286	75
佐世保市	12 007	462	918	4 397	6 230	2 194	129
大分市	…	…	…	…	…	…	…
宮崎市	14 113	563	1 151	4 496	7 903	14 113	563
鹿児島市	15 365	820	1 121	4 653	8 771	15 365	820
那覇市	13 102	1 300	1 765	4 176	5 861	443	84
その他政令市(再掲)							
小樽市	1 356	44	109	393	810	1 356	44
町田市	-	-	-	-	-	-	-
藤沢市	43 147	1 675	2 496	8 031	30 945	-	-
茅ヶ崎市	23 209	867	1 303	4 378	16 661	-	-
四日市市	10 586	693	836	3 198	5 859	5 318	179
大牟田市	423	42	59	159	163	270	35

注：検診回数の初回・非初回については、計数不詳の市区町村があるため、総数と一致しない場合がある。

－指定都市・特別区－中核市－その他政令市、検診回数・検診方式・年齢階級別

平成29年度

初			回				
検診			個別検診				
50 ～ 59 歳	60 ～ 69 歳	70 歳 以 上	総数	40 ～ 49 歳	50 ～ 59 歳	60 ～ 69 歳	70 歳 以 上
739	2 455	2 905	－	－	－	－	－
238	954	1 601	－	－	－	－	－
563	2 148	1 880	636	27	42	179	388
1 124	4 422	5 975	－	－	－	－	－
55	227	222	24 266	1 097	1 756	5 816	15 597
570	2 182	3 217	－	－	－	－	－
36	186	243	22 343	1 017	1 810	7 313	12 203
372	1 668	2 514	13 345	411	714	3 352	8 868
1 443	4 499	4 979	18 047	454	736	2 960	13 897
348	1 138	1 259	33 931	2 160	2 907	8 834	20 030
1 027	4 146	11 194	－	－	－	－	－
212	548	665	－	－	－	－	－
447	1 282	1 829	12 142	265	450	2 065	9 362
－	－	－	－	－	－	－	－
949	3 436	7 776	－	－	－	－	－
－	－	－	13 976	1 126	1 647	3 869	7 334
340	1 162	2 112	15 666	605	984	4 232	9 845
…	…	…	…	…	…	…	…
507	792	635	17 657	－	1 082	7 913	8 662
680	2 130	5 754	－	－	－	－	－
453	1 887	2 575	－	－	－	－	－
271	527	659	14 666	1 085	1 326	3 682	8 573
－	－	－	16 045	768	1 240	4 480	9 557
1 862	5 924	7 122	－	－	－	－	－
6	45	10	12 214	524	813	3 617	7 260
311	1 403	1 323	23 035	1 252	1 400	5 387	14 996
113	297	405	13 870	1 300	1 424	4 333	6 813
365	830	1 271	－	－	－	－	－
－	－	－	16 400	771	1 174	5 149	9 306
502	1 837	2 546	－	－	－	－	－
663	1 512	2 499	－	－	－	－	－
482	1 624	2 943	－	－	－	－	－
138	629	853	－	－	－	－	－
71	186	123	4 579	285	548	1 646	2 100
809	3 566	7 563	8 710	595	669	2 949	4 497
458	1 800	2 248	8 050	398	558	2 702	4 392
364	1 677	2 276	100	－	4	28	68
147	941	1 376	114	－	8	60	46
1 095	4 566	6 541	－	－	－	－	－
744	2 777	4 573	1 356	120	157	404	675
551	1 358	1 316	－	－	－	－	－
－	－	－	13 724	792	1 209	4 053	7 670
123	581	507	6 931	281	580	2 257	3 813
232	978	855	9 813	333	686	3 419	5 375
…	…	…	…	…	…	…	…
1 151	4 496	7 903	－	－	－	－	－
1 121	4 653	8 771	－	－	－	－	－
97	168	94	12 659	1 216	1 668	4 008	5 767
109	393	810	－	－	－	－	－
－	－	－	－	－	－	－	－
－	－	－	43 147	1 675	2 496	8 031	30 945
－	－	－	23 209	867	1 303	4 378	16 661
315	1 356	3 468	5 268	514	521	1 842	2 391
40	89	106	153	7	19	70	57

第16－2表（6－1） 肺がん検診問診（質問）者数，都道府県－

	総						
	総数					集団	
	総数	40 ～ 49 歳	50 ～ 59 歳	60 ～ 69 歳	70 歳 以 上	総数	40 ～ 49 歳
全国	**7 750 779**	**712 981**	**769 943**	**2 307 634**	**3 960 221**	**4 396 827**	**416 371**
北海道	175 329	17 169	20 889	58 364	78 907	139 666	13 077
青森	108 186	8 921	13 309	38 680	47 276	99 639	8 133
岩手	140 978	9 484	13 999	44 141	73 354	111 851	7 753
宮城	263 783	20 850	26 348	87 034	129 551	262 063	20 766
秋田	78 842	5 370	8 406	28 123	36 943	75 900	5 149
山形	146 186	9 150	14 638	55 209	67 189	139 858	8 862
福島	209 977	12 646	19 382	71 505	106 444	114 541	7 090
茨城	236 699	21 492	22 966	76 504	115 737	224 999	20 756
栃木	170 269	18 679	19 001	54 829	77 760	133 319	17 178
群馬	197 337	15 989	18 059	55 878	107 411	152 012	12 080
埼玉	463 537	42 482	41 432	122 113	257 510	110 938	12 973
千葉	551 039	55 898	50 997	143 296	300 848	204 869	22 626
東京	438 173	76 797	69 140	105 440	186 796	101 682	27 168
神奈川	467 836	37 147	39 623	109 798	281 268	34 642	5 024
新潟	216 986	13 551	17 652	70 252	115 531	216 986	13 551
富山	112 143	6 592	7 262	29 262	69 027	59 714	4 046
石川	84 321	7 450	8 580	30 830	37 461	49 733	6 230
福井	51 304	4 167	4 438	15 960	26 739	34 666	3 128
山梨	102 750	11 469	12 421	33 440	45 420	82 412	9 725
長野	73 274	5 189	6 255	19 817	42 013	62 064	4 309
岐阜	126 303	11 086	12 002	39 592	63 623	104 674	9 204
静岡	342 838	24 637	28 667	97 253	192 281	205 941	14 145
愛知	559 349	52 195	52 035	147 493	307 626	118 113	14 516
三重	123 747	8 325	9 594	37 887	67 941	45 697	3 655
滋賀	50 286	5 377	5 029	16 590	23 290	21 109	3 218
京都	84 901	10 667	9 581	26 633	38 020	84 487	10 649
大阪	349 320	43 477	41 341	101 763	162 739	114 126	18 829
兵庫	238 062	25 053	23 151	71 146	118 712	151 396	16 839
奈良	40 998	4 741	4 627	13 048	18 582	31 063	4 023
和歌山	67 387	7 603	9 099	23 428	27 257	33 325	4 488
鳥取	54 743	4 054	4 701	18 106	27 882	25 589	2 133
島根	33 454	1 502	2 158	9 309	20 485	32 555	1 453
岡山	154 256	8 862	11 530	42 807	91 057	85 360	4 195
広島	146 689	14 115	12 929	48 107	71 538	57 964	5 797
山口	65 813	3 969	4 288	19 131	38 425	32 487	2 513
徳島	28 840	2 575	2 559	9 588	14 118	27 323	2 421
香川	85 741	6 741	7 048	25 431	46 521	76 571	6 118
愛媛	56 459	5 792	6 124	18 874	25 669	53 083	5 252
高知	49 936	2 659	3 790	14 668	28 819	49 381	2 631
福岡	150 705	17 954	17 842	57 088	57 821	124 124	15 638
佐賀	46 004	4 494	5 629	17 634	18 247	45 219	4 431
長崎	103 554	6 656	10 691	36 620	49 587	39 930	3 007
熊本	133 443	10 307	13 894	46 091	63 151	120 579	9 367
大分	98 732	6 762	8 438	32 755	50 777	79 023	4 701
宮崎	47 986	3 129	4 126	15 120	25 611	47 986	3 129
鹿児島	130 288	8 820	11 832	40 797	68 839	130 283	8 820
沖縄	91 996	10 937	12 441	30 200	38 418	47 885	5 575
指定都市・特別区(再掲)							
東京都区部	371 969	65 965	59 693	85 964	160 347	60 591	19 705
札幌市	17 924	1 910	1 929	6 562	7 523	15 114	1 143
仙台市	72 786	6 361	7 050	21 909	37 466	72 786	6 361
さいたま市	126 211	11 818	11 513	29 981	72 899	-	-
千葉市	100 097	9 068	8 774	23 301	58 954	4 586	1 665
横浜市	93 598	9 587	10 778	27 022	46 211	4 176	367
川崎市	83 164	6 990	7 389	18 218	50 567	-	-
相模原市	48 902	4 287	3 711	10 546	30 358	3 536	869
新潟市	39 943	3 205	3 194	13 739	19 805	39 943	3 205
静岡市	50 235	2 336	2 737	13 953	31 209	50 235	2 336
浜松市	74 841	5 299	6 320	19 852	43 370	1 637	44
名古屋市	135 293	14 737	14 866	33 768	71 922	2 308	816
京都市	30 315	4 059	3 375	9 171	13 710	30 315	4 059
大阪市	52 269	9 007	7 995	14 610	20 657	13 891	2 523
堺市	17 860	2 071	1 862	5 227	8 700	6 170	721
神戸市	27 723	4 823	2 550	6 592	13 758	-	-
岡山市	53 750	3 551	4 379	13 928	31 892	9 616	679
広島市	62 515	7 365	6 072	18 912	30 166	9 334	1 355
北九州市	10 905	1 203	1 263	4 541	3 898	10 905	1 203
福岡市	14 202	2 259	1 910	5 664	4 369	14 202	2 259
熊本市	21 233	1 496	1 854	7 527	10 356	21 233	1 496

指定都市・特別区－中核市－その他政令市、検診回数・検診方式・年齢階級別

平成29年度

数							
検診			個別検診				
50 ～ 59 歳	60 ～ 69 歳	70 歳 以 上	総 数	40 ～ 49 歳	50 ～ 59 歳	60 ～ 69 歳	70 歳 以 上
458 498	1 436 690	2 085 268	3 353 952	296 610	311 445	870 944	1 874 953
16 490	46 983	63 116	35 663	4 092	4 399	11 381	15 791
12 197	35 800	43 509	8 547	788	1 112	2 880	3 767
11 666	36 879	55 553	29 127	1 731	2 333	7 262	17 801
26 208	86 167	128 922	1 720	84	140	867	629
8 097	26 870	35 784	2 942	221	309	1 253	1 159
14 159	53 278	63 559	6 328	288	479	1 931	3 630
11 573	42 797	53 081	95 436	5 556	7 809	28 708	53 363
22 071	73 616	108 556	11 700	736	895	2 888	7 181
17 013	47 948	51 180	36 950	1 501	1 988	6 881	26 580
13 744	43 922	82 266	45 325	3 909	4 315	11 956	25 145
11 934	38 764	47 267	352 599	29 509	29 498	83 349	210 243
21 154	64 294	96 795	346 170	33 272	29 843	79 002	204 053
22 545	27 284	24 685	336 491	49 629	46 595	78 156	162 111
4 366	10 725	14 527	433 194	32 123	35 257	99 073	266 741
17 652	70 252	115 531	–	–	–	–	–
4 300	16 947	34 421	52 429	2 546	2 962	12 315	34 606
5 350	16 375	21 778	34 588	1 220	3 230	14 455	15 683
3 178	11 125	17 235	16 638	1 039	1 260	4 835	9 504
10 121	25 105	37 461	20 338	1 744	2 300	8 335	7 959
5 194	16 657	35 904	11 210	880	1 061	3 160	6 109
9 975	32 975	52 520	21 629	1 882	2 027	6 617	11 103
16 609	61 916	113 271	136 897	10 492	12 058	35 337	79 010
12 067	35 307	56 223	441 236	37 679	39 968	112 186	251 403
3 618	14 300	24 124	78 050	4 670	5 976	23 587	43 817
2 910	8 053	6 928	29 177	2 159	2 119	8 537	16 362
9 556	26 488	37 794	414	18	25	145	226
16 467	37 615	41 215	235 194	24 648	24 874	64 148	121 524
16 845	50 733	66 979	86 666	8 214	6 306	20 413	51 733
3 776	10 650	12 614	9 935	718	851	2 398	5 968
4 871	12 105	11 861	34 062	3 115	4 228	11 323	15 396
2 384	8 267	12 805	29 154	1 921	2 317	9 839	15 077
2 076	8 967	20 059	899	49	82	342	426
6 232	24 588	50 345	68 896	4 667	5 298	18 219	40 712
4 898	18 933	28 336	88 725	8 318	8 031	29 174	43 202
2 475	10 677	16 822	33 326	1 456	1 813	8 454	21 603
2 416	8 928	13 558	1 517	154	143	660	560
6 330	22 368	41 755	9 170	623	718	3 063	4 766
5 649	17 800	24 382	3 376	540	475	1 074	1 287
3 757	14 519	28 474	555	28	33	149	345
15 119	48 890	44 477	26 581	2 316	2 723	8 198	13 344
5 577	17 361	17 850	785	63	52	273	397
4 677	14 810	17 436	63 624	3 649	6 014	21 810	32 151
12 321	41 203	57 688	12 864	940	1 573	4 888	5 463
6 386	26 103	41 833	19 709	2 061	2 052	6 652	8 944
4 126	15 120	25 611	–	–	–	–	–
11 831	40 794	68 838	5	–	1	3	1
6 538	15 432	20 340	44 111	5 362	5 903	14 768	18 078
16 283	14 712	9 891	311 378	46 260	43 410	71 252	150 456
1 388	5 672	6 911	2 810	767	541	890	612
7 050	21 909	37 466	–	–	–	–	–
–	–	–	126 211	11 818	11 513	29 981	72 899
1 021	1 408	492	95 511	7 403	7 753	21 893	58 462
485	1 234	2 090	89 422	9 220	10 293	25 788	44 121
–	–	–	83 164	6 990	7 389	18 218	50 567
640	1 069	958	45 366	3 418	3 071	9 477	29 400
3 194	13 739	19 805	–	–	–	–	–
2 737	13 953	31 209	–	–	–	–	–
132	404	1 057	73 204	5 255	6 188	19 448	42 313
455	648	389	132 985	13 921	14 411	33 120	71 533
3 375	9 171	13 710	–	–	–	–	–
2 150	4 477	4 741	38 378	6 484	5 845	10 133	15 916
597	1 763	3 089	11 690	1 350	1 265	3 464	5 611
–	–	–	27 723	4 823	2 550	6 592	13 758
932	3 133	4 872	44 134	2 872	3 447	10 795	27 020
672	2 463	4 844	53 181	6 010	5 400	16 449	25 322
1 263	4 541	3 898	–	–	–	–	–
1 910	5 664	4 369	–	–	–	–	–
1 854	7 527	10 356	–	–	–	–	–

15(8)－02,03 がん検診 肺がん

第16－2表（6－2） 肺がん検診問診（質問）者数，都道府県－

| | 総 | | | | | | |
| | 総　　　数 | | | | | 集　　　団 | |
	総　　　数	40 ～ 49 歳	50 ～ 59 歳	60 ～ 69 歳	70 歳 以 上	総　　　数	40 ～ 49 歳
中核市（再掲）							
旭 川 市	134	1	18	64	51	134	1
函 館 市	8 656	599	773	2 930	4 354	8 656	599
青 森 市	9 016	824	1 124	3 636	3 432	8 079	782
八 戸 市	17 660	1 068	1 665	6 202	8 725	17 660	1 068
盛 岡 市	29 482	1 727	2 291	7 394	18 070	643	34
秋 田 市	9 169	520	983	3 271	4 395	9 169	520
郡 山 市	29 926	1 929	2 754	10 013	15 230	684	47
い わ き 市	25 035	1 136	1 704	7 199	14 996	6 560	399
宇 都 宮 市	44 795	4 053	4 061	11 440	25 241	18 986	2 942
前 橋 市	49 433	4 521	4 803	13 443	26 666	4 110	612
高 崎 市	23 506	1 724	1 679	5 959	14 144	23 506	1 724
川 越 市	2 519	537	339	793	850	2 519	537
越 谷 市	23 560	1 225	1 540	5 166	15 629	5 411	521
船 橋 市	85 120	9 968	7 219	17 439	50 494	－	－
柏 市	17 264	1 488	1 416	4 990	9 370	17 264	1 488
八 王 子 市	23 940	3 202	2 956	6 570	11 212	－	－
横 須 賀 市	28 705	1 894	2 198	8 110	16 503	5 442	545
富 山 市	37 518	2 607	2 726	9 155	23 030	11 456	1 366
金 沢 市	30 980	2 147	3 518	13 226	12 089	4 527	1 329
長 野 市	12 280	561	981	3 072	7 666	12 280	561
岐 阜 市	8 540	904	862	2 997	3 777	8 540	904
豊 橋 市	23 163	2 773	2 551	6 128	11 711	2 482	582
豊 田 市	21 105	1 522	1 840	5 897	11 846	－	－
岡 崎 市	23 342	3 402	2 847	8 312	8 781	23 342	3 402
大 津 市	21 115	1 600	1 572	6 186	11 757	498	121
高 槻 市	40 170	3 747	3 367	10 694	22 362	5 881	930
東 大 阪 市	22 574	3 181	2 692	6 762	9 939	2 062	355
豊 中 市	4 951	762	746	1 461	1 982	4 951	762
枚 方 市	25 635	1 819	2 178	8 106	13 532	－	－
姫 路 市	9 717	1 546	1 380	3 344	3 447	9 717	1 546
西 宮 市	7 393	1 132	974	2 116	3 171	7 393	1 132
尼 崎 市	10 324	1 633	1 040	2 977	4 674	10 324	1 633
奈 良 市	2 978	313	300	1 040	1 325	2 978	313
和 歌 山 市	10 659	969	1 329	3 672	4 689	1 902	228
倉 敷 市	29 204	1 985	2 232	9 319	15 668	16 538	762
福 山 市	21 680	1 849	1 907	7 479	10 445	7 006	706
呉 市	7 055	883	583	2 480	3 109	6 872	883
下 関 市	4 068	173	267	1 690	1 938	3 774	173
高 松 市	18 841	1 926	1 717	6 440	8 758	18 841	1 926
松 山 市	16 114	1 574	1 775	5 344	7 421	12 772	1 036
高 知 市	－	－	－	－	－	－	－
久 留 米 市	20 951	1 811	2 120	6 265	10 755	－	－
長 崎 市	14 969	1 091	1 591	5 545	6 742	2 949	238
佐 世 保 市	18 985	1 088	1 700	6 922	9 275	3 598	336
大 分 市	28 901	2 685	2 651	9 768	13 797	23 605	1 237
宮 崎 市	21 205	1 507	2 043	6 965	10 690	21 205	1 507
鹿 児 島 市	23 400	2 026	2 012	7 220	12 142	23 400	2 026
那 覇 市	18 721	2 467	2 611	5 806	7 837	892	232
その他政令市(再掲)							
小 樽 市	2 219	108	186	675	1 250	2 219	108
町 田 市	－	－	－	－	－	－	－
藤 沢 市	54 162	3 407	3 741	10 839	36 175	－	－
茅 ヶ 崎 市	29 213	1 668	1 962	5 928	19 655	－	－
四 日 市 市	13 070	1 228	1 103	3 908	6 831	5 925	262
大 牟 田 市	1 538	231	195	612	500	1 195	205

注：検診回数の初回・非初回については、計数不詳の市区町村があるため、総数と一致しない場合がある。

指定都市・特別区－中核市－その他政令市、検診回数・検診方式・年齢階級別

平成29年度

数								
検診			個別検診					
50 ～ 59 歳	60 ～ 69 歳	70 歳 以 上	総数	40 ～ 49 歳	50 ～ 59 歳	60 ～ 69 歳	70 歳 以 上	
18	64	51	－	－	－	－	－	
773	2 930	4 354	－	－	－	－	－	
1 049	3 369	2 879	937	42	75	267	553	
1 665	6 202	8 725	－	－	－	－	－	
69	268	272	28 839	1 693	2 222	7 126	17 798	
983	3 271	4 395	－	－	－	－	－	
52	258	327	29 242	1 882	2 702	9 755	14 903	
563	2 344	3 254	18 475	737	1 141	4 855	11 742	
2 716	6 939	6 389	25 809	1 111	1 345	4 501	18 852	
488	1 488	1 522	45 323	3 909	4 315	11 955	25 144	
1 679	5 959	14 144	－	－	－	－	－	
339	793	850	－	－	－	－	－	
641	1 806	2 443	18 149	704	899	3 360	13 186	
－	－	－	85 120	9 968	7 219	17 439	50 494	
1 416	4 990	9 370	－	－	－	－	－	
－	－	－	23 940	3 202	2 956	6 570	11 212	
514	1 634	2 749	23 263	1 349	1 684	6 476	13 754	
1 202	3 523	5 365	26 062	1 241	1 524	5 632	17 665	
940	1 305	953	26 453	818	2 578	11 921	11 136	
981	3 072	7 666	－	－	－	－	－	
862	2 997	3 777	－	－	－	－	－	
415	698	787	20 681	2 191	2 136	5 430	10 924	
－	－	－	21 105	1 522	1 840	5 897	11 846	
2 847	8 312	8 781	－	－	－	－	－	
97	216	64	20 617	1 479	1 475	5 970	11 693	
730	2 325	1 896	34 289	2 817	2 637	8 369	20 466	
329	658	720	20 512	2 826	2 363	6 104	9 219	
746	1 461	1 982	－	－	－	－	－	
－	－	－	25 635	1 819	2 178	8 106	13 532	
1 380	3 344	3 447	－	－	－	－	－	
974	2 116	3 171	－	－	－	－	－	
1 040	2 977	4 674	－	－	－	－	－	
300	1 040	1 325	－	－	－	－	－	
174	634	866	8 757	741	1 155	3 038	3 823	
1 139	4 912	9 725	12 666	1 223	1 093	4 407	5 943	
746	2 568	2 986	14 674	1 143	1 161	4 911	7 459	
576	2 435	2 978	183	－	7	45	131	
239	1 544	1 818	294	－	28	146	120	
1 717	6 440	8 758	－	－	－	－	－	
1 307	4 291	6 138	3 342	538	468	1 053	1 283	
－	－	－	－	－	－	－	－	
－	－	－	20 951	1 811	2 120	6 265	10 755	
347	1 435	929	12 020	853	1 244	4 110	5 813	
430	1 543	1 289	15 387	752	1 270	5 379	7 986	
1 640	7 865	12 863	5 296	1 448	1 011	1 903	934	
2 043	6 965	10 690	－	－	－	－	－	
2 012	7 220	12 142	－	－	－	－	－	
201	312	147	17 829	2 235	2 410	5 494	7 690	
186	675	1 250	－	－	－	－	－	
－	－	－	－	－	－	－	－	
－	－	－	54 162	3 407	3 741	10 839	36 175	
－	－	－	29 213	1 668	1 962	5 928	19 655	
386	1 550	3 727	7 145	966	717	2 358	3 104	
154	464	372	343	26	41	148	128	

第16－2表（6－3） 肺がん検診問診（質問）者数，都道府県－

	初						
	総数					集団	
	総数	40～49歳	50～59歳	60～69歳	70歳以上	総数	40～49歳
全国	**2 139 018**	**334 056**	**263 688**	**660 287**	**880 987**	**1 195 716**	**192 829**
北海道	62 304	8 571	7 992	21 451	24 290	51 315	6 286
青森	25 731	3 764	3 851	8 956	9 160	23 953	3 490
岩手	22 236	3 480	2 807	7 098	8 851	17 619	2 878
宮城	103 356	11 983	11 503	33 293	46 577	103 047	11 962
秋田	15 859	1 956	2 086	5 872	5 945	15 355	1 861
山形	18 762	2 352	2 387	7 106	6 917	18 105	2 304
福島	46 038	5 314	5 752	17 165	17 807	23 817	2 863
茨城	58 269	8 944	6 650	19 811	22 864	53 887	8 502
栃木	50 769	9 212	6 686	15 804	19 067	39 073	8 348
群馬	57 028	7 703	6 318	16 922	26 085	45 634	5 954
埼玉	98 848	16 063	11 802	28 501	42 482	35 691	6 941
千葉	108 464	20 157	13 437	31 903	42 967	45 867	9 293
東京	123 469	33 228	21 997	28 866	39 378	36 261	12 115
神奈川	157 785	22 413	18 735	41 386	75 251	9 751	2 482
新潟	44 472	5 898	4 767	15 767	18 040	44 472	5 898
富山	15 489	1 742	1 414	4 771	7 562	8 433	1 083
石川	25 215	4 130	3 622	9 559	7 904	14 635	3 140
福井	17 445	2 368	1 934	5 728	7 415	10 532	1 682
山梨	15 954	3 009	2 408	5 503	5 034	12 114	2 434
長野	20 802	2 519	2 327	6 081	9 875	16 203	1 975
岐阜	35 977	5 064	3 841	11 693	15 379	28 057	4 054
静岡	102 203	12 221	10 409	31 331	48 242	65 267	7 120
愛知	170 403	27 910	20 372	46 726	75 395	34 238	7 888
三重	28 291	3 770	3 013	9 491	12 017	9 647	1 548
滋賀	21 680	3 507	2 513	6 979	8 681	9 471	2 070
京都	16 001	3 123	1 903	4 992	5 983	15 824	3 112
大阪	135 207	26 119	19 767	39 124	50 197	46 273	11 613
兵庫	66 962	13 027	8 040	19 698	26 197	39 348	7 815
奈良	15 863	3 020	2 218	5 120	5 505	12 501	2 578
和歌山	23 278	3 758	3 517	7 674	8 329	10 176	1 972
鳥取	16 955	2 354	2 090	5 840	6 671	7 212	1 191
島根	10 382	875	907	3 540	5 060	9 986	837
岡山	42 960	4 283	3 921	12 799	21 957	21 999	1 789
広島	49 358	6 995	4 947	15 825	21 591	15 149	2 838
山口	27 350	2 607	2 177	8 488	14 078	11 942	1 616
徳島	9 239	1 355	1 040	3 136	3 708	8 733	1 259
香川	20 145	3 106	2 180	6 472	8 387	18 019	2 816
愛媛	15 284	2 764	2 096	5 166	5 258	13 297	2 346
高知	10 589	1 132	1 041	3 527	4 889	10 404	1 121
福岡	40 875	7 529	5 624	15 059	12 663	32 074	6 281
佐賀	14 845	2 372	2 086	5 584	4 803	14 390	2 317
長崎	31 434	3 490	4 082	11 579	12 283	10 249	1 432
熊本	38 563	5 057	4 854	13 949	14 703	35 103	4 656
大分	15 664	1 785	1 667	5 444	6 768	13 689	1 600
宮崎	17 452	2 032	1 932	5 877	7 611	17 452	2 032
鹿児島	44 857	4 841	4 463	14 526	21 027	44 855	4 841
沖縄	28 906	5 154	4 513	9 105	10 134	14 597	2 596
指定都市・特別区(再掲)							
東京都区部	94 520	26 383	17 364	20 734	30 039	17 956	7 469
札幌市	7 962	1 307	998	2 891	2 766	6 367	714
仙台市	69 535	6 355	6 932	21 050	35 198	69 535	6 355
さいたま市	…	…	…	…	…	−	−
千葉市	30 416	4 913	3 754	8 012	13 737	2 201	965
横浜市	49 855	6 945	6 791	14 567	21 552	1 976	236
川崎市	30 430	4 588	3 668	7 222	14 952	−	−
相模原市	16 544	2 528	1 773	4 108	8 135	1 464	558
新潟市	12 021	1 845	1 173	4 346	4 657	12 021	1 845
静岡市	15 259	1 443	1 190	5 151	7 475	15 259	1 443
浜松市	20 773	2 416	2 070	6 012	10 275	307	12
名古屋市	58 778	9 133	7 345	14 579	27 721	1 452	551
京都市	−	−	−	−	−	−	−
大阪市	23 724	5 869	4 152	6 219	7 484	6 856	1 786
堺市	12 110	1 562	1 352	3 549	5 647	2 941	436
神戸市	9 660	3 199	774	1 744	3 943	−	−
岡山市	15 620	1 836	1 631	4 369	7 784	2 747	298
広島市	22 564	3 282	2 313	6 356	10 613	1 711	509
北九州市	…	…	…	…	…	…	…
福岡市	−	−	−	−	−	−	−
熊本市	7 821	1 002	917	2 924	2 978	7 821	1 002

指定都市・特別区－中核市－その他政令市、検診回数・検診方式・年齢階級別

平成29年度

回								
検診			個別検診					
50 ～ 59 歳	60 ～ 69 歳	70 歳 以 上	総数	40 ～ 49 歳	50 ～ 59 歳	60 ～ 69 歳	70 歳 以 上	
150 041	**399 468**	**453 378**	**943 302**	**141 227**	**113 647**	**260 819**	**427 609**	
6 351	17 893	20 785	10 989	2 285	1 641	3 558	3 505	
3 529	8 385	8 549	1 778	274	322	571	611	
2 319	5 772	6 650	4 617	602	488	1 326	2 201	
11 474	33 136	46 475	309	21	29	157	102	
2 001	5 664	5 829	504	95	85	208	116	
2 345	6 910	6 546	657	48	42	196	371	
3 170	9 816	7 968	22 221	2 451	2 582	7 349	9 839	
6 231	18 658	20 496	4 382	442	419	1 153	2 368	
5 822	13 427	11 476	11 696	864	864	2 377	7 591	
4 910	13 800	20 970	11 394	1 749	1 408	3 122	5 115	
4 759	12 441	11 550	63 157	9 122	7 043	16 060	30 932	
5 660	15 343	15 571	62 597	10 864	7 777	16 560	27 396	
7 693	9 162	7 291	87 208	21 113	14 304	19 704	32 087	
1 458	2 751	3 060	148 034	19 931	17 277	38 635	72 191	
4 767	15 767	18 040	–	–	–	–	–	
845	2 763	3 742	7 056	659	569	2 008	3 820	
1 924	4 917	4 654	10 580	990	1 698	4 642	3 250	
1 297	3 553	4 000	6 913	686	637	2 175	3 415	
1 846	3 933	3 901	3 840	575	562	1 570	1 133	
1 797	4 894	7 537	4 599	544	530	1 187	2 338	
2 990	9 194	11 819	7 920	1 010	851	2 499	3 560	
6 067	20 704	31 376	36 936	5 101	4 342	10 627	16 866	
4 488	10 607	11 255	136 165	20 022	15 884	36 119	64 140	
1 062	3 408	3 629	18 644	2 222	1 951	6 083	8 388	
1 489	3 486	2 426	12 209	1 437	1 024	3 493	6 255	
1 891	4 934	5 887	177	11	12	58	96	
8 085	14 656	11 919	88 934	14 506	11 682	24 468	38 278	
5 560	13 185	12 788	27 614	5 212	2 480	6 513	13 409	
1 808	4 230	3 885	3 362	442	410	890	1 620	
1 541	3 455	3 208	13 102	1 786	1 976	4 219	5 121	
938	2 327	2 756	9 743	1 163	1 152	3 513	3 915	
860	3 354	4 935	396	38	47	186	125	
1 838	6 722	11 650	20 961	2 494	2 083	6 077	10 307	
1 610	5 174	5 527	34 209	4 157	3 337	10 651	16 064	
1 178	4 212	4 936	15 408	991	999	4 276	9 142	
985	2 924	3 565	506	96	55	212	143	
1 962	5 772	7 469	2 126	290	218	700	918	
1 785	4 517	4 649	1 987	418	311	649	609	
1 030	3 473	4 780	185	11	11	54	109	
4 498	12 236	9 059	8 801	1 248	1 126	2 823	3 604	
2 047	5 429	4 597	455	55	39	155	206	
1 560	3 970	3 287	21 185	2 058	2 522	7 609	8 996	
4 334	12 584	13 529	3 460	401	520	1 365	1 174	
1 470	4 762	5 857	1 975	185	197	682	911	
1 932	5 877	7 611	–	–	–	–	–	
4 463	14 524	21 027	2	–	–	2	–	
2 372	4 767	4 862	14 309	2 558	2 141	4 338	5 272	
4 500	3 911	2 076	76 564	18 914	12 864	16 823	27 963	
694	2 450	2 509	1 595	593	304	441	257	
6 932	21 050	35 198	–	–	–	–	–	
–	–	–	…	…	…	…	…	
479	551	206	28 215	3 948	3 275	7 461	13 531	
249	585	906	47 879	6 709	6 542	13 982	20 646	
–	–	–	30 430	4 588	3 668	7 222	14 952	
299	377	230	15 080	1 970	1 474	3 731	7 905	
1 173	4 346	4 657	–	–	–	–	–	
1 190	5 151	7 475	–	–	–	–	–	
27	69	199	20 466	2 404	2 043	5 943	10 076	
282	406	213	57 326	8 582	7 063	14 173	27 508	
–	–	–	–	–	–	–	–	
1 206	2 072	1 792	16 868	4 083	2 946	4 147	5 692	
320	832	1 353	9 169	1 126	1 032	2 717	4 294	
–	–	–	9 660	3 199	774	1 744	3 943	
315	879	1 255	12 873	1 538	1 316	3 490	6 529	
192	430	580	20 853	2 773	2 121	5 926	10 033	
…	…	…	…	…	…	…	…	
–	–	–	–	–	–	–	–	
917	2 924	2 978	–	–	–	–	–	

第16－２表（6－4） 肺がん検診問診（質問）者数，都道府県－

	初						
	総数					集団	
	総数	40 ～ 49 歳	50 ～ 59 歳	60 ～ 69 歳	70 歳 以 上	総数	40 ～ 49 歳
中核市（再掲）							
旭川市	89	1	8	49	31	89	1
函館市	5 739	475	535	1 976	2 753	5 739	475
青森市	3 467	475	519	1 309	1 164	3 166	460
八戸市	5 560	489	541	1 780	2 750	5 560	489
盛岡市	4 693	611	480	1 351	2 251	120	15
秋田市	2 977	297	413	1 089	1 178	2 977	297
郡山市	7 097	891	908	2 514	2 784	198	26
いわき市	6 901	490	618	2 179	3 614	1 771	164
宇都宮市	14 662	2 434	1 882	3 981	6 365	6 900	1 777
前橋市	12 429	2 033	1 548	3 471	5 377	1 037	284
高崎市	6 322	907	652	1 813	2 950	6 322	907
川越市	855	298	127	245	185	855	298
越谷市	7 611	711	643	1 819	4 438	1 604	272
船橋市	－	－	－	－	－	－	－
柏市	4 271	656	467	1 554	1 594	4 271	656
八王子市	9 964	2 076	1 309	2 701	3 878	－	－
横須賀市	9 155	1 019	874	2 716	4 546	1 558	275
富山市	…	…	…	…	…	…	…
金沢市	10 887	1 645	1 929	4 521	2 792	2 091	827
長野市	3 421	266	301	942	1 912	3 421	266
岐阜市	3 256	535	409	1 110	1 202	3 256	535
豊橋市	6 799	1 447	954	1 919	2 479	784	341
豊田市	5 060	754	600	1 417	2 289	－	－
岡崎市	6 820	1 788	985	2 388	1 659	6 820	1 788
大津市	8 830	1 066	753	2 524	4 487	427	111
高槻市	13 764	2 161	1 656	3 904	6 043	2 510	596
東大阪市	7 804	1 796	1 155	2 132	2 721	1 162	270
豊中市	2 226	503	381	631	711	2 226	503
枚方市	9 235	1 048	1 004	2 957	4 226	－	－
姫路市	4 551	1 265	878	1 507	901	4 551	1 265
西宮市	2 128	541	311	604	672	2 128	541
尼崎市	4 925	1 283	558	1 353	1 731	4 925	1 283
奈良市	1 242	197	162	411	472	1 242	197
和歌山市	5 637	621	710	1 840	2 466	1 459	165
倉敷市	8 117	950	754	2 804	3 609	4 160	322
福山市	8 807	1 134	891	2 977	3 805	2 183	389
呉市	2 248	493	215	775	765	2 165	493
下関市	1 415	98	112	689	516	1 235	98
高松市	5 691	978	622	1 874	2 217	5 691	978
松山市	6 217	1 007	874	2 163	2 173	4 231	589
高知市	－	－	－	－	－	－	－
久留米市	7 227	1 019	911	2 212	3 085	－	－
長崎市	6 752	735	888	2 707	2 422	1 663	163
佐世保市	6 978	626	782	2 525	3 045	1 404	207
大分市	…	…	…	…	…	…	…
宮崎市	7 092	944	892	2 469	2 787	7 092	944
鹿児島市	8 035	1 206	891	2 567	3 371	8 035	1 206
那覇市	5 619	1 167	846	1 630	1 976	449	148
その他政令市（再掲）							
小樽市	863	64	77	282	440	863	64
町田市	－	－	－	－	－	－	－
藤沢市	11 015	1 732	1 245	2 808	5 230	－	－
茅ヶ崎市	6 004	801	659	1 550	2 994	－	－
四日市市	2 484	535	267	710	972	607	83
大牟田市	1 118	189	137	454	338	925	170

注：検診回数の初回・非初回については、計数不詳の市区町村があるため、総数と一致しない場合がある。

指定都市・特別区－中核市－その他政令市、検診回数・検診方式・年齢階級別

平成29年度

回							
検診			個別検診				
50 ～ 59 歳	60 ～ 69 歳	70 歳 以 上	総数	40 ～ 49 歳	50 ～ 59 歳	60 ～ 69 歳	70 歳 以 上
8	49	31	-	-	-	-	-
535	1 976	2 753	-	-	-	-	-
486	1 221	999	301	15	33	88	165
541	1 780	2 750	-	-	-	-	-
14	41	50	4 573	596	466	1 310	2 201
413	1 089	1 178	-	-	-	-	-
16	72	84	6 899	865	892	2 442	2 700
191	676	740	5 130	326	427	1 503	2 874
1 273	2 440	1 410	7 762	657	609	1 541	4 955
140	350	263	11 392	1 749	1 408	3 121	5 114
652	1 813	2 950	-	-	-	-	-
127	245	185	-	-	-	-	-
194	524	614	6 007	439	449	1 295	3 824
-	-	-	-	-	-	-	-
467	1 554	1 594	-	-	-	-	-
-	-	-	9 964	2 076	1 309	2 701	3 878
174	472	637	7 597	744	700	2 244	3 909
…	…	…	…	…	…	…	…
433	513	318	8 796	818	1 496	4 008	2 474
301	942	1 912	-	-	-	-	-
409	1 110	1 202	-	-	-	-	-
144	171	128	6 015	1 106	810	1 748	2 351
-	-	-	5 060	754	600	1 417	2 289
985	2 388	1 659	-	-	-	-	-
91	171	54	8 403	955	662	2 353	4 433
419	922	573	11 254	1 565	1 237	2 982	5 470
216	361	315	6 642	1 526	939	1 771	2 406
381	631	711	-	-	-	-	-
-	-	-	9 235	1 048	1 004	2 957	4 226
878	1 507	901	-	-	-	-	-
311	604	672	-	-	-	-	-
558	1 353	1 731	-	-	-	-	-
162	411	472	-	-	-	-	-
103	448	743	4 178	456	607	1 392	1 723
330	1 346	2 162	3 957	628	424	1 458	1 447
288	768	738	6 624	745	603	2 209	3 067
212	758	702	83	-	3	17	63
92	603	442	180	-	20	86	74
622	1 874	2 217	-	-	-	-	-
563	1 514	1 565	1 986	418	311	649	608
-	-	-	-	-	-	-	-
-	-	-	7 227	1 019	911	2 212	3 085
224	854	422	5 089	572	664	1 853	2 000
198	565	434	5 574	419	584	1 960	2 611
…	…	…	…	…	…	…	…
892	2 469	2 787	-	-	-	-	-
891	2 567	3 371	-	-	-	-	-
104	144	53	5 170	1 019	742	1 486	1 923
77	282	440	-	-	-	-	-
-	-	-	-	-	-	-	-
-	-	-	11 015	1 732	1 245	2 808	5 230
-	-	-	6 004	801	659	1 550	2 994
71	194	259	1 877	452	196	516	713
114	375	266	193	19	23	79	72

第16－2表（6－5） 肺がん検診問診（質問）者数，都道府県－

	非						
	総数					集団	
	総数	40 ～ 49 歳	50 ～ 59 歳	60 ～ 69 歳	70 歳以上	総数	40 ～ 49 歳
全国	**5 053 954**	**318 332**	**448 439**	**1 494 371**	**2 792 812**	**3 000 184**	**201 322**
北海道	96 365	7 392	11 368	31 969	45 636	79 258	5 912
青森	77 446	4 599	8 832	27 929	36 086	71 596	4 211
岩手	116 450	5 833	10 963	36 327	63 327	91 940	4 704
宮城	160 427	8 867	14 845	53 741	82 974	159 016	8 804
秋田	61 948	3 371	6 242	21 840	30 495	60 545	3 288
山形	96 889	4 348	9 024	36 214	47 303	94 541	4 264
福島	162 892	7 161	13 416	53 954	88 361	90 724	4 227
茨城	178 430	12 548	16 316	56 693	92 873	171 112	12 254
栃木	118 878	9 424	12 273	38 721	58 460	94 246	8 830
群馬	139 976	8 257	11 700	38 840	81 179	106 045	6 097
埼玉	238 478	14 601	18 117	63 631	142 129	75 247	6 032
千葉	357 455	25 773	30 341	93 954	207 387	159 002	13 333
東京	220 643	27 446	31 963	52 204	109 030	43 568	9 579
神奈川	305 135	14 544	20 621	67 114	202 856	23 376	2 458
新潟	172 514	7 653	12 885	54 485	97 491	172 514	7 653
富山	49 278	1 908	2 660	12 719	31 991	30 220	1 279
石川	59 106	3 320	4 958	21 271	29 557	35 098	3 090
福井	33 859	1 799	2 504	10 232	19 324	24 134	1 446
山梨	83 183	8 108	9 592	26 560	38 923	67 988	7 004
長野	43 715	2 440	3 699	11 866	25 710	37 104	2 104
岐阜	90 326	6 022	8 161	27 899	48 244	76 617	5 150
静岡	238 422	12 330	18 095	65 398	142 599	138 461	6 939
愛知	378 253	23 443	30 689	98 098	226 023	80 434	6 431
三重	95 456	4 555	6 581	28 396	55 924	36 050	2 107
滋賀	28 606	1 870	2 516	9 611	14 609	11 638	1 148
京都	38 585	3 485	4 303	12 470	18 327	38 348	3 478
大阪	214 113	17 358	21 574	62 639	112 542	67 853	7 216
兵庫	154 820	10 288	13 431	45 120	85 981	100 106	8 046
奈良	25 135	1 721	2 409	7 928	13 077	18 562	1 445
和歌山	44 109	3 845	5 582	15 754	18 928	23 149	2 516
鳥取	37 788	1 700	2 611	12 266	21 211	18 377	942
島根	22 648	619	1 227	5 646	15 156	22 569	616
岡山	111 296	4 579	7 609	30 008	69 100	63 361	2 406
広島	97 147	7 106	7 970	32 186	49 885	42 804	2 959
山口	38 463	1 362	2 111	10 643	24 347	20 545	897
徳島	19 601	1 220	1 519	6 452	10 410	18 590	1 162
香川	65 596	3 635	4 868	18 959	38 134	58 552	3 302
愛媛	41 175	3 028	4 028	13 708	20 411	39 786	2 906
高知	39 347	1 527	2 749	11 141	23 930	38 977	1 510
福岡	81 293	6 706	8 660	30 597	35 330	65 222	5 731
佐賀	31 159	2 122	3 543	12 050	13 444	30 829	2 114
長崎	71 714	3 155	6 583	24 902	37 074	29 275	1 564
熊本	94 880	5 250	9 040	32 142	48 448	85 476	4 711
大分	49 638	2 135	3 870	16 354	27 279	41 729	1 864
宮崎	30 499	1 088	2 188	9 226	17 997	30 499	1 088
鹿児島	85 431	3 979	7 369	26 271	47 812	85 428	3 979
沖縄	55 387	4 812	6 834	18 243	25 498	29 673	2 526
指定都市・特別区(再掲)							
東京都区部	188 434	24 199	27 813	42 698	93 724	25 828	7 502
札幌市	9 962	603	931	3 671	4 757	8 747	429
仙台市	3 251	6	118	859	2 268	3 251	6
さいたま市	…	…	…	…	…	-	-
千葉市	69 681	4 155	5 020	15 289	45 217	2 385	700
横浜市	43 743	2 642	3 987	12 455	24 659	2 200	131
川崎市	52 734	2 402	3 721	10 996	35 615	-	-
相模原市	32 358	1 759	1 938	6 438	22 223	2 072	311
新潟市	27 922	1 360	2 021	9 393	15 148	27 922	1 360
静岡市	34 976	893	1 547	8 802	23 734	34 976	893
浜松市	54 068	2 883	4 250	13 840	33 095	1 330	32
名古屋市	76 515	5 604	7 521	19 189	44 201	856	265
京都市	-	-	-	-	-	-	-
大阪市	28 545	3 138	3 843	8 391	13 173	7 035	737
堺市	5 750	509	510	1 678	3 053	3 229	285
神戸市	13 790	869	1 116	2 939	8 866	-	-
岡山市	38 130	1 715	2 748	9 559	24 108	6 869	381
広島市	39 951	4 083	3 759	12 556	19 553	7 623	846
北九州市	…	…	…	…	…	…	…
福岡市	-	-	-	-	-	-	-
熊本市	13 412	494	937	4 603	7 378	13 412	494

指定都市・特別区－中核市－その他政令市、検診回数・検診方式・年齢階級別

平成29年度

初			回					
検診			個別検診					
50 ～ 59 歳	60 ～ 69 歳	70 歳 以 上	総数	40 ～ 49 歳	50 ～ 59 歳	60 ～ 69 歳	70 歳 以 上	
286 693	**970 781**	**1 541 388**	**2 053 770**	**117 010**	**161 746**	**523 590**	**1 251 424**	
9 176	26 341	37 829	17 107	1 480	2 192	5 628	7 807	
8 150	25 997	33 238	5 850	388	682	1 932	2 848	
9 118	30 391	47 727	24 510	1 129	1 845	5 936	15 600	
14 734	53 031	82 447	1 411	63	111	710	527	
6 096	21 206	29 955	1 403	83	146	634	540	
8 838	35 328	46 111	2 348	84	186	886	1 192	
8 403	32 981	45 113	72 168	2 934	5 013	20 973	43 248	
15 840	54 958	88 060	7 318	294	476	1 735	4 813	
11 191	34 521	39 704	24 632	594	1 082	4 200	18 756	
8 793	30 006	61 149	33 931	2 160	2 907	8 834	20 030	
7 175	26 323	35 717	163 231	8 569	10 942	37 308	106 412	
15 494	48 951	81 224	198 453	12 440	14 847	45 003	126 163	
10 522	12 271	11 196	177 075	17 867	21 441	39 933	97 834	
2 780	7 499	10 639	281 759	12 086	17 841	59 615	192 217	
12 885	54 485	97 491	-	-	-	-	-	
1 806	8 174	18 961	19 058	629	854	4 545	13 030	
3 426	11 458	17 124	24 008	230	1 532	9 813	12 433	
1 881	7 572	13 235	9 725	353	623	2 660	6 089	
7 958	20 336	32 690	15 195	1 104	1 634	6 224	6 233	
3 168	9 893	21 939	6 611	336	531	1 973	3 771	
6 985	23 781	40 701	13 709	872	1 176	4 118	7 543	
10 379	40 688	80 455	99 961	5 391	7 716	24 710	62 144	
7 331	23 637	43 035	297 819	17 012	23 358	74 461	182 988	
2 556	10 892	20 495	59 406	2 448	4 025	17 504	35 429	
1 421	4 567	4 502	16 968	722	1 095	5 044	10 107	
4 290	12 383	18 197	237	7	13	87	130	
8 382	22 959	29 296	146 260	10 142	13 192	39 680	83 246	
10 270	33 166	48 624	54 714	2 242	3 161	11 954	37 357	
1 968	6 420	8 729	6 573	276	441	1 508	4 348	
3 330	8 650	8 653	20 960	1 329	2 252	7 104	10 275	
1 446	5 940	10 049	19 411	758	1 165	6 326	11 162	
1 216	5 613	15 124	79	3	11	33	32	
4 394	17 866	38 695	47 935	2 173	3 215	12 142	30 405	
3 286	13 754	22 805	54 343	4 147	4 684	18 432	27 080	
1 297	6 465	11 886	17 918	465	814	4 178	12 461	
1 431	6 004	9 993	1 011	58	88	448	417	
4 368	16 596	34 286	7 044	333	500	2 363	3 848	
3 864	13 283	19 733	1 389	122	164	425	678	
2 727	11 046	23 694	370	17	22	95	236	
7 223	25 706	26 562	16 071	975	1 437	4 891	8 768	
3 530	11 932	13 253	330	8	13	118	191	
3 091	10 701	13 919	42 439	1 591	3 492	14 201	23 155	
7 987	28 619	44 159	9 404	539	1 053	3 523	4 289	
3 276	13 476	23 113	7 909	271	594	2 878	4 166	
2 188	9 226	17 997	-	-	-	-	-	
7 368	26 270	47 811	3	-	1	1	1	
3 655	9 419	14 073	25 714	2 286	3 179	8 824	11 425	
8 117	6 788	3 421	162 606	16 697	19 696	35 910	90 303	
694	3 222	4 402	1 215	174	237	449	355	
118	859	2 268	-	-	-	-	-	
-	-	-	…	…	…	…	…	
542	857	286	67 296	3 455	4 478	14 432	44 931	
236	649	1 184	41 543	2 511	3 751	11 806	23 475	
-	-	-	52 734	2 402	3 721	10 996	35 615	
341	692	728	30 286	1 448	1 597	5 746	21 495	
2 021	9 393	15 148	-	-	-	-	-	
1 547	8 802	23 734	-	-	-	-	-	
105	335	858	52 738	2 851	4 145	13 505	32 237	
173	242	176	75 659	5 339	7 348	18 947	44 025	
-	-	-	-	-	-	-	-	
944	2 405	2 949	21 510	2 401	2 899	5 986	10 224	
277	931	1 736	2 521	224	233	747	1 317	
-	-	-	13 790	869	1 116	2 939	8 866	
617	2 254	3 617	31 261	1 334	2 131	7 305	20 491	
480	2 033	4 264	32 328	3 237	3 279	10 523	15 289	
…	…	…	…	…	…	…	…	
-	-	-	-	-	-	-	-	
937	4 603	7 378	-	-	-	-	-	

15(8)－02,03 がん検診 肺がん

第16－2表（6－6） 肺がん検診問診（質問）者数，都道府県－

	非						
	総	数				集	団
	総　　数	40 ～ 49 歳	50 ～ 59 歳	60 ～ 69 歳	70 歳 以 上	総　　数	40 ～ 49 歳
中核市（再掲）							
旭 川 市	45	–	10	15	20	45	–
函 館 市	2 917	124	238	954	1 601	2 917	124
青 森 市	5 549	349	605	2 327	2 268	4 913	322
八 戸 市	12 100	579	1 124	4 422	5 975	12 100	579
盛 岡 市	24 789	1 116	1 811	6 043	15 819	523	19
秋 田 市	6 192	223	570	2 182	3 217	6 192	223
郡 山 市	22 829	1 038	1 846	7 499	12 446	486	21
い わ き 市	18 134	646	1 086	5 020	11 382	4 789	235
宇 都 宮 市	30 133	1 619	2 179	7 459	18 876	12 086	1 165
前 橋 市	37 004	2 488	3 255	9 972	21 289	3 073	328
高 崎 市	17 184	817	1 027	4 146	11 194	17 184	817
川 越 市	1 664	239	212	548	665	1 664	239
越 谷 市	15 949	514	897	3 347	11 191	3 807	249
船 橋 市	–	–	–	–	–	–	–
柏 市	12 993	832	949	3 436	7 776	12 993	832
八 王 子 市	13 976	1 126	1 647	3 869	7 334	–	–
横 須 賀 市	19 550	875	1 324	5 394	11 957	3 884	270
富 山 市	...	...	...	...	...	...	...
金 沢 市	20 093	502	1 589	8 705	9 297	2 436	502
長 野 市	8 859	295	680	2 130	5 754	8 859	295
岐 阜 市	5 284	369	453	1 887	2 575	5 284	369
豊 橋 市	16 364	1 326	1 597	4 209	9 232	1 698	241
豊 田 市	16 045	768	1 240	4 480	9 557	–	–
岡 崎 市	16 522	1 614	1 862	5 924	7 122	16 522	1 614
大 津 市	12 285	534	819	3 662	7 270	71	10
高 槻 市	26 406	1 586	1 711	6 790	16 319	3 371	334
東 大 阪 市	14 770	1 385	1 537	4 630	7 218	900	85
豊 中 市	2 725	259	365	830	1 271	2 725	259
枚 方 市	16 400	771	1 174	5 149	9 306	–	–
姫 路 市	5 166	281	502	1 837	2 546	5 166	281
西 宮 市	5 265	591	663	1 512	2 499	5 265	591
尼 崎 市	5 399	350	482	1 624	2 943	5 399	350
奈 良 市	1 736	116	138	629	853	1 736	116
和 歌 山 市	5 022	348	619	1 832	2 223	443	63
倉 敷 市	21 087	1 035	1 478	6 515	12 059	12 378	440
福 山 市	12 873	715	1 016	4 502	6 640	4 823	317
呉 市	4 807	390	368	1 705	2 344	4 707	390
下 関 市	2 653	75	155	1 001	1 422	2 539	75
高 松 市	13 150	948	1 095	4 566	6 541	13 150	948
松 山 市	9 897	567	901	3 181	5 248	8 541	447
高 知 市	–	–	–	–	–	–	–
久 留 米 市	13 724	792	1 209	4 053	7 670	–	–
長 崎 市	8 217	356	703	2 838	4 320	1 286	75
佐 世 保 市	12 007	462	918	4 397	6 230	2 194	129
大 分 市	...	...	...	...	...	...	...
宮 崎 市	14 113	563	1 151	4 496	7 903	14 113	563
鹿 児 島 市	15 365	820	1 121	4 653	8 771	15 365	820
那 覇 市	13 102	1 300	1 765	4 176	5 861	443	84
その他政令市（再掲）							
小 樽 市	1 356	44	109	393	810	1 356	44
町 田 市	–	–	–	–	–	–	–
藤 沢 市	43 147	1 675	2 496	8 031	30 945	–	–
茅 ヶ 崎 市	23 209	867	1 303	4 378	16 661	–	–
四 日 市 市	10 586	693	836	3 198	5 859	5 318	179
大 牟 田 市	420	42	58	158	162	270	35

注：検診回数の初回・非初回については、計数不詳の市区町村があるため、総数と一致しない場合がある。

指定都市・特別区－中核市－その他政令市、検診回数・検診方式・年齢階級別

平成29年度

初			回				
検診			個別検診				
50 ～ 59 歳	60 ～ 69 歳	70 歳 以 上	総数	40 ～ 49 歳	50 ～ 59 歳	60 ～ 69 歳	70 歳 以 上
10	15	20	-	-	-	-	-
238	954	1 601	-	-	-	-	-
563	2 148	1 880	636	27	42	179	388
1 124	4 422	5 975	-	-	-	-	-
55	227	222	24 266	1 097	1 756	5 816	15 597
570	2 182	3 217	-	-	-	-	-
36	186	243	22 343	1 017	1 810	7 313	12 203
372	1 668	2 514	13 345	411	714	3 352	8 868
1 443	4 499	4 979	18 047	454	736	2 960	13 897
348	1 138	1 259	33 931	2 160	2 907	8 834	20 030
1 027	4 146	11 194	-	-	-	-	-
212	548	665	-	-	-	-	-
447	1 282	1 829	12 142	265	450	2 065	9 362
-	-	-	-	-	-	-	-
949	3 436	7 776	-	-	-	-	-
-	-	-	13 976	1 126	1 647	3 869	7 334
340	1 162	2 112	15 666	605	984	4 232	9 845
…	…	…	…	…	…	…	…
507	792	635	17 657	-	1 082	7 913	8 662
680	2 130	5 754	-	-	-	-	-
453	1 887	2 575	-	-	-	-	-
271	527	659	14 666	1 085	1 326	3 682	8 573
-	-	-	16 045	768	1 240	4 480	9 557
1 862	5 924	7 122	-	-	-	-	-
6	45	10	12 214	524	813	3 617	7 260
311	1 403	1 323	23 035	1 252	1 400	5 387	14 996
113	297	405	13 870	1 300	1 424	4 333	6 813
365	830	1 271	-	-	-	-	-
-	-	-	16 400	771	1 174	5 149	9 306
502	1 837	2 546	-	-	-	-	-
663	1 512	2 499	-	-	-	-	-
482	1 624	2 943	-	-	-	-	-
138	629	853	-	-	-	-	-
71	186	123	4 579	285	548	1 646	2 100
809	3 566	7 563	8 709	595	669	2 949	4 496
458	1 800	2 248	8 050	398	558	2 702	4 392
364	1 677	2 276	100	-	4	28	68
147	941	1 376	114	-	8	60	46
1 095	4 566	6 541	-	-	-	-	-
744	2 777	4 573	1 356	120	157	404	675
-	-	-	-	-	-	-	-
-	-	-	13 724	792	1 209	4 053	7 670
123	581	507	6 931	281	580	2 257	3 813
232	978	855	9 813	333	686	3 419	5 375
…	…	…	…	…	…	…	…
1 151	4 496	7 903	-	-	-	-	-
1 121	4 653	8 771	-	-	-	-	-
97	168	94	12 659	1 216	1 668	4 008	5 767
109	393	810	-	-	-	-	-
-	-	-	-	-	-	-	-
-	-	-	43 147	1 675	2 496	8 031	30 945
-	-	-	23 209	867	1 303	4 378	16 661
315	1 356	3 468	5 268	514	521	1 842	2 391
40	89	106	150	7	18	69	56

第16－3表（6－1） 肺がん検診喀痰細胞診対象者数（胸部エックス線検査受診者中高危険

	総						
	総数					集団	
	総数	40～49歳	50～59歳	60～69歳	70歳以上	総数	40～49歳
全国	**764 613**	**・**	**69 053**	**279 802**	**415 758**	**493 598**	**・**
北海道	20 480	・	2 391	8 600	9 489	17 830	・
青森	9 544	・	1 477	4 342	3 725	8 928	・
岩手	7 915	・	674	3 206	4 035	7 043	・
宮城	38 156	・	3 217	14 663	20 276	38 125	・
秋田	9 287	・	836	3 853	4 598	9 260	・
山形	21 299	・	1 801	9 319	10 179	20 913	・
福島	26 061	・	2 032	10 624	13 405	16 865	・
茨城	34 651	・	2 606	12 431	19 614	34 424	・
栃木	19 169	・	1 794	7 768	9 607	16 239	・
群馬	26 327	・	1 861	8 409	16 057	23 785	・
埼玉	48 894	・	4 132	15 654	29 108	12 391	・
千葉	29 293	・	2 272	9 080	17 941	13 330	・
東京	42 180	・	7 896	14 355	19 929	12 283	・
神奈川	27 195	・	2 092	7 499	17 604	1 506	・
新潟	31 098	・	1 798	11 622	17 678	31 098	・
富山	10 006	・	402	3 102	6 502	4 801	・
石川	13 511	・	1 135	5 656	6 720	8 167	・
福井	3 892	・	398	1 588	1 906	2 916	・
山梨	4 201	・	521	1 642	2 038	3 736	・
長野	3 899	・	263	1 329	2 307	3 230	・
岐阜	11 573	・	841	4 445	6 287	8 674	・
静岡	33 391	・	2 091	11 106	20 194	16 522	・
愛知	56 678	・	4 608	18 140	33 930	15 155	・
三重	8 323	・	549	2 744	5 030	3 763	・
滋賀	7 788	・	624	3 024	4 140	3 230	・
京都	9 717	・	888	3 490	5 339	9 717	・
大阪	31 752	・	4 225	11 789	15 738	13 195	・
兵庫	29 475	・	2 679	10 699	16 097	20 447	・
奈良	6 682	・	603	2 502	3 577	5 068	・
和歌山	7 766	・	967	3 297	3 502	4 568	・
鳥取	7 281	・	497	2 952	3 832	3 214	・
島根	3 329	・	176	1 250	1 903	3 291	・
岡山	17 751	・	920	5 418	11 413	9 585	・
広島	4 897	・	373	1 975	2 549	3 570	・
山口	7 095	・	295	2 479	4 321	3 525	・
徳島	4 040	・	376	1 652	2 012	3 872	・
香川	10 349	・	687	3 745	5 917	9 445	・
愛媛	3 097	・	306	1 341	1 450	3 097	・
高知	232	・	37	110	85	232	・
福岡	8 857	・	974	4 305	3 578	8 658	・
佐賀	7 080	・	716	3 217	3 147	6 987	・
長崎	8 233	・	930	3 718	3 585	4 798	・
熊本	15 209	・	1 537	6 428	7 244	14 723	・
大分	11 994	・	650	4 802	6 542	10 169	・
宮崎	6 007	・	462	2 371	3 174	6 007	・
鹿児島	10 268	・	880	4 394	4 994	10 268	・
沖縄	8 691	・	1 564	3 667	3 460	4 948	・
指定都市・特別区(再掲)							
東京都区部	32 907	・	6 335	10 971	15 601	6 705	・
札幌市	2 697	・	213	1 164	1 320	2 356	・
仙台市	10 345	・	637	3 235	6 473	10 345	・
さいたま市	13 420	・	1 060	4 138	8 222	-	・
千葉市	2 855	・	209	811	1 835	81	・
横浜市	-	・	-	-	-	-	・
川崎市	10 227	・	938	3 064	6 225	-	・
相模原市	5 792	・	421	1 558	3 813	329	・
新潟市	5 920	・	233	2 172	3 515	5 920	・
静岡市	2 538	・	95	809	1 634	2 538	・
浜松市	9 019	・	483	2 847	5 689	65	・
名古屋市	18 020	・	1 581	5 637	10 802	180	・
京都市	3 429	・	272	1 181	1 976	3 429	・
大阪市	7 208	・	1 236	2 902	3 070	2 603	・
堺市	1 684	・	204	642	838	789	・
神戸市	3 636	・	415	1 307	1 914	-	・
岡山市	7 383	・	475	2 169	4 739	1 205	・
広島市	797	・	63	302	432	2	・
北九州市	65	・	13	32	20	65	・
福岡市	213	・	14	118	81	213	・
熊本市	2 739	・	180	1 140	1 419	2 739	・

群者数），都道府県－指定都市・特別区－中核市－その他政令市、検診回数・検診方式・年齢階級別

平成29年度

数							
検診			個別検診				
50 ～ 59 歳	60 ～ 69 歳	70 歳 以 上	総数	40 ～ 49 歳	50 ～ 59 歳	60 ～ 69 歳	70 歳 以 上
45 151	**193 253**	**255 194**	**271 015**	**・**	**23 902**	**86 549**	**160 564**
2 087	7 497	8 246	2 650	・	304	1 103	1 243
1 374	4 062	3 492	616	・	103	280	233
606	2 882	3 555	872	・	68	324	480
3 214	14 648	20 263	31	・	3	15	13
831	3 838	4 591	27	・	5	15	7
1 781	9 190	9 942	386	・	20	129	237
1 356	7 286	8 223	9 196	・	676	3 338	5 182
2 584	12 373	19 467	227	・	22	58	147
1 592	7 012	7 635	2 930	・	202	756	1 972
1 646	7 584	14 555	2 542	・	215	825	1 502
1 115	4 938	6 338	36 503	・	3 017	10 716	22 770
959	4 492	7 879	15 963	・	1 313	4 588	10 062
3 450	4 792	4 041	29 897	・	4 446	9 563	15 888
191	554	761	25 689	・	1 901	6 945	16 843
1 798	11 622	17 678	–	・	–	–	–
199	1 525	3 077	5 205	・	203	1 577	3 425
793	3 231	4 143	5 344	・	342	2 425	2 577
297	1 179	1 440	976	・	101	409	466
471	1 453	1 812	465	・	50	189	226
227	1 137	1 866	669	・	36	192	441
654	3 434	4 586	2 899	・	187	1 011	1 701
978	5 981	9 563	16 869	・	1 113	5 125	10 631
1 408	5 371	8 376	41 523	・	3 200	12 769	25 554
266	1 294	2 203	4 560	・	283	1 450	2 827
328	1 526	1 376	4 558	・	296	1 498	2 764
888	3 490	5 339	–	・	–	–	–
2 039	5 409	5 747	18 557	・	2 186	6 380	9 991
1 878	7 862	10 707	9 028	・	801	2 837	5 390
487	2 068	2 513	1 614	・	116	434	1 064
600	2 093	1 875	3 198	・	367	1 204	1 627
227	1 302	1 685	4 067	・	270	1 650	2 147
171	1 228	1 892	38	・	5	22	11
398	2 871	6 316	8 166	・	522	2 547	5 097
272	1 455	1 843	1 327	・	101	520	706
163	1 391	1 971	3 570	・	132	1 088	2 350
360	1 561	1 951	168	・	16	91	61
640	3 424	5 381	904	・	47	321	536
306	1 341	1 450	–	・	–	–	–
37	110	85	–	・	–	–	–
958	4 196	3 504	199	・	16	109	74
708	3 180	3 099	93	・	8	37	48
569	2 220	2 009	3 435	・	361	1 498	1 576
1 462	6 153	7 108	486	・	75	275	136
525	3 988	5 656	1 825	・	125	814	886
462	2 371	3 174	–	・	–	–	–
880	4 394	4 994	–	・	–	–	–
916	2 245	1 787	3 743	・	648	1 422	1 673
2 396	2 675	1 634	26 202	・	3 939	8 296	13 967
154	1 000	1 202	341	・	59	164	118
637	3 235	6 473	–	・	–	–	–
–	–	–	13 420	・	1 060	4 138	8 222
20	42	19	2 774	・	189	769	1 816
–	–	–	–	・	–	–	–
–	–	–	10 227	・	938	3 064	6 225
67	136	126	5 463	・	354	1 422	3 687
233	2 172	3 515	–	・	–	–	–
95	809	1 634	–	・	–	–	–
6	28	31	8 954	・	477	2 819	5 658
35	77	68	17 840	・	1 546	5 560	10 734
272	1 181	1 976	–	・	–	–	–
520	1 103	980	4 605	・	716	1 799	2 090
63	274	452	895	・	141	368	386
–	–	–	3 636	・	415	1 307	1 914
52	388	765	6 178	・	423	1 781	3 974
–	1	1	795	・	63	301	431
13	32	20	–	・	–	–	–
14	118	81	–	・	–	–	–
180	1 140	1 419	–	・	–	–	–

第16－３表（6－2） 肺がん検診喀痰細胞診対象者数（胸部エックス線検査受診者中高危険

	・ 総						
	総 数					集 団	
	総 数	40 ～ 49 歳	50 ～ 59 歳	60 ～ 69 歳	70 歳 以 上	総 数	40 ～ 49 歳
中核市(再掲)							
旭 川 市	133	・	18	64	51	133	・
函 館 市	121	・	11	57	53	121	・
青 森 市	1 010	・	133	476	401	933	・
八 戸 市	401	・	26	153	222	401	・
盛 岡 市	827	・	46	294	487	12	・
秋 田 市	1 042	・	67	369	606	1 042	・
郡 山 市	2 848	・	323	1 344	1 181	63	・
いわき市	1 724	・	85	531	1 108	47	・
宇都宮市	4 413	・	374	1 462	2 577	2 500	・
前 橋 市	2 687	・	225	888	1 574	145	・
高 崎 市	3 341	・	150	873	2 318	3 341	・
川 越 市	521	・	55	223	243	521	・
越 谷 市	1 089	・	76	229	784	228	・
船 橋 市	3 115	・	340	819	1 956	－	・
柏 市	2 446	・	140	731	1 575	2 446	・
八王子市	3 193	・	398	1 083	1 712	－	・
横須賀市	－	・	－	－	－	－	・
富 山 市	4 314	・	170	1 283	2 861	1 250	・
金 沢 市	4 954	・	399	2 277	2 278	504	・
長 野 市	854	・	46	240	568	854	・
岐 阜 市	901	・	68	366	467	901	・
豊 橋 市	2 728	・	203	885	1 640	153	・
豊 田 市	3 578	・	241	1 073	2 264	－	・
岡 崎 市	3 878	・	327	1 506	2 045	3 878	・
大 津 市	3 280	・	219	1 074	1 987	39	・
高 槻 市	2 228	・	192	697	1 339	133	・
東大阪市	1 158	・	195	443	520	102	・
豊 中 市	175	・	19	55	101	175	・
枚 方 市	－	・	－	－	－	－	・
姫 路 市	349	・	35	138	176	349	・
西 宮 市	302	・	40	106	156	302	・
尼 崎 市	33	・	6	10	17	33	・
奈 良 市	554	・	28	211	315	554	・
和歌山市	－	・	－	－	－	－	・
倉 敷 市	3 574	・	145	1 258	2 171	1 874	・
福 山 市	161	・	14	60	87	13	・
呉 市	382	・	57	189	136	381	・
下 関 市	480	・	22	224	234	418	・
高 松 市	2 500	・	210	1 067	1 223	2 500	・
松 山 市	－	・	－	－	－	－	・
高 知 市	－	・	－	－	－	－	・
久留米市	－	・	－	－	－	－	・
長 崎 市	252	・	25	143	84	157	・
佐世保市	2 581	・	258	1 174	1 149	508	・
大 分 市	3 351	・	194	1 285	1 872	2 937	・
宮 崎 市	2 382	・	209	979	1 194	2 382	・
鹿児島市	664	・	39	233	392	664	・
那 覇 市	1 180	・	205	506	469	81	・
その他政令市(再掲)							
小 樽 市	329	・	27	109	193	329	・
町 田 市	－	・	－	－	－	－	・
藤 沢 市	1 465	・	103	328	1 034	－	・
茅ヶ崎市	2 872	・	176	673	2 023	－	・
四日市市	1 664	・	97	569	998	656	・
大牟田市	192	・	24	91	77	143	・

注：1　高危険群者とは、平成26年度までは、問診の結果、50歳以上で喫煙指数（１日本数×年数）600以上の者（過去における喫煙者を含む。）及び６月以内に血痰のあった者のいずれかに該当することが判明した者であったが、平成27年度から、問診の結果、50歳以上で喫煙指数（１日本数×年数）600以上の者（過去における喫煙者を含む。）となったため、「40～49歳」の項目は「・」としている。

　　2　検診回数の初回・非初回については、計数不詳の市区町村があるため、総数と一致しない場合がある。

群者数），都道府県－指定都市・特別区－中核市－その他政令市、検診回数・検診方式・年齢階級別

平成29年度

数							
検診			個別検診				
50 ～ 59 歳	60 ～ 69 歳	70 歳 以 上	総数	40 ～ 49 歳	50 ～ 59 歳	60 ～ 69 歳	70 歳 以 上
18	64	51	－	・	－	－	－
11	57	53	－	・	－	－	－
122	447	364	77	・	11	29	37
26	153	222	－	・	－	－	－
1	4	7	815	・	45	290	480
67	369	606	－	・	－	－	－
5	30	28	2 785	・	318	1 314	1 153
2	23	22	1 677	・	83	508	1 086
250	1 042	1 208	1 913	・	124	420	1 369
10	63	72	2 542	・	215	825	1 502
150	873	2 318	－	・	－	－	－
55	223	243	－	・	－	－	－
23	71	134	861	・	53	158	650
－	－	－	3 115	・	340	819	1 956
140	731	1 575	－	・	－	－	－
－	－	－	3 193	・	398	1 083	1 712
－	－	－	－	・	－	－	－
50	376	824	3 064	・	120	907	2 037
127	200	177	4 450	・	272	2 077	2 101
46	240	568	－	・	－	－	－
68	366	467	－	・	－	－	－
13	48	92	2 575	・	190	837	1 548
－	－	－	3 578	・	241	1 073	2 264
327	1 506	2 045	－	・	－	－	－
5	28	6	3 241	・	214	1 046	1 981
17	63	53	2 095	・	175	634	1 286
21	36	45	1 056	・	174	407	475
19	55	101	－	・	－	－	－
－	－	－	－	・	－	－	－
35	138	176	－	・	－	－	－
40	106	156	－	・	－	－	－
6	10	17	－	・	－	－	－
28	211	315	－	・	－	－	－
－	－	－	－	・	－	－	－
56	598	1 220	1 700	・	89	660	951
1	3	9	148	・	13	57	78
57	189	135	1	・	－	－	1
17	190	211	62	・	5	34	23
210	1 067	1 223	－	・	－	－	－
－	－	－	－	・	－	－	－
－	－	－	－	・	－	－	－
－	－	－	－	・	－	－	－
18	95	44	95	・	7	48	40
62	281	165	2 073	・	196	893	984
148	1 066	1 723	414	・	46	219	149
209	979	1 194	－	・	－	－	－
39	233	392	－	・	－	－	－
23	36	22	1 099	・	182	470	447
27	109	193	－	・	－	－	－
－	－	－	－	・	－	－	－
－	－	－	1 465	・	103	328	1 034
－	－	－	2 872	・	176	673	2 023
31	166	459	1 008	・	66	403	539
21	64	58	49	・	3	27	19

第16－3表（6－3） 肺がん検診喀痰細胞診対象者数（胸部エックス線検査受診者中高危険

	初						
	総数					集団	
	総数	40 ～ 49 歳	50 ～ 59 歳	60 ～ 69 歳	70 歳 以 上	総数	40 ～ 49 歳
全国	**319 318**	・	**33 473**	**124 307**	**161 538**	**205 892**	・
北海道	10 659	・	1 388	4 656	4 615	9 833	・
青森	2 895	・	531	1 330	1 034	2 823	・
岩手	1 999	・	219	851	929	1 817	・
宮城	29 041	・	2 714	11 453	14 874	29 031	・
秋田	1 779	・	202	819	758	1 755	・
山形	5 232	・	530	2 229	2 473	5 166	・
福島	16 261	・	1 424	7 046	7 791	13 638	・
茨城	8 113	・	765	3 489	3 859	8 046	・
栃木	5 071	・	701	2 287	2 083	4 075	・
群馬	6 844	・	625	2 598	3 621	6 225	・
埼玉	11 700	・	1 471	4 269	5 960	4 041	・
千葉	14 248	・	1 156	4 690	8 402	5 490	・
東京	11 383	・	2 687	4 305	4 391	5 645	・
神奈川	17 450	・	1 556	5 207	10 687	403	・
新潟	7 732	・	620	3 556	3 556	7 732	・
富山	4 491	・	178	1 426	2 887	2 440	・
石川	2 531	・	335	1 219	977	2 320	・
福井	1 468	・	174	655	639	987	・
山梨	663	・	114	292	257	633	・
長野	1 394	・	124	504	766	1 068	・
岐阜	6 058	・	436	2 380	3 242	4 322	・
静岡	17 496	・	1 173	6 172	10 151	6 952	・
愛知	22 207	・	2 155	7 661	12 391	4 768	・
三重	5 674	・	405	1 837	3 432	2 744	・
滋賀	3 672	・	357	1 453	1 862	1 381	・
京都	2 343	・	249	891	1 203	2 343	・
大阪	17 402	・	2 733	6 912	7 757	8 590	・
兵庫	15 890	・	1 518	5 920	8 452	11 747	・
奈良	3 173	・	361	1 334	1 478	2 689	・
和歌山	3 897	・	560	1 671	1 666	2 261	・
鳥取	3 477	・	299	1 522	1 656	1 152	・
島根	2 122	・	133	813	1 176	2 092	・
岡山	11 012	・	667	3 437	6 908	4 638	・
広島	2 110	・	188	904	1 018	1 513	・
山口	4 859	・	216	1 768	2 875	2 371	・
徳島	1 778	・	199	812	767	1 646	・
香川	4 892	・	370	1 894	2 628	4 572	・
愛媛	775	・	87	357	331	775	・
高知	227	・	37	110	80	227	・
福岡	5 663	・	687	2 733	2 243	5 612	・
佐賀	2 294	・	283	1 151	860	2 239	・
長崎	2 692	・	379	1 251	1 062	1 521	・
熊本	5 556	・	695	2 689	2 172	5 354	・
大分	2 276	・	214	1 046	1 016	2 090	・
宮崎	1 683	・	146	719	818	1 683	・
鹿児島	4 378	・	444	1 899	2 035	4 378	・
沖縄	4 758	・	968	2 090	1 700	3 064	・
指定都市・特別区(再掲)							
東京都区部	6 510	・	1 755	2 508	2 247	2 988	・
札幌市	1 165	・	130	544	491	999	・
仙台市	7 148	・	523	2 384	4 241	7 148	・
さいたま市	…	・	…	…	…	－	・
千葉市	1 780	・	160	570	1 050	65	・
横浜市	－	・	－	－	－	－	・
川崎市	9 939	・	913	2 987	6 039	－	・
相模原市	1 954	・	204	659	1 091	115	・
新潟市	1 589	・	101	742	746	1 589	・
静岡市	1 411	・	64	530	817	1 411	・
浜松市	8 371	・	457	2 677	5 237	59	・
名古屋市	7 999	・	876	2 609	4 514	111	・
京都市	－	・	－	－	－	－	・
大阪市	3 138	・	689	1 312	1 137	1 167	・
堺市	1 547	・	198	595	754	679	・
神戸市	1 083	・	140	370	573	－	・
岡山市	6 870	・	457	2 036	4 377	1 114	・
広島市	345	・	36	117	192	－	・
北九州市	…	・	…	…	…	…	・
福岡市	－	・	－	－	－	－	・
熊本市	1 025	・	86	527	412	1 025	・

群者数），都道府県－指定都市・特別区－中核市－その他政令市、検診回数・検診方式・年齢階級別

平成29年度

回							
検診			個別検診				
50 ～ 59 歳	60 ～ 69 歳	70 歳 以 上	総数	40 ～ 49 歳	50 ～ 59 歳	60 ～ 69 歳	70 歳 以 上
22 259	**86 456**	**97 177**	**113 426**	**・**	**11 214**	**37 851**	**64 361**
1 239	4 275	4 319	826	・	149	381	296
518	1 297	1 008	72	・	13	33	26
197	766	854	182	・	22	85	75
2 712	11 450	14 869	10	・	2	3	5
198	806	751	24	・	4	13	7
528	2 204	2 434	66	・	2	25	39
1 135	5 917	6 586	2 623	・	289	1 129	1 205
753	3 473	3 820	67	・	12	16	39
600	2 013	1 462	996	・	101	274	621
547	2 338	3 340	619	・	78	260	281
481	1 759	1 801	7 659	・	990	2 510	4 159
492	2 150	2 848	8 758	・	664	2 540	5 554
1 611	2 197	1 837	5 738	・	1 076	2 108	2 554
74	168	161	17 047	・	1 482	5 039	10 526
620	3 556	3 556	-	・	-	-	-
97	786	1 557	2 051	・	81	640	1 330
312	1 122	886	211	・	23	97	91
120	446	421	481	・	54	209	218
106	278	249	30	・	8	14	8
105	415	548	326	・	19	89	218
299	1 733	2 290	1 736	・	137	647	952
467	2 720	3 765	10 544	・	706	3 452	6 386
505	1 852	2 411	17 439	・	1 650	5 809	9 980
228	986	1 530	2 930	・	177	851	1 902
183	688	510	2 291	・	174	765	1 352
249	891	1 203	-	・	-	-	-
1 447	3 666	3 477	8 812	・	1 286	3 246	4 280
1 165	4 752	5 830	4 143	・	353	1 168	2 622
310	1 161	1 218	484	・	51	173	260
332	1 034	895	1 636	・	228	637	771
113	529	510	2 325	・	186	993	1 146
130	797	1 165	30	・	3	16	11
210	1 479	2 949	6 374	・	457	1 958	3 959
129	679	705	597	・	59	225	313
118	999	1 254	2 488	・	98	769	1 621
188	741	717	132	・	11	71	50
343	1 743	2 486	320	・	27	151	142
87	357	331	-	・	-	-	-
37	110	80	-	・	-	-	-
683	2 705	2 224	51	・	4	28	19
277	1 130	832	55	・	6	21	28
232	712	577	1 171	・	147	539	485
659	2 572	2 123	202	・	36	117	49
192	948	950	186	・	22	98	66
146	719	818	-	・	-	-	-
444	1 899	2 035	-	・	-	-	-
641	1 438	985	1 694	・	327	652	715
1 022	1 201	765	3 522	・	733	1 307	1 482
95	458	446	166	・	35	86	45
523	2 384	4 241	-	・	-	-	-
-	-	-	…	・	…	…	…
15	34	16	1 715	・	145	536	1 034
-	-	-	-	・	-	-	-
-	-	-	9 939	・	913	2 987	6 039
37	53	25	1 839	・	167	606	1 066
101	742	746	-	・	-	-	-
64	530	817	-	・	-	-	-
6	26	27	8 312	・	451	2 651	5 210
21	57	33	7 888	・	855	2 552	4 481
-	-	-	-	・	-	-	-
291	520	356	1 971	・	398	792	781
60	242	377	868	・	138	353	377
-	-	-	1 083	・	140	370	573
49	367	698	5 756	・	408	1 669	3 679
-	-	-	345	・	36	117	192
…	…	…	…	・	…	…	…
-	-	-	-	・	-	-	-
86	527	412	-	・	-	-	-

15(8)－02,03 がん検診 肺がん

第16－3表（6－4） 肺がん検診喀痰細胞診対象者数（胸部エックス線検査受診者中高危険

| | 初 | | | | | 集 団 | |
| | 総 数 | | | | | | |
	総　　数	40 ～ 49 歳	50 ～ 59 歳	60 ～ 69 歳	70 歳 以 上	総　　数	40 ～ 49 歳
中核市（再掲）							
旭 川 市	88	・	8	49	31	88	・
函 館 市	98	・	10	47	41	98	・
青 森 市	398	・	71	189	138	369	・
八 戸 市	148	・	12	44	92	148	・
盛 岡 市	170	・	15	77	78	3	・
秋 田 市	260	・	19	100	141	260	・
郡 山 市	767	・	116	399	252	22	・
い わ き 市	751	・	48	269	434	31	・
宇 都 宮 市	1 398	・	206	538	654	799	・
前 橋 市	648	・	81	273	294	29	・
高 崎 市	…	・	…	…	…	…	・
川 越 市	143	・	27	59	57	143	・
越 谷 市	337	・	29	81	227	62	・
船 橋 市	－	・	－	－	－	－	・
柏 市	625	・	64	292	269	625	・
八 王 子 市	1 915	・	278	687	950	－	・
横 須 賀 市	－	・	－	－	－	－	・
富 山 市	…	・	…	…	…	…	・
金 沢 市	198	・	50	85	63	198	・
長 野 市	238	・	14	96	128	238	・
岐 阜 市	829	・	64	338	427	829	・
豊 橋 市	738	・	83	306	349	29	・
豊 田 市	761	・	65	297	399	－	・
岡 崎 市	220	・	13	89	118	220	・
大 津 市	1 348	・	108	471	769	33	・
高 槻 市	805	・	114	310	381	50	・
東 大 阪 市	444	・	108	164	172	46	・
豊 中 市	71	・	13	30	28	71	・
枚 方 市	－	・	－	－	－	－	・
姫 路 市	205	・	26	94	85	205	・
西 宮 市	121	・	12	48	61	121	・
尼 崎 市	29	・	6	9	14	29	・
奈 良 市	471	・	25	180	266	471	・
和 歌 山 市	－	・	－	－	－	－	・
倉 敷 市	966	・	61	427	478	471	・
福 山 市	129	・	13	47	69	9	・
呉 市	134	・	23	70	41	134	・
下 関 市	408	・	18	202	188	353	・
高 松 市	737	・	92	342	303	737	・
松 山 市	－	・	－	－	－	－	・
高 知 市	－	・	－	－	－	－	・
久 留 米 市	－	・	－	－	－	－	・
長 崎 市	148	・	16	80	52	95	・
佐 世 保 市	999	・	137	461	401	191	・
大 分 市	…	・	…	…	…	…	・
宮 崎 市	147	・	11	93	43	147	・
鹿 児 島 市	355	・	23	124	208	355	・
那 覇 市	356	・	71	165	120	36	・
その他政令市（再掲）							
小 樽 市	309	・	25	102	182	309	・
町 田 市	－	・	－	－	－	－	・
藤 沢 市	267	・	28	90	149	－	・
茅 ヶ 崎 市	2 617	・	162	608	1 847	－	・
四 日 市 市	877	・	56	263	558	631	・
大 牟 田 市	140	・	17	68	55	103	・

注：1　高危険群者とは、平成26年度までは、問診の結果、50歳以上で喫煙指数（1日本数×年数）600以上の者（過去における喫煙者を含む。）及び6月以内に血痰のあった者のいずれかに該当することが判明した者であったが、平成27年度から、問診の結果、50歳以上で喫煙指数（1日本数×年数）600以上の者（過去における喫煙者を含む。）となったため、「40～49歳」の項目は「・」としている。
　　　2　検診回数の初回・非初回については、計数不詳の市区町村があるため、総数と一致しない場合がある。

群者数），都道府県－指定都市・特別区－中核市－その他政令市、検診回数・検診方式・年齢階級別

平成29年度

回								
検	診		個	別	検	診		
50 ～ 59 歳	60 ～ 69 歳	70 歳 以 上	総 数	40 ～ 49 歳	50 ～ 59 歳	60 ～ 69 歳	70 歳 以 上
8	49	31	－	·	－	－	－
10	47	41	－	·	－	－	－
64	182	123	29	·	7	7	15
12	44	92	－	·	－	－	－
－	－	3	167	·	15	77	75
19	100	141	－	·	－	－	－
3	10	9	745	·	113	389	243
1	13	17	720	·	47	256	417
143	393	263	599	·	63	145	391
3	13	13	619	·	78	260	281
…	…	…	－	·	－	－	－
27	59	57	－	·	－	－	－
4	20	38	275	·	25	61	189
－	－	－	－	·	－	－	－
64	292	269	－	·	－	－	－
－	－	－	1 915	·	278	687	950
－	－	－	－	·	－	－	－
…	…	…	…	·	…	…	…
50	85	63	…	·	…	…	…
14	96	128	－	·	－	－	－
64	338	427	－	·	－	－	－
4	14	11	709	·	79	292	338
－	－	－	761	·	65	297	399
13	89	118	－	·	－	－	－
5	22	6	1 315	·	103	449	763
12	27	11	755	·	102	283	370
12	20	14	398	·	96	144	158
13	30	28	－	·	－	－	－
－	－	－	－	·	－	－	－
26	94	85	－	·	－	－	－
12	48	61	－	·	－	－	－
6	9	14	－	·	－	－	－
25	180	266	－	·	－	－	－
－	－	－	－	·	－	－	－
18	188	265	495	·	43	239	213
1	2	6	120	·	12	45	63
23	70	41	－	·	－	－	－
13	174	166	55	·	5	28	22
92	342	303	－	·	－	－	－
－	－	－	－	·	－	－	－
－	－	－	－	·	－	－	－
－	－	－	－	·	－	－	－
14	56	25	53	·	2	24	27
35	101	55	808	·	102	360	346
…	…	…	…	·	…	…	…
11	93	43	－	·	－	－	－
23	124	208	－	·	－	－	－
11	15	10	320	·	60	150	110
25	102	182	－	·	－	－	－
－	－	－	－	·	－	－	－
－	－	－	267	·	28	90	149
－	－	－	2 617	·	162	608	1 847
31	162	438	246	·	25	101	120
14	47	42	37	·	3	21	13

15(8)－02,03 がん検診 肺がん

第16－3表（6－5）　肺がん検診喀痰細胞診対象者数（胸部エックス線検査受診者中高危険

	非					集	団
	総 数					集	
	総　数	40～49歳	50～59歳	60～69歳	70歳以上	総　数	40～49歳
全　国	366 509	・	28 452	129 093	208 964	260 772	・
北海道	7 946	・	820	3 220	3 906	6 956	・
青森	6 451	・	911	2 908	2 632	6 003	・
岩手	5 682	・	434	2 234	3 014	4 992	・
宮城	9 115	・	503	3 210	5 402	9 094	・
秋田	7 044	・	609	2 850	3 585	7 041	・
山形	11 391	・	930	5 017	5 444	11 222	・
福島	9 800	・	608	3 578	5 614	3 227	・
茨城	26 538	・	1 841	8 942	15 755	26 378	・
栃木	14 068	・	1 091	5 461	7 516	12 164	・
群馬	16 053	・	1 079	4 900	10 074	14 130	・
埼玉	17 651	・	1 295	5 707	10 649	7 605	・
千葉	11 800	・	767	3 523	7 510	7 710	・
東京	9 800	・	2 132	3 510	4 158	4 457	・
神奈川	9 568	・	522	2 224	6 822	926	・
新潟	23 366	・	1 178	8 066	14 122	23 366	・
富山	736	・	32	226	478	646	・
石川	6 530	・	528	2 360	3 642	5 847	・
福井	2 424	・	224	933	1 267	1 929	・
山梨	3 086	・	375	1 195	1 516	2 651	・
長野	2 125	・	123	683	1 319	1 782	・
岐阜	5 515	・	405	2 065	3 045	4 352	・
静岡	15 822	・	912	4 912	9 998	9 497	・
愛知	33 440	・	2 351	10 153	20 936	10 260	・
三重	2 649	・	144	907	1 598	1 019	・
滋賀	4 116	・	267	1 571	2 278	1 849	・
京都	3 945	・	367	1 418	2 160	3 945	・
大阪	14 350	・	1 492	4 877	7 981	4 605	・
兵庫	10 281	・	955	3 491	5 835	6 071	・
奈良	3 509	・	242	1 168	2 099	2 379	・
和歌山	3 869	・	407	1 626	1 836	2 307	・
鳥取	3 785	・	197	1 425	2 163	2 043	・
島根	1 207	・	43	437	727	1 199	・
岡山	6 739	・	253	1 981	4 505	4 947	・
広島	2 785	・	185	1 070	1 530	2 055	・
山口	2 236	・	79	711	1 446	1 154	・
徳島	2 262	・	177	840	1 245	2 226	・
香川	5 457	・	317	1 851	3 289	4 873	・
愛媛	2 322	・	219	984	1 119	2 322	・
高知	5	・	－	－	5	5	・
福岡	2 592	・	221	1 242	1 129	2 576	・
佐賀	3 502	・	304	1 549	1 649	3 464	・
長崎	5 528	・	550	2 460	2 518	3 264	・
熊本	9 653	・	842	3 739	5 072	9 369	・
大分	6 099	・	236	2 376	3 487	5 142	・
宮崎	4 318	・	315	1 647	2 356	4 318	・
鹿児島	5 718	・	423	2 413	2 882	5 718	・
沖縄	3 631	・	547	1 433	1 651	1 687	・
指定都市・特別区（再掲）							
東京都区部	6 233	・	1 651	2 282	2 300	2 369	・
札幌市	1 532	・	83	620	829	1 357	・
仙台市	3 197	・	114	851	2 232	3 197	・
さいたま市	…	・	…	…	…	…	・
千葉市	1 075	・	49	241	785	16	・
横浜市	－	・	－	－	－	－	・
川崎市	288	・	25	77	186	－	・
相模原市	3 838	・	217	899	2 722	214	・
新潟市	4 331	・	132	1 430	2 769	4 331	・
静岡市	1 127	・	31	279	817	1 127	・
浜松市	648	・	26	170	452	6	・
名古屋市	10 021	・	705	3 028	6 288	69	・
京都市	－	・	－	－	－	－	・
大阪市	4 070	・	547	1 590	1 933	1 436	・
堺市	137	・	6	47	84	110	・
神戸市	1 878	・	184	576	1 118	－	・
岡山市	513	・	18	133	362	91	・
広島市	452	・	27	185	240	2	・
北九州市	…	・	…	…	…	…	・
福岡市	－	・	－	－	－	－	・
熊本市	1 714	・	94	613	1 007	1 714	・

群者数），都道府県－指定都市・特別区－中核市－その他政令市、検診回数・検診方式・年齢階級別

平成29年度

初回							
検診			個別検診				
50 ～ 59 歳	60 ～ 69 歳	70 歳 以 上	総数	40 ～ 49 歳	50 ～ 59 歳	60 ～ 69 歳	70 歳 以 上
20 699	**96 780**	**143 293**	**105 737**	・	**7 753**	**32 313**	**65 671**
720	2 800	3 436	990	・	100	420	470
838	2 711	2 454	448	・	73	197	178
388	1 995	2 609	690	・	46	239	405
502	3 198	5 394	21	・	1	12	8
608	2 848	3 585	3	・	1	2	…
922	4 967	5 333	169	・	8	50	111
221	1 369	1 637	6 573	・	387	2 209	3 977
1 831	8 900	15 647	160	・	10	42	108
992	4 999	6 173	1 904	・	99	462	1 343
942	4 335	8 853	1 923	・	137	565	1 221
554	2 901	4 150	10 046	・	741	2 806	6 499
458	2 294	4 958	4 090	・	309	1 229	2 552
1 347	1 740	1 370	5 343	・	785	1 770	2 788
103	318	505	8 642	・	419	1 906	6 317
1 178	8 066	14 122	－	・	－	－	－
30	196	420	90	・	2	30	58
481	2 109	3 257	683	・	47	251	385
177	733	1 019	495	・	47	200	248
333	1 020	1 298	435	・	42	175	218
106	580	1 096	343	・	17	103	223
355	1 701	2 296	1 163	・	50	364	749
505	3 239	5 753	6 325	・	407	1 673	4 245
880	3 467	5 913	23 180	・	1 471	6 686	15 023
38	308	673	1 630	・	106	599	925
145	838	866	2 267	・	122	733	1 412
367	1 418	2 160	－	・	－	－	－
592	1 743	2 270	9 745	・	900	3 134	5 711
598	2 183	3 290	4 210	・	357	1 308	2 545
177	907	1 295	1 130	・	65	261	804
268	1 059	980	1 562	・	139	567	856
113	768	1 162	1 742	・	84	657	1 001
41	431	727	8	・	2	6	－
188	1 392	3 367	1 792	・	65	589	1 138
143	775	1 137	730	・	42	295	393
45	392	717	1 082	・	34	319	729
172	820	1 234	36	・	5	20	11
297	1 681	2 895	584	・	20	170	394
219	984	1 119	－	・	－	－	－
－	－	5	－	・	－	－	－
221	1 235	1 120	16	・	…	7	9
302	1 533	1 629	38	・	2	16	20
336	1 501	1 427	2 264	・	214	959	1 091
803	3 581	4 985	284	・	39	158	87
185	1 974	2 983	957	・	51	402	504
315	1 647	2 356	－	・	－	－	－
423	2 413	2 882	－	・	－	－	－
240	711	736	1 944	・	307	722	915
1 030	978	361	3 864	・	621	1 304	1 939
59	542	756	175	・	24	78	73
114	851	2 232	－	・	－	－	－
－	－	－	…	・	…	…	…
5	8	3	1 059	・	44	233	782
－	－	－	－	・	－	－	－
－	－	－	288	・	25	77	186
30	83	101	3 624	・	187	816	2 621
132	1 430	2 769	－	・	－	－	－
31	279	817	－	・	－	－	－
－	2	4	642	・	26	168	448
14	20	35	9 952	・	691	3 008	6 253
－	－	－	－	・	－	－	－
229	583	624	2 634	・	318	1 007	1 309
3	32	75	27	・	3	15	9
－	－	－	1 878	・	184	576	1 118
3	21	67	422	・	15	112	295
－	1	1	450	・	27	184	239
…	…	…	…	・	…	…	…
－	－	－	－	・	－	－	－
94	613	1 007	－	・	－	－	－

第16－3表（6－6） 肺がん検診喀痰細胞診対象者数（胸部エックス線検査受診者中高危険

	非						
	総数					集団	
	総数	40 ～ 49 歳	50 ～ 59 歳	60 ～ 69 歳	70 歳 以 上	総数	40 ～ 49 歳
中核市（再掲）							
旭川市	45	・	10	15	20	45	・
函館市	23	・	1	10	12	23	・
青森市	612	・	62	287	263	564	・
八戸市	253	・	14	109	130	253	・
盛岡市	657	・	31	217	409	9	・
秋田市	782	・	48	269	465	782	・
郡山市	2 081	・	207	945	929	41	・
いわき市	973	・	37	262	674	16	・
宇都宮市	3 015	・	168	924	1 923	1 701	・
前橋市	2 039	・	144	615	1 280	116	・
高崎市	…	・	…	…	…	…	・
川越市	378	・	28	164	186	378	・
越谷市	752	・	47	148	557	166	・
船橋市	－	・	－	－	－	－	・
柏市	1 821	・	76	439	1 306	1 821	・
八王子市	1 278	・	120	396	762	－	・
横須賀市	－	・	－	－	－	－	・
富山市	…	・	…	…	…	…	・
金沢市	306	・	77	115	114	306	・
長野市	616	・	32	144	440	616	・
岐阜市	72	・	4	28	40	72	・
豊橋市	1 990	・	120	579	1 291	124	・
豊田市	2 817	・	176	776	1 865	－	・
岡崎市	3 658	・	314	1 417	1 927	3 658	・
大津市	1 932	・	111	603	1 218	6	・
高槻市	1 423	・	78	387	958	83	・
東大阪市	714	・	87	279	348	56	・
豊中市	104	・	6	25	73	104	・
枚方市	－	・	－	－	－	－	・
姫路市	144	・	9	44	91	144	・
西宮市	181	・	28	58	95	181	・
尼崎市	4	・	－	1	3	4	・
奈良市	83	・	3	31	49	83	・
和歌山市	－	・	－	－	－	－	・
倉敷市	2 608	・	84	831	1 693	1 403	・
福山市	32	・	1	13	18	4	・
呉市	248	・	34	119	95	247	・
下関市	72	・	4	22	46	65	・
高松市	1 763	・	118	725	920	1 763	・
松山市	－	・	－	－	－	－	・
高知市	－	・	－	－	－	－	・
久留米市	－	・	－	－	－	－	・
長崎市	104	・	9	63	32	62	・
佐世保市	1 582	・	121	713	748	317	・
大分市	…	・	…	…	…	…	・
宮崎市	2 235	・	198	886	1 151	2 235	・
鹿児島市	309	・	16	109	184	309	・
那覇市	824	・	134	341	349	45	・
その他政令市（再掲）							
小樽市	20	・	2	7	11	20	・
町田市	－	・	－	－	－	－	・
藤沢市	1 198	・	75	238	885	－	・
茅ヶ崎市	255	・	14	65	176	－	・
四日市市	787	・	41	306	440	25	・
大牟田市	52	・	7	23	22	40	・

注：1 高危険群者とは、平成26年度までは、問診の結果、50歳以上で喫煙指数（1日本数×年数）600以上の者（過去における喫煙者を含む。）及び6月以内に血痰のあった者のいずれかに該当することが判明した者であったが、平成27年度から、問診の結果、50歳以上で喫煙指数（1日本数×年数）600以上の者（過去における喫煙者を含む。）となったため、「40～49歳」の項目は「・」としている。
2 検診回数の初回・非初回については、計数不詳の市区町村があるため、総数と一致しない場合がある。

群者数），都道府県−指定都市・特別区−中核市−その他政令市、検診回数・検診方式・年齢階級別

平成29年度

初　　　　　　　　　　　　　　　　　　　　　　　回

検　　　診			個　　別　　検　　診				
50 ～ 59 歳	60 ～ 69 歳	70 歳 以 上	総　　数	40 ～ 49 歳	50 ～ 59 歳	60 ～ 69 歳	70 歳 以 上
10	15	20	−	・	−	−	−
1	10	12	−	・	−	−	−
58	265	241	48	・	4	22	22
14	109	130	−	・	−	−	−
1	4	4	648	・	30	213	405
48	269	465	−	・	−	−	−
2	20	19	2 040	・	205	925	910
1	10	5	957	・	36	252	669
107	649	945	1 314	・	61	275	978
7	50	59	1 923	・	137	565	1 221
…	…	…	−	・	−	−	−
28	164	186	−	・	−	−	−
19	51	96	586	・	28	97	461
−	−	−	−	・	−	−	−
76	439	1 306	−	・	−	−	−
−	−	−	1 278	・	120	396	762
−	−	−	−	・	−	−	−
…	…	…	…	・	…	…	…
77	115	114	…	・	…	…	…
32	144	440	−	・	−	−	−
4	28	40	−	・	−	−	−
9	34	81	1 866	・	111	545	1 210
−	−	−	2 817	・	176	776	1 865
314	1 417	1 927	−	・	−	−	−
−	6	−	1 926	・	111	597	1 218
5	36	42	1 340	・	73	351	916
9	16	31	658	・	78	263	317
6	25	73	−	・	−	−	−
−	−	−	−	・	−	−	−
9	44	91	−	・	−	−	−
28	58	95	−	・	−	−	−
−	1	3	−	・	−	−	−
3	31	49	−	・	−	−	−
−	−	−	−	・	−	−	−
38	410	955	1 205	・	46	421	738
−	1	3	28	・	1	12	15
34	119	94	1	・	−	−	1
4	16	45	7	・	−	6	1
118	725	920	−	・	−	−	−
−	−	−	−	・	−	−	−
−	−	−	−	・	−	−	−
−	−	−	−	・	−	−	−
4	39	19	42	・	5	24	13
27	180	110	1 265	・	94	533	638
…	…	…	…	・	…	…	…
198	886	1 151	−	・	−	−	−
16	109	184	−	・	−	−	−
12	21	12	779	・	122	320	337
2	7	11	−	・	−	−	−
−	−	−	−	・	−	−	−
−	−	−	1 198	・	75	238	885
−	−	−	255	・	14	65	176
−	4	21	762	・	41	302	419
7	17	16	12	・	−	6	6

第16－4表（6－1） 肺がん検診喀痰容器配布数，都道府県－

	総						
	総数					集団	
	総数	40～49歳	50～59歳	60～69歳	70歳以上	総数	40～49歳
全国	**258 519**	**・**	**26 014**	**91 113**	**141 392**	**121 929**	**・**
北海道	3 266	・	463	1 367	1 436	2 850	・
青森	2 163	・	300	992	871	1 973	・
岩手	4 151	・	317	1 653	2 181	3 336	・
宮城	12 768	・	904	4 742	7 122	12 459	・
秋田	4 854	・	514	2 148	2 192	4 827	・
山形	3 807	・	326	1 706	1 775	3 699	・
福島	8 127	・	623	3 159	4 345	3 956	・
茨城	3 818	・	305	1 358	2 155	3 727	・
栃木	3 568	・	344	1 288	1 936	2 338	・
群馬	7 437	・	640	2 456	4 341	4 895	・
埼玉	15 825	・	1 391	4 843	9 591	4 087	・
千葉	12 454	・	1 105	3 808	7 541	3 705	・
東京	28 921	・	6 137	10 154	12 630	9 996	・
神奈川	8 440	・	604	2 179	5 657	841	・
新潟	6 444	・	286	2 302	3 856	6 444	・
富山	4 643	・	181	1 403	3 059	1 379	・
石川	6 811	・	564	3 078	3 169	2 112	・
福井	409	・	42	164	203	310	・
山梨	1 328	・	176	466	686	1 267	・
長野	903	・	79	303	521	674	・
岐阜	1 865	・	161	774	930	1 278	・
静岡	19 190	・	1 223	6 014	11 953	3 869	・
愛知	29 238	・	2 540	8 889	17 809	2 392	・
三重	2 136	・	180	777	1 179	391	・
滋賀	2 248	・	229	927	1 092	1 779	・
京都	2 904	・	303	1 009	1 592	2 904	・
大阪	15 137	・	2 117	5 472	7 548	5 481	・
兵庫	4 421	・	375	1 573	2 473	2 468	・
奈良	2 578	・	234	954	1 390	1 829	・
和歌山	2 974	・	335	1 236	1 403	1 126	・
鳥取	2 322	・	157	1 000	1 165	801	・
島根	522	・	36	215	271	502	・
岡山	9 746	・	614	2 913	6 219	3 361	・
広島	1 495	・	105	560	830	366	・
山口	2 309	・	109	839	1 361	988	・
徳島	1 318	・	128	555	635	1 283	・
香川	2 201	・	183	807	1 211	2 039	・
愛媛	4	・	－	3	1	4	・
高知	10	・	1	2	7	10	・
福岡	1 292	・	149	613	530	1 222	・
佐賀	2 976	・	312	1 368	1 296	2 961	・
長崎	2 139	・	246	963	930	1 618	・
熊本	1 145	・	118	531	496	1 110	・
大分	1 784	・	98	720	966	1 729	・
宮崎	1 178	・	115	526	537	1 178	・
鹿児島	3 621	・	343	1 629	1 649	3 621	・
沖縄	1 629	・	302	675	652	744	・
指定都市・特別区(再掲)							
東京都区部	20 643	・	4 677	7 126	8 840	5 344	・
札幌市	190	・	16	83	91	166	・
仙台市	4 606	・	246	1 365	2 995	4 606	・
さいたま市	1 912	・	169	566	1 177	－	・
千葉市	2 855	・	209	811	1 835	81	・
横浜市	－	・	－	－	－	－	・
川崎市	1 200	・	100	343	757	－	・
相模原市	946	・	87	265	594	61	・
新潟市	1 357	・	37	487	833	1 357	・
静岡市	2 538	・	95	809	1 634	2 538	・
浜松市	9 019	・	483	2 847	5 689	65	・
名古屋市	18 020	・	1 581	5 637	10 802	180	・
京都市	668	・	48	162	458	668	・
大阪市	3 077	・	640	1 270	1 167	1 577	・
堺市	339	・	46	132	161	174	・
神戸市	675	・	91	361	223	－	・
岡山市	7 383	・	475	2 169	4 739	1 205	・
広島市	797	・	63	302	432	2	・
北九州市	65	・	13	32	20	65	・
福岡市	213	・	14	118	81	213	・
熊本市	409	・	41	187	181	409	・

指定都市・特別区－中核市－その他政令市、検診回数・検診方式・年齢階級別

平成29年度

	数						
検　　診			個　　別　　検　　診				
50 ～ 59 歳	60 ～ 69 歳	70 歳 以 上	総　　数	40 ～ 49 歳	50 ～ 59 歳	60 ～ 69 歳	70 歳 以 上
13 506	48 059	60 364	136 590	・	12 508	43 054	81 028
398	1 195	1 257	416	・	65	172	179
256	907	810	190	・	44	85	61
272	1 363	1 701	815	・	45	290	480
873	4 589	6 997	309	・	31	153	125
509	2 133	2 185	27	・	5	15	7
323	1 678	1 698	108	・	3	28	77
334	1 694	1 928	4 171	・	289	1 465	2 417
296	1 334	2 097	91	・	9	24	58
273	1 002	1 063	1 230	・	71	286	873
425	1 631	2 839	2 542	・	215	825	1 502
383	1 600	2 104	11 738	・	1 008	3 243	7 487
326	1 327	2 052	8 749	・	779	2 481	5 489
3 051	3 925	3 020	18 925	・	3 086	6 229	9 610
97	288	456	7 599	・	507	1 891	5 201
286	2 302	3 856	－	・	－	－	－
55	421	903	3 264	・	126	982	2 156
265	906	941	4 699	・	299	2 172	2 228
33	123	154	99	・	9	41	49
166	443	658	61	・	10	23	28
68	237	369	229	・	11	66	152
121	545	612	587	・	40	229	318
211	1 314	2 344	15 321	・	1 012	4 700	9 609
308	921	1 163	26 846	・	2 232	7 968	16 646
30	149	212	1 745	・	150	628	967
193	779	807	469	・	36	148	285
303	1 009	1 592	－	・	－	－	－
1 017	2 263	2 201	9 656	・	1 100	3 209	5 347
214	883	1 371	1 953	・	161	690	1 102
180	750	899	749	・	54	204	491
139	543	444	1 848	・	196	693	959
51	351	399	1 521	・	106	649	766
32	203	267	20	・	4	12	4
173	1 060	2 128	6 385	・	441	1 853	4 091
17	141	208	1 129	・	88	419	622
44	385	559	1 321	・	65	454	802
124	535	624	35	・	4	20	11
171	759	1 109	162	・	12	48	102
－	3	1	－	・	－	－	－
1	2	7	－	・	－	－	－
144	577	501	70	・	5	36	29
311	1 363	1 287	15	・	1	5	9
199	728	691	521	・	47	235	239
111	513	486	35	・	7	18	10
94	700	935	55	・	4	20	31
115	526	537	－	・	－	－	－
343	1 629	1 649	－	・	－	－	－
171	330	243	885	・	131	345	409
2 087	2 145	1 112	15 299	・	2 590	4 981	7 728
15	69	82	24	・	1	14	9
246	1 365	2 995	－	・	－	－	－
－	－	－	1 912	・	169	566	1 177
20	42	19	2 774	・	189	769	1 816
－	－	－	－	・	－	－	－
－	－	－	1 200	・	100	343	757
15	25	21	885	・	72	240	573
37	487	833	－	・	－	－	－
95	809	1 634	－	・	－	－	－
6	28	31	8 954	・	477	2 819	5 658
35	77	68	17 840	・	1 546	5 560	10 734
48	162	458	－	・	－	－	－
387	663	527	1 500	・	253	607	640
11	62	101	165	・	35	70	60
－	－	－	675	・	91	361	223
52	388	765	6 178	・	423	1 781	3 974
－	1	1	795	・	63	301	431
13	32	20	－	・	－	－	－
14	118	81	－	・	－	－	－
41	187	181	－	・	－	－	－

15(8)－02,03 がん検診 肺がん

第16－4表（6－2） 肺がん検診喀痰容器配布数，都道府県－

	総						
	総	数				集	団
	総　数	40 ～ 49 歳	50 ～ 59 歳	60 ～ 69 歳	70 歳 以 上	総　数	40 ～ 49 歳
中核市（再掲）							
旭 川 市	133	・	18	64	51	133	・
函 館 市	121	・	11	57	53	121	・
青 森 市	55	・	7	26	22	35	・
八 戸 市	401	・	26	153	222	401	・
盛 岡 市	827	・	46	294	487	12	・
秋 田 市	214	・	16	74	124	214	・
郡 山 市	1 088	・	106	502	480	50	・
い わ き 市	1 724	・	85	531	1 108	47	・
宇 都 宮 市	2 483	・	228	812	1 443	1 292	・
前 橋 市	2 687	・	225	888	1 574	145	・
高 崎 市	882	・	46	233	603	882	・
川 越 市	521	・	55	223	243	521	・
越 谷 市	1 089	・	76	229	784	228	・
船 橋 市	1 940	・	229	495	1 216	－	・
柏 市	474	・	38	115	321	474	・
八 王 子 市	3 193	・	398	1 083	1 712	－	・
横 須 賀 市	－	・	－	－	－	－	・
富 山 市	4 314	・	170	1 283	2 861	1 250	・
金 沢 市	4 954	・	399	2 277	2 278	504	・
長 野 市	159	・	6	44	109	159	・
岐 阜 市	98	・	8	35	55	98	・
豊 橋 市	813	・	64	270	479	1	・
豊 田 市	1 295	・	146	417	732	－	・
岡 崎 市	277	・	23	122	132	277	・
大 津 市	…	・	…	…	…	－	・
高 槻 市	2 228	・	192	697	1 339	133	・
東 大 阪 市	1 158	・	195	443	520	102	・
豊 中 市	175	・	19	55	101	175	・
枚 方 市	－	・	－	－	－	－	・
姫 路 市	349	・	35	138	176	349	・
西 宮 市	302	・	40	106	156	302	・
尼 崎 市	33	・	6	10	17	33	・
奈 良 市	166	・	7	65	94	166	・
和 歌 山 市	－	・	－	－	－	－	・
倉 敷 市	397	・	31	133	233	231	・
福 山 市	161	・	14	60	87	13	・
呉 市	－	・	－	－	－	－	・
下 関 市	147	・	7	59	81	138	・
高 松 市	367	・	38	155	174	367	・
松 山 市	－	・	－	－	－	－	・
高 知 市	－	・	－	－	－	－	・
久 留 米 市	－	・	－	－	－	－	・
長 崎 市	252	・	25	143	84	157	・
佐 世 保 市	73	・	9	23	41	25	・
大 分 市	270	・	23	94	153	238	・
宮 崎 市	626	・	57	289	280	626	・
鹿 児 島 市	559	・	29	175	355	559	・
那 覇 市	535	・	67	213	255	－	・
その他政令市（再掲）							
小 樽 市	25	・	1	10	14	25	・
町 田 市	－	・	－	－	－	－	・
藤 沢 市	1 465	・	103	328	1 034	－	・
茅 ヶ 崎 市	606	・	47	134	425	－	・
四 日 市 市	454	・	30	168	256	30	・
大 牟 田 市	55	・	4	31	20	6	・

注：1　喀痰容器は喀痰細胞診対象者数（胸部エックス線検査受診者中高危険群者）への配布状況である。喀痰細胞診対象者は、平成26年度までは、問診の結果、50歳以上で喫煙指数（１日本数×年数）600以上の者（過去における喫煙者を含む。）及び６月以内に血痰のあった者のいずれかに該当することが判明した者であったが、平成27年度から、問診の結果、50歳以上で喫煙指数（１日本数×年数）600以上の者（過去における喫煙者を含む。）となったため、「40～49歳」の項目は「・」としている。
　　　2　検診回数の初回・非初回については、計数不詳の市区町村があるため、総数と一致しない場合がある。

指定都市・特別区－中核市－その他政令市、検診回数・検診方式・年齢階級別

平成29年度

数							
検　　診			個　　別　　検　　診				
50 ～ 59 歳	60 ～ 69 歳	70 歳 以 上	総　　数	40 ～ 49 歳	50 ～ 59 歳	60 ～ 69 歳	70 歳 以 上
18	64	51	–	・	–	–	–
11	57	53	–	・	–	–	–
1	17	17	20	・	6	9	5
26	153	222	–	・	–	–	–
1	4	7	815	・	45	290	480
16	74	124	–	・	–	–	–
3	23	24	1 038	・	103	479	456
2	23	22	1 677	・	83	508	1 086
159	549	584	1 191	・	69	263	859
10	63	72	2 542	・	215	825	1 502
46	233	603	–	・	–	–	–
55	223	243	–	・	–	–	–
23	71	134	861	・	53	158	650
–	–	–	1 940	・	229	495	1 216
38	115	321	–	・	–	–	–
–	–	–	3 193	・	398	1 083	1 712
–	–	–	–	・	–	–	–
50	376	824	3 064	・	120	907	2 037
127	200	177	4 450	・	272	2 077	2 101
6	44	109	–	・	–	–	–
8	35	55	–	・	–	–	–
–	–	1	812	・	64	270	478
–	–	–	1 295	・	146	417	732
23	122	132	–	・	–	–	–
–	–	–	…	・	…	…	…
17	63	53	2 095	・	175	634	1 286
21	36	45	1 056	・	174	407	475
19	55	101	–	・	–	–	–
–	–	–	–	・	–	–	–
35	138	176	–	・	–	–	–
40	106	156	–	・	–	–	–
6	10	17	–	・	–	–	–
7	65	94	–	・	–	–	–
–	–	–	–	・	–	–	–
16	73	142	166	・	15	60	91
1	3	9	148	・	13	57	78
–	–	–	–	・	–	–	–
6	53	79	9	・	1	6	2
38	155	174	–	・	–	–	–
–	–	–	–	・	–	–	–
–	–	–	–	・	–	–	–
–	–	–	–	・	–	–	–
18	95	44	95	・	7	48	40
5	11	9	48	・	4	12	32
20	80	138	32	・	3	14	15
57	289	280	–	・	–	–	–
29	175	355	–	・	–	–	–
–	–	–	535	・	67	213	255
1	10	14	–	・	–	–	–
–	–	–	–	・	–	–	–
–	–	–	1 465	・	103	328	1 034
–	–	–	606	・	47	134	425
2	9	19	424	・	28	159	237
1	4	1	49	・	3	27	19

15(8)－02,03 がん検診 肺がん

第16－4表（6－3）　肺がん検診喀痰容器配布数，都道府県－

| | 初 | | | | | 集団 | |
| | 総 数 | | | | | 総 数 | |
	総 数	40 ～ 49 歳	50 ～ 59 歳	60 ～ 69 歳	70 歳 以 上	総 数	40 ～ 49 歳
全　　　　国	97 743	·	11 809	37 143	48 791	44 443	·
北　海　道	1 339	·	219	596	524	1 159	·
青　　　森	934	·	146	439	349	894	·
岩　　　手	999	·	111	448	440	832	·
宮　　　城	4 159	·	434	1 723	2 002	4 096	·
秋　　　田	966	·	130	468	368	942	·
山　　　形	509	·	64	249	196	484	·
福　　　島	3 378	·	334	1 440	1 604	2 028	·
茨　　　城	1 464	·	147	587	730	1 423	·
栃　　　木	1 138	·	170	451	517	788	·
群　　　馬	1 887	·	235	762	890	1 268	·
埼　　　玉	4 393	·	577	1 580	2 236	1 505	·
千　　　葉	4 751	·	448	1 636	2 667	1 312	·
東　　　京	8 293	·	2 116	3 124	3 053	3 697	·
神　奈　川	3 365	·	318	1 014	2 033	196	·
新　　　潟	1 941	·	121	846	974	1 941	·
富　　　山	211	·	8	79	124	74	·
石　　　川	713	·	118	359	236	658	·
福　　　井	165	·	24	77	64	121	·
山　　　梨	371	·	56	135	180	351	·
長　　　野	376	·	45	134	197	274	·
岐　　　阜	710	·	73	313	324	495	·
静　　　岡	11 750	·	757	3 988	7 005	1 918	·
愛　　　知	11 432	·	1 281	3 823	6 328	948	·
三　　　重	890	·	92	360	438	187	·
滋　　　賀	1 136	·	151	470	515	848	·
京　　　都	727	·	90	290	347	727	·
大　　　阪	6 746	·	1 287	2 694	2 765	2 650	·
兵　　　庫	1 721	·	163	639	919	1 105	·
奈　　　良	1 102	·	143	489	470	898	·
和　歌　山	1 759	·	223	741	795	678	·
鳥　　　取	816	·	72	389	355	199	·
島　　　根	276	·	24	122	130	263	·
岡　　　山	7 826	·	523	2 373	4 930	1 957	·
広　　　島	759	·	66	294	399	191	·
山　　　口	1 164	·	69	482	613	478	·
徳　　　島	583	·	66	272	245	559	·
香　　　川	925	·	91	373	461	851	·
愛　　　媛	1	·	－	1	－	1	·
高　　　知	5	·	1	2	2	5	·
福　　　岡	512	·	72	235	205	468	·
佐　　　賀	932	·	132	461	339	924	·
長　　　崎	742	·	100	348	294	515	·
熊　　　本	625	·	65	308	252	608	·
大　　　分	334	·	30	170	134	329	·
宮　　　崎	464	·	47	243	174	464	·
鹿　児　島	1 673	·	203	768	702	1 673	·
沖　　　縄	781	·	167	348	266	461	·
指定都市・特別区(再掲)							
東京都区部	4 220	·	1 269	1 618	1 333	1 792	·
札　幌　市	88	·	9	38	41	77	·
仙　台　市	1 409	·	132	514	763	1 409	·
さいたま市	…	·	…	…	…	…	·
千　葉　市	1 780	·	160	570	1 050	65	·
横　浜　市	－	·	－	－	－	－	·
川　崎　市	1 008	·	84	298	626	－	·
相模原市	319	·	43	114	162	24	·
新　潟　市	375	·	16	180	179	375	·
静　岡　市	1 411	·	64	530	817	1 411	·
浜　松　市	8 371	·	457	2 677	5 237	59	·
名古屋市	7 999	·	876	2 609	4 514	111	·
京　都　市	－	·	－	－	－	－	·
大　阪　市	1 903	·	463	784	656	957	·
堺　　　市	232	·	41	99	92	80	·
神　戸　市	－	·	－	－	－	－	·
岡　山　市	6 870	·	457	2 036	4 377	1 114	·
広　島　市	345	·	36	117	192	－	·
北九州市	…	·	…	…	…	…	·
福　岡　市	－	·	－	－	－	－	·
熊　本　市	181	·	21	100	60	181	·

指定都市・特別区－中核市－その他政令市、検診回数・検診方式・年齢階級別

平成29年度

| 回 | | | 個別検診 | | | | |
| 検診 | | | | | | | |
50 ～ 59 歳	60 ～ 69 歳	70 歳 以 上	総 数	40 ～ 49 歳	50 ～ 59 歳	60 ～ 69 歳	70 歳 以 上
6 231	19 167	19 045	53 300	・	5 578	17 976	29 746
183	512	464	180	・	36	84	60
137	421	336	40	・	9	18	13
96	371	365	167	・	15	77	75
427	1 689	1 980	63	・	7	34	22
126	455	361	24	・	4	13	7
64	238	182	25	・	…	11	14
199	867	962	1 350	・	135	573	642
140	576	707	41	・	7	11	23
139	372	277	350	・	31	79	240
157	502	609	619	・	78	260	281
188	632	685	2 888	・	389	948	1 551
145	582	585	3 439	・	303	1 054	2 082
1 260	1 447	990	4 596	・	856	1 677	2 063
29	83	84	3 169	・	289	931	1 949
121	846	974	–	・			
3	27	44	137	・	5	52	80
109	336	213	55	・	9	23	23
19	60	42	44	・	5	17	22
51	127	173	20	・	5	8	7
38	106	130	102	・・	7	28	67
51	221	223	215	・	22	92	101
113	756	1 049	9 832	・	644	3 232	5 956
154	408	386	10 484	・	1 127	3 415	5 942
21	91	75	703	・	71	269	363
121	380	347	288	・	30	90	168
90	290	347	–	・	–	–	–
651	1 174	825	4 096	・	636	1 520	1 940
121	463	521	616	・	42	176	398
118	409	371	204	・	25	80	99
91	328	259	1 081	・	132	413	536
19	101	79	617	・	53	288	276
22	115	126	13	・	2	7	4
104	661	1 192	5 869	・	419	1 712	3 738
10	86	95	568	・	56	208	304
25	229	224	686	・	44	253	389
66	256	237	24	・	–	16	8
85	355	411	74	・	6	18	50
–	1	–	–	・	–	–	–
1	2	2	–	・	–	–	–
68	212	188	44	・	4	23	17
132	458	334	8	・	–	3	5
81	242	192	227	・	19	106	102
62	297	249	17	・	3	11	3
30	166	133	5	・	…	4	1
47	243	174	–	・	–	–	–
203	768	702	–	・	–	–	–
114	206	141	320	・	53	142	125
748	731	313	2 428	・	521	887	1 020
8	32	37	11	・	1	6	4
132	514	763	–	・	…	…	…
–	–	–	…	・	…	…	…
15	34	16	1 715	・	145	536	1 034
–	–	–	–	・	–	–	–
–	–	–	1 008	・	84	298	626
7	12	5	295	・	36	102	157
16	180	179	–	・	–	–	–
64	530	817	–	・	–	–	–
6	26	27	8 312	・	451	2 651	5 210
21	57	33	7 888	・	855	2 552	4 481
–	–	–	–	・	–	–	–
281	399	277	946	・	182	385	379
9	34	37	152	・	32	65	55
–	–	–	–	・	–	–	–
49	367	698	5 756	・	408	1 669	3 679
–	–	–	345	・	36	117	192
…	…	…	…	・	…	…	…
–	–	–	–	・	–	–	–
21	100	60	–	・	–	–	–

第16－４表（6－4） 肺がん検診喀痰容器配布数，都道府県－

	初						
	総数					集団	
	総数	40 ～ 49 歳	50 ～ 59 歳	60 ～ 69 歳	70 歳 以 上	総数	40 ～ 49 歳
中核市(再掲)							
旭川市	88	・	8	49	31	88	・
函館市	98	・	10	47	41	98	・
青森市	16	・	4	5	7	9	・
八戸市	148	・	12	44	92	148	・
盛岡市	170	・	15	77	78	3	・
秋田市	63	・	4	20	39	63	・
郡山市	257	・	28	146	83	17	・
いわき市	751	・	48	269	434	31	・
宇都宮市	787	・	126	290	371	437	・
前橋市	648	・	81	273	294	29	・
高崎市	…	・	…	…	…	…	・
川越市	143	・	27	59	57	143	・
越谷市	337	・	29	81	227	62	・
船橋市	－	・	－	－	－	－	・
柏市	106	・	12	45	49	106	・
八王子市	1 915	・	278	687	950	－	・
横須賀市	－	・	－	－	－	－	・
富山市	…	・	…	…	…	…	・
金沢市	198	・	50	85	63	198	・
長野市	51	・	2	27	22	51	・
岐阜市	50	・	6	20	24	50	・
豊橋市	240	・	27	95	118	－	・
豊田市	283	・	44	115	124	－	・
岡崎市	102	・	6	41	55	102	・
大津市	…	・	…	…	…	－	・
高槻市	805	・	114	310	381	50	・
東大阪市	444	・	108	164	172	46	・
豊中市	71	・	13	30	28	71	・
枚方市	－	・	－	－	－	－	・
姫路市	205	・	26	94	85	205	・
西宮市	121	・	12	48	61	121	・
尼崎市	29	・	6	9	14	29	・
奈良市	83	・	4	34	45	83	・
和歌山市	－	・	－	－	－	－	・
倉敷市	209	・	18	84	107	111	・
福山市	129	・	13	47	69	9	・
呉市	－	・	－	－	－	－	・
下関市	97	・	5	47	45	91	・
高松市	121	・	21	53	47	121	・
松山市	－	・	－	－	－	－	・
高知市	－	・	－	－	－	－	・
久留米市	－	・	－	－	－	－	・
長崎市	148	・	16	80	52	95	・
佐世保市	45	・	7	11	27	12	・
大分市	…	・	…	…	…	…	・
宮崎市	134	・	9	89	36	134	・
鹿児島市	317	・	18	105	194	317	・
那覇市	197	・	25	91	81	－	・
その他政令市(再掲)							
小樽市	14	・	1	6	7	14	・
町田市	－	・	－	－	－	－	・
藤沢市	267	・	28	90	149	－	・
茅ヶ崎市	354	・	34	71	249	－	・
四日市市	121	・	6	47	68	16	・
大牟田市	43	・	4	25	14	6	・

注：1　喀痰容器は喀痰細胞診対象者数（胸部エックス線検査受診者中高危険群者）への配布状況である。喀痰細胞診対象者は、平成26年度までは、問診の結果、50歳以上で喫煙指数（１日本数×年数）600以上の者（過去における喫煙者を含む。）及び６月以内に血痰のあった者のいずれかに該当することが判明した者であったが、平成27年度から、問診の結果、50歳以上で喫煙指数（１日本数×年数）600以上の者（過去における喫煙者を含む。）となったため、「40～49歳」の項目は「・」としている。

2　検診回数の初回・非初回については、計数不詳の市区町村があるため、総数と一致しない場合がある。

指定都市・特別区－中核市－その他政令市、検診回数・検診方式・年齢階級別

平成29年度

回							
検診			個別検診				
50 ～ 59 歳	60 ～ 69 歳	70 歳 以 上	総数	40 ～ 49 歳	50 ～ 59 歳	60 ～ 69 歳	70 歳 以 上
8	49	31	–	•	–	–	–
10	47	41	–	•	–	–	–
–	4	5	7	•	4	1	2
12	44	92	–	•	–	–	–
–	–	3	167	•	15	77	75
4	20	39	–	•	–	–	–
2	8	7	240	•	26	138	76
1	13	17	720	•	47	256	417
95	211	131	350	•	31	79	240
3	13	13	619	•	78	260	281
…	…	…	–	•	–	–	–
27	59	57	–	•	–	–	–
4	20	38	275	•	25	61	189
–	–	–	–	•	–	–	–
12	45	49	–	•	–	–	–
–	–	–	1 915	•	278	687	950
–	–	–	–	•	–	–	–
…	…	…	…	•	…	…	…
50	85	63	…	•	…	…	…
2	27	22	–	•	–	–	–
6	20	24	–	•	–	–	–
–	–	–	240	•	27	95	118
–	–	–	283	•	44	115	124
6	41	55	–	•	–	–	–
–	–	–	…	•	…	…	…
12	27	11	755	•	102	283	370
12	20	14	398	•	96	144	158
13	30	28	–	•	–	–	–
–	–	–	–	•	–	–	–
26	94	85	–	•	–	–	–
12	48	61	–	•	–	–	–
6	9	14	–	•	–	–	–
4	34	45	–	•	–	–	–
–	–	–	–	•	–	–	–
8	46	57	98	•	10	38	50
1	2	6	120	•	12	45	63
–	–	–	–	•	–	–	–
4	44	43	6	•	1	3	2
21	53	47	–	•	–	–	–
–	–	–	–	•	–	–	–
–	–	–	–	•	–	–	–
–	–	–	–	•	–	–	–
14	56	25	53	•	2	24	27
4	2	6	33	•	3	9	21
…	…	…	…	•	…	…	…
9	89	36	–	•	–	–	–
18	105	194	–	•	–	–	–
–	–	–	197	•	25	91	81
1	6	7	–	•	–	–	–
–	–	–	–	•	–	–	–
–	–	–	267	•	28	90	149
–	–	–	354	•	34	71	249
2	6	8	105	•	4	41	60
1	4	1	37	•	3	21	13

第16－４表（6－5） 肺がん検診喀痰容器配布数，都道府県－

	非						
	総数					集団	
	総数	40 ～ 49 歳	50 ～ 59 歳	60 ～ 69 歳	70 歳 以 上	総数	40 ～ 49 歳
全国	127 310	·	10 562	42 343	74 405	67 908	·
北海道	1 256	·	149	504	603	1 044	·
青森	1 161	·	145	509	507	1 019	·
岩手	3 107	·	205	1 179	1 723	2 459	·
宮城	8 609	·	470	3 019	5 120	8 363	·
秋田	3 826	·	380	1 656	1 790	3 823	·
山形	2 031	·	167	894	970	1 977	·
福島	4 587	·	274	1 633	2 680	1 766	·
茨城	2 354	·	158	771	1 425	2 304	·
栃木	2 386	·	172	810	1 404	1 545	·
群馬	4 537	·	350	1 406	2 781	2 614	·
埼玉	7 454	·	542	2 250	4 662	2 502	·
千葉	5 665	·	415	1 634	3 616	2 295	·
東京	8 917	·	1 964	3 146	3 807	4 201	·
神奈川	5 002	·	276	1 133	3 593	572	·
新潟	4 503	·	165	1 456	2 882	4 503	·
富山	114	·	3	39	72	51	·
石川	1 648	·	174	642	832	1 454	·
福井	244	·	18	87	139	189	·
山梨	813	·	101	281	431	772	·
長野	504	·	31	161	312	377	·
岐阜	1 155	·	88	461	606	783	·
静岡	7 367	·	460	2 004	4 903	1 878	·
愛知	17 725	·	1 246	5 035	11 444	1 371	·
三重	1 246	·	88	417	741	204	·
滋賀	1 112	·	78	457	577	931	·
京都	1 509	·	165	557	787	1 509	·
大阪	8 051	·	792	2 596	4 663	2 498	·
兵庫	1 708	·	109	463	1 136	1 052	·
奈良	1 476	·	91	465	920	931	·
和歌山	1 215	·	112	495	608	448	·
鳥取	1 506	·	85	611	810	602	·
島根	246	·	12	93	141	239	·
岡山	1 920	·	91	540	1 289	1 404	·
広島	736	·	39	266	431	175	·
山口	1 145	·	40	357	748	510	·
徳島	735	·	62	283	390	724	·
香川	1 276	·	92	434	750	1 188	·
愛媛	3	·	－	2	1	3	·
高知	5	·	－	－	5	5	·
福岡	406	·	34	178	194	392	·
佐賀	1 635	·	151	737	747	1 628	·
長崎	1 384	·	145	608	631	1 090	·
熊本	520	·	53	223	244	502	·
大分	1 162	·	44	454	664	1 162	·
宮崎	714	·	68	283	363	714	·
鹿児島	1 869	·	139	817	913	1 869	·
沖縄	766	·	119	297	350	266	·
指定都市・特別区(再掲)							
東京都区部	5 545	·	1 499	1 983	2 063	2 287	·
札幌市	102	·	7	45	50	89	·
仙台市	3 197	·	114	851	2 232	3 197	·
さいたま市	…	·	…	…	…	－	·
千葉市	1 075	·	49	241	785	16	·
横浜市	－	·	－	－	－	－	·
川崎市	192	·	16	45	131	－	·
相模原市	627	·	44	151	432	37	·
新潟市	982	·	21	307	654	982	·
静岡市	1 127	·	31	279	817	1 127	·
浜松市	648	·	26	170	452	6	·
名古屋市	10 021	·	705	3 028	6 288	69	·
京都市	－	·	－	－	－	－	·
大阪市	1 174	·	177	486	511	620	·
堺市	107	·	5	33	69	94	·
神戸市	－	·	－	－	－	－	·
岡山市	513	·	18	133	362	91	·
広島市	452	·	27	185	240	2	·
北九州市	…	·	…	…	…	…	·
福岡市	－	·	－	－	－	－	·
熊本市	228	·	20	87	121	228	·

指定都市・特別区－中核市－その他政令市、検診回数・検診方式・年齢階級別

平成29年度

初回							
検診			個別検診				
50～59歳	60～69歳	70歳以上	総数	40～49歳	50～59歳	60～69歳	70歳以上
6 215	25 248	36 445	59 402	・	4 347	17 095	37 960
123	425	496	212	・	26	79	107
112	447	460	142	・	33	62	47
175	966	1 318	648	・	30	213	405
446	2 900	5 017	246	・	24	119	103
379	1 654	1 790	3	・	1	2	－
166	884	927	54	・	1	10	43
120	741	905	2 821	・	154	892	1 775
156	758	1 390	50	・	2	13	35
134	626	785	841	・	38	184	619
213	841	1 560	1 923	・	137	565	1 221
184	938	1 380	4 952	・	358	1 312	3 282
168	702	1 425	3 370	・	247	932	2 191
1 318	1 652	1 231	4 716	・	646	1 494	2 576
58	173	341	4 430	・	218	960	3 252
165	1 456	2 882	－	・	－	－	－
2	16	33	63	・	1	23	39
156	570	728	194	・	18	72	104
14	63	112	55	・	4	24	27
96	266	410	41	・	5	15	21
27	123	227	127	・	4	38	85
70	324	389	372	・	18	137	217
92	536	1 250	5 489	・	368	1 468	3 653
141	486	744	16 354	・	1 105	4 549	10 700
9	58	137	1 042	・	79	359	604
72	399	460	181	・	6	58	117
165	557	787	－	・	－	－	－
330	911	1 257	5 553	・	462	1 685	3 406
81	313	658	656	・	28	150	478
62	341	528	545	・	29	124	392
48	215	185	767	・	64	280	423
32	250	320	904	・	53	361	490
10	88	141	7	・	2	5	－
69	399	936	516	・	22	141	353
7	55	113	561	・	32	211	318
19	156	335	635	・	21	201	413
58	279	387	11	・	4	4	3
86	404	698	88	・	6	30	52
－	2	1	－	・	－	－	－
－	－	5	－	・	－	－	－
34	172	186	14	・	…	6	8
150	735	743	7	・	1	2	4
117	479	494	294	・	28	129	137
49	216	237	18	・	4	7	7
44	454	664	…	・	…	…	…
68	283	363	－	・	－	－	－
139	817	913	－	・	－	－	－
51	118	97	500	・	68	179	253
1 014	947	326	3 258	・	485	1 036	1 737
7	37	45	13	・	－	8	5
114	851	2 232	－	・	－	－	－
－	－	－	…	・	…	…	…
5	8	3	1 059	・	44	233	782
－	－	－	－	・	－	－	－
－	－	－	192	・	16	45	131
8	13	16	590	・	36	138	416
21	307	654	－	・	－	－	－
31	279	817	－	・	－	－	－
－	2	4	642	・	26	168	448
14	20	35	9 952	・	691	3 008	6 253
－	－	－	－	・	－	－	－
106	264	250	554	・	71	222	261
2	28	64	13	・	3	5	5
－	－	－	－	・	－	－	－
3	21	67	422	・	15	112	295
－	1	1	450	・	27	184	239
…	…	…	…	・	…	…	…
－	－	－	－	・	－	－	－
20	87	121	－	・	－	－	－

第16－4表（6－6） 肺がん検診喀痰容器配布数，都道府県－

	非						
	総数					集団	
	総数	40～49歳	50～59歳	60～69歳	70歳以上	総数	40～49歳
中核市(再掲)							
旭川市	45	·	10	15	20	45	·
函館市	23	·	1	10	12	23	·
青森市	39	·	3	21	15	26	·
八戸市	253	·	14	109	130	253	·
盛岡市	657	·	31	217	409	9	·
秋田市	151	·	12	54	85	151	·
郡山市	831	·	78	356	397	33	·
いわき市	973	·	37	262	674	16	·
宇都宮市	1 696	·	102	522	1 072	855	·
前橋市	2 039	·	144	615	1 280	116	·
高崎市	…	·	…	…	…	…	·
川越市	378	·	28	164	186	378	·
越谷市	752	·	47	148	557	166	·
船橋市	－	·	－	－	－	－	·
柏市	368	·	26	70	272	368	·
八王子市	1 278	·	120	396	762	－	·
横須賀市	－	·	－	－	－	－	·
富山市	…	·	…	…	…	…	·
金沢市	306	·	77	115	114	306	·
長野市	108	·	4	17	87	108	·
岐阜市	48	·	2	15	31	48	·
豊橋市	573	·	37	175	361	1	·
豊田市	1 012	·	102	302	608	－	·
岡崎市	175	·	17	81	77	175	·
大津市	…	·	…	…	…	－	·
高槻市	1 423	·	78	387	958	83	·
東大阪市	714	·	87	279	348	56	·
豊中市	104	·	6	25	73	104	·
枚方市	－	·	－	－	－	－	·
姫路市	144	·	9	44	91	144	·
西宮市	181	·	28	58	95	181	·
尼崎市	4	·	－	1	3	4	·
奈良市	83	·	3	31	49	83	·
和歌山市	－	·	－	－	－	－	·
倉敷市	188	·	13	49	126	120	·
福山市	32	·	1	13	18	4	·
呉市	－	·	－	－	－	－	·
下関市	50	·	2	12	36	47	·
高松市	246	·	17	102	127	246	·
松山市	－	·	－	－	－	－	·
高知市	－	·	－	－	－	－	·
久留米市	－	·	－	－	－	－	·
長崎市	104	·	9	63	32	62	·
佐世保市	28	·	2	12	14	13	·
大分市	…	·	…	…	…	…	·
宮崎市	492	·	48	200	244	492	·
鹿児島市	242	·	11	70	161	242	·
那覇市	338	·	42	122	174	－	·
その他政令市(再掲)							
小樽市	11	·	－	4	7	11	·
町田市	－	·	－	－	－	－	·
藤沢市	1 198	·	75	238	885	－	·
茅ヶ崎市	252	·	13	63	176	－	·
四日市市	333	·	24	121	188	14	·
大牟田市	12	·	－	6	6	－	·

注：1　喀痰容器は喀痰細胞診対象者数（胸部エックス線検査受診者中高危険群者）への配布状況である。喀痰細胞診対象者は、平成26年度までは、問診の結果、50歳以上で喫煙指数（1日本数×年数）600以上の者（過去における喫煙者を含む。）及び6月以内に血痰のあった者のいずれかに該当することが判明した者であったが、平成27年度から、問診の結果、50歳以上で喫煙指数（1日本数×年数）600以上の者（過去における喫煙者を含む。）となったため、「40～49歳」の項目は「・」としている。

2　検診回数の初回・非初回については、計数不詳の市区町村があるため、総数と一致しない場合がある。

指定都市・特別区－中核市－その他政令市、検診回数・検診方式・年齢階級別

平成29年度

初回							
検診			個別検診				
50 ～ 59 歳	60 ～ 69 歳	70 歳 以 上	総　数	40 ～ 49 歳	50 ～ 59 歳	60 ～ 69 歳	70 歳 以 上
10	15	20	–	・	–	–	–
1	10	12	–	・	–	–	–
1	13	12	13	・	2	8	3
14	109	130	–	・	–	–	–
1	4	4	648	・	30	213	405
12	54	85	–	・	–	–	–
1	15	17	798	・	77	341	380
1	10	5	957	・	36	252	669
64	338	453	841	・	38	184	619
7	50	59	1 923	・	137	565	1 221
…	…	…	–	・	–	–	–
28	164	186	–	・	–	–	–
19	51	96	586	・	28	97	461
–	–	–	–	・	–	–	–
26	70	272	–	・	–	–	–
–	–	–	1 278	・	120	396	762
–	–	–	–	・	–	–	–
…	…	…	…	・	…	…	…
77	115	114	…	・	…	…	…
4	17	87	–	・	–	–	–
2	15	31	–	・	–	–	–
–	–	1	572	・	37	175	360
–	–	–	1 012	・	102	302	608
17	81	77	–	・	–	–	–
–	–	–	…	・	…	…	…
5	36	42	1 340	・	73	351	916
9	16	31	658	・	78	263	317
6	25	73	–	・	–	–	–
–	–	–	–	・	–	–	–
9	44	91	–	・	–	–	–
28	58	95	–	・	–	–	–
–	1	3	–	・	–	–	–
3	31	49	–	・	–	–	–
–	–	–	–	・	–	–	–
8	27	85	68	・	5	22	41
–	1	3	28	・	1	12	15
–	–	–	–	・	–	–	–
2	9	36	3	・	–	3	–
17	102	127	–	・	–	–	–
–	–	–	–	・	–	–	–
–	–	–	–	・	–	–	–
–	–	–	–	・	–	–	–
4	39	19	42	・	5	24	13
1	9	3	15	・	1	3	11
…	…	…	…	・	…	…	…
48	200	244	–	・	–	–	–
11	70	161	–	・	–	–	–
–	–	–	338	・	42	122	174
–	4	7	–	・	–	–	–
–	–	–	–	・	–	–	–
–	–	–	1 198	・	75	238	885
–	–	–	252	・	13	63	176
–	3	11	319	・	24	118	177
–	–	–	12	・	–	6	6

15(8)－02,03 がん検診 肺がん

第16－5表（6－1） 肺がん検診受診者数，喀痰細胞診（喀痰細胞診のみ受診は

| | 総 | | | | | | |
| | 総　　　数 | | | | | 集　　団 | |
	総　数	40～49歳	50～59歳	60～69歳	70歳以上	総　数	40～49歳
全　国	194 300	・	19 507	69 323	105 470	100 678	・
北海道	3 000	・	412	1 269	1 319	2 615	・
青森	1 908	・	239	878	791	1 719	・
岩手	3 676	・	272	1 474	1 930	2 861	・
宮城	12 065	・	811	4 473	6 781	11 758	・
秋田	4 051	・	405	1 797	1 849	4 024	・
山形	1 810	・	151	819	840	1 705	・
福島	7 158	・	548	2 743	3 867	2 987	・
茨城	1 962	・	143	683	1 136	1 871	・
栃木	4 065	・	374	1 461	2 230	2 245	・
群馬	6 605	・	527	2 209	3 869	4 063	・
埼玉	14 401	・	1 292	4 430	8 679	4 414	・
千葉	11 377	・	979	3 446	6 952	3 167	・
東京	23 764	・	4 468	8 284	11 012	7 696	・
神奈川	5 433	・	451	1 402	3 580	800	・
新潟	4 751	・	186	1 646	2 919	4 751	・
富山	1 073	・	66	341	666	268	・
石川	3 191	・	247	1 416	1 528	1 514	・
福井	382	・	36	160	186	267	・
山梨	1 243	・	163	430	650	1 185	・
長野	876	・	78	291	507	647	・
岐阜	1 819	・	145	752	922	1 197	・
静岡	9 307	・	646	2 951	5 710	3 631	・
愛知	14 429	・	1 339	4 391	8 699	1 911	・
三重	2 090	・	174	755	1 161	372	・
滋賀	3 237	・	256	1 216	1 765	995	・
京都	2 588	・	243	897	1 448	2 588	・
大阪	13 556	・	1 874	4 934	6 748	5 122	・
兵庫	4 173	・	347	1 471	2 355	2 302	・
奈良	2 250	・	191	802	1 257	1 502	・
和歌山	2 039	・	231	841	967	776	・
鳥取	2 274	・	151	983	1 140	755	・
島根	486	・	31	202	253	476	・
岡山	2 599	・	149	804	1 646	1 729	・
広島	1 439	・	103	538	798	310	・
山口	2 273	・	107	825	1 341	960	・
徳島	1 213	・	111	515	587	1 181	・
香川	2 073	・	168	745	1 160	1 911	・
愛媛	4	・	－	3	1	4	・
高知	10	・	1	2	7	10	・
福岡	1 225	・	139	580	506	1 193	・
佐賀	2 695	・	261	1 241	1 193	2 686	・
長崎	1 971	・	215	887	869	1 466	・
熊本	1 015	・	98	469	448	981	・
大分	1 346	・	74	514	758	1 297	・
宮崎	861	・	75	359	427	861	・
鹿児島	3 293	・	298	1 477	1 518	3 293	・
沖縄	1 244	・	232	517	495	612	・
指定都市・特別区(再掲) 東京都区部	16 714	・	3 246	5 694	7 774	3 331	・
札幌市	185	・	14	81	90	163	・
仙台市	4 409	・	225	1 308	2 876	4 409	・
さいたま市	1 912	・	169	566	1 177		・
千葉市	2 799	・	198	784	1 817	42	・
横浜市	－	・	－	－	－	－	・
川崎市	686	・	67	199	420	－	・
相模原市	946	・	87	265	594	61	・
新潟市	1 243	・	29	436	778	1 243	・
静岡市	2 538	・	95	809	1 634	2 538	・
浜松市	977	・	45	283	649	4	・
名古屋市	5 852	・	587	1 882	3 383	102	・
京都市	668	・	48	162	458	668	・
大阪市	3 065	・	638	1 266	1 161	1 566	・
堺市	339	・	46	132	161	174	・
神戸市	599	・	84	323	192	－	・
岡山市	796	・	47	269	480	131	・
広島市	797	・	63	302	432	2	・
北九州市	65	・	13	32	20	65	・
福岡市	213	・	14	118	81	213	・
熊本市	379	・	36	172	171	379	・

除く）、都道府県－指定都市・特別区－中核市－その他政令市、検診回数・検診方式・年齢階級別

平成29年度

数							
検診			個別検診				
50 ～ 59 歳	60 ～ 69 歳	70 歳 以 上	総数	40 ～ 49 歳	50 ～ 59 歳	60 ～ 69 歳	70 歳 以 上
10 259	**39 537**	**50 882**	**93 622**	・	**9 248**	**29 786**	**54 588**
352	1 106	1 157	385	・	60	163	162
196	793	730	189	・	43	85	61
227	1 184	1 450	815	・	45	290	480
781	4 320	6 657	307	・	30	153	124
400	1 782	1 842	27	・	5	15	7
149	791	765	105	・	2	28	75
259	1 278	1 450	4 171	・	289	1 465	2 417
134	659	1 078	91	・	9	24	58
256	961	1 028	1 820	・	118	500	1 202
312	1 384	2 367	2 542	・	215	825	1 502
414	1 652	2 348	9 987	・	878	2 778	6 331
255	1 102	1 810	8 210	・	724	2 344	5 142
1 877	2 996	2 823	16 068	・	2 591	5 288	8 189
91	269	440	4 633	・	360	1 133	3 140
186	1 646	2 919	-	・	-	-	-
19	89	160	805	・	47	252	506
130	657	727	1 677	・	117	759	801
27	106	134	115	・	9	54	52
154	409	622	58	・	9	21	28
67	225	355	229	・	11	66	152
104	510	583	622	・	41	242	339
187	1 240	2 204	5 676	・	459	1 711	3 506
241	738	932	12 518	・	1 098	3 653	7 767
30	138	204	1 718	・	144	617	957
99	460	436	2 242	・	157	756	1 329
243	897	1 448	-	・	-	-	-
918	2 098	2 106	8 434	・	956	2 836	4 642
193	819	1 290	1 871	・	154	652	1 065
137	599	766	748	・	54	203	491
96	383	297	1 263	・	135	458	670
46	335	374	1 519	・	105	648	766
29	196	251	10	・	2	6	2
89	511	1 129	870	・	60	293	517
15	119	176	1 129	・	88	419	622
42	374	544	1 313	・	65	451	797
109	496	576	32	・	2	19	11
156	697	1 058	162	・	12	48	102
-	3	1	-	・	-	-	-
1	2	7	-	・	-	-	-
136	564	493	32	・	3	16	13
260	1 237	1 189	9	・	1	4	4
171	658	637	505	・	44	229	232
91	452	438	34	・	7	17	10
70	497	730	49	・	4	17	28
75	359	427	-	・	-	-	-
298	1 477	1 518	-	・	-	-	-
137	269	206	632	・	95	248	289
993	1 337	1 001	13 383	・	2 253	4 357	6 773
13	69	81	22	・	1	12	9
225	1 308	2 876	-	・	-	-	-
-	-	-	1 912	・	169	566	1 177
9	22	11	2 757	・	189	762	1 806
-	-	-	-	・	-	-	-
-	-	-	686	・	67	199	420
15	25	21	885	・	72	240	573
29	436	778	-	・	-	-	-
95	809	1 634	-	・	-	-	-
-	1	3	973	・	45	282	646
19	48	35	5 750	・	568	1 834	3 348
48	162	458	-	・	-	-	-
386	659	521	1 499	・	252	607	640
11	62	101	165	・	35	70	60
-	-	-	599	・	84	323	192
4	48	79	665	・	43	221	401
-	1	1	795	・	63	301	431
13	32	20	-	・	-	-	-
14	118	81	-	・	-	-	-
36	172	171	-	・	-	-	-

第16−5表（6−2） 肺がん検診受診者数，喀痰細胞診（喀痰細胞診のみ受診は

	総						
	総 数					集 団	
	総数	40 ～ 49 歳	50 ～ 59 歳	60 ～ 69 歳	70 歳 以 上	総数	40 ～ 49 歳
中核市(再掲)							
旭川市	133	·	18	64	51	133	·
函館市	121	·	11	57	53	121	·
青森市	52	·	7	25	20	32	·
八戸市	401	·	26	153	222	401	·
盛岡市	827	·	46	294	487	12	·
秋田市	191	·	14	68	109	191	·
郡山市	1 088	·	106	502	480	50	·
いわき市	1 724	·	85	531	1 108	47	·
宇都宮市	2 483	·	228	812	1 443	1 292	·
前橋市	2 687	·	225	888	1 574	145	·
高崎市	800	·	38	213	549	800	·
川越市	431	·	48	184	199	431	·
越谷市	1 084	·	76	228	780	223	·
船橋市	1 738	·	200	448	1 090	−	·
柏市	455	·	38	109	308	455	·
八王子市	2 301	·	258	781	1 262	−	·
横須賀市	−	·	−	−	−	−	·
富山市	745	·	55	221	469	140	·
金沢市	1 529	·	110	709	710	89	·
長野市	142	·	6	36	100	142	·
岐阜市	98	·	8	35	55	98	·
豊橋市	552	·	44	195	313	1	·
豊田市	1 295	·	146	417	732	−	·
岡崎市	267	·	22	115	130	267	·
大津市	1 773	·	121	608	1 044	−	·
高槻市	1 435	·	123	483	829	116	·
東大阪市	856	·	136	324	396	91	·
豊中市	175	·	19	55	101	175	·
枚方市	−	·	−	−	−	−	·
姫路市	349	·	35	138	176	349	·
西宮市	302	·	40	106	156	302	·
尼崎市	33	·	6	10	17	33	·
奈良市	158	·	5	61	92	158	·
和歌山市	−	·	−	−	−	−	·
倉敷市	396	·	30	133	233	231	·
福山市	161	·	14	60	87	13	·
呉市	−	·	−	−	−	−	·
下関市	138	·	6	55	77	129	·
高松市	353	·	36	148	169	353	·
松山市	−	·	−	−	−	−	·
高知市	−	·	−	−	−	−	·
久留米市	−	·	−	−	−	−	·
長崎市	241	·	22	139	80	146	·
佐世保市	73	·	9	23	41	25	·
大分市	244	·	22	86	136	216	·
宮崎市	388	·	31	158	199	388	·
鹿児島市	558	·	29	174	355	558	·
那覇市	379	·	47	146	186	−	·
その他政令市(再掲)							
小樽市	24	·	1	9	14	24	·
町田市	−	·	−	−	−	−	·
藤沢市	1 465	·	103	328	1 034	−	·
茅ヶ崎市	606	·	47	134	425	−	·
四日市市	430	·	25	156	249	29	·
大牟田市	16	·	2	10	4	5	·

注：1　喀痰容器の回収数を受診者数としたものである。
2　喀痰容器の回収数は、喀痰細胞診対象者数（胸部エックス線検査受診者中高危険群者）からの回収状況である。喀痰細胞診対象者は、平成26年度までは、問診の結果、50歳以上で喫煙指数（1日本数×年数）600以上の者（過去における喫煙者を含む。）及び6月以内に血痰のあった者のいずれかに該当することが判明した者であったが、平成27年度から、問診の結果、50歳以上で喫煙指数（1日本数×年数）600以上の者（過去における喫煙者を含む。）となったため、「40～49歳」の項目は「・」としている。
3　検診回数の初回・非初回については、計数不詳の市区町村があるため、総数と一致しない場合がある。

除く）、都道府県－指定都市・特別区－中核市－その他政令市、検診回数・検診方式・年齢階級別

平成29年度

数								
検診			個別検診					
50 ～ 59 歳	60 ～ 69 歳	70 歳 以 上	総数	40 ～ 49 歳	50 ～ 59 歳	60 ～ 69 歳	70 歳 以 上
18	64	51	－	・	－	－	－
11	57	53	－	・	－	－	－
1	16	15	20	・	6	9	5
26	153	222	－	・	－	－	－
1	4	7	815	・	45	290	480
14	68	109	－	・	－	－	－
3	23	24	1 038	・	103	479	456
2	23	22	1 677	・	83	508	1 086
159	549	584	1 191	・	69	263	859
10	63	72	2 542	・	215	825	1 502
38	213	549	－	・	－	－	－
48	184	199	－	・	－	－	－
23	70	130	861	・	53	158	650
－	－	－	1 738	・	200	448	1 090
38	109	308	－	・	－	－	－
－	－	－	2 301	・	258	781	1 262
－	－	－	－	・	－	－	－
14	44	82	605	・	41	177	387
18	43	28	1 440	・	92	666	682
6	36	100	－	・	－	－	－
8	35	55	－	・	－	－	－
－	－	1	551	・	44	195	312
－	－	－	1 295	・	146	417	732
22	115	130	－	・	－	－	－
－	－	－	1 773	・	121	608	1 044
10	59	47	1 319	・	113	424	782
16	33	42	765	・	120	291	354
19	55	101	－	・	－	－	－
－	－	－	－	・	－	－	－
35	138	176	－	・	－	－	－
40	106	156	－	・	－	－	－
6	10	17	－	・	－	－	－
5	61	92	－	・	－	－	－
－	－	－	－	・	－	－	－
16	73	142	165	・	14	60	91
1	3	9	148	・	13	57	78
－	－	－	－	・	－	－	－
5	49	75	9	・	1	6	2
36	148	169	－	・	－	－	－
－	－	－	－	・	－	－	－
－	－	－	－	・	－	－	－
－	－	－	－	・	－	－	－
15	91	40	95	・	7	48	40
5	11	9	48	・	4	12	32
19	73	124	28	・	3	13	12
31	158	199	－	・	－	－	－
29	174	355	－	・	－	－	－
－	－	－	379	・	47	146	186
1	9	14	－	・	－	－	－
－	－	－	－	・	－	－	－
－	－	－	1 465	・	103	328	1 034
－	－	－	606	・	47	134	425
2	8	19	401	・	23	148	230
1	3	1	11	・	1	7	3

15(8)−02,03 がん検診 肺がん

第16−5表（6−3）　肺がん検診受診者数，喀痰細胞診（喀痰細胞診のみ受診は

	初					集	団
	総		数			集	団
	総　数	40 ～ 49 歳	50 ～ 59 歳	60 ～ 69 歳	70 歳 以 上	総　数	40 ～ 49 歳
全　　国	66 995	·	8 530	26 763	31 702	36 020	·
北海道	1 209	·	184	544	481	1 039	·
青森	804	·	108	381	315	764	·
岩手	912	·	96	420	396	745	·
宮城	3 758	·	370	1 572	1 816	3 697	·
秋田	787	·	102	385	300	763	·
山形	330	·	40	157	133	305	·
福島	2 661	·	279	1 145	1 237	1 311	·
茨城	1 004	·	96	388	520	963	·
栃木	1 255	·	177	507	571	750	·
群馬	1 598	·	184	653	761	979	·
埼玉	4 002	·	540	1 435	2 027	1 568	·
千葉	4 156	·	381	1 427	2 348	1 008	·
東京	6 259	·	1 462	2 359	2 438	2 730	·
神奈川	2 203	·	229	653	1 321	210	·
新潟	1 508	·	79	641	788	1 508	·
富山	210	·	8	79	123	73	·
石川	932	·	105	492	335	419	·
福井	154	·	21	77	56	105	·
山梨	329	·	50	112	167	310	·
長野	360	·	44	127	189	258	·
岐阜	660	·	70	287	303	443	·
静岡	3 476	·	287	1 327	1 862	1 827	·
愛知	5 253	·	634	1 875	2 744	691	·
三重	867	·	90	349	428	174	·
滋賀	1 445	·	147	542	756	414	·
京都	624	·	68	254	302	624	·
大阪	6 192	·	1 161	2 534	2 497	2 601	·
兵庫	1 629	·	151	601	877	1 017	·
奈良	854	·	110	370	374	650	·
和歌山	863	·	123	363	377	336	·
鳥取	806	·	70	384	352	189	·
島根	251	·	21	115	115	242	·
岡山	1 204	·	97	428	679	704	·
広島	726	·	66	279	381	158	·
山口	1 143	·	68	473	602	460	·
徳島	534	·	56	255	223	510	·
香川	834	·	85	324	425	760	·
愛媛	1	·	−	1	−	1	·
高知	5	·	1	2	2	5	·
福岡	471	·	67	213	191	456	·
佐賀	832	·	108	413	311	826	·
長崎	686	·	87	321	278	462	·
熊本	534	·	53	266	215	517	·
大分	234	·	20	116	98	231	·
宮崎	322	·	32	157	133	322	·
鹿児島	1 511	·	175	688	648	1 511	·
沖縄	607	·	128	272	207	384	·
指定都市・特別区（再掲） 東京都区部	3 186	·	812	1 202	1 172	988	·
札幌市	86	·	9	36	41	77	·
仙台市	1 292	·	116	481	695	1 292	·
さいたま市	…	·	…	…	…	…	·
千葉市	1 729	·	151	545	1 033	31	·
横浜市	−	·	−	−	−	−	·
川崎市	530	·	51	164	315	−	·
相模原市	319	·	43	114	162	24	·
新潟市	313	·	9	143	161	313	·
静岡市	1 411	·	64	530	817	1 411	·
浜松市	566	·	30	181	355	2	·
名古屋市	2 694	·	333	946	1 415	67	·
京都市	−	·	−	−	−	−	·
大阪市	1 896	·	461	781	654	951	·
堺市	232	·	41	99	92	80	·
神戸市	−	·	−	−	−	−	·
岡山市	463	·	39	170	254	74	·
広島市	345	·	36	117	192	−	·
北九州市	…	·	…	…	…	…	·
福岡市	−	·	−	−	−	−	·
熊本市	165	·	18	92	55	165	·

除く）、都道府県－指定都市・特別区－中核市－その他政令市、検診回数・検診方式・年齢階級別

平成29年度

回							
検　　　診			個　　別　　検　　診				
50 ～ 59 歳	60 ～ 69 歳	70 歳 以 上	総　　数	40 ～ 49 歳	50 ～ 59 歳	60 ～ 69 歳	70 歳 以 上
4 776	15 635	15 609	30 975	・	3 754	11 128	16 093
152	466	421	170	・	32	78	60
99	363	302	40	・	9	18	13
81	343	321	167	・	15	77	75
364	1 538	1 795	61	・	6	34	21
98	372	293	24	・	4	13	7
40	146	119	25	・	...	11	14
144	572	595	1 350	・	135	573	642
89	377	497	41	・	7	11	23
128	357	265	505	・	49	150	306
106	393	480	619	・	78	260	281
198	637	733	2 434	・	342	798	1 294
100	450	458	3 148	・	281	977	1 890
797	1 056	877	3 529	・	665	1 303	1 561
29	85	96	1 993	・	200	568	1 225
79	641	788	–	・	–	–	–
3	27	43	137	・	5	52	80
51	230	138	513	・	54	262	197
16	54	35	49	・	5	23	21
45	105	160	19	・	5	7	7
37	99	122	102	・	7	28	67
47	195	201	217	・	23	92	102
104	719	1 004	1 649	・	183	608	858
116	306	269	4 562	・	518	1 569	2 475
21	83	70	693	・	69	266	358
54	194	166	1 031	・	93	348	590
68	254	302	–	・	–	–	–
601	1 175	825	3 591	・	560	1 359	1 672
109	425	483	612	・	42	176	394
85	290	275	204	・	25	80	99
48	172	116	527	・	75	191	261
17	96	76	617	・	53	288	276
19	110	113	9	・	2	5	2
51	246	407	500	・	46	182	272
10	71	77	568	・	56	208	304
24	222	214	683	・	44	251	388
56	239	215	24	・	–	16	8
79	306	375	74	・	6	18	50
–	1	–	–	・	–	–	–
1	2	2	–	・	–	–	–
65	207	184	15	・	2	6	7
108	410	308	6	・	–	3	3
68	217	177	224	・	19	104	101
50	255	212	17	・	3	11	3
20	114	97	3	・	...	2	1
32	157	133	–	・	–	–	–
175	688	648	–	・	–	–	–
92	170	122	223	・	36	102	85
340	400	248	2 198	・	472	802	924
8	32	37	9	・	1	4	4
116	481	695	–	・	–	–	–
–	–	–	...	・	...	...	...
6	16	9	1 698	・	145	529	1 024
–	–	–	–	・	–	–	–
–	–	–	530	・	51	164	315
7	12	5	295	・	36	102	157
9	143	161	–	・	–	–	–
64	530	817	–	・	–	–	–
–	1	1	564	・	30	180	354
15	34	18	2 627	・	318	912	1 397
–	–	–	–	・	–	–	–
280	396	275	945	・	181	385	379
9	34	37	152	・	32	65	55
–	–	–	–	・	–	–	–
3	31	40	389	・	36	139	214
–	–	–	345	・	36	117	192
...	...	...	...	・	...	...	...
–	–	–	–	・	–	–	–
18	92	55	–	・	–	–	–

243

第16－5表（6－4） 肺がん検診受診者数，喀痰細胞診（喀痰細胞診のみ受診は

	初						
	総数					集団	
	総数	40 ～ 49 歳	50 ～ 59 歳	60 ～ 69 歳	70 歳 以 上	総数	40 ～ 49 歳
中核市（再掲）							
旭川市	88	・	8	49	31	88	・
函館市	98	・	10	47	41	98	・
青森市	16	・	4	5	7	9	・
八戸市	148	・	12	44	92	148	・
盛岡市	170	・	15	77	78	3	・
秋田市	52	・	3	17	32	52	・
郡山市	257	・	28	146	83	17	・
いわき市	751	・	48	269	434	31	・
宇都宮市	787	・	126	290	371	437	・
前橋市	648	・	81	273	294	29	・
高崎市	…	・	…	…	…	…	・
川越市	118	・	24	47	47	118	・
越谷市	335	・	29	81	225	60	・
船橋市	－	・	－	－	－	－	・
柏市	103	・	12	42	49	103	・
八王子市	1 109	・	149	407	553	－	・
横須賀市	－	・	－	－	－	－	・
富山市	…	・	…	…	…	…	・
金沢市	499	・	55	259	185	34	・
長野市	42	・	2	21	19	42	・
岐阜市	50	・	6	20	24	50	・
豊橋市	164	・	18	70	76	－	・
豊田市	283	・	44	115	124	－	・
岡崎市	101	・	6	40	55	101	・
大津市	743	・	63	258	422	－	・
高槻市	474	・	68	210	196	40	・
東大阪市	343	・	80	122	141	39	・
豊中市	71	・	13	30	28	71	・
枚方市	－	・	－	－	－	－	・
姫路市	205	・	26	94	85	205	・
西宮市	121	・	12	48	61	121	・
尼崎市	29	・	6	9	14	29	・
奈良市	76	・	3	30	43	76	・
和歌山市	－	・	－	－	－	－	・
倉敷市	208	・	17	84	107	111	・
福山市	129	・	13	47	69	9	・
呉市	－	・	－	－	－	－	・
下関市	90	・	4	44	42	84	・
高松市	114	・	21	49	44	114	・
松山市	－	・	－	－	－	－	・
高知市	－	・	－	－	－	－	・
久留米市	－	・	－	－	－	－	・
長崎市	141	・	13	78	50	88	・
佐世保市	45	・	7	11	27	12	・
大分市	…	・	…	…	…	…	・
宮崎市	57	・	5	33	19	57	・
鹿児島市	316	・	18	104	194	316	・
那覇市	131	・	14	60	57	－	・
その他政令市（再掲）							
小樽市	13	・	1	5	7	13	・
町田市	－	・	－	－	－	－	・
藤沢市	267	・	28	90	149	－	・
茅ヶ崎市	354	・	34	71	249	－	・
四日市市	114	・	5	43	66	15	・
大牟田市	13	・	2	7	4	5	・

注：1　喀痰容器の回収数を受診者数としたものである。
　　2　喀痰容器の回収数は、喀痰細胞診対象者数（胸部エックス線検査受診者中高危険群者）からの回収状況である。喀痰細胞診対象者は、平成26年度までは、問診の結果、50歳以上で喫煙指数（１日本数×年数）600以上の者（過去における喫煙者を含む。）及び６月以内に血痰のあった者のいずれかに該当することが判明した者であったが、平成27年度から、問診の結果、50歳以上で喫煙指数（１日本数×年数）600以上の者（過去における喫煙者を含む。）となったため、「40～49歳」の項目は「・」としている。
　　3　検診回数の初回・非初回については、計数不詳の市区町村があるため、総数と一致しない場合がある。

除く）、都道府県－指定都市・特別区－中核市－その他政令市、検診回数・検診方式・年齢階級別

平成29年度

回							
検診			個別検診				
50 ～ 59 歳	60 ～ 69 歳	70 歳 以 上	総数	40 ～ 49 歳	50 ～ 59 歳	60 ～ 69 歳	70 歳 以 上
8	49	31	－	・	－	－	－
10	47	41	－	・	－	－	－
－	4	5	7	・	4	1	2
12	44	92	－	・	－	－	－
－	－	3	167	・	15	77	75
3	17	32	－	・	－	－	－
2	8	7	240	・	26	138	76
1	13	17	720	・	47	256	417
95	211	131	350	・	31	79	240
3	13	13	619	・	78	260	281
…	…	…	－	・	－	－	－
24	47	47	－	・	－	－	－
4	20	36	275	・	25	61	189
－	－	－	－	・	－	－	－
12	42	49	－	・	－	－	－
－	－	－	1 109	・	149	407	553
－	－	－	－	・	－	－	－
…	…	…	…	・	…	…	…
8	19	7	465	・	47	240	178
2	21	19	－	・	－	－	－
6	20	24	－	・	－	－	－
－	－	－	164	・	18	70	76
－	－	－	283	・	44	115	124
6	40	55	－	・	－	－	－
－	－	－	743	・	63	258	422
6	25	9	434	・	62	185	187
7	18	14	304	・	73	104	127
13	30	28	－	・	－	－	－
－	－	－	－	・	－	－	－
26	94	85	－	・	－	－	－
12	48	61	－	・	－	－	－
6	9	14	－	・	－	－	－
3	30	43	－	・	－	－	－
－	－	－	－	・	－	－	－
8	46	57	97	・	9	38	50
1	2	6	120	・	12	45	63
－	－	－	－	・	－	－	－
3	41	40	6	・	1	3	2
21	49	44	－	・	－	－	－
－	－	－	－	・	－	－	－
－	－	－	－	・	－	－	－
－	－	－	－	・	－	－	－
11	54	23	53	・	2	24	27
4	2	6	33	・	3	9	21
…	…	…	…	・	…	…	…
5	33	19	－	・	－	－	－
18	104	194	－	・	－	－	－
－	－	－	131	・	14	60	57
1	5	7	－	・	－	－	－
－	－	－	－	・	－	－	－
－	－	－	267	・	28	90	149
－	－	－	354	・	34	71	249
2	5	8	99	・	3	38	58
1	3	1	8	・	1	4	3

第16－5表（6－5） 肺がん検診受診者数，喀痰細胞診（喀痰細胞診のみ受診は

	非						
	総数					集団	
	総数	40 ～ 49 歳	50 ～ 59 歳	60 ～ 69 歳	70 歳 以 上	総数	40 ～ 49 歳
全国	**105 384**	**・**	**8 162**	**35 402**	**61 820**	**57 944**	**・**
北海道	1 124	・	133	461	530	929	・
青森	1 043	・	122	458	463	902	・
岩手	2 721	・	175	1 030	1 516	2 073	・
宮城	8 307	・	441	2 901	4 965	8 061	・
秋田	3 210	・	299	1 392	1 519	3 207	・
山形	1 002	・	77	445	480	948	・
福島	4 497	・	269	1 598	2 630	1 676	・
茨城	958	・	47	295	616	908	・
栃木	2 770	・	195	931	1 644	1 490	・
群馬	4 090	・	297	1 295	2 498	2 167	・
埼玉	6 735	・	501	2 066	4 168	2 774	・
千葉	5 437	・	394	1 550	3 493	2 113	・
東京	7 040	・	1 181	2 424	3 435	2 949	・
神奈川	3 166	・	213	719	2 234	526	・
新潟	3 243	・	107	1 005	2 131	3 243	・
富山	114	・	3	39	72	51	・
石川	2 259	・	142	924	1 193	1 095	・
福井	228	・	15	83	130	162	・
山梨	784	・	96	274	414	745	・
長野	495	・	31	158	306	368	・
岐阜	1 159	・	75	465	619	754	・
静岡	5 758	・	353	1 602	3 803	1 731	・
愛知	9 095	・	692	2 485	5 918	1 147	・
三重	1 223	・	84	406	733	198	・
滋賀	1 792	・	109	674	1 009	581	・
京都	1 296	・	127	481	688	1 296	・
大阪	7 364	・	713	2 400	4 251	2 521	・
兵庫	1 664	・	103	451	1 110	1 010	・
奈良	1 396	・	81	432	883	852	・
和歌山	1 176	・	108	478	590	440	・
鳥取	1 468	・	81	599	788	566	・
島根	235	・	10	87	138	234	・
岡山	1 395	・	52	376	967	1 025	・
広島	713	・	37	259	417	152	・
山口	1 130	・	39	352	739	500	・
徳島	679	・	55	260	364	671	・
香川	1 239	・	83	421	735	1 151	・
愛媛	3	・	－	2	1	3	・
高知	5	・	－	－	5	5	・
福岡	382	・	29	168	185	377	・
佐賀	1 508	・	135	677	696	1 505	・
長崎	1 272	・	127	559	586	991	・
熊本	481	・	45	203	233	464	・
大分	850	・	31	310	509	850	・
宮崎	539	・	43	202	294	539	・
鹿児島	1 782	・	123	789	870	1 782	・
沖縄	557	・	89	216	252	212	・
指定都市・特別区(再掲)							
東京都区部	3 853	・	741	1 340	1 772	1 116	・
札幌市	99	・	5	45	49	86	・
仙台市	3 117	・	109	827	2 181	3 117	・
さいたま市	…	・	…	…	…	－	・
千葉市	1 070	・	47	239	784	11	・
横浜市	－	・	－	－	－	－	・
川崎市	156	・	16	35	105	－	・
相模原市	627	・	44	151	432	37	・
新潟市	930	・	20	293	617	930	・
静岡市	1 127	・	31	279	817	1 127	・
浜松市	411	・	15	102	294	2	・
名古屋市	3 158	・	254	936	1 968	35	・
京都市	－	・	－	－	－	－	・
大阪市	1 169	・	177	485	507	615	・
堺市	107	・	5	33	69	94	・
神戸市	－	・	－	－	－	－	・
岡山市	333	・	8	99	226	57	・
広島市	452	・	27	185	240	2	・
北九州市	…	・	…	…	…	…	・
福岡市	－	・	－	－	－	－	・
熊本市	214	・	18	80	116	214	・

除く）、都道府県－指定都市・特別区－中核市－その他政令市、検診回数・検診方式・年齢階級別

平成29年度

初			回				
検診			個別検診				
50 ～ 59 歳	60 ～ 69 歳	70 歳 以 上	総 数	40 ～ 49 歳	50 ～ 59 歳	60 ～ 69 歳	70 歳 以 上
4 646	**21 376**	**31 922**	**47 440**	**・**	**3 516**	**14 026**	**29 898**
108	382	439	195	・	25	79	91
90	396	416	141	・	32	62	47
145	817	1 111	648	・	30	213	405
417	2 782	4 862	246	・	24	119	103
298	1 390	1 519	3	・	1	2	－
76	435	437	54	・	1	10	43
115	706	855	2 821	・	154	892	1 775
45	282	581	50	・	2	13	35
128	600	762	1 280	・	67	331	882
160	730	1 277	1 923	・	137	565	1 221
208	986	1 580	3 961	・	293	1 080	2 588
151	631	1 331	3 324	・	243	919	2 162
643	1 133	1 173	4 091	・	538	1 291	2 262
53	154	319	2 640	・	160	565	1 915
107	1 005	2 131	－	・	－	－	－
2	16	33	63	・	1	23	39
79	427	589	1 164	・	63	497	604
11	52	99	66	・	4	31	31
92	260	393	39	・	4	14	21
27	120	221	127	・	4	38	85
57	315	382	405	・	18	150	237
77	499	1 155	4 027	・	276	1 103	2 648
112	405	630	7 948	・	580	2 080	5 288
9	55	134	1 025	・	75	351	599
45	266	270	1 211	・	64	408	739
127	481	688	－	・	－	－	－
317	923	1 281	4 843	・	396	1 477	2 970
75	301	634	654	・	28	150	476
52	309	491	544	・	29	123	392
48	211	181	736	・	60	267	409
29	239	298	902	・	52	360	490
10	86	138	1	・	－	1	－
38	265	722	370	・	14	111	245
5	48	99	561	・	32	211	318
18	152	330	630	・	21	200	409
53	257	361	8	・	2	3	3
77	391	683	88	・	6	30	52
－	2	1	－	・	－	－	－
－	－	5	－	・	－	－	－
29	165	183	5	・	…	3	2
134	676	695	3	・	1	1	1
102	434	455	281	・	25	125	131
41	197	226	17	・	4	6	7
31	310	509	…	・	…	…	…
43	202	294	－	・	－	－	－
123	789	870	－	・	－	－	－
39	94	79	345	・	50	122	173
348	479	289	2 737	・	393	861	1 483
5	37	44	13	・	－	8	5
109	827	2 181	－	・	－	－	－
－	－	－	…	・	…	…	…
3	6	2	1 059	・	44	233	782
－	－	－	－	・	－	－	－
－	－	－	156	・	16	35	105
8	13	16	590	・	36	138	416
20	293	617	－	・	－	－	－
31	279	817	－	・	－	－	－
－	－	2	409	・	15	102	292
4	14	17	3 123	・	250	922	1 951
－	－	－	－	・	－	－	－
106	263	246	554	・	71	222	261
2	28	64	13	・	3	5	5
－	－	－	－	・	－	－	－
1	17	39	276	・	7	82	187
－	1	1	450	・	27	184	239
…	…	…	…	・	…	…	…
－	－	－	－	・	－	－	－
18	80	116	－	・	－	－	－

第16－5表（6－6） 肺がん検診受診者数，喀痰細胞診（喀痰細胞診のみ受診は

	非						
	総数					集団	
	総数	40～49歳	50～59歳	60～69歳	70歳以上	総数	40～49歳
中核市(再掲)							
旭川市	45	・	10	15	20	45	・
函館市	23	・	1	10	12	23	・
青森市	36	・	3	20	13	23	・
八戸市	253	・	14	109	130	253	・
盛岡市	657	・	31	217	409	9	・
秋田市	139	・	11	51	77	139	・
郡山市	831	・	78	356	397	33	・
いわき市	973	・	37	262	674	16	・
宇都宮市	1 696	・	102	522	1 072	855	・
前橋市	2 039	・	144	615	1 280	116	・
高崎市	…	・	…	…	…	…	・
川越市	313	・	24	137	152	313	・
越谷市	749	・	47	147	555	163	・
船橋市	－	・	－	－	－	－	・
柏市	352	・	26	67	259	352	・
八王子市	1 192	・	109	374	709	－	・
横須賀市	－	・	－	－	－	－	・
富山市	…	・	…	…	…	…	・
金沢市	1 030	・	55	450	525	55	・
長野市	100	・	4	15	81	100	・
岐阜市	48	・	2	15	31	48	・
豊橋市	388	・	26	125	237	1	・
豊田市	1 012	・	102	302	608	－	・
岡崎市	166	・	16	75	75	166	・
大津市	1 030	・	58	350	622	－	・
高槻市	961	・	55	273	633	76	・
東大阪市	513	・	56	202	255	52	・
豊中市	104	・	6	25	73	104	・
枚方市	－	・	－	－	－	－	・
姫路市	144	・	9	44	91	144	・
西宮市	181	・	28	58	95	181	・
尼崎市	4	・	－	1	3	4	・
奈良市	82	・	2	31	49	82	・
和歌山市	－	・	－	－	－	－	・
倉敷市	188	・	13	49	126	120	・
福山市	32	・	1	13	18	4	・
呉市	－	・	－	－	－	－	・
下関市	48	・	2	11	35	45	・
高松市	239	・	15	99	125	239	・
松山市	－	・	－	－	－	－	・
高知市	－	・	－	－	－	－	・
久留米市	－	・	－	－	－	－	・
長崎市	100	・	9	61	30	58	・
佐世保市	28	・	2	12	14	13	・
大分市	…	・	…	…	…	…	・
宮崎市	331	・	26	125	180	331	・
鹿児島市	242	・	11	70	161	242	・
那覇市	248	・	33	86	129	－	・
その他政令市(再掲)							
小樽市	11	・	－	4	7	11	・
町田市	－	・	－	－	－	－	・
藤沢市	1 198	・	75	238	885	－	・
茅ヶ崎市	252	・	13	63	176	－	・
四日市市	316	・	20	113	183	14	・
大牟田市	3	・	－	3	－	－	・

注：1 喀痰容器の回収数を受診者数としたものである。
2 喀痰容器の回収数は、喀痰細胞診対象者数（胸部エックス線検査受診者中高危険群者）からの回収状況である。喀痰細胞診対象者は、平成26年度までは、問診の結果、50歳以上で喫煙指数（1日本数×年数）600以上の者（過去における喫煙者を含む。）及び6月以内に血痰のあった者のいずれかに該当することが判明した者であったが、平成27年度から、問診の結果、50歳以上で喫煙指数（1日本数×年数）600以上の者（過去における喫煙者を含む。）となったため、「40～49歳」の項目は「・」としている。
3 検診回数の初回・非初回については、計数不詳の市区町村があるため、総数と一致しない場合がある。

除く）、都道府県－指定都市・特別区－中核市－その他政令市、検診回数・検診方式・年齢階級別

平成29年度

初回							
検診			個別検診				
50 ～ 59 歳	60 ～ 69 歳	70 歳 以 上	総数	40 ～ 49 歳	50 ～ 59 歳	60 ～ 69 歳	70 歳 以 上
10	15	20	－	・	－	－	－
1	10	12	－	・	－	－	－
1	12	10	13	・	2	8	3
14	109	130	－	・	－	－	－
1	4	4	648	・	30	213	405
11	51	77	－	・	－	－	－
1	15	17	798	・	77	341	380
1	10	5	957	・	36	252	669
64	338	453	841	・	38	184	619
7	50	59	1 923	・	137	565	1 221
…	…	…	－	・	－	－	－
24	137	152	－	・	－	－	－
19	50	94	586	・	28	97	461
－	－	－	－	・	－	－	－
26	67	259	－	・	－	－	－
－	－	－	1 192	・	109	374	709
－	－	－	－	・	－	－	－
…	…	…	…	・	…	…	…
10	24	21	975	・	45	426	504
4	15	81	－	・	－	－	－
2	15	31	－	・	－	－	－
－	－	1	387	・	26	125	236
－	－	－	1 012	・	102	302	608
16	75	75	－	・	－	－	－
－	－	－	1 030	・	58	350	622
4	34	38	885	・	51	239	595
9	15	28	461	・	47	187	227
6	25	73	－	・	－	－	－
－	－	－	－	・	－	－	－
9	44	91	－	・	－	－	－
28	58	95	－	・	－	－	－
－	1	3	－	・	－	－	－
2	31	49	－	・	－	－	－
－	－	－	－	・	－	－	－
8	27	85	68	・	5	22	41
－	1	3	28	・	1	12	15
－	－	－	－	・	－	－	－
2	8	35	3	・	－	3	－
15	99	125	－	・	－	－	－
－	－	－	－	・	－	－	－
－	－	－	－	・	－	－	－
－	－	－	－	・	－	－	－
4	37	17	42	・	5	24	13
1	9	3	15	・	1	3	11
…	…	…	…	・	…	…	…
26	125	180	－	・	－	－	－
11	70	161	－	・	－	－	－
－	－	－	248	・	33	86	129
－	4	7	－	・	－	－	－
－	－	－	－	・	－	－	－
－	－	－	1 198	・	75	238	885
－	－	－	252	・	13	63	176
－	3	11	302	・	20	110	172
－	－	－	3	・	－	3	－

第17表（6－1） 大腸がん検診受診者数，都道府県－

	総						
	総数					集団	
	総数	40 ～ 49 歳	50 ～ 59 歳	60 ～ 69 歳	70 歳 以 上	総数	40 ～ 49 歳
全国	**8 471 498**	**884 939**	**966 975**	**2 539 117**	**4 080 467**	**3 614 741**	**423 192**
北海道	239 424	24 072	30 662	80 726	103 964	144 394	13 559
青森	144 416	11 951	22 748	47 163	62 554	99 509	8 718
岩手	130 867	10 590	15 590	43 130	61 557	107 937	8 569
宮城	240 691	23 074	29 144	78 923	109 550	221 049	21 456
秋田	96 008	6 853	12 277	34 222	42 656	78 282	6 028
山形	137 162	9 358	15 091	53 709	59 004	130 726	9 073
福島	176 661	12 117	18 094	61 491	84 959	82 440	5 608
茨城	177 309	20 436	21 418	58 384	77 071	166 174	19 264
栃木	171 981	20 719	21 777	56 074	73 411	134 561	18 244
群馬	160 893	17 027	18 277	47 126	78 463	59 509	7 069
埼玉	529 559	51 748	51 519	144 967	281 325	83 152	11 722
千葉	531 122	62 954	59 707	142 391	266 070	165 145	23 520
東京	1 045 548	131 134	129 023	252 036	533 355	97 229	24 279
神奈川	486 617	46 063	48 157	123 306	269 091	51 283	7 702
新潟	208 698	15 949	19 801	67 087	105 861	127 322	11 087
富山	81 065	5 912	6 583	23 892	44 678	22 557	2 255
石川	68 044	7 507	9 314	28 754	22 469	43 047	6 132
福井	50 016	4 221	4 993	16 531	24 271	36 159	3 305
山梨	87 336	10 356	11 986	29 649	35 345	67 876	8 740
長野	145 149	15 445	15 600	42 560	71 544	86 337	11 028
岐阜	126 774	16 818	16 861	42 889	50 206	86 211	11 718
静岡	294 984	26 550	30 495	87 880	150 059	117 552	12 478
愛知	538 019	61 219	58 467	143 918	274 415	86 348	15 923
三重	139 701	11 993	13 933	43 097	70 678	35 731	4 818
滋賀	63 146	6 793	6 777	21 242	28 334	25 822	3 390
京都	99 992	10 847	11 481	29 976	47 688	57 288	8 128
大阪	398 356	48 761	48 237	113 961	187 397	88 567	15 884
兵庫	295 550	36 548	37 219	90 422	131 361	217 282	29 780
奈良	88 240	9 074	10 051	25 673	43 442	28 093	3 941
和歌山	65 337	7 735	9 946	23 207	24 449	28 841	4 179
鳥取	57 400	5 091	6 114	18 954	27 241	21 092	2 302
島根	49 905	4 223	4 778	15 454	25 450	20 267	1 842
岡山	124 565	9 050	10 800	35 238	69 477	44 394	3 005
広島	151 845	15 127	14 723	51 168	70 827	58 463	5 880
山口	64 687	5 279	5 511	18 797	35 100	24 344	2 547
徳島	31 733	2 793	3 207	10 912	14 821	13 378	1 239
香川	91 905	8 765	9 081	27 373	46 686	31 994	3 574
愛媛	71 506	7 552	8 436	24 491	31 027	67 858	6 866
高知	46 475	4 347	5 132	15 263	21 733	40 408	3 910
福岡	185 547	22 820	23 220	66 234	73 273	117 036	15 978
佐賀	48 469	5 388	6 722	18 480	17 879	45 928	5 157
長崎	79 292	5 966	9 451	28 508	35 367	26 431	2 328
熊本	119 211	12 618	15 427	42 823	48 343	95 078	9 924
大分	67 642	5 528	6 684	23 185	32 245	49 149	3 270
宮崎	71 570	6 241	8 061	24 327	32 941	51 229	4 755
鹿児島	110 461	10 211	13 382	36 751	50 117	96 069	8 648
沖縄	80 620	10 116	11 018	26 773	32 713	35 200	4 370
指定都市・特別区(再掲)							
東京都区部	685 775	99 437	96 167	161 747	328 424	60 852	15 058
札幌市	69 132	6 473	8 110	22 846	31 703	18 644	1 071
仙台市	78 633	7 921	9 234	23 695	37 783	78 633	7 921
さいたま市	112 081	11 607	11 239	27 397	61 838	-	-
千葉市	84 654	8 555	8 511	20 761	46 827	6 174	1 933
横浜市	136 874	15 112	16 949	40 777	64 036	-	-
川崎市	72 777	6 747	6 850	16 461	42 719	-	-
相模原市	46 023	4 772	4 177	10 633	26 441	3 542	887
新潟市	73 714	4 460	4 971	22 955	41 328	1 086	134
静岡市	39 197	3 470	3 980	11 839	19 908	21 436	2 722
浜松市	67 732	5 193	6 244	18 754	37 541	1 107	22
名古屋市	138 964	21 023	19 485	34 715	63 741	2 895	927
京都市	19 368	2 543	2 741	5 440	8 644	15 525	2 142
大阪市	66 106	9 753	9 734	18 187	28 432	14 764	2 603
堺市	34 339	3 540	3 718	9 349	17 732	2 999	474
神戸市	82 039	13 332	14 842	24 880	28 985	82 039	13 332
岡山市	43 426	2 971	3 737	11 182	25 536	6	-
広島市	57 030	7 084	5 999	17 674	26 273	7 331	1 258
北九州市	21 774	2 056	2 359	7 042	10 317	5 244	588
福岡市	33 378	4 211	4 437	11 139	13 591	10 345	1 786
熊本市	19 763	2 050	2 278	7 484	7 951	10 320	798

指定都市・特別区－中核市－その他政令市、検診回数・検診方式・年齢階級別

平成29年度

数								
検　　　診			個　　　別　　　検　　　診					
50 ～ 59 歳	60 ～ 69 歳	70 歳 以 上	総　数	40 ～ 49 歳	50 ～ 59 歳	60 ～ 69 歳	70 歳 以 上	
470 616	**1 226 120**	**1 494 813**	**4 856 757**	**461 747**	**496 359**	**1 312 997**	**2 585 654**	
18 006	49 371	63 458	95 030	10 513	12 656	31 355	40 506	
16 318	35 067	39 406	44 907	3 233	6 430	12 096	23 148	
13 001	36 136	50 231	22 930	2 021	2 589	6 994	11 326	
27 033	72 614	99 946	19 642	1 618	2 111	6 309	9 604	
10 337	28 512	33 405	17 726	825	1 940	5 710	9 251	
14 582	51 679	55 392	6 436	285	509	2 030	3 612	
9 092	31 540	36 200	94 221	6 509	9 002	29 951	48 759	
20 334	55 742	70 834	11 135	1 172	1 084	2 642	6 237	
18 769	47 837	49 711	37 420	2 475	3 008	8 237	23 700	
7 635	19 859	24 946	101 384	9 958	10 642	27 267	53 517	
10 711	28 911	31 808	446 407	40 026	40 808	116 056	249 517	
23 538	52 215	65 872	365 977	39 434	36 169	90 176	200 198	
20 737	26 586	25 627	948 319	106 855	108 286	225 450	507 728	
6 657	15 482	21 442	435 334	38 361	41 500	107 824	247 649	
14 395	42 958	58 882	81 376	4 862	5 406	24 129	46 979	
2 333	7 629	10 340	58 508	3 657	4 250	16 263	34 338	
5 785	14 213	16 917	24 997	1 375	3 529	14 541	5 552	
3 794	12 089	16 971	13 857	916	1 199	4 442	7 300	
9 778	21 523	27 835	19 460	1 616	2 208	8 126	7 510	
10 821	27 089	37 399	58 812	4 417	4 779	15 471	34 145	
11 944	29 640	32 909	40 563	5 100	4 917	13 249	17 297	
13 957	39 389	51 728	177 432	14 072	16 538	48 491	98 331	
12 097	27 900	30 428	451 671	45 296	46 370	116 018	243 987	
4 793	12 365	13 755	103 970	7 175	9 140	30 732	56 923	
3 522	9 752	9 158	37 324	3 403	3 255	11 490	19 176	
8 311	17 719	23 130	42 704	2 719	3 170	12 257	24 558	
14 162	29 279	29 242	309 789	32 877	34 075	84 682	158 155	
30 988	70 414	86 100	78 268	6 768	6 231	20 008	45 261	
3 990	9 780	10 382	60 147	5 133	6 061	15 893	33 060	
4 837	10 630	9 195	36 496	3 556	5 109	12 577	15 254	
2 656	7 200	8 934	36 308	2 789	3 458	11 754	18 307	
1 865	6 463	10 097	29 638	2 381	2 913	8 991	15 353	
3 874	13 755	23 760	80 171	6 045	6 926	21 483	45 717	
5 577	19 933	27 073	93 382	9 247	9 146	31 235	43 754	
2 354	8 070	11 373	40 343	2 732	3 157	10 727	23 727	
1 369	5 208	5 562	18 355	1 554	1 838	5 704	9 259	
3 793	9 802	14 825	59 911	5 191	5 288	17 571	31 861	
7 926	23 306	29 760	3 648	686	510	1 185	1 267	
4 535	13 487	18 476	6 067	437	597	1 776	3 257	
15 527	44 907	40 624	68 511	6 842	7 693	21 327	32 649	
6 471	17 844	16 456	2 541	231	251	636	1 423	
3 477	9 894	10 732	52 861	3 638	5 974	18 614	24 635	
12 044	33 524	39 586	24 133	2 694	3 383	9 299	8 757	
4 421	16 415	25 043	18 493	2 258	2 263	6 770	7 202	
6 073	18 364	22 037	20 341	1 486	1 988	5 963	10 904	
11 462	32 599	43 360	14 392	1 563	1 920	4 152	6 757	
4 935	11 429	14 466	45 420	5 746	6 083	15 344	18 247	
13 450	16 390	15 954	624 923	84 379	82 717	145 357	312 470	
1 392	6 047	10 134	50 488	5 402	6 718	16 799	21 569	
9 234	23 695	37 783	–	–	–	–	–	
–	–	–	112 081	11 607	11 239	27 397	61 838	
1 281	1 871	1 089	78 480	6 622	7 230	18 890	45 738	
–	–	–	136 874	15 112	16 949	40 777	64 036	
–	–	–	72 777	6 747	6 850	16 461	42 719	
646	1 043	966	42 481	3 885	3 531	9 590	25 475	
134	552	266	72 628	4 326	4 837	22 403	41 062	
2 755	7 532	8 427	17 761	748	1 225	4 307	11 481	
112	285	688	66 625	5 171	6 132	18 469	36 853	
581	787	600	136 069	20 096	18 904	33 928	63 141	
2 332	4 345	6 706	3 843	401	409	1 095	1 938	
2 303	4 750	5 108	51 342	7 150	7 431	13 437	23 324	
478	835	1 212	31 340	3 066	3 240	8 514	16 520	
14 842	24 880	28 985	–	–	–	–	–	
1	1	4	43 420	2 971	3 736	11 181	25 532	
623	2 033	3 417	49 699	5 826	5 376	15 641	22 856	
586	1 907	2 163	16 530	1 468	1 773	5 135	8 154	
1 654	3 840	3 065	23 033	2 425	2 783	7 299	10 526	
963	3 912	4 647	9 443	1 252	1 315	3 572	3 304	

15（8）－01 がん検診 大腸がん

第17表 （6－2） 大腸がん検診受診者数，都道府県－

	総							
	総		数				集	団
	総 数	40 ～ 49 歳	50 ～ 59 歳	60 ～ 69 歳	70 歳 以 上	総 数	40 ～ 49 歳
中核市（再掲）							
旭 川 市	14 780	1 413	1 972	5 138	6 257	9 799	879
函 館 市	5 878	663	800	2 191	2 224	4 250	347
青 森 市	29 488	1 893	5 646	8 158	13 791	8 992	698
八 戸 市	18 032	1 097	1 731	6 183	9 021	17 179	1 096
盛 岡 市	16 625	1 478	1 834	4 881	8 432	676	39
秋 田 市	17 262	872	2 150	5 354	8 886	3 007	307
郡 山 市	27 423	2 098	2 888	9 438	12 999	585	51
い わ き 市	17 546	872	1 321	5 187	10 166	－	－
宇 都 宮 市	40 838	4 119	4 128	10 982	21 609	18 892	3 004
前 橋 市	43 209	4 624	4 912	12 208	21 465	2 892	490
高 崎 市	22 968	2 228	2 226	6 008	12 506	4 378	319
川 越 市	22 064	1 746	1 790	6 727	11 801	2 894	601
越 谷 市	21 055	1 575	1 754	5 007	12 719	－	－
船 橋 市	75 452	9 680	7 087	15 713	42 972	－	－
柏 市	19 442	2 046	2 114	5 640	9 642	19 442	2 046
八 王 子 市	52 748	4 259	4 493	14 608	29 388	－	－
横 須 賀 市	26 227	1 777	2 135	7 453	14 862	5 407	555
富 山 市	29 153	1 955	2 255	7 514	17 429	3 765	313
金 沢 市	18 047	1 734	3 354	12 112	847	3 453	961
長 野 市	23 721	1 182	1 548	5 366	15 625	486	13
岐 阜 市	9 784	1 856	1 500	3 319	3 109	9 784	1 856
豊 橋 市	20 059	2 587	2 467	5 634	9 371	－	－
豊 田 市	24 196	2 165	2 430	8 051	11 550	－	－
岡 崎 市	43 499	3 617	3 235	11 103	25 544	22 445	3 616
大 津 市	19 304	1 833	1 762	5 854	9 855	－	－
高 槻 市	28 214	2 949	2 564	7 607	15 094	3 316	796
東 大 阪 市	23 564	3 223	2 929	7 126	10 286	243	99
豊 中 市	22 855	2 249	2 346	5 527	12 733	3 802	739
枚 方 市	23 864	2 819	2 674	7 502	10 869	－	－
姫 路 市	11 671	2 077	1 892	3 689	4 013	11 671	2 077
西 宮 市	12 471	2 616	1 167	2 675	6 013	8 441	1 999
尼 崎 市	15 998	2 510	1 878	4 502	7 108	2 095	547
奈 良 市	32 299	3 042	3 377	8 478	17 402	407	43
和 歌 山 市	9 046	1 060	1 361	3 238	3 387	1 484	293
倉 敷 市	25 343	2 432	2 348	7 685	12 878	1 093	143
福 山 市	23 872	2 299	2 416	8 334	10 823	7 294	708
呉 市	7 675	722	730	2 785	3 438	6 675	651
下 関 市	8 203	484	661	2 400	4 658	1 998	110
高 松 市	36 398	3 157	3 248	10 698	19 295	－	－
松 山 市	16 014	1 544	1 919	5 427	7 124	12 762	1 077
高 知 市	13 458	2 018	1 918	4 847	4 675	7 943	1 611
久 留 米 市	18 296	2 396	2 176	5 682	8 042	2 042	490
長 崎 市	10 250	834	1 209	3 601	4 606	1 667	133
佐 世 保 市	14 137	1 030	1 569	5 264	6 274	2 128	278
大 分 市	14 731	1 831	1 689	4 946	6 265	8 024	284
宮 崎 市	20 498	2 056	2 409	6 503	9 530	7 631	1 033
鹿 児 島 市	21 427	1 964	1 966	6 388	11 109	15 247	1 638
那 覇 市	19 105	2 504	2 678	6 125	7 798	815	210
その他政令市（再掲）							
小 樽 市	3 992	222	351	1 152	2 267	1 456	66
町 田 市	21 817	2 005	2 008	5 507	12 297	－	－
藤 沢 市	48 414	**3** 461	3 714	10 002	31 237	－	－
茅 ヶ 崎 市	26 407	1 880	1 991	5 651	16 885	934	318
四 日 市 市	18 941	2 025	2 015	5 910	8 991	4 301	397
大 牟 田 市	3 531	323	363	1 213	1 632	1 619	250

注：検診回数の初回・非初回については、計数不詳の市区町村があるため、総数と一致しない場合がある。

指定都市・特別区－中核市－その他政令市、検診回数・検診方式・年齢階級別

平成29年度

数							
検　　　診			個　　別　　検　　診				
50 ～ 59 歳	60 ～ 69 歳	70 歳 以 上	総　　数	40 ～ 49 歳	50 ～ 59 歳	60 ～ 69 歳	70 歳 以 上
1 272	3 658	3 990	4 981	534	700	1 480	2 267
482	1 644	1 777	1 628	316	318	547	447
4 155	2 569	1 570	20 496	1 195	1 491	5 589	12 221
1 729	6 085	8 269	853	1	2	98	752
90	280	267	15 949	1 439	1 744	4 601	8 165
597	1 086	1 017	14 255	565	1 553	4 268	7 869
47	226	261	26 838	2 047	2 841	9 212	12 738
–	–	–	17 546	872	1 321	5 187	10 166
2 814	6 925	6 149	21 946	1 115	1 314	4 057	15 460
372	1 145	885	40 317	4 134	4 540	11 063	20 580
328	1 343	2 388	18 590	1 909	1 898	4 665	10 118
422	979	892	19 170	1 145	1 368	5 748	10 909
–	–	–	21 055	1 575	1 754	5 007	12 719
–	–	–	75 452	9 680	7 087	15 713	42 972
2 114	5 640	9 642	–	–	–	–	–
–	–	–	52 748	4 259	4 493	14 608	29 388
534	1 624	2 694	20 820	1 222	1 601	5 829	12 168
351	1 219	1 882	25 388	1 642	1 904	6 295	15 547
714	931	847	14 594	773	2 640	11 181	–
32	126	315	23 235	1 169	1 516	5 240	15 310
1 500	3 319	3 109	–	–	–	–	–
–	–	–	20 059	2 587	2 467	5 634	9 371
–	–	–	24 196	2 165	2 430	8 051	11 550
3 234	8 266	7 329	21 054	1	1	2 837	18 215
–	–	–	19 304	1 833	1 762	5 854	9 855
520	1 139	861	24 898	2 153	2 044	6 468	14 233
53	70	21	23 321	3 124	2 876	7 056	10 265
700	1 116	1 247	19 053	1 510	1 646	4 411	11 486
–	–	–	23 864	2 819	2 674	7 502	10 869
1 892	3 689	4 013	–	–	–	–	–
1 026	2 344	3 072	4 030	617	141	331	2 941
242	566	740	13 903	1 963	1 636	3 936	6 368
43	172	149	31 892	2 999	3 334	8 306	17 253
226	551	414	7 562	767	1 135	2 687	2 973
168	782	–	24 250	2 289	2 180	6 903	12 878
819	2 749	3 018	16 578	1 591	1 597	5 585	7 805
620	2 450	2 954	1 000	71	110	335	484
141	666	1 081	6 205	374	520	1 734	3 577
–	–	–	36 398	3 157	3 248	10 698	19 295
1 457	4 320	5 908	3 252	467	462	1 107	1 216
1 377	3 224	1 731	5 515	407	541	1 623	2 944
347	784	421	16 254	1 906	1 829	4 898	7 621
202	787	545	8 583	701	1 007	2 814	4 061
329	881	640	12 009	752	1 240	4 383	5 634
482	2 338	4 920	6 707	1 547	1 207	2 608	1 345
1 087	2 741	2 770	12 867	1 023	1 322	3 762	6 760
1 563	4 897	7 149	6 180	326	403	1 491	3 960
206	284	115	18 290	2 294	2 472	5 841	7 683
128	487	775	2 536	156	223	665	1 492
–	–	–	21 817	2 005	2 008	5 507	12 297
–	–	–	48 414	3 461	3 714	10 002	31 237
162	243	211	25 473	1 562	1 829	5 408	16 674
592	1 339	1 973	14 640	1 628	1 423	4 571	7 018
218	638	513	1 912	73	145	575	1 119

第17表（6－3） 大腸がん検診受診者数，都道府県－

	初						
	総数					集団	
	総数	40 ～ 49 歳	50 ～ 59 歳	60 ～ 69 歳	70 歳以上	総数	40 ～ 49 歳
全国	**1 435 235**	**315 856**	**215 163**	**441 767**	**462 449**	**556 732**	**144 026**
北海道	71 002	10 588	9 658	23 961	26 795	39 052	5 363
青森	26 076	4 536	8 764	6 835	5 941	15 744	2 865
岩手	11 135	2 457	1 763	3 388	3 527	7 711	1 873
宮城	26 156	6 396	4 205	9 082	6 473	23 790	5 885
秋田	11 128	1 730	2 165	3 994	3 239	7 552	1 396
山形	9 445	1 848	1 400	3 801	2 396	9 118	1 819
福島	24 299	3 856	3 385	9 578	7 480	9 437	1 676
茨城	28 309	6 849	4 040	9 635	7 785	25 541	6 220
栃木	26 554	7 182	4 038	8 323	7 011	20 501	6 363
群馬	26 081	5 887	3 707	7 744	8 743	7 970	2 244
埼玉	83 328	16 240	10 675	24 374	32 039	16 986	4 838
千葉	61 456	15 921	8 838	18 129	18 568	19 510	6 356
東京	157 004	43 036	26 322	38 952	48 694	24 346	9 550
神奈川	103 681	20 479	14 713	28 780	39 709	8 207	2 789
新潟	30 223	6 152	4 218	10 711	9 142	16 661	3 480
富山	7 345	1 329	910	2 611	2 495	2 932	714
石川	13 595	3 319	2 817	5 072	2 387	7 555	2 336
福井	9 515	1 705	1 296	3 410	3 104	5 849	1 250
山梨	8 536	2 073	1 486	3 114	1 863	6 355	1 707
長野	19 723	4 043	2 573	6 354	6 753	11 182	2 685
岐阜	25 059	6 756	4 081	8 784	5 438	15 027	4 406
静岡	46 698	8 822	6 109	15 234	16 533	15 577	3 765
愛知	112 342	27 923	17 325	30 837	36 257	17 171	6 749
三重	20 519	3 911	2 547	6 881	7 180	5 476	1 439
滋賀	14 434	3 246	1 907	4 654	4 627	4 985	1 413
京都	14 388	3 010	1 826	4 486	5 066	6 131	1 962
大阪	101 757	23 329	16 051	28 636	33 741	24 191	7 849
兵庫	50 043	14 089	6 664	14 626	14 664	31 580	10 474
奈良	19 075	4 201	3 003	5 732	6 139	6 868	1 853
和歌山	12 905	2 732	2 275	4 383	3 515	4 572	1 358
鳥取	8 867	1 982	1 408	3 078	2 399	2 942	773
島根	6 669	1 321	904	2 350	2 094	2 982	844
岡山	19 664	3 315	2 314	6 542	7 493	5 127	956
広島	33 444	5 538	3 571	11 093	13 242	9 076	2 140
山口	14 305	2 407	1 524	4 336	6 038	4 147	1 038
徳島	6 633	1 135	819	2 249	2 430	2 412	477
香川	13 062	2 919	1 687	4 236	4 220	4 178	1 055
愛媛	10 416	2 641	1 560	3 449	2 766	8 825	2 186
高知	8 563	1 784	1 224	2 946	2 609	6 696	1 571
福岡	26 091	6 495	3 810	9 206	6 580	19 298	5 110
佐賀	9 335	2 149	1 546	3 543	2 097	8 392	2 028
長崎	16 330	2 543	2 574	6 056	5 157	4 948	938
熊本	22 648	4 949	3 557	8 288	5 854	16 004	3 559
大分	10 558	1 722	1 392	3 583	3 861	8 633	1 370
宮崎	17 378	2 957	2 314	5 894	6 213	11 715	2 231
鹿児島	21 472	4 456	3 240	7 156	6 620	16 278	3 448
沖縄	17 989	3 898	2 958	5 661	5 472	7 502	1 625
指定都市・特別区(再掲)							
東京都区部	91 202	28 728	16 402	20 389	25 683	12 350	4 653
札幌市	40 187	4 301	4 886	13 477	17 523	17 422	973
仙台市	9 077	2 372	1 359	2 970	2 376	9 077	2 372
さいたま市	…	…	…	…	…	－	－
千葉市	14 378	3 078	1 910	4 050	5 340	1 471	756
横浜市	40 957	7 506	6 570	12 030	14 851	－	－
川崎市	16 832	3 546	2 397	4 395	6 494	－	－
相模原市	9 023	1 967	1 122	2 348	3 586	833	408
新潟市	11 969	2 343	1 523	4 340	3 763	603	91
静岡市	8 916	1 397	1 044	2 709	3 766	4 687	1 066
浜松市	10 352	1 621	1 127	3 364	4 240	62	2
名古屋市	45 744	12 401	8 470	10 842	14 031	1 312	519
京都市	－	－	－	－	－	－	－
大阪市	19 722	4 718	3 428	5 047	6 529	4 493	1 386
堺市	11 278	1 893	1 564	3 140	4 681	1 597	218
神戸市	8 808	3 281	932	2 502	2 093	8 808	3 281
岡山市	7 148	1 130	834	2 290	2 894	－	－
広島市	15 297	2 358	1 532	4 272	7 135	1 542	472
北九州市	…	…	…	…	…	…	…
福岡市	－	－	－	－	－	－	－
熊本市	6 310	1 237	928	2 377	1 768	2 789	481

指定都市・特別区－中核市－その他政令市、検診回数・検診方式・年齢階級別

平成29年度

回							
検診			個別検診				
50 ～ 59 歳	60 ～ 69 歳	70 歳 以 上	総 数	40 ～ 49 歳	50 ～ 59 歳	60 ～ 69 歳	70 歳 以 上
90 254	**186 234**	**136 218**	**878 503**	**171 830**	**124 909**	**255 533**	**326 231**
4 754	13 306	15 629	31 950	5 225	4 904	10 655	11 166
5 464	4 500	2 915	10 332	1 671	3 300	2 335	3 026
1 323	2 383	2 132	3 424	584	440	1 005	1 395
3 805	8 224	5 876	2 366	511	400	858	597
1 459	2 809	1 888	3 576	334	706	1 185	1 351
1 384	3 694	2 221	327	29	16	107	175
1 452	3 930	2 379	14 862	2 180	1 933	5 648	5 101
3 690	8 939	6 692	2 768	629	350	696	1 093
3 421	6 844	3 873	6 053	819	617	1 479	3 138
1 237	2 585	1 904	18 111	3 643	2 470	5 159	6 839
2 685	5 629	3 834	66 342	11 402	7 990	18 745	28 205
3 072	6 267	3 815	41 946	9 565	5 766	11 862	14 753
5 411	5 497	3 888	132 658	33 486	20 911	33 455	44 806
1 187	2 192	2 039	95 474	17 690	13 526	26 588	37 670
2 385	6 148	4 648	13 562	2 672	1 833	4 563	4 494
460	1 045	713	4 413	615	450	1 566	1 782
1 246	2 337	1 636	6 040	983	1 571	2 735	751
901	2 081	1 617	3 666	455	395	1 329	1 487
1 144	2 125	1 379	2 181	366	342	989	484
1 701	3 736	3 060	8 541	1 358	872	2 618	3 693
2 545	5 151	2 925	10 032	2 350	1 536	3 633	2 513
2 303	5 640	3 869	31 121	5 057	3 806	9 594	12 664
2 854	4 967	2 601	95 171	21 174	14 471	25 870	33 656
797	1 899	1 341	15 043	2 472	1 750	4 982	5 839
803	1 805	964	9 449	1 833	1 104	2 849	3 663
1 004	1 835	1 330	8 257	1 048	822	2 651	3 736
4 612	7 372	4 358	77 566	15 480	11 439	21 264	29 383
4 695	9 586	6 825	18 463	3 615	1 969	5 040	7 839
1 188	2 304	1 523	12 207	2 348	1 815	3 428	4 616
844	1 543	827	8 333	1 374	1 431	2 840	2 688
500	983	686	5 925	1 209	908	2 095	1 713
398	1 008	732	3 687	477	506	1 342	1 362
640	1 856	1 675	14 537	2 359	1 674	4 686	5 818
1 114	3 236	2 586	24 368	3 398	2 457	7 857	10 656
479	1 418	1 212	10 158	1 369	1 045	2 918	4 826
339	951	645	4 221	658	480	1 298	1 785
612	1 451	1 060	8 884	1 864	1 075	2 785	3 160
1 327	2 950	2 362	1 591	455	233	499	404
1 014	2 462	1 649	1 867	213	210	484	960
2 974	7 108	4 106	6 793	1 385	836	2 098	2 474
1 432	3 274	1 658	943	121	114	269	439
878	1 971	1 161	11 382	1 605	1 696	4 085	3 996
2 443	5 899	4 103	6 644	1 390	1 114	2 389	1 751
1 112	2 971	3 180	1 925	352	280	612	681
1 578	4 207	3 699	5 663	726	736	1 687	2 514
2 288	5 625	4 917	5 194	1 008	952	1 531	1 703
1 300	2 491	2 086	10 487	2 273	1 658	3 170	3 386
2 652	2 768	2 277	78 852	24 075	13 750	17 621	23 406
1 266	5 674	9 509	22 765	3 328	3 620	7 803	8 014
1 359	2 970	2 376	–	–	–	–	–
–	–	–	…	…	…	…	…
269	322	124	12 907	2 322	1 641	3 728	5 216
–	–	–	40 957	7 506	6 570	12 030	14 851
–	–	–	16 832	3 546	2 397	4 395	6 494
163	183	79	8 190	1 559	959	2 165	3 507
74	311	127	11 366	2 252	1 449	4 029	3 636
667	1 622	1 332	4 229	331	377	1 087	2 434
12	17	31	10 290	1 619	1 115	3 347	4 209
263	333	197	44 432	11 882	8 207	10 509	13 834
–	–	–	–	–	–	–	–
859	1 319	929	15 229	3 332	2 569	3 728	5 600
246	464	669	9 681	1 675	1 318	2 676	4 012
932	2 502	2 093	–	–	–	–	–
–	–	–	7 148	1 130	834	2 290	2 894
173	350	547	13 755	1 886	1 359	3 922	6 588
…	…	…	…	…	…	…	…
–	–	–	–	–	–	–	–
373	1 141	794	3 521	756	555	1 236	974

15(8)−01 がん検診 大腸がん

第17表（6−4）　大腸がん検診受診者数，都道府県−

| | 初 | | | | | | |
| | 総　　　　数 | | | | | 集　　　　　団 | |
	総　　数	40 ～ 49 歳	50 ～ 59 歳	60 ～ 69 歳	70 歳 以 上	総　　数	40 ～ 49 歳
中核市（再掲）							
旭 川 市	3 307	500	480	1 102	1 225	1 965	343
函 館 市	1 593	309	251	538	495	999	177
青 森 市	7 955	930	3 837	1 517	1 671	4 376	288
八 戸 市	2 431	354	306	940	831	2 189	353
盛 岡 市	2 467	411	264	670	1 122	59	11
秋 田 市	3 721	346	833	1 206	1 336	702	116
郡 山 市	4 005	709	569	1 592	1 135	108	20
い わ き 市	3 327	304	313	1 212	1 498		
宇 都 宮 市	8 002	1 851	1 218	2 253	2 680	4 179	1 382
前 橋 市	6 178	1 477	968	1 831	1 902	543	187
高 崎 市	4 086	865	516	1 179	1 526	425	87
川 越 市	4 173	621	353	1 066	2 133	557	270
越 谷 市	3 771	571	456	914	1 830	−	−
船 橋 市	−	−	−	−	−	−	−
柏 市	2 709	609	410	1 119	571	2 709	609
八 王 子 市	8 756	1 865	1 150	2 841	2 900	−	−
横 須 賀 市	4 691	735	523	1 518	1 915	767	216
富 山 市	...	...	...	...	...	...	...
金 沢 市	5 507	1 304	1 625	2 338	240	1 328	531
長 野 市	3 737	422	351	1 151	1 813	22	2
岐 阜 市	3 223	1 060	604	1 010	549	3 223	1 060
豊 橋 市	3 558	941	498	1 076	1 043	−	−
豊 田 市	3 504	688	511	1 108	1 197	−	−
岡 崎 市	5 828	1 406	679	2 038	1 705	3 741	1 406
大 津 市	5 237	1 017	613	1 527	2 080	−	−
高 槻 市	6 342	1 393	867	1 766	2 316	961	411
東 大 阪 市	5 239	1 335	796	1 510	1 598	172	81
豊 中 市	4 239	903	650	1 131	1 555	929	348
枚 方 市	6 678	1 742	1 162	1 863	1 911	−	−
姫 路 市	4 121	1 593	968	1 111	449	4 121	1 593
西 宮 市	4 473	1 857	365	733	1 518	2 762	1 309
尼 崎 市	4 183	1 472	541	1 032	1 138	772	422
奈 良 市	5 609	1 314	940	1 490	1 865	45	15
和 歌 山 市	2 946	481	455	1 011	999	536	154
倉 敷 市	4 928	900	578	1 678	1 772	239	42
福 山 市	5 657	976	670	1 941	2 070	1 151	269
呉 市	1 616	287	191	613	525	1 116	243
下 関 市	2 778	251	281	816	1 430	398	52
高 松 市	5 374	1 107	671	1 689	1 907	−	−
松 山 市	3 393	701	533	1 219	940	2 091	439
高 知 市	4 406	1 062	682	1 501	1 161	2 781	863
久 留 米 市	4 020	1 159	520	1 170	1 171	461	218
長 崎 市	3 541	477	468	1 325	1 271	782	79
佐 世 保 市	3 240	453	463	1 230	1 094	612	142
大 分 市	...	...	...	...	...	...	...
宮 崎 市	4 703	936	714	1 437	1 616	1 597	509
鹿 児 島 市	7 284	1 103	821	2 389	2 971	5 132	912
那 覇 市	4 053	996	632	1 177	1 248	239	93
その他政令市（再掲）							
小 樽 市	954	71	88	284	511	244	20
町 田 市	6 323	1 255	914	1 638	2 516	−	−
藤 沢 市	5 716	1 306	767	1 575	2 068	−	−
茅 ヶ 崎 市	3 878	705	508	1 064	1 601	315	157
四 日 市 市	1 916	570	186	498	662	390	104
大 牟 田 市	916	142	115	320	339	546	113

注：検診回数の初回・非初回については、計数不詳の市区町村があるため、総数と一致しない場合がある。

指定都市・特別区－中核市－その他政令市、検診回数・検診方式・年齢階級別

平成29年度

回							
検診			個別検診				
50 ～ 59 歳	60 ～ 69 歳	70 歳 以 上	総数	40 ～ 49 歳	50 ～ 59 歳	60 ～ 69 歳	70 歳 以 上
308	721	593	1 342	157	172	381	632
157	352	313	594	132	94	186	182
3 473	451	164	3 579	642	364	1 066	1 507
305	899	632	242	1	1	41	199
7	25	16	2 408	400	257	645	1 106
220	237	129	3 019	230	613	969	1 207
10	46	32	3 897	689	559	1 546	1 103
-	-	-	3 327	304	313	1 212	1 498
823	1 394	580	3 823	469	395	859	2 100
85	185	86	5 635	1 290	883	1 646	1 816
40	157	141	3 661	778	476	1 022	1 385
81	136	70	3 616	351	272	930	2 063
-	-	-	3 771	571	456	914	1 830
-	-	-	-	-	-	-	-
410	1 119	571	-	-	-	-	-
-	-	-	8 756	1 865	1 150	2 841	2 900
91	242	218	3 924	519	432	1 276	1 697
…	…	…	…	…	…	…	…
277	280	240	4 179	773	1 348	2 058	-
-	10	10	3 715	420	351	1 141	1 803
604	1 010	549	-	-	-	-	-
-	-	-	3 558	941	498	1 076	1 043
-	-	-	3 504	688	511	1 108	1 197
678	1 398	259	2 087	-	1	640	1 446
-	-	-	5 237	1 017	613	1 527	2 080
187	245	118	5 381	982	680	1 521	2 198
43	39	9	5 067	1 254	753	1 471	1 589
200	234	147	3 310	555	450	897	1 408
-	-	-	6 678	1 742	1 162	1 863	1 911
968	1 111	449	-	-	-	-	-
302	598	553	1 711	548	63	135	965
88	127	135	3 411	1 050	453	905	1 003
8	15	7	5 564	1 299	932	1 475	1 858
83	191	108	2 410	327	372	820	891
47	150	-	4 689	858	531	1 528	1 772
175	434	273	4 506	707	495	1 507	1 797
134	438	301	500	44	57	175	224
34	145	167	2 380	199	247	671	1 263
-	-	-	5 374	1 107	671	1 689	1 907
325	766	561	1 302	262	208	453	379
494	1 092	332	1 625	199	188	409	829
74	139	30	3 559	941	446	1 031	1 141
104	419	180	2 759	398	364	906	1 091
109	233	128	2 628	311	354	997	966
…	…	…	…	…	…	…	…
283	504	301	3 106	427	431	933	1 315
647	1 775	1 798	2 152	191	174	614	1 173
61	74	11	3 814	903	571	1 103	1 237
28	95	101	710	51	60	189	410
-	-	-	6 323	1 255	914	1 638	2 516
-	-	-	5 716	1 306	767	1 575	2 068
63	62	33	3 563	548	445	1 002	1 568
63	98	125	1 526	466	123	400	537
76	209	148	370	29	39	111	191

第17表（6－5） 大腸がん検診受診者数，都道府県－

	非						
	総数					集団	
	総数	40～49歳	50～59歳	60～69歳	70歳以上	総数	40～49歳
全国	**6 299 867**	**491 018**	**671 354**	**1 903 789**	**3 233 706**	**2 919 125**	**262 074**
北海道	151 998	12 208	19 363	51 785	68 642	97 314	7 439
青森	113 521	6 842	13 321	38 588	54 770	79 966	5 433
岩手	119 732	8 133	13 827	39 742	58 030	100 226	6 696
宮城	214 535	16 678	24 939	69 841	103 077	197 259	15 571
秋田	83 788	5 059	10 010	29 805	38 914	70 730	4 632
山形	98 198	5 118	10 450	38 394	44 236	95 646	5 018
福島	151 429	8 097	14 505	51 564	77 263	73 003	3 932
茨城	149 000	13 587	17 378	48 749	69 286	140 633	13 044
栃木	144 798	13 494	17 699	47 443	66 162	114 060	11 881
群馬	134 812	11 140	14 570	39 382	69 720	51 539	4 825
埼玉	334 150	23 901	29 605	93 196	187 448	66 166	6 884
千葉	394 214	37 353	43 782	108 549	204 530	145 635	17 164
東京	595 810	56 816	69 161	146 176	323 657	59 785	10 487
神奈川	382 298	25 536	33 365	94 290	229 107	42 438	4 865
新潟	178 475	9 797	15 583	56 376	96 719	110 661	7 607
富山	40 038	2 406	3 118	11 926	22 588	15 147	1 221
石川	54 449	4 188	6 497	23 682	20 082	35 492	3 796
福井	40 501	2 516	3 697	13 121	21 167	30 310	2 055
山梨	77 380	8 214	10 374	25 949	32 843	61 404	7 029
長野	98 127	8 270	10 005	27 844	52 008	57 794	6 364
岐阜	101 715	10 062	12 780	34 105	44 768	71 184	7 312
静岡	247 422	17 689	24 304	72 378	133 051	101 111	8 674
愛知	417 915	32 370	40 192	110 920	234 433	67 612	8 924
三重	119 182	8 082	11 386	36 216	63 498	30 255	3 379
滋賀	48 712	3 547	4 870	16 588	23 707	20 837	1 977
京都	66 236	5 294	6 914	20 050	33 978	35 632	4 024
大阪	296 599	25 432	32 186	85 325	153 656	64 376	8 035
兵庫	228 275	21 184	28 930	69 539	108 622	168 529	18 035
奈良	69 165	4 873	7 048	19 941	37 303	21 225	2 088
和歌山	52 432	5 003	7 671	18 824	20 934	24 269	2 821
鳥取	48 533	3 109	4 706	15 876	24 842	18 150	1 529
島根	30 413	1 576	2 473	9 163	17 201	16 011	947
岡山	104 901	5 735	8 486	28 696	61 984	39 267	2 049
広島	118 192	9 571	11 137	39 968	57 516	49 352	3 736
山口	50 382	2 872	3 987	14 461	29 062	20 197	1 509
徳島	25 100	1 658	2 388	8 663	12 391	10 966	762
香川	78 843	5 846	7 394	23 137	42 466	27 816	2 519
愛媛	61 090	4 911	6 876	21 042	28 261	59 033	4 680
高知	37 912	2 563	3 908	12 317	19 124	33 712	2 339
福岡	101 737	9 818	12 284	37 858	41 777	80 484	8 311
佐賀	39 134	3 239	5 176	14 937	15 782	37 536	3 129
長崎	62 962	3 423	6 877	22 452	30 210	21 483	1 390
熊本	96 563	7 669	11 870	34 535	42 489	79 074	6 365
大分	41 223	1 922	3 521	14 223	21 557	32 492	1 616
宮崎	53 418	3 176	5 558	18 152	26 532	38 743	2 417
鹿児島	88 989	5 755	10 142	29 595	43 497	79 791	5 200
沖縄	55 569	5 286	7 041	18 426	24 816	24 780	2 364
指定都市・特別区(再掲)							
東京都区部	341 466	41 883	49 060	83 965	166 558	35 798	6 261
札幌市	28 945	2 172	3 224	9 369	14 180	1 222	98
仙台市	69 556	5 549	7 875	20 725	35 407	69 556	5 549
さいたま市	…	…	…	…	…	-	-
千葉市	70 276	5 477	6 601	16 711	41 487	4 703	1 177
横浜市	95 917	7 606	10 379	28 747	49 185	-	-
川崎市	55 945	3 201	4 453	12 066	36 225	-	-
相模原市	37 000	2 805	3 055	8 285	22 855	2 709	479
新潟市	61 745	2 117	3 448	18 615	37 565	483	43
静岡市	30 281	2 073	2 936	9 130	16 142	16 749	1 656
浜松市	57 380	3 572	5 117	15 390	33 301	1 045	20
名古屋市	93 220	8 622	11 015	23 873	49 710	1 583	408
京都市	-	-	-	-	-	-	-
大阪市	46 384	5 035	6 306	13 140	21 903	10 271	1 217
堺市	23 061	1 647	2 154	6 209	13 051	1 402	256
神戸市	73 231	10 051	13 910	22 378	26 892	73 231	10 051
岡山市	36 278	1 841	2 903	8 892	22 642	6	-
広島市	41 733	4 726	4 467	13 402	19 138	5 789	786
北九州市	…	…	…	…	…	…	…
福岡市	-	-	-	-	-	-	-
熊本市	13 453	813	1 350	5 107	6 183	7 531	317

指定都市・特別区－中核市－その他政令市、検診回数・検診方式・年齢階級別

平成29年度

初			回				
検診			個別検診				
50 ～ 59 歳	60 ～ 69 歳	70 歳 以 上	総数	40 ～ 49 歳	50 ～ 59 歳	60 ～ 69 歳	70 歳 以 上
362 230	**993 375**	**1 301 446**	**3 380 742**	**228 944**	**309 124**	**910 414**	**1 932 260**
12 395	33 593	43 887	54 684	4 769	6 968	18 192	24 755
10 336	29 220	34 977	33 555	1 409	2 985	9 368	19 793
11 678	33 753	48 099	19 506	1 437	2 149	5 989	9 931
23 228	64 390	94 070	17 276	1 107	1 711	5 451	9 007
8 878	25 703	31 517	13 058	427	1 132	4 102	7 397
10 244	37 444	42 940	2 552	100	206	950	1 296
7 640	27 610	33 821	78 426	4 165	6 865	23 954	43 442
16 644	46 803	64 142	8 367	543	734	1 946	5 144
15 348	40 993	45 838	30 738	1 613	2 351	6 450	20 324
6 398	17 274	23 042	83 273	6 315	8 172	22 108	46 678
8 026	23 282	27 974	267 984	17 017	21 579	69 914	159 474
20 466	45 948	62 057	248 579	20 189	23 316	62 601	142 473
11 812	17 826	19 660	536 025	46 329	57 349	128 350	303 997
5 391	13 054	19 128	339 860	20 671	27 974	81 236	209 979
12 010	36 810	54 234	67 814	2 190	3 573	19 566	42 485
1 478	4 997	7 451	24 891	1 185	1 640	6 929	15 137
4 539	11 876	15 281	18 957	392	1 958	11 806	4 801
2 893	10 008	15 354	10 191	461	804	3 113	5 813
8 612	19 353	26 410	15 976	1 185	1 762	6 596	6 433
7 215	18 142	26 073	40 333	1 906	2 790	9 702	25 935
9 399	24 489	29 984	30 531	2 750	3 381	9 616	14 784
11 572	33 481	47 384	146 311	9 015	12 732	38 897	85 667
9 016	22 429	27 243	350 303	23 446	31 176	88 491	207 190
3 996	10 466	12 414	88 927	4 703	7 390	25 750	51 084
2 719	7 947	8 194	27 875	1 570	2 151	8 641	15 513
4 975	11 539	15 094	30 604	1 270	1 939	8 511	18 884
9 550	21 907	24 884	232 223	17 397	22 636	63 418	128 772
24 671	54 606	71 217	59 746	3 149	4 259	14 933	37 405
2 802	7 476	8 859	47 940	2 785	4 246	12 465	28 444
3 993	9 087	8 368	28 163	2 182	3 678	9 737	12 566
2 156	6 217	8 248	30 383	1 580	2 550	9 659	16 594
1 403	5 086	8 575	14 402	629	1 070	4 077	8 626
3 234	11 899	22 085	65 634	3 686	5 252	16 797	39 899
4 459	16 681	24 476	68 840	5 835	6 678	23 287	33 040
1 875	6 652	10 161	30 185	1 363	2 112	7 809	18 901
1 030	4 257	4 917	14 134	896	1 358	4 406	7 474
3 181	8 351	13 765	51 027	3 327	4 213	14 786	28 701
6 599	20 356	27 398	2 057	231	277	686	863
3 521	11 025	16 827	4 200	224	387	1 292	2 297
10 096	31 355	30 722	21 253	1 507	2 188	6 503	11 055
5 039	14 570	14 798	1 598	110	137	367	984
2 599	7 923	9 571	41 479	2 033	4 278	14 529	20 639
9 601	27 625	35 483	17 489	1 304	2 269	6 910	7 006
2 827	11 106	16 943	8 731	306	694	3 117	4 614
4 307	13 877	18 142	14 675	759	1 251	4 275	8 390
9 174	26 974	38 443	9 198	555	968	2 621	5 054
3 205	7 915	11 296	30 789	2 922	3 836	10 511	13 520
7 338	10 463	11 736	305 668	35 622	41 722	73 502	154 822
126	373	625	27 723	2 074	3 098	8 996	13 555
7 875	20 725	35 407	-	-	-	-	-
-	-	-	…	…	…	…	…
1 012	1 549	965	65 573	4 300	5 589	15 162	40 522
-	-	-	95 917	7 606	10 379	28 747	49 185
-	-	-	55 945	3 201	4 453	12 066	36 225
483	860	887	34 291	2 326	2 572	7 425	21 968
60	241	139	61 262	2 074	3 388	18 374	37 426
2 088	5 910	7 095	13 532	417	848	3 220	9 047
100	268	657	56 335	3 552	5 017	15 122	32 644
318	454	403	91 637	8 214	10 697	23 419	49 307
-	-	-	-	-	-	-	-
1 444	3 431	4 179	36 113	3 818	4 862	9 709	17 724
232	371	543	21 659	1 391	1 922	5 838	12 508
13 910	22 378	26 892	-	-	-	-	-
1	1	4	36 272	1 841	2 902	8 891	22 638
450	1 683	2 870	35 944	3 940	4 017	11 719	16 268
…	…	…	…	…	…	…	…
-	-	-	-	-	-	-	-
590	2 771	3 853	5 922	496	760	2 336	2 330

15(8)−01 がん検診 大腸がん

第17表 (6−6) 大腸がん検診受診者数, 都道府県−

	非						
	総		数			集	団
	総　　数	40 ～ 49 歳	50 ～ 59 歳	60 ～ 69 歳	70 歳 以 上	総　　数	40 ～ 49 歳
中核市(再掲)							
旭 川 市	11 473	913	1 492	4 036	5 032	7 834	536
函 館 市	4 285	354	549	1 653	1 729	3 251	170
青 森 市	21 533	963	1 809	6 641	12 120	4 616	410
八 戸 市	15 601	743	1 425	5 243	8 190	14 990	743
盛 岡 市	14 158	1 067	1 570	4 211	7 310	617	28
秋 田 市	13 541	526	1 317	4 148	7 550	2 305	191
郡 山 市	23 418	1 389	2 319	7 846	11 864	477	31
い わ き 市	14 219	568	1 008	3 975	8 668	−	−
宇 都 宮 市	32 836	2 268	2 910	8 729	18 929	14 713	1 622
前 橋 市	37 031	3 147	3 944	10 377	19 563	2 349	303
高 崎 市	18 882	1 363	1 710	4 829	10 980	3 953	232
川 越 市	17 891	1 125	1 437	5 661	9 668	2 337	331
越 谷 市	17 284	1 004	1 298	4 093	10 889	−	−
船 橋 市	−	−	−	−	−		
柏 市	16 733	1 437	1 704	4 521	9 071	16 733	1 437
八 王 子 市	43 992	2 394	3 343	11 767	26 488	−	−
横 須 賀 市	21 536	1 042	1 612	5 935	12 947	4 640	339
富 山 市	…	…	…	…	…	…	…
金 沢 市	12 540	430	1 729	9 774	607	2 125	430
長 野 市	19 984	760	1 197	4 215	13 812	464	11
岐 阜 市	6 561	796	896	2 309	2 560	6 561	796
豊 橋 市	16 501	1 646	1 969	4 558	8 328	−	−
豊 田 市	20 692	1 477	1 919	6 943	10 353	−	−
岡 崎 市	37 671	2 211	2 556	9 065	23 839	18 704	2 210
大 津 市	14 067	816	1 149	4 327	7 775	−	−
高 槻 市	21 872	1 556	1 697	5 841	12 778	2 355	385
東 大 阪 市	18 325	1 888	2 133	5 616	8 688	71	18
豊 中 市	18 616	1 346	1 696	4 396	11 178	2 873	391
枚 方 市	17 186	1 077	1 512	5 639	8 958	−	−
姫 路 市	7 550	484	924	2 578	3 564	7 550	484
西 宮 市	7 998	759	802	1 942	4 495	5 679	690
尼 崎 市	11 815	1 038	1 337	3 470	5 970	1 323	125
奈 良 市	26 690	1 728	2 437	6 988	15 537	362	28
和 歌 山 市	6 100	579	906	2 227	2 388	948	139
倉 敷 市	20 415	1 532	1 770	6 007	11 106	854	101
福 山 市	18 215	1 323	1 746	6 393	8 753	6 143	439
呉 市	6 059	435	539	2 172	2 913	5 559	408
下 関 市	5 425	233	380	1 584	3 228	1 600	58
高 松 市	31 024	2 050	2 577	9 009	17 388	−	−
松 山 市	12 621	843	1 386	4 208	6 184	10 671	638
高 知 市	9 052	956	1 236	3 346	3 514	5 162	748
久 留 米 市	14 276	1 237	1 656	4 512	6 871	1 581	272
長 崎 市	6 709	357	741	2 276	3 335	885	54
佐 世 保 市	10 897	577	1 106	4 034	5 180	1 516	136
大 分 市	…	…	…	…	…	…	…
宮 崎 市	15 795	1 120	1 695	5 066	7 914	6 034	524
鹿 児 島 市	14 143	861	1 145	3 999	8 138	10 115	726
那 覇 市	15 052	1 508	2 046	4 948	6 550	576	117
その他政令市(再掲)							
小 樽 市	3 038	151	263	868	1 756	1 212	46
町 田 市	15 494	750	1 094	3 869	9 781	−	−
藤 沢 市	42 698	2 155	2 947	8 427	29 169	−	−
茅 ヶ 崎 市	22 529	1 175	1 483	4 587	15 284	619	161
四 日 市 市	17 025	1 455	1 829	5 412	8 329	3 911	293
大 牟 田 市	2 615	181	248	893	1 293	1 073	137

注：検診回数の初回・非初回については、計数不詳の市区町村があるため、総数と一致しない場合がある。

指定都市・特別区－中核市－その他政令市、検診回数・検診方式・年齢階級別

平成29年度

初回 検診 50～59歳	初回 検診 60～69歳	初回 検診 70歳以上	初回 個別検診 総数	初回 個別検診 40～49歳	初回 個別検診 50～59歳	初回 個別検診 60～69歳	初回 個別検診 70歳以上
964	2 937	3 397	3 639	377	528	1 099	1 635
325	1 292	1 464	1 034	184	224	361	265
682	2 118	1 406	16 917	553	1 127	4 523	10 714
1 424	5 186	7 637	611	-	1	57	553
83	255	251	13 541	1 039	1 487	3 956	7 059
377	849	888	11 236	335	940	3 299	6 662
37	180	229	22 941	1 358	2 282	7 666	11 635
-	-	-	14 219	568	1 008	3 975	8 668
1 991	5 531	5 569	18 123	646	919	3 198	13 360
287	960	799	34 682	2 844	3 657	9 417	18 764
288	1 186	2 247	14 929	1 131	1 422	3 643	8 733
341	843	822	15 554	794	1 096	4 818	8 846
-	-	-	17 284	1 004	1 298	4 093	10 889
-	-	-	-	-	-	-	-
1 704	4 521	9 071	-	-	-	-	-
-	-	-	43 992	2 394	3 343	11 767	26 488
443	1 382	2 476	16 896	703	1 169	4 553	10 471
…	…	…	…	…	…	…	…
437	651	607	10 415	-	1 292	9 123	-
32	116	305	19 520	749	1 165	4 099	13 507
896	2 309	2 560	-	-	-	-	-
-	-	-	16 501	1 646	1 969	4 558	8 328
-	-	-	20 692	1 477	1 919	6 943	10 353
2 556	6 868	7 070	18 967	1	-	2 197	16 769
-	-	-	14 067	816	1 149	4 327	7 775
333	894	743	19 517	1 171	1 364	4 947	12 035
10	31	12	18 254	1 870	2 123	5 585	8 676
500	882	1 100	15 743	955	1 196	3 514	10 078
-	-	-	17 186	1 077	1 512	5 639	8 958
924	2 578	3 564	-	-	-	-	-
724	1 746	2 519	2 319	69	78	196	1 976
154	439	605	10 492	913	1 183	3 031	5 365
35	157	142	26 328	1 700	2 402	6 831	15 395
143	360	306	5 152	440	763	1 867	2 082
121	632	-	19 561	1 431	1 649	5 375	11 106
644	2 315	2 745	12 072	884	1 102	4 078	6 008
486	2 012	2 653	500	27	53	160	260
107	521	914	3 825	175	273	1 063	2 314
-	-	-	31 024	2 050	2 577	9 009	17 388
1 132	3 554	5 347	1 950	205	254	654	837
883	2 132	1 399	3 890	208	353	1 214	2 115
273	645	391	12 695	965	1 383	3 867	6 480
98	368	365	5 824	303	643	1 908	2 970
220	648	512	9 381	441	886	3 386	4 668
…	…	…	…	…	…	…	…
804	2 237	2 469	9 761	596	891	2 829	5 445
916	3 122	5 351	4 028	135	229	877	2 787
145	210	104	14 476	1 391	1 901	4 738	6 446
100	392	674	1 826	105	163	476	1 082
-	-	-	15 494	750	1 094	3 869	9 781
-	-	-	42 698	2 155	2 947	8 427	29 169
99	181	178	21 910	1 014	1 384	4 406	15 106
529	1 241	1 848	13 114	1 162	1 300	4 171	6 481
142	429	365	1 542	44	106	464	928

15(8)－04 がん検診 子宮頸がん

第18－1表（6－1） 子宮頸がん検診受診者数，都道府県

	総									
	総 数							集 団		
	総 数	20～29歳	30～39歳	40～49歳	50～59歳	60～69歳	70歳以上	総 数	20～29歳	30～39歳
全 国	4 289 730	384 911	816 825	951 994	707 908	832 212	595 880	1 224 799	27 480	126 237
北 海 道	173 801	20 996	34 406	37 770	29 174	30 589	20 866	42 864	976	3 816
青 森	49 933	3 138	6 566	9 173	9 206	12 669	9 181	26 928	500	1 625
岩 手	49 467	2 450	6 569	9 028	8 965	13 054	9 401	27 846	1 004	2 660
宮 城	140 588	6 018	21 594	26 456	25 119	35 929	25 472	31 555	641	3 040
秋 田	30 837	1 482	6 560	4 353	4 534	8 156	5 752	16 418	274	1 329
山 形	58 438	1 828	5 345	8 230	9 941	19 962	13 132	42 795	492	2 313
福 島	65 617	3 556	9 117	11 309	11 194	18 015	12 426	18 973	397	1 713
茨 城	102 544	4 469	18 131	24 921	18 912	23 468	12 643	52 015	868	7 556
栃 木	89 293	5 224	15 372	18 556	15 288	21 098	13 755	53 338	990	6 291
群 馬	94 022	5 453	15 392	22 694	16 992	19 786	13 705	30 397	847	3 114
埼 玉	209 807	23 976	51 212	50 715	32 806	31 175	19 923	24 356	608	3 551
千 葉	260 654	13 214	47 404	63 292	43 881	50 923	41 940	82 974	1 693	12 590
東 京	377 041	38 044	83 813	98 328	66 315	52 438	38 103	15 614	777	2 286
神 奈 川	287 872	36 554	66 350	64 064	42 820	41 262	36 822	31 329	642	2 747
新 潟	70 825	5 687	10 688	13 235	11 734	17 278	12 203	31 714	871	2 702
富 山	40 019	2 268	6 290	8 030	6 283	9 473	7 675	17 844	394	1 470
石 川	40 415	3 523	7 927	10 490	7 778	6 925	3 772	18 821	569	2 016
福 井	29 897	4 057	7 491	5 704	4 356	5 053	3 236	10 656	315	903
山 梨	41 404	2 148	5 827	8 532	8 026	10 559	6 312	5 838	67	313
長 野	70 983	4 054	11 162	17 272	13 571	14 854	10 070	19 066	601	2 540
岐 阜	72 427	5 978	14 374	17 649	12 873	14 321	7 232	25 644	761	3 764
静 岡	143 010	9 038	22 473	33 113	26 759	30 941	20 686	39 901	844	4 389
愛 知	250 549	31 759	57 601	60 638	37 996	36 955	25 600	40 804	1 248	5 671
三 重	86 339	8 497	17 509	18 671	14 200	16 937	10 525	26 797	522	3 609
滋 賀	36 730	3 462	7 931	9 504	6 356	6 450	3 027	10 385	249	1 307
京 都	54 419	4 950	9 813	13 799	9 747	9 863	6 247	10 716	172	643
大 阪	248 172	33 055	52 055	65 956	41 280	33 126	22 700	26 223	572	2 746
兵 庫	112 183	8 347	20 980	31 129	18 360	20 157	13 210	26 224	499	2 052
奈 良	35 556	2 771	6 311	8 108	6 546	6 885	4 935	8 488	290	923
和 歌 山	39 420	4 486	8 215	9 394	7 362	6 436	3 527	4 132	67	259
鳥 取	32 140	1 748	5 049	6 209	5 589	7 902	5 643	10 919	212	727
島 根	18 572	2 431	4 200	3 623	3 018	3 298	2 002	5 936	217	651
岡 山	70 534	3 158	8 306	15 569	11 883	17 061	14 557	23 945	445	1 713
広 島	91 121	11 190	18 450	18 270	12 123	17 406	13 682	24 025	180	1 295
山 口	42 313	5 976	9 780	8 217	5 767	6 977	5 596	7 399	213	698
徳 島	22 293	3 097	6 100	4 408	2 970	3 290	2 428	1 861	37	143
香 川	35 371	2 711	5 654	7 441	5 228	7 781	6 556	14 081	507	1 587
愛 媛	40 092	3 067	7 122	5 936	5 356	10 155	8 456	30 774	739	3 542
高 知	17 706	1 009	1 864	3 350	2 684	4 454	4 345	11 604	212	834
福 岡	157 057	19 665	29 871	30 818	22 700	32 064	21 939	65 778	1 350	5 937
佐 賀	42 403	4 564	7 442	7 538	6 366	9 714	6 779	21 877	485	1 673
長 崎	49 584	5 775	10 007	9 042	7 997	10 267	6 496	14 448	242	1 099
熊 本	75 242	5 014	12 609	10 551	11 075	19 518	16 475	44 735	806	4 253
大 分	48 099	2 284	5 755	7 538	6 676	13 118	12 728	29 457	415	2 141
宮 崎	40 347	4 675	8 989	7 174	5 660	8 057	5 792	16 077	326	1 289
鹿 児 島	90 082	4 106	12 160	15 791	15 711	23 993	18 321	65 241	1 769	6 868
沖 縄	54 512	3 959	8 989	10 406	8 731	12 420	10 007	15 987	575	1 849
指定都市・特別区（再掲）										
東京都区部	278 612	29 353	65 104	73 874	48 669	35 019	26 593	9 583	574	1 551
札 幌 市	83 022	14 512	20 664	17 575	12 508	10 424	7 339	－	－	－
仙 台 市	38 098	1 912	7 998	8 268	6 260	7 782	5 878	－	－	－
さいたま市	34 562	3 789	9 221	9 183	5 608	3 848	2 913	－	－	－
千 葉 市	30 567	1 714	5 779	7 739	5 062	5 215	5 058	6 017	231	1 238
横 浜 市	114 924	20 630	34 155	23 084	14 842	12 879	9 334	－	－	－
川 崎 市	37 094	5 837	9 583	8 762	5 179	4 187	3 546	－	－	－
相 模 原 市	29 357	1 854	4 994	7 358	5 146	5 012	4 993	2 730	46	163
新 潟 市	20 597	2 788	4 797	3 982	2 807	3 806	2 417	201	12	24
静 岡 市	19 902	2 375	3 576	4 691	3 552	3 317	2 391	9 250	272	859
浜 松 市	25 475	899	2 206	6 270	5 458	6 344	4 298	711	3	3
名 古 屋 市	93 130	16 694	25 923	23 556	12 627	8 268	6 062	－	－	－
京 都 市	15 153	2 222	3 294	4 293	2 531	1 717	1 096	1 611	－	－
大 阪 市	53 527	9 702	12 929	13 648	8 206	5 329	3 713	－	－	－
堺 市	23 149	2 797	4 277	6 683	3 983	3 031	2 378	433	8	59
神 戸 市	26 712	2 739	4 230	8 462	4 501	3 920	2 860	－	－	－
岡 山 市	18 447	687	1 822	5 504	4 217	3 935	2 282	699	6	42
広 島 市	34 608	5 432	8 506	7 439	4 526	5 244	3 461	3 128	40	157
北 九 州 市	26 267	5 012	6 439	5 840	3 679	3 133	2 164	－	－	－
福 岡 市	47 667	9 877	12 792	9 995	5 896	5 294	3 813	8 849	267	924
熊 本 市	17 949	2 792	5 999	3 075	2 451	2 347	1 285	1 158	10	32

－指定都市・特別区－中核市－その他政令市、検診回数・検診方式・年齢階級別

平成29年度

数										
検　　診				個　　別　　検　　診						
40～49歳	50～59歳	60～69歳	70歳以上	総　数	20～29歳	30～39歳	40～49歳	50～59歳	60～69歳	70歳以上
215 165	199 258	371 661	284 998	3 064 931	357 431	690 588	736 829	508 650	460 551	310 882
7 936	7 914	12 922	9 300	130 937	20 020	30 590	29 834	21 260	17 667	11 566
3 846	4 728	9 065	7 164	23 005	2 638	4 941	5 327	4 478	3 604	2 017
4 448	4 972	8 633	6 129	21 621	1 446	3 909	4 580	3 993	4 421	3 272
3 838	4 901	11 034	8 101	109 033	5 377	18 554	22 618	20 218	24 895	17 371
2 055	2 457	5 950	4 353	14 419	1 208	5 231	2 298	2 077	2 206	1 399
4 923	6 705	17 020	11 342	15 643	1 336	3 032	3 307	3 236	2 942	1 790
2 446	2 786	6 687	4 944	46 644	3 159	7 404	8 863	8 408	11 328	7 482
10 982	9 182	14 783	8 644	50 529	3 601	10 575	13 939	9 730	8 685	3 999
9 636	9 140	16 596	10 685	35 955	4 234	9 081	8 920	6 148	4 502	3 070
5 795	5 115	8 992	6 534	63 625	4 606	12 278	16 899	11 877	10 794	7 171
5 531	4 098	6 585	3 983	185 451	23 368	47 661	45 184	28 708	24 590	15 940
17 843	12 812	20 643	17 393	177 680	11 521	34 814	45 449	31 069	30 280	24 547
4 013	2 949	3 217	2 372	361 427	37 267	81 527	94 315	63 366	49 221	35 731
6 391	4 646	8 323	8 580	256 543	35 912	63 603	57 673	38 174	32 939	28 242
5 226	5 315	10 068	7 532	39 111	4 816	7 986	8 009	6 419	7 210	4 671
2 945	2 401	5 633	5 001	22 175	1 874	4 820	5 085	3 882	3 840	2 674
4 537	3 449	5 113	3 137	21 594	2 954	5 911	5 953	4 329	1 812	635
1 782	1 766	3 298	2 592	19 241	3 742	6 588	3 922	2 590	1 755	644
781	1 112	2 351	1 214	35 566	2 081	5 514	7 751	6 914	8 208	5 098
3 913	3 297	5 000	3 715	51 917	3 453	8 622	13 359	10 274	9 854	6 355
5 585	4 611	6 994	3 929	46 783	5 217	10 610	12 064	8 262	7 327	3 303
8 762	7 514	11 119	7 273	103 109	8 194	18 084	24 351	19 245	19 822	13 413
9 767	6 801	10 236	7 081	209 745	30 511	51 930	50 871	31 195	26 719	18 519
5 101	4 301	7 859	5 405	59 542	7 975	13 900	13 570	9 899	9 078	5 120
2 126	1 965	3 121	1 617	26 345	3 213	6 624	7 378	4 391	3 329	1 410
2 139	2 116	3 158	2 488	43 703	4 778	9 170	11 660	7 631	6 705	3 759
5 810	5 010	7 118	4 967	221 949	32 483	49 309	60 146	36 270	26 008	17 733
5 016	4 549	8 452	5 656	85 959	7 848	18 928	26 113	13 811	11 705	7 554
1 735	1 411	2 364	1 765	27 068	2 481	5 388	6 373	5 135	4 521	3 170
702	755	1 368	981	35 288	4 419	7 956	8 692	6 607	5 068	2 546
1 604	1 869	3 567	2 940	21 221	1 536	4 322	4 605	3 720	4 335	2 703
1 004	1 015	1 763	1 286	12 636	2 214	3 549	2 619	2 003	1 535	716
3 504	3 263	7 298	7 722	46 589	2 713	6 593	12 065	8 620	9 763	6 835
3 738	3 059	7 821	7 932	67 096	11 010	17 155	14 532	9 064	9 585	5 750
1 192	980	2 153	2 163	34 914	5 763	9 082	7 025	4 787	4 824	3 433
186	214	654	627	20 432	3 060	5 957	4 222	2 756	2 636	1 801
2 371	1 906	3 901	3 809	21 290	2 204	4 067	5 070	3 322	3 880	2 747
4 528	4 449	9 332	8 184	9 318	2 328	3 580	1 408	907	823	272
1 448	1 505	3 578	4 027	6 102	797	1 030	1 902	1 179	876	318
11 554	10 290	21 670	14 977	91 279	18 315	23 934	19 264	12 410	10 394	6 962
2 935	3 433	7 688	5 663	20 526	4 079	5 769	4 603	2 933	2 026	1 116
1 919	2 587	5 077	3 524	35 136	5 533	8 908	7 123	5 410	5 190	2 972
5 492	6 416	14 155	13 613	30 507	4 208	8 356	5 059	4 659	5 363	2 862
3 541	3 828	9 385	10 147	18 642	1 869	3 614	3 997	2 848	3 733	2 581
2 367	2 520	5 281	4 294	24 270	4 349	7 700	4 807	3 140	2 776	1 498
9 914	10 797	20 103	15 790	24 841	2 337	5 292	5 877	4 914	3 890	2 531
2 258	2 349	4 533	4 423	38 525	3 384	7 140	8 148	6 382	7 887	5 584
2 527	1 831	1 734	1 366	269 029	28 779	63 553	71 347	46 838	33 285	25 227
–	–	–	–	83 022	14 512	20 664	17 575	12 508	10 424	7 339
–	–	–	–	38 098	1 912	7 998	8 268	6 260	7 782	5 878
–	–	–	–	34 562	3 789	9 221	9 183	5 608	3 848	2 913
1 587	822	1 147	992	24 550	1 483	4 541	6 152	4 240	4 068	4 066
–	–	–	–	114 924	20 630	34 155	23 084	14 842	12 879	9 334
–	–	–	–	37 094	5 837	9 583	8 762	5 179	4 187	3 546
629	472	708	712	26 627	1 808	4 831	6 729	4 674	4 304	4 281
52	54	43	16	20 396	2 776	4 773	3 930	2 753	3 763	2 401
2 333	1 840	2 422	1 524	10 652	2 103	2 717	2 358	1 712	895	867
48	124	260	273	24 764	896	2 203	6 222	5 334	6 084	4 025
–	–	–	–	93 130	16 694	25 923	23 556	12 627	8 268	6 062
507	463	400	241	13 542	2 222	3 294	3 786	2 068	1 317	855
–	–	–	–	53 527	9 702	12 929	13 648	8 206	5 329	3 713
77	60	131	98	22 716	2 789	4 218	6 606	3 923	2 900	2 280
–	–	–	–	26 712	2 739	4 230	8 462	4 501	3 920	2 860
106	111	262	172	17 748	681	1 780	5 398	4 106	3 673	2 110
669	350	894	1 018	31 480	5 392	8 349	6 770	4 176	4 350	2 443
–	–	–	–	26 267	5 012	6 439	5 840	3 679	3 133	2 164
1 995	1 485	2 455	1 723	38 818	9 610	11 868	8 000	4 411	2 839	2 090
132	156	464	364	16 791	2 782	5 967	2 943	2 295	1 883	921

第18－1表（6－2） 子宮頸がん検診受診者数，都道府県

	総									
	総数							集団		
	総数	20～29歳	30～39歳	40～49歳	50～59歳	60～69歳	70歳以上	総数	20～29歳	30～39歳
中核市（再掲）										
旭川市	16 718	926	2 795	4 005	3 141	3 385	2 466	7 428	79	357
函館市	4 974	581	825	1 232	1 043	805	488	149	－	2
青森市	5 439	313	955	1 069	964	1 335	803	2 142	15	76
八戸市	9 729	786	1 340	2 085	1 975	2 025	1 518	4 035	112	285
盛岡市	9 258	482	1 499	2 110	1 872	1 997	1 298	485	4	27
秋田市	7 038	506	2 863	1 134	1 055	910	570	240	－	2
郡山市	8 981	975	2 247	1 905	1 225	1 599	1 030	59	－	3
いわき市	5 411	211	447	855	919	1 649	1 330	995	28	100
宇都宮市	22 861	1 640	4 644	5 073	3 803	4 540	3 161	7 953	130	553
前橋市	21 938	1 430	3 340	5 183	4 052	4 726	3 207	3 011	141	546
高崎市	16 327	824	2 850	4 255	3 000	3 101	2 297	2 885	48	210
川越市	4 546	265	439	1 202	840	1 159	641	－	－	－
越谷市	10 192	947	2 158	2 885	1 940	1 269	993	－	－	－
船橋市	25 923	1 543	5 081	6 310	4 173	4 009	4 807	－	－	－
柏市	14 566	527	2 270	3 167	2 351	3 305	2 946	4 251	138	819
八王子市	18 627	1 203	2 621	4 781	3 331	3 984	2 707	－	－	－
横須賀市	14 698	1 520	2 261	3 059	2 229	2 864	2 765	3 392	22	113
富山市	9 616	391	1 163	2 072	1 627	2 113	2 250	4 276	…	…
金沢市	9 893	785	2 083	3 701	2 603	591	130	2 469	124	439
長野市	10 997	567	1 618	2 950	2 410	2 063	1 389	339	－	49
岐阜市	13 378	2 335	4 111	3 099	1 867	1 328	638	－	－	－
豊橋市	8 359	523	1 228	2 347	1 491	1 701	1 069	1 674	5	17
豊田市	8 082	732	1 437	1 310	1 137	1 985	1 481	－	－	－
岡崎市	9 225	755	1 755	2 061	1 424	1 901	1 329	6 964	394	999
大津市	7 713	957	1 616	2 101	1 433	1 115	491	－	－	－
高槻市	13 953	1 871	3 081	3 716	2 008	1 956	1 321	1 834	33	358
東大阪市	13 977	1 673	2 403	3 604	2 138	2 262	1 897	－	－	－
豊中市	11 094	1 213	2 712	3 232	1 943	1 171	823	918	9	85
枚方市	14 347	1 865	2 993	4 154	2 248	1 883	1 204	－	－	－
姫路市	13 310	230	4 371	5 653	1 258	1 326	472	2 632	9	76
西宮市	6 031	490	1 423	1 874	1 010	708	526	1 577	18	92
尼崎市	3 983	346	635	1 148	736	705	413	－	－	－
奈良市	11 263	851	1 927	2 611	2 304	2 001	1 569	168	－	12
和歌山市	10 914	1 535	2 504	2 903	1 974	1 338	660	－	－	－
倉敷市	21 013	1 308	3 476	4 974	3 195	4 420	3 640	758	16	50
福山市	12 029	890	1 614	2 886	1 974	2 663	2 002	3 805	9	43
呉市	11 105	1 630	2 357	2 437	1 486	1 847	1 348	3 226	6	314
下関市	10 393	1 355	2 169	2 319	1 743	1 583	1 224	557	1	16
高松市	13 012	1 535	2 524	3 315	1 978	2 116	1 544	249	38	6
松山市	13 195	2 403	4 424	1 720	1 258	1 970	1 420	5 747	367	1 237
高知市	5 951	179	350	2 025	1 362	1 385	650	1 739	29	191
久留米市	13 910	1 333	2 522	3 147	2 387	2 882	1 639	2 543	30	146
長崎市	12 577	2 380	3 014	2 662	1 853	1 811	857	882	24	77
佐世保市	10 762	1 586	2 537	2 132	1 549	1 867	1 091	1 309	23	77
大分市	11 293	770	1 979	2 829	1 927	2 357	1 431	2 106	27	283
宮崎市	17 749	2 364	4 413	3 915	2 654	2 775	1 628	2 889	108	150
鹿児島市	27 423	2 129	4 644	5 914	4 850	5 488	4 398	9 005	204	633
那覇市	8 839	652	1 477	1 464	1 350	2 015	1 881	344	12	33
その他政令市（再掲）										
小樽市	2 165	144	185	340	326	508	662	357	3	3
町田市	11 145	929	2 075	3 001	1 834	1 903	1 403	－	－	－
藤沢市	17 831	1 775	3 853	4 694	2 927	2 222	2 360	－	－	－
茅ヶ崎市	4 383	220	786	1 011	747	855	764	943	28	101
四日市市	13 548	1 431	2 371	2 934	2 008	2 650	2 154	3 274	40	167
大牟田市	2 357	261	349	469	348	534	396	999	16	47

注：検診回数の初回・非初回については、計数不詳の市区町村があるため、総数と一致しない場合がある。

－指定都市・特別区－中核市－その他政令市、検診回数・検診方式・年齢階級別

平成29年度

数										
検診				個別検診						
40～49歳	50～59歳	60～69歳	70歳以上	総数	20～29歳	30～39歳	40～49歳	50～59歳	60～69歳	70歳以上
1 175	1 512	2 477	1 828	9 290	847	2 438	2 830	1 629	908	638
11	39	68	29	4 825	581	823	1 221	1 004	737	459
371	419	795	466	3 297	298	879	698	545	540	337
676	739	1 226	997	5 694	674	1 055	1 409	1 236	799	521
50	75	180	149	8 773	478	1 472	2 060	1 797	1 817	1 149
56	53	76	53	6 798	506	2 861	1 078	1 002	834	517
5	7	21	23	8 922	975	2 244	1 900	1 218	1 578	1 007
174	122	322	249	4 416	183	347	681	797	1 327	1 081
1 614	1 460	2 833	1 363	14 908	1 510	4 091	3 459	2 343	1 707	1 798
585	420	840	479	18 927	1 289	2 794	4 598	3 632	3 886	2 728
491	406	895	835	13 442	776	2 640	3 764	2 594	2 206	1 462
-	-	-	-	4 546	265	439	1 202	840	1 159	641
-	-	-	-	10 192	947	2 158	2 885	1 940	1 269	993
-	-	-	-	25 923	1 543	5 081	6 310	4 173	4 009	4 807
865	450	873	1 106	10 315	389	1 451	2 302	1 901	2 432	1 840
-	-	-	-	18 627	1 203	2 621	4 781	3 331	3 984	2 707
443	387	1 042	1 385	11 306	1 498	2 148	2 616	1 842	1 822	1 380
773	657	1 305	1 541	5 340	391	1 163	1 299	970	808	709
935	500	341	130	7 424	661	1 644	2 766	2 103	250	-
64	54	93	79	10 658	567	1 569	2 886	2 356	1 970	1 310
-	-	-	-	13 378	2 335	4 111	3 099	1 867	1 328	638
535	297	491	329	6 685	518	1 211	1 812	1 194	1 210	740
-	-	-	-	8 082	732	1 437	1 310	1 137	1 985	1 481
1 521	1 110	1 744	1 196	2 261	361	756	540	314	157	133
-	-	-	-	7 713	957	1 616	2 101	1 433	1 115	491
540	310	351	242	12 119	1 838	2 723	3 176	1 698	1 605	1 079
-	-	-	-	13 977	1 673	2 403	3 604	2 138	2 262	1 897
167	140	266	251	10 176	1 204	2 627	3 065	1 803	905	572
-	-	-	-	14 347	1 865	2 993	4 154	2 248	1 883	1 204
725	512	863	447	10 678	221	4 295	4 928	746	463	25
405	325	430	307	4 454	472	1 331	1 469	685	278	219
-	-	-	-	3 983	346	635	1 148	736	705	413
28	34	51	43	11 095	851	1 915	2 583	2 270	1 950	1 526
-	-	-	-	10 914	1 535	2 504	2 903	1 974	1 338	660
190	145	222	135	20 255	1 292	3 426	4 784	3 050	4 198	3 505
499	552	1 455	1 247	8 224	881	1 571	2 387	1 422	1 208	755
485	381	1 113	927	7 879	1 624	2 043	1 952	1 105	734	421
23	48	211	258	9 836	1 354	2 153	2 296	1 695	1 372	966
32	31	71	71	12 763	1 497	2 518	3 283	1 947	2 045	1 473
802	662	1 425	1 254	7 448	2 036	3 187	918	596	545	166
319	250	590	360	4 212	150	159	1 706	1 112	795	290
607	497	854	409	11 367	1 303	2 376	2 540	1 890	2 028	1 230
101	123	363	194	11 695	2 356	2 937	2 561	1 730	1 448	663
228	252	485	244	9 453	1 563	2 460	1 904	1 297	1 382	847
224	216	612	744	9 187	743	1 696	2 605	1 711	1 745	687
543	534	928	626	14 860	2 256	4 263	3 372	2 120	1 847	1 002
1 474	1 228	2 806	2 660	18 418	1 925	4 011	4 440	3 622	2 682	1 738
80	78	92	49	8 495	640	1 444	1 384	1 272	1 923	1 832
21	52	126	152	1 808	141	182	319	274	382	510
-	-	-	-	11 145	929	2 075	3 001	1 834	1 903	1 403
-	-	-	-	17 831	1 775	3 853	4 694	2 927	2 222	2 360
295	155	203	161	3 440	192	685	716	592	652	603
338	441	1 030	1 258	10 274	1 391	2 204	2 596	1 567	1 620	896
187	153	346	250	1 358	245	302	282	195	188	146

第18－1表（6－3） 子宮頸がん検診受診者数，都道府県

	初									
	総数							集団		
	総数	20～29歳	30～39歳	40～49歳	50～59歳	60～69歳	70歳以上	総数	20～29歳	30～39歳
全国	**1 375 020**	**249 327**	**359 976**	**305 549**	**181 701**	**172 802**	**105 665**	**268 946**	**17 626**	**50 728**
北海道	82 598	14 189	17 611	17 692	12 101	12 245	8 760	12 759	713	2 016
青森	16 990	2 263	3 358	3 616	2 859	3 104	1 790	6 935	351	784
岩手	7 535	1 137	1 294	1 531	1 261	1 430	882	4 427	516	632
宮城	23 467	3 427	5 750	5 109	3 341	3 754	2 086	3 375	343	740
秋田	9 181	939	2 939	1 543	1 275	1 549	936	3 596	154	481
山形	7 170	901	1 464	1 472	1 116	1 469	748	3 841	242	527
福島	18 179	2 302	3 829	3 581	2 730	3 709	2 028	4 148	283	720
茨城	23 516	2 984	6 828	5 538	3 390	3 382	1 394	8 989	552	2 697
栃木	24 244	3 579	6 479	5 182	3 317	3 690	1 997	12 833	719	2 940
群馬	21 647	3 091	5 284	5 154	3 091	3 102	1 925	6 685	573	1 306
埼玉	73 659	16 873	23 696	14 706	7 484	6 792	4 108	7 731	415	1 702
千葉	53 695	7 642	16 269	12 302	6 843	6 592	4 047	14 334	1 074	4 799
東京	140 119	24 542	39 178	34 777	19 903	13 597	8 122	5 898	608	1 312
神奈川	128 275	28 327	36 630	26 556	15 209	12 152	9 401	6 733	451	1 016
新潟	23 260	3 982	4 977	4 803	3 246	3 919	2 333	7 716	589	1 223
富山	7 995	1 340	2 387	1 461	942	1 223	642	2 474	209	394
石川	13 965	2 603	3 947	3 477	1 974	1 382	582	5 305	425	1 002
福井	12 777	2 700	3 468	2 446	1 840	1 574	749	3 292	216	364
山梨	8 119	1 296	2 083	1 714	1 136	1 273	617	903	37	114
長野	18 396	2 380	4 167	4 475	2 881	2 816	1 677	4 351	378	1 007
岐阜	19 117	3 880	5 355	4 279	2 339	2 265	999	4 470	420	1 160
静岡	36 756	5 752	8 508	8 751	5 255	5 316	3 174	9 484	560	1 739
愛知	103 832	22 888	29 671	23 926	11 604	9 463	6 280	12 634	922	2 735
三重	21 268	4 657	5 935	4 450	2 402	2 506	1 318	4 596	273	1 035
滋賀	16 072	2 601	4 000	4 137	2 379	2 118	837	3 064	180	605
京都	12 234	2 040	3 251	2 968	1 630	1 542	803	1 481	110	222
大阪	118 657	24 793	28 743	29 564	15 964	11 816	7 777	10 128	447	1 581
兵庫	39 154	5 196	9 254	10 904	5 403	5 298	3 099	6 575	323	895
奈良	15 001	2 085	3 461	3 544	2 351	2 224	1 336	3 536	236	566
和歌山	13 499	2 897	3 285	3 003	1 859	1 544	911	922	45	101
鳥取	7 121	931	1 657	1 662	1 123	1 156	592	1 982	117	248
島根	7 136	1 114	1 691	1 533	1 090	1 130	578	2 328	162	345
岡山	17 169	2 252	3 257	4 230	2 524	2 982	1 924	3 789	283	552
広島	34 374	7 110	9 870	6 356	3 536	4 575	2 927	5 470	110	473
山口	17 094	4 089	4 639	3 226	1 729	1 970	1 441	1 931	131	221
徳島	9 361	2 020	2 664	1 744	1 059	1 148	726	554	27	69
香川	11 345	1 838	2 506	2 557	1 540	1 801	1 103	3 532	353	714
愛媛	10 322	1 811	2 512	1 843	1 389	1 813	954	5 382	252	901
高知	5 738	740	998	1 383	882	1 116	619	3 016	134	389
福岡	24 865	3 626	5 519	5 445	3 485	4 468	2 322	14 584	788	2 562
佐賀	15 428	3 112	3 844	3 227	2 118	2 043	1 084	4 668	304	702
長崎	19 937	3 892	5 077	3 883	2 706	2 752	1 627	3 524	184	578
熊本	25 225	4 238	8 120	3 994	3 112	3 551	2 210	8 573	512	1 826
大分	8 698	1 142	1 995	1 629	1 155	1 610	1 167	5 221	279	899
宮崎	15 510	3 277	4 478	2 698	1 818	2 000	1 239	4 142	190	450
鹿児島	21 404	2 681	4 858	4 703	3 421	3 591	2 150	13 283	1 124	2 746
沖縄	13 916	2 168	3 190	2 775	1 889	2 250	1 644	3 752	312	638
指定都市・特別区(再掲)										
東京都区部	100 973	18 152	29 688	25 115	13 952	8 520	5 546	3 969	480	1 029
札幌市	49 802	9 866	10 875	9 642	6 881	7 031	5 507	-	-	-
仙台市	9 877	1 245	2 396	2 496	1 380	1 523	837	-	-	-
さいたま市	7 547	2 002	1 896	1 610	902	646	491	-	-	-
千葉市	10 682	1 156	2 859	2 661	1 555	1 367	1 084	2 066	179	681
横浜市	67 444	17 053	21 658	12 381	7 407	5 402	3 543	-	-	-
川崎市	20 727	4 714	5 833	4 457	2 428	1 831	1 464	-	-	-
相模原市	7 034	991	1 428	1 718	1 022	972	903	562	37	46
新潟市	9 896	2 084	2 447	1 926	1 288	1 416	735	147	11	18
静岡市	8 546	1 698	1 904	1 949	1 138	1 031	826	3 438	206	494
浜松市	5 886	651	880	1 628	958	1 095	674	101	2	1
名古屋市	51 752	12 580	15 218	12 182	5 479	3 520	2 773	-	-	-
京都市	-	-	-	-	-	-	-	-	-	-
大阪市	31 560	7 631	8 038	7 373	4 155	2 578	1 785	-	-	-
堺市	11 018	2 115	2 358	3 072	1 460	1 144	869	152	5	38
神戸市	7 068	1 069	1 202	2 257	963	873	704	-	-	-
岡山市	5 459	579	740	1 605	934	949	652	368	3	30
広島市	14 938	3 238	4 947	2 503	1 424	1 667	1 159	943	27	56
北九州市	…	…	…	…	…	…	…	-	-	-
福岡市	-	-	-	-	-	-	-	-	-	-
熊本市	12 133	2 495	4 898	1 888	1 288	1 029	535	465	7	22

－指定都市・特別区－中核市－その他政令市、検診回数・検診方式・年齢階級別

平成29年度

回										
検診				個別検診						
40～49歳	50～59歳	60～69歳	70歳以上	総数	20～29歳	30～39歳	40～49歳	50～59歳	60～69歳	70歳以上
63 320	**43 759**	**60 126**	**33 387**	**1 106 074**	**231 701**	**309 248**	**242 229**	**137 942**	**112 676**	**72 278**
3 172	2 247	2 935	1 676	69 839	13 476	15 595	14 520	9 854	9 310	7 084
1 523	1 346	1 844	1 087	10 055	1 912	2 574	2 093	1 513	1 260	703
950	796	962	571	3 108	621	662	581	465	468	311
572	515	764	441	20 092	3 084	5 010	4 537	2 826	2 990	1 645
653	635	1 043	630	5 585	785	2 458	890	640	506	306
769	627	1 139	537	3 329	659	937	703	489	330	211
774	600	1 135	636	14 031	2 019	3 109	2 807	2 130	2 574	1 392
2 132	1 340	1 596	672	14 527	2 432	4 131	3 406	2 050	1 786	722
2 944	2 050	2 816	1 364	11 411	2 860	3 539	2 238	1 267	874	633
1 697	1 000	1 335	774	14 962	2 518	3 978	3 457	2 091	1 767	1 151
1 997	1 253	1 593	771	65 928	16 458	21 994	12 709	6 231	5 199	3 337
3 405	1 807	2 211	1 038	39 361	6 568	11 470	8 897	5 036	4 381	3 009
1 738	928	842	470	134 221	23 934	37 866	33 039	18 975	12 755	7 652
1 982	1 009	1 307	968	121 542	27 876	35 614	24 574	14 200	10 845	8 433
1 696	1 252	1 870	1 086	15 544	3 393	3 754	3 107	1 994	2 049	1 247
520	372	648	331	5 521	1 131	1 993	941	570	575	311
1 597	860	960	461	8 660	2 178	2 945	1 880	1 114	422	121
738	623	837	514	9 485	2 484	3 104	1 708	1 217	737	235
206	156	270	120	7 216	1 259	1 969	1 508	980	1 003	497
957	649	857	503	14 045	2 002	3 160	3 518	2 232	1 959	1 174
1 013	648	848	381	14 647	3 460	4 195	3 266	1 691	1 417	618
2 596	1 678	1 965	946	27 272	5 192	6 769	6 155	3 577	3 351	2 228
3 638	1 945	2 215	1 179	91 198	21 966	26 936	20 288	9 659	7 248	5 101
1 007	729	1 020	532	16 672	4 384	4 900	3 443	1 673	1 486	786
753	592	680	254	13 008	2 421	3 395	3 384	1 787	1 438	583
352	259	334	204	10 753	1 930	3 029	2 616	1 371	1 208	599
2 743	2 008	2 255	1 094	108 529	24 346	27 162	26 821	13 956	9 561	6 683
1 677	1 169	1 682	829	32 579	4 873	8 359	9 227	4 234	3 616	2 270
927	600	803	404	11 465	1 849	2 895	2 617	1 751	1 421	932
200	179	238	159	12 577	2 852	3 184	2 803	1 680	1 306	752
507	368	483	259	5 139	814	1 409	1 155	755	673	333
481	401	604	335	4 808	952	1 346	1 052	689	526	243
815	581	958	600	13 380	1 969	2 705	3 415	1 943	2 024	1 324
1 358	817	1 619	1 093	28 904	7 000	9 397	4 998	2 719	2 956	1 834
459	277	493	350	15 163	3 958	4 418	2 767	1 452	1 477	1 091
83	78	162	135	8 807	1 993	2 595	1 661	981	986	591
677	502	794	492	7 813	1 485	1 792	1 880	1 038	1 007	611
1 098	905	1 400	826	4 940	1 559	1 611	745	484	413	128
625	476	847	545	2 722	606	609	758	406	269	74
3 574	2 381	3 586	1 693	10 281	2 838	2 957	1 871	1 104	882	629
960	798	1 258	646	10 760	2 808	3 142	2 267	1 320	785	438
712	652	924	474	16 413	3 708	4 499	3 171	2 054	1 828	1 153
1 503	1 314	1 992	1 426	16 652	3 726	6 294	2 491	1 798	1 559	784
1 044	777	1 298	924	3 477	863	1 096	585	378	312	243
889	744	1 141	728	11 368	3 087	4 028	1 809	1 074	859	511
2 955	2 223	2 685	1 550	8 121	1 557	2 112	1 748	1 198	906	600
652	593	878	679	10 164	1 856	2 552	2 123	1 296	1 372	965
1 172	577	438	273	97 004	17 672	28 659	23 943	13 375	8 082	5 273
-	-	-	-	49 802	9 866	10 875	9 642	6 881	7 031	5 507
-	-	-	-	9 877	1 245	2 396	2 496	1 380	1 523	837
-	-	-	-	7 547	2 002	1 896	1 610	902	646	491
586	251	246	123	8 616	977	2 178	2 075	1 304	1 121	961
-	-	-	-	67 444	17 053	21 658	12 381	7 407	5 402	3 543
-	-	-	-	20 727	4 714	5 833	4 457	2 428	1 831	1 464
206	105	108	60	6 472	954	1 382	1 512	917	864	843
44	42	26	6	9 749	2 073	2 429	1 882	1 246	1 390	729
1 003	595	727	413	5 108	1 492	1 410	946	543	304	413
15	21	42	20	5 785	649	879	1 613	937	1 053	654
-	-	-	-	51 752	12 580	15 218	12 182	5 479	3 520	2 773
-	-	-	-	-	-	-	-	-	-	-
-	-	-	-	31 560	7 631	8 038	7 373	4 155	2 578	1 785
43	23	29	14	10 866	2 110	2 320	3 029	1 437	1 115	855
-	-	-	-	7 068	1 069	1 202	2 257	963	873	704
67	57	139	72	5 091	576	710	1 538	877	810	580
232	126	232	270	13 995	3 211	4 891	2 271	1 298	1 435	889
-	-	-	-	…	…	…	…	…	…	…
-	-	-	-	-	-	-	-	-	-	-
86	89	163	98	11 668	2 488	4 876	1 802	1 199	866	437

15(8)－04 がん検診 子宮頸がん

第18－1表（6－4） 子宮頸がん検診受診者数，都道府県

| | 初 | | | | | | | | |
| | 総 | 数 | | | | | | 集 | 団 |
	総　数	20～29歳	30～39歳	40～49歳	50～59歳	60～69歳	70歳以上	総　数	20～29歳	30～39歳
中核市（再掲）										
旭 川 市	4 474	685	1 090	1 119	664	518	398	1 205	56	127
函 館 市	2 430	423	431	591	437	330	218	37	-	1
青 森 市	2 541	282	665	534	408	431	221	752	14	56
八 戸 市	2 831	536	517	667	472	403	236	1 007	84	133
盛 岡 市	1 032	179	172	216	146	191	128	33	1	2
秋 田 市	3 445	332	1 610	552	458	299	194	126	-	2
郡 山 市	3 830	662	1 048	805	472	574	269	20	-	3
い わ き 市	2 224	176	261	426	327	612	422	518	26	85
宇 都 宮 市	6 643	966	1 632	1 447	954	1 073	571	2 337	95	262
前 橋 市	4 350	739	1 049	988	607	579	388	698	80	194
高 崎 市	4 111	457	1 080	972	584	626	392	644	38	97
川 越 市	1 165	185	141	311	165	216	147	-	-	-
越 谷 市	2 125	477	601	471	212	191	173	-	-	-
船 橋 市	-	-	-	-	-	-	-	-	-	-
柏 市	2 798	364	985	575	324	388	162	1 004	121	462
八 王 子 市	5 125	830	1 002	1 286	695	901	411	-	-	-
横 須 賀 市	5 158	1 074	1 155	1 143	668	642	476	617	16	46
富 山 市	…	…	…	…	…	…	…	…	…	…
金 沢 市	4 605	605	1 170	1 610	907	258	55	1 481	115	342
長 野 市	3 038	396	653	774	507	407	301	135	-	27
岐 阜 市	5 240	1 588	1 700	1 093	432	292	135	-	-	-
豊 橋 市	2 912	353	516	803	438	520	282	560	3	7
豊 田 市	2 101	452	464	351	242	313	279	-	-	-
岡 崎 市	4 031	597	1 043	991	526	582	292	2 783	315	582
大 津 市	4 205	753	943	1 063	635	583	228	-	-	-
高 槻 市	6 864	1 446	1 685	1 666	834	711	522	808	25	219
東 大 阪 市	5 918	1 252	1 215	1 454	755	700	542	-	-	-
豊 中 市	4 851	813	1 348	1 371	652	375	292	342	8	60
枚 方 市	5 565	1 214	1 476	1 509	563	458	345	-	-	-
姫 路 市	5 405	227	2 143	1 833	420	688	94	843	8	41
西 宮 市	2 993	456	464	968	565	299	241	742	16	42
尼 崎 市	2 505	308	477	749	434	372	165	-	-	-
奈 良 市	3 998	606	954	945	603	484	406	61	-	9
和 歌 山 市	4 921	1 041	1 190	1 251	680	481	278	-	-	-
倉 敷 市	5 078	799	1 179	1 217	639	762	482	190	11	25
福 山 市	4 178	622	806	1 095	575	675	405	861	9	29
呉 市	3 278	892	817	656	309	367	237	581	3	102
下 関 市	3 878	873	1 082	798	414	390	321	66	-	9
高 松 市	4 985	1 014	1 030	1 264	658	619	400	107	37	4
松 山 市	5 737	1 386	1 652	869	649	801	380	1 648	75	214
高 知 市	2 292	159	200	816	491	480	146	744	25	128
久 留 米 市	4 233	912	1 106	952	535	484	244	528	18	52
長 崎 市	6 422	1 640	1 540	1 292	797	753	400	372	17	42
佐 世 保 市	3 896	922	1 024	757	425	448	320	434	22	57
大 分 市	…	…	…	…	…	…	…	…	…	…
宮 崎 市	6 864	1 602	2 031	1 282	800	726	423	971	73	75
鹿 児 島 市	9 304	1 447	2 029	2 131	1 387	1 406	904	2 889	168	403
那 覇 市	2 313	404	479	413	303	381	333	111	10	11
その他政令市（再掲）										
小 樽 市	1 161	121	125	202	146	238	329	113	-	-
町 田 市	4 344	624	1 073	1 189	526	524	408	-	-	-
藤 沢 市	6 157	1 223	1 696	1 444	705	517	572	-	-	-
茅 ヶ 崎 市	1 671	171	430	422	246	228	174	383	22	76
四 日 市 市	3 135	817	838	858	187	281	154	317	21	53
大 牟 田 市	1 191	214	231	229	151	207	159	413	14	27

注：検診回数の初回・非初回については、計数不詳の市区町村があるため、総数と一致しない場合がある。

268

－指定都市・特別区－中核市－その他政令市、検診回数・検診方式・年齢階級別

平成29年度

				回						
検　　　診				個　　　別　　　検　　　診						
40～49歳	50～59歳	60～69歳	70歳以上	総　　数	20～29歳	30～39歳	40～49歳	50～59歳	60～69歳	70歳以上
307	259	296	160	3 269	629	963	812	405	222	238
6	11	17	2	2 393	423	430	585	426	313	216
183	171	227	101	1 789	268	609	351	237	204	120
249	208	221	112	1 824	452	384	418	264	182	124
10	3	6	11	999	178	170	206	143	185	117
38	36	27	23	3 319	332	1 608	514	422	272	171
1	3	9	4	3 810	662	1 045	804	469	565	265
123	57	148	79	1 706	150	176	303	270	464	343
560	452	722	246	4 306	871	1 370	887	502	351	325
169	84	128	43	3 652	659	855	819	523	451	345
171	90	155	93	3 467	419	983	801	494	471	299
–	–	–	–	1 165	185	141	311	165	216	147
–	–	–	–	2 125	477	601	471	212	191	173
–	–	–	–	–	–	–	–	–	–	–
162	79	139	41	1 794	243	523	413	245	249	121
–	–	–	–	5 125	830	1 002	1 286	695	901	411
133	88	165	169	4 541	1 058	1 109	1 010	580	477	307
…	…	…	…	…	…	…	…	…	…	…
567	247	155	55	3 124	490	828	1 043	660	103	–
40	21	33	14	2 903	396	626	734	486	374	287
–	–	–	–	5 240	1 588	1 700	1 093	432	292	135
239	91	150	70	2 352	350	509	564	347	370	212
–	–	–	–	2 101	452	464	351	242	313	279
723	398	526	239	1 248	282	461	268	128	56	53
–	–	–	–	4 205	753	943	1 063	635	583	228
257	137	109	61	6 056	1 421	1 466	1 409	697	602	461
–	–	–	–	5 918	1 252	1 215	1 454	755	700	542
86	54	74	60	4 509	805	1 288	1 285	598	301	232
–	–	–	–	5 565	1 214	1 476	1 509	563	458	345
252	164	293	85	4 562	219	2 102	1 581	256	395	9
219	175	175	115	2 251	440	422	749	390	124	126
–	–	–	–	2 505	308	477	749	434	372	165
14	13	21	4	3 937	606	945	931	590	463	402
–	–	–	–	4 921	1 041	1 190	1 251	680	481	278
66	37	47	4	4 888	788	1 154	1 151	602	715	478
228	152	292	151	3 317	613	777	867	423	383	254
138	76	164	98	2 697	889	715	518	233	203	139
7	10	24	16	3 812	873	1 073	791	404	366	305
12	14	14	26	4 878	977	1 026	1 252	644	605	374
317	276	476	290	4 089	1 311	1 438	552	373	325	90
157	106	242	86	1 548	134	72	659	385	238	60
175	109	129	45	3 705	894	1 054	777	426	355	199
62	61	120	70	6 050	1 623	1 498	1 230	736	633	330
99	84	114	58	3 462	900	967	658	341	334	262
…	…	…	…	…	…	…	…	…	…	…
239	211	255	118	5 893	1 529	1 956	1 043	589	471	305
770	452	688	408	6 415	1 279	1 626	1 361	935	718	496
26	27	26	11	2 202	394	468	387	276	355	322
11	13	42	47	1 048	121	125	191	133	196	282
–	–	–	–	4 344	624	1 073	1 189	526	524	408
–	–	–	–	6 157	1 223	1 696	1 444	705	517	572
150	55	55	25	1 288	149	354	272	191	173	149
48	45	77	73	2 818	796	785	810	142	204	81
95	61	129	87	778	200	204	134	90	78	72

第18－1表（6－5） 子宮頸がん検診受診者数，都道府県

	非									
	総数							集団		
	総数	20～29歳	30～39歳	40～49歳	50～59歳	60～69歳	70歳以上	総数	20～29歳	30～39歳
全国	**2 681 086**	**105 269**	**407 667**	**593 929**	**489 644**	**622 095**	**462 482**	**918 768**	**9 116**	**72 331**
北海道	85 595	6 004	15 823	18 876	16 134	17 363	11 395	28 689	231	1 707
青森	31 249	759	2 961	5 237	6 033	9 162	7 097	19 043	127	745
岩手	41 293	1 265	5 187	7 394	7 584	11 452	8 411	22 848	456	1 954
宮城	117 121	2 591	15 844	21 347	21 778	32 175	23 386	28 180	298	2 300
秋田	21 073	536	3 579	2 745	3 176	6 419	4 618	12 822	120	848
山形	40 789	483	2 678	5 171	7 102	15 180	10 175	31 134	135	1 056
福島	46 172	1 183	5 127	7 537	8 194	13 942	10 189	14 825	114	993
茨城	79 028	1 485	11 303	19 383	15 522	20 086	11 249	43 026	316	4 859
栃木	64 943	1 639	8 870	13 354	11 961	17 366	11 753	40 505	271	3 351
群馬	72 335	2 355	10 094	17 531	13 896	16 679	11 780	23 712	274	1 808
埼玉	136 148	7 103	27 516	36 009	25 322	24 383	15 815	16 625	193	1 849
千葉	180 475	4 007	25 977	44 555	32 751	40 194	32 991	68 079	597	7 714
東京	194 251	8 155	35 550	52 519	38 747	33 178	26 102	9 166	159	842
神奈川	159 586	8 227	29 717	37 504	27 607	29 110	27 421	24 596	191	1 731
新潟	47 565	1 705	5 711	8 432	8 488	13 359	9 870	23 998	282	1 479
富山	21 242	476	2 575	4 328	3 522	5 782	4 559	11 094	185	1 076
石川	26 274	871	3 887	6 979	5 804	5 543	3 190	13 516	144	1 014
福井	17 120	1 357	4 023	3 258	2 516	3 479	2 487	7 364	99	539
山梨	30 547	710	3 398	6 336	6 337	8 512	5 254	4 907	29	197
長野	45 553	1 304	5 827	11 085	9 503	10 518	7 316	13 028	176	1 301
岐阜	53 310	2 098	9 019	13 370	10 534	12 056	6 233	21 174	341	2 604
静岡	104 527	3 203	13 736	24 066	21 120	25 176	17 226	29 935	279	2 620
愛知	142 913	8 482	27 172	35 794	25 762	26 769	18 934	27 716	296	2 857
三重	63 022	3 016	10 434	14 137	11 797	14 431	9 207	22 201	249	2 574
滋賀	20 658	861	3 931	5 367	3 977	4 332	2 190	7 321	69	702
京都	27 032	688	3 268	6 538	5 586	6 604	4 348	7 624	62	421
大阪	129 515	8 262	23 312	36 392	25 316	21 310	14 923	16 095	125	1 165
兵庫	68 438	2 859	11 416	19 434	12 207	13 254	9 268	16 065	128	972
奈良	20 555	686	2 850	4 564	4 195	4 661	3 599	4 952	54	357
和歌山	25 921	1 589	4 930	6 391	5 503	4 892	2 616	3 210	22	158
鳥取	25 019	817	3 392	4 547	4 466	6 746	5 051	8 937	95	479
島根	7 487	555	1 522	1 274	1 234	1 712	1 190	3 608	55	306
岡山	53 365	906	5 049	11 339	9 359	14 079	12 633	20 156	162	1 161
広島	56 712	4 071	8 569	11 910	8 585	12 827	10 750	18 544	70	822
山口	25 219	1 887	5 141	4 991	4 038	5 007	4 155	5 468	82	477
徳島	12 932	1 077	3 436	2 664	1 911	2 142	1 702	1 307	10	74
香川	24 026	873	3 148	4 884	3 688	5 980	5 453	10 549	154	873
愛媛	29 770	1 256	4 610	4 093	3 967	8 342	7 502	25 392	487	2 641
高知	11 960	266	861	1 967	1 802	3 338	3 726	8 588	78	445
福岡	57 817	1 112	5 075	9 479	9 580	19 022	13 549	41 983	291	2 422
佐賀	26 975	1 452	3 598	4 311	4 248	7 671	5 695	17 209	181	971
長崎	29 647	1 883	4 930	5 159	5 291	7 515	4 869	10 924	58	521
熊本	50 017	776	4 489	6 557	7 963	15 967	14 265	36 162	294	2 427
大分	28 091	355	1 781	3 080	3 594	9 151	10 130	22 130	109	959
宮崎	24 790	1 397	4 503	4 472	3 836	6 042	4 540	11 891	135	834
鹿児島	68 678	1 425	7 302	11 088	12 290	20 402	16 171	51 958	645	4 122
沖縄	34 331	1 202	4 546	6 481	5 818	8 785	7 499	10 512	188	1 004
指定都市・特別区(再掲)										
東京都区部	140 510	6 193	27 222	39 210	28 070	22 012	17 803	5 614	94	522
札幌市	33 220	4 646	9 789	7 933	5 627	3 393	1 832	-	-	-
仙台市	28 221	667	5 602	5 772	4 880	6 259	5 041	-	-	-
さいたま市	27 015	1 787	7 325	7 573	4 706	3 202	2 422	-	-	-
千葉市	19 885	558	2 920	5 078	3 507	3 848	3 974	3 951	52	557
横浜市	47 480	3 577	12 497	10 703	7 435	7 477	5 791	-	-	-
川崎市	16 367	1 123	3 750	4 305	2 751	2 356	2 082	-	-	-
相模原市	22 323	863	3 566	5 640	4 124	4 040	4 090	2 168	9	117
新潟市	10 701	704	2 350	2 056	1 519	2 390	1 682	54	1	6
静岡市	11 356	677	1 672	2 742	2 414	2 286	1 565	5 812	66	365
浜松市	19 589	248	1 326	4 642	4 500	5 249	3 624	610	1	2
名古屋市	41 378	4 114	10 705	11 374	7 148	4 748	3 289	-	-	-
京都市	-	-	-	-	-	-	-	-	-	-
大阪市	21 967	2 071	4 891	6 275	4 051	2 751	1 928	-	-	-
堺市	12 131	682	1 919	3 611	2 523	1 887	1 509	281	3	21
神戸市	19 644	1 670	3 028	6 205	3 538	3 047	2 156	-	-	-
岡山市	12 988	108	1 082	3 899	3 283	2 986	1 630	331	3	12
広島市	19 670	2 194	3 559	4 936	3 102	3 577	2 302	2 185	13	101
北九州市	…	…	…	…	…	…	…	…	…	…
福岡市	-	-	-	-	-	-	-	-	-	-
熊本市	5 816	297	1 101	1 187	1 163	1 318	750	693	3	10

－指定都市・特別区－中核市－その他政令市、検診回数・検診方式・年齢階級別

平成29年度

初回										
検診				個別検診						
40～49歳	50～59歳	60～69歳	70歳以上	総数	20～29歳	30～39歳	40～49歳	50～59歳	60～69歳	70歳以上
145 079	**149 414**	**300 097**	**242 731**	**1 762 318**	**96 153**	**335 336**	**448 850**	**340 230**	**321 998**	**219 751**
4 516	5 471	9 551	7 213	56 906	5 773	14 116	14 360	10 663	7 812	4 182
2 183	3 209	6 959	5 820	12 206	632	2 216	3 054	2 824	2 203	1 277
3 410	4 065	7 506	5 457	18 445	809	3 233	3 984	3 519	3 946	2 954
3 266	4 386	10 270	7 660	88 941	2 293	13 544	18 081	17 392	21 905	15 726
1 402	1 822	4 907	3 723	8 251	416	2 731	1 343	1 354	1 512	895
3 031	4 863	13 092	8 957	9 655	348	1 622	2 140	2 239	2 088	1 218
1 672	2 186	5 552	4 308	31 347	1 069	4 134	5 865	6 008	8 390	5 881
8 850	7 842	13 187	7 972	36 002	1 169	6 444	10 533	7 680	6 899	3 277
6 692	7 090	13 780	9 321	24 438	1 368	5 519	6 662	4 871	3 586	2 432
4 098	4 115	7 657	5 760	48 623	2 081	8 286	13 433	9 781	9 022	6 020
3 534	2 845	4 992	3 212	119 523	6 910	25 667	32 475	22 477	19 391	12 603
14 313	10 891	18 304	16 260	112 396	3 410	18 263	30 242	21 860	21 890	16 731
2 090	1 922	2 285	1 868	185 085	7 996	34 708	50 429	36 825	30 893	24 234
4 409	3 637	7 016	7 612	134 990	8 036	27 986	33 095	23 970	22 094	19 809
3 530	4 063	8 198	6 446	23 567	1 423	4 232	4 902	4 425	5 161	3 424
1 652	1 372	3 680	3 129	10 148	291	1 499	2 676	2 150	2 102	1 430
2 940	2 589	4 153	2 676	12 758	727	2 873	4 039	3 215	1 390	514
1 044	1 143	2 461	2 078	9 756	1 258	3 484	2 214	1 373	1 018	409
568	951	2 070	1 092	25 640	681	3 201	5 768	5 386	6 442	4 162
2 638	2 394	3 704	2 815	32 525	1 128	4 526	8 447	7 109	6 814	4 501
4 572	3 963	6 146	3 548	32 136	1 757	6 415	8 798	6 571	5 910	2 685
6 111	5 709	9 008	6 208	74 592	2 924	11 116	17 955	15 411	16 168	11 018
6 031	4 776	7 898	5 858	115 197	8 186	24 315	29 763	20 986	18 871	13 076
4 094	3 572	6 839	4 873	40 821	2 767	7 860	10 043	8 225	7 592	4 334
1 373	1 373	2 441	1 363	13 337	792	3 229	3 994	2 604	1 891	827
1 280	1 394	2 424	2 043	19 408	626	2 847	5 258	4 192	4 180	2 305
3 067	3 002	4 863	3 873	113 420	8 137	22 147	33 325	22 314	16 447	11 050
2 769	2 789	5 338	4 069	52 373	2 731	10 444	16 665	9 418	7 916	5 199
808	811	1 561	1 361	15 603	632	2 493	3 756	3 384	3 100	2 238
502	576	1 130	822	22 711	1 567	4 772	5 889	4 927	3 762	1 794
1 097	1 501	3 084	2 681	16 082	722	2 913	3 450	2 965	3 662	2 370
523	614	1 159	951	3 879	500	1 216	751	620	553	239
2 689	2 682	6 340	7 122	33 209	744	3 888	8 650	6 677	7 739	5 511
2 377	2 240	6 198	6 837	38 168	4 001	7 747	9 533	6 345	6 629	3 913
733	703	1 660	1 813	19 751	1 805	4 664	4 258	3 335	3 347	2 342
103	136	492	492	11 625	1 067	3 362	2 561	1 775	1 650	1 210
1 694	1 404	3 107	3 317	13 477	719	2 275	3 190	2 284	2 873	2 136
3 430	3 544	7 932	7 358	4 378	769	1 969	663	423	410	144
823	1 029	2 731	3 482	3 372	188	416	1 144	773	607	244
5 940	6 366	15 492	11 472	15 834	821	2 653	3 539	3 214	3 530	2 077
1 975	2 635	6 430	5 017	9 766	1 271	2 627	2 336	1 613	1 241	678
1 207	1 935	4 153	3 050	18 723	1 825	4 409	3 952	3 356	3 362	1 819
3 989	5 102	12 163	12 187	13 855	482	2 062	2 568	2 861	3 804	2 078
2 273	2 835	7 475	8 479	5 961	246	822	807	759	1 676	1 651
1 474	1 770	4 125	3 553	12 899	1 262	3 669	2 998	2 066	1 917	987
6 959	8 574	17 418	14 240	16 720	780	3 180	4 129	3 716	2 984	1 931
1 348	1 523	3 166	3 283	23 819	1 014	3 542	5 133	4 295	5 619	4 216
1 355	1 254	1 296	1 093	134 896	6 099	26 700	37 855	26 816	20 716	16 710
-	-	-	-	33 220	4 646	9 789	7 933	5 627	3 393	1 832
-	-	-	-	28 221	667	5 602	5 772	4 880	6 259	5 041
-	-	-	-	27 015	1 787	7 325	7 573	4 706	3 202	2 422
1 001	571	901	869	15 934	506	2 363	4 077	2 936	2 947	3 105
-	-	-	-	47 480	3 577	12 497	10 703	7 435	7 477	5 791
-	-	-	-	16 367	1 123	3 750	4 305	2 751	2 356	2 082
423	367	600	652	20 155	854	3 449	5 217	3 757	3 440	3 438
8	12	17	10	10 647	703	2 344	2 048	1 507	2 373	1 672
1 330	1 245	1 695	1 111	5 544	611	1 307	1 412	1 169	591	454
33	103	218	253	18 979	247	1 324	4 609	4 397	5 031	3 371
-	-	-	-	41 378	4 114	10 705	11 374	7 148	4 748	3 289
-	-	-	-	-	-	-	-	-	-	-
-	-	-	-	21 967	2 071	4 891	6 275	4 051	2 751	1 928
34	37	102	84	11 850	679	1 898	3 577	2 486	1 785	1 425
-	-	-	-	19 644	1 670	3 028	6 205	3 538	3 047	2 156
39	54	123	100	12 657	105	1 070	3 860	3 229	2 863	1 530
437	224	662	748	17 485	2 181	3 458	4 499	2 878	2 915	1 554
-	-	-	-	…	…	…	…	…	…	…
-	-	-	-	-	-	-	-	-	-	-
46	67	301	266	5 123	294	1 091	1 141	1 096	1 017	484

15(8)－04 がん検診 子宮頸がん

第18－1表（6－6） 子宮頸がん検診受診者数，都道府県

	非									集 団
	総 数							集		団
	総 数	20～29歳	30～39歳	40～49歳	50～59歳	60～69歳	70歳以上	総 数	20～29歳	30～39歳
中核市（再掲）										
旭 川 市	12 244	241	1 705	2 886	2 477	2 867	2 068	6 223	23	230
函 館 市	2 544	158	394	641	606	475	270	112	－	1
青 森 市	2 898	31	290	535	556	904	582	1 390	1	20
八 戸 市	6 898	250	823	1 418	1 503	1 622	1 282	3 028	28	152
盛 岡 市	8 226	303	1 327	1 894	1 726	1 806	1 170	452	3	25
秋 田 市	3 593	174	1 253	582	597	611	376	114	－	－
郡 山 市	5 151	313	1 199	1 100	753	1 025	761	39	－	－
い わ き 市	3 187	35	186	429	592	1 037	908	477	2	15
宇 都 宮 市	16 218	674	3 012	3 626	2 849	3 467	2 590	5 616	35	291
前 橋 市	17 588	691	2 291	4 195	3 445	4 147	2 819	2 313	61	352
高 崎 市	12 216	367	1 770	3 283	2 416	2 475	1 905	2 241	10	113
川 越 市	3 381	80	298	891	675	943	494	－	－	－
越 谷 市	8 067	470	1 557	2 414	1 728	1 078	820	－	－	－
船 橋 市	－	－	－	－	－	－	－	－	－	－
柏 市	11 768	163	1 285	2 592	2 027	2 917	2 784	3 247	17	357
八 王 子 市	13 502	373	1 619	3 495	2 636	3 083	2 296	－	－	－
横 須 賀 市	9 540	446	1 106	1 916	1 561	2 222	2 289	2 775	6	67
富 山 市	…	…	…	…	…	…	…	…	…	…
金 沢 市	5 288	180	913	2 091	1 696	333	75	988	9	97
長 野 市	7 959	171	965	2 176	1 903	1 656	1 088	204	－	22
岐 阜 市	8 138	747	2 411	2 006	1 435	1 036	503	－	－	－
豊 橋 市	5 447	170	712	1 544	1 053	1 181	787	1 114	2	10
豊 田 市	5 981	280	973	959	895	1 672	1 202	－	－	－
岡 崎 市	5 194	158	712	1 070	898	1 319	1 037	4 181	79	417
大 津 市	3 508	204	673	1 038	798	532	263	－	－	－
高 槻 市	7 089	425	1 396	2 050	1 174	1 245	799	1 026	8	139
東 大 阪 市	8 059	421	1 188	2 150	1 383	1 562	1 355	－	－	－
豊 中 市	6 243	400	1 364	1 861	1 291	796	531	576	1	25
枚 方 市	8 782	651	1 517	2 645	1 685	1 425	859	－	－	－
姫 路 市	7 905	3	2 228	3 820	838	638	378	1 789	1	35
西 宮 市	3 038	34	959	906	445	409	285	835	2	50
尼 崎 市	1 478	38	158	399	302	333	248	－	－	－
奈 良 市	7 265	245	973	1 666	1 701	1 517	1 163	107	－	3
和 歌 山 市	5 993	494	1 314	1 652	1 294	857	382	－	－	－
倉 敷 市	15 935	509	2 297	3 757	2 556	3 658	3 158	568	5	25
福 山 市	7 851	268	808	1 791	1 399	1 988	1 597	2 944	－	14
呉 市	7 827	738	1 540	1 781	1 177	1 480	1 111	2 645	3	212
下 関 市	6 515	482	1 087	1 521	1 329	1 193	903	491	1	7
高 松 市	8 027	521	1 494	2 051	1 320	1 497	1 144	142	1	2
松 山 市	7 458	1 017	2 772	851	609	1 169	1 040	4 099	292	1 023
高 知 市	3 659	20	150	1 209	871	905	504	995	4	63
久 留 米 市	9 677	421	1 416	2 195	1 852	2 398	1 395	2 015	12	94
長 崎 市	6 155	740	1 474	1 370	1 056	1 058	457	510	7	35
佐 世 保 市	6 866	664	1 513	1 375	1 124	1 419	771	875	1	20
大 分 市	…	…	…	…	…	…	…	…	…	…
宮 崎 市	10 885	762	2 382	2 633	1 854	2 049	1 205	1 918	35	75
鹿 児 島 市	18 119	682	2 615	3 783	3 463	4 082	3 494	6 116	36	230
那 覇 市	6 526	248	998	1 051	1 047	1 634	1 548	233	2	22
その他政令市（再掲）										
小 樽 市	1 004	23	60	138	180	270	333	244	3	3
町 田 市	6 801	305	1 002	1 812	1 308	1 379	995	－	－	－
藤 沢 市	11 674	552	2 157	3 250	2 222	1 705	1 788	－	－	－
茅 ヶ 崎 市	2 712	49	356	589	501	627	590	560	6	25
四 日 市 市	10 413	614	1 533	2 076	1 821	2 369	2 000	2 957	19	114
大 牟 田 市	1 166	47	118	240	197	327	237	586	2	20

注：検診回数の初回・非初回については、計数不詳の市区町村があるため、総数と一致しない場合がある。

－指定都市・特別区－中核市－その他政令市、検診回数・検診方式・年齢階級別

平成29年度

初				回						
検　診				個　別　検　診						
40～49歳	50～59歳	60～69歳	70歳以上	総　数	20～29歳	30～39歳	40～49歳	50～59歳	60～69歳	70歳以上
868	1 253	2 181	1 668	6 021	218	1 475	2 018	1 224	686	400
5	28	51	27	2 432	158	393	636	578	424	243
188	248	568	365	1 508	30	270	347	308	336	217
427	531	1 005	885	3 870	222	671	991	972	617	397
40	72	174	138	7 774	300	1 302	1 854	1 654	1 632	1 032
18	17	49	30	3 479	174	1 253	564	580	562	346
4	4	12	19	5 112	313	1 199	1 096	749	1 013	742
51	65	174	170	2 710	33	171	378	527	863	738
1 054	1 008	2 111	1 117	10 602	639	2 721	2 572	1 841	1 356	1 473
416	336	712	436	15 275	630	1 939	3 779	3 109	3 435	2 383
320	316	740	742	9 975	357	1 657	2 963	2 100	1 735	1 163
–	–	–	–	3 381	80	298	891	675	943	494
–	–	–	–	8 067	470	1 557	2 414	1 728	1 078	820
–	–	–	–	–	–	–	–	–	–	–
703	371	734	1 065	8 521	146	928	1 889	1 656	2 183	1 719
–	–	–	–	13 502	373	1 619	3 495	2 636	3 083	2 296
310	299	877	1 216	6 765	440	1 039	1 606	1 262	1 345	1 073
…	…	…	…	…	…	…	…	…	…	…
368	253	186	75	4 300	171	816	1 723	1 443	147	–
24	33	60	65	7 755	171	943	2 152	1 870	1 596	1 023
–	–	–	–	8 138	747	2 411	2 006	1 435	1 036	503
296	206	341	259	4 333	168	702	1 248	847	840	528
–	–	–	–	5 981	280	973	959	895	1 672	1 202
798	712	1 218	957	1 013	79	295	272	186	101	80
–	–	–	–	3 508	204	673	1 038	798	532	263
283	173	242	181	6 063	417	1 257	1 767	1 001	1 003	618
–	–	–	–	8 059	421	1 188	2 150	1 383	1 562	1 355
81	86	192	191	5 667	399	1 339	1 780	1 205	604	340
–	–	–	–	8 782	651	1 517	2 645	1 685	1 425	859
473	348	570	362	6 116	2	2 193	3 347	490	68	16
186	150	255	192	2 203	32	909	720	295	154	93
–	–	–	–	1 478	38	158	399	302	333	248
14	21	30	39	7 158	245	970	1 652	1 680	1 487	1 124
–	–	–	–	5 993	494	1 314	1 652	1 294	857	382
124	108	175	131	15 367	504	2 272	3 633	2 448	3 483	3 027
271	400	1 163	1 096	4 907	268	794	1 520	999	825	501
347	305	949	829	5 182	735	1 328	1 434	872	531	282
16	38	187	242	6 024	481	1 080	1 505	1 291	1 006	661
20	17	57	45	7 885	520	1 492	2 031	1 303	1 440	1 099
485	386	949	964	3 359	725	1 749	366	223	220	76
162	144	348	274	2 664	16	87	1 047	727	557	230
432	388	725	364	7 662	409	1 322	1 763	1 464	1 673	1 031
39	62	243	124	5 645	733	1 439	1 331	994	815	333
129	168	371	186	5 991	663	1 493	1 246	956	1 048	585
…	…	…	…	…	…	…	…	…	…	…
304	323	673	508	8 967	727	2 307	2 329	1 531	1 376	697
704	776	2 118	2 252	12 003	646	2 385	3 079	2 687	1 964	1 242
54	51	66	38	6 293	246	976	997	996	1 568	1 510
10	39	84	105	760	20	57	128	141	186	228
–	–	–	–	6 801	305	1 002	1 812	1 308	1 379	995
–	–	–	–	11 674	552	2 157	3 250	2 222	1 705	1 788
145	100	148	136	2 152	43	331	444	401	479	454
290	396	953	1 185	7 456	595	1 419	1 786	1 425	1 416	815
92	92	217	163	580	45	98	148	105	110	74

第18－２表（2－1） 子宮頸がん検診２年連続受診者数，都道府県

	総数							集団		
	総数	20～29歳	30～39歳	40～49歳	50～59歳	60～69歳	70歳以上	総数	20～29歳	30～39歳
全国	**1 255 380**	**37 602**	**161 401**	**261 013**	**235 644**	**324 083**	**235 637**	**512 770**	**3 942**	**35 646**
北海道	22 704	1 813	4 422	4 716	4 128	4 572	3 053	9 773	74	562
青森	10 563	228	803	1 696	2 076	3 214	2 546	6 993	60	305
岩手	11 194	305	1 557	2 291	2 194	2 912	1 935	3 780	55	244
宮城	74 998	1 704	11 565	12 784	13 636	20 767	14 542	21 464	207	1 658
秋田	7 528	315	2 256	1 052	954	1 812	1 139	3 709	74	588
山形	31 694	296	1 704	3 600	5 343	12 519	8 232	24 634	73	664
福島	14 493	380	1 295	2 419	2 648	4 833	2 918	7 469	55	460
茨城	62 278	947	7 925	14 770	12 617	16 637	9 382	34 496	198	3 399
栃木	44 691	802	5 258	8 715	8 482	12 896	8 538	28 122	148	1 947
群馬	51 401	1 536	6 563	12 483	10 023	12 258	8 538	16 123	171	1 150
埼玉	59 741	3 259	12 595	15 579	11 570	10 290	6 448	6 468	45	687
千葉	98 953	1 662	13 190	24 273	18 905	23 371	17 552	41 490	295	3 953
東京	52 923	2 532	9 567	13 836	10 672	9 245	7 071	957	31	103
神奈川	67 817	2 856	10 171	15 116	12 264	13 669	13 741	15 385	93	815
新潟	11 135	394	1 125	2 172	2 239	3 061	2 144	5 602	55	266
富山	14 902	263	1 579	3 041	2 557	4 194	3 268	8 218	135	777
石川	11 951	360	1 566	2 723	2 321	3 061	1 920	6 935	54	452
福井	2 204	212	619	442	328	377	226	712	9	63
山梨	23 601	443	2 266	4 545	4 945	7 033	4 369	3 951	18	154
長野	27 732	702	2 944	6 554	6 045	6 788	4 699	6 939	83	597
岐阜	30 618	918	4 343	7 604	6 376	7 529	3 848	15 563	215	1 696
静岡	49 222	1 452	6 283	11 604	10 197	11 852	7 834	10 746	90	1 142
愛知	50 574	1 529	6 074	12 571	10 669	11 644	8 087	12 631	85	1 104
三重	45 946	1 590	6 118	10 248	9 314	11 462	7 214	16 008	121	1 529
滋賀	166	17	101	41	3	3	1	4	1	1
京都	11 800	240	1 231	2 739	2 548	3 088	1 954	3 255	17	140
大阪	24 288	1 903	4 323	6 890	4 631	3 954	2 587	3 461	27	229
兵庫	20 028	495	2 156	4 572	4 085	5 145	3 575	7 369	60	397
奈良	1 010	60	85	190	188	268	219	648	10	38
和歌山	11 532	644	1 932	2 822	2 632	2 312	1 190	1 604	8	47
鳥取	18 809	524	2 314	3 310	3 337	5 332	3 992	6 899	52	300
島根	2 361	230	482	354	381	503	411	1 045	14	85
岡山	40 201	524	3 455	8 264	7 257	11 345	9 356	16 739	113	861
広島	20 584	816	2 144	3 797	3 167	5 621	5 039	9 732	20	329
山口	5 016	406	978	1 181	920	845	686	811	24	97
徳島	1 620	294	772	288	129	84	53	140	-	6
香川	5 548	142	477	897	781	1 688	1 563	3 841	63	292
愛媛	14 845	281	1 268	1 666	2 103	4 851	4 676	13 516	63	692
高知	868	40	89	62	74	269	334	768	9	30
福岡	41 378	1 223	4 001	7 412	7 379	12 888	8 475	22 608	110	1 149
佐賀	15 377	631	1 502	2 169	2 409	4 986	3 680	10 609	93	497
長崎	10 792	401	1 082	1 545	1 997	3 465	2 302	5 652	27	230
熊本	32 081	321	2 198	3 694	4 951	11 011	9 906	26 391	187	1 627
大分	21 733	161	1 040	2 043	2 667	7 355	8 467	17 478	64	628
宮崎	10 950	556	1 897	2 023	1 745	2 770	1 959	5 115	47	321
鹿児島	53 015	856	4 747	8 081	9 600	16 717	13 014	41 231	417	2 858
沖縄	12 515	339	1 339	2 139	2 157	3 587	2 954	5 686	72	477
指定都市・特別区（再掲）										
東京都区部	37 445	2 185	8 299	10 054	7 308	5 400	4 199	441	16	45
札幌市	7 441	1 631	2 790	1 490	910	389	231	-	-	-
仙台市	4 871	393	3 972	498	2	3	3	-	-	-
さいたま市	4 901	888	3 421	521	30	24	17	-	-	-
千葉市	1	-	1	-	-	-	-	-	-	-
横浜市	4 712	825	2 228	674	346	377	262	-	-	-
川崎市	380	53	106	111	52	40	18	-	-	-
相模原市	16 148	524	2 300	3 931	3 051	3 112	3 230	1 571	6	66
新潟市	…	…	…	…	…	…	…	…	…	…
静岡市	1 599	238	345	404	277	189	146	296	8	34
浜松市	14 371	136	786	3 392	3 479	3 948	2 630	542	-	1
名古屋市	-	-	-	-	-	-	-	-	-	-
京都市	-	-	-	-	-	-	-	-	-	-
大阪市	2 696	398	679	757	424	243	195	-	-	-
堺市	1 979	171	415	631	349	222	191	38	1	6
神戸市	2 712	87	343	908	536	490	348	-	-	-
岡山市	8 220	24	680	2 855	2 561	1 946	154	114	1	5
広島市	…	…	…	…	…	…	…	…	…	…
北九州市	8 501	776	1 655	2 224	1 588	1 485	773	-	-	-
福岡市	-	-	-	-	-	-	-	-	-	-
熊本市	269	17	28	59	55	87	23	2	-	1

－指定都市・特別区－中核市－その他政令市、検診方式・年齢階級別

平成29年度

検	診			個	別	検	診			
40～49歳	50～59歳	60～69歳	70歳以上	総数	20～29歳	30～39歳	40～49歳	50～59歳	60～69歳	70歳以上
74 278	**82 407**	**176 170**	**140 327**	**742 610**	**33 660**	**125 755**	**186 735**	**153 237**	**147 913**	**95 310**
1 501	1 890	3 283	2 463	12 931	1 739	3 860	3 215	2 238	1 289	590
808	1 134	2 531	2 155	3 570	168	498	888	942	683	391
449	693	1 421	918	7 414	250	1 313	1 842	1 501	1 491	1 017
2 390	3 254	8 012	5 943	53 534	1 497	9 907	10 394	10 382	12 755	8 599
515	478	1 233	821	3 819	241	1 668	537	476	579	318
2 098	3 671	10 838	7 290	7 060	223	1 040	1 502	1 672	1 681	942
853	1 107	2 906	2 088	7 024	325	835	1 566	1 541	1 927	830
6 742	6 409	11 003	6 745	27 782	749	4 526	8 028	6 208	5 634	2 637
4 193	4 928	10 204	6 702	16 569	654	3 311	4 522	3 554	2 692	1 836
2 693	2 758	5 398	3 953	35 278	1 365	5 413	9 790	7 265	6 860	4 585
1 350	1 151	1 940	1 295	53 273	3 214	11 908	14 229	10 419	8 350	5 153
8 143	7 034	12 056	10 009	57 463	1 367	9 237	16 130	11 871	11 315	7 543
271	181	233	138	51 966	2 501	9 464	13 565	10 491	9 012	6 933
2 406	2 207	4 638	5 226	52 432	2 763	9 356	12 710	10 057	9 031	8 515
823	952	1 978	1 528	5 533	339	859	1 349	1 287	1 083	616
1 183	1 040	2 791	2 292	6 684	128	802	1 858	1 517	1 403	976
1 312	1 218	2 318	1 581	5 016	306	1 114	1 411	1 103	743	339
110	127	225	178	1 492	203	556	332	201	152	48
420	761	1 727	871	19 650	425	2 112	4 125	4 184	5 306	3 498
1 315	1 288	2 064	1 592	20 793	619	2 347	5 239	4 757	4 724	3 107
3 281	2 951	4 720	2 700	15 055	703	2 647	4 323	3 425	2 809	1 148
2 194	1 943	3 216	2 161	38 476	1 362	5 141	9 410	8 254	8 636	5 673
2 494	2 182	3 885	2 881	37 943	1 444	4 970	10 077	8 487	7 759	5 206
2 786	2 627	5 211	3 734	29 938	1 469	4 589	7 462	6 687	6 251	3 480
2	–	–	–	162	16	100	39	3	3	1
452	521	1 133	992	8 545	223	1 091	2 287	2 027	1 955	962
594	637	1 123	851	20 827	1 876	4 094	6 296	3 994	2 831	1 736
1 061	1 197	2 595	2 059	12 659	435	1 759	3 511	2 888	2 550	1 516
93	105	221	181	362	50	47	97	83	47	38
194	314	621	420	9 928	636	1 885	2 628	2 318	1 691	770
762	1 112	2 487	2 186	11 910	472	2 014	2 548	2 225	2 845	1 806
126	172	317	331	1 316	216	397	228	209	186	80
2 073	2 238	5 473	5 981	23 462	411	2 594	6 191	5 019	5 872	3 375
1 034	1 153	3 460	3 736	10 852	796	1 815	2 763	2 014	2 161	1 303
101	96	225	268	4 205	382	881	1 080	824	620	418
11	17	59	47	1 480	294	766	277	112	25	6
595	515	1 197	1 179	1 707	79	185	302	266	491	384
1 446	1 966	4 719	4 630	1 329	218	576	220	137	132	46
52	74	269	334	100	31	59	10	–	–	–
2 907	3 494	8 743	6 205	18 770	1 113	2 852	4 505	3 885	4 145	2 270
1 074	1 520	4 202	3 223	4 768	538	1 005	1 095	889	784	457
556	971	2 260	1 608	5 140	374	852	989	1 026	1 205	694
2 732	3 731	9 200	8 914	5 690	134	571	962	1 220	1 811	992
1 575	2 148	5 988	7 075	4 255	97	412	468	519	1 367	1 392
615	792	1 878	1 462	5 835	509	1 576	1 408	953	892	497
5 205	6 813	14 402	11 536	11 784	439	1 889	2 876	2 787	2 315	1 478
688	837	1 767	1 845	6 829	267	862	1 451	1 320	1 820	1 109
183	86	74	37	37 004	2 169	8 254	9 871	7 222	5 326	4 162
–	–	–	–	7 441	1 631	2 790	1 490	910	389	231
–	–	–	–	4 871	393	3 972	498	2	3	3
–	–	–	–	4 901	888	3 421	521	30	24	17
–	–	–	–	1	–	1	–	–	–	–
–	–	–	–	4 712	825	2 228	674	346	377	262
–	–	–	–	380	53	106	111	52	40	18
264	256	461	518	14 577	518	2 234	3 667	2 795	2 651	2 712
…	…	…	…	…	…	…	…	…	…	…
94	54	65	41	1 303	230	311	310	223	124	105
26	96	200	219	13 829	136	785	3 366	3 383	3 748	2 411
–	–	–	–	–	–	–	–	–	–	–
–	–	–	–	–	–	–	–	–	–	–
–	–	–	–	2 696	398	679	757	424	243	195
6	2	9	14	1 941	170	409	625	347	213	177
–	–	–	–	2 712	87	343	908	536	490	348
22	29	50	7	8 106	23	675	2 833	2 532	1 896	147
…	…	…	…	…	…	…	…	…	…	…
–	–	–	–	8 501	776	1 655	2 224	1 588	1 485	773
–	–	–	–	–	–	–	–	–	–	–
–	–	1	–	267	17	27	59	55	86	23

15(8)－04 がん検診 子宮頸がん

第18－2表（2-2） 子宮頸がん検診2年連続受診者数，都道府県

	総　　　　　数							集　　　　　団		
	総　数	20～29歳	30～39歳	40～49歳	50～59歳	60～69歳	70歳以上	総　数	20～29歳	30～39歳
中核市（再掲）										
旭　川　市	7 502	4	948	1 684	1 539	1 925	1 402	4 078	1	135
函　館　市	32	18	9	5	-	-	-	-	-	-
青　森　市	239	2	19	49	44	82	43	125	-	2
八　戸　市	4 811	138	442	909	1 088	1 243	991	2 196	16	81
盛　岡　市	5 410	125	743	1 232	1 187	1 282	841	335	1	12
秋　田　市	726	89	583	54	-	-	-	1	-	-
郡　山　市	251	30	13	86	42	62	18	-	-	-
い　わ　き　市	18	15	-	2	1	-	-	1	-	-
宇　都　宮　市	11 022	399	1 980	2 322	1 970	2 466	1 885	3 574	22	175
前　橋　市	14 135	521	1 654	3 295	2 812	3 520	2 333	1 847	49	249
高　崎　市	9 214	233	1 161	2 455	1 865	1 962	1 538	1 715	7	75
川　越　市	-	-	-	-	-	-	-	-	-	-
越　谷　市	5 901	270	934	1 806	1 414	853	624	-	-	-
船　橋　市	-	-	-	-	-	-	-	-	-	-
柏　　　市	10	8	-	-	-	-	2	-	-	-
八　王　子　市	8 250	135	454	1 873	1 807	2 230	1 751	-	-	-
横　須　賀　市	6 538	184	505	1 170	1 110	1 753	1 816	2 133	1	32
富　山　市	419	1	9	158	138	69	44	179	-	-
金　沢　市	10	...	5	2	2	...	1	10	-	5
長　野　市	5 955	116	643	1 576	1 439	1 321	860	149	-	11
岐　阜　市	4 500	302	1 020	1 163	1 012	677	326	-	-	-
豊　橋　市	25	25	-	-	-	-	-	-	-	-
豊　田　市	80	18	29	33	-	-	-	-	-	-
岡　崎　市	1	1	-	-	-	-	-	1	1	-
大　津　市	-	-	-	-	-	-	-	-	-	-
高　槻　市	140	20	43	35	18	14	10	-	-	-
東　大　阪　市	758	51	144	242	112	122	87	-	-	-
豊　中　市	728	61	182	232	142	55	56	46	-	-
枚　方　市	5 207	289	676	1 557	1 122	978	585	-	-	-
姫　路　市	413	3	3	-	49	218	140	378	1	-
西　宮　市	106	3	40	63	-	-	-	7	-	1
尼　崎　市	63	3	7	12	17	17	7	-	-	-
奈　良　市	182	38	14	41	47	24	18	2	-	-
和　歌　山　市	1 279	135	309	358	269	149	59	-	-	-
倉　敷　市	12 131	325	1 619	2 669	1 899	3 012	2 607	421	5	16
福　山　市	5 624	157	511	1 208	1 044	1 489	1 215	2 279	-	9
呉　　　市	5 297	372	849	1 188	855	1 171	862	2 051	2	113
下　関　市	3 810	165	450	948	855	771	621	411	1	4
高　松　市	223	44	61	61	28	20	9	6	-	-
松　山　市	730	218	480	32	-	-	-	59	17	37
高　知　市	-	-	-	-	-	-	-	-	-	-
久　留　米　市	6 988	199	746	1 553	1 431	1 945	1 114	1 573	5	45
長　崎　市	...	...	...	...	...	...	...	...	...	...
佐　世　保　市	3 964	288	607	766	709	1 060	534	638	-	9
大　分　市	...	...	...	...	...	...	...	...	...	...
宮　崎　市	6 139	348	1 238	1 457	1 036	1 247	813	1 331	22	43
鹿　児　島　市	12 376	368	1 436	2 458	2 433	3 054	2 627	4 579	22	140
那　覇　市	683	9	70	131	94	186	193	20	-	-
その他政令市（再掲）										
小　樽　市	10	-	2	1	-	2	5	-	-	-
町　田　市	4 295	117	483	1 104	865	1 009	717	-	-	-
藤　沢　市	8 485	339	1 410	2 312	1 664	1 343	1 417	-	-	-
茅　ヶ　崎　市	2 070	35	259	406	387	497	486	362	4	18
四　日　市　市	7 683	320	790	1 447	1 482	1 961	1 683	2 143	3	34
大　牟　田　市	17	3	-	7	3	1	3	2	-	-

－指定都市・特別区－中核市－その他政令市、検診方式・年齢階級別

平成29年度

| 検　　診 | | | | 個　　別　　検　　診 | | | | | | |
40～49歳	50～59歳	60～69歳	70歳以上	総　数	20～29歳	30～39歳	40～49歳	50～59歳	60～69歳	70歳以上
465	769	1 523	1 185	3 424	3	813	1 219	770	402	217
–	–	–	–	32	18	9	5	–	–	–
20	23	54	26	114	2	17	29	21	28	17
275	372	758	694	2 615	122	361	634	716	485	297
28	52	132	110	5 075	124	731	1 204	1 135	1 150	731
1	–	–	–	725	89	583	53	–	–	–
–	–	–	–	251	30	13	86	42	62	18
1	–	–	–	17	15	–	1	1	–	–
583	613	1 433	748	7 448	377	1 805	1 739	1 357	1 033	1 137
330	269	603	347	12 288	472	1 405	2 965	2 543	2 917	1 986
215	229	598	591	7 499	226	1 086	2 240	1 636	1 364	947
–	–	–	–	5 901	270	934	1 806	1 414	853	624
–	–	–	–	–	–	–	–	–	–	–
–	–	–	–	10	8	–	–	–	–	2
–	–	–	–	8 250	135	454	1 873	1 807	2 230	1 751
204	224	698	974	4 405	183	473	966	886	1 055	842
51	61	38	29	240	1	9	107	77	31	15
2	2	–	1	…	…	…	…	…	…	…
12	23	49	54	5 806	116	632	1 564	1 416	1 272	806
–	–	–	–	4 500	302	1 020	1 163	1 012	677	326
–	–	–	–	25	25	–	–	–	–	–
–	–	–	–	80	18	29	33	–	–	–
–	–	–	–	–	–	–	–	–	–	–
–	–	–	–	–	–	–	–	–	–	–
–	–	–	–	140	20	43	35	18	14	10
–	–	–	–	758	51	144	242	112	122	87
8	5	14	19	682	61	182	224	137	41	37
–	–	–	–	5 207	289	676	1 557	1 122	978	585
–	43	199	135	35	2	3	–	6	19	5
6	–	–	–	99	3	39	57	–	–	–
–	–	–	–	63	3	7	12	17	17	7
–	–	1	1	180	38	14	41	47	23	17
–	–	–	–	1 279	135	309	358	269	149	59
80	77	141	102	11 710	320	1 603	2 589	1 822	2 871	2 505
187	308	902	873	3 345	157	502	1 021	736	587	342
246	236	792	662	3 246	370	736	942	619	379	200
14	35	153	204	3 399	164	446	934	820	618	417
–	1	2	3	217	44	61	61	27	18	6
5	–	–	–	671	201	443	27	–	–	–
–	–	–	–	–	–	–	–	–	–	–
304	311	603	305	5 415	194	701	1 249	1 120	1 342	809
…	…	…	…	…	…	…	…	…	…	…
84	110	298	137	3 326	288	598	682	599	762	397
…	…	…	…	…	…	…	…	…	…	…
193	212	482	379	4 808	326	1 195	1 264	824	765	434
476	546	1 648	1 747	7 797	346	1 296	1 982	1 887	1 406	880
6	5	4	5	663	9	70	125	89	182	188
–	–	–	–	10	–	2	1	–	2	5
–	–	–	–	4 295	117	483	1 104	865	1 009	717
–	–	–	–	8 485	339	1 410	2 312	1 664	1 343	1 417
76	65	98	101	1 708	31	241	330	322	399	385
147	271	721	967	5 540	317	756	1 300	1 211	1 240	716
1	1	–	–	15	3	–	6	2	1	3

第19－1表（6－1） 乳がん検診受診者数，都道府県－指定都市

	総						
	総数					集団	
	総数	40 ～ 49 歳	50 ～ 59 歳	60 ～ 69 歳	70 歳 以 上	総数	40 ～ 49 歳
全国	**3 081 788**	**899 020**	**667 950**	**866 701**	**648 117**	**1 510 838**	**345 734**
北海道	117 176	34 635	26 550	33 065	22 926	46 238	10 355
青森	39 360	8 800	8 229	12 776	9 555	28 883	5 106
岩手	46 280	10 190	9 814	14 911	11 365	39 195	8 129
宮城	89 949	21 133	17 899	27 773	23 144	38 872	8 370
秋田	28 572	6 941	6 050	9 209	6 372	20 027	3 706
山形	45 846	7 442	8 720	17 931	11 753	38 126	5 185
福島	54 515	11 520	11 121	18 548	13 326	19 039	3 179
茨城	59 164	19 153	13 291	17 257	9 463	39 042	11 557
栃木	80 159	18 999	16 504	26 531	18 125	70 405	15 681
群馬	63 360	17 315	14 555	17 998	13 492	28 954	7 130
埼玉	144 357	49 124	31 613	37 184	26 436	57 195	17 486
千葉	230 443	58 817	47 870	66 070	57 686	145 000	31 016
東京	271 701	103 203	69 684	57 216	41 598	39 254	14 175
神奈川	162 809	55 699	35 010	38 245	33 855	28 691	7 873
新潟	68 101	16 291	14 581	21 528	15 701	55 301	11 379
富山	33 371	7 387	5 901	10 593	9 490	21 080	4 127
石川	30 793	9 549	7 571	8 999	4 674	22 159	5 964
福井	20 069	5 747	4 572	5 889	3 861	12 014	2 571
山梨	37 339	7 765	7 472	12 130	9 972	26 816	5 826
長野	42 046	13 392	9 673	12 049	6 932	29 338	7 972
岐阜	66 644	20 127	15 972	19 570	10 975	53 872	16 171
静岡	91 822	26 290	20 340	25 993	19 199	38 669	11 378
愛知	165 360	56 973	37 522	41 695	29 170	55 268	16 912
三重	52 634	15 016	10 826	15 871	10 921	33 440	7 694
滋賀	28 645	9 841	6 902	8 200	3 702	12 409	3 302
京都	43 842	14 543	9 505	11 354	8 440	21 097	5 343
大阪	158 866	57 547	37 723	37 378	26 218	46 907	13 233
兵庫	99 538	35 479	23 179	23 846	17 034	41 246	10 032
奈良	31 156	9 192	6 891	8 438	6 635	10 381	2 498
和歌山	31 260	8 429	7 697	9 210	5 924	14 864	2 900
鳥取	19 319	4 212	4 128	6 177	4 802	8 441	1 684
島根	15 476	4 146	3 702	4 710	2 918	8 661	1 916
岡山	58 744	15 390	10 773	16 841	15 740	23 299	4 038
広島	60 604	17 079	10 766	17 949	14 810	25 193	4 528
山口	26 413	7 351	5 421	7 405	6 236	6 580	1 276
徳島	14 130	3 962	2 824	4 034	3 310	4 254	595
香川	31 557	8 649	6 002	9 150	7 756	12 668	2 580
愛媛	36 280	8 173	6 199	11 741	10 167	32 424	5 908
高知	17 656	4 165	3 081	5 127	5 283	12 185	1 818
福岡	94 783	27 768	18 183	28 980	19 852	60 269	12 995
佐賀	25 663	5 669	4 945	8 789	6 260	21 764	3 887
長崎	31 429	7 763	7 107	10 210	6 349	14 560	2 346
熊本	58 480	12 234	11 158	19 021	16 067	42 911	6 969
大分	36 598	8 018	6 344	11 412	10 824	24 011	3 662
宮崎	21 878	5 357	4 388	6 908	5 225	16 366	3 334
鹿児島	65 208	13 937	13 183	21 188	16 900	54 607	10 280
沖縄	32 393	8 608	6 509	9 602	7 674	8 863	1 668
指定都市・特別区(再掲)							
東京都区部	195 166	75 585	50 431	39 254	29 896	19 724	7 363
札幌市	40 768	13 309	9 506	10 448	7 505	-	-
仙台市	34 800	8 676	6 787	9 831	9 506	-	-
さいたま市	21 038	7 602	4 667	4 496	4 273	-	-
千葉市	26 486	7 975	5 227	6 346	6 938	6 182	2 399
横浜市	59 768	22 340	13 525	14 354	9 549	667	154
川崎市	20 861	8 124	4 398	4 381	3 958	-	-
相模原市	15 113	4 798	3 294	3 400	3 621	1 833	491
新潟市	16 732	4 867	3 834	4 672	3 359	12 249	2 154
静岡市	12 582	4 124	2 797	3 365	2 296	9 457	3 394
浜松市	14 629	4 733	3 024	3 799	3 073	396	29
名古屋市	52 971	20 887	14 493	10 938	6 653	5 025	1 786
京都市	13 484	5 002	2 883	3 049	2 550	7 970	2 119
大阪市	32 371	13 780	7 497	6 542	4 552	9 196	2 422
堺市	15 210	6 065	3 512	3 162	2 471	528	146
神戸市	27 624	9 041	6 441	6 408	5 734	8 858	1 623
岡山市	13 995	5 220	2 894	3 339	2 542	1 385	414
広島市	23 478	8 672	4 713	5 894	4 199	3 666	972
北九州市	13 936	5 160	3 248	3 486	2 042	-	-
福岡市	18 082	6 896	3 775	4 470	2 941	8 659	2 343
熊本市	10 199	3 816	2 322	2 524	1 537	1 348	173

・特別区－中核市－その他政令市、検診回数・検診方式・年齢階級別

平成29年度

			数				
検	診		個	別	検	診	
50 ～ 59 歳	60 ～ 69 歳	70 歳 以 上	総 数	40 ～ 49 歳	50 ～ 59 歳	60 ～ 69 歳	70 歳 以 上
300 495	488 605	376 004	1 570 950	553 286	367 455	378 096	272 113
9 498	15 172	11 213	70 938	24 280	17 052	17 893	11 713
5 566	10 118	8 093	10 477	3 694	2 663	2 658	1 462
8 155	12 928	9 983	7 085	2 061	1 659	1 983	1 382
7 718	13 314	9 470	51 077	12 763	10 181	14 459	13 674
3 676	7 341	5 304	8 545	3 235	2 374	1 868	1 068
6 643	15 930	10 368	7 720	2 257	2 077	2 001	1 385
3 640	7 321	4 899	35 476	8 341	7 481	11 227	8 427
8 520	12 082	6 883	20 122	7 596	4 771	5 175	2 580
13 918	23 966	16 840	9 754	3 318	2 586	2 565	1 285
6 121	9 180	6 523	34 406	10 185	8 434	8 818	6 969
12 064	16 157	11 488	87 162	31 638	19 549	21 027	14 948
30 674	45 496	37 814	85 443	27 801	17 196	20 574	19 872
9 876	9 205	5 998	232 447	89 028	59 808	48 011	35 600
5 092	7 710	8 016	134 118	47 826	29 918	30 535	25 839
10 903	19 074	13 945	12 800	4 912	3 678	2 454	1 756
3 388	7 115	6 450	12 291	3 260	2 513	3 478	3 040
4 599	7 133	4 463	8 634	3 585	2 972	1 866	211
2 294	4 057	3 092	8 055	3 176	2 278	1 832	769
5 526	8 256	7 208	10 523	1 939	1 946	3 874	2 764
6 875	9 069	5 422	12 708	5 420	2 798	2 980	1 510
12 759	15 874	9 068	12 772	3 956	3 213	3 696	1 907
8 552	11 615	7 124	53 153	14 912	11 788	14 378	12 075
11 284	15 565	11 507	110 092	40 061	26 238	26 130	17 663
6 756	10 853	8 137	19 194	7 322	4 070	5 018	2 784
2 650	4 159	2 298	16 236	6 539	4 252	4 041	1 404
4 496	6 079	5 179	22 745	9 200	5 009	5 275	3 261
10 272	13 459	9 943	111 959	44 314	27 451	23 919	16 275
8 498	12 970	9 746	58 292	25 447	14 681	10 876	7 288
1 979	3 264	2 640	20 775	6 694	4 912	5 174	3 995
3 031	5 150	3 783	16 396	5 529	4 666	4 060	2 141
1 686	2 766	2 305	10 878	2 528	2 442	3 411	2 497
1 784	2 875	2 086	6 815	2 230	1 918	1 835	832
3 670	7 569	8 022	35 445	11 352	7 103	9 272	7 718
3 459	8 429	8 777	35 411	12 551	7 307	9 520	6 033
1 005	2 141	2 158	19 833	6 075	4 416	5 264	4 078
612	1 626	1 421	9 876	3 367	2 212	2 408	1 889
2 020	4 181	3 887	18 889	6 069	3 982	4 969	3 869
5 542	11 027	9 947	3 856	2 265	657	714	220
1 755	3 934	4 678	5 471	2 347	1 326	1 193	605
10 716	21 284	15 274	34 514	14 773	7 467	7 696	4 578
3 986	7 992	5 899	3 899	1 782	959	797	361
2 872	5 415	3 927	16 869	5 417	4 235	4 795	2 422
7 539	14 722	13 681	15 569	5 265	3 619	4 299	2 386
3 578	8 036	8 735	12 587	4 356	2 766	3 376	2 089
3 097	5 525	4 410	5 512	2 023	1 291	1 383	815
10 591	18 546	15 190	10 601	3 657	2 592	2 642	1 710
1 560	2 925	2 710	23 530	6 940	4 949	6 677	4 964
4 842	4 364	3 155	175 442	68 222	45 589	34 890	26 741
–	–	–	40 768	13 309	9 506	10 448	7 505
–	–	–	34 800	8 676	6 787	9 831	9 506
–	–	–	21 038	7 602	4 667	4 496	4 273
1 222	1 427	1 134	20 304	5 576	4 005	4 919	5 804
95	197	221	59 101	22 186	13 430	14 157	9 328
–	–	–	20 861	8 124	4 398	4 381	3 958
333	502	507	13 280	4 307	2 961	2 898	3 114
2 077	4 662	3 356	4 483	2 713	1 757	10	3
2 204	2 542	1 317	3 125	730	593	823	979
71	148	148	14 233	4 704	2 953	3 651	2 925
1 318	1 080	841	47 946	19 101	13 175	9 858	5 812
1 743	2 142	1 966	5 514	2 883	1 140	907	584
1 860	2 514	2 400	23 175	11 358	5 637	4 028	2 152
85	164	133	14 682	5 919	3 427	2 998	2 338
1 800	2 697	2 738	18 766	7 418	4 641	3 711	2 996
293	431	247	12 610	4 806	2 601	2 908	2 295
416	1 034	1 244	19 812	7 700	4 297	4 860	2 955
–	–	–	13 936	5 160	3 248	3 486	2 042
1 702	2 680	1 934	9 423	4 553	2 073	1 790	1 007
197	547	431	8 851	3 643	2 125	1 977	1 106

15(8)－05 がん検診 乳がん

第19－1表（6－2） 乳がん検診受診者数，都道府県－指定都市

| | 総 | | | | | | |
| | 総　　　数 | | | | | 集　　　団 | |
	総　　数	40 ～ 49 歳	50 ～ 59 歳	60 ～ 69 歳	70 歳 以 上	総　　数	40 ～ 49 歳
中核市（再掲）							
旭 川 市	9 145	2 201	2 118	2 782	2 044	6 609	1 270
函 館 市	3 446	1 325	836	859	426	197	14
青 森 市	5 395	1 480	1 130	1 701	1 084	2 556	477
八 戸 市	4 844	1 312	999	1 365	1 168	4 844	1 312
盛 岡 市	6 513	1 846	1 448	1 858	1 361	311	35
秋 田 市	4 769	2 199	1 492	707	371	1 045	423
郡 山 市	7 175	1 807	1 314	2 206	1 848	101	41
い わ き 市	5 145	1 106	881	1 730	1 428	1 301	263
宇 都 宮 市	8 301	2 286	1 828	2 708	1 479	7 765	2 121
前 橋 市	18 550	4 840	4 199	5 375	4 136	2 479	631
高 崎 市	7 866	2 323	1 780	1 968	1 795	2 074	423
川 越 市	5 259	1 892	943	1 494	930	1 305	336
越 谷 市	8 150	2 971	1 772	1 985	1 422	880	274
船 橋 市	18 162	6 072	3 893	3 842	4 355	–	–
柏 市	20 865	5 934	3 839	5 549	5 543	12 537	3 652
八 王 子 市	10 994	3 495	2 523	2 989	1 987	–	–
横 須 賀 市	7 150	1 840	1 202	1 992	2 116	2 845	492
富 山 市	8 333	1 767	1 480	2 298	2 788	5 000	881
金 沢 市	8 126	3 492	2 741	1 691	202	2 405	1 117
長 野 市	2 718	1 239	613	609	257	1 992	547
岐 阜 市	8 227	3 005	2 252	2 005	965	8 225	3 003
豊 橋 市	5 027	1 883	1 080	1 366	698	3 194	1 093
豊 田 市	4 624	1 344	848	1 470	962	–	–
岡 崎 市	7 618	2 246	1 422	2 254	1 696	7 618	2 246
大 津 市	6 486	2 452	1 804	1 780	450	702	330
高 槻 市	7 381	2 671	1 546	1 917	1 247	1 553	595
東 大 阪 市	9 569	2 863	1 855	2 467	2 384	1 189	304
豊 中 市	5 745	2 037	1 547	1 288	873	2 528	726
枚 方 市	7 532	2 547	1 959	1 821	1 205	–	–
姫 路 市	11 770	5 849	3 851	1 531	539	2 916	815
西 宮 市	6 508	3 435	1 398	953	722	2 321	823
尼 崎 市	4 413	1 754	994	1 024	641	297	115
奈 良 市	8 841	2 654	2 093	2 206	1 888	187	35
和 歌 山 市	6 824	2 464	1 883	1 645	832	576	179
倉 敷 市	17 181	4 934	3 370	4 699	4 178	390	175
福 山 市	6 322	1 761	929	2 035	1 597	3 088	546
呉 市	5 346	1 389	913	1 691	1 353	4 000	728
下 関 市	4 199	1 290	854	1 088	967	440	22
高 松 市	11 390	4 010	2 373	2 752	2 255	232	39
松 山 市	8 604	2 555	1 436	2 506	2 107	5 742	972
高 知 市	6 130	2 310	1 466	1 570	784	1 175	309
久 留 米 市	5 526	1 836	1 224	1 484	982	1 634	504
長 崎 市	5 274	1 819	1 271	1 539	645	647	90
佐 世 保 市	6 573	1 690	1 460	2 217	1 206	1 497	349
大 分 市	9 820	3 446	2 095	2 632	1 647	2 181	313
宮 崎 市	4 934	1 642	1 205	1 365	722	808	225
鹿 児 島 市	15 060	4 076	2 856	4 415	3 713	8 952	1 757
那 覇 市	5 230	1 296	949	1 530	1 455	376	100
その他政令市（再掲）							
小 樽 市	1 754	351	295	540	568	413	24
町 田 市	7 609	3 149	2 296	1 319	845	–	–
藤 沢 市	12 971	4 467	3 053	2 706	2 745	135	65
茅 ヶ 崎 市	3 583	1 055	747	897	884	1 003	348
四 日 市 市	7 538	2 535	939	1 889	2 175	5 680	677
大 牟 田 市	1 652	468	299	517	368	1 184	258

注：検診回数の初回・非初回については、計数不詳の市区町村があるため、総数と一致しない場合がある。

・特別区－中核市－その他政令市、検診回数・検診方式・年齢階級別

平成29年度

数							
検　　　　診			個　　　別　　　検　　　診				
50 ～ 59 歳	60 ～ 69 歳	70 歳 以 上	総　　数	40 ～ 49 歳	50 ～ 59 歳	60 ～ 69 歳	70 歳 以 上
1 459	2 204	1 676	2 536	931	659	578	368
47	95	41	3 249	1 311	789	764	385
469	999	611	2 839	1 003	661	702	473
999	1 365	1 168	–				
56	129	91	6 202	1 811	1 392	1 729	1 270
323	199	100	3 724	1 776	1 169	508	271
7	21	32	7 074	1 766	1 307	2 185	1 816
195	480	363	3 844	843	686	1 250	1 065
1 683	2 601	1 360	536	165	145	107	119
455	886	507	16 071	4 209	3 744	4 489	3 629
335	645	671	5 792	1 900	1 445	1 323	1 124
267	423	279	3 954	1 556	676	1 071	651
197	201	208	7 270	2 697	1 575	1 784	1 214
–	–	–	18 162	6 072	3 893	3 842	4 355
2 067	3 203	3 615	8 328	2 282	1 772	2 346	1 928
–	–	–	10 994	3 495	2 523	2 989	1 987
381	844	1 128	4 305	1 348	821	1 148	988
771	1 512	1 836	3 333	886	709	786	952
603	483	202	5 721	2 375	2 138	1 208	–
607	591	247	726	692	6	18	10
2 252	2 005	965	2	2	–	–	–
700	937	464	1 833	790	380	429	234
–	–	–	4 624	1 344	848	1 470	962
1 422	2 254	1 696	–	–	–	–	–
159	163	50	5 784	2 122	1 645	1 617	400
333	370	255	5 828	2 076	1 213	1 547	992
257	339	289	8 380	2 559	1 598	2 128	2 095
605	670	527	3 217	1 311	942	618	346
–	–	–	7 532	2 547	1 959	1 821	1 205
625	968	508	8 854	5 034	3 226	563	31
500	567	431	4 187	2 612	898	386	291
57	80	45	4 116	1 639	937	944	596
46	57	49	8 654	2 619	2 047	2 149	1 839
116	184	97	6 248	2 285	1 767	1 461	735
102	113	–	16 791	4 759	3 268	4 586	4 178
471	1 111	960	3 234	1 215	458	924	637
569	1 455	1 248	1 346	661	344	236	105
48	157	213	3 759	1 268	806	931	754
27	80	86	11 158	3 971	2 346	2 672	2 169
921	1 908	1 941	2 862	1 583	515	598	166
204	454	208	4 955	2 001	1 262	1 116	576
340	526	264	3 892	1 332	884	958	718
99	301	157	4 627	1 729	1 172	1 238	488
312	566	270	5 076	1 341	1 148	1 651	936
273	732	863	7 639	3 133	1 822	1 900	784
182	301	100	4 126	1 417	1 023	1 064	622
1 398	2 964	2 833	6 108	2 319	1 458	1 451	880
93	124	59	4 854	1 196	856	1 406	1 396
58	152	179	1 341	327	237	388	389
–	–	–	7 609	3 149	2 296	1 319	845
24	22	24	12 836	4 402	3 029	2 684	2 721
211	239	205	2 580	707	536	658	679
939	1 889	2 175	1 858	1 858	–	–	–
197	417	312	468	210	102	100	56

第19－1表（6－3） 乳がん検診受診者数，都道府県－指定都市

	初						
	総数					集団	
	総数	40 ～ 49 歳	50 ～ 59 歳	60 ～ 69 歳	70 歳 以 上	総数	40 ～ 49 歳
全国	**915 562**	**401 116**	**182 781**	**202 214**	**129 451**	**370 251**	**141 665**
北海道	53 923	20 369	10 902	13 311	9 341	14 510	5 010
青森	11 729	4 193	2 462	3 146	1 928	7 687	2 378
岩手	7 696	3 377	1 451	1 727	1 141	6 133	2 643
宮城	21 788	9 160	3 898	5 283	3 447	9 614	3 675
秋田	8 058	3 560	1 723	1 780	995	4 769	1 657
山形	6 241	2 078	1 343	1 813	1 007	4 289	1 225
福島	15 599	5 207	2 973	4 647	2 772	5 258	1 443
茨城	21 031	10 052	4 068	4 759	2 152	13 085	5 835
栃木	16 193	6 295	3 321	4 257	2 320	14 334	5 387
群馬	16 814	7 108	3 390	3 768	2 548	7 574	3 045
埼玉	49 676	22 985	9 711	10 132	6 848	18 055	7 878
千葉	40 219	18 418	7 872	8 187	5 742	21 019	9 435
東京	89 454	45 722	19 993	14 442	9 297	14 589	7 069
神奈川	66 521	31 130	12 722	12 662	10 007	8 358	3 568
新潟	18 818	7 619	3 689	4 723	2 787	14 177	4 961
富山	5 011	1 738	894	1 485	894	2 834	945
石川	8 415	3 488	1 772	2 357	798	5 761	2 512
福井	7 284	3 007	1 532	1 765	980	3 819	1 352
山梨	6 234	2 431	1 259	1 471	1 073	4 729	1 868
長野	11 778	5 243	2 374	2 790	1 371	6 788	2 427
岐阜	14 882	6 731	3 326	3 294	1 531	11 661	5 360
静岡	27 679	12 251	5 281	6 059	4 088	11 411	5 313
愛知	63 975	29 545	13 736	12 609	8 085	17 378	7 913
三重	12 042	6 001	1 983	2 552	1 506	5 899	2 269
滋賀	11 704	5 461	2 466	2 814	963	4 020	1 683
京都	9 634	4 647	1 707	2 026	1 254	3 051	1 289
大阪	65 296	31 194	13 690	12 762	7 650	17 977	7 127
兵庫	32 168	14 602	6 547	6 615	4 404	14 694	5 037
奈良	11 384	4 796	2 327	2 561	1 700	3 522	1 314
和歌山	8 350	3 372	1 870	2 025	1 083	2 819	948
鳥取	5 486	2 082	1 136	1 437	831	2 399	863
島根	4 920	1 737	1 148	1 347	688	2 840	879
岡山	18 344	7 301	3 261	4 352	3 430	5 327	1 564
広島	18 945	7 420	3 122	4 913	3 490	6 788	2 094
山口	9 824	4 070	1 808	2 257	1 689	2 175	759
徳島	5 142	2 100	932	1 204	906	1 302	329
香川	9 297	4 168	1 603	2 126	1 400	3 127	1 120
愛媛	8 831	3 853	1 407	2 176	1 395	6 274	2 082
高知	5 981	2 397	1 108	1 492	984	3 348	1 010
福岡	19 518	8 248	3 170	5 075	3 025	14 650	4 990
佐賀	7 357	2 932	1 428	1 938	1 059	5 387	1 781
長崎	10 086	4 065	2 279	2 507	1 235	3 417	1 060
熊本	16 177	6 056	3 027	4 172	2 922	8 652	2 622
大分	6 989	2 256	1 238	1 957	1 538	5 413	1 588
宮崎	6 714	2 407	1 219	1 818	1 270	4 957	1 516
鹿児島	13 207	4 833	2 724	3 424	2 226	11 969	4 210
沖縄	9 148	3 411	1 889	2 197	1 651	2 412	632
指定都市・特別区(再掲)							
東京都区部	59 211	31 300	12 973	8 756	6 182	7 109	3 626
札幌市	27 132	9 328	5 438	6 865	5 501	-	-
仙台市	8 202	4 010	1 378	1 647	1 167	-	-
さいたま市	9 186	4 241	1 694	1 699	1 552	-	-
千葉市	7 962	3 599	1 427	1 492	1 444	1 810	1 141
横浜市	28 900	14 144	5 799	5 591	3 366	225	50
川崎市	10 665	5 496	1 795	1 801	1 573	-	-
相模原市	4 901	1 949	931	965	1 056	596	262
新潟市	6 036	2 648	1 256	1 373	759	3 721	1 024
静岡市	5 023	2 436	921	979	687	3 827	1 976
浜松市	5 410	2 629	866	1 085	830	100	17
名古屋市	27 941	13 068	7 022	5 031	2 820	2 949	1 218
京都市	-	-	-	-	-	-	-
大阪市	16 369	8 802	3 193	2 764	1 610	4 275	1 540
堺市	5 950	2 873	1 175	1 138	764	169	77
神戸市	4 024	1 131	728	1 132	1 033	4 024	1 131
岡山市	7 367	3 249	1 356	1 586	1 176	969	302
広島市	6 214	2 628	1 038	1 346	1 202	1 151	408
北九州市	…	…	…	…	…	-	-
福岡市	-	-	-	-	-	-	-
熊本市	5 148	2 576	988	980	604	519	119

・特別区－中核市－その他政令市、検診回数・検診方式・年齢階級別

平成29年度

回							
検　診			個　別　検　診				
50 ～ 59 歳	60 ～ 69 歳	70 歳 以 上	総　数	40 ～ 49 歳	50 ～ 59 歳	60 ～ 69 歳	70 歳 以 上
71 889	**96 570**	**60 127**	**545 311**	**259 451**	**110 892**	**105 644**	**69 324**
2 946	4 079	2 475	39 413	15 359	7 956	9 232	6 866
1 547	2 310	1 452	4 042	1 815	915	836	476
1 168	1 405	917	1 563	734	283	322	224
1 725	2 627	1 587	12 174	5 485	2 173	2 656	1 860
924	1 369	819	3 289	1 903	799	411	176
786	1 493	785	1 952	853	557	320	222
1 059	1 795	961	10 341	3 764	1 914	2 852	1 811
2 487	3 225	1 538	7 946	4 217	1 581	1 534	614
2 934	3 913	2 100	1 859	908	387	344	220
1 441	1 889	1 199	9 240	4 063	1 949	1 879	1 349
3 619	4 098	2 460	31 621	15 107	6 092	6 034	4 388
4 407	4 442	2 735	19 200	8 983	3 465	3 745	3 007
3 242	2 807	1 471	74 865	38 653	16 751	11 635	7 826
1 456	1 792	1 542	58 163	27 562	11 266	10 870	8 465
2 557	4 166	2 493	4 641	2 658	1 132	557	294
502	870	517	2 177	793	392	615	377
1 089	1 428	732	2 654	976	683	929	66
724	1 061	682	3 465	1 655	808	704	298
966	1 065	830	1 505	563	293	406	243
1 484	1 881	996	4 990	2 816	890	909	375
2 646	2 504	1 151	3 221	1 371	680	790	380
2 207	2 582	1 309	16 268	6 938	3 074	3 477	2 779
3 437	3 692	2 336	46 597	21 632	10 299	8 917	5 749
1 098	1 536	996	6 143	3 732	885	1 016	510
801	1 048	488	7 684	3 778	1 665	1 766	475
525	757	480	6 583	3 358	1 182	1 269	774
3 766	4 437	2 647	47 319	24 067	9 924	8 325	5 003
2 820	3 922	2 915	17 474	9 565	3 727	2 693	1 489
712	953	543	7 862	3 482	1 615	1 608	1 157
556	824	491	5 531	2 424	1 314	1 201	592
494	634	408	3 087	1 219	642	803	423
595	889	477	2 080	858	553	458	211
912	1 570	1 281	13 017	5 737	2 349	2 782	2 149
992	2 071	1 631	12 157	5 326	2 130	2 842	1 859
341	606	469	7 649	3 311	1 467	1 651	1 220
207	442	324	3 840	1 771	725	762	582
540	895	572	6 170	3 048	1 063	1 231	828
1 096	1 820	1 276	2 557	1 771	311	356	119
544	1 020	774	2 633	1 387	564	472	210
2 605	4 418	2 637	4 868	3 258	565	657	388
989	1 652	965	1 970	1 151	439	286	94
694	1 096	567	6 669	3 005	1 585	1 411	668
1 538	2 551	1 941	7 525	3 434	1 489	1 621	981
907	1 584	1 334	1 576	668	331	373	204
872	1 464	1 105	1 757	891	347	354	165
2 476	3 188	2 095	1 238	623	248	236	131
456	700	624	6 736	2 779	1 433	1 497	1 027
1 515	1 209	759	52 102	27 674	11 458	7 547	5 423
-	-	-	27 132	9 328	5 438	6 865	5 501
-	-	-	8 202	4 010	1 378	1 647	1 167
-	-	-	9 186	4 241	1 694	1 699	1 552
333	235	101	6 152	2 458	1 094	1 257	1 343
39	71	65	28 675	14 094	5 760	5 520	3 301
-	-	-	10 665	5 496	1 795	1 801	1 573
118	132	84	4 305	1 687	813	833	972
573	1 368	756	2 315	1 624	683	5	3
726	717	408	1 196	460	195	262	279
17	38	28	5 310	2 612	849	1 047	802
760	622	349	24 992	11 850	6 262	4 409	2 471
-	-	-	-	-	-	-	-
882	1 036	817	12 094	7 262	2 311	1 728	793
32	37	23	5 781	2 796	1 143	1 101	741
728	1 132	1 033	-	-	-	-	-
213	306	148	6 398	2 947	1 143	1 280	1 028
149	268	326	5 063	2 220	889	1 078	876
-	-	-	…	…	…	…	…
-	-	-	-	-	-	-	-
92	191	117	4 629	2 457	896	789	487

第19－１表（6－4） 乳がん検診受診者数，都道府県－指定都市

	初						
	総		数			集	団
	総数	40 ～ 49 歳	50 ～ 59 歳	60 ～ 69 歳	70 歳以上	総数	40 ～ 49 歳
中核市(再掲)							
旭川市	2 647	1 004	582	654	407	1 722	557
函館市	1 531	847	250	283	151	43	6
青森市	1 983	771	401	505	306	782	218
八戸市	1 456	694	263	308	191	1 456	694
盛岡市	1 285	616	193	268	208	35	13
秋田市	2 607	1 550	715	229	113	593	312
郡山市	2 415	949	399	642	425	55	36
いわき市	2 175	643	305	680	547	586	147
宇都宮市	3 465	1 351	708	957	449	3 295	1 260
前橋市	3 105	1 364	653	669	419	535	241
高崎市	2 815	1 209	536	623	447	628	245
川越市	1 524	766	213	310	235	426	159
越谷市	1 748	735	337	365	311	141	55
船橋市	-	-	-	-	-	-	-
柏市	2 609	1 241	468	632	268	1 382	685
八王子市	3 791	1 748	729	792	522	-	-
横須賀市	2 814	1 203	487	600	524	834	283
富山市	…	…	…	…	…	…	…
金沢市	2 771	1 071	685	942	73	1 298	726
長野市	1 568	995	246	226	101	884	324
岐阜市	3 536	1 653	944	693	246	3 534	1 651
豊橋市	2 026	1 060	291	428	247	1 054	576
豊田市	1 409	577	237	299	296	-	-
岡崎市	2 771	1 253	510	629	379	2 771	1 253
大津市	3 497	1 518	829	998	152	486	237
高槻市	3 480	1 473	863	691	453	719	356
東大阪市	3 457	1 575	556	715	611	470	175
豊中市	2 135	816	583	458	278	805	255
枚方市	3 514	1 589	821	711	393	-	-
姫路市	4 290	2 619	1 083	475	113	966	436
西宮市	3 582	1 711	862	611	398	1 350	389
尼崎市	2 504	1 236	494	515	259	-	-
奈良市	2 846	1 183	587	584	492	47	16
和歌山市	2 856	1 326	642	606	282	346	129
倉敷市	4 651	1 975	833	1 015	828	168	88
福山市	3 043	1 300	442	782	519	1 092	318
呉市	1 542	736	272	337	197	772	281
下関市	1 906	803	334	417	352	97	13
高松市	3 986	2 048	644	752	542	67	19
松山市	3 602	1 728	551	847	476	1 739	503
高知市	3 102	1 377	675	743	307	769	227
久留米市	1 981	1 016	310	399	256	601	266
長崎市	2 457	1 013	547	635	262	264	56
佐世保市	1 748	781	340	420	207	492	207
大分市	…	…	…	…	…	…	…
宮崎市	1 442	610	324	348	160	438	140
鹿児島市	2 772	1 011	510	755	496	2 772	1 011
那覇市	1 318	471	244	312	291	107	37
その他政令市(再掲)							
小樽市	756	239	109	195	213	117	7
町田市	4 402	1 945	1 369	706	382	-	-
藤沢市	3 735	1 768	777	642	548	85	41
茅ヶ崎市	3 005	937	603	739	726	557	259
四日市市	1 946	1 518	97	168	163	611	183
大牟田市	735	290	131	181	133	479	148

注：検診回数の初回・非初回については、計数不詳の市区町村があるため、総数と一致しない場合がある。

・特別区－中核市－その他政令市、検診回数・検診方式・年齢階級別

平成29年度

回							
検診			個別検診				
50 ～ 59 歳	60 ～ 69 歳	70 歳 以 上	総数	40 ～ 49 歳	50 ～ 59 歳	60 ～ 69 歳	70 歳 以 上
377	480	308	925	447	205	174	99
9	22	6	1 488	841	241	261	145
156	268	140	1 201	553	245	237	166
263	308	191	-	-	-	-	-
3	8	11	1 250	603	190	260	197
175	69	37	2 014	1 238	540	160	76
3	10	6	2 360	913	396	632	419
77	215	147	1 589	496	228	465	400
680	941	414	170	91	28	16	35
99	142	53	2 570	1 123	554	527	366
93	176	114	2 187	964	443	447	333
90	112	65	1 098	607	123	198	170
28	24	34	1 607	680	309	341	277
-	-	-	-	-	-	-	-
211	338	148	1 227	556	257	294	120
-	-	-	3 791	1 748	729	792	522
130	207	214	1 980	920	357	393	310
…	…	…	…	…	…	…	…
287	212	73	1 473	345	398	730	-
244	218	98	684	671	2	8	3
944	693	246	2	2	-	-	-
132	216	130	972	484	159	212	117
-	-	-	1 409	577	237	299	296
510	629	379	-	-	-	-	-
94	120	35	3 011	1 281	735	878	117
186	113	64	2 761	1 117	677	578	389
75	128	92	2 987	1 400	481	587	519
192	206	152	1 330	561	391	252	126
-	-	-	3 514	1 589	821	711	393
170	263	97	3 324	2 183	913	212	16
325	366	270	2 232	1 322	537	245	128
-	-	-	2 504	1 236	494	515	259
13	13	5	2 799	1 167	574	571	487
66	107	44	2 510	1 197	576	499	238
40	40	-	4 483	1 887	793	975	828
191	349	234	1 951	982	251	433	285
105	236	150	770	455	167	101	47
16	37	31	1 809	790	318	380	321
9	18	21	3 919	2 029	635	734	521
307	542	387	1 863	1 225	244	305	89
129	303	110	2 333	1 150	546	440	197
105	145	85	1 380	750	205	254	171
39	121	48	2 193	957	508	514	214
96	135	54	1 256	574	244	285	153
…	…	…	…	…	…	…	…
93	147	58	1 004	470	231	201	102
510	755	496	-	-	-	-	-
28	34	8	1 211	434	216	278	283
18	39	53	639	232	91	156	160
-	-	-	4 402	1 945	1 369	706	382
14	15	15	3 650	1 727	763	627	533
110	111	77	2 448	678	493	628	649
97	168	163	1 335	1 335	-	-	-
84	142	105	256	142	47	39	28

15(8)-05 がん検診 乳がん

第19-1表（6-5） 乳がん検診受診者数，都道府県－指定都市

| | 非 | | | | | | |
| | 総　　数 | | | | | 集　　団 | |
	総　数	40 ～ 49 歳	50 ～ 59 歳	60 ～ 69 歳	70 歳 以 上	総　数	40 ～ 49 歳
全　　国	1 972 556	432 197	441 898	616 495	481 966	1 083 605	190 706
北　海　道	59 445	13 024	14 873	18 742	12 806	29 858	4 891
青　　森	26 233	4 293	5 446	9 212	7 282	20 162	2 538
岩　　手	37 997	6 685	8 233	12 989	10 090	32 527	5 376
宮　　城	68 161	11 973	14 001	22 490	19 697	29 258	4 695
秋　　田	19 660	3 226	4 178	7 149	5 107	15 258	2 049
山　　形	30 355	3 532	5 708	12 721	8 394	25 792	2 515
福　　島	38 398	6 189	8 021	13 726	10 462	13 781	1 736
茨　　城	38 133	9 101	9 223	12 498	7 311	25 957	5 722
栃　　木	63 770	12 677	13 143	22 178	15 772	56 071	10 294
群　　馬	46 494	10 192	11 144	14 214	10 944	21 380	4 085
埼　　玉	94 681	26 139	21 902	27 052	19 588	39 140	9 608
千　　葉	171 683	34 327	35 971	53 903	47 482	123 602	21 581
東　　京	145 429	43 152	40 392	35 317	26 568	22 161	6 258
神　奈　川	96 274	24 564	22 284	25 579	23 847	20 333	4 305
新　　潟	49 283	8 672	10 892	16 805	12 914	41 124	6 418
富　　山	19 356	3 798	3 429	6 520	5 609	13 246	2 301
石　　川	22 378	6 061	5 799	6 642	3 876	16 398	3 452
福　　井	12 785	2 740	3 040	4 124	2 881	8 195	1 219
山　　梨	29 596	5 033	5 865	10 099	8 599	22 052	3 956
長　　野	20 206	5 240	5 008	6 325	3 633	13 625	3 037
岐　　阜	51 762	13 396	12 646	16 276	9 444	42 211	10 811
静　　岡	63 278	13 881	14 843	19 673	14 881	26 914	6 024
愛　　知	97 652	26 281	22 914	28 045	20 412	36 846	8 730
三　　重	40 592	9 015	8 843	13 319	9 415	27 541	5 425
滋　　賀	16 941	4 380	4 436	5 386	2 739	8 389	1 619
京　　都	20 724	4 894	4 915	6 279	4 636	10 076	1 935
大　　阪	93 570	26 353	24 033	24 616	18 568	28 930	6 106
兵　　庫	42 969	11 732	10 961	11 715	8 561	21 500	3 742
奈　　良	19 772	4 396	4 564	5 877	4 935	6 859	1 184
和　歌　山	22 910	5 057	5 827	7 185	4 841	12 045	1 952
鳥　　取	13 833	2 130	2 992	4 740	3 971	6 042	821
島　　根	7 665	1 475	1 841	2 601	1 748	4 761	854
岡　　山	40 400	8 089	7 512	12 489	12 310	17 972	2 474
広　　島	41 575	9 646	7 629	13 012	11 288	18 321	2 421
山　　口	16 589	3 281	3 613	5 148	4 547	4 405	517
徳　　島	8 988	1 862	1 892	2 830	2 404	2 952	266
香　　川	22 260	4 481	4 399	7 024	6 356	9 541	1 460
愛　　媛	27 449	4 320	4 792	9 565	8 772	26 150	3 826
高　　知	11 675	1 768	1 973	3 635	4 299	8 837	808
福　　岡	42 545	7 214	7 869	15 759	11 703	36 562	5 567
佐　　賀	18 306	2 737	3 517	6 851	5 201	16 377	2 106
長　　崎	20 849	3 612	4 718	7 521	4 998	10 673	1 224
熊　　本	42 249	6 124	8 131	14 849	13 145	34 259	4 347
大　　分	19 724	2 251	3 011	6 823	7 639	16 417	1 761
宮　　崎	15 154	2 949	3 168	5 089	3 948	11 399	1 817
鹿　児　島	45 893	6 785	9 001	16 313	13 794	42 638	6 070
沖　　縄	16 915	3 470	3 306	5 590	4 549	5 068	803
指定都市・特別区（再掲） 東 京 都 区 部	102 613	31 219	28 939	23 950	18 505	10 351	2 965
札　幌　市	13 636	3 981	4 068	3 583	2 004	－	－
仙　台　市	26 598	4 666	5 409	8 184	8 339	－	－
さいたま市	11 852	3 361	2 973	2 797	2 721	－	－
千　葉　市	18 524	4 376	3 800	4 854	5 494	4 372	1 258
横　浜　市	30 868	8 196	7 726	8 763	6 183	442	104
川　崎　市	10 196	2 628	2 603	2 580	2 385	－	－
相　模　原　市	10 212	2 849	2 363	2 435	2 565	1 237	229
新　潟　市	10 696	2 219	2 578	3 299	2 600	8 528	1 130
静　岡　市	7 559	1 688	1 876	2 386	1 609	5 630	1 418
浜　松　市	9 219	2 104	2 158	2 714	2 243	296	12
名　古　屋　市	25 030	7 819	7 471	5 907	3 833	2 076	568
京　都　市	－					－	
大　阪　市	16 002	4 978	4 304	3 778	2 942	4 921	882
堺　　市	9 260	3 192	2 337	2 024	1 707	359	69
神　戸　市	4 834	492	1 072	1 565	1 705	4 834	492
岡　山　市	6 628	1 971	1 538	1 753	1 366	416	112
広　島　市	17 264	6 044	3 675	4 548	2 997	2 515	564
北　九　州　市	…	…	…	…	…	－	－
福　岡　市	－					－	－
熊　本　市	5 051	1 240	1 334	1 544	933	829	54

・特別区－中核市－その他政令市、検診回数・検診方式・年齢階級別

平成29年度

初回 検診 50～59歳	初回 検診 60～69歳	初回 検診 70歳以上	初回 個別検診 総数	初回 個別検診 40～49歳	初回 個別検診 50～59歳	初回 個別検診 60～69歳	初回 個別検診 70歳以上
217 494	374 106	301 299	888 951	241 491	224 404	242 389	180 667
6 270	10 523	8 174	29 587	8 133	8 603	8 219	4 632
3 782	7 511	6 331	6 071	1 755	1 664	1 701	951
6 872	11 337	8 942	5 470	1 309	1 361	1 652	1 148
5 993	10 687	7 883	38 903	7 278	8 008	11 803	11 814
2 752	5 972	4 485	4 402	1 177	1 426	1 177	622
4 440	11 331	7 506	4 563	1 017	1 268	1 390	888
2 581	5 526	3 938	24 617	4 453	5 440	8 200	6 524
6 033	8 857	5 345	12 176	3 379	3 190	3 641	1 966
10 984	20 053	14 740	7 699	2 383	2 159	2 125	1 032
4 680	7 291	5 324	25 114	6 107	6 464	6 923	5 620
8 445	12 059	9 028	55 541	16 531	13 457	14 993	10 560
26 133	40 916	34 972	48 081	12 746	9 838	12 987	12 510
6 092	5 799	4 012	123 268	36 894	34 300	29 518	22 556
3 636	5 918	6 474	75 941	20 259	18 648	19 661	17 373
8 346	14 908	11 452	8 159	2 254	2 546	1 897	1 462
2 115	4 733	4 097	6 110	1 497	1 314	1 787	1 512
3 510	5 705	3 731	5 980	2 609	2 289	937	145
1 570	2 996	2 410	4 590	1 521	1 470	1 128	471
4 555	7 175	6 366	7 544	1 077	1 310	2 924	2 233
3 370	4 542	2 676	6 581	2 203	1 638	1 783	957
10 113	13 370	7 917	9 551	2 585	2 533	2 906	1 527
6 247	8 924	5 719	36 364	7 857	8 596	10 749	9 162
7 633	11 560	8 923	60 806	17 551	15 281	16 485	11 489
5 658	9 317	7 141	13 051	3 590	3 185	4 002	2 274
1 849	3 111	1 810	8 552	2 761	2 587	2 275	929
2 228	3 180	2 733	10 648	2 959	2 687	3 099	1 903
6 506	9 022	7 296	64 640	20 247	17 527	15 594	11 272
4 697	7 287	5 774	21 469	7 990	6 264	4 428	2 787
1 267	2 311	2 097	12 913	3 212	3 297	3 566	2 838
2 475	4 326	3 292	10 865	3 105	3 352	2 859	1 549
1 192	2 132	1 897	7 791	1 309	1 800	2 608	2 074
1 008	1 619	1 280	2 904	621	833	982	468
2 758	5 999	6 741	22 428	5 615	4 754	6 490	5 569
2 452	6 334	7 114	23 254	7 225	5 177	6 678	4 174
664	1 535	1 689	12 184	2 764	2 949	3 613	2 858
405	1 184	1 097	6 036	1 596	1 487	1 646	1 307
1 480	3 286	3 315	12 719	3 021	2 919	3 738	3 041
4 446	9 207	8 671	1 299	494	346	358	101
1 211	2 914	3 904	2 838	960	762	721	395
6 354	14 059	10 582	5 983	1 647	1 515	1 700	1 121
2 997	6 340	4 934	1 929	631	520	511	267
2 068	4 137	3 244	10 176	2 388	2 650	3 384	1 754
6 001	12 171	11 740	7 990	1 777	2 130	2 678	1 405
2 398	5 720	6 538	3 307	490	613	1 103	1 101
2 224	4 060	3 298	3 755	1 132	944	1 029	650
8 115	15 358	13 095	3 255	715	886	955	699
889	1 804	1 572	11 847	2 667	2 417	3 786	2 977
2 874	2 608	1 904	92 262	28 254	26 065	21 342	16 601
-	-	-	13 636	3 981	4 068	3 583	2 004
-	-	-	26 598	4 666	5 409	8 184	8 339
-	-	-	11 852	3 361	2 973	2 797	2 721
889	1 192	1 033	14 152	3 118	2 911	3 662	4 461
56	126	156	30 426	8 092	7 670	8 637	6 027
-	-	-	10 196	2 628	2 603	2 580	2 385
215	370	423	8 975	2 620	2 148	2 065	2 142
1 504	3 294	2 600	2 168	1 089	1 074	5	-
1 478	1 825	909	1 929	270	398	561	700
54	110	120	8 923	2 092	2 104	2 604	2 123
558	458	492	22 954	7 251	6 913	5 449	3 341
-	-	-	-	-	-	-	-
978	1 478	1 583	11 081	4 096	3 326	2 300	1 359
53	127	110	8 901	3 123	2 284	1 897	1 597
1 072	1 565	1 705	-	-	-	-	-
80	125	99	6 212	1 859	1 458	1 628	1 267
267	766	918	14 749	5 480	3 408	3 782	2 079
-	-	-	…	…	…	…	…
-	-	-	-	-	-	-	-
105	356	314	4 222	1 186	1 229	1 188	619

15(8)－05 がん検診 乳がん

第19－1表（6－6）　乳がん検診受診者数，都道府県－指定都市

	非					集	団
	総	数				集	団
	総　数	40 ～ 49 歳	50 ～ 59 歳	60 ～ 69 歳	70 歳 以 上	総　数	40 ～ 49 歳
中核市（再掲）							
旭 川 市	6 498	1 197	1 536	2 128	1 637	4 887	713
函 館 市	1 915	478	586	576	275	154	8
青 森 市	3 412	709	729	1 196	778	1 774	259
八 戸 市	3 388	618	736	1 057	977	3 388	618
盛 岡 市	5 228	1 230	1 255	1 590	1 153	276	22
秋 田 市	2 162	649	777	478	258	452	111
郡 山 市	4 760	858	915	1 564	1 423	46	5
い わ き 市	2 970	463	576	1 050	881	715	116
宇 都 宮 市	4 836	935	1 120	1 751	1 030	4 470	861
前 橋 市	15 445	3 476	3 546	4 706	3 717	1 944	390
高 崎 市	5 051	1 114	1 244	1 345	1 348	1 446	178
川 越 市	3 735	1 126	730	1 184	695	879	177
越 谷 市	6 402	2 236	1 435	1 620	1 111	739	219
船 橋 市	－	－	－	－	－	－	－
柏 市	18 256	4 693	3 371	4 917	5 275	11 155	2 967
八 王 子 市	7 203	1 747	1 794	2 197	1 465	－	－
横 須 賀 市	4 336	637	715	1 392	1 592	2 011	209
富 山 市	…	…	…	…	…	…	…
金 沢 市	5 355	2 421	2 056	749	129	1 107	391
長 野 市	1 150	244	367	383	156	1 108	223
岐 阜 市	4 691	1 352	1 308	1 312	719	4 691	1 352
豊 橋 市	3 001	823	789	938	451	2 140	517
豊 田 市	3 215	767	611	1 171	666	－	－
岡 崎 市	4 847	993	912	1 625	1 317	4 847	993
大 津 市	2 989	934	975	782	298	216	93
高 槻 市	3 901	1 198	683	1 226	794	834	239
東 大 阪 市	6 112	1 288	1 299	1 752	1 773	719	129
豊 中 市	3 610	1 221	964	830	595	1 723	471
枚 方 市	4 018	958	1 138	1 110	812	－	－
姫 路 市	7 480	3 230	2 768	1 056	426	1 950	379
西 宮 市	2 926	1 724	536	342	324	971	434
尼 崎 市	1 612	403	443	429	337	－	－
奈 良 市	5 995	1 471	1 506	1 622	1 396	140	19
和 歌 山 市	3 968	1 138	1 241	1 039	550	230	50
倉 敷 市	12 530	2 959	2 537	3 684	3 350	222	87
福 山 市	3 279	461	487	1 253	1 078	1 996	228
呉 市	3 804	653	641	1 354	1 156	3 228	447
下 関 市	2 293	487	520	671	615	343	9
高 松 市	7 404	1 962	1 729	2 000	1 713	165	20
松 山 市	5 002	827	885	1 659	1 631	4 003	469
高 知 市	3 028	933	791	827	477	406	82
久 留 米 市	3 545	820	914	1 085	726	1 033	238
長 崎 市	2 817	806	724	904	383	383	34
佐 世 保 市	4 825	909	1 120	1 797	999	1 005	142
大 分 市	…	…	…	…	…	…	…
宮 崎 市	3 492	1 032	881	1 017	562	370	85
鹿 児 島 市	6 180	746	888	2 209	2 337	6 180	746
那 覇 市	3 912	825	705	1 218	1 164	269	63
その他政令市（再掲）							
小 樽 市	998	112	186	345	355	296	17
町 田 市	3 207	1 204	927	613	463	－	－
藤 沢 市	9 236	2 699	2 276	2 064	2 197	50	24
茅 ヶ 崎 市	578	118	144	158	158	446	89
四 日 市 市	5 592	1 017	842	1 721	2 012	5 069	494
大 牟 田 市	917	178	168	336	235	705	110

注：検診回数の初回・非初回については、計数不詳の市区町村があるため、総数と一致しない場合がある。

・特別区－中核市－その他政令市、検診回数・検診方式・年齢階級別

平成29年度

初回							
検診			個別検診				
50 ～ 59 歳	60 ～ 69 歳	70 歳 以 上	総数	40 ～ 49 歳	50 ～ 59 歳	60 ～ 69 歳	70 歳 以 上
1 082	1 724	1 368	1 611	484	454	404	269
38	73	35	1 761	470	548	503	240
313	731	471	1 638	450	416	465	307
736	1 057	977	-	-	-	-	-
53	121	80	4 952	1 208	1 202	1 469	1 073
148	130	63	1 710	538	629	348	195
4	11	26	4 714	853	911	1 553	1 397
118	265	216	2 255	347	458	785	665
1 003	1 660	946	366	74	117	91	84
356	744	454	13 501	3 086	3 190	3 962	3 263
242	469	557	3 605	936	1 002	876	791
177	311	214	2 856	949	553	873	481
169	177	174	5 663	2 017	1 266	1 443	937
-	-	-	-	-	-	-	-
1 856	2 865	3 467	7 101	1 726	1 515	2 052	1 808
-	-	-	7 203	1 747	1 794	2 197	1 465
251	637	914	2 325	428	464	755	678
…	…	…	…	…	…	…	…
316	271	129	4 248	2 030	1 740	478	-
363	373	149	42	21	4	10	7
1 308	1 312	719	-	-	-	-	-
568	721	334	861	306	221	217	117
-	-	-	3 215	767	611	1 171	666
912	1 625	1 317	-	-	-	-	-
65	43	15	2 773	841	910	739	283
147	257	191	3 067	959	536	969	603
182	211	197	5 393	1 159	1 117	1 541	1 576
413	464	375	1 887	750	551	366	220
-	-	-	4 018	958	1 138	1 110	812
455	705	411	5 530	2 851	2 313	351	15
175	201	161	1 955	1 290	361	141	163
-	-	-	1 612	403	443	429	337
33	44	44	5 855	1 452	1 473	1 578	1 352
50	77	53	3 738	1 088	1 191	962	497
62	73	-	12 308	2 872	2 475	3 611	3 350
280	762	726	1 283	233	207	491	352
464	1 219	1 098	576	206	177	135	58
32	120	182	1 950	478	488	551	433
18	62	65	7 239	1 942	1 711	1 938	1 648
614	1 366	1 554	999	358	271	293	77
75	151	98	2 622	851	716	676	379
235	381	179	2 512	582	679	704	547
60	180	109	2 434	772	664	724	274
216	431	216	3 820	767	904	1 366	783
…	…	…	…	…	…	…	…
89	154	42	3 122	947	792	863	520
888	2 209	2 337	-	-	-	-	-
65	90	51	3 643	762	640	1 128	1 113
40	113	126	702	95	146	232	229
-	-	-	3 207	1 204	927	613	463
10	7	9	9 186	2 675	2 266	2 057	2 188
101	128	128	132	29	43	30	30
842	1 721	2 012	523	523	-	-	-
113	275	207	212	68	55	61	28

第19－2表（2－1） 乳がん検診2年連続受診者数，都道府県

	総数					集団	
	総数	40 ～ 49 歳	50 ～ 59 歳	60 ～ 69 歳	70 歳 以 上	総数	40 ～ 49 歳
全国	**611 402**	**136 638**	**120 386**	**200 782**	**153 596**	**418 662**	**75 129**
北海道	9 520	2 948	2 161	2 682	1 729	5 772	1 218
青森	3 333	895	429	1 186	823	2 703	489
岩手	3 980	1 045	859	1 317	759	3 746	921
宮城	6 488	2 508	1 251	1 728	1 001	3 939	1 351
秋田	5 539	1 362	1 099	1 908	1 170	3 841	923
山形	16 386	1 842	3 019	7 472	4 053	14 586	1 416
福島	5 882	1 734	1 141	1 969	1 038	2 814	571
茨城	4 922	1 861	838	1 352	871	1 157	966
栃木	45 856	8 701	9 364	16 381	11 410	40 332	7 086
群馬	19 380	4 565	4 441	6 067	4 307	7 783	1 781
埼玉	21 149	6 860	4 502	5 637	4 150	9 839	2 924
千葉	98 683	14 173	19 828	35 230	29 452	82 354	11 176
東京	13 063	6 648	2 654	2 130	1 631	942	416
神奈川	19 819	6 254	4 414	4 655	4 496	3 863	1 089
新潟	5 422	1 494	1 010	1 792	1 126	4 654	1 200
富山	13 953	2 631	2 420	4 806	4 096	10 066	1 759
石川	8 098	1 834	1 723	2 735	1 806	7 118	1 445
福井	457	223	84	93	57	281	88
山梨	15 523	2 219	2 694	5 763	4 847	10 136	1 594
長野	3 204	1 275	726	877	326	1 481	537
岐阜	25 632	6 735	6 151	8 085	4 661	21 539	5 562
静岡	7 846	3 494	1 292	1 865	1 195	4 317	1 704
愛知	31 793	8 540	6 110	9 834	7 309	15 431	3 816
三重	24 067	5 389	5 221	8 064	5 393	18 533	3 573
滋賀	575	465	64	45	1	175	173
京都	1 649	650	324	428	247	653	192
大阪	10 724	4 675	2 395	2 268	1 386	3 167	946
兵庫	5 121	1 811	966	1 543	801	2 544	662
奈良	1 378	731	157	272	218	627	148
和歌山	11 616	2 586	2 794	3 731	2 505	8 044	1 303
鳥取	1 462	355	328	580	199	596	161
島根	1 493	323	355	454	361	1 214	219
岡山	27 926	5 288	4 796	8 912	8 930	14 482	1 886
広島	17 294	3 826	2 650	5 581	5 237	7 636	956
山口	1 316	492	285	288	251	207	29
徳島	853	492	194	117	50	241	60
香川	4 228	839	679	1 516	1 194	2 561	458
愛媛	10 803	1 436	1 835	3 844	3 688	10 700	1 361
高知	468	132	55	132	149	409	74
福岡	13 605	3 097	2 380	4 799	3 329	11 579	2 178
佐賀	8 697	1 392	1 588	3 259	2 458	7 704	1 054
長崎	7 825	1 193	1 523	2 981	2 128	4 648	540
熊本	25 040	3 795	4 552	8 978	7 715	22 072	2 955
大分	11 368	1 392	1 719	3 998	4 259	9 741	1 141
宮崎	3 675	765	664	1 344	902	3 535	705
鹿児島	29 799	4 685	5 883	10 563	8 668	27 172	4 063
沖縄	4 492	988	769	1 521	1 214	1 728	260
指定都市・特別区(再掲)							
東京都区部	11 513	5 733	2 422	1 844	1 514	511	251
札幌市	1 844	926	429	284	205	-	-
仙台市	1	-	1	-	-	-	-
さいたま市	154	37	34	38	45	-	-
千葉市	-	-	-	-	-	-	-
横浜市	2 718	979	619	742	378	-	-
川崎市	338	240	32	45	21	-	-
相模原市	69	16	15	12	26	-	-
新潟市	…	…	…	…	…	…	…
静岡市	490	320	55	71	44	429	302
浜松市	611	608	2	-	1	4	1
名古屋市	-	-	-	-	-	-	-
京都市	-	-	-	-	-	-	-
大阪市	1 775	1 019	334	242	180	293	130
堺市	1 439	790	263	206	180	51	20
神戸市	61	37	10	14	-	61	37
岡山市	1 656	838	275	320	223	100	48
広島市	9 575	2 816	1 642	2 795	2 322	1 660	297
北九州市	427	186	85	112	44	-	-
福岡市	-	-	-	-	-	-	-
熊本市	624	427	66	101	30	15	12

－指定都市・特別区－中核市－その他政令市、検診方式・年齢階級別

平成29年度

検診			個別検診				
50 ～ 59 歳	60 ～ 69 歳	70 歳 以 上	総　　数	40 ～ 49 歳	50 ～ 59 歳	60 ～ 69 歳	70 歳 以 上
78 627	148 027	116 879	192 740	61 509	41 759	52 755	36 717
1 231	1 916	1 407	3 748	1 730	930	766	322
357	1 062	795	630	406	72	124	28
810	1 257	758	234	124	49	60	1
817	1 135	636	2 549	1 157	434	593	365
625	1 397	896	1 698	439	474	511	274
2 553	6 870	3 747	1 800	426	466	602	306
560	1 054	629	3 068	1 163	581	915	409
77	88	26	3 765	895	761	1 264	845
7 817	14 773	10 656	5 524	1 615	1 547	1 608	754
1 764	2 659	1 579	11 597	2 784	2 677	3 408	2 728
1 985	2 847	2 083	11 310	3 936	2 517	2 790	2 067
16 323	29 955	24 900	16 329	2 997	3 505	5 275	4 552
201	220	105	12 121	6 232	2 453	1 910	1 526
653	1 057	1 064	15 956	5 165	3 761	3 598	3 432
899	1 560	995	768	294	111	232	131
1 631	3 610	3 066	3 887	872	789	1 196	1 030
1 394	2 540	1 739	980	389	329	195	67
59	80	54	176	135	25	13	3
1 860	3 582	3 100	5 387	625	834	2 181	1 747
369	420	155	1 723	738	357	457	171
5 021	6 923	4 033	4 093	1 173	1 130	1 162	628
735	1 149	729	3 529	1 790	557	716	466
2 835	4 937	3 843	16 362	4 724	3 275	4 897	3 466
3 661	6 276	5 023	5 534	1 816	1 560	1 788	370
–	1	1	400	292	64	44	–
167	201	93	996	458	157	227	154
649	965	607	7 557	3 729	1 746	1 303	779
425	941	516	2 577	1 149	541	602	285
90	209	180	751	583	67	63	38
1 648	2 945	2 148	3 572	1 283	1 146	786	357
125	233	77	866	194	203	347	122
277	379	339	279	104	78	75	22
2 242	4 943	5 411	13 444	3 402	2 554	3 969	3 519
873	2 650	3 157	9 658	2 870	1 777	2 931	2 080
25	59	94	1 109	463	260	229	157
59	77	45	612	432	135	40	5
360	982	761	1 667	381	319	534	433
1 829	3 833	3 677	103	75	6	11	11
54	132	149	59	58	1	–	–
1 996	4 316	3 089	2 026	919	384	483	240
1 348	2 992	2 310	993	338	240	267	148
837	1 809	1 462	3 177	653	686	1 172	666
3 892	7 888	7 337	2 968	840	660	1 090	378
1 418	3 420	3 762	1 627	251	301	578	497
626	1 312	892	140	60	38	32	10
5 152	9 801	8 156	2 627	622	731	762	512
298	572	598	2 764	728	471	949	616
114	97	49	11 002	5 482	2 308	1 747	1 465
–	–	–	1 844	926	429	284	205
–	–	–	1	–	1	–	–
–	–	–	154	37	34	38	45
–	–	–	2 718	979	619	742	378
–	–	–	338	240	32	45	21
…	–	–	69	16	15	12	26
…	…	…	…	…	…	…	…
43	60	24	61	18	12	11	20
2	–	1	607	607	–	–	–
–	–	–	–	–	–	–	–
46	59	58	1 482	889	288	183	122
4	12	15	1 388	770	259	194	165
10	14	–	–	–	–	–	–
12	29	11	1 556	790	263	291	212
129	507	727	7 915	2 519	1 513	2 288	1 595
–	–	–	427	186	85	112	44
–	–	–	–	–	–	–	–
1	2	–	609	415	65	99	30

第19－２表（2－2） 乳がん検診２年連続受診者数，

	総数					集団	
	総数	40 ～ 49 歳	50 ～ 59 歳	60 ～ 69 歳	70 歳 以 上	総数	40 ～ 49 歳
中核市（再掲）							
旭川市	294	80	84	88	42	210	45
函館市	91	79	6	6	-	-	-
青森市	385	184	51	98	52	196	59
八戸市	650	247	114	163	126	650	247
盛岡市	109	108	-	1	-	2	2
秋田市	-	-	-	-	-	-	-
郡山市	509	308	69	96	36	2	2
いわき市	188	187	1	-	-	49	48
宇都宮市	13	6	2	4	1	13	6
前橋市	12 808	2 822	2 909	3 994	3 083	1 600	325
高崎市	-	-	-	-	-	-	-
川越市	47	47	-	-	-	-	-
越谷市	1 203	592	266	219	126	112	44
船橋市	-	-	-	-	-	-	-
柏市	16 061	3 905	2 962	4 451	4 743	9 805	2 410
八王子市	222	218	1	2	1	-	-
横須賀市	69	54	5	5	5	25	25
富山市	322	111	98	67	46	195	60
金沢市	263	123	103	36	1	10	4
長野市	20	20	-	-	-	2	2
岐阜市	1 450	514	425	361	150	1 450	514
豊橋市	182	182	-	-	-	101	101
豊田市	259	211	9	39	-	-	-
岡崎市	199	199	-	-	-	199	199
大津市	44	44	-	-	-	5	5
高槻市	26	11	4	6	5	-	-
東大阪市	9	1	2	2	4	-	-
豊中市	300	103	89	64	44	129	28
枚方市	757	215	285	204	53	-	-
姫路市	355	-	-	189	166	342	-
西宮市	437	400	30	7	-	100	92
尼崎市	42	11	8	6	17	-	-
奈良市	498	376	45	40	37	4	1
和歌山市	762	285	201	179	97	29	7
倉敷市	9 274	2 115	1 800	2 777	2 582	142	55
福山市	79	46	6	15	12	17	12
呉市	2 877	429	454	1 080	914	2 564	329
下関市	748	195	142	196	215	158	5
高松市	195	88	50	38	19	7	-
松山市	78	78	-	-	-	37	37
高知市	45	45	-	-	-	3	3
久留米市	356	306	18	29	3	129	95
長崎市	…	…	…	…	…	…	…
佐世保市	3 332	586	684	1 342	720	705	95
大分市	…	…	…	…	…	…	…
宮崎市	3	1	2	-	-	-	-
鹿児島市	4 588	519	619	1 692	1 758	4 588	519
那覇市	606	212	79	170	145	31	13
その他政令市（再掲）							
小樽市	16	11	1	2	2	2	1
町田市	114	36	19	27	32	-	-
藤沢市	7 152	2 041	1 747	1 659	1 705	21	11
茅ヶ崎市	-	-	-	-	-	-	-
四日市市	3 916	390	549	1 320	1 657	3 789	263
大牟田市	26	24	1	1	-	11	11

都道府県－指定都市・特別区－中核市－その他政令市、検診方式・年齢階級別

平成29年度

検	診		個	別	検	診	
50 ～ 59 歳	60 ～ 69 歳	70 歳 以 上	総 数	40 ～ 49 歳	50 ～ 59 歳	60 ～ 69 歳	70 歳 以 上
60	71	34	84	35	24	17	8
－	－	－	91	79	6	6	－
32	71	34	189	125	19	27	18
114	163	126	－	－	－	－	－
－	－	－	107	106	－	1	－
－	－	－	－	－	－	－	－
－	－	－	507	306	69	96	36
1	－	－	139	139	－	－	－
2	4	1	－	－	－	－	－
285	627	363	11 208	2 497	2 624	3 367	2 720
－	－	－	－	－	－	－	－
－	－	－	47	47	－	－	－
27	18	23	1 091	548	239	201	103
－	－	－	－	－	－	－	－
1 667	2 615	3 113	6 256	1 495	1 295	1 836	1 630
－	－	－	222	218	1	2	1
－	－	－	44	29	5	5	5
65	37	33	127	51	33	30	13
4	1	1	253	119	99	35	－
－	－	－	18	18	－	－	－
425	361	150	－	－	－	－	－
－	－	－	81	81	－	－	－
－	－	－	259	211	9	39	－
－	－	－	－	－	－	－	－
－	－	－	39	39	－	－	－
－	－	－	26	11	4	6	5
－	－	－	9	1	2	2	4
35	35	31	171	75	54	29	13
－	－	－	757	215	285	204	53
－	182	160	13	－	－	7	6
4	4	－	337	308	26	3	－
－	－	－	42	11	8	6	17
－	2	1	494	375	45	38	36
3	9	10	733	278	198	170	87
43	44	－	9 132	2 060	1 757	2 733	2 582
1	－	4	62	34	5	15	8
365	997	873	313	100	89	83	41
11	48	94	590	190	131	148	121
－	3	4	188	88	50	35	15
－	－	－	41	41	－	－	－
－	－	－	42	42	－	－	－
13	18	3	227	211	5	11	－
…	…	…	…	…	…	…	…
129	334	147	2 627	491	555	1 008	573
…	…	…	…	…	…	…	…
－	－	－	3	1	2	－	－
619	1 692	1 758	－	－	－	－	－
7	7	4	575	199	72	163	141
－	1	－	14	10	1	1	2
－	－	－	114	36	19	27	32
6	1	3	7 131	2 030	1 741	1 658	1 702
－	－	－	－	－	－	－	－
549	1 320	1 657	127	127	－	－	－
－	－	－	15	13	1	1	－

受診率

第20－1表（3－1）　健康診査、肺がん及び大腸がん検診対象者数

	対象者数		
	健康診査	肺がん[2]	大腸がん[2]
全国	1 645 317	52 484 735	52 529 230
北海道	115 281	2 285 253	2 285 252
青森	24 200	566 087	566 087
岩手	10 420	527 227	531 041
宮城	31 215	957 527	957 527
秋田	10 601	436 808	436 808
山形	6 391	457 105	457 105
福島	13 606	813 904	813 904
茨城	22 041	1 228 422	1 230 422
栃木	35 201	834 704	850 296
群馬	12 596	822 219	822 219
埼玉	76 811	3 086 456	3 086 456
千葉	64 076	2 616 259	2 616 259
東京	225 463	5 531 775	5 527 617
神奈川	141 991	3 819 788	3 819 788
新潟	16 197	947 794	947 794
富山	2 299	438 823	438 823
石川	5 593	472 472	472 472
福井	3 271	319 438	319 514
山梨	5 607	349 987	349 987
長野	8 650	858 014	858 014
岐阜	5 990	841 099	840 406
静岡	24 796	1 544 091	1 544 091
愛知	62 085	3 033 758	3 033 808
三重	11 580	753 094	753 294
滋賀	7 431	572 289	572 289
京都	38 085	1 038 046	1 065 803
大阪	237 750	3 622 095	3 622 095
兵庫	75 226	2 291 691	2 291 691
奈良	14 351	570 362	570 362
和歌山	13 082	405 141	404 871
鳥取	6 146	231 002	231 002
島根	4 504	274 667	274 670
岡山	19 075	759 311	759 210
広島	32 760	1 160 617	1 160 617
山口	8 708	565 015	565 142
徳島	10 166	316 018	316 013
香川	7 594	404 477	404 477
愛媛	18 333	575 096	575 096
高知	15 765	298 351	298 351
福岡	70 699	2 058 769	2 058 819
佐賀	5 230	334 544	334 548
長崎	23 864	569 622	569 622
熊本	19 798	713 096	713 096
大分	16 610	473 460	473 461
宮崎	13 949	456 437	456 437
鹿児島	21 687	672 303	672 316
沖縄	28 543	580 222	580 258
指定都市・特別区（再掲）			
東京都区部	170 500	3 783 714	3 779 576
札幌市	54 125	842 283	842 283
仙台市	13 367	434 436	434 436
さいたま市	15 765	532 462	532 462
千葉市	16 425	407 575	407 575
横浜市	55 021	1 562 019	1 562 019
川崎市	49 782	604 559	604 559
相模原市	9 832	298 686	298 686
新潟市	9 317	333 645	333 645
静岡市	7 240	290 753	290 753
浜松市	5 754	329 861	329 861
名古屋市	39 640	924 186	924 186
京都市	27 988	566 277	594 034
大阪市	115 345	1 082 080	1 082 080
堺市	20 010	346 094	346 094
神戸市	35 876	633 204	633 204
岡山市	10 085	281 647	281 557
広島市	18 412	491 560	491 560
北九州市	14 481	384 510	384 510
福岡市	17 585	603 718	603 718
熊本市	12 336	293 509	293 509

・受診者数・受診率，都道府県－指定都市・特別区－中核市－その他政令市、種類別

平成29年度

	対　　　象　　　者　　　数		
	健　康　診　査	肺　　が　　ん[2]	大　腸　が　ん[2]
中核市（再掲）			
旭　川　市	1 657	145 174	145 174
函　館　市	9 817	115 367	115 367
青　森　市	7 407	126 207	126 207
八　戸　市	2 497	100 093	100 093
盛　岡　市	3 446	122 537	122 537
秋　田　市	4 566	136 020	136 020
郡　山　市	2 747	137 470	137 470
い　わ　き　市	3 389	147 620	147 620
宇　都　宮　市	6 758	215 738	215 738
前　橋　市	3 341	139 419	139 419
高　崎　市	2 851	152 201	152 201
川　越　市	3 421	144 967	144 967
越　谷　市	2 957	141 124	141 124
船　橋　市	7 052	257 426	257 426
柏　　　市	3 517	167 625	167 625
八　王　子　市	7 128	231 452	231 452
横　須　賀　市	4 324	167 058	167 058
富　山　市	1 497	172 520	172 520
金　沢　市	3 580	186 264	186 264
長　野　市	2 637	156 429	156 429
岐　阜　市	2 031	168 770	168 770
豊　橋　市	1 829	152 810	152 810
豊　田　市	1 804	168 071	168 071
岡　崎　市	1 566	154 490	154 490
大　津　市	2 709	143 256	143 256
高　槻　市	4 322	145 036	145 036
東　大　阪　市	13 792	205 228	205 228
豊　中　市	－	166 089	166 089
枚　方　市	6 034	169 618	169 618
姫　路　市	3 388	215 232	215 232
西　宮　市	5 998	203 501	203 501
尼　崎　市	13 665	189 637	189 637
奈　良　市	5 644	150 396	150 396
和　歌　山　市	7 945	153 551	153 551
倉　敷　市	5 496	188 210	188 210
福　山　市	5 263	190 161	190 161
呉　　　市	3 048	92 293	92 293
下　関　市	329	107 775	107 775
高　松　市	4 373	175 948	175 948
松　山　市	10 319	214 089	214 089
高　知　市	9 474	137 537	137 537
久　留　米　市	4 846	121 753	121 753
長　崎　市	10 833	180 468	180 468
佐　世　保　市	4 506	100 687	100 687
大　分　市	7 162	197 766	197 766
宮　崎　市	7 014	166 814	166 814
鹿　児　島　市	11 883	248 194	248 194
那　覇　市	9 999	131 410	131 410
その他政令市（再掲）			
小　樽　市	3 782	52 204	52 204
町　田　市	5 436	179 679	179 679
藤　沢　市	3 817	179 740	179 740
茅　ヶ崎　市	1 654	102 331	102 331
四　日　市　市	2 582	128 173	128 173
大　牟　田　市	…	47 887	47 887

注： 1） 健康診査の受診者数は、「健康診査」、「訪問健康診査」及び「介護家族訪問健康診査」の受診者数の合計である。
　　 2） 「がん対策推進基本計画」（平成24年6月8日閣議決定）及び「がん予防重点健康教育及びがん検診実施のための指針」（平成20年3月31日健康局長通知別添）に基づき、がん検診の受診率の算定対象年齢を40歳から69歳までとした。
　　 3） 受診率は、計数不詳の市区町村を除く。

受診率

第20－1表（3－2） 健康診査、肺がん及び大腸がん検診対象者数

	受　診　者　数		
	健　康　診　査[1]	肺　が　ん[2]	大　腸　が　ん[2]
全　　国	121 827	3 881 044	4 391 031
北　海　道	2 357	105 351	135 460
青　　森	1 990	60 918	81 862
岩　　手	1 338	67 624	69 310
宮　　城	3 740	134 232	131 141
秋　　田	383	42 316	53 352
山　　形	385	79 732	78 158
福　　島	1 654	103 601	91 702
茨　　城	657	123 768	100 238
栃　　木	907	92 817	98 570
群　　馬	1 529	90 526	82 430
埼　　玉	6 896	206 791	248 234
千　　葉	5 689	262 180	265 052
東　　京	46 698	261 682	512 193
神　奈　川	8 079	194 750	217 526
新　　潟	1 817	101 455	102 837
富　　山	237	43 123	36 387
石　　川	934	46 860	45 575
福　　井	163	24 567	25 745
山　　梨	214	58 796	51 991
長　　野	993	34 500	73 605
岐　　阜	422	65 146	76 568
静　　岡	1 548	151 360	144 925
愛　　知	3 800	262 957	263 604
三　　重	1 890	60 271	69 023
滋　　賀	482	27 010	34 812
京　　都	1 742	46 881	52 304
大　　阪	5 573	187 286	210 959
兵　　庫	2 104	119 447	164 189
奈　　良	884	22 417	44 798
和　歌　山	158	40 167	40 888
鳥　　取	585	26 877	30 159
島　　根	454	12 977	24 455
岡　　山	1 327	63 904	55 088
広　　島	1 045	75 151	81 018
山　　口	213	27 388	29 587
徳　　島	218	14 722	16 912
香　　川	1 162	39 220	45 219
愛　　媛	221	32 642	40 479
高　　知	236	28 894	24 742
福　　岡	2 634	93 912	112 274
佐　　賀	273	29 733	30 590
長　　崎	1 601	54 111	43 925
熊　　本	1 086	71 493	70 868
大　　分	842	47 968	35 397
宮　　崎	830	22 621	38 629
鹿　児　島	1 073	63 383	60 344
沖　　縄	2 764	57 517	47 907
指定都市・特別区（再掲） 東京都区部	34 800	211 622	357 351
札　幌　市	419	10 401	37 429
仙　台　市	1 365	35 320	40 850
さいたま市	2 308	53 312	50 243
千　葉　市	833	41 143	37 827
横　浜　市	1 634	47 387	72 838
川　崎　市	2 786	32 597	30 058
相模原市	641	18 544	19 582
新　潟　市	1 120	20 138	32 386
静　岡　市	224	19 026	19 289
浜　松　市	416	31 471	30 191
名古屋市	1 185	63 371	75 223
京　都　市	665	16 605	10 724
大　阪　市	743	31 612	37 674
堺　　市	239	9 160	16 607
神　戸　市	290	13 965	53 054
岡　山　市	741	21 858	17 890
広　島　市	810	32 349	30 757
北九州市	67	7 007	11 457
福　岡　市	864	9 833	19 787
熊　本　市	746	10 877	11 812

・受診者数・受診率，都道府県－指定都市・特別区－中核市－その他政令市、種類別

平成29年度

	受　　　　診　　　　者　　　　数		
	健　康　診　査[1]	肺　　が　　ん[2]	大　腸　が　ん[2]
中核市（再掲）			
旭　川　市	69	6 331	8 523
函　館　市	148	4 302	3 654
青　森　市	765	5 584	15 697
八　戸　市	246	8 935	9 011
盛　岡　市	546	11 412	8 193
秋　田　市	26	4 774	8 376
郡　山　市	246	14 696	14 424
い わ き 市	277	10 039	7 380
宇 都 宮 市	343	19 554	19 229
前　橋　市	551	22 767	21 744
高　崎　市	296	9 362	10 462
川　越　市	49	1 669	10 263
越　谷　市	309	7 931	8 336
船　橋　市	1 430	34 626	32 480
柏　　　市	278	7 894	9 800
八 王 子 市	1 755	12 728	23 360
横 須 賀 市	206	12 202	11 365
富　山　市	125	14 488	11 724
金　沢　市	704	18 891	17 200
長　野　市	198	4 614	8 096
岐　阜　市	195	4 763	6 675
豊　橋　市	24	11 452	10 688
豊　田　市	85	9 259	12 646
岡　崎　市	377	14 561	17 955
大　津　市	274	9 358	9 449
高　槻　市	399	17 808	13 120
東 大 阪 市	444	12 635	13 278
豊　中　市	657	2 969	10 122
枚　方　市	469	12 103	12 995
姫　路　市	275	6 270	7 658
西　宮　市	107	4 222	6 458
尼　崎　市	828	5 650	8 890
奈　良　市	598	1 653	14 897
和 歌 山 市	51	5 970	5 659
倉　敷　市	207	13 536	12 465
福　山　市	50	11 235	13 049
呉　　　市	35	3 946	4 237
下　関　市	26	2 130	3 545
高　松　市	733	10 083	17 103
松　山　市	99	8 693	8 890
高　知　市	23	5 287	8 783
久 留 米 市	378	10 196	10 254
長　崎　市	788	8 227	5 644
佐 世 保 市	26	9 710	7 863
大　分　市	100	15 104	8 466
宮　崎　市	353	10 515	10 968
鹿 児 島 市	533	11 258	10 318
那　覇　市	1 041	10 884	11 307
その他政令市（再掲）			
小　樽　市	27	969	1 725
町　田　市	1 507	－	9 520
藤　沢　市	887	17 987	17 177
茅 ヶ 崎 市	255	9 558	9 522
四 日 市 市	589	6 239	9 950
大 牟 田 市	4	1 039	1 899

注：1）健康診査の受診者数は、「健康診査」、「訪問健康診査」及び「介護家族訪問健康診査」の受診者数の合計である。
　　2）「がん対策推進基本計画」（平成24年6月8日閣議決定）及び「がん予防重点健康教育及びがん検診実施のための指針」（平成20年3月31日健康局長通知別添）に基づき、がん検診の受診率の算定対象年齢を40歳から69歳までとした。
　　3）受診率は、計数不詳の市区町村を除く。

受診率

第20－1表（3－3）　健康診査、肺がん及び大腸がん検診対象者数

	受　　　　　　診　　　　　　率[3]		
	健　康　診　査	肺　が　ん[2]	大　腸　が　ん[2]
全　　　　国	7.4	7.4	8.4
北　海　道	1.8	4.6	5.9
青　森	8.2	10.8	14.5
岩　手	12.8	12.8	13.1
宮　城	12.0	14.0	13.7
秋　田	3.6	9.7	12.2
山　形	6.0	17.3	17.1
福　島	12.1	12.7	11.3
茨　城	3.0	10.1	8.1
栃　木	2.6	11.1	11.6
群　馬	12.1	11.0	10.0
埼　玉	9.0	6.7	8.0
千　葉	8.9	10.0	10.1
東　京	20.6	4.7	9.3
神　奈　川	5.6	5.1	5.7
新　潟	11.2	10.7	10.9
富　山	10.3	9.8	8.3
石　川	16.7	9.9	9.6
福　井	5.0	7.7	8.1
山　梨	3.8	16.8	15.3
長　野	11.5	4.0	8.6
岐　阜	7.0	7.7	9.1
静　岡	6.2	9.8	9.4
愛　知	6.1	8.7	8.7
三　重	16.3	8.0	9.2
滋　賀	6.3	4.7	6.1
京　都	4.0	4.5	4.9
大　阪	2.3	5.2	5.8
兵　庫	2.8	5.2	7.2
奈　良	6.2	3.9	7.9
和　歌　山	1.2	9.9	10.1
鳥　取	9.5	11.6	13.1
島　根	10.1	4.7	8.9
岡　山	7.0	8.4	7.3
広　島	3.2	6.5	7.0
山　口	2.4	4.8	5.2
徳　島	2.1	4.7	5.4
香　川	15.3	9.7	11.2
愛　媛	1.2	5.7	7.0
高　知	1.5	9.7	8.3
福　岡	3.6	4.6	5.5
佐　賀	5.2	8.9	9.1
長　崎	6.7	9.5	7.7
熊　本	5.5	10.0	9.9
大　分	5.1	10.1	7.5
宮　崎	6.0	5.0	8.5
鹿　児　島	4.9	9.4	9.0
沖　縄	9.7	9.9	8.3
指定都市・特別区（再掲）			
東京都区部	20.4	5.6	9.5
札　幌　市	0.8	1.2	4.4
仙　台　市	10.2	8.1	9.4
さいたま市	14.6	10.0	9.4
千　葉　市	5.1	10.1	9.3
横　浜　市	3.0	3.0	4.7
川　崎　市	5.6	5.4	5.0
相模原市	6.5	6.2	6.6
新　潟　市	12.0	6.0	9.7
静　岡　市	3.1	6.5	6.6
浜　松　市	7.2	9.5	9.2
名古屋市	3.0	6.9	8.1
京　都　市	2.4	2.9	1.8
大　阪　市	0.6	2.9	3.5
堺　　市	1.2	2.6	4.8
神　戸　市	0.8	2.2	8.4
岡　山　市	7.3	7.8	6.4
広　島　市	4.4	6.6	6.3
北九州市	0.5	1.8	3.0
福　岡　市	4.9	1.6	3.3
熊　本　市	6.0	3.7	4.0

・受診者数・受診率，都道府県－指定都市・特別区－中核市－その他政令市、種類別

平成29年度

| | 受 | 診 | 率[3] |
	健　康　診　査	肺　　が　　ん[2]	大　腸　が　ん[2]
中核市（再掲）			
旭　川　市	4.2	4.4	5.9
函　館　市	1.5	3.7	3.2
青　森　市	10.3	4.4	12.4
八　戸　市	9.9	8.9	9.0
盛　岡　市	15.8	9.3	6.7
秋　田　市	0.6	3.5	6.2
郡　山　市	9.0	10.7	10.5
い　わ　き　市	8.2	6.8	5.0
宇　都　宮　市	5.1	9.1	8.9
前　橋　市	16.5	16.3	15.6
高　崎　市	10.4	6.2	6.9
川　越　市	1.4	1.2	7.1
越　谷　市	10.4	5.6	5.9
船　橋　市	20.3	13.5	12.6
柏　市	7.9	4.7	5.8
八　王　子　市	24.6	5.5	10.1
横　須　賀　市	4.8	7.3	6.8
富　山　市	8.4	8.4	6.8
金　沢　市	19.7	10.1	9.2
長　野　市	7.5	2.9	5.2
岐　阜　市	9.6	2.8	4.0
豊　橋　市	1.3	7.5	7.0
豊　田　市	4.7	5.5	7.5
岡　崎　市	24.1	9.4	11.6
大　津　市	10.1	6.5	6.6
高　槻　市	9.2	12.3	9.0
東　大　阪　市	3.2	6.2	6.5
豊　中　市	－	1.8	6.1
枚　方　市	7.8	7.1	7.7
姫　路　市	8.1	2.9	3.6
西　宮　市	1.8	2.1	3.2
尼　崎　市	6.1	3.0	4.7
奈　良　市	10.6	1.1	9.9
和　歌　山　市	0.6	3.9	3.7
倉　敷　市	3.8	7.2	6.6
福　山　市	1.0	5.9	6.9
呉　市	1.1	4.3	4.6
下　関　市	7.9	2.0	3.3
高　松　市	16.8	5.7	9.7
松　山　市	1.0	4.1	4.2
高　知　市	0.2	3.8	6.4
久　留　米　市	7.8	8.4	8.4
長　崎　市	7.3	4.6	3.1
佐　世　保　市	0.6	9.6	7.8
大　分　市	1.4	7.6	4.3
宮　崎　市	5.0	6.3	6.6
鹿　児　島　市	4.5	4.5	4.2
那　覇　市	10.4	8.3	8.6
その他政令市（再掲）			
小　樽　市	0.7	1.9	3.3
町　田　市	27.7	－	5.3
藤　沢　市	23.2	10.0	9.6
茅　ヶ　崎　市	15.4	9.3	9.3
四　日　市　市	22.8	4.9	7.8
大　牟　田　市	…	2.2	4.0

注：1）健康診査の受診者数は、「健康診査」、「訪問健康診査」及び「介護家族訪問健康診査」の受診者数の合計である。
　　2）「がん対策推進基本計画」（平成24年6月8日閣議決定）及び「がん予防重点健康教育及びがん検診実施のための指針」（平成20年3月31日健康局長通知別添）に基づき、がん検診の受診率の算定対象年齢を40歳から69歳までとした。
　　3）受診率は、計数不詳の市区町村を除く。

受診率

第20－2表　胃がん検診対象者数・受診者数・受診率,

	対象者数[1]	当該年度受診者数[1] (エックス線及び胃内視鏡)	前年度受診者数[1]	2年連続受診者数[1]	受診率[2]
全国	33 394 577	1 862 265	1 998 895	999 035	8.4
北海道	1 525 150	72 913	79 063	32 836	7.6
青森	391 144	45 771	48 860	28 617	16.7
岩手	362 223	39 330	41 682	25 125	15.2
宮城	626 032	68 469	75 016	49 772	15.0
秋田	310 251	24 360	26 436	15 530	11.4
山形	319 179	46 899	51 377	26 067	20.7
福島	562 324	63 281	69 220	38 403	16.6
茨城	799 644	39 362	45 344	25 255	7.4
栃木	545 171	48 922	51 976	29 500	13.1
群馬	529 385	46 878	47 889	27 734	12.3
埼玉	1 895 331	93 769	103 940	53 463	7.6
千葉	1 617 833	90 788	99 396	59 949	8.2
東京	3 243 595	119 509	118 379	52 668	5.7
神奈川	2 306 974	75 488	79 727	29 075	5.4
新潟	639 972	64 239	70 134	25 415	11.9
富山	282 905	26 409	28 728	10 588	14.3
石川	303 976	28 444	30 712	16 409	14.1
福井	211 763	7 405	12 856	1 233	9.0
山梨	232 224	23 793	26 089	13 508	13.6
長野	560 367	24 732	26 680	10 403	7.3
岐阜	546 002	30 341	32 281	19 326	7.9
静岡	999 248	67 078	73 777	41 959	9.9
愛知	1 840 888	121 811	128 776	64 411	9.9
三重	485 827	41 947	44 777	26 923	12.3
滋賀	359 760	11 298	11 413	6 300	4.6
京都	651 719	16 546	18 286	8 406	6.7
大阪	2 208 289	66 223	68 951	32 774	4.6
兵庫	1 456 234	44 410	49 826	24 194	4.8
奈良	373 016	15 041	14 596	7 341	6.0
和歌山	271 021	18 210	20 102	7 046	11.5
鳥取	157 024	22 864	23 500	13 603	20.3
島根	188 014	5 495	7 377	1 835	5.8
岡山	488 447	24 008	26 638	9 763	8.3
広島	739 544	37 836	36 627	19 053	7.5
山口	378 296	11 962	14 523	4 867	5.7
徳島	215 464	8 339	9 184	4 874	5.9
香川	263 531	16 648	17 656	10 089	9.2
愛媛	387 619	19 661	21 180	11 420	7.3
高知	201 054	12 314	12 929	6 678	8.7
福岡	1 324 647	63 801	66 213	26 207	7.2
佐賀	229 373	14 447	16 110	8 921	9.4
長崎	395 558	28 417	29 556	13 265	13.4
熊本	489 376	31 675	32 930	18 974	9.3
大分	321 796	17 650	18 814	9 229	11.4
宮崎	314 996	10 251	12 555	4 088	5.9
鹿児島	471 485	28 743	31 324	18 202	8.9
沖縄	370 906	24 488	25 490	7 737	11.0
指定都市・特別区(再掲)					
東京都区部	2 181 994	91 087	89 683	39 471	6.5
札幌市	539 688	16 657	18 558	3 136	5.9
仙台市	266 903	20 849	23 761	14 884	11.1
さいたま市	316 331	33 829	35 559	20 071	15.6
千葉市	243 235	17 545	17 207	9 598	10.3
横浜市	939 162	28 611	29 697	10 224	5.1
川崎市	345 428	10 436	15 427	－	7.5
相模原市	182 800	9 339	9 450	4 768	7.7
新潟市	217 029	27 886	30 676	…	…
静岡市	186 878	8 616	9 107	5 244	6.7
浜松市	209 763	17 653	18 528	11 151	11.9
名古屋市	564 055	29 119	28 099	10 296	8.3
京都市	351 947	2 848	3 508	…	…
大阪市	656 066	13 631	14 007	6 723	3.2
堺市	209 370	3 422	4 003	840	3.1
神戸市	407 529	7 593	9 300	4 849	3.0
岡山市	174 446	6 510	7 207	303	7.7
広島市	298 429	14 961	11 632	5 731	7.0
北九州市	251 049	5 676	4 540	1 648	3.4
福岡市	364 349	17 167	17 638	…	…
熊本市	190 127	4 511	4 592	2 332	3.6

都道府県－指定都市・特別区－中核市－その他政令市別

平成29年度

	対象者数[1]	当該年度受診者数[1]（エックス線及び胃内視鏡）	前年度受診者数[1]	2年連続受診者数[1]	受診率[2]
中核市（再掲）					
旭川市	97 730	4 307	4 606	2 483	6.6
函館市	78 996	1 519	1 728	899	3.0
青森市	85 088	6 163	6 596	3 862	10.5
八戸市	66 990	6 799	7 462	4 616	14.4
盛岡市	79 406	5 707	5 805	2 580	11.2
秋田市	91 302	2 811	2 903	1 528	4.6
郡山市	90 228	11 332	12 302	7 874	17.5
いわき市	100 886	5 939	6 266	3 599	8.5
宇都宮市	132 754	10 659	11 116	3 379	13.9
前橋市	89 853	14 878	15 567	10 083	22.7
高崎市	94 722	3 826	2 355	1 270	5.2
川越市	88 499	1 144	1 252	604	2.0
越谷市	83 088	4 424	4 688	2 833	7.6
船橋市	148 050	4 698	6 378	1 782	…
柏市	103 311	4 115	4 287	2 686	5.5
八王子市	144 366	3 442	3 749	2 215	3.4
横須賀市	106 497	－	－	－	－
富山市	108 955	9 508	10 487	…	…
金沢市	115 977	14 144	14 932	8 253	18.0
長野市	100 574	1 605	1 698	961	2.3
岐阜市	106 557	1 972	2 084	1 042	2.8
豊橋市	95 163	3 476	6 410	2 019	8.3
豊田市	102 584	7 678	7 987	4 643	10.7
岡崎市	94 792	8 840	9 418	5 766	13.2
大津市	90 491	1 181	1 005	514	1.8
高槻市	87 894	3 580	3 963	1 693	6.7
東大阪市	125 297	6 927	7 487	4 538	7.9
豊中市	99 437	2 039	2 358	986	3.4
枚方市	104 812	2 924	2 886	1 376	4.2
姫路市	134 263	3 749	4 208	1 600	4.7
西宮市	119 473	2 477	2 552	1 359	3.1
尼崎市	116 037	1 749	1 975	－	3.2
奈良市	98 018	2 047	1 548	723	2.9
和歌山市	99 297	2 551	2 688	173	5.1
倉敷市	115 539	6 413	6 194	3 182	8.2
福山市	121 258	3 102	3 352	1 772	3.9
呉市	60 984	1 794	2 045	1 126	4.4
下関市	73 238	1 007	1 660	309	3.2
高松市	110 145	4 340	4 214	2 058	5.9
松山市	137 409	4 394	4 540	2 447	4.7
高知市	87 378	2 992	2 760	1 366	5.0
久留米市	78 806	2 058	2 301	1 251	3.9
長崎市	124 355	4 617	4 523	…	…
佐世保市	68 514	7 083	7 504	3 959	15.5
大分市	127 620	2 678	2 431	…	…
宮崎市	109 449	2 566	2 954	849	4.3
鹿児島市	165 133	4 688	5 056	2 185	4.6
那覇市	82 163	6 118	6 415	1 681	13.2
その他政令市（再掲）					
小樽市	36 731	710	776	415	2.9
町田市	107 587	－	－	－	－
藤沢市	106 238	2 545	2 794	1 335	3.8
茅ヶ崎市	61 493	3 053	3 061	1 677	7.2
四日市市	78 624	6 871	7 634	4 868	12.3
大牟田市	33 968	805	825	238	4.1

注：1）「がん対策推進基本計画」（平成24年６月８日閣議決定）及び「がん予防重点健康教育及びがん検診実施のための指針」（平成20年３月31日健康局長通知別添）に基づき、がん検診の受診率の算定対象年齢を50歳から69歳までとした。
2）受診率は、計数不詳の市区町村を除く。

受診率

第20-3表　子宮頸がん検診対象者数・受診者数・受診率,

	対象者数[1]	当該年度受診者数[1]	前年度受診者数[1]	2年連続受診者数[1]	受診率[2]
全　　国	40 098 839	3 693 850	3 804 714	1 019 743	16.3
北海道	1 724 702	152 935	139 430	19 651	15.8
青森	406 805	40 752	41 074	8 017	18.0
岩手	378 006	40 066	42 816	9 259	19.5
宮城	736 633	115 116	128 120	60 456	24.6
秋田	306 962	25 085	26 834	6 389	14.8
山形	333 135	45 306	48 626	23 462	22.9
福島	585 421	53 191	57 765	11 575	17.0
茨城	897 999	89 901	91 516	52 896	14.3
栃木	612 699	75 538	79 294	36 153	19.4
群馬	603 269	80 317	83 664	42 863	20.1
埼玉	2 325 175	189 884	201 338	53 293	14.5
千葉	1 973 370	218 714	222 969	81 401	18.3
東京	4 531 218	338 938	357 280	45 852	14.3
神奈川	2 899 480	251 050	259 180	54 076	15.8
新潟	690 502	58 622	62 179	8 991	17.0
富山	320 575	32 344	34 308	11 634	20.3
石川	356 969	36 643	37 189	10 031	20.8
福井	239 402	26 661	25 791	1 978	21.0
山梨	257 544	35 092	35 700	19 232	19.9
長野	625 898	60 913	61 526	23 033	15.6
岐阜	631 231	65 195	67 447	26 770	16.8
静岡	1 135 711	122 324	122 525	41 388	17.8
愛知	2 343 425	224 949	229 400	42 487	17.7
三重	563 847	75 814	77 924	38 732	20.4
滋賀	442 907	33 703	39 550	165	16.5
京都	810 762	48 172	53 159	9 846	16.8
大阪	2 854 515	225 472	226 149	21 701	15.1
兵庫	1 771 710	98 973	101 026	16 453	10.4
奈良	437 080	30 621	30 964	791	13.9
和歌山	302 873	35 893	37 791	10 342	20.9
鳥取	171 914	26 497	26 316	14 817	22.1
島根	200 169	16 570	16 992	1 950	15.8
岡山	586 049	55 977	57 454	30 845	14.1
広島	889 312	77 439	81 536	15 545	15.9
山口	415 376	36 717	36 842	4 330	16.7
徳島	234 291	19 865	20 892	1 567	16.7
香川	303 552	28 815	30 246	3 985	18.1
愛媛	429 329	31 636	34 161	10 169	13.0
高知	216 343	13 361	15 009	534	12.9
福岡	1 657 898	135 118	140 900	32 903	13.8
佐賀	256 866	35 624	32 233	11 697	21.9
長崎	422 833	43 088	43 764	8 490	19.2
熊本	546 690	58 767	54 601	22 175	16.7
大分	355 614	35 371	35 676	13 266	19.5
宮崎	343 205	34 555	35 472	8 991	18.0
鹿児島	510 122	71 761	73 433	40 001	20.6
沖縄	459 451	44 505	46 653	9 561	17.5
指定都市・特別区(再掲)					
東京都区部	3 184 537	252 019	266 834	33 246	15.2
札幌市	676 962	75 683	59 759	7 210	18.9
仙台市	356 774	32 220	42 991	4 868	19.7
さいたま市	414 754	31 649	36 969	4 884	15.4
千葉市	305 815	25 509	26 751	1	17.1
横浜市	1 196 444	105 590	106 023	4 450	17.3
川崎市	488 277	33 548	33 728	362	13.7
相模原市	227 596	24 364	25 651	12 918	16.3
新潟市	253 867	18 180	19 212	…	…
静岡市	215 793	17 511	18 241	1 453	15.9
浜松市	246 666	21 177	22 102	11 741	12.8
名古屋市	729 876	87 068	85 652	-	23.7
京都市	459 170	14 057	18 273	…	…
大阪市	893 131	49 814	47 550	2 501	10.6
堺市	268 619	20 771	22 747	1 788	15.5
神戸市	503 538	23 852	24 435	2 364	9.1
岡山市	226 832	16 165	16 501	8 066	10.8
広島市	389 170	31 147	32 622	…	…
北九州市	295 780	24 103	24 952	7 728	14.0
福岡市	529 873	43 854	44 479	…	…
熊本市	237 361	16 664	12 023	246	12.0

都道府県－指定都市・特別区－中核市－その他政令市別

平成29年度

	対 象 者 数[1]	当 該 年 度 受 診 者 数[1]	前 年 度 受 診 者 数[1]	2 年 連 続 受 診 者 数[1]	受 診 率[2]
中核市（再掲）					
旭 川 市	110 552	14 252	16 014	6 100	21.9
函 館 市	86 336	4 486	4 843	32	10.8
青 森 市	93 469	4 636	4 763	196	9.8
八 戸 市	72 928	8 211	8 000	3 820	17.0
盛 岡 市	96 183	7 960	9 138	4 569	13.0
秋 田 市	102 299	6 468	6 792	726	12.3
郡 山 市	105 002	7 951	7 889	233	14.9
い わ き 市	102 582	4 081	3 822	18	7.7
宇 都 宮 市	164 701	19 700	20 867	9 137	19.1
前 橋 市	104 511	18 731	19 876	11 802	25.6
高 崎 市	114 843	14 030	14 483	7 676	18.1
川 越 市	110 636	3 905	4 306	－	7.4
越 谷 市	108 862	9 199	10 305	5 277	13.1
船 橋 市	201 140	21 116	22 070	－	21.5
柏 市	132 554	11 620	8 947	8	15.5
八 王 子 市	174 472	15 920	18 043	6 499	15.7
横 須 賀 市	119 361	11 933	11 693	4 722	15.8
富 山 市	128 812	7 366	7 871	375	…
金 沢 市	146 316	9 763	10 186	9	…
長 野 市	117 851	9 608	10 697	5 095	12.9
岐 阜 市	130 091	12 740	13 445	4 174	16.9
豊 橋 市	115 111	7 290	9 371	25	14.5
豊 田 市	129 230	6 601	7 059	80	10.5
岡 崎 市	119 325	7 896	8 307	1	13.6
大 津 市	110 415	7 222	15 999	－	21.0
高 槻 市	112 880	12 632	12 547	130	22.2
東 大 阪 市	155 013	12 080	12 396	671	15.4
豊 中 市	131 485	10 271	11 864	672	16.3
枚 方 市	130 810	13 143	12 876	4 622	16.4
姫 路 市	165 788	12 838	13 515	273	15.7
西 宮 市	162 561	5 505	5 254	106	6.6
尼 崎 市	146 435	3 570	2 945	56	4.4
奈 良 市	116 124	9 694	9 849	164	16.7
和 歌 山 市	118 099	10 254	10 499	1 220	16.5
倉 敷 市	148 175	17 373	17 838	9 524	17.3
福 山 市	146 947	10 027	10 267	4 409	10.8
呉 市	67 423	9 757	9 890	4 435	22.6
下 関 市	80 025	9 169	9 371	3 189	19.2
高 松 市	135 264	11 468	12 255	214	17.4
松 山 市	170 314	11 775	12 215	730	13.7
高 知 市	105 584	5 301	6 285	－	11.0
久 留 米 市	97 739	12 271	12 463	5 874	19.3
長 崎 市	137 256	11 720	11 692	…	…
佐 世 保 市	76 158	9 671	9 945	3 430	21.3
大 分 市	153 383	9 862	9 638	…	…
宮 崎 市	130 813	16 121	17 013	5 326	21.3
鹿 児 島 市	202 800	23 025	24 248	9 749	18.5
那 覇 市	104 833	6 958	8 208	490	14.0
その他政令市（再掲）					
小 樽 市	37 445	1 503	1 607	5	8.3
町 田 市	134 717	9 742	9 875	3 578	11.9
藤 沢 市	134 364	15 471	15 633	7 068	17.9
茅 ヶ 崎 市	76 644	3 619	7 184	1 584	12.0
四 日 市 市	96 799	11 394	13 114	6 000	19.1
大 牟 田 市	36 076	1 961	2 048	14	11.1

注：1）「がん対策推進基本計画」（平成24年6月8日閣議決定）及び「がん予防重点健康教育及びがん検診実施のための指針」（平成20年3月31日健康局長通知別添）に基づき、がん検診の受診率の算定対象年齢を20歳から69歳までとした。
　　2）受診率は、計数不詳の市区町村を除く。

第20－4表　乳がん検診対象者数・受診者数・受診率,

	対象者数[1]	当該年度受診者数[1]（マンモグラフィ）	前年度受診者数[1]（マンモグラフィ）	2年連続受診者数[1]	受診率[2]
全国	**26 279 498**	**2 433 671**	**2 584 439**	**457 806**	**17.4**
北海道	1 184 238	94 250	96 490	7 791	15.4
青森	288 862	29 805	31 343	2 510	20.3
岩手	262 143	34 915	37 698	3 221	26.4
宮城	478 507	66 805	73 254	5 487	28.1
秋田	221 329	22 200	24 201	4 369	19.0
山形	228 246	34 093	38 142	12 333	28.3
福島	400 562	41 189	44 459	4 844	20.2
茨城	603 373	49 701	53 274	4 051	16.4
栃木	408 818	62 034	64 137	34 446	22.4
群馬	405 760	49 868	51 127	15 073	21.1
埼玉	1 507 942	117 921	138 119	16 999	15.8
千葉	1 284 478	172 757	178 049	69 231	21.9
東京	2 721 189	230 103	249 754	11 432	17.2
神奈川	1 867 411	128 954	142 650	15 323	13.7
新潟	471 518	52 400	54 650	4 296	24.6
富山	220 072	23 881	25 606	9 857	17.5
石川	239 173	26 119	28 068	6 292	20.0
福井	160 578	16 208	17 528	400	20.8
山梨	175 501	27 367	29 329	10 676	25.5
長野	427 090	35 114	37 786	2 878	16.0
岐阜	424 510	55 669	57 829	20 971	21.8
静岡	763 015	72 623	74 440	6 651	18.3
愛知	1 491 764	136 190	139 934	24 484	16.8
三重	378 504	41 713	44 926	18 674	18.0
滋賀	287 090	24 943	22 172	574	16.2
京都	531 193	35 402	40 818	1 402	14.1
大阪	1 838 377	132 648	139 526	9 338	14.3
兵庫	1 177 243	82 504	88 349	4 320	14.1
奈良	296 976	24 521	25 461	1 160	16.4
和歌山	209 159	25 336	26 935	9 111	20.6
鳥取	116 565	14 517	14 743	1 263	23.8
島根	136 640	12 558	13 543	1 132	18.3
岡山	384 186	43 004	40 716	18 996	16.8
広島	586 302	45 794	49 383	12 057	14.2
山口	288 202	20 177	20 845	1 065	13.9
徳島	161 017	10 820	12 327	803	13.9
香川	204 649	23 801	24 894	3 034	22.3
愛媛	295 692	26 113	28 506	7 115	16.1
高知	151 927	12 373	14 117	319	17.2
福岡	1 057 852	74 931	79 728	10 276	15.0
佐賀	171 184	19 403	21 257	6 239	20.1
長崎	292 911	25 080	26 453	5 697	18.3
熊本	366 014	42 413	41 994	17 325	18.3
大分	244 349	25 774	26 401	7 109	20.0
宮崎	235 943	16 653	18 161	2 773	13.6
鹿児島	343 567	48 308	49 430	21 131	22.3
沖縄	287 877	24 719	25 887	3 278	15.6
指定都市・特別区(再掲)					
東京都区部	1 859 250	165 270	178 058	9 999	17.9
札幌市	442 697	33 263	34 040	1 639	14.8
仙台市	220 352	25 294	28 962	1	24.6
さいたま市	261 166	16 765	27 050	109	16.7
千葉市	200 483	19 548	21 030	−	20.2
横浜市	768 399	50 219	59 370	2 340	14.0
川崎市	288 308	16 903	18 410	317	12.1
相模原市	146 312	11 492	11 784	43	15.9
新潟市	168 870	13 373	14 851	…	…
静岡市	145 485	10 286	11 237	446	14.5
浜松市	161 940	11 556	12 259	610	14.3
名古屋市	456 060	46 318	45 389	−	20.1
京都市	291 878	10 934	15 634	−	9.1
大阪市	537 070	27 819	28 906	1 595	10.3
堺市	177 808	12 739	14 217	1 259	14.5
神戸市	329 241	21 890	23 108	61	13.6
岡山市	143 733	11 453	10 987	1 433	14.6
広島市	249 676	19 279	20 933	7 253	13.2
北九州市	198 153	11 894	11 558	383	11.6
福岡市	311 375	15 141	16 798	…	…
熊本市	153 253	8 662	7 983	594	10.5

都道府県－指定都市・特別区－中核市－その他政令市別

平成29年度

	対　象　者　数[1]	当　該　年　度 受　診　者　数[1] （マンモグラフィ）	前　年　度 受　診　者　数[1] （マンモグラフィ）	2　年　連　続 受　診　者　数[1]	受　診　率[2]
中核市（再掲）					
旭　川　市	77 015	7 101	7 424	252	18.5
函　館　市	61 767	3 020	3 382	91	10.2
青　森　市	65 618	4 311	4 645	333	13.1
八　戸　市	50 777	3 676	4 379	524	14.8
盛　岡　市	63 233	5 152	5 671	109	16.9
秋　田　市	70 410	4 398	4 755	－	13.0
郡　山　市	68 392	5 327	5 824	473	15.6
い わ き 市	72 039	3 717	3 399	188	9.6
宇 都 宮 市	106 366	6 822	7 210	12	13.2
前　橋　市	69 656	14 414	15 068	9 725	28.4
高　崎　市	75 806	6 071	6 159	－	16.1
川　越　市	71 249	4 329	4 922	47	12.9
越　谷　市	69 511	6 728	7 439	1 077	18.8
船　橋　市	126 163	13 807	13 613	－	21.7
柏　　　市	84 280	15 322	15 549	11 318	23.2
八 王 子 市	113 542	9 007	11 602	221	18.0
横 須 賀 市	82 157	5 034	5 294	64	12.5
富　山　市	86 711	5 545	6 089	276	13.1
金　沢　市	94 979	7 924	9 147	262	17.7
長　野　市	78 771	2 461	3 526	20	7.6
岐　阜　市	86 597	7 262	8 176	1 300	16.3
豊　橋　市	74 623	4 329	5 106	182	12.4
豊　田　市	81 164	3 662	4 120	259	9.3
岡　崎　市	75 314	5 922	6 329	199	16.0
大　津　市	73 245	6 036	3 690	44	13.2
高　槻　市	75 139	6 134	6 257	21	16.5
東 大 阪 市	102 866	7 185	7 687	5	14.5
豊　中　市	85 556	4 872	5 630	256	12.0
枚　方　市	87 531	6 327	6 811	704	14.2
姫　路　市	109 437	11 231	11 563	189	20.7
西　宮　市	106 070	5 786	5 931	437	10.6
尼　崎　市	94 453	3 772	3 368	25	7.5
奈　良　市	79 263	6 953	7 443	461	17.6
和 歌 山 市	79 762	5 992	6 240	665	14.5
倉　敷　市	95 046	13 003	11 461	6 692	18.7
福　山　市	96 356	4 725	4 701	67	9.7
呉　　　市	46 412	3 993	4 001	1 963	13.0
下　関　市	55 933	3 232	3 282	533	10.7
高　松　市	89 526	9 135	9 465	176	20.6
松　山　市	112 070	6 497	7 639	78	12.5
高　知　市	71 744	5 346	6 186	45	16.0
久 留 米 市	62 743	4 544	5 652	353	15.7
長　崎　市	94 753	4 629	5 000	…	…
佐 世 保 市	51 813	5 367	5 894	2 612	16.7
大　分　市	102 391	8 173	8 337	…	…
宮　崎　市	87 234	4 212	5 388	3	11.0
鹿 児 島 市	130 468	11 347	12 162	2 830	15.8
那　覇　市	66 678	3 775	5 145	461	12.7
その他政令市（再掲）					
小　樽　市	27 880	1 186	1 373	14	9.1
町　田　市	90 014	6 764	6 767	82	14.9
藤　沢　市	88 540	10 226	10 167	5 447	16.9
茅 ヶ 崎 市	50 982	2 699	2 771	－	10.7
四 日 市 市	63 364	5 363	5 755	2 259	14.0
大 牟 田 市	24 649	1 284	1 382	26	10.7

注：1）「がん対策推進基本計画」（平成24年6月8日閣議決定）及び「がん予防重点健康教育及びがん検診実施のための指針」（平成20年3月31日健康局
　　　長通知別添）に基づき、がん検診の受診率の算定対象年齢を40歳から69歳までとした。
　　2）受診率は、計数不詳の市区町村を除く。

15(8)－06～07,10～11 胃がん 精密検査

第21表（8-1） 平成28年度における胃がん（胃部エックス線検査）検診受診者数・要精密検査者数

| | 受診者数 | | | | | | | 要精密 | | |
	総　数	40～49歳	50～59歳	60～69歳	70歳以上	（再掲）初回	（再掲）非初回	総　数	40～49歳	50～59歳
全　　国	3 291 790	483 438	458 587	1 161 953	1 187 812	676 962	2 430 644	248 228	22 956	28 190
北海道	154 044	18 641	22 334	55 815	57 254	29 334	106 215	9 844	690	1 153
青森	96 091	9 472	13 127	35 652	37 840	15 893	76 116	9 123	534	1 079
岩手	81 562	7 726	10 759	29 450	33 627	6 775	74 787	5 103	208	437
宮城	151 542	17 065	19 931	55 080	59 466	21 621	129 921	9 230	529	887
秋田	48 432	4 355	8 521	17 915	17 641	7 840	39 728	4 216	281	703
山形	89 007	7 871	12 143	37 911	31 082	7 383	60 505	7 066	323	731
福島	63 478	6 135	8 692	27 168	21 483	11 140	51 526	5 431	282	608
茨城	85 962	12 812	12 343	31 658	29 149	18 765	67 197	7 146	524	783
栃木	86 731	13 719	13 294	33 832	25 886	17 940	68 680	6 135	531	715
群馬	44 948	7 366	6 459	15 979	15 144	9 487	35 461	4 027	410	455
埼玉	125 292	20 544	16 666	43 426	44 656	25 291	76 581	7 344	796	789
千葉	211 868	34 606	27 791	67 984	81 487	34 030	164 982	14 891	1 425	1 526
東京	239 449	60 700	45 208	70 085	63 456	57 948	147 436	21 923	4 012	3 955
神奈川	121 738	21 514	16 121	36 657	47 446	45 411	76 050	11 456	1 452	1 342
新潟	103 704	9 895	12 256	38 870	42 683	17 442	86 262	6 357	410	584
富山	34 673	3 983	3 618	11 988	15 084	3 821	15 356	2 574	161	183
石川	30 226	4 247	3 918	11 440	10 621	6 030	24 196	2 955	207	301
福井	17 683	1 788	1 896	6 327	7 672	3 628	14 055	1 211	86	101
山梨	37 003	6 731	6 209	12 943	11 120	5 571	29 441	3 267	320	441
長野	45 678	7 389	6 346	15 684	16 259	9 280	28 969	5 223	615	635
岐阜	58 656	9 083	8 303	22 201	19 069	11 803	46 853	4 644	553	522
静岡	99 319	14 595	14 123	34 949	35 652	18 850	80 248	7 103	659	771
愛知	262 827	39 763	31 839	82 166	109 059	58 929	200 898	22 043	2 219	2 152
三重	36 083	5 228	4 720	13 430	12 705	8 162	27 851	2 262	164	218
滋賀	22 134	3 226	2 865	8 548	7 495	6 120	16 014	1 684	108	131
京都	36 914	7 434	5 850	12 296	11 334	6 327	22 931	2 876	368	342
大阪	141 916	26 307	21 301	47 276	47 032	45 160	96 756	8 891	1 137	1 111
兵庫	97 544	15 187	12 820	35 378	34 159	23 748	66 826	6 284	492	646
奈良	29 890	4 233	3 979	10 458	11 220	8 143	21 649	1 254	98	122
和歌山	18 150	2 757	3 395	7 093	4 905	4 645	13 505	998	117	185
鳥取	11 972	1 654	1 745	4 580	3 993	2 768	9 204	1 041	79	100
島根	11 594	1 073	1 070	3 822	5 629	3 089	8 505	877	35	51
岡山	52 160	3 810	5 483	17 647	25 220	11 160	41 000	3 882	175	314
広島	63 315	9 387	7 445	23 298	23 185	15 322	47 978	3 960	340	364
山口	19 464	2 486	2 028	6 605	8 345	4 851	14 613	1 533	124	110
徳島	18 478	2 293	2 140	6 985	7 060	4 294	14 184	1 689	85	115
香川	32 341	5 155	4 002	11 358	11 826	6 866	25 475	2 295	126	161
愛媛	42 278	5 275	5 663	15 517	15 823	7 717	34 561	3 110	179	330
高知	26 711	3 025	3 371	9 529	10 786	5 200	21 511	1 581	93	166
福岡	96 414	14 779	13 889	38 665	29 081	17 034	60 503	7 329	611	802
佐賀	26 729	3 743	4 378	11 732	6 876	6 253	20 476	2 727	249	400
長崎	17 664	1 823	2 610	7 014	6 217	3 283	13 752	1 347	91	177
熊本	52 709	6 425	7 773	20 946	17 565	10 906	41 803	2 858	196	333
大分	34 848	3 459	3 963	12 938	14 488	7 499	24 970	2 557	184	243
宮崎	23 816	2 334	3 324	8 997	9 161	5 461	18 001	1 401	80	143
鹿児島	61 398	7 124	8 430	22 859	22 985	11 910	49 488	5 967	366	560
沖縄	27 355	5 221	4 446	9 802	7 886	6 832	17 625	1 513	232	213
指定都市・特別区（再掲）東京都区部	178 910	49 975	37 016	50 017	41 902	40 936	108 753	17 878	3 462	3 427
札幌市	36 674	4 340	5 046	13 512	13 776	6 425	19 101	2 049	184	234
仙台市	50 984	6 393	6 706	17 055	20 830	7 654	43 330	2 915	224	247
さいたま市	23 217	3 868	3 052	6 800	9 497	…	…	912	106	93
千葉市	42 888	6 859	5 214	11 993	18 822	9 341	33 547	4 163	398	346
横浜市	49 904	9 702	7 050	15 944	17 208	18 295	31 609	4 464	666	574
川崎市	11 026	1 670	1 620	2 751	4 985	11 026	－	953	159	162
相模原市	11 791	2 137	1 477	3 357	4 820	3 413	8 378	1 423	221	182
新潟市	23 270	2 418	2 822	9 064	8 966	5 037	18 233	1 193	116	123
静岡市	11 765	1 703	1 668	4 288	4 106	2 629	9 136	319	21	30
浜松市	14 994	2 500	2 438	5 297	4 759	3 382	11 612	849	60	88
名古屋市	45 827	9 829	6 976	13 138	15 884	15 590	30 237	4 121	585	530
京都市	7 656	2 137	1 401	2 107	2 011	－	－	1 167	248	181
大阪市	29 249	6 034	5 008	8 999	9 208	10 836	18 413	1 188	157	195
堺市	8 715	1 477	934	2 695	3 609	3 155	5 560	657	86	65
神戸市	20 858	4 705	2 519	6 781	6 853	6 666	14 192	1 427	173	129
岡山市	11 287	－	1 354	3 684	6 249	2 565	8 722	714	－	56
広島市	25 155	5 400	3 329	8 303	8 123	7 420	17 735	1 811	224	177
北九州市	6 492	984	890	2 505	2 113	…	…	564	80	79
福岡市	10 665	2 407	1 835	3 783	2 640	－	－	677	77	85
熊本市	8 658	1 036	1 052	3 540	3 030	2 541	6 117	523	38	48

・精密検査受診の有無別人数，都道府県－指定都市・特別区－中核市－その他政令市、年齢階級・検診回数別

| 検査者数 | | | | 精密検査受診の有無別人数 | | | | | | |
| | | | | 異常認め | | | | ず | | |
60～69歳	70歳以上	(再掲)初回	(再掲)非初回	総数	40～49歳	50～59歳	60～69歳	70歳以上	(再掲)初回	(再掲)非初回
92 054	**105 028**	**60 924**	**165 377**	**29 911**	**3 304**	**3 423**	**10 711**	**12 473**	**6 449**	**20 662**
3 786	4 215	2 161	5 856	817	75	91	328	323	170	486
3 523	3 987	1 806	6 973	1 087	78	126	403	480	196	839
1 901	2 557	503	4 600	511	32	52	193	234	36	475
3 608	4 206	1 873	7 357	813	76	89	295	353	166	647
1 573	1 659	807	3 097	1 089	63	154	389	483	169	856
3 000	3 012	683	4 854	1 212	78	145	511	478	119	879
2 376	2 165	1 100	4 054	718	47	66	310	295	137	566
2 883	2 956	1 842	5 304	372	63	51	123	135	84	288
2 674	2 215	1 401	4 332	513	76	74	200	163	92	403
1 483	1 679	960	2 857	569	66	74	224	205	133	430
2 644	3 115	1 722	4 094	1 114	144	105	374	491	250	660
4 889	7 051	2 872	10 225	1 271	158	161	389	563	210	892
7 208	6 748	6 593	12 110	2 374	425	379	755	815	651	1 292
3 763	4 899	4 891	6 223	1 073	133	117	353	470	385	636
2 403	2 960	1 282	5 075	1 503	105	127	588	683	237	1 266
897	1 333	403	1 298	207	24	20	71	92	13	76
1 149	1 298	394	1 604	258	39	33	97	89	14	64
390	634	315	896	145	14	16	44	71	29	116
1 238	1 268	575	2 119	338	42	50	120	126	61	217
1 805	2 168	1 212	2 931	845	147	112	261	325	170	408
1 779	1 790	1 150	3 494	406	47	38	157	164	92	314
2 567	3 106	1 760	4 989	851	107	98	269	377	171	646
7 259	10 413	5 728	13 842	2 937	369	301	905	1 362	758	1 952
953	927	528	1 734	327	27	30	141	129	59	268
698	747	609	1 075	101	12	8	40	41	35	66
987	1 179	392	1 317	231	46	25	64	96	30	133
3 283	3 360	3 487	5 404	920	140	113	307	360	336	584
2 407	2 739	1 783	3 922	681	69	63	254	295	158	468
449	585	402	847	89	6	11	33	39	14	70
409	287	357	641	84	6	15	33	30	26	58
431	431	244	717	176	19	22	58	77	31	129
287	504	263	614	143	6	6	52	79	40	103
1 382	2 011	1 060	2 822	325	27	28	95	175	97	228
1 582	1 674	1 163	2 797	864	64	84	346	370	253	611
589	710	448	1 085	145	17	16	55	57	36	109
656	833	402	1 208	128	15	10	51	52	28	98
853	1 155	574	1 721	150	11	13	51	75	39	111
1 218	1 383	721	2 389	322	29	43	104	146	67	255
615	707	369	1 212	971	56	99	381	435	208	763
3 134	2 782	1 386	4 393	1 076	138	107	448	383	190	647
1 296	782	753	1 974	360	35	51	163	111	79	281
581	498	292	983	234	21	37	95	81	57	168
1 185	1 144	789	2 069	288	23	36	93	136	52	236
959	1 171	735	1 686	397	36	40	152	169	80	201
497	681	420	978	249	20	27	91	111	69	179
2 232	2 809	1 250	4 717	492	54	44	191	203	83	409
573	495	464	888	135	19	16	54	46	39	79
5 918	5 071	5 126	9 890	1 649	345	285	531	488	412	888
843	788	315	639	164	15	22	70	57	16	39
1 008	1 436	642	2 273	175	27	32	62	54	46	129
286	427	...	...	69	17	5	19	28	...	...
1 238	2 181	1 172	2 991	209	33	24	50	102	52	157
1 625	1 599	2 064	2 400	452	65	65	167	155	195	257
309	323	953	–	56	11	6	16	23	56	–
401	619	529	894	26	10	3	7	6	13	13
456	498	310	883	161	19	13	72	57	33	128
112	156	–	–	32	3	5	11	13	–	–
342	359	266	583	37	2	5	12	18	7	30
1 316	1 690	1 620	2 501	989	118	123	319	429	352	637
337	401	–	–	68	32	10	12	14	–	–
414	422	488	700	178	27	34	47	70	70	108
209	297	288	369	96	10	4	36	46	33	63
533	592	462	965	101	16	12	35	38	35	66
271	387	222	492	64	–	6	19	39	20	44
677	733	613	1 198	437	46	48	165	178	180	257
225	180	...	...	107	15	11	46	35	...	...
281	234	–	–	107	27	14	39	27	–	–
218	219	189	334	54	6	7	19	22	14	40

15(8)－06～07, 10～11　胃がん　精密検査

第21表（8-2）　平成28年度における胃がん（胃部エックス線検査）検診受診者数・要精密検査者数

| | 受　診　者　数 | | | | | | | 要　精　密 | | |
	総　数	40～49歳	50～59歳	60～69歳	70歳以上	(再掲)初回	(再掲)非初回	総　数	40～49歳	50～59歳
中核市（再掲）										
旭　川　市	8 964	851	1 172	3 434	3 507	1 778	7 186	527	28	59
函　館　市	2 909	380	484	1 244	801	803	2 106	204	20	32
青　森　市	14 142	1 500	1 539	5 057	6 046	2 967	11 175	1 307	89	114
八　戸　市	15 578	1 035	1 605	5 857	7 081	2 408	13 170	891	36	81
盛　岡　市	9 339	1 151	1 248	3 084	3 856	1 207	8 132	413	31	31
秋　田　市	4 905	399	1 346	1 557	1 603	1 489	3 416	458	29	119
郡　山　市	3 068	511	496	1 323	738	1 189	1 879	238	17	31
い わ き 市	3 312	408	369	1 415	1 120	1 018	2 294	334	26	26
宇 都 宮 市	11 850	2 371	1 866	4 799	2 814	3 493	8 357	894	112	104
前　橋　市	6 544	1 199	976	2 292	2 077	1 470	5 074	377	31	56
高　崎　市	5 399	938	641	1 714	2 106	1 334	4 065	803	124	87
川　越　市	2 421	457	356	896	712	480	1 941	169	26	19
越　谷　市	388	59	45	117	167	123	265	34	5	6
船　橋　市	12 856	2 270	1 896	4 482	4 208	－	－	1 794	249	318
柏　　市	10 034	1 432	1 159	3 128	4 315	1 572	8 462	695	38	45
八 王 子 市	8 057	1 485	1 159	2 590	2 823	2 011	6 046	46	－	2
横 須 賀 市	－	－	－	－	－	－	－	－	－	－
富　山　市	14 076	1 796	1 555	4 523	6 202	…	…	722	46	55
金　沢　市	4 059	820	765	1 858	616	1 468	2 591	378	55	56
長　野　市	4 003	496	502	1 196	1 809	920	3 083	284	34	31
岐　阜　市	3 869	681	556	1 528	1 104	1 250	2 619	402	58	45
豊　橋　市	15 264	2 430	1 980	4 430	6 424	2 922	12 342	1 174	124	119
豊　田　市	16 027	1 875	1 775	6 212	6 165	2 557	13 470	1 128	70	85
岡　崎　市	18 640	3 159	2 441	6 977	6 063	3 979	14 661	1 702	123	154
大　津　市	2 491	423	205	800	1 063	1 447	1 044	206	8	4
高　槻　市	8 047	1 665	1 177	2 786	2 419	3 293	4 754	734	94	87
東 大 阪 市	15 883	2 755	2 098	5 389	5 641	3 844	12 039	700	86	62
豊　中　市	5 181	860	764	1 594	1 963	1 654	3 527	576	80	70
枚　方　市	5 755	912	747	2 139	1 957	1 923	3 832	416	36	43
姫　路　市	7 005	785	1 418	2 790	2 012	2 799	4 206	579	36	114
西　宮　市	5 510	1 006	778	1 774	1 952	1 754	3 756	201	19	29
尼　崎　市	4 267	1 317	633	1 342	975	1 901	2 366	113	23	16
奈　良　市	2 711	327	306	1 083	995	843	1 868	121	2	6
和 歌 山 市	1 078	－	233	474	371	619	459	69	－	13
倉　敷　市	13 144	1 783	1 464	4 730	5 167	3 085	10 059	861	77	93
福　山　市	6 708	703	748	2 604	2 653	1 664	5 044	375	28	28
呉　　市	3 882	471	412	1 633	1 366	852	3 030	236	15	28
下　関　市	1 050	83	90	452	425	316	734	121	2	6
高　松　市	7 420	1 423	764	2 667	2 566	1 860	5 560	577	27	35
松　山　市	9 421	1 048	1 147	3 393	3 833	2 114	7 307	744	40	71
高　知　市	5 032	989	892	1 868	1 283	1 699	3 333	299	25	49
久 留 米 市	4 209	679	612	1 689	1 229	1 171	3 038	239	29	30
長　崎　市	690	80	97	302	211	216	474	60	7	13
佐 世 保 市	1 230	165	189	573	303	318	912	95	10	11
大　分　市	5 112	956	736	1 695	1 725	2 816	2 296	450	59	54
宮　崎　市	5 615	635	784	2 170	2 026	1 584	4 031	286	16	28
鹿 児 島 市	10 952	1 540	1 281	3 775	4 356	2 979	7 973	943	98	68
那　覇　市	4 436	1 160	869	1 424	983	1 125	3 311	387	102	69
その他政令市（再掲）										
小　樽　市	1 656	136	190	586	744	335	1 321	83	2	6
町　田　市	－	－	－	－	－	－	－	－	－	－
藤　沢　市	7 641	1 317	891	1 903	3 530	2 279	5 362	1 203	125	107
茅 ヶ 崎 市	7 852	1 290	894	2 167	3 501	3 034	4 818	498	65	60
四 日 市 市	5 837	850	749	2 158	2 080	666	5 171	307	21	21
大 牟 田 市	938	164	167	381	226	408	530	90	9	10

注：初回・非初回及び年齢階級別については、計数不詳の市区町村があるため、総数と一致しない場合がある。

・精密検査受診の有無別人数，都道府県－指定都市・特別区－中核市－その他政令市、年齢階級・検診回数別

検 査 者 数				精 密 検 査 受 診 の 有 無 別 人 数						
				異 常 認 め ず						
60～69歳	70歳以上	(再掲)初回	(再掲)非初回	総　数	40～49歳	50～59歳	60～69歳	70歳以上	(再掲)初回	(再掲)非初回
205	235	126	401	16	3	–	6	7	2	14
92	60	…	…	17	4	2	6	5	–	–
477	627	301	1 006	220	20	23	82	95	43	177
328	446	205	686	133	5	10	54	64	27	106
138	213	72	341	32	3	6	12	11	9	23
134	176	170	288	152	5	29	57	61	43	109
122	68	106	132	23	3	3	10	7	13	10
127	155	135	199	67	9	7	24	27	21	46
421	257	326	568	78	17	10	32	19	21	57
162	128	119	258	47	6	11	20	10	15	32
259	333	251	552	105	15	12	40	38	27	78
68	56	39	130	22	4	3	11	4	4	18
10	13	15	19	5	1	–	2	2	3	2
633	594	–	–	169	23	35	61	50	–	–
214	398	110	585	51	–	3	14	34	9	42
15	29	17	29	4	–	1	–	3	1	3
–	–	–	–	–	–	–	–	–	–	–
238	383	…	…	73	9	4	26	34	…	…
176	91	22	35	46	10	8	21	7	…	…
80	139	84	200	37	4	4	8	21	6	31
169	130	151	251	31	5	2	17	7	9	22
374	557	291	883	118	25	10	36	47	21	97
416	557	225	903	129	13	13	35	68	22	107
716	709	425	1 277	124	12	14	47	51	27	97
68	126	144	62	2	1	–	1	–	1	1
277	276	378	356	73	5	9	28	31	29	44
266	286	258	442	99	14	8	43	34	37	62
173	253	225	351	76	8	9	21	38	18	58
162	175	193	223	28	4	3	8	13	18	10
257	172	266	313	72	6	14	28	24	23	49
64	89	87	114	6	1	–	2	3	1	5
42	32	67	46	18	3	2	8	5	12	6
47	66	42	79	5	–	–	2	3	2	3
30	26	40	29	–	–	–	–	–	–	–
295	396	316	545	99	13	9	31	46	38	61
133	186	124	251	66	7	4	23	32	18	48
95	98	62	174	44	4	3	17	20	8	36
61	52	33	88	16	–	1	10	5	3	13
242	273	165	412	29	3	2	13	11	9	20
289	344	203	541	84	6	11	29	38	17	67
138	87	103	196	171	17	26	78	50	63	108
109	71	69	170	26	3	1	13	9	8	18
29	11	25	35	11	5	1	5	–	6	5
50	24	25	70	14	1	2	7	4	4	10
158	179	306	144	50	11	6	15	18	31	19
102	140	94	192	44	6	6	13	19	14	30
326	451	308	635	73	15	9	21	28	21	52
147	69	141	246	31	11	3	14	3	10	21
25	50	26	57	6	–	1	1	4	1	5
–	–	–	–	–	–	–	–	–	–	–
319	652	462	741	41	10	2	8	21	17	24
157	216	220	278	54	2	7	18	27	16	38
124	141	32	275	53	3	1	25	24	8	45
37	34	46	44	9	1	–	6	2	2	7

第21表（8－3） 平成28年度における胃がん（胃部エックス線検査）検診受診者数・要精密検査者数

	精密検査受診									
	異常を									
	胃がんであった者（転移性を含まない）							（再掲）胃がん		
	総数	40～49歳	50～59歳	60～69歳	70歳以上	(再掲)初回	(再掲)非初回	総数	40～49歳	50～59歳
全国	**4 435**	**93**	**176**	**1 465**	**2 701**	**1 211**	**2 867**	**2 326**	**47**	**87**
北海道	201	5	13	62	121	56	123	94	1	5
青森	157	4	7	50	96	42	110	79	3	2
岩手	141	2	6	36	97	17	124	97	–	4
宮城	266	4	9	88	165	67	199	196	4	5
秋田	88	1	7	28	52	17	63	17	–	1
山形	121	1	3	41	76	9	90	32	–	1
福島	103	…	2	44	57	22	77	68	…	2
茨城	99	–	6	40	53	39	60	66	–	4
栃木	95	3	2	46	44	27	64	59	–	2
群馬	76	1	3	26	46	17	56	41	1	3
埼玉	138	4	3	50	81	33	68	66	2	2
千葉	273	12	12	80	169	74	185	106	5	2
東京	237	13	14	83	127	90	112	105	7	9
神奈川	137	4	5	43	85	51	81	69	…	3
新潟	205	5	7	67	126	47	158	143	4	3
富山	66	–	–	19	47	14	29	45	–	–
石川	57	…	2	15	40	7	28	33	–	1
福井	25	–	–	9	16	6	19	15	–	–
山梨	40	1	2	17	20	10	20	17	1	1
長野	59	2	–	24	33	11	35	29	–	–
岐阜	67	1	1	27	38	13	54	33	1	1
静岡	81	1	3	26	51	21	57	31	–	–
愛知	364	4	15	83	262	111	183	133	2	2
三重	24	–	1	5	18	3	21	6	–	–
滋賀	48	1	1	21	25	21	27	31	–	1
京都	54	1	1	19	33	14	27	25	–	1
大阪	228	8	13	81	126	92	136	150	6	11
兵庫	113	2	1	42	68	31	77	54	1	1
奈良	50	–	1	12	37	17	33	20	–	–
和歌山	20	1	1	8	10	7	13	11	1	–
鳥取	17	…	2	7	8	5	10	13	…	1
島根	21	1	–	6	14	7	14	14	1	–
岡山	79	–	1	19	59	26	53	40	–	1
広島	103	3	3	49	48	34	69	40	1	1
山口	27	–	1	10	16	12	15	16	–	1
徳島	31	–	1	11	19	10	19	19	–	–
香川	58	–	1	18	39	20	38	38	–	1
愛媛	49	1	2	11	35	12	37	36	1	2
高知	29	1	3	8	17	6	23	21	1	2
福岡	129	4	9	36	80	27	71	63	2	5
佐賀	30	–	2	15	13	8	22	20	–	2
長崎	32	–	2	19	11	10	22	15	–	1
熊本	64	–	3	29	32	17	47	35	–	–
大分	27	–	–	4	23	7	17	16	–	–
宮崎	26	1	1	6	18	9	17	17	1	1
鹿児島	67	1	4	19	43	12	55	50	1	2
沖縄	13	–	–	6	7	3	9	2	–	–
指定都市・特別区(再掲)										
東京都区部	169	11	11	63	84	60	78	80	6	8
札幌市	35	2	1	10	22	8	23	21	1	–
仙台市	87	2	5	24	56	31	56	66	2	3
さいたま市	28	1	1	8	18	…	…	13	1	–
千葉市	68	1	1	19	47	31	37	33	1	1
横浜市	50	1	2	19	28	25	25	22	–	2
川崎市	5	–	–	1	4	5	–	2	–	–
相模原市	17	2	1	2	12	2	15	12	–	1
新潟市	45	2	1	16	26	13	32	24	1	–
静岡市	2	–	–	–	2	–	–	1	–	–
浜松市	11	–	–	3	8	4	7	2	–	–
名古屋市	61	–	4	18	39	31	30	–	–	–
京都市	13	1	–	3	9	–	–	12	–	–
大阪市	38	–	2	13	23	17	21	25	–	2
堺市	10	–	1	3	6	5	5	5	–	1
神戸市	26	2	–	9	15	10	16	19	1	–
岡山市	13	–	–	2	11	5	8	6	–	–
広島市	54	3	2	27	22	21	33	17	1	–
北九州市	11	–	2	2	7	…	…	…	…	…
福岡市	12	–	1	6	5	–	–	9	–	1
熊本市	12	–	1	7	4	5	7	7	–	–

・精密検査受診の有無別人数，都道府県－指定都市・特別区－中核市－その他政令市、年齢階級・検診回数別

の有無別人数										
認める										
のうち早期がん				（再掲）早期がんのうち粘膜内がん						
60～69歳	70歳以上	(再掲)初回	(再掲)非初回	総数	40～49歳	50～59歳	60～69歳	70歳以上	(再掲)初回	(再掲)非初回
771	1 421	564	1 592	941	20	36	297	588	213	698
33	55	26	62	58	1	2	22	33	16	38
25	49	20	56	37	1	1	10	25	11	23
25	68	9	88	63	－	3	14	46	5	58
66	121	45	151	132	3	2	37	90	27	105
8	8	1	15	5	－	1	2	2	－	4
10	21	2	18	12	－	1	3	8	1	3
28	38	14	51	31	…	2	14	15	7	24
27	35	25	41	33	－	1	12	20	9	24
29	28	14	42	28	－	2	13	13	7	21
13	24	7	31	27	1	1	9	16	4	20
18	44	15	36	18	…	1	5	12	7	11
31	68	25	72	19	2	1	6	10	6	13
34	55	46	53	25	1	1	6	17	12	12
26	40	24	42	10	…	…	3	7	6	4
51	85	33	110	15	－	－	5	10	4	11
14	31	10	22	3	…	…	1	2	…	3
10	22	4	19	25	－	1	7	17	3	16
7	8	3	12	－	－	－	－	－	－	－
6	9	5	8	－	－	－	－	－	…	…
13	16	4	17	5	－	－	1	4	2	3
9	22	6	27	8	1	－	2	5	1	7
12	19	7	23	14	－	－	6	8	1	13
22	107	24	69	30	…	1	2	27	6	24
1	5	－	6	3	－	－	－	3	－	3
13	17	13	18	3	－	－	1	2	1	2
9	15	4	9	5	－	－	2	3	3	2
47	86	50	100	91	2	5	31	53	24	67
17	35	13	41	36	1	1	11	23	8	28
8	12	8	12	10	－	－	4	6	4	6
4	6	3	8	7	1	－	3	3	3	4
5	7	3	8	2	…	…	…	2	…	1
5	8	5	9	4	－	－	1	3	1	3
12	27	11	29	8	－	1	2	5	3	5
19	19	11	29	7	1	－	4	2	1	6
5	10	5	11	1	－	－	－	1	－	1
6	13	4	14	7	－	－	2	5	1	6
14	23	11	27	22	－	1	7	14	6	16
10	23	8	28	7	－	1	3	3	1	6
6	12	2	19	14	1	2	5	6	1	13
17	39	10	38	29	2	2	10	15	5	21
9	9	4	16	13	－	1	6	6	3	10
10	4	5	10	9	－	1	5	3	2	7
14	21	8	27	19	－	－	6	13	3	16
2	14	4	12	10	－	－	1	9	2	8
4	11	4	13	5	1	－	2	2	－	5
17	30	9	41	30	1	－	11	18	6	24
－	2	－	2	1	－	－	－	1	－	1
28	38	30	44	12	…	1	4	7	5	6
5	15	6	15	13	1	－	2	10	3	10
18	43	21	45	39	1	1	9	28	13	26
4	8	…	…	…	…	…	…	…	…	…
9	22	10	23	3	－	1	2	－	－	3
12	8	13	9	6	－	－	2	4	4	2
－	2	2	－	1	－	－	－	1	1	－
1	10	－	12	－	－	－	－	－	－	－
8	15	6	18	－	－	－	－	－	－	－
－	1	－	－	－	－	－	－	－	－	－
1	1	1	1	－	－	－	－	－	－	－
－	－	－	－	－	－	－	－	－	－	－
3	9	－	－	－	－	－	－	－	－	－
10	13	8	17	16	－	－	8	8	5	11
－	4	1	4	1	－	－	－	1	1	－
6	12	6	13	18	1	－	6	11	5	13
2	4	3	3	1	－	－	－	1	1	－
8	8	6	11	2	1	－	1	－	－	2
…	…	…	…	…	…	…	…	…	…	…
4	4	－	－	－	－	－	－	－	－	－
3	4	3	4	6	－	－	2	4	2	4

第21表（8－4） 平成28年度における胃がん（胃部エックス線検査）検診受診者数・要精密検査者数

	精密検査受診									
	異常を									
	胃がんであった者（転移性を含まない）							（再掲）胃がん		
	総数	40～49歳	50～59歳	60～69歳	70歳以上	(再掲)初回	(再掲)非初回	総数	40～49歳	50～59歳
中核市(再掲)										
旭川市	10	－	3	2	5	3	7	－	－	－
函館市	5	－	－	2	3	－	－	3	－	－
青森市	27	－	－	7	20	12	15	27	－	－
八戸市	21	1	1	4	15	6	15	13	1	1
盛岡市	9	－	－	2	7	2	7	3	－	－
秋田市	14	－	3	2	9	4	10	－	－	－
郡山市	5	－	－	4	1	2	3	4	－	－
いわき市	11	－	1	4	6	5	6	9	－	1
宇都宮市	18	1	－	12	5	5	13	4	－	－
前橋市	6	－	1	2	3	2	4	3	－	1
高崎市	10	－	1	3	6	6	4	5	－	1
川越市	5	－	－	3	2	－	5	3	－	－
越谷市	1	－	－	－	1	1	－	－	－	－
船橋市	14	－	－	6	8	－	－	9	－	－
柏市	13	－	－	6	7	5	8	6	－	－
八王子市	5	－	－	1	4	2	3	－	－	－
横須賀市	－	－	－	－	－	－	－	－	－	－
富山市	20	－	－	3	17	－	－	11	－	－
金沢市	9	－	1	4	4	－	－	4	－	－
長野市	－	－	－	－	－	－	－	－	－	－
岐阜市	7	－	－	1	6	－	7	5	－	－
豊橋市	15	－	－	3	12	4	11	11	－	－
豊田市	19	1	－	2	16	11	8	12	1	－
岡崎市	23	－	1	5	17	10	13	8	－	－
大津市	8	－	－	4	4	7	1	4	－	－
高槻市	19	1	－	6	12	7	12	12	1	－
東大阪市	22	1	2	7	12	8	14	13	－	2
豊中市	7	1	－	4	2	1	6	6	1	－
枚方市	8	－	－	4	4	3	5	3	－	－
姫路市	14	－	－	8	6	7	7	3	－	－
西宮市	5	－	－	2	3	2	3	3	－	－
尼崎市	3	－	－	2	1	1	2	－	－	－
奈良市	9	－	－	1	8	4	5	2	－	－
和歌山市	－	－	－	－	－	－	－	－	－	－
倉敷市	22	－	－	9	13	5	17	15	－	－
福山市	13	－	－	6	7	7	6	7	－	－
呉市	7	－	－	4	3	1	6	1	－	－
下関市	3	－	－	2	1	2	1	1	－	－
高松市	16	－	－	7	9	6	10	12	－	－
松山市	14	1	1	2	10	6	8	10	1	1
高知市	10	－	2	5	3	1	9	8	－	1
久留米市	5	－	－	－	5	－	5	4	－	－
長崎市	2	－	－	1	1	2	－	1	－	－
佐世保市	2	－	－	1	1	－	2	－	－	－
大分市	10	－	－	3	7	4	6	8	－	－
宮崎市	6	－	－	－	6	3	3	5	－	－
鹿児島市	8	－	－	2	6	2	6	5	－	－
那覇市	3	－	－	2	1	－	3	1	－	－
その他政令市(再掲)										
小樽市	2	－	－	－	2	1	1	1	－	－
町田市	－	－	－	－	－	－	－	－	－	－
藤沢市	16	1	－	8	7	8	8	6	－	－
茅ヶ崎市	8	－	－	2	6	3	5	6	－	－
四日市市	3	－	－	－	3	－	3	1	－	－
大牟田市	－	－	－	－	－	－	－	－	－	－

注：初回・非初回及び年齢階級別については、計数不詳の市区町村があるため、総数と一致しない場合がある。

・精密検査受診の有無別人数，都道府県－指定都市・特別区－中核市－その他政令市、年齢階級・検診回数別

の	有	無	別	人	数					
認				め			る			
のうち早期がん				（再掲）早期がんのうち粘膜内がん						
60～69歳	70歳以上	(再掲)初回	(再掲)非初回	総数	40～49歳	50～59歳	60～69歳	70歳以上	(再掲)初回	(再掲)非初回
–	–	–	–	–	–	–	–	–	–	–
2	1	–	–	2	–	–	1	1	–	–
7	20	12	15	22	–	–	6	16	9	13
3	8	2	11	7	–	1	2	4	2	5
1	2	1	2	1	–	–	–	1	–	1
–	–	–	–	–	–	–	–	–	–	–
3	1	2	2	1	–	–	1	–	1	–
4	4	4	5	5	–	1	3	1	3	2
3	1	–	4	–	–	–	–	–	–	–
1	1	1	2	–	–	–	–	–	–	–
1	3	2	3	2	–	–	–	2	1	1
1	2	–	3	3	–	–	1	2	–	3
–	–	–	–	–	–	–	–	–	–	–
5	4	–	–	–	–	–	–	–	–	–
3	3	2	4	–	–	–	–	–	–	–
–	–	–	–	–	–	–	–	–	–	–
–	–	–	–	–	–	–	–	–	–	–
1	10	–	–	–	–	–	…	…	–	–
2	2	–	–	1	–	–	–	1	–	–
–	–	–	–	–	–	–	–	–	–	–
1	4	–	5	1	–	–	–	1	–	1
1	10	2	9	6	–	–	–	6	1	5
–	11	6	6	9	–	–	–	9	5	4
2	6	2	6	–	–	–	–	–	–	–
2	2	3	1	–	–	–	–	–	–	–
3	8	4	8	5	–	–	1	4	2	3
4	7	2	11	9	–	1	2	6	1	8
3	2	1	5	5	–	–	3	2	1	4
1	2	–	3	3	–	–	1	2	–	3
1	2	1	2	2	–	–	1	1	1	1
1	2	1	2	–	–	–	–	–	–	–
–	–	–	–	–	–	–	–	–	–	–
–	2	1	1	–	–	–	–	–	–	–
–	–	–	–	–	–	–	–	–	–	–
6	9	4	11	3	–	–	–	3	1	2
2	5	4	3	1	–	–	1	–	1	–
1	–	–	1	–	–	–	–	–	–	–
1	–	1	–	–	–	–	–	–	–	–
5	7	3	9	7	–	–	3	4	3	4
2	6	4	6	2	–	1	–	1	–	2
4	3	–	8	6	–	1	4	1	–	6
–	4	–	4	3	–	–	–	3	–	3
1	–	1	–	–	–	–	–	–	–	–
–	–	–	–	–	–	–	–	–	–	–
2	6	2	6	5	–	–	1	4	1	4
–	5	3	2	–	–	–	–	–	–	–
2	3	1	4	5	–	–	2	3	1	4
–	1	–	1	–	–	–	–	–	–	–
–	1	–	1	1	–	–	–	1	–	1
–	–	–	–	–	–	–	–	–	–	–
5	1	4	2	1	–	–	1	–	–	1
1	5	1	5	1	–	–	–	1	1	–
–	1	–	1	1	–	–	–	1	–	1
–	–	–	–	–	–	–	–	–	–	–

第21表（8－5） 平成28年度における胃がん（胃部エックス線検査）検診受診者数・要精密検査者数

	精密検査受診						
	異常を						
	胃がんの疑いのある者又は未確定						
	総数	40～49歳	50～59歳	60～69歳	70歳以上	（再掲）初回	（再掲）非初回
全国	**1 497**	**79**	**129**	**503**	**786**	**409**	**935**
北海道	277	14	28	117	118	93	179
青森	59	2	6	14	37	9	43
岩手	2	－	－	1	1	1	1
宮城	3	－	－	1	2	2	1
秋田	11	－	2	3	6	1	10
山形	27	－	1	8	18	5	20
福島	11	…	1	4	6	3	5
茨城	23	2	2	7	12	6	17
栃木	26	1	2	13	10	7	17
群馬	11	…	2	2	7	3	8
埼玉	55	4	6	9	36	10	31
千葉	305	18	26	98	163	74	227
東京	73	5	7	21	40	20	35
神奈川	113	8	9	37	59	56	57
新潟	19	－	－	8	11	5	14
富山	8	－	－	1	7	2	3
石川	6	…	…	2	4	2	2
福井	3	－	－	1	2	1	2
山梨	5	－	－	2	3	2	3
長野	14	－	2	6	6	1	11
岐阜	10	－	－	4	6	3	7
静岡	30	－	4	11	15	7	19
愛知	164	9	14	39	102	29	62
三重	13	－	1	7	5	2	11
滋賀	2	－	－	2	－	2	－
京都	22	－	1	13	8	5	16
大阪	17	1	2	8	6	7	10
兵庫	8	－	－	4	4	6	2
奈良	8	－	2	1	5	3	5
和歌山	－	－	－	－	－	－	－
鳥取	4	…	…	3	1	…	4
島根	9	1	－	1	7	2	7
岡山	4	－	－	1	3	－	4
広島	42	5	6	14	17	17	25
山口	3	－	－	3	－	1	2
徳島	11	－	－	2	9	3	7
香川	3	－	－	－	3	2	1
愛媛	10	－	1	6	3	1	9
高知	5	1	－	2	2	－	5
福岡	30	1	4	10	15	3	16
佐賀	3	－	－	2	1	1	2
長崎	7	－	－	3	4	1	6
熊本	6	2	－	1	3	1	5
大分	11	－	－	3	8	2	9
宮崎	3	－	－	2	1	1	2
鹿児島	8	1	－	2	5	2	6
沖縄	13	4	－	4	5	5	7
指定都市・特別区（再掲）							
東京都区部	47	1	6	14	26	10	19
札幌市	139	6	15	50	68	52	85
仙台市	－	－	－	－	－	－	－
さいたま市	6	－	－	3	3	…	…
千葉市	250	18	20	81	131	66	184
横浜市	44	2	2	19	21	21	23
川崎市	8	1	－	2	5	8	－
相模原市	6	－	－	－	6	4	2
新潟市	3	－	－	2	1	－	3
静岡市	2	－	－	1	1	－	－
浜松市	3	－	－	1	2	1	2
名古屋市	49	7	7	9	26	19	30
京都市	1	－	－	－	1	－	－
大阪市	4	－	－	2	2	2	2
堺市	3	－	－	－	3	1	2
神戸市	－	－	－	－	－	－	－
岡山市	1	－	－	－	1	－	1
広島市	38	5	4	14	15	15	23
北九州市	8	1	1	1	5	…	…
福岡市	1	－	－	1	－	－	－
熊本市	1	1	－	－	－	1	－

・精密検査受診の有無別人数, 都道府県−指定都市・特別区−中核市−その他政令市、年齢階級・検診回数別

	の　有　無　別　人　数					
	認			め		る
胃　が　ん　以　外　の　疾　患　で　あ　っ　た　者　（　転　移　性　の　胃　が　ん　を　含　む　）						
総　数	40～49歳	50～59歳	60～69歳	70歳以上	(再掲)初回	(再掲)非初回
167 063	13 615	17 893	62 394	73 161	39 085	113 220
6 044	315	621	2 269	2 839	1 369	3 964
6 062	296	674	2 353	2 739	1 116	4 714
3 762	136	299	1 403	1 924	348	3 414
7 460	407	716	2 912	3 425	1 451	6 009
2 237	143	373	827	894	404	1 534
4 740	185	424	2 013	2 118	410	3 238
3 479	152	358	1 527	1 442	659	2 699
5 438	335	553	2 187	2 363	1 332	4 106
4 255	327	459	1 845	1 624	873	3 103
2 957	269	308	1 094	1 286	672	2 126
4 536	466	487	1 672	1 911	1 021	2 517
10 857	935	1 097	3 620	5 205	1 972	7 601
12 824	2 034	2 105	4 354	4 331	3 929	7 104
6 461	780	773	2 112	2 796	2 628	3 596
4 004	256	384	1 473	1 891	818	3 186
1 931	107	126	662	1 036	298	1 035
2 232	134	215	874	1 009	174	751
809	54	68	257	430	206	603
2 166	185	289	812	880	367	1 439
3 582	355	436	1 247	1 544	797	2 036
3 435	387	377	1 314	1 357	814	2 621
4 789	428	516	1 734	2 111	1 204	3 313
14 114	1 221	1 285	4 770	6 838	3 393	9 040
1 146	69	96	491	490	244	902
1 424	87	115	591	631	494	930
2 088	260	236	731	861	271	941
6 403	798	809	2 380	2 416	2 467	3 936
4 295	309	426	1 649	1 911	1 179	2 705
926	69	96	338	423	289	637
637	87	123	255	172	227	410
709	48	64	296	301	173	490
570	19	35	180	336	169	401
2 843	115	225	1 030	1 473	719	2 124
2 132	193	178	804	957	563	1 569
1 225	95	82	469	579	345	880
1 323	55	84	505	679	305	957
1 886	100	130	703	953	449	1 437
2 350	127	236	938	1 049	543	1 807
462	22	42	181	217	117	345
5 184	355	559	2 219	2 051	940	3 168
2 001	177	287	950	587	534	1 467
897	57	108	387	345	182	659
2 008	124	224	847	813	550	1 458
1 804	122	175	672	835	542	1 262
940	46	88	340	466	277	661
4 888	278	433	1 806	2 371	1 031	3 857
748	96	99	301	252	220	468
10 253	1 701	1 777	3 524	3 251	3 006	5 645
814	45	75	309	385	187	428
2 525	185	197	883	1 260	524	2 001
615	67	62	194	292	…	…
2 658	222	213	795	1 428	704	1 954
2 296	344	339	817	796	1 062	1 234
456	73	72	156	155	456	–
1 060	148	129	312	471	380	680
833	82	93	311	347	225	608
247	17	16	87	127	–	–
602	46	59	249	248	197	405
1 850	245	224	622	759	696	1 154
876	178	133	261	304	–	–
740	106	121	256	257	309	431
382	49	47	110	176	174	208
1 109	131	90	416	472	334	775
468	–	34	192	242	136	332
981	124	75	363	419	259	722
379	49	54	156	120	…	…
452	40	51	185	176	–	–
408	26	34	170	178	149	259

第21表（8－6） 平成28年度における胃がん（胃部エックス線検査）検診受診者数・要精密検査者数

	精密検査受診						
	異常を						
	胃がんの疑いのある者又は未確定						
	総数	40～49歳	50～59歳	60～69歳	70歳以上	(再掲)初回	(再掲)非初回
中核市(再掲)							
旭川市	2	－	－	1	1	－	2
函館市	－	－	－	－	－	－	－
青森市	22	1	1	7	13	4	18
八戸市	－	－	－	－	－	－	－
盛岡市	－	－	－	－	－	－	－
秋田市	－	－	－	－	－	－	－
郡山市	－	－	－	－	－	－	－
いわき市	－	－	－	－	－	－	－
宇都宮市	10	1	2	3	4	2	8
前橋市	1	－	－	－	1	－	1
高崎市	－	－	－	－	－	－	－
川越市	－	－	－	－	－	－	－
越谷市	－	－	－	－	－	－	－
船橋市	4	－	－	2	2	－	－
柏市	3	－	－	2	1	－	3
八王子市	1	－	－	1	－	－	1
横須賀市	－	－	－	－	－	－	－
富山市	2	－	－	－	2	－	－
金沢市	－	－	－	－	－	－	－
長野市	4	－	－	1	3	－	4
岐阜市	1	－	－	1	－	1	－
豊橋市	5	－	－	2	3	1	4
豊田市	－	－	－	－	－	－	－
岡崎市	2	－	－	2	－	1	1
大津市	－	－	－	－	－	－	－
高槻市	－	－	－	－	－	－	－
東大阪市	1	－	－	1	－	－	1
豊中市	3	1	－	1	1	1	2
枚方市	－	－	－	－	－	－	－
姫路市	5	－	－	4	1	5	－
西宮市	－	－	－	－	－	－	－
尼崎市	－	－	－	－	－	－	－
奈良市	1	－	－	－	1	1	－
和歌山市	－	－	－	－	－	－	－
倉敷市	1	－	－	－	1	－	1
福山市	1	－	－	－	1	－	1
呉市	2	－	2	－	－	2	－
下関市	－	－	－	－	－	－	－
高松市	－	－	－	－	－	－	－
松山市	2	－	－	－	2	－	2
高知市	1	－	－	－	1	－	1
久留米市	－	－	－	－	－	－	－
長崎市	1	－	－	1	－	－	1
佐世保市	1	－	－	－	1	－	1
大分市	－	－	－	－	－	－	－
宮崎市	1	－	－	－	1	1	－
鹿児島市	3	1	－	1	1	2	1
那覇市	－	－	－	－	－	－	－
その他政令市(再掲)							
小樽市	－	－	－	－	－	－	－
町田市	－	－	－	－	－	－	－
藤沢市	25	－	3	6	16	10	15
茅ヶ崎市	26	5	4	10	7	13	13
四日市市	1	－	1	－	－	－	1
大牟田市	2	－	1	1	－	2	－

注：初回・非初回及び年齢階級別については、計数不詳の市区町村があるため、総数と一致しない場合がある。

・精密検査受診の有無別人数，都道府県−指定都市・特別区−中核市−その他政令市、年齢階級・検診回数別

			の　有　無　別　人　数			
			認 め る			
胃 が ん 以 外 の 疾 患 で あ っ た 者 （ 転 移 性 の 胃 が ん を 含 む ）						
総　数	40〜49歳	50〜59歳	60〜69歳	70歳以上	(再掲)初回	(再掲)非初回
278	11	22	118	127	71	207
125	9	18	63	35	–	–
911	50	82	335	444	201	710
590	19	52	211	308	132	458
328	24	22	109	173	51	277
245	21	74	59	91	101	144
174	12	20	93	49	70	104
199	15	12	77	95	79	120
611	66	69	293	183	216	395
246	17	28	110	91	73	173
607	88	63	193	263	183	424
133	22	14	50	47	33	100
16	3	3	5	5	4	12
1 284	168	236	468	412	–	–
589	32	40	182	335	86	503
35	–	1	12	22	13	22
–	–	–	–	–	–	–
505	24	35	164	282	…	…
237	35	31	111	60	…	…
227	28	23	67	109	72	155
330	48	36	139	107	126	204
963	85	95	312	471	240	723
804	45	58	304	397	150	654
1 123	73	88	486	476	262	861
175	5	3	58	109	121	54
534	73	65	198	198	273	261
476	55	41	185	195	173	303
397	58	47	127	165	171	226
251	20	24	93	114	114	137
419	23	83	187	126	189	230
160	14	26	52	68	71	89
66	9	11	27	19	37	29
92	2	6	36	48	28	64
45	–	9	20	16	28	17
641	49	66	226	300	229	412
239	17	20	81	121	77	162
150	10	18	60	62	42	108
93	1	5	45	42	25	68
506	22	30	212	242	141	365
592	31	57	230	274	168	424
90	3	12	44	31	26	64
187	22	25	87	53	53	134
37	2	9	17	9	14	23
66	7	8	36	15	18	48
345	43	44	121	137	234	111
209	9	16	80	104	68	141
817	79	55	281	402	269	548
190	39	30	80	41	58	132
68	2	3	22	41	20	48
–	–	–	–	–	–	–
651	59	58	163	371	237	414
245	30	26	78	111	107	138
188	13	13	76	86	16	172
66	7	6	28	25	32	34

第21表（8－7） 平成28年度における胃がん（胃部エックス線検査）検診受診者数・要精密検査者数

	精密検査受診						
	未受診						
	総　数	40～49歳	50～59歳	60～69歳	70歳以上	（再掲）初回	（再掲）非初回
全　国	18 388	1 967	2 444	7 218	6 759	5 142	11 250
北海道	1 478	142	252	561	523	402	940
青森	560	57	84	233	186	131	389
岩手	579	31	72	208	268	84	495
宮城	587	35	58	270	224	155	432
秋田	302	33	37	131	101	63	182
山形	633	41	115	271	206	93	477
福島	424	31	62	184	147	96	259
茨城	1 145	115	165	497	368	359	786
栃木	129	14	14	69	32	37	46
群馬	298	50	47	101	100	100	178
埼玉	568	51	64	205	248	135	345
千葉	315	57	34	111	113	65	206
東京	1 038	200	197	326	315	324	479
神奈川	770	118	108	232	312	391	368
新潟	585	39	61	251	234	169	416
富山	281	22	28	109	122	45	105
石川	319	33	46	129	111	37	79
福井	121	13	9	31	68	38	83
山梨	446	68	69	172	137	86	268
長野	509	78	55	190	186	106	207
岐阜	370	55	50	143	122	110	260
静岡	297	41	35	108	113	85	203
愛知	1 423	165	183	516	559	446	931
三重	410	25	36	196	153	114	296
滋賀	90	6	5	36	43	45	45
京都	320	43	52	106	119	25	86
大阪	897	114	100	362	321	382	515
兵庫	450	37	54	180	179	106	237
奈良	102	17	6	34	45	40	62
和歌山	183	19	35	82	47	62	121
鳥取	117	9	10	61	37	25	76
島根	51	2	5	20	24	17	34
岡山	284	14	23	115	132	102	182
広島	186	12	17	80	77	62	124
山口	73	8	3	28	34	30	43
徳島	142	9	15	65	53	38	91
香川	144	9	10	54	71	46	98
愛媛	223	11	25	83	104	51	172
高知	55	10	11	25	9	25	30
福岡	306	26	39	140	101	47	135
佐賀	175	17	32	92	34	70	105
長崎	42	6	11	13	12	9	28
熊本	230	19	25	110	76	79	151
大分	169	14	10	74	71	50	102
宮崎	58	5	7	14	32	25	33
鹿児島	345	17	47	145	136	77	268
沖縄	159	29	21	55	54	58	82
指定都市・特別区（再掲）							
東京都区部	818	158	171	259	230	229	357
札幌市	116	6	14	56	40	52	64
仙台市	125	8	12	39	66	39	86
さいたま市	69	7	4	24	34	…	…
千葉市	–	–	–	–	–	–	–
横浜市	53	9	12	19	13	30	23
川崎市	134	23	23	45	43	134	–
相模原市	314	61	49	80	124	130	184
新潟市	151	13	16	55	67	39	112
静岡市	7	1	–	3	3	–	–
浜松市	14	–	3	8	3	4	10
名古屋市	289	37	35	95	122	127	162
京都市	209	37	38	61	73	–	–
大阪市	180	16	29	73	62	62	118
堺市	166	27	13	60	66	75	91
神戸市	–	–	–	–	–	–	–
岡山市	1	–	–	–	1	–	1
広島市	10	2	2	–	6	3	7
北九州市	26	5	3	10	8	…	…
福岡市	97	8	15	49	25	–	–
熊本市	18	1	2	9	6	11	7

・精密検査受診の有無別人数，都道府県－指定都市・特別区－中核市－その他政令市、年齢階級・検診回数別

の有無別人数						
未把握						
総数	40～49歳	50～59歳	60～69歳	70歳以上	(再掲)初回	(再掲)非初回
26 934	**3 898**	**4 125**	**9 763**	**9 148**	**8 401**	**15 567**
1 027	139	148	449	291	71	164
1 198	97	182	470	449	312	878
108	7	8	60	33	17	91
101	7	15	42	37	32	69
489	41	130	195	123	130	339
333	18	43	156	116	47	150
696	52	119	307	218	183	448
69	9	6	29	25	22	47
1 117	110	164	501	342	365	699
116	24	21	36	35	35	59
933	127	124	334	348	273	473
1 870	245	196	591	838	477	1 114
5 377	1 335	1 253	1 669	1 120	1 579	3 088
2 902	409	330	986	1 177	1 380	1 485
41	5	5	16	15	6	35
81	8	9	35	29	31	50
83	1	5	32	45	4	34
108	5	8	48	47	35	73
272	24	31	115	102	49	172
214	33	30	77	74	79	117
356	63	56	134	103	118	238
1 055	82	115	419	439	272	751
3 041	451	354	946	1 290	991	1 674
342	43	54	113	132	106	236
19	2	2	8	7	12	7
161	18	27	54	62	47	114
426	76	74	145	131	203	223
737	75	102	278	282	303	433
79	6	6	31	36	39	40
74	4	11	31	28	35	39
18	3	2	6	7	10	8
83	6	5	28	44	28	55
347	19	37	122	169	116	231
633	63	76	289	205	234	399
60	4	8	24	24	24	36
54	6	5	22	21	18	36
54	6	7	27	14	18	36
156	11	23	76	46	47	109
59	3	11	18	27	13	46
604	87	84	281	152	179	356
158	20	28	74	36	61	97
135	7	19	64	45	33	100
262	28	45	105	84	90	172
149	12	18	54	65	54	95
125	8	20	44	53	39	86
167	15	32	69	51	45	122
445	84	77	153	131	139	243
4 942	1 246	1 177	1 527	992	1 409	2 903
781	110	107	348	216	－	－
3	2	1	－	－	2	1
125	14	21	38	52	…	…
978	124	88	293	473	319	659
1 569	245	154	584	586	731	838
294	51	61	89	93	294	－
－	－	－	－	－	－	－
－	－	－	－	－	－	－
29	－	9	10	10	－	－
182	12	21	69	80	53	129
883	178	137	253	315	395	488
－	－	－	－	－	－	－
48	8	9	23	8	28	20
－	－	－	－	－	－	－
191	24	27	73	67	83	108
167	－	16	58	93	61	106
291	44	46	108	93	135	156
33	10	8	10	5	…	…
8	2	4	1	1	－	－
30	4	4	13	9	9	21

第21表（8−8） 平成28年度における胃がん（胃部エックス線検査）検診受診者数・要精密検査者数

	精密検査受診						
	未受診						
	総数	40～49歳	50～59歳	60～69歳	70歳以上	（再掲）初回	（再掲）非初回
中核市（再掲）							
旭川市	221	14	34	78	95	50	171
函館市	57	7	12	21	17	−	−
青森市	22	3	−	11	8	6	16
八戸市	102	8	12	43	39	29	73
盛岡市	30	2	1	11	16	6	24
秋田市	3	1	−	1	1	−	3
郡山市	−	−	−	−	−	−	−
いわき市	8	−	1	4	3	4	4
宇都宮市	44	5	6	26	7	17	27
前橋市	77	8	16	30	23	29	48
高崎市	81	21	11	23	26	35	46
川越市	8	−	2	3	3	2	6
越谷市	−	−	−	−	−	−	−
船橋市	44	20	9	14	1	−	−
柏市	−	−	−	−	−	−	−
八王子市	−	−	−	−	−	−	−
横須賀市	−	−	−	−	−	−	−
富山市	122	13	16	45	48	…	…
金沢市	86	10	16	40	20	…	…
長野市	16	2	4	4	6	6	10
岐阜市	3	1	−	1	1	2	1
豊橋市	73	14	14	21	24	25	48
豊田市	104	5	6	44	49	19	85
岡崎市	100	7	22	65	6	29	71
大津市	21	2	1	5	13	15	6
高槻市	47	5	4	20	18	31	16
東大阪市	68	6	6	18	38	26	42
豊中市	19	1	4	4	10	8	11
枚方市	129	12	16	57	44	58	71
姫路市	−	−	−	−	−	−	−
西宮市	16	2	1	5	8	6	10
尼崎市	3	−	−	−	3	−	3
奈良市	13	−	−	7	6	6	7
和歌山市	12	−	2	4	6	5	7
倉敷市	12	1	2	3	6	6	6
福山市	41	1	4	18	18	17	24
呉市	8	−	−	2	6	1	7
下関市	7	1	−	4	2	3	4
高松市	19	1	2	7	9	5	14
松山市	16	−	1	8	7	3	13
高知市	27	5	9	11	2	13	14
久留米市	−	−	−	−	−	−	−
長崎市	4	−	3	1	−	−	4
佐世保市	4	1	−	1	2	−	4
大分市	11	1	−	6	4	11	−
宮崎市	−	−	−	−	−	−	−
鹿児島市	21	1	1	10	9	5	16
那覇市	53	10	11	20	12	21	32
その他政令市（再掲）							
小樽市	7	−	2	2	3	4	3
町田市	−	−	−	−	−	−	−
藤沢市	58	5	5	19	29	22	36
茅ヶ崎市	91	9	8	29	45	48	43
四日市市	52	4	3	21	24	7	45
大牟田市	1	−	−	−	1	−	1

注：初回・非初回及び年齢階級別については、計数不詳の市区町村があるため、総数と一致しない場合がある。

・精密検査受診の有無別人数，都道府県－指定都市・特別区－中核市－その他政令市、年齢階級・検診回数別

の有無別人数						
未把握						
総　数	40～49歳	50～59歳	60～69歳	70歳以上	(再掲)初回	(再掲)非初回
-	-	-	-	-	-	-
-	-	-	-	-	-	-
105	15	8	35	47	35	70
45	3	6	16	20	11	34
14	2	2	4	6	4	10
44	2	13	15	14	22	22
36	2	8	15	11	21	15
49	2	5	18	24	26	23
133	22	17	55	39	65	68
-	-	-	-	-	-	-
-	-	-	-	-	-	-
1	-	-	1	-	-	1
12	1	3	3	5	7	5
279	38	38	82	121	-	-
39	6	2	10	21	10	29
1	-	-	1	-	1	-
-	-	-	-	-	-	-
-	-	-	-	-	-	-
-	-	-	-	-	-	-
-	-	-	-	-	-	-
30	4	7	10	9	13	17
-	-	-	-	-	-	-
72	6	8	31	27	23	49
330	31	29	111	159	96	234
-	-	-	-	-	-	-
61	10	9	25	17	38	23
34	10	5	12	7	14	20
74	11	10	16	37	26	48
-	-	-	-	-	-	-
69	7	17	30	15	42	27
14	2	2	3	7	7	7
23	11	3	5	4	17	6
1	-	-	1	-	1	-
12	-	2	6	4	7	5
86	14	16	26	30	38	48
15	3	-	5	7	5	10
25	1	5	12	7	8	17
2	-	-	-	2	-	2
7	1	1	3	2	4	3
36	2	1	20	13	9	27
-	-	-	-	-	-	-
21	4	4	9	4	8	13
5	-	-	4	1	3	2
8	1	1	5	1	3	5
34	4	4	13	13	26	8
26	1	6	9	10	8	18
21	2	3	11	5	9	12
110	42	25	31	12	52	58
-	-	-	-	-	-	-
-	-	-	-	-	-	-
412	50	39	115	208	168	244
74	19	15	20	20	33	41
10	1	3	2	4	1	9
12	1	3	2	6	10	2

第22表（7−1） 平成28年度における胃がん（胃内視鏡検査）検診受診者数・要精密検査者数・

	受診者数							要精密		
	総数	40～49歳	50～59歳	60～69歳	70歳以上	(再掲)初回	(再掲)非初回	総数	40～49歳	50～59歳
全国	**785 212**	**・**	**95 873**	**282 482**	**406 857**	**395 521**	**281 740**	**54 730**	**・**	**5 579**
北海道	1 615	・	241	673	701	724	758	216	・	25
青森	104	・	17	64	23	104	−	7	・	−
岩手	3 149	・	402	1 071	1 676	3 149	−	270	・	18
宮城	12	・	1	4	7	2	10	3	・	−
秋田	−	・	−	−	−	−	−	−	・	−
山形	2 333	・	242	1 081	1 010	1 025	321	110	・	5
福島	73 023	・	7 458	25 902	39 663	44 762	28 067	3 711	・	251
茨城	2 931	・	375	968	1 588	1 814	1 117	338	・	34
栃木	13 956	・	1 152	3 698	9 106	11 506	2 019	145	・	11
群馬	54 739	・	7 118	18 333	29 288	29 651	25 088	4 007	・	383
埼玉	97 657	・	12 689	31 159	53 809	10 646	28 183	3 480	・	292
千葉	8 792	・	757	2 864	5 171	6 716	2 076	1 474	・	108
東京	4 838	・	1 190	1 896	1 752	151	472	398	・	96
神奈川	63 953	・	9 121	17 828	37 004	54 718	8 555	8 124	・	992
新潟	44 109	・	2 685	16 323	25 101	6 330	37 779	2 772	・	103
富山	30 058	・	2 637	10 485	16 936	10 114	6 659	2 951	・	207
石川	17 704	・	2 811	12 543	2 350	5 259	12 445	1 329	・	145
福井	7 828	・	1 168	3 465	3 195	4 742	3 086	861	・	84
山梨	10 290	・	1 499	5 438	3 353	5 276	5 006	237	・	28
長野	8 022	・	1 217	3 433	3 372	3 844	4 175	227	・	33
岐阜	3 620	・	523	1 254	1 843	1 839	1 781	757	・	94
静岡	59 965	・	5 650	19 055	35 260	43 127	16 838	2 636	・	276
愛知	29 614	・	4 369	10 402	14 843	19 647	9 967	3 637	・	433
三重	59 965	・	6 378	20 249	33 338	44 367	15 598	3 718	・	325
滋賀	−	・	−	−	−	−	−	−	・	−
京都	301	・	26	114	161	297	4	18	・	2
大阪	600	・	133	241	226	356	244	77	・	18
兵庫	3 187	・	258	1 370	1 559	672	1 730	134	・	7
奈良	159	・	159	−	−	144	15	28	・	28
和歌山	15 666	・	2 997	6 617	6 052	11 320	4 346	2 333	・	396
鳥取	35 600	・	3 944	13 231	18 425	24 566	11 034	1 556	・	115
島根	3 453	・	655	1 830	968	3 292	111	319	・	39
岡山	8 749	・	830	2 678	5 241	6 599	2 150	1 150	・	102
広島	11 278	・	876	5 008	5 394	5 151	5 800	689	・	49
山口	13 309	・	1 295	4 595	7 419	8 372	4 937	1 456	・	119
徳島	85	・	4	55	26	60	25	−	・	−
香川	3 618	・	1 268	1 028	1 322	2 069	1 549	196	・	126
愛媛	−	・	−	−	−	−	−	−	・	−
高知	29	・	8	21	−	8	21	1	・	−
福岡	24 894	・	4 123	9 536	11 235	344	31	1 183	・	144
佐賀	−	・	−	−	−	−	−	−	・	−
長崎	35 985	・	5 074	14 858	16 053	15 522	19 699	2 351	・	251
熊本	5 700	・	1 146	3 065	1 489	1 986	3 635	271	・	52
大分	3 902	・	292	1 621	1 989	589	3 313	229	・	11
宮崎	246	・	175	59	12	177	69	8	・	6
鹿児島	53	・	7	28	18	43	10	10	・	1
沖縄	20 121	・	2 903	8 339	8 879	4 441	13 017	1 313	・	170
指定都市・特別区(再掲)										
東京都区部	4 051	・	1 050	1 600	1 401	2	1	389	・	96
札幌市	−	・	−	−	−	−	−	−	・	−
仙台市	−	・	−	−	−	−	−	−	・	−
さいたま市	58 163	・	8 130	17 577	32 456	…	…	369	・	17
千葉市	−	・	−	−	−	−	−	−	・	−
横浜市	10 098	・	2 352	4 351	3 395	7 066	3 032	276	・	51
川崎市	28 556	・	4 122	6 934	17 500	28 556	−	4 474	・	584
相模原市	13 202	・	1 268	3 348	8 586	9 436	3 766	266	・	10
新潟市	43 746	・	2 617	16 173	24 956	6 185	37 561	2 768	・	102
静岡市	7 336	・	681	2 470	4 185	6 149	1 187	403	・	37
浜松市	27 461	・	2 151	8 642	16 668	23 498	3 963	148	・	2
名古屋市	14 666	・	2 553	5 432	6 681	14 666	−	1 993	・	252
京都市	−	・	−	−	−	−	−	−	・	−
大阪市	−	・	−	−	−	−	−	−	・	−
堺市	600	・	133	241	226	356	244	77	・	18
神戸市	−	・	−	−	−	−	−	−	・	−
岡山市	5 424	・	533	1 636	3 255	5 424	−	785	・	65
広島市	−	・	−	−	−	−	−	−	・	−
北九州市	1 961	・	344	801	816	…	…	115	・	12
福岡市	22 201	・	3 681	8 339	10 181	−	−	979	・	124
熊本市	−	・	−	−	−	−	−	−	・	−

精密検査受診の有無別人数，都道府県－指定都市・特別区－中核市－その他政令市、年齢階級・検診回数別

検査者数				精密検査受診の有無別人数[1)]						
				異常認めず						
60～69歳	70歳以上	(再掲)初回	(再掲)非初回	総数	40～49歳	50～59歳	60～69歳	70歳以上	(再掲)初回	(再掲)非初回
19 439	**29 712**	**30 349**	**15 935**	**7 631**	**・**	**768**	**2 836**	**4 027**	**4 112**	**2 480**
91	100	101	113	24	・	4	12	8	12	12
5	2	7	－	1	・	－	1	－	1	－
90	162	270	－	7	・	－	3	4	7	－
1	2	－	3	－	・	－	－	－	－	－
－	－	－	－	－	・	－	－	－	－	－
52	53	59	25	71	・	3	28	40	50	21
1 278	2 182	2 187	627	830	・	42	287	501	715	101
122	182	235	103	49	・	9	23	17	45	4
44	90	77	1	14	・	2	3	9	7	－
1 260	2 364	3 192	252	203	・	17	65	121	193	10
1 104	2 084	1 205	1 832	440	・	27	135	278	93	316
484	882	1 151	323	172	・	11	55	106	143	29
146	156	6	6	310	・	76	121	113	1	1
2 379	4 753	5 639	342	671	・	106	249	316	395	73
972	1 697	569	2 203	929	・	31	359	539	166	763
983	1 761	1 106	966	250	・	17	105	128	151	41
970	214	134	196	43	・	7	30	6	1	5
389	388	517	344	25	・	5	10	10	17	8
116	93	126	74	32	・	3	13	16	6	3
130	64	175	52	27	・	5	14	8	22	5
282	381	382	375	34	・	2	15	17	18	16
822	1 538	1 240	993	363	・	34	119	210	261	44
1 254	1 950	2 719	918	412	・	56	137	219	259	153
1 342	2 051	2 226	1 492	591	・	52	215	324	454	137
－	－	－	－	－	・	－	－	－	－	－
8	8	18	－	3	・	－	2	1	3	－
24	35	44	33	7	・	3	3	1	3	4
51	76	57	53	10	・	1	3	6	1	9
－	－	28	－	6	・	6	－	－	6	－
924	1 013	1 399	934	337	・	73	155	109	196	141
562	879	1 004	552	403	・	31	138	234	243	160
188	92	301	16	13	・	－	11	2	12	1
351	697	914	236	62	・	7	18	37	40	22
316	324	441	234	167	・	8	74	85	127	35
519	818	1 082	374	347	・	35	108	204	254	93
－	－	－	－	－	・	－	－	－	－	－
25	45	116	80	5	・	2	1	2	4	1
－	－	－	－	－	・	－	－	－	－	－
1	－	－	1	－	・	－	－	－	－	－
446	593	75	2	234	・	31	104	99	32	1
－	－	－	－	－	・	－	－	－	－	－
944	1 156	1 021	1 242	299	・	26	113	160	122	175
155	64	129	135	30	・	2	19	9	9	21
93	125	46	183	13	・	1	5	7	4	9
2	－	6	2	1	・	1	－	－	－	1
5	4	8	2	2	・	－	1	1	1	1
509	634	337	616	194	・	32	82	80	38	64
141	152	2	1	308	・	76	119	113	…	…
－	－	－	－	－	・	－	－	－	－	－
－	－	－	－	－	・	－	－	－	－	－
95	257	…	…	22	・	2	4	16	…	…
－	－	－	－	－	・	－	－	－	－	－
112	113	194	82	94	・	36	43	15	76	18
1 283	2 607	4 474	－	44	・	5	6	33	44	－
70	186	186	80	3	・	1	1	1	3	－
972	1 694	568	2 200	927	・	31	359	537	166	761
111	255	－	－	58	・	10	15	33	－	－
44	102	124	24	10	・	1	4	5	7	3
708	1 033	1 993	－	173	・	26	51	96	173	－
－	－	－	－	－	・	－	－	－	－	－
－	－	－	－	－	・	－	－	－	－	－
24	35	44	33	7	・	3	3	1	3	4
－	－	－	－	－	・	－	－	－	－	－
250	470	785	－	20	・	－	6	14	20	－
－	－	－	－	－	・	－	－	－	－	－
46	57	…	…	10	・	1	5	4	…	…
349	506	－	－	191	・	26	72	93	－	－
－	－	－	－	－	・	－	－	－	－	－

15(8)−08～09,12～13　胃がん　精密検査

第22表（7−2）　平成28年度における胃がん（胃内視鏡検査）検診受診者数・要精密検査者数・

| | 受診者数 | | | | | | | 要精密 | | |
	総　　数	40～49歳	50～59歳	60～69歳	70歳以上	（再掲）初回	（再掲）非初回	総　　数	40～49歳	50～59歳
中核市（再掲）										
旭　川　市	－	・	－	－	－	－	－	－	・	－
函　館　市	－	・	－	－	－	－	－	－	・	－
青　森　市	－	・	－	－	－	－	－	－	・	－
八　戸　市	－	・	－	－	－	－	－	－	・	－
盛　岡　市	3 149	・	402	1 071	1 676	3 149	－	270	・	18
秋　田　市	－	・	－	－	－	－	－	－	・	－
郡　山　市	21 053	・	2 371	8 112	10 570	19 339	1 714	997	・	82
い わ き 市	11 090	・	802	3 680	6 608	10 358	732	839	・	42
宇 都 宮 市	12 980	・	1 082	3 369	8 529	11 059	1 921	69	・	2
前　橋　市	26 538	・	3 410	8 889	14 239	3 758	22 780	1 399	・	105
高　崎　市	－	・	－	－	－	－	－	－	・	－
川　越　市	－	・	－	－	－	－	－	－	・	－
越　谷　市	11 535	・	1 247	3 279	7 009	1 875	9 660	1 033	・	80
船　橋　市	－	・	－	－	－	－	－	－	・	－
柏　　　市	－	・	－	－	－	－	－	－	・	－
八 王 子 市	－	・	－	－	－	－	－	－	・	－
横 須 賀 市	－	・	－	－	－	－	－	－	・	－
富　山　市	12 241	・	918	3 491	7 832	…	…	797	・	28
金　沢　市	13 892	・	2 153	10 156	1 583	3 230	10 662	917	・	103
長　野　市	－	・	－	－	－	－	－	－	・	－
岐　阜　市	－	・	－	－	－	－	－	－	・	－
豊　橋　市	－	・	－	－	－	－	－	－	・	－
豊　田　市	－	・	－	－	－	－	－	－	・	－
岡　崎　市	－	・	－	－	－	－	－	－	・	－
大　津　市	－	・	－	－	－	－	－	－	・	－
高　槻　市	－	・	－	－	－	－	－	－	・	－
東 大 阪 市	－	・	－	－	－	－	－	－	・	－
豊　中　市	－	・	－	－	－	－	－	－	・	－
枚　方　市	－	・	－	－	－	－	－	－	・	－
姫　路　市	－	・	－	－	－	－	－	－	・	－
西　宮　市	－	・	－	－	－	－	－	－	・	－
尼　崎　市	－	・	－	－	－	－	－	－	・	－
奈　良　市	159	・	159	－	－	144	15	28	・	28
和 歌 山 市	2 732	・	658	1 323	751	2 665	67	69	・	15
倉　敷　市	－	・	－	－	－	－	－	－	・	－
福　山　市	－	・	－	－	－	－	－	－	・	－
呉　　　市	－	・	－	－	－	－	－	－	・	－
下　関　市	2 680	・	237	881	1 562	923	1 757	264	・	16
高　松　市	783	・	783	－	－	430	353	91	・	91
松　山　市	－	・	－	－	－	－	－	－	・	－
高　知　市	－	・	－	－	－	－	－	－	・	－
久 留 米 市	－	・	－	－	－	－	－	－	・	－
長　崎　市	6 978	・	1 297	2 827	2 854	2 509	4 469	604	・	100
佐 世 保 市	12 870	・	1 603	5 139	6 128	2 500	10 370	519	・	34
大　分　市	－	・	－	－	－	－	－	－	・	－
宮　崎　市	－	・	－	－	－	－	－	－	・	－
鹿 児 島 市	－	・	－	－	－	－	－	－	・	－
那　覇　市	7 623	・	1 141	2 981	3 501	1 188	6 435	543	・	63
その他政令市（再掲）										
小　樽　市	－	・	－	－	－	－	－	－	・	－
町　田　市	－	・	－	－	－	－	－	－	・	－
藤　沢　市	－	・	－	－	－	－	－	－	・	－
茅 ヶ 崎 市	－	・	－	－	－	－	－	－	・	－
四 日 市 市	9 907	・	1 102	3 625	5 180	894	9 013	1 348	・	131
大 牟 田 市	366	・	64	213	89	338	28	75	・	8

注：　1　初回・非初回については、計数不詳の市区町村があるため、総数と一致しない場合がある。
　　　2　胃がん検診の胃内視鏡検査については、受診対象が50歳以上のため、「40～49歳」の項目は「・」としている。
　　1）精密検査受診の有無別人数については、計数不詳の市区町村がある場合、要精密検査者数と一致しないことがある。

精密検査受診の有無別人数，都道府県－指定都市・特別区－中核市－その他政令市、年齢階級・検診回数別

検査者数				精密検査受診の有無別人数 [1)]						
				異常認めず						
60〜69歳	70歳以上	(再掲)初回	(再掲)非初回	総数	40〜49歳	50〜59歳	60〜69歳	70歳以上	(再掲)初回	(再掲)非初回
－	－	－	－	－	・	－	－	－	－	－
－	－	－	－	－	・	－	－	－	－	－
－	－	－	－	－	・	－	－	－	－	－
－	－	－	－	－	・	－	－	－	－	－
90	162	270	－	7	・	－	3	4	7	－
－	－	－	－	－	・	－	－	－	－	－
363	552	893	104	1	・	－	－	1	1	－
269	528	775	64	626	・	32	205	389	578	48
7	60	69	－	7	・	－	－	7	7	－
449	845	1 264	135	44	・	4	10	30	40	4
－	－	－	－	－	・	－	－	－	－	－
－	－	－	－	－	・	－	－	－	－	－
294	659	249	784	197	・	12	50	135	37	160
－	－	－	－	－	・	－	－	－	－	－
－	－	－	－	－	・	－	－	－	－	－
－	－	－	－	－	・	－	－	－	－	－
－	－	－	－	－	・	－	－	－	－	－
195	574	…	…	26	・	1	12	13	－	－
692	122	－	－	36	・	6	25	5	－	－
－	－	－	－	－	・	－	－	－	－	－
－	－	－	－	－	・	－	－	－	－	－
－	－	－	－	－	・	－	－	－	－	－
－	－	－	－	－	・	－	－	－	－	－
－	－	－	－	－	・	－	－	－	－	－
－	－	－	－	－	・	－	－	－	－	－
－	－	－	－	－	・	－	－	－	－	－
－	－	－	－	－	・	－	－	－	－	－
－	－	－	－	－	・	－	－	－	－	－
－	－	－	－	－	・	－	－	－	－	－
－	－	－	－	－	・	－	－	－	－	－
－	－	－	－	－	・	－	－	－	－	－
－	－	－	－	－	・	－	－	－	－	－
－	－	28	－	6	・	6	－	－	6	－
26	28	65	4	4	・	1	2	1	3	1
－	－	－	－	－	・	－	－	－	－	－
－	－	－	－	－	・	－	－	－	－	－
－	－	－	－	－	・	－	－	－	－	－
99	149	118	146	1	・	－	－	1	－	1
－	－	52	39	1	・	1	－	－	1	－
－	－	－	－	－	・	－	－	－	－	－
－	－	－	－	－	・	－	－	－	－	－
－	－	－	－	－	・	－	－	－	－	－
245	259	265	339	18	・	1	6	11	10	8
217	268	143	376	33	・	2	14	17	8	25
－	－	－	－	－	・	－	－	－	－	－
－	－	－	－	－	・	－	－	－	－	－
－	－	－	－	－	・	－	－	－	－	－
173	307	168	375	19	・	4	7	8	6	13
－	－	－	－	－	・	－	－	－	－	－
－	－	－	－	－	・	－	－	－	－	－
－	－	－	－	－	・	－	－	－	－	－
－	－	－	－	－	・	－	－	－	－	－
504	713	188	1 160	90	・	7	29	54	12	78
45	22	73	2	31	・	4	27	－	30	1

第22表（7−3） 平成28年度における胃がん（胃内視鏡検査）検診受診者数・要精密検査者数・

	精密検査受診									
	異常を									
	胃がんであった者（転移性を含まない）							(再掲) 胃がん		
	総数	40～49歳	50～59歳	60～69歳	70歳以上	(再掲)初回	(再掲)非初回	総数	40～49歳	50～59歳
全国	**2 401**	**・**	**92**	**697**	**1 612**	**1 339**	**697**	**1 567**	**・**	**52**
北海道	1	・	−	−	1	…	1	−	・	−
青森	−	・	−	−	−	−	−	−	・	−
岩手	12	・	−	6	6	12	−	12	・	−
宮城	−	・	−	−	−	−	−	−	・	−
秋田	−	・	−	−	−	−	−	−	・	−
山形	1	・	−	1	−	−	1	−	・	−
福島	271	・	7	73	191	139	41	232	・	7
茨城	9	・	−	2	7	8	1	−	・	−
栃木	14	・	−	3	11	11	−	9	・	−
群馬	216	・	8	59	149	181	14	161	・	5
埼玉	137	・	3	37	97	46	63	99	・	1
千葉	32	・	1	6	25	26	6	23	・	1
東京	3	・	−	1	2	2	1	2	・	−
神奈川	235	・	10	39	186	197	24	161	・	6
新潟	300	・	8	74	218	91	209	244	・	4
富山	120	・	4	27	89	40	26	70	・	2
石川	44	・	2	36	6	2	4	36	・	2
福井	59	・	2	33	24	29	30	35	・	2
山梨	7	・	−	5	2	2	5	4	・	−
長野	8	・	…	3	5	6	2	5	・	…
岐阜	19	・	1	6	12	11	8	15	・	−
静岡	74	・	3	16	55	47	19	47	・	2
愛知	139	・	8	33	98	106	33	30	・	…
三重	108	・	3	26	79	85	23	53	・	3
滋賀	−	・	−	−	−	−	−	−	・	−
京都	2	・	−	2	−	2	−	2	・	−
大阪	1	・	−	1	−	1	−	−	・	−
兵庫	19	・	−	6	13	6	13	12	・	−
奈良	−	・	−	−	−	−	−	−	・	−
和歌山	56	・	5	18	33	33	23	37	・	4
鳥取	126	・	−	48	78	100	26	98	・	−
島根	10	・	2	7	1	10	−	10	・	2
岡山	22	・	2	6	14	18	4	21	・	2
広島	15	・	−	7	8	10	5	6	・	−
山口	53	・	3	18	32	31	22	40	・	1
徳島	−	・	−	−	−	−	−	−	・	−
香川	8	・	4	1	3	4	4	6	・	2
愛媛	−	・	−	−	−	−	−	−	・	−
高知	−	・	−	−	−	−	−	−	・	−
福岡	105	・	6	30	69	…	…	1	・	…
佐賀	−	・	−	−	−	−	−	−	・	−
長崎	144	・	5	56	83	69	73	77	・	4
熊本	11	・	3	7	1	6	5	5	・	2
大分	6	・	−	2	4	2	4	6	・	−
宮崎	1	・	1	−	−	1	−	−	・	−
鹿児島	−	・	−	−	−	−	−	−	・	−
沖縄	13	・	1	2	10	5	7	8	・	−
指定都市・特別区(再掲)										
東京都区部	−	・	−	−	−	−	−	−	・	−
札幌市	−	・	−	−	−	−	−	−	・	−
仙台市	−	・	−	−	−	−	−	−	・	−
さいたま市	28	・	2	7	19	…	…	24	・	1
千葉市	−	・	−	−	−	−	−	−	・	−
横浜市	13	・	2	3	8	11	2	−	・	−
川崎市	108	・	2	19	87	108	−	85	・	1
相模原市	66	・	2	7	57	51	15	53	・	2
新潟市	300	・	8	74	218	91	209	244	・	4
静岡市	8	・	−	1	7	−	−	6	・	−
浜松市	17	・	−	3	14	14	3	7	・	−
名古屋市	83	・	6	20	57	83	−	−	・	−
京都市	−	・	−	−	−	−	−	−	・	−
大阪市	−	・	−	−	−	−	−	−	・	−
堺市	1	・	−	1	−	1	−	−	・	−
神戸市	−	・	−	−	−	−	−	−	・	−
岡山市	14	・	1	3	10	14	−	13	・	1
広島市	−	・	−	−	−	−	−	−	・	−
北九州市	9	・	−	5	4	…	…	…	・	…
福岡市	94	・	6	24	64	−	−	−	・	−
熊本市	−	・	−	−	−	−	−	−	・	−

精密検査受診の有無別人数，都道府県－指定都市・特別区－中核市－その他政令市、年齢階級・検診回数別

の有無別人数[1)]										
認める										
のうち早期がん				（再掲）早期がんのうち粘膜内がん						
60～69歳	70歳以上	（再掲）初回	（再掲）非初回	総数	40～49歳	50～59歳	60～69歳	70歳以上	（再掲）初回	（再掲）非初回
455	**1 060**	**841**	**521**	**647**	**・**	**26**	**161**	**460**	**364**	**277**
–	–	…	…	–	・	–	–	–	…	…
–	–	–	–	–	・	–	–	–	–	–
6	6	12	–	–	・	–	–	–	–	–
–	–	–	–	–	・	–	–	–	–	–
–	–	–	–	–	・	–	–	–	–	–
–	–	–	–	–	・	–	–	–	–	–
61	164	119	30	94	・	5	22	67	75	19
–	–	–	–	–	・	–	–	–	–	–
1	8	9	–	4	・	–	1	3	4	–
39	117	135	11	82	・	3	17	62	72	5
30	68	24	51	27	・	…	8	19	7	20
5	17	19	4	12	・	1	3	8	9	3
–	2	1	1	–	・	–	–	–	–	–
20	135	139	19	63	・	2	8	53	63	–
62	178	58	186	189	・	4	42	143	39	150
16	52	19	10	…	・	…	…	…	…	…
28	6	2	3	1	・	…	1	…	1	…
21	12	17	18	–	・	–	–	–	–	–
3	1	…	4	–	・	–	–	–	…	…
1	4	3	2	1	・	…	…	1	…	1
5	10	8	7	4	・	–	1	3	1	3
10	35	27	14	18	・	2	3	13	8	10
8	22	9	21	7	・	…	…	7	…	7
11	39	47	6	23	・	1	6	16	20	3
–	–	–	–	–	・	–	–	–	–	–
2	–	2	–	1	・	–	1	–	1	–
–	–	–	–	–	・	–	–	–	–	–
3	9	4	8	–	・	–	–	–	–	–
–	–	–	–	–	・	–	–	–	–	–
13	20	19	18	19	・	2	6	11	8	11
39	59	76	22	25	・	–	9	16	25	–
7	1	10	–	7	・	1	5	1	7	–
6	13	17	4	3	・	–	1	2	1	2
4	2	3	3	–	・	–	–	–	–	–
16	23	19	21	3	・	–	–	3	–	3
–	–	–	–	–	・	–	–	–	–	–
1	3	3	3	–	・	–	–	–	–	–
–	–	–	–	–	・	–	–	–	–	–
–	–	–	–	–	・	–	–	–	–	–
1	…	…	…	…	・	…	…	…	…	…
–	–	–	–	–	・	–	–	–	–	–
31	42	33	43	55	・	3	23	29	19	35
3	…	3	2	5	・	2	3	…	3	2
2	4	2	4	4	・	–	1	3	1	3
–	–	–	–	–	・	–	–	–	–	–
–	–	–	–	–	・	–	–	–	–	–
–	8	2	6	–	・	–	–	–	–	–
–	–	–	–	–	・	–	–	–	–	–
–	–	–	–	–	・	–	–	–	–	–
–	–	–	–	–	・	–	–	–	–	–
7	16	…	…	…	・	…	…	…	…	…
–	–	–	–	–	・	–	–	–	–	–
–	–	–	–	–	・	–	–	–	–	–
11	73	85	–	60	・	1	8	51	60	–
6	45	40	13	–	・	–	–	–	–	–
62	178	58	186	189	・	4	42	143	39	150
–	6	–	–	–	・	–	–	–	–	–
1	6	5	2	–	・	–	–	–	–	–
–	–	–	–	–	・	–	–	–	–	–
–	–	–	–	–	・	–	–	–	–	–
–	–	–	–	–	・	–	–	–	–	–
–	–	–	–	–	・	–	–	–	–	–
–	–	–	–	–	・	–	–	–	–	–
3	9	13	–	–	・	–	–	–	–	–
–	–	–	–	–	・	–	–	–	–	–
…	…	…	…	…	・	…	…	…	…	…
–	–	–	–	–	・	–	–	–	–	–
–	–	–	–	–	・	–	–	–	–	–

15(8)－08〜09, 12〜13　胃がん　精密検査

第22表（7-4）　平成28年度における胃がん（胃内視鏡検査）検診受診者数・要精密検査者数・

	精　　密　　検　　査							受　　診		
	異　　　　　　　常							を		
	胃がんであった者（転移性を含まない）							(再掲)胃がん		
	総　数	40〜49歳	50〜59歳	60〜69歳	70歳以上	(再掲)初回	(再掲)非初回	総　数	40〜49歳	50〜59歳
中核市（再掲）										
旭　川　市	-	・	-	-	-	-	-	-	・	-
函　館　市	-	・	-	-	-	-	-	-	・	-
青　森　市	-	・	-	-	-	-	-	-	・	-
八　戸　市	-	・	-	-	-	-	-	-	・	-
盛　岡　市	12	・	-	6	6	12	-	12	・	-
秋　田　市	-	・	-	-	-	-	-	-	・	-
郡　山　市	62	・	3	18	41	58	4	58	・	3
い わ き 市	49	・	1	14	34	44	5	46	・	1
宇　都　宮　市	11	・	-	1	10	11	-	9	・	-
前　橋　市	108	・	3	28	77	98	10	88	・	2
高　崎　市	-	・	-	-	-	-	-	-	・	-
川　越　市	-	・	-	-	-	-	-	-	・	-
越　谷　市	60	・	1	14	45	26	34	41	・	-
船　橋　市	-	・	-	-	-	-	-	-	・	-
柏　　　市	-	・	-	-	-	-	-	-	・	-
八　王　子　市	-	・	-	-	-	-	-	-	・	-
横　須　賀　市	-	・	-	-	-	-	-	-	・	-
富　山　市	50	・	1	7	42	-	-	41	・	1
金　沢　市	34	・	1	28	5	-	-	28	・	1
長　野　市	-	・	-	-	-	-	-	-	・	-
岐　阜　市	-	・	-	-	-	-	-	-	・	-
豊　橋　市	-	・	-	-	-	-	-	-	・	-
豊　田　市	-	・	-	-	-	-	-	-	・	-
岡　崎　市	-	・	-	-	-	-	-	-	・	-
大　津　市	-	・	-	-	-	-	-	-	・	-
高　槻　市	-	・	-	-	-	-	-	-	・	-
東　大　阪　市	-	・	-	-	-	-	-	-	・	-
豊　中　市	-	・	-	-	-	-	-	-	・	-
枚　方　市	-	・	-	-	-	-	-	-	・	-
姫　路　市	-	・	-	-	-	-	-	-	・	-
西　宮　市	-	・	-	-	-	-	-	-	・	-
尼　崎　市	-	・	-	-	-	-	-	-	・	-
奈　良　市	-	・	-	-	-	-	-	-	・	-
和　歌　山　市	2	・	-	1	1	2	-	1	・	-
倉　敷　市	-	・	-	-	-	-	-	-	・	-
福　山　市	-	・	-	-	-	-	-	-	・	-
呉　　　市	-	・	-	-	-	-	-	-	・	-
下　関　市	13	・	-	4	9	6	7	11	・	-
高　松　市	3	・	3	-	-	2	1	1	・	1
松　山　市	-	・	-	-	-	-	-	-	・	-
高　知　市	-	・	-	-	-	-	-	-	・	-
久　留　米　市	-	・	-	-	-	-	-	-	・	-
長　崎　市	44	・	4	18	22	18	26	36	・	4
佐　世　保　市	51	・	-	17	34	21	30	21	・	-
大　分　市	-	・	-	-	-	-	-	-	・	-
宮　崎　市	-	・	-	-	-	-	-	-	・	-
鹿　児　島　市	-	・	-	-	-	-	-	-	・	-
那　覇　市	10	・	1	1	8	4	6	7	・	-
その他政令市（再掲）										
小　樽　市	-	・	-	-	-	-	-	-	・	-
町　田　市	-	・	-	-	-	-	-	-	・	-
藤　沢　市	-	・	-	-	-	-	-	-	・	-
茅　ヶ　崎　市	-	・	-	-	-	-	-	-	・	-
四　日　市　市	19	・	-	2	17	6	13	3	・	-
大　牟　田　市	-	・	-	-	-	-	-	-	・	-

注：1　初回・非初回については、計数不詳の市区町村があるため、総数と一致しない場合がある。
2　胃がん検診の胃内視鏡検査については、受診対象が50歳以上のため、「40〜49歳」の項目は「・」としている。
1）精密検査受診の有無別人数については、計数不詳の市区町村がある場合、要精密検査者数と一致しないことがある。

精密検査受診の有無別人数，都道府県－指定都市・特別区－中核市－その他政令市、年齢階級・検診回数別

の有無別人数[1)]										
認める										
のうち早期がん				(再掲)早期がんのうち粘膜内がん						
60～69歳	70歳以上	(再掲)初回	(再掲)非初回	総数	40～49歳	50～59歳	60～69歳	70歳以上	(再掲)初回	(再掲)非初回
-	-	-	-	-	•	-	-	-	-	-
-	-	-	-	-	•	-	-	-	-	-
-	-	-	-	-	•	-	-	-	-	-
-	-	-	-	-	•	-	-	-	-	-
6	6	12	-	-	•	-	-	-	-	-
-	-	-	-	-	•	-	-	-	-	-
16	39	54	4	46	•	3	11	32	42	4
13	32	41	5	27	•	1	8	18	26	1
1	8	9	-	4	•	-	1	3	4	-
22	64	79	9	38	•	-	7	31	35	3
-	-	-	-	-	•	-	-	-	-	-
-	-	-	-	-	•	-	-	-	-	-
10	31	12	29	18	•	-	4	14	4	14
-	-	-	-	-	•	-	-	-	-	-
-	-	-	-	-	•	-	-	-	-	-
-	-	-	-	-	•	-	-	-	-	-
-	-	-	-	-	•	-	-	-	-	-
6	34	-	-	-	•	…	…	…	-	-
22	5	-	-	…	•	…	…	…	…	…
-	-	-	-	-	•	-	-	-	-	-
-	-	-	-	-	•	-	-	-	-	-
-	-	-	-	-	•	-	-	-	-	-
-	-	-	-	-	•	-	-	-	-	-
-	-	-	-	-	•	-	-	-	-	-
-	-	-	-	-	•	-	-	-	-	-
-	-	-	-	-	•	-	-	-	-	-
-	-	-	-	-	•	-	-	-	-	-
-	-	-	-	-	•	-	-	-	-	-
-	-	-	-	-	•	-	-	-	-	-
-	-	-	-	-	•	-	-	-	-	-
-	-	-	-	-	•	-	-	-	-	-
-	-	-	-	-	•	-	-	-	-	-
-	-	-	-	-	•	-	-	-	-	-
1	-	1	-	-	•	-	-	-	-	-
-	-	-	-	-	•	-	-	-	-	-
-	-	-	-	-	•	-	-	-	-	-
-	-	-	-	-	•	-	-	-	-	-
4	7	4	7	-	•	-	-	-	-	-
-	-	1	-	-	•	-	-	-	-	-
-	-	-	-	-	•	-	-	-	-	-
-	-	-	-	-	•	-	-	-	-	-
-	-	-	-	-	•	-	-	-	-	-
12	20	12	24	30	•	3	9	18	9	21
9	12	6	15	15	•	-	9	6	5	10
-	-	-	-	-	•	-	-	-	-	-
-	-	-	-	-	•	-	-	-	-	-
-	-	-	-	-	•	-	-	-	-	-
-	7	2	5	-	•	-	-	-	-	-
-	-	-	-	-	•	-	-	-	-	-
-	-	-	-	-	•	-	-	-	-	-
-	-	-	-	-	•	-	-	-	-	-
-	-	-	-	-	•	-	-	-	-	-
-	3	1	2	1	•	-	-	1	1	-
-	-	-	-	-	•	-	-	-	-	-

第22表（7－5） 平成28年度における胃がん（胃内視鏡検査）検診受診者数・要精密検査者数・

	精密検査受診									
	異常を認める									
	胃がんの疑いのある者又は未確定							胃がん以外の疾患で		
	総数	40～49歳	50～59歳	60～69歳	70歳以上	（再掲）初回	（再掲）非初回	総数	40～49歳	50～59歳
全国	**811**	**・**	**56**	**226**	**529**	**476**	**167**	**34 817**	**・**	**3 589**
北海道	1	・	1	－	－	1	…	171	・	18
青森	－	・	－	－	－	－	－	6	・	－
岩手	－	・	－	－	－	－	－	248	・	18
宮城	－	・	－	－	－	－	－	3	・	－
秋田	－	・	－	－	－	－	－	－	・	－
山形	4	・	1	1	2	－	－	33	・	1
福島	113	・	4	39	70	40	9	2 332	・	184
茨城	7	・	－	1	6	6	1	270	・	25
栃木	6	・	－	2	4	3	－	79	・	7
群馬	162	・	8	48	106	133	16	2 909	・	282
埼玉	112	・	11	26	75	56	29	2 242	・	219
千葉	9	・	－	3	6	7	2	1 245	・	95
東京	5	・	－	1	4	1	1	59	・	14
神奈川	77	・	10	21	46	57	3	1 950	・	211
新潟	1	・	－	－	1	－	1	1 490	・	63
富山	25	・	－	4	21	8	7	2 492	・	182
石川	7	・	3	－	4	－	4	1 068	・	108
福井	－	・	－	－	－	－	－	701	・	68
山梨	－	・	－	－	－	…	…	81	・	14
長野	…	・	…	…	…	…	…	148	・	21
岐阜	12	・	－	2	10	4	8	626	・	84
静岡	24	・	－	9	15	4	8	1 977	・	224
愛知	29	・	6	7	16	27	2	2 945	・	353
三重	61	・	5	14	42	48	13	2 746	・	242
滋賀	－	・	－	－	－	－	－	－	・	－
京都	－	・	－	－	－	－	－	13	・	2
大阪	－	・	－	－	－	－	－	36	・	5
兵庫	1	・	－	－	1	－	1	45	・	1
奈良	－	・	－	－	－	－	－	19	・	19
和歌山	6	・	2	1	3	4	2	1 683	・	280
鳥取	52	・	2	17	33	30	22	918	・	79
島根	8	・	－	5	3	6	1	270	・	37
岡山	6	・	－	1	5	3	3	930	・	84
広島	4	・	－	2	2	3	1	348	・	32
山口	21	・	1	4	16	14	7	1 012	・	77
徳島	－	・	－	－	－	－	－	－	・	－
香川	1	・	－	－	1	1	－	162	・	111
愛媛	－	・	－	－	－	－	－	－	・	－
高知	－	・	－	－	－	－	－	1	・	－
福岡	13	・	－	4	9	3	…	677	・	90
佐賀	－	・	－	－	－	－	－	－	・	－
長崎	39	・	2	13	24	14	24	1 698	・	197
熊本	2	・	…	1	1	1	1	181	・	34
大分	－	・	－	－	－	－	－	190	・	8
宮崎	－	・	－	－	－	－	－	6	・	4
鹿児島	－	・	－	－	－	－	－	6	・	1
沖縄	3	・	－	－	3	2	1	801	・	95
指定都市・特別区（再掲）										
東京都区部	3	・	－	－	3	－	－	59	・	14
札幌市	－	・	－	－	－	－	－	－	・	－
仙台市	－	・	－	－	－	－	－	－	・	－
さいたま市	24	・	2	3	19	…	…	148	・	9
千葉市	－	・	－	－	－	－	－	－	・	－
横浜市	2	・	－	1	1	2	－	7	・	－
川崎市	39	・	5	7	27	39	－	540	・	56
相模原市	7	・	－	2	5	6	1	138	・	6
新潟市	1	・	－	－	1	－	1	1 489	・	63
静岡市	12	・	－	4	8	－	－	297	・	26
浜松市	2	・	－	1	1	1	1	52	・	－
名古屋市	19	・	5	5	9	19	－	1 642	・	207
京都市	－	・	－	－	－	－	－	－	・	－
大阪市	－	・	－	－	－	－	－	－	・	－
堺市	－	・	－	－	－	－	－	36	・	5
神戸市	－	・	－	－	－	－	－	－	・	－
岡山市	2	・	－	－	2	2	－	642	・	57
広島市	－	・	－	－	－	－	－	－	・	－
北九州市	3	・	－	－	3	…	…	17	・	－
福岡市	7	・	－	1	6	－	－	646	・	90
熊本市	－	・	－	－	－	－	－	－	・	－

精密検査受診の有無別人数，都道府県－指定都市・特別区－中核市－その他政令市、年齢階級・検診回数別

の有無別人数[1)]										
あった者（転移性の胃がんを含む）				検診時生検未受診のうち再検査未受診						
60～69歳	70歳以上	（再掲）初回	（再掲）非初回	総数	40～49歳	50～59歳	60～69歳	70歳以上	（再掲）初回	（再掲）非初回
12 698	**18 530**	**18 398**	**11 456**	**1 292**	・	**147**	**534**	**611**	**527**	**382**
69	84	78	91	16	・	1	9	6	8	8
4	2	6	－	－	・	－	－	－	－	－
81	149	248	－	3	・	－	－	3	3	－
1	2	－	3	－	・	－	－	－	－	－
－	－	－	－	－	・	－	－	－	－	－
21	11	9	3	－	・	－	－	－	－	－
815	1 333	1 240	435	86	・	8	25	53	14	19
95	150	173	97	－	・	－	－	－	－	－
26	46	35	－	11	・	－	6	5	2	－
928	1 699	2 172	208	35	・	6	10	19	32	3
731	1 292	835	1 216	84	・	3	26	55	7	18
415	735	963	282	16	・	1	5	10	12	4
15	30	…	…	11	・	3	4	4	－	1
570	1 169	1 110	166	109	・	8	30	71	92	17
519	908	302	1 188	52	・	1	20	31	10	42
831	1 479	885	876	34	・	2	9	23	5	5
788	172	126	180	166	・	25	115	26	5	3
310	323	423	278	15	・	3	8	4	9	6
40	27	39	34	35	・	6	16	13	16	19
96	31	128	20	18	・	2	9	7	7	11
229	313	307	319	3	・	1	1	1	1	2
614	1 139	833	847	7	・	－	2	5	2	4
1 043	1 549	2 233	712	18	・	1	5	12	14	4
1 006	1 498	1 462	1 284	40	・	4	17	19	22	18
－	－	－	－	－	・	－	－	－	－	－
4	7	13	－	－	・	－	－	－	－	－
13	18	23	13	33	・	10	7	16	17	16
16	28	25	20	8	・	1	1	6	2	6
－	－	19	－	1	・	1	－	－	1	－
642	761	955	728	172	・	22	79	71	142	30
344	495	605	313	30	・	1	10	19	5	25
147	86	265	4	5	・	－	5	－	3	2
289	557	734	196	9	・	－	2	7	4	5
167	149	228	111	21	・	2	9	10	13	8
379	556	771	241	2	・	－	－	2	1	1
－	－	－	－	－	・	－	－	－	－	－
16	35	95	67	10	・	6	3	1	4	6
－	－	－	－	－	・	－	－	－	－	－
1	－	－	1	－	・	－	－	－	－	－
248	339	4	…	47	・	3	19	25	…	…
－	－	－	－	－	・	－	－	－	－	－
691	810	725	890	32	・	3	14	15	19	13
101	46	90	84	27	・	6	16	5	13	14
74	108	34	156	19	・	2	11	6	5	14
2	－	5	1	－	・	－	－	－	－	－
2	3	5	1	2	・	－	2	－	2	－
315	391	195	391	115	・	15	39	61	35	58
15	30	…	…	10	・	3	4	3	－	－
－	－	－	－	－	・	－	－	－	－	－
－	－	－	－	－	・	－	－	－	－	－
44	95	…	…	59	・	…	18	41	…	…
－	－	－	－	－	・	－	－	－	－	－
2	5	4	3	－	・	－	－	－	－	－
144	340	540	－	57	・	7	17	33	57	－
47	85	91	47	52	・	1	13	38	35	17
519	907	302	1 187	51	・	－	20	31	9	42
80	191	－	－	1	・	－	－	1	－	－
15	37	47	5	1	・	－	－	1	1	－
606	829	1 642	－	9	・	－	2	7	9	－
－	－	－	－	－	・	－	－	－	－	－
－	－	－	－	－	・	－	－	－	－	－
13	18	23	13	33	・	10	7	16	17	16
－	－	－	－	－	・	－	－	－	－	－
212	373	642	－	－	・	－	－	－	－	－
－	－	－	－	－	・	－	－	－	－	－
8	9	…	…	6	・	1	2	3	…	…
235	321	－	－	41	・	2	17	22	－	－
－	－	－	－	－	・	－	－	－	－	－

15(8)－08〜09,12〜13　胃がん　精密検査

第22表（7－6）　平成28年度における胃がん（胃内視鏡検査）検診受診者数・要精密検査者数・

	精密検査							受診		
	異常を認める									
	胃がんの疑いのある者又は未確定							胃がん以外の疾患で		
	総数	40〜49歳	50〜59歳	60〜69歳	70歳以上	(再掲)初回	(再掲)非初回	総数	40〜49歳	50〜59歳
中核市（再掲）										
旭　川　市	－	・	－	－	－	－	－	－	・	－
函　館　市	－	・	－	－	－	－	－	－	・	－
青　森　市	－	・	－	－	－	－	－	－	・	－
八　戸　市	－	・	－	－	－	－	－	－	・	－
盛　岡　市	－	・	－	－	－	－	－	248	・	18
秋　田　市	－	・	－	－	－	－	－	－	・	－
郡　山　市	31	・	3	15	13	27	4	903	・	76
い わ き 市	－	・	－	－	－	－	－	140	・	9
宇 都 宮 市	3	・	－	－	3	3	－	31	・	2
前　橋　市	128	・	6	38	84	116	12	1 089	・	86
高　崎　市	－	・	－	－	－	－	－	－	・	－
川　越　市	－	・	－	－	－	－	－	－	・	－
越　谷　市	20	・	2	3	15	5	15	682	・	59
船　橋　市	－	・	－	－	－	－	－	－	・	－
柏　　　市	－	・	－	－	－	－	－	－	・	－
八 王 子 市	－	・	－	－	－	－	－	－	・	－
横 須 賀 市	－	・	－	－	－	－	－	－	・	－
富　山　市	8	・	－	－	8	－	－	692	・	25
金　沢　市	3	・	3	－	－	－	－	686	・	69
長　野　市	－	・	－	－	－	－	－	－	・	－
岐　阜　市	－	・	－	－	－	－	－	－	・	－
豊　橋　市	－	・	－	－	－	－	－	－	・	－
豊　田　市	－	・	－	－	－	－	－	－	・	－
岡　崎　市	－	・	－	－	－	－	－	－	・	－
大　津　市	－	・	－	－	－	－	－	－	・	－
高　槻　市	－	・	－	－	－	－	－	－	・	－
東 大 阪 市	－	・	－	－	－	－	－	－	・	－
豊　中　市	－	・	－	－	－	－	－	－	・	－
枚　方　市	－	・	－	－	－	－	－	－	・	－
姫　路　市	－	・	－	－	－	－	－	－	・	－
西　宮　市	－	・	－	－	－	－	－	－	・	－
尼　崎　市	－	・	－	－	－	－	－	－	・	－
奈　良　市	－	・	－	－	－	－	－	19	・	19
和 歌 山 市	－	・	－	－	－	－	－	44	・	9
倉　敷　市	－	・	－	－	－	－	－	－	・	－
福　山　市	－	・	－	－	－	－	－	－	・	－
呉　　　市	－	・	－	－	－	－	－	－	・	－
下　関　市	－	・	－	－	－	－	－	244	・	16
高　松　市	－	・	－	－	－	－	－	79	・	79
松　山　市	－	・	－	－	－	－	－	－	・	－
高　知　市	－	・	－	－	－	－	－	－	・	－
久 留 米 市	－	・	－	－	－	－	－	－	・	－
長　崎　市	－	・	－	－	－	－	－	444	・	80
佐 世 保 市	26	・	2	9	15	7	19	407	・	30
大　分　市	－	・	－	－	－	－	－	－	・	－
宮　崎　市	－	・	－	－	－	－	－	－	・	－
鹿 児 島 市	－	・	－	－	－	－	－	－	・	－
那　覇　市	1	・	－	－	1	－	1	364	・	37
その他政令市(再掲)										
小　樽　市	－	・	－	－	－	－	－	－	・	－
町　田　市	－	・	－	－	－	－	－	－	・	－
藤　沢　市	－	・	－	－	－	－	－	－	・	－
茅 ヶ 崎 市	－	・	－	－	－	－	－	－	・	－
四 日 市 市	6	・	1	－	5	－	6	1 222	・	121
大 牟 田 市	3	・	－	3	－	3	－	4	・	－

注：1　初回・非初回については、計数不詳の市区町村があるため、総数と一致しない場合がある。
　　2　胃がん検診の胃内視鏡検査については、受診対象が50歳以上のため、「40〜49歳」の項目は「・」としている。
　1）精密検査受診の有無別人数については、計数不詳の市区町村がある場合、要精密検査者数と一致しないことがある。

精密検査受診の有無別人数，都道府県－指定都市・特別区－中核市－その他政令市、年齢階級・検診回数別

の有無別人数[1]										
あった者（転移性の胃がんを含む）				検診時生検未受診のうち再検査未受診						
60～69歳	70歳以上	(再掲)初回	(再掲)非初回	総数	40～49歳	50～59歳	60～69歳	70歳以上	(再掲)初回	(再掲)非初回
－	－	－	－	－	・	－	－	－	－	－
－	－	－	－	－	・	－	－	－	－	－
－	－	－	－	－	・	－	－	－	－	－
－	－	－	－	－	・	－	－	－	－	－
81	149	248	－	3	・	－	－	3	3	－
－	－	－	－	－	・	－	－	－	－	－
330	497	807	96	－	・	－	－	－	－	－
42	89	130	10	1	・	－	－	1	1	－
3	26	31	－	2	・	－	－	2	2	－
366	637	981	108	30	・	6	7	17	29	1
－	－	－	－	－	・	－	－	－	－	－
－	－	－	－	－	・	－	－	－	－	－
205	418	163	519	－	・	－	－	－	－	－
－	－	－	－	－	・	－	－	－	－	－
－	－	－	－	－	・	－	－	－	－	－
－	－	－	－	－	・	－	－	－	－	－
－	－	－	－	－	・	－	－	－	－	－
170	497	…	…	21	・	1	6	14	…	…
529	88	－	－	158	・	24	110	24	－	－
－	－	－	－	－	・	－	－	－	－	－
－	－	－	－	－	・	－	－	－	－	－
－	－	－	－	－	・	－	－	－	－	－
－	－	－	－	－	・	－	－	－	－	－
－	－	－	－	－	・	－	－	－	－	－
－	－	－	－	－	・	－	－	－	－	－
－	－	－	－	－	・	－	－	－	－	－
－	－	－	－	－	・	－	－	－	－	－
－	－	－	－	－	・	－	－	－	－	－
－	－	－	－	－	・	－	－	－	－	－
－	－	－	－	－	・	－	－	－	－	－
－	－	－	－	－	・	－	－	－	－	－
－	－	－	－	－	・	－	－	－	－	－
－	－	19	－	1	・	1	－	－	1	－
16	19	42	2	11	・	3	5	3	11	－
－	－	－	－	－	・	－	－	－	－	－
－	－	－	－	－	・	－	－	－	－	－
－	－	－	－	－	・	－	－	－	－	－
93	135	110	134	2	・	－	－	2	1	1
－	－	45	34	5	・	5	－	－	2	3
－	－	－	－	－	・	－	－	－	－	－
－	－	－	－	－	・	－	－	－	－	－
－	－	－	－	－	・	－	－	－	－	－
180	184	189	255	…	・	…	…	…	…	…
176	201	107	300	1	・	－	－	1	－	1
－	－	－	－	－	・	－	－	－	－	－
－	－	－	－	－	・	－	－	－	－	－
－	－	－	－	－	・	－	－	－	－	－
117	210	107	257	67	・	9	19	39	22	45
－	－	－	－	－	・	－	－	－	－	－
－	－	－	－	－	・	－	－	－	－	－
－	－	－	－	－	・	－	－	－	－	－
－	－	－	－	－	・	－	－	－	－	－
468	633	168	1 054	11	・	2	5	4	2	9
－	4	4	－	－	・	－	－	－	－	－

第22表（7−7） 平成28年度における胃がん（胃内視鏡検査）検診受診者数・要精密検査者数・

	精密検査受診の有無別人数[1]						
	検診時生検未受診のうち再検査未把握						
	総数	40～49歳	50～59歳	60～69歳	70歳以上	(再掲)初回	(再掲)非初回
全国	**7 680**	**・**	**912**	**2 407**	**4 361**	**5 449**	**703**
北海道	3	・	1	1	1	2	1
青森	−	・	−	−	−	−	−
岩手	−	・	−	−	−	−	−
宮城	−	・	−	−	−	−	−
秋田	−	・	−	−	−	−	−
山形	1	・	−	1	−	−	−
福島	79	・	6	39	34	39	22
茨城	3	・	−	1	2	3	−
栃木	21	・	2	4	15	19	1
群馬	482	・	62	150	270	481	1
埼玉	465	・	29	149	287	168	190
千葉	−	・	−	−	−	−	−
東京	10	・	3	4	3	2	2
神奈川	5 082	・	647	1 470	2 965	3 788	59
新潟	−	・	−	−	−	−	−
富山	30	・	2	7	21	17	11
石川	1	・	−	1	−	−	−
福井	61	・	6	28	27	39	22
山梨	82	・	5	42	35	63	13
長野	26	・	5	8	13	12	14
岐阜	63	・	6	29	28	41	22
静岡	191	・	15	62	114	93	71
愛知	94	・	9	29	56	80	14
三重	172	・	19	64	89	155	17
滋賀	−	・	−	−	−	−	−
京都	−	・	−	−	−	−	−
大阪	−	・	−	−	−	−	−
兵庫	51	・	4	25	22	23	4
奈良	2	・	2	−	−	2	−
和歌山	79	・	14	29	36	69	10
鳥取	27	・	2	5	20	21	6
島根	13	・	−	13	−	5	8
岡山	121	・	9	35	77	115	6
広島	134	・	7	57	70	60	74
山口	21	・	3	10	8	11	10
徳島	−	・	−	−	−	−	−
香川	10	・	3	4	3	8	2
愛媛	−	・	−	−	−	−	−
高知	−	・	−	−	−	−	−
福岡	107	・	14	41	52	36	1
佐賀	−	・	−	−	−	−	−
長崎	41	・	3	16	22	24	17
熊本	20	・	7	11	2	10	10
大分	1	・	−	1	−	1	−
宮崎	−	・	−	−	−	−	−
鹿児島	−	・	−	−	−	−	−
沖縄	187	・	27	71	89	62	95
指定都市・特別区(再掲)							
東京都区部	9	・	3	3	3	2	1
札幌市	−	・	−	−	−	−	−
仙台市	−	・	−	−	−	−	−
さいたま市	88	・	2	19	67	…	…
千葉市	−	・	−	−	−	−	−
横浜市	160	・	13	63	84	101	59
川崎市	3 686	・	509	1 090	2 087	3 686	−
相模原市	−	・	−	−	−	−	−
新潟市	−	・	−	−	−	−	−
静岡市	27	・	1	11	15	−	−
浜松市	66	・	1	21	44	54	12
名古屋市	67	・	8	24	35	67	−
京都市	−	・	−	−	−	−	−
大阪市	−	・	−	−	−	−	−
堺市	−	・	−	−	−	−	−
神戸市	−	・	−	−	−	−	−
岡山市	107	・	7	29	71	107	−
広島市	−	・	−	−	−	−	−
北九州市	70	・	10	26	34	…	…
福岡市	−	・	−	−	−	−	−
熊本市	−	・	−	−	−	−	−

精密検査受診の有無別人数，都道府県－指定都市・特別区－中核市－その他政令市、年齢階級・検診回数別

	精密検査受診の有無別人数[1]						
	検診時生検未受診のうち再検査未把握						
	総数	40～49歳	50～59歳	60～69歳	70歳以上	(再掲)初回	(再掲)非初回
中核市(再掲)							
旭川市	-	・	-	-	-	-	-
函館市	-	・	-	-	-	-	-
青森市	-	・	-	-	-	-	-
八戸市	-	・	-	-	-	-	-
盛岡市	-	・	-	-	-	-	-
秋田市	-	・	-	-	-	-	-
郡山市	-	・	-	-	-	-	-
いわき市	23	・	-	8	15	22	1
宇都宮市	15	・	-	3	12	15	-
前橋市	-	・	-	-	-	-	-
高崎市	-	・	-	-	-	-	-
川越市	-	・	-	-	-	-	-
越谷市	74	・	6	22	46	18	56
船橋市	-	・	-	-	-	-	-
柏市	-	・	-	-	-	-	-
八王子市	-	・	-	-	-	-	-
横須賀市	-	・	-	-	-	-	-
富山市	-	・	-	-	-	-	-
金沢市	-	・	-	-	-	-	-
長野市	-	・	-	-	-	-	-
岐阜市	-	・	-	-	-	-	-
豊橋市	-	・	-	-	-	-	-
豊田市	-	・	-	-	-	-	-
岡崎市	-	・	-	-	-	-	-
大津市	-	・	-	-	-	-	-
高槻市	-	・	-	-	-	-	-
東大阪市	-	・	-	-	-	-	-
豊中市	-	・	-	-	-	-	-
枚方市	-	・	-	-	-	-	-
姫路市	-	・	-	-	-	-	-
西宮市	-	・	-	-	-	-	-
尼崎市	-	・	-	-	-	-	-
奈良市	2	・	2	-	-	2	-
和歌山市	8	・	2	2	4	7	1
倉敷市	-	・	-	-	-	-	-
福山市	-	・	-	-	-	-	-
呉市	-	・	-	-	-	-	-
下関市	4	・	-	2	2	1	3
高松市	3	・	3	-	-	2	1
松山市	-	・	-	-	-	-	-
高知市	-	・	-	-	-	-	-
久留米市	-	・	-	-	-	-	-
長崎市	…	・	…	…	…	…	…
佐世保市	1	・	-	1	-	-	1
大分市	-	・	-	-	-	-	-
宮崎市	-	・	-	-	-	-	-
鹿児島市	-	・	-	-	-	-	-
那覇市	82	・	12	29	41	29	53
その他政令市(再掲)							
小樽市	-	・	-	-	-	-	-
町田市	-	・	-	-	-	-	-
藤沢市	-	・	-	-	-	-	-
茅ヶ崎市	-	・	-	-	-	-	-
四日市市	-	・	-	-	-	-	-
大牟田市	37	・	4	15	18	36	1

注：1　初回・非初回については、計数不詳の市区町村があるため、総数と一致しない場合がある。
　　2　胃がん検診の胃内視鏡検査については、受診対象が50歳以上のため、「40～49歳」の項目は「・」としている。
　　1）精密検査受診の有無別人数については、計数不詳の市区町村がある場合、要精密検査者数と一致しないことがある。

15(8)－14～17 大腸がん 精密検査

第23表（7－1）　平成28年度における大腸がん検診受診者数・要精密検査者数・精密検査

| | 受診者数 | | | | | | | 要精密 | | |
	総数	40～49歳	50～59歳	60～69歳	70歳以上	(再掲)初回	(再掲)非初回	総数	40～49歳	50～59歳
全国	8 529 347	927 933	988 430	2 720 368	3 892 616	1 564 704	6 228 824	651 424	50 046	55 181
北海道	248 033	25 689	32 343	87 384	102 617	42 177	150 810	20 107	1 418	1 913
青森	138 058	11 614	17 504	49 367	59 573	21 185	111 976	9 492	520	822
岩手	133 253	11 405	16 418	45 795	59 635	11 771	121 482	8 211	460	712
宮城	246 940	24 682	31 057	85 536	105 665	29 001	217 939	14 852	996	1 239
秋田	98 600	7 363	13 590	36 371	41 276	13 700	83 770	6 573	323	643
山形	140 286	10 288	16 838	56 985	56 175	10 853	96 278	9 524	468	781
福島	178 907	13 048	19 519	65 656	80 684	26 625	151 226	14 288	749	1 163
茨城	181 312	22 792	22 980	63 092	72 448	33 646	147 666	12 744	1 141	1 255
栃木	170 742	20 765	22 225	59 601	68 151	29 081	141 087	10 354	864	920
群馬	163 362	18 156	18 870	51 358	74 978	28 680	133 715	11 843	941	1 003
埼玉	537 222	56 038	53 328	160 459	267 397	89 974	333 641	41 401	3 134	3 116
千葉	529 723	66 057	61 138	151 982	250 546	68 654	384 857	36 699	3 274	3 073
東京	1 052 191	138 309	128 688	272 823	512 371	185 369	625 017	85 397	8 067	7 952
神奈川	492 173	50 294	49 362	133 820	258 697	169 507	319 001	44 805	3 223	3 345
新潟	209 542	16 874	20 450	71 355	100 863	32 367	177 175	13 538	708	902
富山	84 000	6 807	7 412	27 118	42 663	8 485	40 025	6 286	343	400
石川	69 271	7 787	9 219	31 380	20 885	13 347	55 924	4 320	345	420
福井	51 372	4 576	5 497	18 140	23 159	9 997	41 375	2 688	172	196
山梨	89 887	11 186	12 680	32 361	33 660	9 575	77 741	6 001	484	667
長野	146 699	15 986	16 347	45 481	68 885	21 624	98 212	10 936	852	878
岐阜	121 736	16 163	16 471	42 124	46 978	23 198	98 538	9 128	850	973
静岡	298 304	27 995	31 752	95 007	143 550	50 212	245 543	22 648	1 450	1 707
愛知	526 977	61 091	57 209	151 950	256 727	111 165	410 134	45 448	3 669	3 678
三重	140 793	12 947	14 466	46 087	67 293	21 946	118 777	11 494	706	830
滋賀	63 748	7 269	7 192	22 633	26 654	16 116	47 632	4 200	355	359
京都	105 194	12 562	12 350	33 774	46 508	15 265	64 396	8 289	667	708
大阪	403 907	50 417	47 572	123 257	182 661	109 486	294 421	33 294	2 984	2 888
兵庫	298 490	38 694	38 853	96 276	124 667	51 552	228 241	19 582	1 862	1 836
奈良	87 497	9 165	9 785	27 198	41 349	19 063	68 222	6 031	445	496
和歌山	65 435	8 036	9 936	24 412	23 051	13 628	51 807	6 085	570	728
鳥取	57 962	5 327	6 284	20 179	26 172	9 818	48 144	5 304	343	392
島根	52 497	4 520	5 273	17 063	25 641	7 108	31 231	4 196	252	273
岡山	128 253	9 498	11 501	38 464	68 790	20 428	107 825	10 441	608	677
広島	148 411	16 289	15 555	53 681	62 886	34 967	113 106	13 576	1 083	1 055
山口	66 349	5 851	5 966	20 772	33 760	15 922	50 427	5 845	346	345
徳島	33 275	3 111	3 458	12 220	14 486	7 500	25 775	3 159	207	279
香川	92 842	9 072	9 562	29 393	44 815	13 757	79 085	7 505	510	541
愛媛	73 964	7 980	8 823	26 691	30 470	11 824	62 140	5 193	414	451
高知	46 145	4 672	5 379	15 450	20 644	9 115	37 030	2 476	166	193
福岡	185 150	22 374	23 421	69 027	70 328	27 537	99 811	14 024	1 224	1 349
佐賀	49 262	5 557	6 947	19 703	17 055	9 845	39 417	3 746	280	410
長崎	79 552	5 744	9 177	29 822	34 809	16 433	63 119	8 159	403	692
熊本	117 018	11 938	15 706	44 262	45 112	23 564	93 454	8 067	558	804
大分	66 925	5 308	6 810	23 908	30 899	14 397	46 057	4 538	291	324
宮崎	68 387	5 884	8 373	24 759	29 371	16 442	50 965	5 297	319	447
鹿児島	112 366	10 719	14 313	39 201	48 133	22 533	89 833	8 077	467	711
沖縄	77 335	10 034	10 831	26 991	29 479	16 265	54 777	5 563	535	635
指定都市・特別区（再掲）										
東京都区部	692 660	104 027	95 921	175 491	317 221	106 920	385 952	57 120	6 185	6 094
札幌市	71 778	6 989	8 681	24 987	31 121	8 088	25 987	5 788	408	479
仙台市	82 496	8 896	10 010	26 695	36 895	10 768	71 728	5 512	412	481
さいたま市	113 607	12 498	11 753	30 459	58 897	…	…	8 638	664	683
千葉市	85 019	9 412	8 945	22 561	44 101	16 395	68 624	6 415	511	477
横浜市	138 439	17 388	17 174	42 882	60 995	44 340	94 099	10 961	1 038	1 073
川崎市	74 149	6 871	7 189	17 609	42 480	74 149	–	8 097	500	562
相模原市	45 228	4 901	4 148	11 345	24 834	9 305	35 923	3 921	297	240
新潟市	73 854	4 730	4 964	24 617	39 543	12 850	61 004	5 299	243	262
静岡市	38 714	3 419	4 083	12 684	18 528	9 356	29 358	1 980	135	158
浜松市	68 904	5 455	6 361	20 399	36 689	11 052	57 852	5 824	278	349
名古屋市	133 736	20 126	18 730	35 646	59 234	44 917	88 819	12 697	1 375	1 306
京都市	25 533	4 305	3 755	7 492	9 981			1 911	216	236
大阪市	67 233	9 479	9 387	19 304	29 063	23 201	44 032	5 593	577	572
堺市	34 186	4 180	3 533	9 962	16 511	11 814	22 372	3 299	259	223
神戸市	82 411	14 403	15 665	25 751	26 592	7 966	74 445	4 792	677	716
岡山市	44 208	2 890	3 750	12 189	25 379	7 123	37 085	3 625	194	215
広島市	54 242	8 201	6 382	17 950	21 709	15 467	38 775	5 250	593	442
北九州市	22 518	1 999	2 370	7 551	10 598	…	…	2 034	133	174
福岡市	30 166	3 558	3 793	10 135	12 680	–	–	2 648	172	253
熊本市	18 108	1 585	2 005	7 620	6 898	5 155	12 953	1 368	89	126

受診の有無別人数，都道府県－指定都市・特別区－中核市－その他政令市、年齢階級・検診回数別

検査者数				精密検査受診の有無別人数						
					異常認めず					
60～69歳	70歳以上	(再掲)初回	(再掲)非初回	総数	40～49歳	50～59歳	60～69歳	70歳以上	(再掲)初回	(再掲)非初回
181 588	364 609	142 238	431 982	121 482	13 965	12 640	34 229	60 648	22 599	85 177
6 265	10 511	3 875	10 982	4 129	379	472	1 273	2 005	720	2 494
3 044	5 106	1 848	7 367	1 932	173	189	614	956	318	1 542
2 412	4 627	930	7 281	1 998	154	229	574	1 041	187	1 811
4 445	8 172	2 204	12 648	3 575	407	348	1 047	1 773	463	3 112
2 144	3 463	1 069	5 441	1 723	112	164	561	886	194	1 224
3 486	4 789	835	6 554	2 685	198	254	959	1 274	192	1 875
4 641	7 735	2 709	11 437	3 255	266	340	1 037	1 612	515	2 708
4 100	6 248	2 931	9 813	1 905	259	235	589	822	382	1 523
3 218	5 352	1 999	7 263	1 706	210	167	497	832	253	1 250
3 106	6 793	2 453	8 337	2 483	332	283	699	1 169	426	1 888
10 623	24 528	7 729	21 612	6 334	852	616	1 649	3 217	1 068	3 699
9 206	21 146	5 677	25 778	5 027	823	598	1 352	2 254	694	3 686
18 875	50 503	17 252	45 768	12 698	1 728	1 403	2 928	6 639	2 382	6 960
10 292	27 945	17 560	25 632	6 135	780	660	1 485	3 210	2 068	3 866
3 887	8 041	2 625	10 913	3 516	285	288	1 038	1 905	567	2 949
1 734	3 809	775	2 830	1 199	106	94	336	663	117	577
1 784	1 771	398	2 052	702	90	90	265	257	40	288
796	1 524	672	2 016	424	47	47	133	197	83	341
2 053	2 797	784	4 383	1 131	126	138	389	478	118	851
2 968	6 238	1 949	7 098	2 460	272	254	669	1 265	348	1 579
2 869	4 436	1 970	7 158	2 012	222	247	605	938	368	1 644
6 328	13 163	4 103	16 285	4 685	467	460	1 380	2 378	621	3 235
11 412	26 689	10 449	29 957	10 648	1 168	979	2 703	5 798	2 133	7 415
3 177	6 781	2 279	9 215	2 624	223	235	714	1 452	435	2 189
1 385	2 101	1 274	2 926	651	106	71	189	285	174	477
2 356	4 558	1 556	4 822	1 369	188	155	343	683	199	922
9 183	18 239	11 032	22 262	4 973	774	562	1 362	2 275	1 519	3 454
5 591	10 293	4 024	14 024	3 551	490	379	1 003	1 679	636	2 560
1 608	3 482	1 594	4 425	907	141	101	234	431	236	661
2 080	2 707	1 579	4 506	846	115	102	287	342	191	655
1 665	2 904	1 047	4 075	1 244	122	119	376	627	208	978
1 209	2 462	763	2 441	886	76	73	237	500	126	571
2 702	6 454	2 087	8 354	1 885	171	168	466	1 080	347	1 538
4 523	6 915	3 871	9 674	3 762	415	332	1 203	1 812	1 014	2 748
1 542	3 612	1 694	4 151	1 241	100	88	356	697	308	933
1 024	1 649	839	2 177	726	65	84	245	332	154	543
2 082	4 372	1 398	6 107	1 246	152	128	331	635	208	1 038
1 736	2 592	1 042	4 151	1 231	143	148	389	551	248	983
730	1 387	573	1 903	558	48	52	156	302	114	444
4 707	6 744	2 205	6 476	2 734	370	325	889	1 150	416	1 354
1 408	1 648	848	2 898	658	77	92	218	271	130	528
2 785	4 279	2 093	6 001	1 783	128	191	574	890	378	1 394
2 850	3 855	1 839	6 228	1 540	154	187	502	697	289	1 251
1 442	2 481	1 074	2 950	923	83	78	266	496	204	652
1 739	2 792	1 558	3 615	1 299	107	147	377	668	283	912
2 561	4 338	1 838	6 239	1 530	150	170	446	764	323	1 207
1 815	2 578	1 335	3 757	953	111	98	284	460	202	668
12 669	32 172	10 144	27 993	7 869	1 258	1 000	1 840	3 771	1 425	3 954
1 729	3 172	696	1 760	1 093	94	109	334	556	147	401
1 514	3 105	872	4 640	1 352	167	145	378	662	188	1 164
1 927	5 364	…	…	1 110	182	122	248	558	…	…
1 433	3 994	1 503	4 912	586	100	52	144	290	119	467
3 126	5 724	4 261	6 700	1 524	283	226	443	572	571	953
1 617	5 418	8 097	–	765	88	75	160	442	765	–
856	2 528	987	2 934	568	91	71	107	299	143	425
1 471	3 323	1 213	4 086	1 299	105	75	386	733	251	1 048
594	1 093	–	–	769	62	63	222	422	–	–
1 485	3 712	1 211	4 613	853	81	78	260	434	141	712
3 037	6 979	4 574	8 123	2 920	432	309	683	1 496	926	1 994
535	924	–	–	248	62	40	55	91	–	–
1 531	2 913	2 138	3 455	1 125	174	137	318	496	426	699
910	1 907	1 395	1 904	271	35	22	79	135	82	189
1 363	2 036	588	4 204	771	164	113	207	287	91	680
862	2 354	769	2 856	432	48	32	110	242	86	346
1 605	2 610	1 724	3 526	1 865	263	155	579	868	551	1 314
578	1 149	…	…	517	48	54	140	275	…	…
773	1 450	–	–	329	45	37	99	148	–	–
535	618	449	919	287	34	34	106	113	76	211

15(8)-14～17 大腸がん 精密検査

第23表（7-2） 平成28年度における大腸がん検診受診者数・要精密検査者数・精密検査

	受 診 者 数							要 精 密		
	総 数	40～49歳	50～59歳	60～69歳	70歳以上	(再掲)初回	(再掲)非初回	総 数	40～49歳	50～59歳
中核市（再掲）										
旭 川 市	14 724	1 507	1 964	5 339	5 914	3 166	11 558	1 176	68	117
函 館 市	5 736	659	780	2 217	2 080	1 519	4 217	467	41	53
青 森 市	26 264	1 996	2 466	8 752	13 050	4 570	21 694	1 571	84	124
八 戸 市	18 539	1 168	1 885	6 795	8 691	2 799	15 740	1 614	59	113
盛 岡 市	16 447	1 602	1 882	5 087	7 876	2 463	13 984	1 041	60	86
秋 田 市	17 458	914	2 343	5 663	8 538	3 806	13 652	1 182	44	96
郡 山 市	28 101	2 350	3 095	10 223	12 433	4 526	23 575	2 469	152	196
い わ き 市	17 206	905	1 338	5 562	9 401	3 158	14 048	1 337	52	76
宇 都 宮 市	40 915	4 194	3 899	12 245	20 577	8 327	32 588	3 221	216	221
前 橋 市	43 523	4 833	4 964	13 248	20 478	6 566	36 957	3 525	277	323
高 崎 市	23 641	2 462	2 253	6 688	12 238	4 518	19 123	1 642	114	121
川 越 市	22 466	1 841	1 945	7 423	11 257	4 494	17 972	2 291	107	142
越 谷 市	21 150	1 703	1 666	5 584	12 197	3 893	17 257	1 641	91	78
船 橋 市	76 212	9 451	6 821	17 815	42 125	－	－	5 244	428	316
柏 市	19 575	2 232	2 146	5 844	9 353	2 383	17 192	1 269	124	105
八 王 子 市	52 990	4 658	4 868	15 752	27 712	9 259	43 731	3 278	207	224
横 須 賀 市	27 105	1 807	2 268	8 720	14 310	4 958	22 147	2 086	107	143
富 山 市	30 777	2 529	2 727	8 646	16 875	…	…	2 418	146	151
金 沢 市	18 912	1 789	3 237	13 158	728	5 622	13 290	1 058	86	163
長 野 市	24 139	1 224	1 590	5 919	15 406	4 066	20 073	1 676	55	80
岐 阜 市	10 110	2 048	1 893	3 383	2 786	4 103	6 007	667	104	118
豊 橋 市	19 884	2 595	2 511	6 002	8 776	3 432	16 452	1 192	106	96
豊 田 市	23 791	2 294	2 305	8 597	10 595	3 419	20 372	1 792	133	114
岡 崎 市	43 196	3 692	3 200	11 896	24 408	5 914	37 282	3 015	149	160
大 津 市	19 699	2 227	1 986	6 444	9 042	6 177	13 522	1 321	115	101
高 槻 市	28 570	3 171	2 690	8 190	14 519	7 284	21 286	2 577	233	181
東 大 阪 市	23 469	3 341	2 767	7 621	9 740	5 638	17 831	1 867	205	172
豊 中 市	26 977	2 582	2 650	7 105	14 640	5 192	21 785	2 117	151	167
枚 方 市	24 462	3 108	2 781	8 275	10 298	7 324	17 138	2 098	193	175
姫 路 市	12 352	2 235	2 096	4 119	3 902	4 667	7 685	710	114	105
西 宮 市	12 312	2 780	1 102	2 805	5 625	4 658	7 654	899	159	55
尼 崎 市	16 457	2 526	1 789	5 170	6 972	4 507	11 950	1 030	127	81
奈 良 市	32 861	3 225	3 298	9 387	16 951	5 920	26 941	2 178	172	169
和 歌 山 市	9 191	1 197	1 378	3 432	3 184	3 032	6 159	1 216	109	150
倉 敷 市	25 534	2 558	2 418	8 088	12 470	4 941	20 593	2 077	163	138
福 山 市	22 902	2 132	2 327	8 473	9 970	5 272	17 630	2 015	131	167
呉 市	7 593	738	733	2 994	3 128	1 574	6 019	554	43	47
下 関 市	8 670	585	741	2 915	4 429	3 059	5 611	757	31	48
高 松 市	36 755	3 234	3 582	11 367	18 572	5 567	31 188	3 567	215	240
松 山 市	16 259	1 546	1 816	5 639	7 258	3 391	12 868	1 209	97	102
高 知 市	12 378	2 144	1 886	4 164	4 184	4 623	7 755	682	85	82
久 留 米 市	18 503	2 463	2 230	6 070	7 740	4 147	14 356	1 290	124	107
長 崎 市	9 691	804	1 127	3 486	4 274	3 182	6 509	1 012	56	71
佐 世 保 市	14 405	1 085	1 571	5 674	6 075	3 486	10 919	1 468	71	107
大 分 市	13 121	1 563	1 521	4 230	5 807	6 419	6 702	877	98	68
宮 崎 市	21 530	2 248	2 732	7 667	8 883	5 963	15 567	1 480	112	125
鹿 児 島 市	21 417	2 057	1 962	6 915	10 483	7 364	14 053	1 564	91	87
那 覇 市	18 652	2 823	2 702	6 260	6 867	3 935	14 717	1 492	178	186
その他政令市（再掲）										
小 樽 市	4 182	237	357	1 274	2 314	1 033	3 149	442	24	24
町 田 市	21 674	1 618	1 736	5 922	12 398	6 867	14 807	1 932	94	111
藤 沢 市	49 495	3 723	3 855	11 245	30 672	6 167	43 328	5 555	357	338
茅 ヶ 崎 市	27 362	2 201	2 005	6 390	16 766	6 119	21 243	2 626	142	149
四 日 市 市	18 774	2 170	2 089	6 355	8 160	2 054	16 720	1 387	127	110
大 牟 田 市	3 435	306	422	1 194	1 513	934	2 501	372	27	28

注：初回・非初回及び年齢階級別については、計数不詳の市区町村があるため、総数と一致しない場合がある。

受診の有無別人数，都道府県－指定都市・特別区－中核市－その他政令市、年齢階級・検診回数別

検査者数				精密検査受診の有無別人数						
					異常認めず					
60～69歳	70歳以上	(再掲)初回	(再掲)非初回	総数	40～49歳	50～59歳	60～69歳	70歳以上	(再掲)初回	(再掲)非初回
361	630	334	842	143	10	16	46	71	27	116
143	230	…	…	115	11	15	36	53	–	–
437	926	376	1 195	289	27	31	76	155	53	236
506	936	314	1 300	464	32	45	159	228	65	399
278	617	208	833	306	28	41	78	159	49	257
349	693	291	891	255	19	21	70	145	61	194
828	1 293	519	1 950	620	69	63	226	262	110	510
316	893	309	1 028	379	21	32	85	241	64	315
806	1 978	749	2 472	534	51	48	126	309	115	419
939	1 986	671	2 854	901	121	124	264	392	144	757
365	1 042	397	1 245	262	30	25	59	148	65	197
651	1 391	564	1 727	412	29	30	119	234	85	327
378	1 094	374	1 267	316	34	17	75	190	48	268
1 066	3 434	–	–	647	124	71	169	283	–	–
331	709	194	1 075	275	44	28	70	133	35	240
796	2 051	718	2 560	538	52	60	135	291	116	422
566	1 270	523	1 563	344	37	34	88	185	74	270
584	1 537	…	…	435	42	38	108	247	…	…
750	59	–	–	170	14	34	112	10	–	–
323	1 218	354	1 322	343	17	28	72	226	60	283
197	248	304	363	174	23	34	51	66	61	113
326	664	239	953	320	39	30	89	162	58	262
531	1 014	344	1 448	524	50	45	158	271	84	440
688	2 018	492	2 523	869	62	50	224	533	114	755
400	705	540	781	187	35	20	45	87	78	109
642	1 521	805	1 772	418	75	34	109	200	126	292
539	951	600	1 267	259	49	30	76	104	73	186
502	1 297	528	1 589	267	41	35	72	119	61	206
647	1 083	682	1 416	227	32	21	71	103	74	153
216	275	300	410	147	35	31	32	49	60	87
170	515	375	524	140	45	15	20	60	52	88
313	509	310	720	208	36	10	65	97	53	155
515	1 322	481	1 697	240	39	27	60	114	54	186
410	547	445	771	86	12	10	31	33	37	49
569	1 207	516	1 561	550	44	49	141	316	121	429
692	1 025	603	1 412	472	44	59	150	219	122	350
187	277	154	400	141	12	14	53	62	35	106
220	458	347	410	185	6	15	50	114	77	108
951	2 161	716	2 851	468	60	45	118	245	87	381
370	640	330	879	328	37	43	106	142	78	250
207	308	316	366	154	26	22	45	61	65	89
395	664	372	918	259	33	26	77	123	55	204
373	512	370	642	229	20	30	78	101	65	164
497	793	452	1 016	329	25	32	103	169	86	243
253	458	440	437	183	30	20	49	84	89	94
487	756	488	992	280	32	40	71	137	77	203
429	957	595	969	333	35	32	75	191	112	221
478	650	378	1 114	231	34	30	62	105	48	183
98	296	138	304	87	10	7	20	50	17	70
455	1 272	750	1 182	278	23	17	68	170	96	182
1 012	3 848	809	4 746	571	43	43	125	360	60	511
486	1 849	693	1 933	395	29	23	82	261	98	297
397	753	188	1 199	320	43	29	91	157	46	274
111	206	114	258	46	10	7	10	19	14	32

第23表（7－3） 平成28年度における大腸がん検診受診者数・要精密検査者数・精密検査

	精密検査受診									
	異常を									
	大腸がんであった者（転移性を含まない）							（再掲）大腸		
	総数	40～49歳	50～59歳	60～69歳	70歳以上	(再掲)初回	(再掲)非初回	総数	40～49歳	50～59歳
全国	**19 876**	**586**	**1 275**	**6 082**	**11 933**	**7 794**	**9 771**	**9 191**	**315**	**623**
北海道	602	21	39	194	348	245	260	288	13	23
青森	327	1	33	109	184	124	199	171	1	15
岩手	304	4	17	99	184	63	241	165	2	9
宮城	514	13	31	171	299	137	377	223	6	20
秋田	182	3	17	60	102	49	110	31	－	1
山形	248	4	16	78	150	42	148	50	1	2
福島	327	11	18	120	178	124	198	162	6	12
茨城	337	13	24	112	188	148	189	185	6	14
栃木	276	8	12	80	176	84	164	147	4	6
群馬	447	13	24	134	276	171	246	215	6	14
埼玉	1 221	27	61	368	765	401	430	636	20	35
千葉	902	28	62	249	563	299	480	279	12	19
東京	2 357	79	168	615	1 495	801	1 027	1 066	49	76
神奈川	1 340	39	79	358	864	737	563	537	19	35
新潟	713	15	33	231	434	257	456	483	14	24
富山	262	3	6	89	164	67	72	148	1	4
石川	127	4	7	66	50	28	34	90	3	5
福井	87	3	7	27	50	35	52	42	1	5
山梨	127	3	14	41	69	28	77	58	1	9
長野	318	6	10	102	200	84	170	118	1	6
岐阜	305	18	30	107	150	124	181	188	10	21
静岡	726	24	41	206	455	240	339	240	8	12
愛知	1 326	35	87	368	836	586	604	436	11	25
三重	275	6	11	77	181	108	167	106	1	4
滋賀	179	8	12	58	101	92	87	92	6	5
京都	277	5	23	93	156	101	122	138	4	15
大阪	1 463	59	113	453	838	830	633	860	40	68
兵庫	634	28	43	203	360	239	349	301	15	28
奈良	228	12	17	73	126	100	128	129	8	9
和歌山	157	4	15	55	83	73	84	82	2	6
鳥取	159	2	10	50	97	68	87	59	1	6
島根	134	1	4	54	75	48	75	82	1	1
岡山	220	6	9	58	147	84	136	150	3	4
広島	374	15	21	127	211	170	204	129	9	6
山口	236	8	9	70	149	133	103	134	3	7
徳島	57	4	5	21	27	35	19	30	2	3
香川	225	4	11	71	139	85	140	113	1	7
愛媛	103	5	4	31	63	53	50	64	3	3
高知	102	5	7	31	59	58	44	55	3	3
福岡	493	12	31	165	285	99	122	92	3	7
佐賀	105	2	8	39	56	41	64	61	2	6
長崎	265	4	15	97	149	140	125	122	1	6
熊本	184	6	11	75	92	80	104	117	3	4
大分	132	3	10	39	80	49	58	43	－	3
宮崎	147	5	17	52	73	85	60	95	3	14
鹿児島	236	4	19	70	143	100	136	136	4	13
沖縄	116	3	14	36	63	49	57	43	2	3
指定都市・特別区(再掲)										
東京都区部	1 452	55	123	385	889	499	521	661	33	56
札幌市	125	9	7	34	75	48	47	62	7	3
仙台市	109	2	4	31	72	24	85	－	－	－
さいたま市	253	4	18	82	149	…	…	146	2	11
千葉市	184	3	18	39	124	85	99	61	1	4
横浜市	421	15	35	140	231	257	164	233	10	20
川崎市	207	3	13	45	146	207	－	118	3	6
相模原市	146	8	5	37	96	63	83	－	－	－
新潟市	358	7	10	117	224	143	215	256	7	7
静岡市	130	6	8	45	71	－	－	12	1	－
浜松市	152	2	7	37	106	65	87	49	1	2
名古屋市	398	13	37	98	250	268	130	－	－	－
京都市	54	1	11	20	22	－	－	38	1	10
大阪市	265	10	28	80	147	166	99	153	7	19
堺市	150	4	10	50	86	92	58	61	1	2
神戸市	150	12	16	45	77	41	109	98	6	14
岡山市	68	1	3	17	47	29	39	68	1	3
広島市	156	7	12	50	87	79	77	26	3	5
北九州市	106	1	2	27	76	…	…	…	…	…
福岡市	151	3	11	39	98	－	－	－	－	－
熊本市	36	－	1	13	22	19	17	25	－	－

受診の有無別人数，都道府県－指定都市・特別区－中核市－その他政令市、年齢階級・検診回数別

の有無別人数										
認める										
がんのうち早期がん				（再掲）早期がんのうち粘膜内がん						
60～69歳	70歳以上	(再掲)初回	(再掲)非初回	総数	40～49歳	50～59歳	60～69歳	70歳以上	(再掲)初回	(再掲)非初回
2 921	**5 332**	**3 342**	**4 964**	**4 125**	**164**	**315**	**1 336**	**2 310**	**1 620**	**2 288**
102	150	121	152	176	9	16	64	87	75	91
58	97	72	98	87	-	6	26	55	46	40
53	101	29	136	101	…	7	33	61	12	89
69	128	63	160	129	5	15	40	69	39	90
13	17	2	21	7	-	-	3	4	2	5
15	32	4	25	18	-	-	4	14	1	8
54	90	59	102	55	1	5	23	26	20	35
69	96	77	108	122	2	7	49	64	54	68
47	90	39	95	58	3	3	17	35	14	42
68	127	72	126	101	2	7	34	58	33	63
192	389	169	243	196	9	12	58	117	74	112
82	166	81	129	96	3	10	30	53	40	56
307	634	332	531	583	30	46	168	339	166	291
149	334	306	221	283	10	20	76	177	171	112
156	289	158	325	197	6	7	61	123	65	132
52	91	24	44	18	…	…	6	12	2	9
48	34	21	24	39	3	-	18	18	13	13
10	26	14	28	21	1	4	6	10	9	12
18	30	10	37	2	-	-	1	1	…	2
34	77	25	67	30	…	1	13	16	8	16
61	96	72	116	57	5	11	14	27	21	36
69	151	76	143	69	1	3	22	43	16	53
129	271	141	240	112	5	7	30	70	38	73
32	69	43	63	53	-	3	17	33	20	33
34	47	40	52	8	-	-	3	5	4	4
49	70	45	55	47	1	6	14	26	15	13
263	489	445	415	545	29	46	177	293	290	255
103	155	113	186	169	10	18	56	85	62	107
41	71	46	83	63	6	4	19	34	26	37
35	39	33	49	45	-	4	24	17	16	29
15	37	24	32	31	1	5	9	16	14	17
31	49	34	40	38	1	-	12	25	18	17
36	107	54	96	27	1	-	10	16	7	20
50	64	49	80	47	5	1	20	21	16	31
36	88	66	68	28	1	-	8	19	16	12
10	15	17	13	18	2	3	5	8	12	6
35	70	32	81	32	-	2	11	19	8	24
17	41	28	36	33	2	3	11	17	16	17
20	29	22	33	19	2	2	3	12	6	13
39	43	28	58	49	…	7	18	24	13	33
21	32	21	40	34	1	4	10	19	14	20
48	67	56	66	82	1	2	39	40	41	41
47	63	49	68	66	2	3	29	32	28	38
16	24	21	20	25	-	2	8	15	11	13
34	44	51	42	44	2	6	14	22	24	20
39	80	46	90	52	2	6	16	28	19	33
15	23	12	27	13	-	1	7	5	5	7
188	384	210	279	361	15	30	106	210	99	153
17	35	29	33	41	4	3	13	21	18	23
-	-	-	-	-	-	-	-	-	-	-
54	79	…	…	…	…	…	…	…	…	…
15	41	25	36	22	-	2	8	12	7	15
91	112	132	101	128	6	13	45	64	74	54
19	90	118	-	71	1	5	13	52	71	-
-	-	-	-	-	-	-	-	-	-	-
80	162	92	164	170	6	4	55	105	60	110
3	8	-	-	-	-	-	-	-	-	-
16	30	24	25	-	-	-	-	-	-	-
-	-	-	-	-	-	-	-	-	-	-
14	13	-	-	19	1	5	6	7	-	-
45	82	89	64	112	5	15	32	60	69	43
21	37	32	29	37	1	1	15	20	17	20
28	50	20	78	69	4	11	19	35	15	54
17	47	29	39	1	-	-	1	-	1	-
5	13	11	15	1	-	1	-	-	1	-
…	…	…	…	…	…	…	…	…	…	…
-	-	-	-	-	-	-	-	-	-	-
10	15	11	14	22	-	-	9	13	10	12

第23表（7－4） 平成28年度における大腸がん検診受診者数・要精密検査者数・精密検査

	精密検査受診									
	異常を									
	大腸がんであった者（転移性を含まない）							（再掲）大腸		
	総数	40～49歳	50～59歳	60～69歳	70歳以上	(再掲)初回	(再掲)非初回	総数	40～49歳	50～59歳
中核市(再掲)										
旭川市	40	1	1	12	26	20	20	－	－	－
函館市	25	2	3	8	12	－	－	3	－	1
青森市	83	－	7	25	51	42	41	83	－	7
八戸市	49	－	3	14	32	16	33	17	－	1
盛岡市	29	1	2	11	15	12	17	13	－	－
秋田市	49	1	5	14	29	18	31	－	－	－
郡山市	49	1	6	11	31	20	29	32	1	6
いわき市	49	2	2	14	31	20	29	28	1	2
宇都宮市	104	1	1	23	79	32	72	47	1	1
前橋市	156	3	8	38	107	58	98	92	2	6
高崎市	52	3	2	18	29	28	24	25	3	1
川越市	51	2	1	13	35	18	33	38	2	1
越谷市	57	2	4	9	42	30	27	25	1	2
船橋市	123	7	5	26	85	－	－	69	7	2
柏市	39	－	2	13	24	8	31	－	－	－
八王子市	163	5	9	40	109	71	92	93	5	5
横須賀市	95	3	3	29	60	39	56	42	1	2
富山市	110	2	－	34	74	－	－	72	1	－
金沢市	30	－	4	25	1	－	－	20	－	2
長野市	65	－	3	13	49	16	49	46	－	1
岐阜市	43	8	5	13	17	28	15	31	3	3
豊橋市	52	2	4	11	35	20	32	30	2	2
豊田市	59	1	1	17	40	23	36	36	1	1
岡崎市	66	－	3	21	42	23	43	28	－	1
大津市	90	1	10	30	49	57	33	41	1	4
高槻市	119	9	7	29	74	66	53	75	6	5
東大阪市	98	8	7	34	49	59	39	50	5	3
豊中市	102	－	8	24	70	44	58	60	－	5
枚方市	57	－	6	20	31	24	33	39	－	3
姫路市	43	4	6	16	17	25	18	30	2	5
西宮市	38	2	1	10	25	25	13	20	2	－
尼崎市	30	2	－	11	17	14	16	3	1	－
奈良市	77	8	8	24	37	28	49	59	7	7
和歌山市	35	－	3	9	23	22	13	10	－	－
倉敷市	52	2	2	16	32	26	26	30	－	－
福山市	58	1	2	20	35	27	31	29	1	－
呉市	19	2	3	3	11	5	14	3	－	－
下関市	56	2	1	20	33	39	17	29	1	1
高松市	119	2	8	38	71	45	74	62	1	5
松山市	44	1	2	14	27	28	16	26	－	2
高知市	41	1	2	15	23	33	8	17	－	1
久留米市	56	1	1	23	31	25	31	30	1	－
長崎市	52	－	2	17	33	35	17	27	－	－
佐世保市	63	－	4	25	34	43	20	27	－	－
大分市	28	1	2	9	16	16	12	16	－	1
宮崎市	54	1	5	22	26	33	21	37	－	4
鹿児島市	75	－	3	20	52	43	32	39	－	1
那覇市	23	－	3	9	11	11	12	9	－	1
その他政令市(再掲)										
小樽市	27	－	－	4	23	19	8	9	－	－
町田市	102	3	1	24	74	48	54	52	2	－
藤沢市	105	1	6	22	76	34	71	41	－	1
茅ヶ崎市	51	－	1	9	41	19	32	24	－	1
四日市市	37	2	3	11	21	14	23	16	1	1
大牟田市	1	－	－	－	1	1	－	－	－	－

注：初回・非初回及び年齢階級別については、計数不詳の市区町村があるため、総数と一致しない場合がある。

受診の有無別人数，都道府県－指定都市・特別区－中核市－その他政令市、年齢階級・検診回数別

の有無別人数										
認める										
がんのうち早期がん				(再掲)早期がんのうち粘膜内がん						
60～69歳	70歳以上	(再掲)初回	(再掲)非初回	総数	40～49歳	50～59歳	60～69歳	70歳以上	(再掲)初回	(再掲)非初回
–	–	–	–	–	–	–	–	–	–	–
2	–	–	–	3	–	1	2	–	–	–
25	51	42	41	76	–	5	21	50	40	36
5	11	6	11	–	–	–	–	–	–	–
5	8	5	8	1	…	…	…	1	…	1
–	–	–	–	–	–	–	–	–	–	–
7	18	10	22	–	–	–	–	–	–	–
8	17	12	16	21	1	2	6	12	9	12
10	35	12	35	7	1	–	1	5	–	7
24	60	28	64	37	–	2	8	27	10	27
11	10	13	12	16	2	–	8	6	7	9
11	24	17	21	29	2	1	10	16	13	16
3	19	10	15	15	1	1	1	12	8	7
17	43	–	–	–	–	–	–	–	–	–
–	–	–	–	–	–	–	–	–	–	–
25	58	38	55	64	5	5	20	34	25	39
10	29	14	28	–	–	–	–	–	–	–
22	49	–	–	–	…	–	…	…	–	–
18	–	–	–	–	–	–	–	–	–	–
11	34	10	36	–	–	–	–	–	–	–
9	16	18	13	12	1	1	3	7	5	7
6	20	10	20	21	2	2	4	13	6	15
11	23	14	22	23	1	1	9	12	10	13
12	15	8	20	2	–	–	1	1	1	1
15	21	23	18	–	–	–	–	–	–	–
14	50	36	39	49	5	2	7	35	25	24
21	21	30	20	27	4	1	10	12	17	10
11	44	26	34	27	–	2	5	20	10	17
13	23	17	22	19	–	1	7	11	9	10
12	11	16	14	6	1	1	2	2	4	2
7	11	13	7	5	1	–	2	2	4	1
2	–	2	1	–	–	–	–	–	–	–
19	26	21	38	29	5	2	10	12	13	16
2	8	9	1	–	–	–	–	–	–	–
8	22	13	17	9	–	–	4	5	2	7
13	15	9	20	12	1	–	6	5	3	9
2	1	1	2	–	–	–	–	–	–	–
9	18	19	10	15	1	–	3	11	9	6
19	37	18	44	–	–	–	–	–	–	–
7	17	14	12	12	–	2	3	7	8	4
9	7	9	8	–	–	–	–	–	–	–
12	17	10	20	10	–	–	3	7	3	7
10	17	17	10	20	–	–	9	11	14	6
14	13	16	11	25	–	–	13	12	14	11
7	8	10	6	7	–	–	3	4	4	3
15	18	21	16	20	–	2	8	10	12	8
14	24	19	20	17	–	1	7	9	10	7
4	4	3	6	6	–	1	2	3	2	4
2	7	4	5	5	–	–	–	5	4	1
11	39	22	30	27	2	–	6	19	12	15
9	31	12	29	29	–	1	8	20	10	19
7	16	10	14	16	–	–	5	11	7	9
5	9	5	11	3	–	–	1	2	–	3
–	–	–	–	–	–	–	–	–	–	–

第23表（7－5） 平成28年度における大腸がん検診受診者数・要精密検査者数・精密検査

	精密検査受診									
	異常を認め									
	大腸がんの疑いのある者又は未確定							大腸がん以外の疾患で		
	総数	40～49歳	50～59歳	60～69歳	70歳以上	(再掲)初回	(再掲)非初回	総数	40～49歳	50～59歳
全国	**4 250**	**208**	**289**	**1 189**	**2 564**	**1 158**	**2 699**	**300 714**	**16 585**	**22 997**
北海道	411	15	35	158	203	127	232	8 208	397	620
青森	67	2	6	26	33	19	33	4 880	191	378
岩手	16	1	2	3	10	2	14	4 584	200	330
宮城	59	1	6	13	39	13	46	8 570	353	649
秋田	14	－	3	9	2	4	10	3 076	113	269
山形	40	1	3	11	25	6	29	4 694	124	290
福島	29	…	4	9	16	8	21	7 113	223	460
茨城	83	5	6	25	47	31	52	7 026	474	624
栃木	62	5	1	18	38	14	45	5 187	316	432
群馬	38	1	2	12	23	12	22	5 840	333	439
埼玉	865	33	50	237	545	224	588	18 106	962	1 213
千葉	338	29	29	100	180	78	244	17 970	1 241	1 471
東京	391	30	30	70	261	80	221	31 042	2 283	2 819
神奈川	166	3	9	28	126	86	76	17 735	950	1 254
新潟	26	－	1	4	21	6	20	6 795	213	381
富山	2	…	…	1	1	…	2	3 432	124	214
石川	3	－	－	3	－	－	－	2 573	142	229
福井	2	－	1	－	1	1	1	1 417	72	76
山梨	24	1	1	11	11	3	21	2 814	163	250
長野	95	1	3	23	68	13	65	5 139	293	364
岐阜	5	－	1	1	3	1	4	4 511	315	427
静岡	267	13	14	97	143	63	191	9 684	456	684
愛知	279	13	23	47	196	53	141	19 656	1 023	1 403
三重	105	4	2	25	74	28	77	4 413	178	290
滋賀	6	－	－	－	6	－	6	2 801	193	230
京都	31	－	1	15	15	9	16	4 155	253	310
大阪	42	1	4	15	22	23	19	17 480	1 190	1 441
兵庫	37	－	3	10	24	11	23	9 040	640	796
奈良	76	4	5	19	48	23	53	3 102	165	258
和歌山	15	－	1	6	8	4	11	2 609	207	268
鳥取	32	3	1	9	19	9	20	2 705	113	146
島根	33	6	1	12	14	8	23	1 837	69	106
岡山	16	－	1	4	11	6	10	5 165	250	297
広島	213	14	11	63	125	81	132	5 178	301	360
山口	8	－	－	5	3	3	5	2 910	128	162
徳島	14	－	－	5	9	7	7	1 653	79	121
香川	5	－	1	－	4	2	3	3 943	218	267
愛媛	19	－	3	5	11	5	14	2 733	139	211
高知	15	3	3	4	5	4	11	1 379	67	91
福岡	58	6	5	13	34	13	29	7 203	437	626
佐賀	6	－	－	2	4	1	5	2 160	117	201
長崎	101	3	8	22	68	28	73	3 999	130	291
熊本	13	2	1	6	4	2	11	4 228	204	365
大分	8	－	－	2	6	1	6	2 482	111	155
宮崎	24	1	1	12	10	14	10	2 607	115	176
鹿児島	31	2	1	12	16	10	21	4 764	197	341
沖縄	60	5	6	17	32	22	36	2 116	123	212
指定都市・特別区(再掲)										
東京都区部	226	21	24	50	131	56	108	20 367	1 727	2 130
札幌市	245	7	26	103	109	72	132	1 615	80	103
仙台市	22	－	5	6	11	3	19	3 206	141	242
さいたま市	40	2	3	9	26	…	…	4 239	236	301
千葉市	174	21	16	43	94	36	138	2 843	179	206
横浜市	8	－	－	2	6	3	5	4 000	308	426
川崎市	61	－	5	9	47	61	－	3 010	131	193
相模原市	－	－	－	－	－	－	－	2 108	103	96
新潟市	4	－	1	1	2	－	4	2 664	70	112
静岡市	12	－	1	3	8	－	－	855	35	65
浜松市	29	3	1	9	16	9	20	2 303	83	132
名古屋市	115	4	11	20	80	34	81	4 861	364	473
京都市	6	－	－	3	3	－	－	1 018	88	111
大阪市	13	－	2	6	5	9	4	2 717	223	264
堺市	7	－	1	2	4	6	1	1 194	73	77
神戸市	－	－	－	－	－	－	－	2 679	272	383
岡山市	5	－	－	2	3	2	3	1 553	82	86
広島市	146	12	8	39	87	53	93	1 657	141	139
北九州市	9	－	1	1	7	…	…	958	49	79
福岡市	－	－	－	－	－	－	－	1 399	66	124
熊本市	1	－	－	－	1	－	1	858	40	72

受診の有無別人数，都道府県－指定都市・特別区－中核市－その他政令市、年齢階級・検診回数別

の有無別人数										
る				未受診						
あった者（転移性の大腸がんを含む）										
60～69歳	70歳以上	(再掲) 初回	(再掲) 非初回	総数	40～49歳	50～59歳	60～69歳	70歳以上	(再掲) 初回	(再掲) 非初回
89 321	171 811	61 108	207 105	90 517	7 597	7 531	22 570	52 819	21 088	57 622
2 561	4 630	1 682	5 288	3 929	360	501	1 237	1 831	931	2 371
1 569	2 742	836	3 911	875	62	63	304	446	201	624
1 355	2 699	482	4 102	1 020	75	102	282	561	144	876
2 630	4 938	1 195	7 375	688	70	47	185	386	102	586
1 008	1 686	440	2 050	639	38	84	189	328	118	455
1 701	2 579	394	3 247	1 127	91	135	469	432	140	844
2 398	4 032	1 243	5 831	1 502	91	114	408	889	309	1 193
2 373	3 555	1 444	5 582	3 084	370	348	928	1 438	833	2 251
1 729	2 710	882	3 821	731	59	71	161	440	110	417
1 600	3 468	1 164	4 086	2 641	221	229	563	1 628	614	1 888
4 918	11 013	2 955	9 137	5 940	460	412	1 273	3 795	1 121	2 532
4 908	10 350	2 641	13 268	2 387	264	210	550	1 363	317	1 728
7 654	18 286	6 375	17 951	11 901	914	837	2 125	8 025	1 743	6 740
4 401	11 130	6 768	10 403	5 810	394	322	984	4 110	2 726	3 060
1 982	4 219	1 196	5 599	2 152	172	179	557	1 244	531	1 621
967	2 127	392	1 637	1 149	78	66	270	735	121	378
1 068	1 134	173	972	781	97	85	333	266	65	255
412	857	316	1 101	373	30	32	109	202	109	264
969	1 432	330	2 137	1 134	119	164	363	488	172	749
1 459	3 023	827	3 269	1 983	157	168	465	1 193	377	1 231
1 431	2 338	919	3 592	1 138	128	107	359	544	291	847
2 830	5 714	1 614	7 085	2 665	157	160	605	1 743	609	1 965
5 323	11 907	4 122	13 187	5 223	503	389	1 139	3 192	1 304	3 681
1 270	2 675	835	3 578	2 344	136	137	583	1 488	464	1 880
981	1 397	816	1 985	462	44	35	130	253	162	300
1 249	2 343	721	2 416	1 112	101	104	277	630	141	386
5 206	9 643	5 362	12 118	7 425	728	549	1 688	4 460	2 624	4 801
2 715	4 889	1 667	6 675	2 694	282	242	755	1 415	538	1 844
902	1 777	791	2 311	1 208	82	82	260	784	296	910
886	1 248	653	1 956	2 009	199	287	688	835	520	1 489
887	1 559	497	2 132	745	53	72	237	383	150	554
558	1 104	328	1 117	471	36	33	121	281	51	217
1 479	3 139	956	4 209	984	64	65	239	616	201	783
1 782	2 735	1 300	3 876	1 456	97	103	491	765	386	1 070
801	1 819	803	2 107	774	56	38	152	528	240	534
556	897	430	1 157	429	33	42	130	224	118	266
1 162	2 296	664	3 279	1 289	79	79	308	823	245	1 044
934	1 449	490	2 243	621	49	41	209	322	108	513
427	794	287	1 092	232	31	27	61	113	84	148
2 515	3 625	1 041	3 416	1 816	161	179	505	971	167	511
832	1 010	439	1 721	406	39	58	155	154	108	298
1 401	2 177	972	3 005	1 193	68	100	390	635	355	835
1 561	2 098	919	3 309	987	98	119	337	433	285	702
791	1 425	551	1 627	634	52	56	229	297	143	386
915	1 401	743	1 861	570	39	46	179	306	200	365
1 552	2 674	1 002	3 762	1 192	85	133	378	596	324	868
713	1 068	451	1 522	592	75	79	210	228	190	362
5 089	11 421	3 813	10 823	7 236	622	589	1 308	4 717	989	3 770
491	941	294	916	399	37	51	122	189	135	264
911	1 912	495	2 711	63	6	2	11	44	2	61
1 004	2 698	…	…	1 722	101	108	321	1 192	…	…
658	1 800	639	2 204	–	–	–	–	–	–	–
1 221	2 045	1 615	2 385	102	21	19	29	33	39	63
661	2 025	3 010	–	1 810	112	101	295	1 302	1 810	–
494	1 415	481	1 627	1 099	95	68	218	718	300	799
763	1 719	566	2 098	754	52	51	160	491	204	550
255	500	–	–	44	7	–	15	22	–	–
634	1 454	463	1 840	692	19	24	119	530	146	546
1 311	2 713	1 657	3 204	1 425	153	118	280	874	476	949
320	499	–	–	585	65	74	137	309	–	–
859	1 371	986	1 731	1 421	165	135	262	859	534	887
343	701	481	713	1 677	147	113	436	981	734	943
807	1 217	297	2 382	504	85	65	117	237	55	449
433	952	308	1 245	–	–	–	–	–	–	–
546	831	444	1 213	102	15	7	16	64	40	62
295	535	…	…	329	25	25	86	193	…	…
445	764	–	–	769	58	81	190	440	–	–
355	391	286	572	118	12	14	37	55	50	68

15(8)－14～17 大腸がん 精密検査

第23表（7－6） 平成28年度における大腸がん検診受診者数・要精密検査者数・精密検査

	精密　　検　　査							受　　診		
	異　　常　　を　　認　　め									
	大 腸 が ん の 疑 い の あ る 者 又 は 未 確 定							大腸がん以外の疾患で		
	総　数	40～49歳	50～59歳	60～69歳	70歳以上	(再掲)初回	(再掲)非初回	総　数	40～49歳	50～59歳
中核市（再掲）										
旭　川　市	3	－	－	2	1	3	－	451	16	24
函　館　市	6	－	1	2	3	－	－	176	10	20
青　森　市	10	1	1	4	4	3	7	931	42	59
八　戸　市	－	－	－	－	－	－	－	720	7	41
盛　岡　市	2	－	－	1	1	－	2	683	31	42
秋　田　市	－	－	－	－	－	－	－	683	12	53
郡　山　市	1	－	－	1	－	1	－	1 370	47	90
い わ き 市	1	－	－	－	1	1	－	575	13	27
宇 都 宮 市	31	2	1	4	24	9	22	1 545	81	108
前　橋　市	14	1	2	4	7	6	8	1 562	89	115
高　崎　市	3	－	－	－	3	1	2	858	43	54
川　越　市	20	1	－	7	12	4	16	1 281	46	71
越　谷　市	70	2	4	22	42	22	48	900	29	38
船　橋　市	16	1	1	5	9	－	－	2 061	134	137
柏　　　市	8	－	－	3	5	－	8	772	48	47
八 王 子 市	13	2	－	3	8	1	12	1 887	85	117
横 須 賀 市	2	－	－	－	2	1	1	1 104	36	70
富　山　市	…	…	…	…	…	…	…	1 298	57	81
金　沢　市	3	－	－	3	－	－	－	596	42	93
長　野　市	－	－	－	－	－	－	－	702	19	28
岐　阜　市	－	－	－	－	－	－	－	347	45	59
豊　橋　市	－	－	－	－	－	－	－	638	39	47
豊　田　市	－	－	－	－	－	－	－	784	43	40
岡　崎　市	23	－	3	3	17	6	17	1 162	33	48
大　津　市	－	－	－	－	－	－	－	882	63	56
高　槻　市	1	－	1	－	－	－	1	1 550	96	105
東 大 阪 市	4	－	－	2	2	2	2	1 037	90	88
豊　中　市	－	－	－	－	－	－	－	946	53	68
枚　方　市	1	－	－	1	－	－	1	1 188	97	98
姫　路　市	－	－	－	－	－	－	－	414	42	55
西　宮　市	－	－	－	－	－	－	－	482	60	20
尼　崎　市	10	－	1	2	7	6	4	354	27	22
奈　良　市	52	3	4	12	33	13	39	1 120	76	91
和 歌 山 市	3	－	1	2	－	1	2	385	29	29
倉　敷　市	5	－	－	1	4	3	2	1 042	73	58
福　山　市	15	－	1	5	9	5	10	972	49	59
呉　　　市	7	1	－	3	3	3	4	246	14	20
下　関　市	－	－	－	－	－	－	－	299	10	15
高　松　市	－	－	－	－	－	－	－	1 783	89	119
松　山　市	6	－	－	2	4	3	3	670	38	45
高　知　市	7	1	1	2	3	4	3	384	35	43
久 留 米 市	－	－	－	－	－	－	－	691	43	50
長　崎　市	5	－	1	－	4	－	5	470	20	27
佐 世 保 市	9	－	1	2	6	4	5	783	27	49
大　分　市	1	－	－	－	1	－	1	521	40	35
宮　崎　市	1	－	－	1	－	1	－	824	51	55
鹿 児 島 市	22	2	1	9	10	9	13	934	33	38
那　覇　市	9	1	1	2	5	4	5	577	46	56
その他政令市（再掲）										
小　樽　市	－	－	－	－	－	－	－	257	10	12
町　田　市	－	－	－	－	－	－	－	1 083	36	64
藤　沢　市	20	－	－	3	17	2	18	1 711	64	91
茅 ヶ 崎 市	39	3	3	8	25	14	25	1 028	41	58
四 日 市 市	5	－	－	－	5	2	3	686	40	50
大 牟 田 市	3	－	－	1	2	2	1	196	11	12

注：初回・非初回及び年齢階級別については、計数不詳の市区町村があるため、総数と一致しない場合がある。

受診の有無別人数，都道府県－指定都市・特別区－中核市－その他政令市、年齢階級・検診回数別

の　有　無　別　人　数										
る				未　受　診						
あった者（転移性の大腸がんを含む）										
60～69歳	70歳以上	(再掲)初回	(再掲)非初回	総　数	40～49歳	50～59歳	60～69歳	70歳以上	(再掲)初回	(再掲)非初回
134	277	117	334	539	41	76	167	255	167	372
60	86	…	…	144	18	14	36	76	…	…
271	559	208	723	37	3	5	15	14	9	28
211	461	118	602	302	15	12	91	184	93	209
180	430	141	542	8	–	1	4	3	2	6
205	413	153	530	22	–	–	4	18	7	15
472	761	256	1 114	47	3	2	9	33	14	33
150	385	132	443	60	2	2	10	46	15	45
455	901	345	1 200	328	16	18	52	242	63	265
440	918	297	1 265	892	63	74	193	562	166	726
195	566	198	660	467	38	40	93	296	105	362
367	797	293	988	348	11	18	77	242	93	255
214	619	184	716	105	5	5	12	83	26	79
501	1 289	–	–	342	43	23	73	203	–	–
208	469	103	669	–	–	–	–	–	–	–
480	1 205	368	1 519	583	49	34	120	380	130	453
321	677	274	830	172	3	2	33	134	36	136
328	832	…	…	575	45	32	114	384	…	…
431	30	–	–	259	30	32	179	18	–	–
149	506	138	564	458	18	18	77	345	117	341
103	140	152	195	21	4	2	11	4	13	8
177	375	110	528	182	26	15	49	92	51	131
248	453	148	636	299	21	13	81	184	58	241
277	804	172	990	96	17	20	59	–	28	68
281	482	336	546	162	16	15	44	87	69	93
400	949	438	1 112	431	36	28	92	275	153	278
317	542	310	727	359	30	27	79	223	107	252
270	555	226	720	326	21	13	57	235	67	259
371	622	381	807	610	63	49	175	323	196	414
138	179	163	251	–	–	–	–	–	–	–
99	303	192	290	180	26	14	29	111	72	108
115	190	110	244	38	7	1	10	20	11	27
303	650	249	871	638	44	39	115	440	129	509
115	212	158	227	499	50	77	185	187	147	352
305	606	249	793	87	6	6	25	50	24	63
351	513	296	676	436	30	31	149	226	135	301
82	130	55	191	41	1	2	12	26	7	34
97	177	129	170	165	11	15	36	103	79	86
531	1 044	333	1 450	667	32	36	143	456	132	535
208	379	165	505	64	6	6	16	36	18	46
120	186	159	225	96	22	14	25	35	55	41
222	376	195	496	30	4	2	5	19	9	21
184	239	182	288	200	8	8	61	123	58	142
277	430	230	553	215	11	15	65	124	65	150
147	299	246	275	21	8	2	9	2	19	2
291	427	252	572	–	–	–	–	–	–	–
279	584	340	594	179	16	10	42	111	79	100
185	290	133	444	155	11	19	51	74	44	111
60	175	85	172	55	2	5	9	39	12	43
256	727	406	677	83	5	3	17	58	33	50
332	1 224	230	1 481	1 279	76	54	172	977	169	1 110
208	721	253	775	772	47	43	113	569	226	546
198	398	72	614	242	29	16	71	126	33	209
63	110	62	134	74	2	5	20	47	19	55

15(8)－14～17 大腸がん 精密検査

第23表（7－7） 平成28年度における大腸がん検診受診者数・要精密検査者数・精密検査

		精 密 検 査 受 診 の 有 無 別 人 数						
		未		把		握		
		総　数	40 ～ 49歳	50 ～ 59歳	60 ～ 69歳	70 歳 以 上	(再掲)初　回	(再掲)非初回
全	国	114 585	11 105	10 449	28 197	64 834	28 225	67 859
北 海 道		2 828	246	246	842	1 494	170	337
青 森		1 411	91	153	422	745	350	1 058
岩 手		289	26	32	99	132	52	237
宮 城		1 446	152	158	399	737	294	1 152
秋 田		939	57	106	317	459	139	470
山 形		730	50	83	268	329	61	411
福 島		2 062	158	227	669	1 008	510	1 486
茨 城		309	20	18	73	198	93	216
栃 木		2 392	266	237	733	1 156	656	1 566
群 馬		394	41	26	98	229	66	207
埼 玉		8 935	800	764	2 178	5 193	1 960	5 226
千 葉		10 075	889	703	2 047	6 436	1 648	6 372
東 京		27 008	3 033	2 695	5 483	15 797	5 871	12 869
神 奈 川		13 619	1 057	1 021	3 036	8 505	5 175	7 664
新 潟		336	23	20	75	218	68	268
富 山		242	32	20	71	119	78	164
石 川		134	12	9	49	64	11	59
福 井		385	20	33	115	217	128	257
山 梨		771	72	100	280	319	133	548
長 野		941	123	79	250	489	240	601
岐 阜		1 157	167	161	366	463	267	890
静 岡		4 621	333	348	1 210	2 730	956	3 470
愛 知		8 316	927	797	1 832	4 760	2 251	4 929
三 重		1 733	159	155	508	911	409	1 324
滋 賀		101	4	11	27	59	30	71
京 都		1 345	120	115	379	731	385	960
大 阪		1 911	232	219	459	1 001	674	1 237
兵 庫		3 626	422	373	905	1 926	933	2 573
奈 良		510	41	33	120	316	148	362
和 歌 山		449	45	55	158	191	138	311
鳥 取		419	50	44	106	219	115	304
島 根		835	64	56	227	488	202	438
岡 山		2 171	117	137	456	1 461	493	1 678
広 島		2 593	241	228	857	1 267	920	1 644
山 口		676	54	48	158	416	207	469
徳 島		280	26	27	67	160	95	185
香 川		797	57	55	210	475	194	603
愛 媛		486	78	44	168	196	138	348
高 知		190	12	13	51	114	26	164
福 岡		1 720	238	183	620	679	469	1 044
佐 賀		411	45	51	162	153	129	282
長 崎		818	70	87	301	360	220	569
熊 本		1 115	94	121	369	531	264	851
大 分		359	42	25	115	177	126	221
宮 崎		650	52	60	204	334	233	407
鹿 児 島		324	29	47	103	145	79	245
沖 縄		1 726	218	226	555	727	421	1 112
指定都市・特別区（再掲）								
東京都区部		19 970	2 502	2 228	3 997	11 243	3 362	8 817
札 幌 市		2 311	181	183	645	1 302	－	－
仙 台 市		760	96	83	177	404	160	600
さいたま市		1 274	139	131	263	741	…	…
千 葉 市		2 628	208	185	549	1 686	624	2 004
横 浜 市		4 906	411	367	1 291	2 837	1 776	3 130
川 崎 市		2 244	166	175	447	1 456	2 244	－
相 模 原 市		－	－	－	－	－	－	－
新 潟 市		220	9	13	44	154	49	171
静 岡 市		170	25	21	54	70	－	－
浜 松 市		1 795	90	107	426	1 172	387	1 408
名 古 屋 市		2 978	409	358	645	1 566	1 213	1 765
京 都 市		－	－	－	－	－	－	－
大 阪 市		52	5	6	6	35	17	35
堺 市		－	－	－	－	－	－	－
神 戸 市		688	144	139	187	218	104	584
岡 山 市		1 567	63	94	300	1 110	344	1 223
広 島 市		1 324	155	121	375	673	557	767
北 九 州 市		115	10	13	29	63	…	…
福 岡 市		－	－	－	－	－	－	－
熊 本 市		68	3	5	24	36	18	50

受診の有無別人数，都道府県－指定都市・特別区－中核市－その他政令市、年齢階級・検診回数別

| | 精密検査受診の有無別人数 | | | | | | |
| | 未 | | | | 把 | | 握 |
	総　数	40 〜 49歳	50 〜 59歳	60 〜 69歳	70 歳 以 上	(再掲)初　回	(再掲)非初回
中核市（再掲）							
旭 川 市	－	－	－	－	－	－	－
函 館 市	1	－	－	1	－	－	－
青 森 市	221	11	21	46	143	61	160
八 戸 市	79	5	12	31	31	22	57
盛 岡 市	13	－	－	4	9	4	9
秋 田 市	173	12	17	56	88	52	121
郡 山 市	382	32	35	109	206	118	264
い わ き 市	273	14	13	57	189	77	196
宇 都 宮 市	679	65	45	146	423	185	494
前 橋 市	－	－	－	－	－	－	－
高 崎 市	－	－	－	－	－	－	－
川 越 市	179	18	22	68	71	71	108
越 谷 市	193	19	10	46	118	64	129
船 橋 市	2 055	119	79	292	1 565	－	－
柏 市	175	32	28	37	78	48	127
八 王 子 市	94	14	4	18	58	32	62
横 須 賀 市	369	28	34	95	212	99	270
富 山 市	－	－	－	－	－	－	－
金 沢 市	－	－	－	－	－	－	－
長 野 市	108	1	3	12	92	23	85
岐 阜 市	82	24	18	19	21	50	32
豊 橋 市	－	－	－	－	－	－	－
豊 田 市	126	18	15	27	66	31	95
岡 崎 市	799	37	36	104	622	149	650
大 津 市	－	－	－	－	－	－	－
高 槻 市	58	17	6	12	23	22	36
東 大 阪 市	110	28	20	31	31	49	61
豊 中 市	476	36	43	79	318	130	346
枚 方 市	15	1	1	9	4	7	8
姫 路 市	106	33	13	30	30	52	54
西 宮 市	59	26	5	12	16	34	25
尼 崎 市	390	55	47	110	178	116	274
奈 良 市	51	2	－	1	48	8	43
和 歌 山 市	208	18	30	68	92	80	128
倉 敷 市	341	38	23	81	199	93	248
福 山 市	62	7	15	17	23	18	44
呉 市	100	13	8	34	45	49	51
下 関 市	52	2	2	17	31	23	29
高 松 市	530	32	32	121	345	119	411
松 山 市	97	15	6	24	52	38	59
高 知 市	－	－	－	－	－	－	－
久 留 米 市	254	43	28	68	115	88	166
長 崎 市	56	8	3	33	12	30	26
佐 世 保 市	69	8	6	25	30	24	45
大 分 市	123	19	9	39	56	70	53
宮 崎 市	321	28	25	102	166	125	196
鹿 児 島 市	21	5	3	4	9	12	9
那 覇 市	497	86	77	169	165	138	359
その他政令市（再掲）							
小 樽 市	16	2	－	5	9	5	11
町 田 市	386	27	26	90	243	167	219
藤 沢 市	1 869	173	144	358	1 194	314	1 555
茅 ヶ 崎 市	341	22	21	66	232	83	258
四 日 市 市	97	13	12	26	46	21	76
大 牟 田 市	52	4	4	17	27	16	36

注：初回・非初回及び年齢階級別については、計数不詳の市区町村があるため、総数と一致しない場合がある。

第24表（6−1） 平成28年度における肺がん（全て）検診受診者数・要精密検査者数・精密

	受診者数 総数	受診者数 40～49歳	受診者数 50～59歳	受診者数 60～69歳	受診者数 70歳以上	受診者数 （再掲）初回	受診者数 （再掲）非初回	要精密 総数	要精密 40～49歳	要精密 50～59歳
全国	**7 926 743**	**749 964**	**804 752**	**2 520 388**	**3 851 639**	**2 157 142**	**5 234 859**	**153 636**	**6 672**	**10 103**
北海道	195 432	19 056	23 595	68 164	84 617	63 934	115 564	3 245	174	253
青森	109 157	9 224	13 821	40 986	45 126	26 997	77 303	1 509	58	124
岩手	141 676	9 847	14 896	46 857	70 076	24 114	117 562	3 110	125	204
宮城	273 141	22 264	28 996	95 357	126 524	55 785	217 356	6 363	242	448
秋田	82 480	5 548	9 236	30 667	37 029	16 601	64 854	1 305	47	100
山形	149 610	9 705	16 065	59 036	64 804	20 238	97 043	3 752	87	253
福島	211 668	13 314	20 675	76 454	101 225	47 474	162 895	4 694	162	318
茨城	243 657	23 475	24 933	84 383	110 866	62 247	181 410	5 933	124	299
栃木	167 231	18 234	19 181	58 042	71 774	44 903	120 527	3 020	96	193
群馬	188 291	15 871	17 721	57 405	97 294	51 698	134 545	1 713	77	104
埼玉	465 311	44 667	42 057	134 021	244 566	103 771	234 254	9 456	451	592
千葉	575 644	60 341	54 041	164 663	296 599	118 433	371 420	8 528	409	495
東京	464 261	82 983	71 245	117 913	192 120	144 101	261 180	7 125	754	893
神奈川	481 541	39 145	40 878	120 873	280 645	211 364	244 164	15 394	687	955
新潟	221 057	14 723	18 779	75 827	111 728	46 840	174 217	5 318	171	279
富山	114 485	7 158	7 612	32 799	66 916	15 682	50 418	1 158	30	37
石川	84 872	7 556	8 648	33 914	34 754	22 134	62 738	1 477	52	78
福井	51 785	4 362	4 746	17 275	25 402	17 749	34 036	2 333	98	140
山梨	106 169	12 599	13 425	36 610	43 535	17 380	85 134	2 405	139	211
長野	81 667	6 033	6 925	23 510	45 199	21 037	44 063	1 031	47	58
岐阜	128 837	11 955	13 080	42 935	60 867	33 889	94 948	1 979	52	100
静岡	346 863	25 579	29 694	105 423	186 167	90 216	254 434	5 940	154	322
愛知	581 947	55 559	53 888	165 549	306 951	167 701	405 250	9 321	414	519
三重	136 158	9 471	10 752	43 600	72 335	35 043	101 045	2 427	104	150
滋賀	46 642	4 887	4 652	16 684	20 419	20 666	25 976	1 596	49	99
京都	84 556	11 002	9 597	27 710	36 247	15 049	38 780	2 532	190	198
大阪	340 368	43 507	39 448	106 965	150 448	129 736	210 632	7 948	488	648
兵庫	239 725	25 607	24 006	76 801	113 311	70 175	152 816	4 166	167	220
奈良	40 480	4 823	4 749	13 872	17 036	15 814	24 427	434	12	29
和歌山	67 735	7 889	9 225	25 027	25 594	23 288	44 447	839	58	84
鳥取	54 758	4 062	4 765	19 382	26 549	15 292	39 466	1 881	69	110
島根	34 621	1 546	2 265	10 059	20 751	10 059	24 100	1 098	24	45
岡山	159 207	9 229	12 468	47 889	89 621	38 751	120 456	1 411	26	64
広島	140 718	14 472	13 017	49 782	63 447	48 175	92 322	3 525	167	223
山口	65 242	3 874	4 415	20 358	36 595	21 714	43 528	1 779	44	63
徳島	29 491	2 742	2 645	10 597	13 507	9 409	20 082	730	28	46
香川	87 454	6 832	7 270	27 831	45 521	21 116	66 338	858	16	34
愛媛	61 067	6 061	6 580	21 574	26 852	17 345	43 722	1 108	42	86
高知	62 232	4 429	5 726	20 083	31 994	14 799	47 433	241	5	11
福岡	152 809	18 135	18 420	61 042	55 212	40 063	82 340	2 889	144	229
佐賀	50 281	5 096	6 446	20 289	18 450	16 044	34 237	709	26	45
長崎	103 003	6 621	10 830	38 118	47 434	32 143	70 399	3 014	95	207
熊本	129 984	9 896	14 121	47 460	58 507	34 426	95 558	1 233	31	92
大分	97 217	6 682	8 650	34 027	47 858	23 985	62 673	1 669	36	87
宮崎	44 987	2 579	4 025	15 132	23 251	11 922	33 026	621	5	30
鹿児島	135 973	9 453	13 234	44 729	68 557	38 634	97 339	3 201	106	188
沖縄	95 253	11 871	13 309	32 714	37 359	29 206	58 402	1 618	90	140
指定都市・特別区(再掲)										
東京都区部	374 998	70 120	59 911	92 222	152 745	113 888	207 290	6 358	697	822
札幌市	17 353	1 751	1 885	6 829	6 888	7 526	9 827	372	29	28
仙台市	74 946	6 908	7 570	24 368	36 100	18 852	56 094	1 321	54	69
さいたま市	126 009	12 428	11 820	32 850	68 911	…	…	2 585	133	162
千葉市	97 727	9 456	8 318	24 853	55 100	28 447	69 280	1 026	46	50
横浜市	85 278	9 891	10 315	27 152	37 920	48 781	36 497	3 446	265	345
川崎市	83 002	5 988	7 408	16 847	52 759	83 002	－	1 963	63	145
相模原市	47 756	4 396	3 666	11 228	28 466	16 279	31 477	1 317	54	62
新潟市	39 380	3 489	3 349	14 402	18 140	12 078	27 302	1 941	97	121
静岡市	49 197	2 008	2 663	14 858	29 668	15 941	33 256	1 400	13	36
浜松市	75 534	5 557	6 361	21 467	42 149	21 140	54 394	1 228	38	84
名古屋市	133 622	14 531	14 553	34 895	69 643	56 660	76 962	2 628	165	204
京都市	30 727	4 380	3 414	9 280	13 653	－	－	1 041	89	85
大阪市	49 103	8 452	7 369	14 777	18 505	22 520	26 583	816	52	93
堺市	12 850	2 137	1 418	3 978	5 317	8 048	4 802	285	23	16
神戸市	25 692	5 002	2 457	6 541	11 692	11 423	14 269	315	28	14
岡山市	53 901	3 445	4 438	15 005	31 013	14 103	39 798	528	10	27
広島市	57 781	8 063	6 023	18 899	24 796	21 146	36 635	1 624	107	123
北九州市	10 311	821	1 076	4 621	3 793	…	165	…	…	…
福岡市	15 275	2 560	2 021	6 246	4 448	－	－	547	39	46
熊本市	20 000	1 301	1 717	7 946	9 036	6 123	13 877	136	2	9

検査受診の有無別人数，都道府県－指定都市・特別区－中核市－その他政令市、年齢階級・検診回数別

検 査 者 数				精 密 検 査 受 診 の 有 無 別 人 数[1]						
				異 常 認 め ず						
60～69歳	70歳以上	(再掲)初回	(再掲)非初回	総 数	40～49歳	50～59歳	60～69歳	70歳以上	(再掲)初回	(再掲)非初回
45 418	**91 443**	**51 826**	**81 806**	**51 993**	**3 196**	**4 151**	**16 469**	**28 177**	**16 838**	**28 298**
1 148	1 670	1 371	1 745	1 057	62	96	390	509	411	607
545	782	499	886	695	37	61	256	341	245	410
877	1 904	735	2 375	1 197	68	112	350	667	292	905
2 101	3 572	1 678	4 685	2 086	136	178	703	1 069	581	1 505
457	701	360	944	651	31	55	246	319	166	432
1 358	2 054	646	2 159	1 925	51	148	711	1 015	255	1 053
1 475	2 739	1 380	3 292	1 865	93	149	617	1 006	498	1 356
1 788	3 722	2 048	3 885	1 894	66	121	594	1 113	588	1 306
967	1 764	928	1 728	1 151	52	82	398	619	362	712
490	1 042	600	1 101	445	38	32	123	252	163	276
2 520	5 893	2 507	3 475	3 023	221	249	859	1 694	815	1 193
2 270	5 354	2 176	4 823	2 302	178	178	714	1 232	556	1 394
1 927	3 551	2 514	2 287	2 516	296	317	713	1 190	668	613
3 730	10 022	7 349	6 245	4 444	322	361	1 240	2 521	2 141	1 892
1 671	3 197	2 007	3 311	2 314	93	137	789	1 295	904	1 410
306	785	321	678	469	22	23	142	282	135	303
501	846	243	800	509	24	31	175	279	66	266
670	1 425	820	1 513	778	55	50	247	426	275	503
800	1 255	463	1 727	676	63	69	246	298	123	499
237	689	330	491	391	21	25	105	240	128	186
555	1 272	670	1 309	673	29	41	191	412	182	491
1 610	3 854	1 689	2 851	1 828	77	130	551	1 070	481	889
2 436	5 952	1 770	3 599	3 047	183	201	874	1 789	576	1 082
716	1 457	827	1 600	767	42	54	235	436	236	531
518	930	895	701	548	28	49	198	273	294	254
780	1 364	609	882	873	90	73	267	443	217	332
2 417	4 395	3 833	4 115	3 093	256	323	955	1 559	1 458	1 635
1 204	2 575	1 759	2 034	1 362	83	90	426	763	612	685
129	264	203	231	129	8	16	43	62	62	67
339	358	383	456	273	26	37	118	92	124	149
589	1 113	645	1 236	757	41	58	244	414	247	510
311	718	483	596	434	14	13	157	250	187	241
360	961	430	981	449	16	17	133	283	130	319
1 178	1 957	1 532	1 989	1 133	74	94	348	617	466	667
496	1 176	805	974	713	22	32	213	446	319	394
219	437	262	400	212	10	13	76	113	71	129
222	586	311	547	230	10	10	62	148	69	161
362	618	475	633	248	12	25	79	132	98	150
76	149	79	162	55	3	2	21	29	16	39
1 163	1 353	872	1 298	929	56	102	360	411	258	469
274	364	291	418	219	18	19	84	98	81	138
1 072	1 640	1 178	1 807	1 007	44	77	372	514	392	615
393	717	462	771	345	12	30	127	176	124	221
525	1 021	500	771	564	17	33	177	337	156	236
166	420	240	381	149	1	7	41	100	51	98
933	1 974	1 169	2 032	1 127	66	88	352	621	407	720
537	851	479	882	441	29	43	147	222	152	255
1 674	3 165	2 186	1 947	2 209	269	290	603	1 047	535	453
143	172	202	170	121	15	9	39	58	63	58
394	804	446	875	475	26	23	150	276	163	312
657	1 633	...	...	662	65	65	188	344	...	...
238	692	360	666	296	24	20	82	170	98	198
1 081	1 755	2 260	1 186	962	128	130	325	379	620	342
417	1 338	1 963	−	455	20	47	103	285	455	−
294	907	563	754	314	29	16	86	183	134	180
670	1 053	1 036	905	968	56	68	361	483	537	431
371	980	−	−	458	9	18	143	288	−	−
314	792	457	771	347	17	26	103	201	118	229
679	1 580	...	...	956	69	87	274	526	...	...
301	566	−	−	324	35	29	94	166	−	−
256	415	418	398	311	27	38	94	152	160	151
79	167	188	97	86	5	7	16	58	54	32
69	204	195	120	83	13	6	24	40	49	34
117	374	139	389	150	4	6	41	99	40	110
494	900	761	863	612	49	57	185	321	292	320
...	...	...	...	...	...	...	...	...	...	...
245	217	−	−	148	16	21	65	46	−	−
48	77	53	83	27	1	1	12	13	12	15

15(8)－18～19, 24～25 肺がん　精密検査

第24表（6－2）　平成28年度における肺がん（全て）検診受診者数・要精密検査者数・精密

	受　　診　　者　　数							要　精　密		
	総　　数	40～49歳	50～59歳	60～69歳	70歳以上	(再掲)初回	(再掲)非初回	総　　数	40～49歳	50～59歳
中核市（再掲）										
旭　川　市	11 303	988	1 383	4 265	4 667	4 563	6 740	182	10	8
函　館　市	8 613	626	781	3 082	4 124	5 712	2 901	13	1	1
青　森　市	8 621	891	1 074	3 792	2 864	3 117	5 504	105	3	8
八　戸　市	18 442	1 143	1 789	6 857	8 653	5 304	13 138	286	9	19
盛　岡　市	29 109	1 789	2 367	7 747	17 206	4 542	24 567	914	46	50
秋　田　市	9 395	514	1 020	3 539	4 322	3 071	6 324	361	12	44
郡　山　市	30 207	2 148	2 910	10 842	14 307	7 622	22 585	670	31	40
い わ き 市	24 451	1 156	1 634	7 762	13 899	6 555	17 896	253	4	7
宇 都 宮 市	44 552	4 079	3 837	12 774	23 862	14 209	30 343	533	9	10
前　橋　市	49 738	4 749	4 969	14 710	25 310	12 816	36 922	782	40	56
高　崎　市	24 084	1 813	1 760	6 682	13 829	6 720	17 364	220	12	11
川　越　市	2 583	467	377	881	858	873	1 710	112	12	12
越　谷　市	22 868	1 342	1 456	5 648	14 422	7 817	15 051	546	14	21
船　橋　市	85 394	9 702	6 955	19 722	49 015	－	－	1 462	112	101
柏　　　市	17 336	1 616	1 425	5 532	8 763	4 301	13 035	393	15	24
八 王 子 市	23 215	3 174	2 874	6 800	10 367	9 378	13 837	229	21	20
横 須 賀 市	28 886	1 968	2 309	9 136	15 473	9 253	19 633	1 892	77	121
富　山　市	38 135	2 811	2 770	10 170	22 384	…	…	…	…	…
金　沢　市	30 787	2 178	3 441	14 372	10 796	10 483	20 304	323	20	20
長　野　市	12 993	643	1 018	3 483	7 849	3 494	9 499	184	5	11
岐　阜　市	9 186	1 129	1 096	3 327	3 634	3 832	5 354	32	3	1
豊　橋　市	22 873	2 873	2 490	6 572	10 938	6 353	16 520	74	10	5
豊　田　市	20 417	1 614	1 706	6 261	10 836	4 824	15 593	201	4	7
岡　崎　市	22 989	3 464	2 840	8 815	7 870	6 622	16 367	298	12	17
大　津　市	19 691	1 584	1 495	6 446	10 166	9 597	10 094	1 133	35	63
高　槻　市	40 125	3 858	3 430	11 548	21 289	13 361	26 764	1 232	70	77
東 大 阪 市	22 157	3 343	2 576	7 299	8 939	8 161	13 996	375	27	33
豊　中　市	5 020	783	758	1 636	1 843	2 248	2 772	250	13	14
枚　方　市	25 845	1 966	2 309	8 902	12 668	9 641	16 204	384	13	27
姫　路　市	10 308	1 673	1 563	3 705	3 367	5 216	5 092	264	19	27
西　宮　市	6 937	1 126	916	2 182	2 713	2 130	4 807	74	8	5
尼　崎　市	11 052	1 459	1 068	3 515	5 010	4 999	6 053	330	20	15
奈　良　市	3 219	344	445	1 194	1 236	1 481	1 738	10	－	3
和 歌 山 市	10 452	1 057	1 270	3 843	4 282	5 104	5 348	171	10	16
倉　敷　市	29 374	2 145	2 414	10 083	14 732	9 131	20 243	158	7	12
福　山　市	20 473	1 619	1 817	7 466	9 571	8 351	12 122	226	8	16
呉　　　市	7 116	879	619	2 714	2 904	2 209	4 907	325	17	19
下　関　市	4 404	234	312	2 093	1 765	1 752	2 652	185	2	8
高　松　市	19 537	2 010	1 833	6 938	8 756	5 784	13 753	190	6	9
松　山　市	15 693	1 489	1 589	5 413	7 202	5 695	9 998	319	14	14
高　知　市	6 681	1 282	1 166	2 517	1 716	3 342	3 339	31	3	5
久 留 米 市	20 439	1 673	2 072	6 629	10 065	6 774	13 665	343	9	20
長　崎　市	13 955	1 022	1 431	5 268	6 234	6 333	7 622	432	13	29
佐 世 保 市	19 371	1 173	1 797	7 463	8 938	7 192	12 179	320	10	17
大　分　市	27 279	2 521	2 521	9 701	12 536	9 586	17 693	503	11	34
宮　崎　市	20 671	1 381	1 998	7 231	10 061	4 347	16 324	124	－	10
鹿 児 島 市	23 281	2 109	2 073	7 808	11 291	7 937	15 344	550	31	33
那　覇　市	18 701	2 866	2 680	6 184	6 971	5 879	12 822	291	22	26
その他政令市（再掲）										
小　樽　市	2 310	114	213	771	1 212	871	1 439	35	1	4
町　田　市	－	－	－	－	－	－	－	－	－	－
藤　沢　市	55 064	3 680	3 907	12 211	35 266	11 127	43 937	2 038	64	78
茅 ヶ 崎 市	29 922	1 931	1 959	6 646	19 386	6 344	23 578	581	19	20
四 日 市 市	12 425	1 267	1 111	4 100	5 947	3 472	8 953	319	17	24
大 牟 田 市	1 077	137	162	442	336	659	418	31	1	3

注：初回・非初回及び年齢階級別については、計数不詳の市区町村があるため、総数と一致しない場合がある。
　　1）精密検査受診の有無別人数については、計数不詳の市区町村があるため要精密検査者数と一致しない場合がある。

検査受診の有無別人数，都道府県－指定都市・特別区－中核市－その他政令市、年齢階級・検診回数別

検査者数				精密検査受診の有無別人数[1]						
				異　常　認　め　ず						
60～69歳	70歳以上	(再掲)初回	(再掲)非初回	総数	40～49歳	50～59歳	60～69歳	70歳以上	(再掲)初回	(再掲)非初回
64	100	103	79	45	2	3	15	25	23	22
3	8	…	…	4	−	1	1	2	−	−
48	46	50	55	47	3	3	23	18	26	21
108	150	126	160	255	8	17	94	136	105	150
216	602	222	692	356	28	28	93	207	91	265
129	176	147	214	232	11	30	92	99	92	140
217	382	197	473	240	16	21	82	121	51	189
60	182	85	168	71	4	1	21	45	14	57
134	380	204	329	187	5	2	57	123	66	121
239	447	277	505	161	18	15	51	77	66	95
60	137	82	138	89	8	5	24	52	35	54
38	50	48	64	43	6	6	13	18	15	28
120	391	262	284	188	6	6	43	133	85	103
307	942	−	−	336	38	39	82	177	−	−
112	242	135	258	118	9	12	33	64	34	84
63	125	106	123	99	14	8	29	48	34	65
576	1 118	1 043	849	944	42	67	296	539	494	450
…	…	…	…	…	…	…	…	…	…	…
137	146	−	−	76	11	3	30	32	−	−
28	140	46	138	81	2	7	14	58	18	63
12	16	16	16	9	2	−	4	3	5	4
17	42	24	50	21	6	2	3	10	9	12
47	143	67	134	42	1	1	10	30	12	30
109	160	108	190	73	6	3	29	35	25	48
353	682	654	479	400	22	34	137	207	221	179
342	743	490	742	618	44	52	177	345	246	372
100	215	208	167	175	14	16	51	94	94	81
85	138	108	142	99	6	12	32	49	43	56
136	208	188	196	163	6	16	68	73	81	82
103	115	142	122	120	7	17	54	42	73	47
25	36	33	41	24	5	1	7	11	8	16
100	195	205	125	235	15	11	68	141	144	91
5	2	7	3	4	−	3	1	−	4	−
67	78	106	65	18	1	3	6	8	11	7
61	78	78	80	58	5	4	27	22	27	31
51	151	125	101	90	6	6	20	58	45	45
96	193	128	197	106	8	9	28	61	37	69
77	98	87	98	106	1	7	38	60	46	60
61	114	84	106	41	3	2	14	22	12	29
103	188	175	144	69	4	2	24	39	36	33
10	13	22	9	12	3	2	2	5	8	4
103	211	126	217	109	1	7	38	63	25	84
162	228	247	185	144	5	12	61	66	81	63
120	173	128	192	112	7	9	43	53	40	72
163	295	217	286	176	5	12	62	97	81	95
46	68	25	99	27	−	2	10	15	1	26
179	307	238	312	219	25	22	75	97	99	120
95	148	107	184	75	7	8	25	35	31	44
13	17	18	17	9	−	1	5	3	6	3
−	−	−	−	−	−	−	−	−	−	−
408	1 488	461	1 577	336	23	18	85	210	82	254
116	426	173	408	187	11	6	49	121	53	134
104	174	124	195	92	8	11	28	45	36	56
13	14	16	15	12	1	3	3	5	6	6

第24表（6−3） 平成28年度における肺がん（全て）検診受診者数・要精密検査者数・精密

	精密検査受診									
	異常を									
	肺がんであった者（転移性を含まない）							（再掲）肺がん		
	総数	40～49歳	50～59歳	60～69歳	70歳以上	(再掲)初回	(再掲)非初回	総数	40～49歳	50～59歳
全国	**4 289**	**44**	**129**	**1 208**	**2 908**	**1 386**	**2 374**	**1 354**	**11**	**38**
北海道	117	−	2	38	77	38	64	35	−	−
青森	60	…	2	26	32	27	31	17	…	2
岩手	99	−	4	27	68	18	81	25	−	1
宮城	209	2	7	69	131	46	163	112	−	4
秋田	55	−	2	19	34	14	27	14	−	1
山形	92	−	1	30	61	14	47	25	−	−
福島	85	…	2	27	56	27	58	30	…	…
茨城	143	−	4	43	96	51	92	55	−	2
栃木	85	1	4	30	50	35	44	34	1	2
群馬	114	−	1	45	68	45	69	57	−	1
埼玉	184	1	5	43	135	45	73	50	−	2
千葉	220	4	3	64	149	63	143	60	2	…
東京	182	5	11	47	119	78	61	35	…	3
神奈川	340	7	10	58	265	160	138	53	1	−
新潟	119	4	1	27	87	24	95	61	1	1
富山	44	…	…	9	35	15	21	1	…	…
石川	74	−	2	21	51	8	31	44	−	1
福井	33	−	2	9	22	10	23	13	−	2
山梨	58	…	5	21	32	8	41	8	…	…
長野	29	…	1	7	21	8	12	4	…	…
岐阜	58	−	2	16	40	20	38	11	−	−
静岡	137	2	2	34	99	22	69	57	…	…
愛知	328	1	10	84	233	62	119	53	−	2
三重	60	−	−	10	50	19	41	25	−	−
滋賀	45	−	−	11	34	24	21	24	−	−
京都	51	1	2	16	32	14	23	15	1	1
大阪	256	4	8	73	171	112	144	125	2	3
兵庫	125	2	5	29	89	55	61	32	2	1
奈良	18	−	−	6	12	9	9	3	−	−
和歌山	21	1	3	3	14	13	8	9	−	−
鳥取	44	−	1	13	30	18	26	12	−	−
島根	23	−	−	3	20	9	14	12	−	−
岡山	36	−	2	7	27	7	29	3	−	−
広島	107	1	2	34	70	45	62	9	…	…
山口	52	−	−	14	38	19	33	9	−	−
徳島	20	1	2	6	11	6	14	13	−	2
香川	44	−	1	13	30	12	32	9	−	−
愛媛	21	−	−	9	12	7	14	5	−	−
高知	25	−	1	11	13	9	16	6	−	1
福岡	82	6	6	34	36	20	48	27	…	2
佐賀	24	−	1	6	17	12	12	7	−	1
長崎	90	−	2	32	56	42	48	35	−	−
熊本	61	1	2	17	41	26	35	25	1	−
大分	40	−	1	13	26	13	23	14	−	1
宮崎	33	−	3	9	21	8	25	14	−	−
鹿児島	120	−	4	37	79	40	80	61	−	2
沖縄	26	−	−	8	18	9	16	6	−	−
指定都市・特別区(再掲)										
東京都区部	148	5	9	32	102	62	44	26	…	2
札幌市	14	−	1	7	6	6	8	−	−	−
仙台市	61	1	1	13	46	13	48	37	−	1
さいたま市	40	−	2	7	31	…	…	10	−	1
千葉市	9	1	−	1	7	4	5	3	1	−
横浜市	52	2	4	15	31	36	16	17	1	−
川崎市	56	2	1	8	45	56	−	−	−	−
相模原市	10	2	−	1	7	3	7	−	−	−
新潟市	43	2	−	13	28	9	34	24	1	−
静岡市	46	−	−	15	31	−	−	32	−	−
浜松市	14	1	1	1	11	4	10	7	−	−
名古屋市	90	−	2	31	57	…	…	−	−	−
京都市	14	1	1	4	8	−	−	11	1	1
大阪市	25	1	4	10	10	13	12	14	1	2
堺市	2	−	−	1	1	2	−	−	−	−
神戸市	9	−	−	2	7	6	3	−	−	−
岡山市	14	−	1	2	11	4	10	−	−	−
広島市	60	1	1	22	36	28	32	−	−	−
北九州市	…	…	…	…	…	…	…	…	…	…
福岡市	8	−	−	3	5	−	−	−	−	−
熊本市	19	−	−	7	12	9	10	9	−	−

検査受診の有無別人数，都道府県−指定都市・特別区−中核市−その他政令市、年齢階級・検診回数別

の　　　　有　　　　無　　　　別　　　人　　　数^1)										
認		め					る			
のうち臨床病期 0 ～ I 期				肺 が ん の 疑 い の あ る 者 又 は 未 確 定						
60～69歳	70歳以上	(再掲)初回	(再掲)非初回	総　数	40～49歳	50～59歳	60～69歳	70歳以上	(再掲)初回	(再掲)非初回
423	882	399	822	5 893	119	266	1 580	3 928	1 976	3 064
11	24	16	19	94	4	8	36	46	39	53
10	5	9	8	35	…	2	15	18	6	24
10	14	5	20	109	1	2	29	77	31	78
38	70	20	92	122	2	5	41	74	24	98
4	9	5	7	22	−	1	6	15	8	11
10	15	2	15	63	1	−	23	39	15	38
10	20	8	22	136	2	4	29	101	32	104
18	35	17	38	523	11	27	146	339	160	363
9	22	15	15	76	…	2	21	53	18	49
18	38	20	37	60	3	−	12	45	21	39
12	36	13	16	502	10	17	134	341	143	217
18	40	14	43	489	8	20	110	351	150	296
16	16	13	12	244	13	24	63	144	110	71
14	38	22	29	610	10	33	138	429	273	177
15	44	9	52	270	4	11	64	191	83	187
…	1	…	1	31	1	…	6	24	13	16
13	30	4	22	81	4	1	28	48	19	41
3	8	5	8	−	−	−	−	−	−	−
2	6	…	8	52	…	1	15	36	12	34
…	4	1	1	85	1	1	17	66	22	45
5	6	4	7	45	−	2	10	33	14	31
15	42	5	20	363	7	13	81	262	133	137
20	31	14	24	420	12	16	102	290	79	149
5	20	11	14	91	−	3	27	61	26	65
5	19	11	13	65	2	2	23	38	31	34
5	8	−	4	113	2	9	31	71	33	57
40	80	44	81	160	5	12	42	101	89	71
8	21	12	20	137	4	6	45	82	51	82
1	2	2	1	18	−	1	9	8	7	11
−	9	3	6	23	1	1	9	12	10	13
4	8	9	3	41	1	−	13	27	16	25
2	10	6	6	77	1	5	12	59	26	47
−	3	−	3	56	−	3	12	41	15	41
…	9	4	5	121	3	5	43	70	61	60
3	6	5	4	29	−	−	8	21	11	18
4	7	4	9	19	−	1	6	12	6	10
1	8	−	9	26	−	2	6	18	7	19
2	3	1	4	39	−	3	15	21	17	22
4	1	1	5	22	−	−	4	18	6	16
12	13	6	17	112	1	10	45	56	30	42
2	4	3	4	21	1	1	6	13	9	12
16	19	16	19	84	2	5	32	45	35	49
7	17	10	15	37	−	−	8	29	14	23
5	8	5	8	43	1	2	18	22	16	19
5	9	5	9	17	−	2	3	12	5	12
19	40	19	42	70	−	1	22	47	33	37
2	4	1	5	40	1	2	15	22	17	21
12	12	8	8	192	11	18	49	114	82	53
−	−	−	−	3	−	1	1	1	3	−
9	27	7	30	10	−	3	1	6	3	7
1	8	…	…	97	2	1	23	71	…	…
−	2	2	1	74	1	4	14	55	29	45
5	11	9	8	155	6	17	52	80	104	51
−	−	−	−	71	−	4	15	52	71	−
−	−	−	−	58	−	2	12	44	25	33
9	14	3	21	43	−	2	14	27	19	24
11	21	−	−	93	−	−	17	76	−	−
1	6	2	5	62	1	6	11	44	29	33
−	−	…	…	37	−	3	6	28	…	…
4	5	−	−	23	2	2	8	11	−	−
7	4	8	6	7	−	1	1	5	5	2
−	−	−	−	5	−	−	2	3	3	2
−	−	−	−	15	1	−	3	11	8	7
−	−	−	−	11	−	1	−	10	1	10
−	−	−	−	54	1	3	19	31	29	25
…	…	…	…	…	…	…	…	…	…	…
−	−	−	−	28	−	2	10	16	−	−
4	5	4	5	−	−	−	−	−	−	−

第24表 (6−4) 平成28年度における肺がん（全て）検診受診者数・要精密検査者数・精密

	精密検査受診									
	異常を									
	肺がんであった者（転移性を含まない）							（再掲）肺がん		
	総数	40～49歳	50～59歳	60～69歳	70歳以上	(再掲)初回	(再掲)非初回	総数	40～49歳	50～59歳
中核市(再掲)										
旭川市	2	−	−	2	−	1	1	−	−	−
函館市	5	−	−	1	4	−	−	−	−	−
青森市	7	−	−	4	3	5	2	−	−	−
八戸市	−	−	−	−	−	−	−	−	−	−
盛岡市	23	−	−	5	18	6	17	10	−	−
秋田市	14	−	1	4	9	7	7	6	−	−
郡山市	19	−	1	5	13	6	13	10	−	−
いわき市	12	−	−	5	7	6	6	−	−	−
宇都宮市	16	−	−	4	12	7	9	1	−	−
前橋市	39	−	−	17	22	14	25	19	−	−
高崎市	12	−	−	7	5	5	7	4	−	−
川越市	−	−	−	−	−	−	−	−	−	−
越谷市	19	−	−	5	14	8	11	9	−	−
船橋市	14	−	1	5	8	−	−	3	−	−
柏市	13	−	−	1	12	2	11	5	−	−
八王子市	19	−	2	7	10	10	9	7	−	1
横須賀市	17	−	−	5	12	10	7	9	−	−
富山市	…	…	…	…	…	…	…	…	…	…
金沢市	28	−	1	9	18	−	−	17	−	−
長野市	2	−	−	−	2	−	2	−	−	−
岐阜市	3	−	−	1	2	1	2	2	−	−
豊橋市	3	−	−	−	3	1	2	−	−	−
豊田市	8	−	1	2	5	1	7	3	−	−
岡崎市	6	−	−	1	5	1	5	1	−	−
大津市	22	−	−	6	16	13	9	11	−	−
高槻市	45	−	1	16	28	19	26	19	−	−
東大阪市	19	−	−	3	16	5	14	11	−	−
豊中市	−	−	−	−	−	−	−	−	−	−
枚方市	13	−	−	2	11	4	9	8	−	−
姫路市	9	−	1	−	8	5	4	2	−	−
西宮市	5	−	−	1	4	2	3	−	−	−
尼崎市	1	−	−	1	−	1	−	−	−	−
奈良市	1	−	−	1	−	1	−	1	−	−
和歌山市	5	1	1	2	1	4	1	−	−	−
倉敷市	2	−	−	1	1	−	2	−	−	−
福山市	14	−	1	3	10	8	6	2	−	−
呉市	5	−	−	1	4	1	4	−	−	−
下関市	4	−	−	2	2	1	3	−	−	−
高松市	12	−	−	5	7	5	7	−	−	−
松山市	6	−	−	4	2	1	5	3	−	−
高知市	1	−	−	−	1	1	−	−	−	−
久留米市	17	1	1	5	10	5	12	7	−	1
長崎市	16	−	−	7	9	10	6	7	−	−
佐世保市	10	−	−	6	4	5	5	4	−	−
大分市	7	−	−	2	5	2	5	5	−	−
宮崎市	14	−	1	5	8	3	11	6	−	−
鹿児島市	30	−	1	10	19	12	18	17	−	1
那覇市	6	−	−	3	3	3	3	2	−	−
その他政令市(再掲)										
小樽市	2	−	−	2	−	1	1	−	−	−
町田市	−	−	−	−	−	−	−	−	−	−
藤沢市	55	−	−	7	48	15	40	10	−	−
茅ヶ崎市	23	−	−	2	21	7	16	5	−	−
四日市市	5	−	−	−	5	3	2	3	−	−
大牟田市	−	−	−	−	−	−	−	−	−	−

注：初回・非初回及び年齢階級別については、計数不詳の市区町村があるため、総数と一致しない場合がある。
　1）精密検査受診の有無別人数については、計数不詳の市区町村があるため要精密検査者数と一致しない場合がある。

検査受診の有無別人数，都道府県－指定都市・特別区－中核市－その他政令市、年齢階級・検診回数別

の有無別人数[1)]										
認める										
のうち臨床病期0～I期				肺がんの疑いのある者又は未確定						
60～69歳	70歳以上	(再掲)初回	(再掲)非初回	総数	40～49歳	50～59歳	60～69歳	70歳以上	(再掲)初回	(再掲)非初回
-	-	-	-	-	-	-	-	-	-	-
-	-	-	-	-	-	-	-	-	-	-
-	-	-	-	-	-	-	-	-	-	-
-	-	-	-	-	-	-	-	-	-	-
3	7	4	6	35	-	1	9	25	7	28
3	3	3	3	6	-	-	3	3	2	4
2	8	3	7	6	-	-	2	4	1	5
-	-	-	-	3	-	-	-	3	1	2
-	1	1	-	35	-	-	9	26	9	26
7	12	5	14	32	1	-	6	25	11	21
2	2	1	3	8	-	-	3	5	2	6
-	-	-	-	12	-	1	7	4	5	7
4	5	3	6	54	1	1	17	35	26	28
2	1	-	-	42	1	1	12	28	-	-
-	5	2	3	23	-	1	6	16	6	17
4	2	4	3	32	2	4	6	20	19	13
3	6	4	5	61	-	1	13	47	38	23
…	…	…	…	…	…	…	…	…	…	…
6	11	-	-	10	1	-	4	5	-	-
-	-	-	-	27	-	-	7	20	8	19
1	1	1	1	-	-	-	-	-	-	-
-	-	-	-	11	-	1	2	8	2	9
1	2	1	2	8	-	-	1	7	3	5
-	1	-	1	11	1	-	3	7	3	8
4	7	6	5	39	-	2	11	26	20	19
8	11	5	14	14	1	-	4	9	10	4
3	8	2	9	11	-	-	4	7	6	5
-	-	-	-	6	-	-	2	4	3	3
1	7	1	7	4	-	-	-	4	-	4
-	2	-	2	9	1	1	2	5	3	6
-	-	-	-	1	-	-	1	-	1	-
-	-	-	-	8	-	-	2	6	5	3
1	-	1	-	1	-	-	1	-	-	1
-	-	-	-	2	1	-	1	-	2	-
-	-	-	-	10	-	2	4	4	4	6
-	2	2	-	17	1	-	3	13	11	6
-	-	-	-	9	-	-	3	6	2	7
-	-	-	-	2	-	-	1	1	-	2
-	-	-	-	1	-	-	-	1	1	-
1	2	-	3	14	-	-	7	7	10	4
-	-	-	-	-	-	-	-	-	-	-
2	4	1	6	5	-	1	2	2	4	1
4	3	3	4	5	-	-	1	4	2	3
3	1	3	1	23	-	-	10	13	13	10
1	4	2	3	22	-	2	8	12	11	11
3	3	3	3	4	-	-	-	4	2	2
6	10	6	11	12	-	-	5	7	5	7
-	2	1	1	8	-	1	4	3	6	2
-	-	-	-	-	-	-	-	-	-	-
-	-	-	-	-	-	-	-	-	-	-
3	7	5	5	24	-	1	1	22	5	19
-	5	2	3	26	1	-	6	19	9	17
-	3	2	1	9	-	-	2	7	1	8
-	-	-	-	7	-	-	5	2	5	2

第24表（6－5） 平成28年度における肺がん（全て）検診受診者数・要精密検査者数・精密

	精密検査受診									
	異常を認める							未		
	肺がん以外の疾患であった者（転移性の肺がんを含む）							総数	40～49歳	50～59歳
	総数	40～49歳	50～59歳	60～69歳	70歳以上	（再掲）初回	（再掲）非初回			
全国	**64 804**	**1 857**	**3 563**	**18 697**	**40 687**	**21 043**	**35 559**	**10 098**	**475**	**717**
北海道	1 490	61	95	516	818	657	781	407	35	41
青森	558	9	34	197	318	147	339	55	3	8
岩手	1 406	32	67	389	918	295	1 111	100	12	7
宮城	3 041	70	183	999	1 789	738	2 303	821	31	74
秋田	373	7	23	118	225	77	244	93	2	7
山形	1 220	18	67	430	705	190	695	305	13	28
福島	1 911	38	97	559	1 217	577	1 324	232	5	18
茨城	2 351	26	99	682	1 544	792	1 559	866	18	41
栃木	1 186	21	75	352	738	330	679	116	…	5
群馬	939	29	62	275	573	310	624	123	5	7
埼玉	3 752	103	193	976	2 480	865	1 278	704	27	43
千葉	4 016	137	214	1 045	2 620	1 023	2 274	209	14	21
東京	2 125	241	278	595	1 011	791	833	328	29	35
神奈川	6 001	181	304	1 401	4 115	2 634	2 634	1 030	32	67
新潟	2 229	54	102	682	1 391	824	1 405	356	13	27
富山	513	5	14	126	368	118	285	69	1	…
石川	625	14	34	207	370	86	296	144	9	7
福井	946	22	51	254	619	322	624	214	7	13
山梨	1 116	42	76	349	649	183	828	220	14	19
長野	392	10	18	80	284	115	200	50	6	7
岐阜	1 045	16	44	293	692	383	662	76	2	6
静岡	2 807	49	121	728	1 909	734	1 284	147	3	10
愛知	3 522	85	154	909	2 374	663	1 571	517	28	31
三重	920	19	49	275	577	330	590	299	15	15
滋賀	801	16	40	243	502	467	334	134	3	8
京都	1 004	43	66	317	578	253	367	262	27	22
大阪	3 432	151	227	1 070	1 984	1 645	1 787	607	41	39
兵庫	1 892	48	85	529	1 230	696	939	160	3	11
奈良	214	3	11	60	140	93	121	18	1	1
和歌山	282	15	24	110	133	111	171	94	8	7
鳥取	860	15	37	270	538	283	577	124	11	12
島根	448	7	17	104	320	204	240	19	－	－
岡山	648	10	36	164	438	205	443	98	－	3
広島	1 136	34	48	377	677	437	699	130	5	11
山口	852	16	28	217	591	392	460	58	2	－
徳島	413	13	26	117	257	157	214	46	2	3
香川	492	4	17	122	349	189	303	53	1	3
愛媛	665	20	46	214	385	298	367	55	4	5
高知	110	1	7	32	70	39	71	2	－	－
福岡	1 407	54	84	563	706	420	598	83	7	6
佐賀	343	4	18	137	184	135	208	55	3	4
長崎	1 412	31	86	472	823	523	889	119	9	11
熊本	539	8	38	161	332	196	343	65	3	7
大分	776	11	33	237	495	226	373	125	6	8
宮崎	316	1	12	90	213	125	191	69	2	5
鹿児島	1 680	34	86	453	1 107	592	1 088	134	5	4
沖縄	598	29	37	201	331	173	353	107	8	10
指定都市・特別区(再掲)										
東京都区部	1 932	226	262	541	903	695	754	293	28	32
札幌市	164	7	10	71	76	85	79	68	6	7
仙台市	643	18	32	186	407	204	439	129	9	10
さいたま市	1 269	39	64	324	842	…	…	212	7	12
千葉市	390	10	18	99	263	139	251	－	－	－
横浜市	1 136	66	106	342	622	745	391	31	1	6
川崎市	690	13	39	168	470	690	－	232	4	18
相模原市	702	15	33	155	499	299	403	233	8	11
新潟市	790	34	41	255	460	413	377	97	5	10
静岡市	789	4	16	193	576	－	－	14	－	2
浜松市	559	16	36	148	359	202	357	40	－	－
名古屋市	797	25	49	202	521	…	…	128	7	8
京都市	384	20	29	106	229	－	－	204	24	14
大阪市	324	14	30	110	170	173	151	112	5	15
堺市	110	8	6	40	56	77	33	82	10	3
神戸市	136	6	6	27	97	90	46	－	－	－
岡山市	248	6	16	59	167	64	184	－	－	－
広島市	491	22	27	152	290	174	317	18	2	1
北九州市	…	…	…	…	…	…	…	…	…	…
福岡市	306	19	16	136	135	－	－	19	4	2
熊本市	83	1	8	26	48	30	53	4	－	－

検査受診の有無別人数，都道府県－指定都市・特別区－中核市－その他政令市、年齢階級・検診回数別

の	有	無	別	人	数[1]					
受	診			未	把	握				
60～69歳	70歳以上	(再掲) 初回	(再掲) 非初回	総数	40～49歳	50～59歳	60～69歳	70歳以上	(再掲) 初回	(再掲) 非初回
2 926	5 980	3 925	4 953	16 564	997	1 270	4 528	9 769	6 426	7 136
145	186	187	200	82	12	12	23	35	39	42
17	27	29	22	106	9	17	34	46	45	60
32	49	35	65	199	12	12	50	125	64	135
266	450	264	557	84	1	1	23	59	25	59
32	52	24	65	111	7	12	36	56	35	45
111	153	92	154	147	4	9	53	81	36	65
84	125	56	176	465	24	48	159	234	183	263
280	527	376	490	156	3	7	43	103	81	75
26	85	19	22	406	22	25	140	219	164	222
27	84	46	76	32	2	2	8	20	15	17
168	466	175	216	1 291	89	85	340	777	464	498
72	102	76	99	1 291	68	59	265	899	308	616
89	175	146	85	1 730	170	228	420	912	623	531
199	732	560	442	2 958	150	174	679	1 955	1 564	968
103	213	163	193	30	3	1	6	20	9	21
14	54	28	36	32	1	…	9	22	12	17
51	77	21	48	45	1	3	19	22	5	14
56	138	91	123	362	14	24	104	220	122	240
75	112	57	132	281	20	39	95	127	79	192
9	28	19	26	84	9	6	19	50	38	22
26	42	32	44	82	5	5	19	53	39	43
31	103	61	72	658	16	46	185	411	258	400
120	338	138	226	1 486	105	107	347	927	252	451
84	185	107	192	291	28	29	85	149	110	181
42	81	77	57	3	－	－	1	2	2	1
71	142	28	30	229	27	26	78	98	64	73
165	362	318	289	400	31	39	112	218	211	189
48	98	63	60	490	27	23	127	313	282	207
2	14	9	9	48	－	－	11	37	29	19
39	40	44	50	148	7	12	60	69	82	66
33	68	51	73	55	1	2	16	36	30	25
5	14	10	9	97	2	10	30	55	47	45
23	72	32	66	124	－	3	21	100	41	83
40	74	61	69	898	50	63	336	449	462	432
19	37	28	30	75	4	3	25	43	36	39
8	33	10	25	20	2	1	6	11	12	8
12	37	25	28	14	1	1	8	4	9	5
18	28	25	30	80	6	7	27	40	30	50
1	1	－	2	29	2	1	8	18	10	19
47	23	31	28	276	20	21	114	121	113	113
21	27	27	28	47	－	2	20	25	27	20
49	50	61	58	302	9	26	115	152	125	148
26	29	30	35	186	7	15	54	110	72	114
46	65	52	51	121	1	10	34	76	37	69
16	46	37	32	37	1	1	7	28	14	23
42	83	64	70	70	1	5	27	37	33	37
36	53	40	63	406	23	48	130	205	88	174
75	158	134	63	1 584	158	211	374	841	580	487
25	30	43	25	2	1	－	－	1	2	－
44	66	62	67	3	－	－	－	3	1	2
49	144	…	…	305	20	18	66	201	…	…
－	－	－	－	257	10	8	42	197	90	167
8	16	23	8	1 099	77	76	324	622	715	384
37	173	232	－	459	24	36	86	313	459	－
40	174	102	131	－	－	－	－	－	－	－
27	55	58	39	－	－	－	－	－	－	－
3	9	－	－	－	－	－	－	－	－	－
4	36	25	15	206	3	15	47	141	79	127
21	92	…	…	620	64	55	145	356	…	…
59	107	－	－	92	7	10	30	45	－	－
34	58	51	61	37	5	5	7	20	16	21
20	49	52	30	－	－	－	－	－	－	－
－	－	－	－	72	8	2	13	49	42	30
－	－	－	－	105	－	3	15	87	30	75
3	12	9	9	389	32	34	113	210	229	160
…	…	…	…	…	…	…	…	…	…	…
9	4	－	－	38	－	5	22	11	－	－
3	1	1	3	3	－	－	－	3	1	2

第24表（6－6） 平成28年度における肺がん（全て）検診受診者数・要精密検査者数・精密

	精密検査受診									
	異常を認める							未		
	肺がん以外の疾患であった者（転移性の肺がんを含む）									
	総数	40～49歳	50～59歳	60～69歳	70歳以上	(再掲)初回	(再掲)非初回	総数	40～49歳	50～59歳
中核市(再掲)										
旭川市	97	1	4	33	59	57	40	38	7	1
函館市	4	1	－	1	2	－	－	－	－	－
青森市	36	－	2	18	16	11	25	－	－	－
八戸市	12	－	－	5	7	6	6	5	－	－
盛岡市	423	12	17	95	299	96	327	1	－	－
秋田市	76	－	8	20	48	26	50	5	－	－
郡山市	353	11	16	115	211	119	234	－	－	－
いわき市	133	－	5	20	108	49	84	5	－	－
宇都宮市	197	1	5	43	148	81	116	22	－	－
前橋市	467	19	38	148	262	157	310	83	2	3
高崎市	100	3	5	24	68	36	64	11	1	1
川越市	51	6	5	15	25	26	25	3	－	－
越谷市	214	5	12	37	160	105	109	25	－	1
船橋市	678	44	44	133	457	－	－	33	2	3
柏市	210	2	10	65	133	78	132	－	－	－
八王子市	73	5	6	18	44	41	32	5	－	－
横須賀市	491	19	21	145	306	273	218	115	2	10
富山市	…	…	…	…	…	…	…	…	…	…
金沢市	155	3	12	75	65	－	－	52	5	3
長野市	64	2	3	7	52	17	47	10	1	1
岐阜市	19	1	1	7	10	9	10	－	－	－
豊橋市	28	2	2	8	16	10	18	2	1	－
豊田市	119	3	4	30	82	40	79	15	－	1
岡崎市	158	4	13	58	83	57	101	9	－	1
大津市	562	11	20	168	363	338	224	110	2	7
高槻市	435	20	20	110	285	154	281	55	4	－
東大阪市	141	10	12	31	88	81	60	20	3	2
豊中市	122	5	2	42	73	51	71	4	－	－
枚方市	163	6	9	50	98	82	81	41	1	2
姫路市	97	2	6	37	52	41	56	－	－	－
西宮市	38	3	4	13	18	19	19	3	－	－
尼崎市	26	1	1	12	12	16	10	－	－	－
奈良市	2	－	－	2	－	－	2	－	－	－
和歌山市	38	1	2	16	19	24	14	27	3	2
倉敷市	84	2	6	28	48	44	40	－	－	－
福山市	89	1	6	23	59	52	37	16	－	3
呉市	156	5	7	53	91	65	91	9	－	－
下関市	50	－	－	24	26	27	23	3	－	－
高松市	127	3	5	41	78	59	68	9	－	2
松山市	194	8	8	63	115	107	87	13	1	1
高知市	15	－	2	6	7	11	4	－	－	－
久留米市	171	6	11	43	111	75	96	3	－	－
長崎市	207	6	12	67	122	118	89	16	－	－
佐世保市	149	2	6	49	92	55	94	25	1	2
大分市	212	2	11	66	133	88	124	8	3	1
宮崎市	60	－	6	27	27	13	47	－	－	－
鹿児島市	257	5	10	78	164	104	153	25	1	－
那覇市	125	7	9	40	69	44	81	18	2	2
その他政令市(再掲)										
小樽市	20	1	－	5	14	9	11	1	－	1
町田市	－	－	－	－	－	－	－	－	－	－
藤沢市	1 128	25	37	234	832	238	890	230	9	11
茅ヶ崎市	257	2	8	48	199	66	191	53	4	4
四日市市	175	3	12	65	95	68	107	33	5	－
大牟田市	8	－	－	4	4	3	5	2	－	－

注：初回・非初回及び年齢階級別については、計数不詳の市区町村があるため、総数と一致しない場合がある。
　1）精密検査受診の有無別人数については、計数不詳の市区町村があるため要精密検査者数と一致しない場合がある。

検査受診の有無別人数，都道府県－指定都市・特別区－中核市－その他政令市、年齢階級・検診回数別

の有無別人数[1)										
受診				未把握						
60～69歳	70歳以上	(再掲)初回	(再掲)非初回	総数	40～49歳	50～59歳	60～69歳	70歳以上	(再掲)初回	(再掲)非初回
14	16	22	16	−	−	−	−	−	−	−
−	−	−	−	−	−	−	−	−	−	−
−	−	−	−	15	−	3	3	9	8	7
2	3	4	1	14	1	2	7	4	11	3
−	1	−	1	76	6	4	14	52	22	54
1	4	3	2	28	1	5	9	13	17	11
−	−	−	−	52	4	2	13	33	20	32
2	3	−	5	29	−	1	12	16	15	14
4	18	8	14	76	3	3	17	53	33	43
17	61	29	54	−	−	−	−	−	−	−
2	7	4	7	−	−	−	−	−	−	−
2	1	1	2	3	−	−	1	2	1	2
5	19	12	13	46	2	1	13	30	26	20
13	15	−	−	359	27	13	62	257	−	−
−	−	−	−	29	4	1	7	17	15	14
2	3	2	3	1	−	−	1	−	−	1
46	57	72	43	264	14	22	71	157	156	108
…	…	…	…	…	…	…	…	…	…	…
19	25	−	−	2	−	1	−	1	−	−
−	8	3	7	−	−	−	−	−	−	−
−	−	−	−	1	−	−	−	1	1	−
1	−	−	2	9	1	−	3	5	2	7
4	10	6	9	9	−	−	−	9	5	4
8	−	3	6	41	1	−	10	30	19	22
31	70	62	48	−	−	−	−	−	−	−
10	41	27	28	65	1	4	25	35	34	31
8	7	14	6	9	−	3	3	3	8	1
1	3	2	2	19	2	−	8	9	9	10
16	22	21	20	−	−	−	−	−	−	−
−	−	−	−	29	9	2	10	8	20	9
2	1	2	1	3	−	−	1	2	1	2
−	−	−	−	60	4	3	17	36	39	21
−	−	−	−	2	−	−	−	2	2	−
10	12	15	12	81	3	8	32	38	50	31
−	−	−	−	4	−	−	1	3	3	1
2	11	9	7	−	−	−	−	−	−	−
2	7	6	3	40	4	3	9	24	17	23
1	2	1	2	20	1	1	11	7	12	8
1	6	7	2	−	−	−	−	−	−	−
1	10	6	7	23	1	3	4	15	15	8
−	−	−	−	3	−	1	2	−	2	1
1	2	−	3	38	1	−	14	23	17	21
3	13	9	7	44	2	5	23	14	27	17
12	10	14	11	1	−	−	−	1	1	−
4	−	8	−	78	1	8	21	48	27	51
−	−	−	−	19	−	1	4	14	6	13
8	16	14	11	7	−	−	3	4	4	3
5	9	10	8	59	6	6	18	29	13	46
−	−	−	1	3	−	2	1	−	2	1
−	−	−	−	−	−	−	−	−	−	−
38	172	64	166	265	7	11	43	204	57	208
6	39	27	26	35	1	2	5	27	11	24
7	21	14	19	5	1	1	2	1	2	3
−	2	−	2	2	−	−	1	1	2	−

第25表（10－1） 平成28年度における肺がん（胸部エックス線検査）検診受診者数・要精密検査者数

	受診者数 総数	受診者数 40～49歳	受診者数 50～59歳	受診者数 60～69歳	受診者数 70歳以上	受診者数 (再掲)初回	受診者数 (再掲)非初回	胸部 A		
								総数	40～49歳	50～59歳
全国	**7 931 668**	**749 966**	**804 768**	**2 520 400**	**3 856 534**	**2 159 880**	**5 238 082**	**46 993**	**2 087**	**2 677**
北海道	195 437	19 053	23 593	68 158	84 633	63 941	115 562	44	4	5
青森	109 157	9 224	13 821	40 986	45 126	26 997	77 303	1	…	…
岩手	141 676	9 847	14 896	46 857	70 076	24 114	117 562	1	–	–
宮城	273 141	22 264	28 996	95 357	126 524	55 785	217 356	–	–	–
秋田	82 480	5 548	9 236	30 667	37 029	16 601	64 854	–	–	–
山形	149 610	9 705	16 065	59 036	64 804	20 249	97 032	–	–	–
福島	211 668	13 314	20 675	76 454	101 225	47 474	162 888	4	1	…
茨城	243 657	23 475	24 933	84 383	110 866	62 247	181 410	22	1	–
栃木	167 231	18 234	19 181	58 042	71 774	45 394	121 256	7	…	…
群馬	188 291	15 871	17 721	57 405	97 294	51 698	134 545	3	–	–
埼玉	465 311	44 667	42 057	134 021	244 566	103 771	234 254	14	…	1
千葉	575 644	60 341	54 041	164 664	296 598	118 433	371 420	8	…	…
東京	464 261	82 983	71 245	117 913	192 120	144 101	261 180	44	7	4
神奈川	486 366	39 145	40 878	120 873	285 470	213 580	246 773	98	7	7
新潟	221 057	14 723	18 779	75 827	111 728	46 840	174 217	–	–	–
富山	114 485	7 158	7 612	32 799	66 916	15 682	50 418	–	–	–
石川	84 872	7 556	8 648	33 914	34 754	22 134	62 738	2	–	1
福井	51 785	4 362	4 746	17 275	25 402	17 749	34 036	–	–	–
山梨	106 169	12 599	13 425	36 610	43 535	17 380	85 134	117	17	17
長野	81 680	6 033	6 925	23 523	45 199	21 037	44 076	16	4	3
岐阜	128 838	11 955	13 081	42 935	60 867	33 889	94 949	8	2	1
静岡	346 863	25 579	29 694	105 423	186 167	90 216	254 434	45 688	1 950	2 539
愛知	581 948	55 559	53 888	165 549	306 952	167 709	405 243	148	34	12
三重	136 158	9 471	10 752	43 600	72 335	35 047	101 041	114	19	21
滋賀	46 642	4 887	4 652	16 684	20 419	20 666	25 976	–	–	–
京都	84 556	11 002	9 597	27 710	36 247	15 049	38 780	102	7	10
大阪	340 368	43 507	39 448	106 965	150 448	129 738	210 630	27	–	–
兵庫	239 725	25 607	24 006	76 801	113 311	70 175	152 816	9	2	1
奈良	40 481	4 824	4 749	13 872	17 036	15 814	24 428	13	–	–
和歌山	67 735	7 889	9 225	25 027	25 594	23 288	44 447	6	–	2
鳥取	54 758	4 062	4 765	19 382	26 549	15 292	39 466	–	–	–
島根	34 621	1 546	2 265	10 059	20 751	10 059	24 100	23	1	–
岡山	159 207	9 229	12 468	47 889	89 621	38 751	120 456	1	–	–
広島	140 718	14 472	13 017	49 782	63 447	48 175	92 322	28	1	4
山口	65 242	3 874	4 415	20 358	36 595	21 714	43 528	6	–	–
徳島	29 491	2 742	2 645	10 597	13 507	9 409	20 082	13	–	2
香川	87 454	6 832	7 270	27 831	45 521	21 116	66 338	–	–	–
愛媛	61 067	6 061	6 580	21 574	26 852	17 345	43 722	1	–	–
高知	62 299	4 429	5 739	20 083	32 048	14 799	47 500	–	–	–
福岡	152 809	18 135	18 420	61 042	55 212	40 063	82 175	…	…	…
佐賀	50 281	5 096	6 446	20 289	18 450	16 044	34 237	–	–	–
長崎	103 003	6 621	10 830	38 118	47 434	32 143	70 399	16	–	1
熊本	129 984	9 896	14 121	47 460	58 507	34 426	95 558	272	18	35
大分	97 229	6 686	8 654	34 031	47 858	23 985	62 673	117	12	8
宮崎	44 987	2 579	4 025	15 132	23 251	11 922	33 026	–	–	–
鹿児島	135 973	9 453	13 234	44 729	68 557	38 634	97 339	–	–	–
沖縄	95 253	11 871	13 309	32 714	37 359	29 205	58 403	20	…	3
指定都市・特別区(再掲)										
東京都区部	374 998	70 120	59 911	92 222	152 745	113 888	207 290	41	7	4
札幌市	17 353	1 751	1 885	6 829	6 888	7 526	9 827	–	–	–
仙台市	74 946	6 908	7 570	24 368	36 100	18 852	56 094	–	–	–
さいたま市	126 009	12 428	11 820	32 850	68 911	…	…	1	–	–
千葉市	97 727	9 456	8 318	24 853	55 100	28 447	69 280	–	–	–
横浜市	90 103	9 891	10 315	27 152	42 745	50 997	39 106	1	–	–
川崎市	83 002	5 988	7 408	16 847	52 759	83 002	–	–	–	–
相模原市	47 756	4 396	3 666	11 228	28 466	16 279	31 477	4	–	1
新潟市	39 380	3 489	3 349	14 402	18 140	12 078	27 302	–	–	–
静岡市	49 197	2 008	2 663	14 858	29 668	15 941	33 256	45 668	1 950	2 536
浜松市	75 534	5 557	6 361	21 467	42 149	21 140	54 394	20	–	3
名古屋市	133 622	14 531	14 553	34 895	69 643	56 660	76 962	109	28	10
京都市	30 727	4 380	3 414	9 280	13 653	–	–	92	7	10
大阪市	49 103	8 452	7 369	14 777	18 505	22 520	26 583	–	–	–
堺市	12 850	2 137	1 418	3 978	5 317	8 048	4 802	–	–	–
神戸市	25 692	5 002	2 457	6 541	11 692	11 423	14 269	8	2	1
岡山市	53 901	3 445	4 438	15 005	31 013	14 103	39 798	–	–	–
広島市	57 781	8 063	6 023	18 899	24 796	21 146	36 635	–	–	–
北九州市	10 311	821	1 076	4 621	3 793	…	…	…	…	…
福岡市	15 275	2 560	2 021	6 246	4 448	–	–	–	–	–
熊本市	20 000	1 301	1 717	7 946	9 036	6 123	13 877	–	–	–

・精密検査受診の有無別人数，都道府県－指定都市・特別区－中核市－その他政令市、年齢階級・検診回数別

エックス線検査の判定別人数[1]										
区		分		B		区			分	
60～69歳	70歳以上	(再掲)初回	(再掲)非初回	総数	40～49歳	50～59歳	60～69歳	70歳以上	(再掲)初回	(再掲)非初回
14 311	**27 918**	**304**	**701**	**6 286 886**	**678 148**	**699 739**	**2 080 188**	**2 828 811**	**1 655 704**	**3 999 617**
15	20	14	28	169 741	18 006	21 633	60 039	70 063	49 934	96 677
1	…	1	…	96 696	8 849	12 957	36 975	37 915	23 923	68 359
–	1	1	–	125 903	9 480	14 005	42 835	59 583	21 621	104 282
–	–	–	–	236 600	21 172	26 805	84 627	103 996	48 531	188 069
–	–	–	–	74 241	5 267	8 646	28 248	32 080	14 876	58 364
–	–	…	…	127 013	9 254	14 818	51 737	51 204	17 022	80 299
1	2	1	2	179 090	12 326	18 733	66 990	81 041	40 499	138 027
4	17	10	12	205 163	22 299	22 713	73 301	86 850	52 677	152 486
2	5	1	3	123 200	16 227	15 879	43 937	47 157	30 370	80 413
–	3	1	2	169 557	15 414	16 927	53 425	83 791	46 203	118 992
3	10	5	7	343 817	40 373	35 758	106 251	161 435	70 255	144 889
4	4	2	5	486 021	57 182	49 472	143 367	236 000	103 674	320 836
13	20	12	11	279 212	62 501	49 893	74 087	92 731	90 023	116 548
9	75	11	31	347 205	35 127	34 383	93 163	184 532	149 490	168 335
–	–	–	–	194 503	14 184	17 549	68 574	94 196	40 850	153 653
–	–	–	–	104 727	6 984	7 301	30 485	59 957	13 615	43 261
–	1	…	…	73 641	7 269	8 062	30 272	28 038	5 691	25 131
–	–	–	–	44 105	4 142	4 351	15 139	20 473	15 211	28 894
62	21	1	60	91 388	11 969	12 434	32 057	34 928	14 588	63 663
5	4	14	2	68 364	5 476	6 161	20 207	36 520	17 303	36 252
1	4	5	3	107 556	11 423	12 069	37 464	46 600	28 710	78 846
13 878	27 321	9	11	261 098	22 676	25 097	81 191	132 134	62 221	188 733
40	62	77	68	407 082	49 206	44 533	121 056	192 287	110 395	239 972
29	45	39	75	108 665	8 651	9 414	36 014	54 586	27 646	80 651
–	–	–	–	26 399	4 184	3 553	10 384	8 278	11 468	14 931
34	51	1	9	65 637	9 437	7 796	21 946	26 458	11 722	29 435
7	20	7	20	245 125	38 078	32 203	77 088	97 756	96 096	149 029
3	3	7	1	203 918	24 305	21 876	66 649	91 088	59 306	128 993
7	6	7	6	31 448	4 504	4 207	11 134	11 603	12 720	18 520
2	2	4	2	57 422	7 424	8 406	21 610	19 982	19 707	37 715
–	–	…	…	46 350	3 787	4 271	16 901	21 391	12 910	32 864
15	7	15	3	28 585	1 433	2 050	8 704	16 398	8 298	19 984
–	1	–	1	128 703	8 686	11 202	40 681	68 134	31 357	97 346
15	8	11	17	109 268	12 626	10 946	39 330	46 366	37 506	71 551
–	6	1	5	52 626	3 645	4 002	17 276	27 703	17 533	35 093
5	6	1	12	22 059	2 494	2 249	8 313	9 003	6 599	13 312
–	–	–	–	79 835	6 660	6 899	25 541	40 735	19 385	60 450
1	–	–	1	57 392	5 957	6 370	20 474	24 591	16 152	41 240
–	–	–	–	54 646	4 242	5 340	18 231	26 833	12 983	41 663
…	…	…	…	128 867	16 703	16 347	51 325	44 492	35 405	72 882
–	–	–	–	46 659	4 991	6 215	19 046	16 407	14 810	31 849
5	10	7	9	86 482	6 265	9 860	33 208	37 149	26 957	59 093
108	111	15	257	102 342	9 082	12 205	38 578	42 477	27 441	74 901
36	61	18	24	77 106	6 226	7 676	28 102	35 102	19 521	49 462
–	–	–	–	37 747	2 465	3 715	13 343	18 224	10 093	27 618
–	–	–	–	109 251	8 856	11 792	37 983	50 620	31 339	77 912
6	11	6	14	64 431	10 641	10 966	22 900	19 924	21 068	38 142
12	18	9	11	232 256	53 360	42 683	59 248	76 965	70 419	93 831
–	–	–	–	15 774	1 669	1 790	6 285	6 030	6 814	8 960
–	–	–	–	64 882	6 623	7 052	21 645	29 562	16 504	48 378
1	–	…	…	92 583	11 370	10 163	25 726	45 324	…	…
–	–	–	–	92 651	9 290	8 134	23 563	51 664	26 637	66 014
–	1	–	1	64 286	8 779	8 486	20 546	26 475	37 151	27 135
–	–	–	–	54 945	5 211	6 140	12 440	31 154	54 945	–
–	3	1	3	41 758	4 259	3 472	10 188	23 839	14 411	27 347
–	–	–	–	34 154	3 314	3 076	12 701	15 063	10 333	23 821
13 875	27 307	–	–	–	–	–	–	–	–	–
3	14	9	11	59 199	5 216	5 596	17 616	30 771	16 528	42 671
32	39	64	45	90 748	12 682	11 740	24 834	41 492	39 600	51 148
30	45	–	–	24 480	4 088	2 992	7 630	9 770	–	–
–	–	–	–	41 146	8 040	6 710	12 532	13 864	19 302	21 844
–	–	–	–	6 584	1 771	992	1 900	1 921	4 780	1 804
2	3	7	1	23 284	4 876	2 328	5 951	10 129	10 360	12 924
–	–	–	–	42 785	3 214	3 931	12 569	23 071	11 226	31 559
–	–	–	–	48 061	7 557	5 339	15 959	19 206	17 425	30 636
…	…	…	…		…			…		
–	–	–	–	13 092	2 384	1 811	5 336	3 561	–	–
–	–	–	–	16 154	1 160	1 454	6 590	6 950	4 922	11 232

15（8）－20～21，26～27 肺がん 精密検査

第25表（10－2） 平成28年度における肺がん（胸部エックス線検査）検診受診者数・要精密検査者数

| | 受診者数 | | | | | | | 胸部 A | | |
	総　数	40～49歳	50～59歳	60～69歳	70歳以上	（再掲）初回	（再掲）非初回	総　数	40～49歳	50～59歳
中核市（再掲）										
旭　川　市	11 303	988	1 383	4 265	4 667	4 563	6 740	－	－	－
函　館　市	8 613	626	781	3 082	4 124	5 712	2 901	－	－	－
青　森　市	8 621	891	1 074	3 792	2 864	3 117	5 504	－	－	－
八　戸　市	18 442	1 143	1 789	6 857	8 653	5 304	13 138	－	－	－
盛　岡　市	29 109	1 789	2 367	7 747	17 206	4 542	24 567	1	－	－
秋　田　市	9 395	514	1 020	3 539	4 322	3 071	6 324	－	－	－
郡　山　市	30 207	2 148	2 910	10 842	14 307	7 622	22 585	－	－	－
いわき市	24 451	1 156	1 634	7 762	13 899	6 555	17 896	2	－	－
宇都宮市	44 552	4 079	3 837	12 774	23 862	14 209	30 343	－	－	－
前　橋　市	49 738	4 749	4 969	14 710	25 310	12 816	36 922	3	－	－
高　崎　市	24 084	1 813	1 760	6 682	13 829	6 720	17 364	－	－	－
川　越　市	2 583	467	377	881	858	873	1 710	－	－	－
越　谷　市	22 868	1 342	1 456	5 648	14 422	7 817	15 051	－	－	－
船　橋　市	85 394	9 702	6 955	19 722	49 015	－	－	1	－	－
柏　　　市	17 336	1 616	1 425	5 532	8 763	4 301	13 035	－	－	－
八　王　子　市	23 215	3 174	2 874	6 800	10 367	9 378	13 837	－	－	－
横　須　賀　市	28 886	1 968	2 309	9 136	15 473	9 253	19 633	2	－	－
富　山　市	38 135	2 811	2 770	10 170	22 384	…	…	－	－	－
金　沢　市	30 787	2 178	3 441	14 372	10 796	10 483	20 304	2	－	1
長　野　市	12 993	643	1 018	3 483	7 849	3 494	9 499	－	－	－
岐　阜　市	9 186	1 129	1 096	3 327	3 634	3 832	5 354	－	－	－
豊　橋　市	22 873	2 873	2 490	6 572	10 938	6 353	16 520	9	1	－
豊　田　市	20 417	1 614	1 706	6 261	10 836	4 824	15 593	1	－	－
岡　崎　市	22 989	3 464	2 840	8 815	7 870	6 622	16 367	－	－	－
大　津　市	19 691	1 584	1 495	6 446	10 166	9 597	10 094	－	－	－
高　槻　市	40 125	3 858	3 430	11 548	21 289	13 361	26 764	－	－	－
東　大　阪　市	22 157	3 343	2 576	7 299	8 939	8 161	13 996	－	－	－
豊　中　市	5 020	783	758	1 636	1 843	2 248	2 772	－	－	－
枚　方　市	25 845	1 966	2 309	8 902	12 668	9 641	16 204	－	－	－
姫　路　市	10 308	1 673	1 563	3 705	3 367	5 216	5 092	－	－	－
西　宮　市	6 937	1 126	916	2 182	2 713	2 130	4 807	－	－	－
尼　崎　市	11 052	1 459	1 068	3 515	5 010	4 999	6 053	－	－	－
奈　良　市	3 219	344	445	1 194	1 236	1 481	1 738	－	－	－
和　歌　山　市	10 452	1 057	1 270	3 843	4 282	5 104	5 348	3	－	1
倉　敷　市	29 374	2 145	2 414	10 083	14 732	9 131	20 243	1	－	－
福　山　市	20 473	1 619	1 817	7 466	9 571	8 351	12 122	－	－	－
呉　　　市	7 116	879	619	2 714	2 904	2 209	4 907	…	…	…
下　関　市	4 404	234	312	2 093	1 765	1 752	2 652	－	－	－
高　松　市	19 537	2 010	1 833	6 938	8 756	5 784	13 753	－	－	－
松　山　市	15 693	1 489	1 589	5 413	7 202	5 695	9 998	－	－	－
高　知　市	6 681	1 282	1 166	2 517	1 716	3 342	3 339	－	－	－
久　留　米　市	20 439	1 673	2 072	6 629	10 065	6 774	13 665	－	－	－
長　崎　市	13 955	1 022	1 431	5 268	6 234	6 333	7 622	9	－	－
佐　世　保　市	19 371	1 173	1 797	7 463	8 938	7 192	12 179	－	－	－
大　分　市	27 279	2 521	2 521	9 701	12 536	9 586	17 693	－	－	－
宮　崎　市	20 671	1 381	1 998	7 231	10 061	4 347	16 324	－	－	－
鹿　児　島　市	23 281	2 109	2 073	7 808	11 291	7 937	15 344	－	－	－
那　覇　市	18 701	2 866	2 680	6 184	6 971	5 879	12 822	4	－	1
その他政令市（再掲）										
小　樽　市	2 310	114	213	771	1 212	871	1 439	－	－	－
町　田　市	－	－	－	－	－	－	－	－	－	－
藤　沢　市	55 064	3 680	3 907	12 211	35 266	11 127	43 937	29	2	1
茅　ヶ　崎　市	29 922	1 931	1 959	6 646	19 386	6 344	23 578	1	－	－
四　日　市　市	12 425	1 267	1 111	4 100	5 947	3 472	8 953	1	－	－
大　牟　田　市	1 077	137	162	442	336	659	418	－	－	－

注：初回・非初回及び年齢階級別については、計数不詳の市区町村があるため、総数と一致しない場合がある。
　　1）胸部エックス線検査の判定別人数については、計数不詳の市区町村があるため、受診者数と一致しない場合がある。
　　2）精密検査受診の有無別人数については、計数不詳の市区町村がある場合、要精密検査者数と一致しないことがある。

・精密検査受診の有無別人数，都道府県－指定都市・特別区－中核市－その他政令市、年齢階級・検診回数別

エックス線検査の判定別人数[1)]										
区分				B区分						
60～69歳	70歳以上	(再掲)初回	(再掲)非初回	総数	40～49歳	50～59歳	60～69歳	70歳以上	(再掲)初回	(再掲)非初回
–	–	–	–	10 236	954	1 331	3 918	4 033	4 099	6 137
–	–	–	–	8 289	617	751	2 984	3 937	…	…
–	–	–	–	7 589	850	1 003	3 347	2 389	2 738	4 851
–	–	–	–	16 201	1 110	1 675	6 177	7 239	4 648	11 553
–	1	1	–	23 728	1 690	2 164	6 762	13 112	3 793	19 935
–	–	–	–	8 004	474	904	3 081	3 545	2 627	5 377
–	–	–	–	27 626	2 077	2 800	10 144	12 605	6 954	20 672
–	2	–	2	21 843	1 134	1 558	7 123	12 028	5 784	16 059
–	–	–	–	37 033	3 946	3 569	11 293	18 225	12 040	24 993
–	3	1	2	41 490	4 522	4 578	12 915	19 475	10 638	30 852
–	–	–	–	21 603	1 733	1 644	6 155	12 071	6 043	15 560
–	–	–	–	2 228	432	350	761	685	741	1 487
–	–	–	–	17 086	1 252	1 285	4 602	9 947	5 807	11 279
1	–	–	–	61 181	8 567	5 824	15 129	31 661	–	–
–	–	–	–	13 581	1 498	1 225	4 519	6 339	3 404	10 177
–	–	–	–	15 138	2 732	2 171	4 584	5 651	6 642	8 496
1	1	1	1	22 205	1 803	2 023	7 323	11 056	7 117	15 088
–	–	–	–	36 540	2 782	2 722	9 884	21 152	…	…
–	1	…	…	27 889	2 086	3 234	13 122	9 447	…	…
–	–	–	–	11 702	609	956	3 250	6 887	3 157	8 545
–	–	–	–	8 260	1 101	1 048	3 018	3 093	3 465	4 795
3	5	2	7	13 865	2 393	1 865	4 209	5 398	4 155	9 710
–	1	1	–	12 014	1 303	1 263	3 634	5 814	3 223	8 791
–	–	–	–	9 441	2 762	1 762	3 349	1 568	3 478	5 963
–	–	–	–	6 438	1 125	813	2 371	2 129	3 251	3 187
–	–	–	–	26 088	3 262	2 648	7 487	12 691	8 804	17 284
–	–	–	–	17 532	3 100	2 260	5 899	6 273	6 359	11 173
–	–	–	–	4 618	759	730	1 505	1 624	2 076	2 542
–	–	–	–	21 747	1 871	2 115	7 717	10 044	8 084	13 663
–	–	–	–	9 461	1 605	1 466	3 388	3 002	4 743	4 718
–	–	–	–	4 861	1 016	750	1 555	1 540	1 604	3 257
–	–	–	–	10 132	1 391	1 012	3 218	4 511	4 416	5 716
–	–	–	–	2 244	315	391	830	708	1 098	1 146
1	1	3	–	9 563	1 024	1 212	3 561	3 766	4 635	4 928
–	1	–	1	24 024	2 026	2 163	8 580	11 255	7 484	16 540
–	–	–	–	18 091	1 563	1 708	6 775	8 045	7 247	10 844
…	…	…	…	…	…	…	…	…	…	…
–	–	–	–	3 306	210	259	1 603	1 234	1 323	1 983
–	–	–	–	18 466	1 986	1 786	6 604	8 090	5 475	12 991
–	–	–	–	14 713	1 444	1 537	5 077	6 655	5 228	9 485
–	–	–	–	5 745	1 189	1 029	2 168	1 359	2 905	2 840
–	–	–	–	18 528	1 632	1 987	6 141	8 768	6 127	12 401
3	6	2	7	11 076	962	1 258	4 395	4 461	5 145	5 931
–	–	–	–	18 340	1 145	1 742	7 110	8 343	6 775	11 565
–	–	–	–	20 026	2 301	2 128	7 550	8 047	7 486	12 540
–	–	–	–	17 251	1 316	1 841	6 309	7 785	3 666	13 585
–	–	–	–	19 418	1 990	1 886	6 775	8 767	6 654	12 764
1	2	1	3	12 351	2 497	2 102	4 094	3 658	3 961	8 390
–	–	–	–	1 695	104	176	584	831	660	1 035
–	–	–	–	–	–	–	–	–	–	–
3	23	6	23	37 180	3 306	3 282	9 252	21 340	7 930	29 250
1	–	–	1	18 830	1 614	1 517	4 487	11 212	4 113	14 717
–	1	1	–	9 806	1 156	961	3 343	4 346	2 758	7 048
–	–	–	–	916	134	144	376	262	564	352

第25表（10－3） 平成28年度における肺がん（胸部エックス線検査）検診受診者数・要精密検査者数

	胸部エックス線									
	C区分							D		
	総数	40～49歳	50～59歳	60～69歳	70歳以上	(再掲)初回	(再掲)非初回	総数	40～49歳	50～59歳
全国	**1 179 935**	**40 952**	**68 930**	**309 028**	**761 025**	**282 927**	**730 676**	**145 832**	**5 583**	**8 495**
北海道	18 331	683	1 431	5 624	10 593	4 993	11 877	3 752	162	248
青森	9 167	262	619	2 852	5 434	2 009	6 963	1 686	50	116
岩手	11 658	217	655	2 885	7 901	1 499	10 159	1 329	37	67
宮城	28 907	811	1 693	8 284	18 119	5 107	23 800	1 299	39	53
秋田	5 268	161	339	1 439	3 329	814	4 454	1 639	73	148
山形	16 107	334	865	5 107	9 801	1 817	11 122	2 789	31	130
福島	23 539	557	1 267	6 658	15 057	4 439	19 050	3 323	71	176
茨城	28 243	869	1 656	8 000	17 718	5 612	22 631	4 320	183	265
栃木	34 663	1 544	2 528	10 929	19 662	7 095	21 958	1 888	50	110
群馬	15 558	322	606	3 149	11 481	3 792	11 346	1 471	58	85
埼玉	98 935	3 451	5 140	22 586	67 758	17 123	41 541	13 120	392	568
千葉	69 855	2 476	3 600	16 264	47 515	9 425	38 925	8 621	326	347
東京	91 752	6 196	8 440	21 757	55 359	21 134	35 987	12 782	1 292	1 700
神奈川	112 038	2 986	5 024	21 974	82 054	43 116	52 766	11 473	350	516
新潟	19 758	341	892	5 217	13 308	3 523	16 235	2 032	63	87
富山	6 631	96	193	1 590	4 752	1 016	4 126	1 623	37	60
石川	9 254	219	489	2 984	5 562	699	4 687	504	16	19
福井	4 795	116	244	1 251	3 184	1 531	3 264	397	6	13
山梨	11 242	448	713	3 406	6 675	1 692	7 749	1 339	49	88
長野	5 658	146	233	1 151	4 128	1 165	3 191	2 444	76	103
岐阜	17 225	405	791	4 283	11 746	3 661	13 564	2 076	75	119
静岡	28 841	659	1 482	7 330	19 370	7 074	20 001	3 180	93	188
愛知	150 151	5 451	8 141	38 689	97 870	34 543	94 803	15 434	487	698
三重	19 137	467	844	4 818	13 008	4 651	14 393	4 094	114	161
滋賀	17 949	627	971	5 600	10 751	7 888	10 061	702	28	29
京都	7 816	307	520	2 091	4 898	638	2 385	867	37	42
大阪	76 284	3 977	5 784	24 090	42 433	25 376	50 908	7 676	406	492
兵庫	27 379	994	1 754	7 908	16 723	7 274	19 395	4 154	138	141
奈良	7 789	272	456	2 371	4 690	2 519	5 253	889	37	60
和歌山	7 864	345	621	2 592	4 306	2 521	5 343	1 613	62	114
鳥取	5 886	191	338	1 702	3 655	1 350	4 463	643	15	47
島根	4 295	63	143	866	3 223	928	3 238	643	26	27
岡山	26 022	448	1 095	6 094	18 385	5 879	20 143	3 069	68	107
広島	17 426	559	977	5 403	10 487	5 504	11 917	2 160	78	115
山口	9 206	151	299	2 186	6 570	2 587	6 619	1 631	34	51
徳島	6 498	210	338	1 996	3 954	1 621	4 099	207	11	12
香川	5 903	137	309	1 774	3 683	1 117	4 786	863	19	29
愛媛	2 236	52	104	625	1 455	587	1 649	331	10	20
高知	7 034	173	360	1 663	4 838	1 564	5 470	399	10	28
福岡	9 134	389	660	3 342	4 743	2 244	5 251	1 713	84	114
佐賀	2 434	66	149	802	1 417	718	1 716	503	13	37
長崎	11 456	205	625	3 169	7 457	3 136	8 320	2 049	56	140
熊本	23 378	689	1 628	7 534	13 527	5 536	17 842	2 810	78	169
大分	16 908	371	804	4 928	10 805	3 474	11 602	1 721	48	93
宮崎	6 465	107	267	1 585	4 506	1 525	4 937	154	2	13
鹿児島	22 588	457	1 189	5 589	15 353	5 718	16 870	933	34	65
沖縄	21 272	945	1 654	6 891	11 782	5 693	13 817	7 487	159	485
指定都市・特別区(再掲)										
東京都区部	77 743	4 863	6 995	17 711	48 174	15 709	27 621	12 082	1 240	1 623
札幌市	795	27	54	254	460	264	531	412	26	13
仙台市	8 502	221	444	2 271	5 566	1 804	6 698	248	10	6
さいたま市	28 582	841	1 377	6 026	20 338	…	…	2 260	84	118
千葉市	－	－	－	－	－	－	－	4 058	120	134
横浜市	19 973	764	1 324	4 926	12 959	10 009	9 964	2 127	84	160
川崎市	21 248	576	920	3 286	16 466	21 248	－	4 846	138	203
相模原市	3 843	65	112	639	3 027	983	2 860	833	18	19
新潟市	3 287	78	153	1 031	2 025	709	2 578	512	35	21
静岡市	－	－	－	－	－	－	－	86	－	－
浜松市	13 346	257	583	3 100	9 406	3 425	9 921	1 762	46	98
名古屋市	34 855	1 487	2 285	8 147	22 936	13 235	21 620	5 417	197	327
京都市	4 793	179	319	1 237	3 058	－	－	413	24	18
大阪市	6 141	288	487	1 718	3 648	2 294	3 847	1 000	72	79
堺市	5 394	313	374	1 823	2 884	2 629	2 765	587	30	36
神戸市	1 633	67	91	420	1 055	606	1 027	460	31	24
岡山市	9 392	198	441	2 048	6 705	2 326	7 066	1 196	23	39
広島市	7 166	350	508	2 160	4 148	2 592	4 574	930	49	53
北九州市	…	…	…	…	…	…	…	…	…	…
福岡市	1 271	107	137	519	508	－	－	457	36	33
熊本市	3 325	133	232	1 164	1 796	985	2 340	385	6	22

・精密検査受診の有無別人数，都道府県－指定都市・特別区－中核市－その他政令市、年齢階級・検診回数別

検査の判定別人数[1]										
区分				E区分						
60～69歳	70歳以上	(再掲)初回	(再掲)非初回	総数	40～49歳	50～59歳	60～69歳	70歳以上	(再掲)初回	(再掲)非初回
37 255	**94 499**	**54 631**	**77 481**	**148 657**	**6 412**	**9 772**	**43 981**	**88 492**	**52 417**	**81 902**
1 189	2 153	1 461	1 634	3 075	164	237	1 089	1 585	1 299	1 649
585	935	568	1 100	1 502	58	124	543	777	496	882
319	906	346	983	2 805	113	189	818	1 685	647	2 158
351	856	476	823	6 334	242	445	2 095	3 552	1 671	4 663
505	913	542	1 074	1 301	47	100	457	697	359	941
848	1 780	446	1 836	3 699	86	252	1 342	2 019	645	2 167
930	2 146	1 155	2 165	4 684	161	318	1 474	2 731	1 378	3 284
1 294	2 578	1 910	2 410	5 909	123	299	1 784	3 703	2 038	3 871
517	1 211	590	1 104	2 963	95	191	951	1 726	900	1 702
342	986	594	852	1 702	77	103	489	1 033	598	1 093
2 668	9 492	3 279	5 686	9 424	451	590	2 513	5 870	2 439	3 407
2 098	5 850	2 497	4 878	8 328	404	490	2 230	5 204	2 105	4 695
3 157	6 633	4 780	6 172	6 700	713	848	1 817	3 322	2 483	2 262
2 012	8 595	7 927	3 277	15 550	675	948	3 715	10 212	7 867	6 857
510	1 372	737	1 295	4 764	135	251	1 526	2 852	1 730	3 034
323	1 203	212	347	1 156	30	37	305	784	320	677
159	310	35	75	1 471	52	77	499	843	215	734
103	275	159	238	2 278	98	138	655	1 387	822	1 456
400	802	243	984	2 114	116	184	698	1 116	414	1 478
569	1 696	793	1 383	973	40	51	221	661	306	486
633	1 249	847	1 229	1 971	50	99	554	1 268	665	1 306
865	2 034	1 316	1 706	4 395	132	254	1 198	2 811	1 596	2 799
3 373	10 876	5 493	8 595	9 134	381	504	2 392	5 857	2 978	4 865
1 027	2 792	1 367	2 723	2 281	84	129	674	1 394	779	1 502
184	461	418	284	1 592	48	99	516	929	892	700
249	539	158	296	2 425	183	185	744	1 313	606	870
2 149	4 629	3 802	3 874	7 908	488	647	2 405	4 368	3 816	4 092
997	2 878	1 799	2 323	4 118	164	218	1 187	2 549	1 733	2 013
255	537	397	476	344	11	28	105	200	165	179
487	950	677	936	830	58	82	336	354	379	451
190	391	253	386	1 879	69	109	589	1 112	637	1 203
178	412	350	282	1 075	23	45	296	711	468	593
753	2 141	1 078	1 991	1 404	26	63	360	955	431	973
672	1 295	910	1 249	3 497	166	219	1 163	1 949	1 521	1 972
401	1 145	790	841	1 772	44	63	495	1 170	803	969
66	118	84	117	714	27	44	217	426	259	387
297	518	306	557	853	16	33	219	585	308	545
113	188	131	200	1 107	42	86	361	618	475	632
117	244	176	223	217	4	11	69	133	76	141
629	886	522	658	2 785	138	223	1 126	1 298	871	1 287
180	273	235	268	685	26	45	261	353	281	404
667	1 186	873	1 176	3 000	95	204	1 069	1 632	1 170	1 801
866	1 697	1 001	1 809	1 180	29	83	374	694	432	748
536	1 044	500	864	1 377	29	73	429	846	472	721
38	101	64	90	621	5	30	166	420	240	381
224	610	408	525	3 201	106	188	933	1 974	1 169	2 032
2 230	4 613	1 926	5 487	1 560	88	136	522	814	463	840
2 915	6 304	4 512	5 949	5 965	660	784	1 571	2 950	2 176	1 932
147	226	246	166	372	29	28	143	172	202	170
59	173	101	147	1 314	54	68	393	799	443	871
441	1 617	…	…	2 583	133	162	656	1 632	…	…
1 053	2 751	1 453	2 605	1 018	46	50	237	685	357	661
601	1 282	1 427	700	3 716	264	345	1 079	2 028	2 410	1 306
704	3 801	4 846	–	1 963	63	145	417	1 338	1 963	–
107	689	320	513	1 318	54	62	294	908	564	754
139	317	259	253	1 427	62	99	531	735	777	650
86	–	–	86	3	–	–	3	–	3	–
437	1 181	731	1 031	1 207	38	81	311	777	447	760
1 238	3 655	2 554	2 863	2 493	137	191	644	1 521	1 207	1 286
112	259	–	–	949	82	75	271	521	–	–
271	578	506	494	816	52	93	256	415	418	398
176	345	451	136	285	23	16	79	167	188	97
101	304	262	198	307	26	13	67	201	188	119
271	863	412	784	528	10	27	117	374	139	389
286	542	368	562	1 624	107	123	494	900	761	863
…	…	…	…	…	…	…	…	…	…	…
180	208	–	–	455	33	40	211	171	–	–
144	213	163	222	136	2	9	48	77	53	83

第25表 (10－4) 平成28年度における肺がん (胸部エックス線検査) 検診受診者数・要精密検査者数

	胸部エックス線									
	C区分							D		
	総数	40～49歳	50～59歳	60～69歳	70歳以上	(再掲)初回	(再掲)非初回	総数	40～49歳	50～59歳
中核市(再掲)										
旭川市	715	18	35	229	433	262	453	170	6	9
函館市	286	8	28	88	162	－	－	25	－	1
青森市	799	32	56	341	370	260	539	129	6	7
八戸市	1 700	20	84	487	1 109	406	1 294	255	4	11
盛岡市	4 458	53	152	765	3 488	525	3 933	301	12	15
秋田市	811	21	57	259	474	194	617	221	7	15
郡山市	1 836	36	66	461	1 273	439	1 397	75	4	4
いわき市	1 593	11	34	372	1 176	386	1 207	765	7	35
宇都宮市	6 416	106	223	1 188	4 899	1 729	4 687	570	18	35
前橋市	6 907	160	298	1 423	5 026	1 690	5 217	560	27	37
高崎市	1 660	46	73	325	1 216	304	1 356	601	22	32
川越市	205	19	14	70	102	71	134	38	4	1
越谷市	4 608	70	132	828	3 578	1 478	3 130	628	6	18
船橋市	21 505	934	975	4 052	15 544	－	－	1 246	89	55
柏市	3 245	97	173	870	2 105	708	2 537	118	6	3
八王子市	7 639	402	665	2 099	4 473	2 515	5 124	212	19	19
横須賀市	4 650	83	161	1 207	3 199	1 010	3 640	139	5	4
富山市	531	6	11	85	429	…	…	1 064	23	37
金沢市	2 440	67	179	1 057	1 137	…	…	137	5	8
長野市	677	14	32	125	506	145	532	430	15	19
岐阜市	765	18	39	254	454	269	496	129	7	8
豊橋市	8 597	456	600	2 239	5 302	2 044	6 553	337	14	20
豊田市	7 762	290	417	2 450	4 605	1 396	6 366	440	17	19
岡崎市	12 971	671	1 046	5 263	5 991	2 944	10 027	279	19	15
大津市	11 679	405	602	3 616	7 056	5 421	6 258	441	19	17
高槻市	12 053	499	663	3 516	7 375	3 753	8 300	753	27	42
東大阪市	3 608	187	246	1 109	2 066	1 313	2 295	646	29	38
豊中市	141	10	14	42	75	56	85	11	1	－
枚方市	2 996	54	129	846	1 967	1 030	1 966	718	28	38
姫路市	382	34	54	152	142	219	163	201	15	16
西宮市	1 886	97	151	561	1 077	435	1 451	116	5	10
尼崎市	590	48	41	197	304	378	212	－	－	－
奈良市	878	28	44	331	475	323	555	87	1	7
和歌山市	517	15	29	154	319	267	250	201	8	13
倉敷市	4 692	96	211	1 308	3 077	1 365	3 327	500	16	28
福山市	1 730	34	70	518	1 108	729	1 001	426	14	23
呉市	…	…	…	…	…	…	…	…	…	…
下関市	701	16	39	317	329	229	472	212	6	6
高松市	773	15	34	243	481	164	609	108	3	4
松山市	503	24	30	184	265	207	296	158	7	8
高知市	843	86	121	315	321	372	471	62	4	11
久留米市	1 408	28	57	344	979	465	943	160	4	8
長崎市	1 991	38	109	561	1 283	714	1 277	448	9	35
佐世保市	559	18	31	174	336	246	313	152	－	7
大分市	6 420	186	339	1 882	4 013	1 690	4 730	330	23	20
宮崎市	3 227	64	142	860	2 161	635	2 592	69	1	5
鹿児島市	3 046	71	133	781	2 061	914	2 132	267	17	21
那覇市	5 604	322	498	1 875	2 909	1 655	3 949	455	25	54
その他政令市(再掲)										
小樽市	579	9	33	174	363	193	386	1	－	－
町田市	－	－	－	－	－	－	－	－	－	－
藤沢市	15 079	294	523	2 453	11 809	2 551	12 528	769	16	24
茅ヶ崎市	10 297	291	416	2 001	7 589	1 983	8 314	214	7	6
四日市市	1 964	78	108	561	1 217	469	1 495	336	16	18
大牟田市	104	2	13	41	48	62	42	26	－	2

注：初回・非初回及び年齢階級別については、計数不詳の市区町村があるため、総数と一致しない場合がある。
1）胸部エックス線検査の判定別人数については、計数不詳の市区町村があるため、受診者数と一致しない場合がある。
2）精密検査受診の有無別人数については、計数不詳の市区町村がある場合、要精密検査者数と一致しないことがある。

・精密検査受診の有無別人数，都道府県－指定都市・特別区－中核市－その他政令市、年齢階級・検診回数別

検査の判定別人数[1]										
区分				E区分						
60～69歳	70歳以上	(再掲)初回	(再掲)非初回	総数	40～49歳	50～59歳	60～69歳	70歳以上	(再掲)初回	(再掲)非初回
54	101	99	71	182	10	8	64	100	103	79
7	17	－	－	13	1	1	3	8	－	－
56	60	70	59	104	3	8	48	45	49	55
85	155	124	131	286	9	19	108	150	126	160
55	219	83	218	621	34	36	165	386	140	481
70	129	104	117	359	12	44	129	174	146	213
20	47	32	43	670	31	40	217	382	197	473
207	516	300	465	248	4	7	60	177	85	163
159	358	236	334	533	9	10	134	380	204	329
133	363	211	349	778	40	56	239	443	276	502
142	405	291	310	220	12	11	60	137	82	138
12	21	13	25	112	12	12	38	50	48	64
98	506	270	358	546	14	21	120	391	262	284
234	868	－	－	1 461	112	101	306	942	－	－
32	77	54	64	392	15	24	111	242	135	257
54	120	115	97	226	21	19	63	123	106	120
30	100	83	56	1 890	77	121	575	1 117	1 042	848
201	803	…	…	…	…	…	…	…	…	…
57	67	…	…	319	20	19	136	144	…	…
80	316	146	284	184	5	11	28	140	46	138
43	71	82	47	32	3	1	12	16	16	16
107	196	130	207	65	9	5	14	37	22	43
130	274	138	302	200	4	7	47	142	66	134
94	151	92	187	298	12	17	109	160	108	190
106	299	271	170	1 133	35	63	353	682	654	479
204	480	315	438	1 231	70	77	341	743	489	742
192	387	284	362	371	27	32	99	213	205	166
4	6	8	3	250	13	14	85	138	108	142
203	449	339	379	384	13	27	136	208	188	196
62	108	112	89	264	19	27	103	115	142	122
41	60	58	58	74	8	5	25	36	33	41
－	－	－	－	330	20	15	100	195	205	125
28	51	53	34	10	－	3	5	2	7	3
61	119	96	105	168	10	15	66	77	103	65
134	322	204	296	157	7	12	61	77	78	79
122	267	250	176	226	8	16	51	151	125	101
…	…	…	…	325	17	19	96	193	128	197
96	104	113	99	185	2	8	77	98	87	98
30	71	61	47	190	6	9	61	114	84	106
49	94	85	73	319	14	14	103	188	175	144
24	23	43	19	31	3	5	10	13	22	9
41	107	56	104	343	9	20	103	211	126	217
147	257	226	222	431	13	29	162	227	246	185
59	86	43	109	320	10	17	120	173	128	192
106	181	193	137	503	11	34	163	295	217	286
16	47	21	48	124	－	10	46	68	25	99
73	156	131	136	550	31	33	179	307	238	312
120	256	156	299	287	22	25	94	146	106	181
－	1	－	1	35	1	4	13	17	18	17
－	－	－	－	－	－	－	－	－	－	－
98	631	186	583	2 007	62	77	405	1 463	454	1 553
42	159	75	139	580	19	20	115	426	173	407
92	210	121	215	318	17	24	104	173	123	195
12	12	17	9	31	1	3	13	14	16	15

15(8)－20〜21, 26〜27 肺がん 精密検査

第25表（10−5）　平成28年度における肺がん（胸部エックス線検査）検診受診者数・要精密検査者数

	要　精　密　検　査　者　数							精　密 異常		
	総　数	40〜49歳	50〜59歳	60〜69歳	70歳以上	(再掲)初回	(再掲)非初回	総　数	40〜49歳	50〜59歳
全　　国	152 798	6 615	10 010	45 152	91 021	52 726	82 709	51 203	3 133	4 071
北海道	3 205	172	250	1 129	1 654	1 345	1 731	1 055	62	94
青森	1 503	58	124	544	777	497	882	694	37	61
岩手	3 098	125	203	869	1 901	732	2 366	1 195	68	111
宮城	6 339	242	447	2 101	3 549	1 673	4 666	2 087	136	178
秋田	1 301	47	100	457	697	359	941	651	31	55
山形	3 751	87	253	1 357	2 054	624	2 103	1 923	51	148
福島	4 687	162	318	1 474	2 733	1 379	3 286	1 862	93	149
茨城	5 931	124	299	1 788	3 720	2 048	3 883	1 892	66	121
栃木	2 989	95	192	957	1 745	909	1 716	1 145	51	82
群馬	1 711	77	103	490	1 041	600	1 099	444	38	31
埼玉	9 446	451	592	2 518	5 885	2 473	3 462	3 029	219	247
千葉	8 363	406	490	2 239	5 228	2 112	4 722	2 281	177	178
東京	7 091	750	884	1 921	3 536	2 495	2 273	2 405	284	307
神奈川	15 646	682	955	3 724	10 285	7 485	6 361	4 022	299	314
新潟	5 010	145	257	1 597	3 011	1 854	3 156	2 195	75	129
富山	1 156	30	37	305	784	320	677	469	22	23
石川	1 473	52	78	499	844	243	798	509	24	31
福井	2 319	98	139	665	1 417	812	1 507	775	55	50
山梨	2 223	129	195	741	1 158	429	1 567	650	61	67
長野	1 038	45	57	246	690	328	489	390	19	25
岐阜	1 974	52	100	554	1 268	668	1 306	674	29	41
静岡	5 827	145	293	1 575	3 814	1 606	2 821	1 827	77	130
愛知	9 280	414	516	2 431	5 919	3 045	4 915	3 037	183	200
三重	2 418	104	150	711	1 453	827	1 591	767	42	54
滋賀	1 595	49	99	517	930	894	701	548	28	49
京都	2 527	190	196	779	1 362	607	879	871	90	72
大阪	7 935	488	647	2 412	4 388	3 823	4 112	3 091	256	323
兵庫	4 165	167	220	1 204	2 574	1 758	2 034	1 362	83	90
奈良	425	12	29	126	258	201	224	127	8	16
和歌山	836	58	84	338	356	383	453	273	26	37
鳥取	1 879	69	109	589	1 112	645	1 234	755	41	57
島根	1 098	24	45	311	718	483	596	434	14	13
岡山	1 406	26	63	360	957	431	975	451	16	17
広島	3 525	167	223	1 178	1 957	1 532	1 989	1 133	74	94
山口	1 778	44	63	495	1 176	804	974	713	22	32
徳島	731	28	46	222	435	263	400	217	10	13
香川	853	16	33	219	585	308	545	229	10	10
愛媛	1 108	42	86	362	618	475	633	248	12	25
高知	241	5	11	76	149	79	162	55	3	2
福岡	2 888	144	229	1 163	1 352	871	1 298	929	56	102
佐賀	700	26	45	267	362	287	413	218	18	19
長崎	3 007	95	205	1 071	1 636	1 175	1 803	1 007	44	77
熊本	1 388	42	108	457	781	465	923	343	12	28
大分	1 526	32	79	486	929	500	771	514	16	31
宮崎	621	5	30	166	420	240	381	149	1	7
鹿児島	3 201	106	188	933	1 974	1 169	2 032	1 127	66	88
沖縄	1 586	88	140	529	829	470	859	431	28	43
指定都市・特別区（再掲）東京都区部	6 353	697	820	1 674	3 162	2 185	1 943	2 105	258	282
札幌市	372	29	28	143	172	202	170	121	15	9
仙台市	1 310	54	68	393	795	442	868	475	26	23
さいたま市	2 584	133	162	657	1 632	…	…	662	65	65
千葉市	1 018	46	50	237	685	357	661	296	24	20
横浜市	3 716	264	345	1 079	2 028	2 410	1 306	1 001	127	130
川崎市	1 963	63	145	417	1 338	1 963	−	−	−	−
相模原市	1 322	54	63	294	911	565	757	314	29	16
新潟市	1 673	72	105	602	894	901	772	854	38	61
静岡市	1 400	13	36	371	980	−	−	458	9	18
浜松市	1 227	38	84	314	791	456	771	347	17	26
名古屋市	2 602	165	201	676	1 560	1 271	1 331	949	69	86
京都市	1 041	89	85	301	566	−	−	324	35	29
大阪市	816	52	93	256	415	418	398	311	27	38
堺市	285	23	16	79	167	188	97	86	5	7
神戸市	315	28	14	69	204	195	120	83	13	6
岡山市	528	10	27	117	374	139	389	150	4	6
広島市	1 624	107	123	494	900	761	863	612	49	57
北九州市	…	…	…	…	…	…	…	…	…	…
福岡市	547	39	46	245	217	−	−	148	16	21
熊本市	136	2	9	48	77	53	83	27	1	1

・精密検査受診の有無別人数，都道府県−指定都市・特別区−中核市−その他政令市、年齢階級・検診回数別

検 査 受 診			の 有 無 別 人 数²⁾							
認 め	ず			異 常 を 認 め る						
				肺 が ん で あ っ た 者 （ 転 移 性 を 含 ま な い ）						
60〜69歳	70歳以上	(再掲)初回	(再掲)非初回	総 数	40〜49歳	50〜59歳	60〜69歳	70歳以上	(再掲)初回	(再掲)非初回
16 273	27 726	16 722	28 687	4 180	42	128	1 190	2 820	1 369	2 382
387	512	407	609	117	–	2	38	77	38	64
256	340	245	409	57	...	2	25	30	26	29
349	667	291	904	99	–	4	27	68	18	81
704	1 069	581	1 506	196	2	6	67	121	44	152
246	319	166	432	52	–	2	19	31	13	25
710	1 014	255	1 052	92	–	1	30	61	14	47
616	1 004	498	1 348	84	...	2	27	55	27	57
594	1 111	588	1 304	143	–	4	43	96	51	92
397	615	359	709	84	1	4	30	49	34	44
123	252	163	275	114	–	2	45	67	45	69
858	1 705	799	1 177	180	1	5	42	132	44	70
710	1 216	551	1 378	215	4	3	62	146	59	142
679	1 135	662	611	172	5	11	46	110	78	58
1 134	2 275	1 703	1 908	289	5	9	50	225	108	139
774	1 217	845	1 350	115	4	1	27	83	23	92
142	282	135	303	43	...	...	9	34	14	21
175	279	66	266	71	...	2	20	49	8	30
246	424	273	502	32	–	2	8	22	9	23
234	288	113	479	58	–	5	21	32	8	40
106	240	127	186	29	...	1	7	21	8	12
191	413	183	491	56	–	2	16	38	18	38
551	1 069	476	893	137	2	2	34	99	22	69
872	1 782	1 017	1 587	326	1	10	83	232	114	156
235	436	236	531	59	–	–	10	49	19	40
198	273	294	254	45	–	–	11	34	24	21
267	442	217	330	51	1	2	16	32	14	23
954	1 558	1 457	1 634	254	4	8	72	170	110	144
426	763	612	685	124	2	5	29	88	54	61
42	61	60	67	18	–	–	6	12	9	9
118	92	124	149	21	1	3	3	14	13	8
244	413	247	508	44	–	1	13	30	18	26
157	250	187	241	23	–	–	3	20	9	14
133	285	130	321	37	–	2	8	27	8	29
348	617	466	667	107	1	2	34	70	45	62
213	446	319	394	52	–	–	14	38	19	33
79	115	72	133	20	1	2	6	11	6	14
61	148	68	161	44	–	1	13	30	12	32
79	132	98	150	21	–	–	9	12	7	14
21	29	16	39	25	–	1	11	13	9	16
360	411	258	469	82	6	6	34	36	20	48
82	99	80	138	24	–	1	6	17	12	12
372	514	392	615	89	–	2	32	55	42	47
127	176	122	221	61	1	2	17	41	26	35
164	303	156	236	39	–	1	13	25	13	23
41	100	51	98	33	–	3	9	21	8	25
352	621	407	720	120	–	4	37	79	40	80
146	214	150	247	26	...	...	8	18	9	16
571	994	535	452	141	5	9	31	96	62	43
39	58	63	58	14	–	1	7	6	6	8
150	276	163	312	55	1	1	13	40	12	43
188	344	...	...	40	–	2	7	31	...	...
82	170	98	198	9	1	–	1	7	4	5
324	420	642	359	57	2	4	15	36	40	17
–	–	–	–	–	–	–	–	–	–	–
86	183	134	180	10	2	–	1	7	3	7
347	408	481	373	41	2	–	13	26	9	32
143	288	–	–	46	–	–	15	31	–	–
103	201	118	229	14	1	1	1	11	4	10
272	522	441	508	89	–	2	31	56	52	37
94	166	–	–	14	1	1	4	8	–	–
94	152	160	151	25	1	4	10	10	13	12
16	58	54	32	2	–	–	1	1	2	–
24	40	49	34	9	–	–	2	7	6	3
41	99	40	110	14	–	1	2	11	4	10
185	321	292	320	60	1	1	22	36	28	32
...	...	...	...	...	...	...	...	...	...	...
65	46	–	–	8	–	–	3	5	–	–
12	13	12	15	19	–	–	7	12	9	10

15(8)－20～21, 26～27 肺がん 精密検査

第25表（10－6） 平成28年度における肺がん（胸部エックス線検査）検診受診者数・要精密検査者数

| | 要　精　密　検　査　者　数 | | | | | | | 精　密 | | |
| | | | | | | | | 異　　　常 | | |
	総　数	40～49歳	50～59歳	60～69歳	70歳以上	(再掲)初回	(再掲)非初回	総　　数	40～49歳	50～59歳
中核市(再掲)										
旭　川　市	182	10	8	64	100	103	79	45	2	3
函　館　市	13	1	1	3	8	－	－	4	－	1
青　森　市	104	3	8	48	45	49	55	47	3	3
八　戸　市	286	9	19	108	150	126	160	255	8	17
盛　岡　市	914	46	50	216	602	222	692	356	28	28
秋　田　市	359	12	44	129	174	146	213	232	11	30
郡　山　市	670	31	40	217	382	197	473	240	16	21
い わ き 市	250	4	7	60	179	85	165	69	4	1
宇 都 宮 市	533	9	10	134	380	204	329	187	5	2
前　橋　市	781	40	56	239	446	277	504	161	18	15
高　崎　市	220	12	11	60	137	82	138	89	8	5
川　越　市	112	12	12	38	50	48	64	43	6	6
越　谷　市	546	14	21	120	391	262	284	188	6	6
船　橋　市	1 462	112	101	307	942	－	－	336	38	39
柏　　　市	392	15	24	111	242	135	257	118	9	12
八 王 子 市	226	21	19	63	123	106	120	99	14	8
横 須 賀 市	1 892	77	121	576	1 118	1 043	849	944	42	67
富　山　市	…	…	…	…	…	…	…	…	…	…
金　沢　市	321	20	20	136	145	－	－	76	11	3
長　野　市	184	5	11	28	140	46	138	81	2	7
岐　阜　市	32	3	1	12	16	16	16	9	2	－
豊　橋　市	74	10	5	17	42	24	50	21	6	2
豊　田　市	201	4	7	47	143	67	134	42	1	1
岡　崎　市	298	12	17	109	160	108	190	73	6	3
大　津　市	1 133	35	63	353	682	654	479	400	22	34
高　槻　市	1 231	70	77	341	743	489	742	617	44	52
東 大 阪 市	371	27	32	99	213	205	166	174	14	16
豊　中　市	250	13	14	85	138	108	142	99	6	12
枚　方　市	384	13	27	136	208	188	196	163	6	16
姫　路　市	264	19	27	103	115	142	122	120	7	17
西　宮　市	74	8	5	25	36	33	41	24	5	1
尼　崎　市	330	20	15	100	195	205	125	235	15	11
奈　良　市	10	－	3	5	2	7	3	4	－	3
和 歌 山 市	171	10	16	67	78	106	65	18	1	3
倉　敷　市	158	7	12	61	78	78	80	58	5	4
福　山　市	226	8	16	51	151	125	101	90	6	6
呉　　　市	325	17	19	96	193	128	197	106	8	9
下　関　市	185	2	8	77	98	87	98	106	1	7
高　松　市	190	6	9	61	114	84	106	41	3	2
松　山　市	319	14	14	103	188	175	144	69	4	2
高　知　市	31	3	5	10	13	22	9	12	3	2
久 留 米 市	343	9	20	103	211	126	217	109	1	7
長　崎　市	431	13	29	162	227	246	185	144	5	12
佐 世 保 市	320	10	17	120	173	128	192	112	7	9
大　分　市	503	11	34	163	295	217	286	176	5	12
宮　崎　市	124	－	10	46	68	25	99	27	－	2
鹿 児 島 市	550	31	33	179	307	238	312	219	25	22
那　覇　市	291	22	26	95	148	107	184	75	7	8
その他政令市(再掲)										
小　樽　市	35	1	4	13	17	18	17	9	－	1
町　田　市	－	－	－	－	－	－	－	－	－	－
藤　沢　市	2 036	64	78	408	1 486	460	1 576	336	23	18
茅 ヶ 崎 市	581	19	20	116	426	173	408	187	11	6
四 日 市 市	319	17	24	104	174	124	195	92	8	11
大 牟 田 市	31	1	3	13	14	16	15	12	1	3

注：初回・非初回及び年齢階級別については、計数不詳の市区町村があるため、総数と一致しない場合がある。
　　1）胸部エックス線検査の判定別人数については、計数不詳の市区町村があるため、受診者数と一致しない場合がある。
　　2）精密検査受診の有無別人数については、計数不詳の市区町村がある場合、要精密検査者数と一致しないことがある。

・精密検査受診の有無別人数，都道府県-指定都市・特別区-中核市-その他政令市、年齢階級・検診回数別

検 査 受 診 の 有 無 別 人 数2)										
認 め ず				異 常 を 認 め る						
				肺 が ん で あ っ た 者 （ 転 移 性 を 含 ま な い ）						
60～69歳	70歳以上	(再掲)初回	(再掲)非初回	総 数	40～49歳	50～59歳	60～69歳	70歳以上	(再掲)初回	(再掲)非初回
15	25	23	22	2	–	–	2	–	1	1
1	2	–	–	5	–	–	1	4	–	–
23	18	26	21	7	–	–	4	3	5	2
94	136	105	150	–	–	–	–	–	–	–
93	207	91	265	23	–	–	5	18	6	17
92	99	92	140	12	–	1	4	7	6	6
82	121	51	189	19	–	1	5	13	6	13
21	43	14	55	12	–	–	5	7	6	6
57	123	66	121	16	–	–	4	12	7	9
51	77	66	95	38	–	–	17	21	14	24
24	52	35	54	13	–	1	7	5	5	8
13	18	15	28	–	–	–	–	–	–	–
43	133	85	103	19	–	–	5	14	8	11
82	177	–	–	14	–	1	5	8	–	–
33	64	34	84	13	–	–	1	12	2	11
29	48	34	65	18	–	2	7	9	10	8
296	539	494	450	17	–	–	5	12	10	7
…	…	…	…	…	…	…	…	…	…	…
30	32	…	…	26	–	1	8	17	–	–
14	58	18	63	2	–	–	–	2	–	2
4	3	5	4	3	–	–	1	2	1	2
3	10	9	12	3	–	–	–	3	1	2
10	30	12	30	8	–	1	2	5	1	7
29	35	25	48	6	–	–	1	5	1	5
137	207	221	179	22	–	–	6	16	13	9
176	345	245	372	45	–	1	16	28	19	26
51	93	94	80	19	–	–	3	16	5	14
32	49	43	56	–	–	–	–	–	–	–
68	73	81	82	13	–	–	2	11	4	9
54	42	73	47	9	–	1	–	8	5	4
7	11	8	16	5	–	–	1	4	2	3
68	141	144	91	1	–	–	1	–	1	–
1	–	4	–	1	–	–	1	–	1	–
6	8	11	7	5	1	1	2	1	4	1
27	22	27	31	2	–	–	1	1	–	2
20	58	45	45	14	–	1	3	10	8	6
28	61	37	69	5	–	–	1	4	1	4
38	60	46	60	4	–	–	2	2	1	3
14	22	12	29	12	–	–	5	7	5	7
24	39	36	33	6	–	–	4	2	1	5
2	5	8	4	1	–	–	–	1	1	–
38	63	25	84	17	1	1	5	10	5	12
61	66	81	63	16	–	–	7	9	10	6
43	53	40	72	10	–	–	6	4	5	5
62	97	81	95	7	–	–	2	5	2	5
10	15	1	26	14	–	1	5	8	3	11
75	97	99	120	30	–	1	10	19	12	18
25	35	31	44	6	–	–	3	3	3	3
5	3	6	3	2	–	–	2	–	1	1
–	–	–	–	–	–	–	–	–	–	–
85	210	82	254	55	–	–	7	48	15	40
49	121	53	134	23	–	–	2	21	7	16
28	45	36	56	5	–	–	–	5	3	2
3	5	6	6	–	–	–	–	–	–	–

第25表（10－7） 平成28年度における肺がん（胸部エックス線検査）検診受診者数・要精密検査者数

	精密検査受診									
	異常を									
	（再掲）肺がんのうち臨床病期０～Ⅰ期							肺がんの疑い		
	総数	40～49歳	50～59歳	60～69歳	70歳以上	(再掲)初回	(再掲)非初回	総数	40～49歳	50～59歳
全国	**1 302**	**11**	**39**	**408**	**844**	**392**	**810**	**5 775**	**119**	**258**
北海道	35	–	–	11	24	16	19	93	4	8
青森	16	…	2	10	4	9	7	34	…	2
岩手	22	–	1	8	13	3	19	107	1	2
宮城	107	–	4	37	66	19	88	113	2	4
秋田	13	–	1	4	8	4	7	22	–	1
山形	25	–	–	10	15	2	15	63	1	–
福島	30	…	…	10	20	8	22	136	2	4
茨城	55	–	2	18	35	17	38	522	11	27
栃木	34	1	2	9	22	15	15	76	…	2
群馬	58	–	2	18	38	20	38	60	3	–
埼玉	49	–	2	12	35	13	14	505	10	17
千葉	60	2	…	18	40	14	43	477	8	20
東京	35	…	3	16	16	13	12	215	13	21
神奈川	53	1	–	14	38	22	29	558	10	29
新潟	58	1	1	15	41	8	50	265	4	11
富山	1	…	…	…	1	…	1	31	1	…
石川	41	…	1	12	28	4	21	80	4	1
福井	13	–	2	3	8	5	8	–	–	–
山梨	8	–	–	2	6	…	8	52	–	1
長野	4	…	…	…	4	1	1	85	1	1
岐阜	11	–	–	5	6	4	7	45	–	2
静岡	25	…	…	4	21	5	20	362	7	13
愛知	53	–	2	20	31	14	24	418	12	16
三重	24	–	–	5	19	11	13	91	–	3
滋賀	23	–	–	5	18	10	13	65	2	2
京都	15	1	1	5	8	–	4	113	2	9
大阪	125	2	3	40	80	44	81	159	5	12
兵庫	31	2	1	8	20	11	20	137	4	6
奈良	3	–	–	1	2	2	1	18	–	1
和歌山	9	–	–	–	9	3	6	23	1	1
鳥取	12	–	–	4	8	9	3	41	1	–
島根	12	–	–	2	10	6	6	77	1	5
岡山	3	–	–	–	3	–	3	56	–	3
広島	9	…	…	…	9	4	5	121	3	5
山口	9	–	–	3	6	5	4	29	–	–
徳島	13	–	2	4	7	4	9	19	–	1
香川	9	–	–	1	8	–	9	25	–	2
愛媛	5	–	–	2	3	1	4	39	–	3
高知	6	–	1	4	1	1	5	21	–	–
福岡	27	…	2	12	13	6	17	112	1	10
佐賀	7	–	1	2	4	3	4	21	1	1
長崎	34	–	–	16	18	16	18	83	2	5
熊本	25	1	–	7	17	10	15	37	–	–
大分	14	–	1	5	8	5	8	41	1	2
宮崎	14	–	–	5	9	5	9	17	–	2
鹿児島	61	–	2	19	40	19	42	70	–	1
沖縄	6	…	…	2	4	1	5	41	1	2
指定都市・特別区(再掲)										
東京都区部	26	…	2	12	12	8	8	165	11	16
札幌市	–	–	–	–	–	–	–	3	–	1
仙台市	36	–	1	9	26	7	29	9	–	2
さいたま市	10	–	1	1	8	…	…	97	2	1
千葉市	3	1	–	–	2	2	1	71	1	4
横浜市	17	1	–	5	11	9	8	174	6	17
川崎市	–	–	–	–	–	–	–	–	–	–
相模原市	–	–	–	–	–	–	–	58	–	2
新潟市	23	1	–	9	13	3	20	40	–	2
静岡市	–	–	–	–	–	–	–	93	–	–
浜松市	7	–	–	1	6	2	5	62	1	6
名古屋市	–	–	–	–	–	–	–	37	–	3
京都市	11	1	1	4	5	–	–	23	2	2
大阪市	14	1	2	7	4	8	6	7	–	1
堺市	–	–	–	–	–	–	–	5	–	–
神戸市	–	–	–	–	–	–	–	15	1	–
岡山市	–	–	–	–	–	–	–	11	–	1
広島市	–	–	–	–	–	–	–	54	1	3
北九州市	…	…	…	…	…	…	…	…	…	…
福岡市	–	–	–	–	–	–	–	28	–	2
熊本市	9	–	–	4	5	4	5	–	–	–

・精密検査受診の有無別人数，都道府県－指定都市・特別区－中核市－その他政令市、年齢階級・検診回数別

の　　　有　　　無　　　別　　　人　　　数2)										
認　　　　　め　　　　　る										
のある者又は未確定				肺がん以外の疾患であった者（転移性の肺がんを含む）						
60～69歳	70歳以上	(再掲)初回	(再掲)非初回	総　数	40～49歳	50～59歳	60～69歳	70歳以上	(再掲)初回	(再掲)非初回
1 551	3 847	1 915	3 064	63 525	1 813	3 478	18 322	39 912	20 579	35 688
36	45	37	54	1 477	62	96	509	810	645	780
15	17	6	23	558	9	34	197	318	147	339
27	77	30	77	1 403	32	67	386	918	294	1 109
40	67	22	91	3 036	70	184	999	1 783	734	2 302
6	15	8	11	372	7	23	118	224	77	243
23	39	15	38	1 219	18	67	430	704	190	694
29	101	32	103	1 910	38	97	559	1 216	577	1 320
146	338	160	362	2 350	26	99	682	1 543	792	1 558
21	53	18	49	1 168	21	75	344	728	321	670
12	45	21	39	939	29	62	275	573	310	624
134	344	139	218	3 745	103	192	972	2 478	844	1 255
108	341	147	287	3 924	136	210	1 028	2 550	984	2 221
58	123	105	70	1 994	230	264	564	936	790	826
123	396	215	183	5 430	166	265	1 231	3 768	2 009	2 688
66	184	85	180	2 075	46	91	629	1 309	746	1 329
6	24	13	16	512	5	14	125	368	118	284
27	48	18	41	625	14	34	207	370	86	296
–	–	–	–	941	22	51	252	616	319	622
15	36	12	34	978	36	67	304	571	167	704
17	66	22	45	395	10	17	85	283	113	198
10	33	14	31	1 045	16	44	293	692	385	660
81	261	132	137	2 805	49	121	727	1 908	737	1 279
102	288	95	170	3 513	85	154	908	2 366	1 021	2 001
27	61	26	65	915	19	49	272	575	331	584
23	38	31	34	801	16	40	243	502	467	334
31	71	33	57	1 004	43	66	317	578	253	367
42	100	88	71	3 427	151	226	1 068	1 982	1 642	1 785
45	82	51	82	1 894	48	85	529	1 232	697	940
9	8	7	11	205	3	11	58	133	90	115
9	12	10	13	278	15	24	109	130	110	168
13	27	16	25	860	15	37	270	538	283	577
12	59	26	47	448	7	17	104	320	204	240
12	41	15	41	641	10	35	164	432	205	436
43	70	61	60	1 136	34	48	377	677	437	699
8	21	11	18	851	16	28	216	591	391	460
6	12	6	10	409	13	26	117	253	157	210
5	18	7	18	491	4	17	122	348	189	302
15	21	17	22	665	20	46	214	385	298	367
3	18	5	16	110	1	7	32	70	39	71
45	56	30	42	1 406	54	84	563	705	419	598
6	13	9	12	335	4	18	132	181	131	204
31	45	35	48	1 410	31	85	472	822	521	889
8	29	14	23	538	8	38	160	332	195	343
16	22	16	19	703	8	28	217	450	226	373
3	12	5	12	316	1	12	90	213	125	191
22	47	33	37	1 680	34	86	453	1 107	592	1 088
15	23	17	22	588	28	37	199	324	171	345
45	93	78	53	1 810	217	249	512	832	698	752
1	1	3	–	164	7	10	71	76	85	79
1	6	2	7	639	18	32	185	404	202	437
23	71	…	…	1 269	39	64	324	842	…	…
14	52	28	43	389	10	18	98	263	138	251
52	99	117	57	1 265	66	106	342	751	815	450
–	–	–	–	–	–	–	–	–	–	–
12	44	25	33	702	15	33	155	499	299	403
16	22	21	19	656	27	34	205	390	342	314
17	76	–	–	789	4	16	193	576	–	–
11	44	29	33	559	16	36	148	359	202	357
6	28	16	21	794	25	49	202	518	356	438
8	11	–	–	384	20	29	106	229	–	–
1	5	5	2	324	14	30	110	170	173	151
2	3	3	2	110	8	6	40	56	77	33
3	11	8	7	136	6	6	27	97	90	46
–	10	1	10	248	6	16	59	167	64	184
19	31	29	25	491	22	27	152	290	174	317
…	…	…	…	…	…	…	…	…	…	…
10	16	–	–	306	19	16	136	135	–	–
–	–	–	–	83	1	8	26	48	30	53

第25表（10－8） 平成28年度における肺がん（胸部エックス線検査）検診受診者数・要精密検査者数

	精密検査受診									
	異常を									
	（再掲）肺がんのうち臨床病期０～Ⅰ期							肺がんの疑い		
	総数	40～49歳	50～59歳	60～69歳	70歳以上	(再掲)初回	(再掲)非初回	総数	40～49歳	50～59歳
中核市(再掲)										
旭川市	-	-	-	-	-	-	-	-	-	-
函館市	-	-	-	-	-	-	-	-	-	-
青森市	-	-	-	-	-	-	-	-	-	-
八戸市	-	-	-	-	-	-	-	-	-	-
盛岡市	7	-	-	1	6	2	5	35	-	1
秋田市	5	-	-	3	2	2	3	6	-	-
郡山市	10	-	-	2	8	3	7	6	-	-
いわき市	-	-	-	-	-	-	-	3	-	-
宇都宮市	1	-	-	-	1	1	-	35	-	-
前橋市	19	-	-	7	12	5	14	32	1	-
高崎市	5	-	1	2	2	1	4	8	-	-
川越市	-	-	-	-	-	-	-	12	-	1
越谷市	9	-	-	4	5	3	6	54	1	1
船橋市	3	-	-	2	1	-	-	42	1	1
柏市	5	-	-	-	5	2	3	22	-	1
八王子市	7	-	1	4	2	4	3	31	2	3
横須賀市	9	-	-	3	6	4	5	61	-	1
富山市	…	…	…	…	…	…	…	…	…	…
金沢市	15	-	-	5	10	-	-	10	1	-
長野市	-	-	-	-	-	-	-	27	-	-
岐阜市	2	-	-	1	1	1	1	-	-	-
豊橋市	-	-	-	-	-	-	-	11	-	1
豊田市	3	-	-	1	2	1	2	8	-	-
岡崎市	1	-	-	-	1	-	1	11	1	-
大津市	11	-	-	4	7	6	5	39	-	2
高槻市	19	-	-	8	11	5	14	14	1	-
東大阪市	11	-	-	3	8	2	9	11	-	-
豊中市	-	-	-	-	-	-	-	6	-	-
枚方市	8	-	-	1	7	1	7	4	-	-
姫路市	2	-	-	-	2	-	2	9	1	1
西宮市	-	-	-	-	-	-	-	1	-	-
尼崎市	-	-	-	-	-	-	-	8	-	-
奈良市	1	-	-	1	-	1	-	1	-	-
和歌山市	-	-	-	-	-	-	-	2	1	-
倉敷市	-	-	-	-	-	-	-	10	-	2
福山市	2	-	-	-	2	2	-	17	1	-
呉市	-	-	-	-	-	-	-	9	-	-
下関市	-	-	-	-	-	-	-	2	-	-
高松市	-	-	-	-	-	-	-	1	-	-
松山市	3	-	-	1	2	-	3	14	-	-
高知市	-	-	-	-	-	-	-	-	-	-
久留米市	7	-	1	2	4	1	6	5	-	1
長崎市	7	-	-	4	3	3	4	5	-	-
佐世保市	4	-	-	3	1	3	1	23	-	-
大分市	5	-	-	1	4	2	3	22	-	2
宮崎市	6	-	-	3	3	3	3	4	-	-
鹿児島市	17	-	1	6	10	6	11	12	-	-
那覇市	2	-	-	-	2	1	1	8	-	1
その他政令市(再掲)										
小樽市	-	-	-	-	-	-	-	-	-	-
町田市	-	-	-	-	-	-	-	-	-	-
藤沢市	10	-	-	3	7	5	5	24	-	1
茅ヶ崎市	5	-	-	-	5	2	3	26	1	-
四日市市	3	-	-	-	3	2	1	9	-	-
大牟田市	-	-	-	-	-	-	-	7	-	-

注：初回・非初回及び年齢階級別については、計数不詳の市区町村があるため、総数と一致しない場合がある。
　1）胸部エックス線検査の判定別人数については、計数不詳の市区町村があるため、受診者数と一致しない場合がある。
　2）精密検査受診の有無別人数については、計数不詳の市区町村がある場合、要精密検査者数と一致しないことがある。

・精密検査受診の有無別人数，都道府県−指定都市・特別区−中核市−その他政令市、年齢階級・検診回数別

の　　　　有　　　　無　　　　別　　　　人　　　　数2)										
認				め					る	
の　あ　る　者　又　は　未　確　定				肺がん以外の疾患であった者（転移性の肺がんを含む）						
60～69歳	70歳以上	(再掲)初回	(再掲)非初回	総　数	40～49歳	50～59歳	60～69歳	70歳以上	(再掲)初回	(再掲)非初回
−	−	−	−	97	1	4	33	59	57	40
−	−	−	−	4	1	−	1	2	−	−
−	−	−	−	36	−	2	18	16	11	25
−	−	−	−	12	−	−	5	7	6	6
9	25	7	28	423	12	17	95	299	96	327
3	3	2	4	76	−	8	20	48	26	50
2	4	1	5	353	11	16	115	211	119	234
−	3	1	2	132	−	5	20	107	49	83
9	26	9	26	197	1	5	43	148	81	116
6	25	11	21	467	19	38	148	262	157	310
3	5	2	6	100	3	5	24	68	36	64
7	4	5	7	51	6	5	15	25	26	25
17	35	26	28	214	5	12	37	160	105	109
12	28	−	−	678	44	44	133	457	−	−
5	16	6	16	210	2	10	65	133	78	132
6	20	19	12	72	5	6	18	43	41	31
13	47	38	23	491	19	21	145	306	273	218
...	...	...	...	...	...	...	...	...	...	...
4	5	−	−	155	3	12	75	65	...	...
7	20	8	19	64	2	3	7	52	17	47
−	−	−	−	19	1	1	7	10	9	10
2	8	2	9	28	2	2	8	16	10	18
1	7	3	5	119	3	4	30	82	40	79
3	7	3	8	158	4	13	58	83	57	101
11	26	20	19	562	11	20	168	363	338	224
4	9	10	4	435	20	20	110	285	154	281
4	7	6	5	139	10	11	31	87	79	60
2	4	3	3	122	5	2	42	73	51	71
−	4	−	4	163	6	9	50	98	82	81
2	5	3	6	97	2	6	37	52	41	56
1	−	1	−	38	3	4	13	18	19	19
2	6	5	3	26	1	1	12	12	16	10
1	−	−	1	2	−	−	2	−	−	2
1	−	2	−	38	1	2	16	19	24	14
4	4	4	6	84	2	6	28	48	44	40
3	13	11	6	89	1	6	23	59	52	37
3	6	2	7	156	5	7	53	91	65	91
1	1	−	2	50	−	−	24	26	27	23
−	1	1	−	127	3	5	41	78	59	68
7	7	10	4	194	8	8	63	115	107	87
−	−	−	−	15	−	2	6	7	11	4
2	2	4	1	171	6	11	43	111	75	96
1	4	2	3	207	6	12	67	122	118	89
10	13	13	10	149	2	6	49	92	55	94
8	12	11	11	212	2	11	66	133	88	124
−	4	2	2	60	−	6	27	27	13	47
5	7	5	7	257	5	10	78	164	104	153
4	3	6	2	125	7	9	40	69	44	81
−	−	−	−	20	1	−	5	14	9	11
−	−	−	−	−	−	−	−	−	−	−
1	22	5	19	1 128	25	37	234	832	238	890
6	19	9	17	257	2	8	48	199	66	191
2	7	1	8	175	3	12	65	95	68	107
5	2	5	2	8	−	−	4	4	3	5

第25表（10－9） 平成28年度における肺がん（胸部エックス線検査）検診受診者数・要精密検査者数

	精密検査受診						
	未受診						
	総数	40～49歳	50～59歳	60～69歳	70歳以上	(再掲)初回	(再掲)非初回
全国	**9 767**	**466**	**684**	**2 868**	**5 749**	**3 732**	**4 978**
北海道	391	35	40	139	177	183	188
青森	55	3	8	17	27	29	22
岩手	99	12	7	32	48	35	64
宮城	824	31	74	268	451	268	556
秋田	93	2	7	32	52	24	65
山形	306	13	28	111	154	92	155
福島	231	5	18	84	124	56	175
茨城	868	18	41	280	529	376	492
栃木	107	…	4	25	78	13	19
群馬	122	5	6	27	84	46	75
埼玉	702	27	43	167	465	174	215
千葉	206	14	20	71	101	75	97
東京	300	26	31	82	161	146	84
神奈川	797	28	49	161	559	327	442
新潟	331	13	24	96	198	147	184
富山	69	1	…	14	54	28	36
石川	143	9	7	51	76	21	48
福井	214	7	13	56	138	91	123
山梨	210	12	17	75	106	53	126
長野	55	6	7	12	30	20	26
岐阜	94	2	6	30	56	41	53
静岡	147	3	10	31	103	61	72
愛知	514	28	31	120	335	201	288
三重	295	15	15	82	183	105	190
滋賀	133	3	8	41	81	76	57
京都	262	27	22	71	142	28	30
大阪	607	41	39	165	362	318	289
兵庫	158	3	11	48	96	62	59
奈良	17	1	1	2	13	9	8
和歌山	93	8	7	39	39	44	49
鳥取	124	11	12	33	68	51	73
島根	19	-	-	5	14	10	9
岡山	98	-	3	23	72	32	66
広島	130	5	11	40	74	61	69
山口	58	2	-	19	37	28	30
徳島	46	2	3	8	33	10	25
香川	52	1	3	11	37	25	27
愛媛	55	4	5	18	28	25	30
高知	2	-	-	1	1	-	2
福岡	83	7	6	47	23	31	28
佐賀	53	3	4	21	25	26	27
長崎	118	9	10	49	50	61	57
熊本	66	3	7	27	29	31	35
大分	114	6	7	44	57	52	51
宮崎	69	2	5	16	46	37	32
鹿児島	134	5	4	42	83	64	70
沖縄	103	8	10	35	50	39	60
指定都市・特別区(再掲)							
東京都区部	266	25	28	68	145	134	63
札幌市	68	6	7	25	30	43	25
仙台市	129	9	10	44	66	62	67
さいたま市	212	7	12	49	144	…	…
千葉市	-	-	-	-	-	-	-
横浜市	31	1	6	7	17	23	8
川崎市	-	-	-	-	-	-	-
相模原市	233	8	11	40	174	102	131
新潟市	82	5	8	21	48	48	34
静岡市	14	-	2	3	9	-	-
浜松市	40	-	-	4	36	25	15
名古屋市	127	7	8	21	91	62	65
京都市	204	24	14	59	107	-	-
大阪市	112	5	15	34	58	51	61
堺市	82	10	3	20	49	52	30
神戸市	-	-	-	-	-	-	-
岡山市	-	-	-	-	-	-	-
広島市	18	2	1	3	12	9	9
北九州市	…	…	…	…	…	…	…
福岡市	19	4	2	9	4	-	-
熊本市	4	-	-	3	1	1	3

・精密検査受診の有無別人数，都道府県－指定都市・特別区－中核市－その他政令市、年齢階級・検診回数別

の有無別人数[2)]						
未把握						
総数	40 ～ 49歳	50 ～ 59歳	60 ～ 69歳	70 歳 以 上	(再掲)初 回	(再掲)非初回
18 090	1 038	1 380	4 874	10 798	8 246	7 509
72	10	10	18	34	34	37
105	9	17	34	45	44	60
193	12	12	48	121	63	130
83	1	1	23	58	24	59
111	7	12	36	56	35	45
148	4	9	53	82	36	66
464	24	48	159	233	181	260
156	3	7	43	103	81	75
406	22	25	140	219	164	222
32	2	2	8	20	15	17
1 280	91	88	344	757	448	487
1 263	67	59	260	877	299	597
1 658	162	218	401	877	616	531
4 534	189	282	1 010	3 053	3 104	1 004
29	3	1	5	20	8	21
32	1	…	9	22	12	17
45	1	3	19	22	5	14
357	14	23	103	217	120	237
275	20	38	92	125	76	184
84	9	6	19	50	38	22
63	5	5	15	38	30	33
659	16	46	185	412	258	401
1 471	105	105	346	915	597	712
291	28	29	85	149	110	181
3	–	–	1	2	2	1
226	27	25	77	97	62	72
397	31	39	111	216	208	189
489	27	22	127	313	282	206
40	–	–	9	31	26	14
148	7	12	60	69	82	66
55	1	2	16	36	30	25
97	2	10	30	55	47	45
123	–	3	20	100	41	82
898	50	63	336	449	462	432
75	4	3	25	43	36	39
20	2	1	6	11	12	8
12	1	–	7	4	7	5
80	6	7	27	40	30	50
29	2	1	8	18	10	19
276	20	21	114	121	113	113
49	–	2	20	27	29	20
300	9	26	115	150	124	147
343	18	33	118	174	77	266
115	1	10	32	72	37	69
37	1	1	7	28	14	23
70	1	5	27	37	33	37
397	23	48	126	200	84	169
1 519	151	204	356	808	580	487
2	1	–	–	1	2	–
3	–	–	–	3	1	2
304	20	18	66	200	…	…
253	10	8	42	193	89	164
1 177	77	76	324	700	756	421
1 963	63	145	417	1 338	1 963	–
–	–	–	–	–	–	–
–	–	–	–	–	–	–
–	–	–	–	–	–	–
205	3	15	47	140	78	127
606	64	53	144	345	344	262
92	7	10	30	45	–	–
37	5	5	7	20	16	21
–	–	–	–	–	–	–
72	8	2	13	49	42	30
105	–	3	15	87	30	75
389	32	34	113	210	229	160
…	…	…	…	…	…	…
38	–	5	22	11	–	–
3	–	–	–	3	1	2

第25表（10－10） 平成28年度における肺がん（胸部エックス線検査）検診受診者数・要精密検査者数

	精密検査受診						
	未受診						
	総数	40～49歳	50～59歳	60～69歳	70歳以上	(再掲)初回	(再掲)非初回
中核市(再掲)							
旭川市	38	7	1	14	16	22	16
函館市	–	–	–	–	–	–	–
青森市	–	–	–	–	–	–	–
八戸市	5	–	–	2	3	4	1
盛岡市	1	–	–	–	1	–	1
秋田市	5	–	–	1	4	3	2
郡山市	–	–	–	–	–	–	–
いわき市	5	–	–	2	3	–	5
宇都宮市	22	–	–	4	18	8	14
前橋市	83	2	3	17	61	29	54
高崎市	10	1	–	2	7	4	6
川越市	3	–	–	2	1	1	2
越谷市	25	–	1	5	19	12	13
船橋市	33	2	3	13	15	–	–
柏市	–	–	–	–	–	–	–
八王子市	5	–	–	2	3	2	3
横須賀市	115	2	10	46	57	72	43
富山市	…	…	…	…	…	…	…
金沢市	52	5	3	19	25	…	…
長野市	10	1	1	–	8	3	7
岐阜市	–	–	–	–	–	–	–
豊橋市	2	1	–	1	–	–	2
豊田市	15	–	1	4	10	6	9
岡崎市	9	–	1	8	–	3	6
大津市	110	2	7	31	70	62	48
高槻市	55	4	–	10	41	27	28
東大阪市	20	3	2	8	7	14	6
豊中市	4	–	–	1	3	2	2
枚方市	41	1	2	16	22	21	20
姫路市	–	–	–	–	–	–	–
西宮市	3	–	–	2	1	2	1
尼崎市	–	–	–	–	–	–	–
奈良市	–	–	–	–	–	–	–
和歌山市	27	3	2	10	12	15	12
倉敷市	–	–	–	–	–	–	–
福山市	16	–	3	2	11	9	7
呉市	9	–	–	2	7	6	3
下関市	3	–	–	1	2	1	2
高松市	9	–	2	1	6	7	2
松山市	13	1	1	1	10	6	7
高知市	–	–	–	–	–	–	–
久留米市	3	–	–	1	2	–	3
長崎市	16	–	–	3	13	9	7
佐世保市	25	1	2	12	10	14	11
大分市	8	3	1	4	–	8	–
宮崎市	–	–	–	–	–	–	–
鹿児島市	25	1	–	8	16	14	11
那覇市	18	2	2	5	9	10	8
その他政令市(再掲)							
小樽市	1	–	1	–	–	–	1
町田市	–	–	–	–	–	–	–
藤沢市	229	9	11	38	171	63	166
茅ヶ崎市	53	4	4	6	39	27	26
四日市市	33	5	–	7	21	14	19
大牟田市	2	–	–	–	2	–	2

注：初回・非初回及び年齢階級別については、計数不詳の市区町村があるため、総数と一致しない場合がある。
1）胸部エックス線検査の判定別人数については、計数不詳の市区町村があるため、受診者数と一致しない場合がある。
2）精密検査受診の有無別人数については、計数不詳の市区町村がある場合、要精密検査者数と一致しないことがある。

・精密検査受診の有無別人数，都道府県−指定都市・特別区−中核市−その他政令市、年齢階級・検診回数別

| の 有 無 別 人 数²⁾ | | | | | | |
| 未 | | 把 | | | 握 | |
総　数	40 ～ 49歳	50 ～ 59歳	60 ～ 69歳	70 歳 以 上	(再掲)初　回	(再掲)非初回
–	–	–	–	–	–	–
–	–	–	–	–	–	–
14	–	3	3	8	7	7
14	1	2	7	4	11	3
75	6	4	14	51	21	54
28	1	5	9	13	17	11
52	4	2	13	33	20	32
29	–	1	12	16	15	14
76	3	3	17	53	33	43
–	–	–	–	–	–	–
–	–	–	–	–	–	–
3	–	–	1	2	1	2
46	2	1	13	30	26	20
359	27	13	62	257	–	–
29	4	1	7	17	15	14
1	–	–	1	–	–	1
264	14	22	71	157	156	108
…	…	…	…	…	…	…
2	–	1	–	1	–	–
–	–	–	–	–	–	–
1	–	–	–	1	1	–
9	1	–	3	5	2	7
9	–	–	–	9	5	4
41	1	–	10	30	19	22
–	–	–	–	–	–	–
65	1	4	25	35	34	31
8	–	3	2	3	7	1
19	2	–	8	9	9	10
–	–	–	–	–	–	–
29	9	2	10	8	20	9
3	–	–	1	2	1	2
60	4	3	17	36	39	21
2	–	–	–	2	2	–
81	3	8	32	38	50	31
4	–	–	1	3	3	1
–	–	–	–	–	–	–
40	4	3	9	24	17	23
20	1	1	11	7	12	8
–	–	–	–	–	–	–
23	1	3	4	15	15	8
3	–	1	2	–	2	1
38	1	–	14	23	17	21
43	2	5	23	13	26	17
1	–	–	–	1	1	–
78	1	8	21	48	27	51
19	–	1	4	14	6	13
7	–	–	3	4	4	3
59	6	6	18	29	13	46
3	–	2	1	–	2	1
–	–	–	–	–	–	–
264	7	11	43	203	57	207
35	1	2	5	27	11	24
5	1	1	2	1	2	3
2	–	–	1	1	2	–

15(8)－22～23, 28～29　肺がん　精密検査

第26表（12-1）　平成28年度における肺がん（喀痰細胞診）検診受診者数・要精密検査者数・

	喀　痰　容　器　配　布　数[1]							喀　痰　容　器		
	総　数	40～49歳	50～59歳	60～69歳	70歳以上	(再掲)初回	(再掲)非初回	総　数	40～49歳	50～59歳
全　　国	273 783	・	28 401	103 990	141 392	108 217	130 318	213 360	・	23 563
北　海　道	3 733	・	485	1 678	1 570	1 627	1 362	3 507	・	451
青　　森	2 238	・	331	1 039	868	1 109	1 056	1 962	・	266
岩　　手	4 454	・	389	1 926	2 139	1 244	3 210	4 087	・	332
宮　　城	13 392	・	1 062	5 408	6 922	4 441	8 951	12 641	・	969
秋　　田	6 278	・	657	2 952	2 669	1 246	5 032	4 664	・	467
山　　形	3 164	・	310	1 550	1 304	852	1 066	1 873	・	180
福　　島	8 342	・	686	3 511	4 145	3 134	5 170	7 679	・	626
茨　　城	2 467	・	234	955	1 278	1 455	1 012	2 210	・	195
栃　　木	4 008	・	428	1 645	1 935	2 091	1 890	3 810	・	380
群　　馬	7 361	・	627	2 712	4 022	1 794	4 466	6 619	・	530
埼　　玉	21 567	・	1 807	7 128	12 632	7 158	9 904	15 537	・	1 428
千　　葉	13 063	・	1 200	4 343	7 520	4 768	5 808	12 032	・	1 081
東　　京	31 852	・	6 756	11 840	13 256	10 662	11 410	33 321	・	7 121
神　奈　川	6 096	・	528	1 669	3 899	2 716	3 253	5 585	・	479
新　　潟	6 619	・	350	2 484	3 785	2 377	4 242	4 304	・	224
富　　山	5 064	・	227	1 631	3 206	266	140	1 184	・	76
石　　川	6 819	・	566	3 449	2 804	679	1 675	3 336	・	263
福　　井	506	・	46	191	269	195	311	430	・	41
山　　梨	1 746	・	237	664	845	658	927	1 642	・	227
長　　野	1 094	・	87	413	594	411	639	1 058	・	79
岐　　阜	2 011	・	196	919	896	677	1 334	1 911	・	181
静　　岡	19 292	・	1 344	6 761	11 187	11 560	5 236	9 714	・	755
愛　　知	32 975	・	2 759	10 520	19 696	13 914	18 822	16 360	・	1 423
三　　重	2 236	・	197	854	1 185	1 020	1 216	2 190	・	191
滋　　賀	2 030	・	184	915	931	1 019	1 011	3 212	・	240
京　　都	2 815	・	274	1 068	1 473	609	1 443	2 537	・	225
大　　阪	15 645	・	2 088	6 197	7 360	7 516	7 783	13 646	・	1 795
兵　　庫	4 026	・	305	1 350	2 371	1 749	1 789	3 840	・	286
奈　　良	2 744	・	228	1 069	1 447	1 115	1 622	2 482	・	203
和　歌　山	2 498	・	324	1 170	1 004	1 641	857	1 565	・	210
鳥　　取	2 444	・	186	1 143	1 115	959	1 485	2 416	・	183
島　　根	529	・	33	244	252	279	250	509	・	31
岡　　山	9 910	・	654	3 230	6 026	7 738	2 172	3 216	・	206
広　　島	1 378	・	103	598	677	692	686	1 348	・	102
山　　口	2 294	・	132	885	1 277	1 261	1 033	2 280	・	129
徳　　島	1 412	・	145	624	643	478	790	1 307	・	136
香　　川	2 412	・	218	1 002	1 192	992	1 420	2 299	・	200
愛　　媛	23	・	4	8	11	3	20	23	・	4
高　　知	8	・	3	1	4		8	8	・	3
福　　岡	1 497	・	190	774	533	547	429	1 407	・	177
佐　　賀	3 268	・	386	1 593	1 289	892	1 853	2 893	・	309
長　　崎	2 631	・	305	1 312	1 014	865	1 729	2 430	・	272
熊　　本	1 015	・	107	504	404	441	574	922	・	93
大　　分	1 705	・	87	778	840	584	1 084	1 316	・	58
宮　　崎	954	・	105	421	428	338	615	824	・	77
鹿　児　島	3 848	・	423	1 834	1 591	1 633	2 215	3 419	・	339
沖　　縄	2 320	・	408	1 028	884	812	1 318	1 805	・	320
指定都市・特別区（再掲）東京都区部	23 484	・	5 284	8 587	9 613	6 852	7 838	26 144	・	5 858
札　幌　市	187	・	22	90	75	94	93	187	・	22
仙　台　市	4 818	・	316	1 570	2 932	1 564	3 254	4 614	・	292
さいたま市	2 092	・	197	682	1 213	…	…	2 092	・	197
千　葉　市	2 994	・	216	847	1 931	1 822	1 172	2 923	・	197
横　浜　市	－	・	－	－	－			－	・	－
川　崎　市	1 183	・	102	332	749	1 183	－	492	・	49
相　模　原　市	979	・	98	277	604	347	632	979	・	98
新　潟　市	1 292	・	53	467	772	387	905	528	・	27
静　岡　市	2 323	・	122	912	1 289	－	－	2 323	・	122
浜　松　市	8 872	・	509	3 115	5 248	8 417	455	1 058	・	59
名　古　屋　市	18 630	・	1 634	6 069	10 927	7 786	10 844	6 269	・	610
京　都　市	763	・	71	207	485			763	・	71
大　阪　市	2 998	・	601	1 303	1 094	1 382	1 616	2 988	・	593
堺　　市	519	・	69	213	237	323	196	307	・	43
神　戸　市	－	・	－	－	－			－	・	－
岡　山　市	7 412	・	482	2 382	4 548	6 864	548	811	・	55
広　島　市	746	・	70	325	351	341	405	745	・	70
北　九　州　市	94	・	14	42	38	…	…	94	・	14
福　岡　市	312	・	42	175	95	－	－	290	・	40
熊　本　市	448	・	31	236	181	181	267	420	・	26

精密検査受診の有無別人数，都道府県－指定都市・特別区－中核市－その他政令市、年齢階級・検診回数別

回収数（受診者数）[2]				喀痰細胞診の判定別人数[3]						
				A区分						
60～69歳	70歳以上	(再掲)初回	(再掲)非初回	総数	40～49歳	50～59歳	60～69歳	70歳以上	(再掲)初回	(再掲)非初回
81 651	**108 146**	**74 152**	**115 054**	**9 988**	·	**1 046**	**3 693**	**5 249**	**2 856**	**3 986**
1 563	1 493	1 480	1 284	18	·	4	7	7	12	6
909	787	955	939	183	·	32	85	66	108	69
1 774	1 981	1 154	2 933	236	·	21	107	108	80	156
5 096	6 576	4 041	8 600	26	·	1	9	16	17	9
2 209	1 988	946	3 718	30	·	1	14	15	3	27
893	800	357	1 028	16	·	1	3	12	1	9
3 233	3 820	2 536	5 139	72	·	2	36	34	32	40
856	1 159	1 292	918	–	·	–	–	–	–	–
1 553	1 877	1 960	1 829	55	·	7	20	28	29	25
2 433	3 656	1 529	4 173	203	·	13	66	124	54	122
5 332	8 777	4 414	6 848	258	·	25	95	138	98	115
3 950	7 001	4 324	5 462	363	·	37	113	213	66	114
12 032	14 168	9 529	14 728	1 205	·	349	442	414	385	596
1 511	3 595	2 164	3 334	189	·	11	46	132	100	79
1 580	2 500	1 683	2 621	300	·	9	104	187	122	178
385	723	252	137	16	·	1	3	12	8	7
1 618	1 455	921	2 415	63	·	12	29	22	4	16
161	228	154	276	1	·	1	…	…	1	…
629	786	624	870	111	·	22	38	51	9	9
400	579	393	621	43	·	5	16	22	16	23
870	860	622	1 289	30	·	8	10	12	12	18
3 432	5 527	2 522	4 696	3 124	·	183	1 160	1 781	211	588
5 158	9 779	6 096	10 025	1 220	·	105	365	750	418	745
838	1 161	1 001	1 189	112	·	6	49	57	49	63
1 358	1 614	1 656	1 556	155	·	10	58	87	84	71
940	1 372	520	1 254	69	·	5	28	36	18	39
5 426	6 425	6 434	7 212	112	·	12	41	59	67	45
1 275	2 279	1 678	1 730	290	·	27	100	163	171	115
929	1 350	906	1 569	14	·	2	6	6	4	10
726	629	800	765	14	·	4	6	4	6	8
1 131	1 102	949	1 467	112	·	8	48	56	58	54
232	246	258	248	2	·	–	1	1	2	–
1 049	1 961	1 412	1 804	41	·	2	14	25	23	18
585	661	678	670	103	·	8	36	59	61	42
876	1 275	1 254	1 026	110	·	5	39	66	69	41
570	601	438	741	102	·	5	37	60	32	56
958	1 141	949	1 350	6	·	1	4	1	2	4
8	11	3	20	1	·	–	–	1	–	1
1	4	–	8	–	·	–	–	–	–	–
720	510	505	405	117	·	19	58	40	28	10
1 410	1 174	777	1 681	31	·	1	16	14	13	16
1 208	950	796	1 597	242	·	26	116	100	105	132
455	374	402	520	5	·	1	2	2	–	5
588	670	452	827	67	·	–	31	36	21	43
358	389	276	547	14	·	1	5	8	6	8
1 633	1 447	1 442	1 977	500	·	52	227	221	249	251
800	685	618	1 008	7	·	1	3	3	2	3
9 222	11 064	6 651	11 437	981	·	303	344	334	270	498
90	75	94	93	–	·	–	–	–	–	–
1 507	2 815	1 462	3 152	5	·	–	1	4	3	2
682	1 213	…	…	39	·	1	10	28	…	…
807	1 919	1 759	1 164	3	·	–	–	3	2	1
–	–	–	–	–	·	–	–	–	–	–
124	319	492	–	7	·	–	4	3	7	–
277	604	347	632	7	·	1	1	5	5	2
194	307	177	351	101	·	2	34	65	32	69
912	1 289	–	–	2 323	·	122	912	1 289	–	–
329	670	603	455	120	·	2	33	85	70	50
2 036	3 623	2 729	3 540	413	·	41	121	251	183	230
207	485	–	–	12	·	2	3	7	–	–
1 302	1 093	1 377	1 611	20	·	4	10	6	14	6
142	122	191	116	2	·	–	1	1	2	–
–	–	–	–	–	·	–	–	–	–	–
252	504	455	356	34	·	2	11	21	18	16
324	351	341	404	90	·	7	28	55	54	36
42	38	…	…	–	·	–	–	–	…	…
156	94	–	–	75	·	14	38	23	–	–
219	175	168	252	–	·	–	–	–	–	–

15(8)－22～23, 28～29 肺がん 精密検査

第26表（12－2） 平成28年度における肺がん（喀痰細胞診）検診受診者数・要精密検査者数・

	喀　痰　容　器　配　布　数¹⁾							喀　痰　容　器		
	総　数	40～49歳	50～59歳	60～69歳	70歳以上	（再掲）初回	（再掲）非初回	総　数	40～49歳	50～59歳
中核市（再掲）										
旭　川　市	168	・	27	82	59	112	56	168	・	27
函　館　市	154	・	21	78	55	130	24	151	・	19
青　森　市	54	・	4	35	15	17	37	52	・	4
八　戸　市	418	・	31	162	225	248	170	418	・	31
盛　岡　市	816	・	49	311	456	144	672	816	・	49
秋　田　市	212	・	17	83	112	72	140	196	・	16
郡　山　市	1 194	・	125	572	497	306	888	1 194	・	125
い　わ　き　市	1 673	・	69	604	1 000	481	1 192	1 673	・	69
宇　都　宮　市	2 297	・	208	876	1 213	1 209	1 088	2 297	・	208
前　橋　市	2 790	・	220	1 011	1 559	679	2 111	2 790	・	220
高　崎　市	940	・	54	276	610	…	…	845	・	45
川　越　市	500	・	48	238	214	125	375	395	・	37
越　谷　市	1 132	・	74	269	789	413	719	1 120	・	73
船　橋　市	2 271	・	242	706	1 323	－	－	2 040	・	212
柏　　市	346	・	19	94	233	71	275	342	・	19
八　王　子　市	3 125	・	390	1 116	1 619	1 833	1 292	2 226	・	270
横　須　賀　市	－	・	－	－	－	－	－	－	・	－
富　山　市	4 649	・	211	1 474	2 964	…	…	788	・	63
金　沢　市	4 977	・	408	2 583	1 986	218	294	1 660	・	122
長　野　市	178	・	18	41	119	46	132	156	・	13
岐　阜　市	108	・	13	54	41	58	50	108	・	13
豊　橋　市	832	・	65	300	467	546	286	564	・	42
豊　田　市	1 261	・	128	463	670	269	992	1 261	・	128
岡　崎　市	308	・	23	141	144	74	234	294	・	20
大　津　市	…	・	…	…	…	…	…	1 714	・	113
高　槻　市	2 149	・	156	779	1 214	758	1 391	1 512	・	125
東　大　阪　市	1 235	・	188	551	496	817	418	870	・	121
豊　中　市	197	・	28	70	99	73	124	194	・	28
枚　方　市	－	・	－	－	－	－	－	－	・	－
姫　路　市	392	・	44	159	189	242	150	392	・	44
西　宮　市	303	・	49	114	140	142	161	303	・	49
尼　崎　市	49	・	8	19	22	38	11	49	・	8
奈　良　市	173	・	11	82	80	84	89	157	・	11
和　歌　山　市	－	・	－	－	－	－	－	－	・	－
倉　敷　市	367	・	25	123	219	172	195	367	・	25
福　山　市	108	・	5	52	51	76	32	108	・	5
呉　　市	13	・	1	9	3	12	1	13	・	1
下　関　市	142	・	7	75	60	93	49	142	・	7
高　松　市	416	・	46	178	192	128	288	400	・	43
松　山　市	－	・	－	－	－	－	－	－	・	－
高　知　市	－	・	－	－	－	－	－	－	・	－
久　留　米　市	－	・	－	－	－	－	－	－	・	－
長　崎　市	241	・	29	137	75	141	100	237	・	29
佐　世　保　市	34	・	1	18	15	29	5	34	・	1
大　分　市	241	・	16	113	112	154	87	226	・	16
宮　崎　市	446	・	51	192	203	100	346	379	・	35
鹿　児　島　市	590	・	41	229	320	342	248	587	・	40
那　覇　市	624	・	87	294	243	231	393	389	・	56
その他政令市（再掲）										
小　樽　市	36	・	4	15	17	21	15	35	・	4
町　田　市	－	・	－	－	－	－	－	－	・	－
藤　沢　市	1 526	・	107	372	1 047	251	1 275	1 526	・	107
茅　ヶ　崎　市	818	・	64	208	546	441	377	818	・	64
四　日　市　市	433	・	33	159	241	176	257	404	・	31
大　牟　田　市	52	・	8	25	19	37	15	15	・	2

注：初回・非初回及び年齢階級別については、計数不詳の市区町村があるため、総数と一致しない場合がある。
　1）喀痰容器は喀痰細胞診対象者（胸部エックス線検査受診者中高危険群者）への配布状況である。
　2）喀痰容器の回収数は喀痰細胞診対象者（胸部エックス線検査受診者中高危険群者）からの回収状況である。
　3）喀痰細胞診の判定別人数については、計数不詳の市区町村があるため、喀痰容器回収数（受診者数）と一致しない場合がある。

精密検査受診の有無別人数，都道府県－指定都市・特別区－中核市－その他政令市、年齢階級・検診回数別

回収数（受診者数）[2]				喀痰細胞診の判定別人数[3]						
				A区分						
60～69歳	70歳以上	(再掲)初回	(再掲)非初回	総数	40～49歳	50～59歳	60～69歳	70歳以上	(再掲)初回	(再掲)非初回
82	59	112	56	–	・	–	–	–	–	–
77	55	128	23	–	・	–	–	–	–	–
35	13	17	35	5	・	1	1	3	3	2
162	225	248	170	12	・	–	3	9	10	2
311	456	144	672	18	・	2	7	9	4	14
74	106	66	130	–	・	–	–	–	–	–
572	497	306	888	10	・	–	8	2	3	7
604	1 000	481	1 192	22	・	–	8	14	9	13
876	1 213	1 209	1 088	35	・	5	13	17	20	15
1 011	1 559	679	2 111	106	・	8	36	62	33	73
258	542	…	…	27	・	1	11	15	…	…
187	171	96	299	4	・	–	1	3	2	2
262	785	406	714	13	・	2	1	10	5	8
633	1 195	–	–	179	・	13	54	112	–	–
91	232	69	273	–	・	–	–	–	–	–
799	1 157	1 036	1 190	28	・	3	10	15	15	13
–	–	–	–	–	・	–	–	–	–	–
235	490	…	…	–	・	–	–	–	–	–
833	705	527	1 133	16	・	4	4	8	…	…
34	109	38	118	11	・	2	3	6	4	7
54	41	58	50	–	・	–	–	–	–	–
212	310	310	254	1	・	–	–	1	–	1
463	670	269	992	167	・	13	60	94	33	134
135	139	72	222	37	・	5	15	17	9	28
680	921	898	816	86	・	4	29	53	51	35
569	818	532	980	12	・	–	4	8	4	8
378	371	517	353	1	・	–	1	–	1	–
69	97	70	124	–	・	–	–	–	–	–
–	–	–	–	–	・	–	–	–	–	–
159	189	242	150	156	・	20	62	74	109	47
114	140	142	161	6	・	–	1	5	3	3
19	22	38	11	–	・	–	–	–	–	–
72	74	72	85	1	・	–	–	1	1	–
–	–	–	–	–	・	–	–	–	–	–
123	219	172	195	1	・	–	1	–	–	1
52	51	76	32	6	・	–	3	3	4	2
9	3	12	1	…	・	…	…	…	…	…
75	60	93	49	1	・	1	–	–	1	–
172	185	124	276	–	・	–	–	–	–	–
–	–	–	–	–	・	–	–	–	–	–
–	–	–	–	–	・	–	–	–	–	–
–	–	–	–	–	・	–	–	–	–	–
134	74	139	98	28	・	4	14	10	19	9
18	15	29	5	3	・	–	3	–	3	–
107	103	142	84	2	・	–	1	1	2	–
161	183	77	302	6	・	–	2	4	2	4
228	319	340	247	59	・	3	25	31	38	21
179	154	145	244	2	・	–	1	1	–	2
14	17	20	15	–	・	–	–	–	–	–
–	–	–	–	–	・	–	–	–	–	–
372	1 047	251	1 275	46	・	3	8	35	9	37
208	546	441	377	95	・	4	22	69	62	33
148	225	163	241	24	・	2	11	11	7	17
9	4	13	2	–	・	–	–	–	–	–

第26表（12－3） 平成28年度における肺がん（喀痰細胞診）検診受診者数・要精密検査者数・

	喀痰細胞診									
	B区分							C		
	総数	40～49歳	50～59歳	60～69歳	70歳以上	(再掲)初回	(再掲)非初回	総数	40～49歳	50～59歳
全国	**196 252**	**・**	**21 478**	**75 622**	**99 152**	**68 474**	**106 605**	**1 795**	**・**	**203**
北海道	3 474	・	443	1 552	1 479	1 463	1 272	9	・	1
青森	1 764	・	234	819	711	841	862	6	・	－
岩手	3 818	・	310	1 653	1 855	1 066	2 752	19	・	－
宮城	12 561	・	966	5 064	6 531	3 997	8 564	6	・	－
秋田	4 623	・	466	2 191	1 966	939	3 622	3	・	－
山形	1 829	・	174	872	783	349	1 000	25	・	5
福島	7 503	・	612	3 145	3 746	2 460	5 039	92	・	12
茨城	2 195	・	195	854	1 146	1 282	913	10	・	－
栃木	3 713	・	368	1 515	1 830	1 881	1 725	24	・	4
群馬	6 380	・	514	2 351	3 515	1 465	4 025	32	・	2
埼玉	14 589	・	1 345	4 962	8 282	4 129	6 259	105	・	12
千葉	11 251	・	998	3 719	6 534	4 155	5 204	362	・	37
東京	28 428	・	6 075	10 535	11 818	9 010	13 933	362	・	70
神奈川	5 073	・	446	1 365	3 262	1 878	3 118	72	・	6
新潟	3 950	・	213	1 454	2 283	1 538	2 412	33	・	1
富山	1 122	・	71	375	676	243	129	15	・	1
石川	3 255	・	251	1 580	1 424	170	662	7	・	－
福井	428	・	40	160	228	152	276	1	・	…
山梨	1 457	・	193	565	699	582	822	69	・	12
長野	1 013	・	74	383	556	376	597	2	・	…
岐阜	1 877	・	172	859	846	608	1 269	2	・	1
静岡	6 413	・	540	2 199	3 674	2 245	3 998	23	・	1
愛知	14 907	・	1 308	4 729	8 870	4 866	8 470	186	・	7
三重	2 066	・	183	783	1 100	951	1 115	10	・	2
滋賀	3 041	・	230	1 294	1 517	1 562	1 479	13	・	－
京都	2 452	・	217	908	1 327	495	1 210	8	・	1
大阪	13 468	・	1 777	5 360	6 331	6 328	7 140	52	・	5
兵庫	3 263	・	253	1 080	1 930	1 551	1 555	16	・	…
奈良	2 456	・	200	919	1 337	893	1 556	4	・	－
和歌山	1 526	・	206	712	608	782	744	17	・	－
鳥取	2 286	・	173	1 078	1 035	877	1 409	16	・	1
島根	507	・	31	231	245	256	248	－	・	－
岡山	3 139	・	201	1 024	1 914	1 368	1 771	36	・	3
広島	1 160	・	86	504	570	561	599	7	・	…
山口	2 152	・	123	831	1 198	1 169	983	14	・	1
徳島	1 200	・	130	532	538	382	646	1	・	－
香川	2 265	・	196	938	1 131	935	1 330	21	・	2
愛媛	22	・	4	8	10	3	19	－	・	－
高知	8	・	3	1	4	－	8	－	・	－
福岡	1 273	・	153	656	464	467	393	9	・	4
佐賀	2 834	・	307	1 380	1 147	754	1 654	26	・	1
長崎	2 140	・	242	1 068	830	670	1 438	33	・	2
熊本	913	・	92	451	370	401	512	2	・	－
大分	1 237	・	58	546	633	424	779	12	・	－
宮崎	801	・	72	351	378	269	531	9	・	4
鹿児島	2 915	・	286	1 404	1 225	1 192	1 723	1	・	1
沖縄	1 505	・	247	662	596	489	840	23	・	4
指定都市・特別区(再掲)										
東京都区部	21 541	・	4 865	7 845	8 831	6 273	10 777	306	・	64
札幌市	185	・	22	88	75	92	93	2	・	－
仙台市	4 598	・	291	1 505	2 802	1 453	3 145	－	・	－
さいたま市	2 045	・	196	670	1 179	…	…	7	・	－
千葉市	2 867	・	194	797	1 876	1 725	1 142	37	・	3
横浜市	－	・	－	－	－	－	－	－	・	－
川崎市	481	・	49	118	314	481	－	2	・	－
相模原市	970	・	97	276	597	341	629	2	・	－
新潟市	423	・	23	159	241	145	278	2	・	1
静岡市	－	・	－	－	－	－	－	－	・	－
浜松市	933	・	57	295	581	530	403	4	・	－
名古屋市	5 680	・	561	1 870	3 249	2 477	3 203	143	・	5
京都市	747	・	69	202	476	－	－	3	・	－
大阪市	2 968	・	589	1 292	1 087	1 363	1 605	－	・	－
堺市	305	・	43	141	121	189	116	－	・	－
神戸市	－	・	－	－	－	－	－	－	・	－
岡山市	755	・	51	232	472	421	334	22	・	2
広島市	611	・	59	280	272	262	349	6	・	－
北九州市	94	・	14	42	38	…	…	－	・	－
福岡市	213	・	25	118	70	－	－	－	・	－
熊本市	419	・	26	219	174	168	251	－	・	－

精密検査受診の有無別人数，都道府県－指定都市・特別区－中核市－その他政令市、年齢階級・検診回数別

の判定別人数3)										
区分				D区分						
60～69歳	70歳以上	(再掲)初回	(再掲)非初回	総数	40～49歳	50～59歳	60～69歳	70歳以上	(再掲)初回	(再掲)非初回
664	**928**	**666**	**825**	**308**	**・**	**25**	**84**	**199**	**104**	**148**
3	5	5	3	2	・	…	1	1	…	1
3	3	2	4	5	・	-	-	5	-	4
9	10	1	18	9	・	1	3	5	4	5
3	3	1	5	9	・	-	2	7	1	8
2	1	1	2	7	・	-	2	5	3	4
16	4	6	18	2	・	-	1	1	…	1
48	32	40	52	7	・	-	2	5	3	4
2	8	7	3	5	・	-	-	5	3	2
11	9	13	11	5	・	-	3	2	4	1
15	15	9	23	3	・	1	…	2	…	3
42	51	41	41	24	・	-	5	19	5	14
109	216	85	108	22	・	-	5	17	7	14
125	167	118	183	24	・	5	3	16	9	12
25	41	37	35	2	・	…	1	1	1	1
16	16	13	20	9	・	-	3	6	4	5
1	13	-	-	31	・	3	6	22	1	1
5	2	…	…	3	・	-	2	1	…	1
1	…	1	…	…	・	…	…	…	…	…
24	33	31	38	3	・	-	-	3	2	1
1	1	1	1	…	・	…	…	…	…	…
1	-	1	1	1	・	-	-	1	-	1
6	16	10	13	5	・	…	1	4	3	1
55	124	63	107	27	・	2	3	22	10	13
5	3	2	8	1	・	-	1	-	-	1
3	10	8	5	2	・	-	2	-	2	-
3	4	4	1	6	・	2	1	3	2	3
20	27	28	24	10	・	1	5	4	7	3
5	11	9	5	2	・	…	1	1	1	…
2	2	2	2	-	・	-	-	-	-	-
4	13	9	8	3	・	-	1	2	-	3
5	10	14	2	2	・	1	-	1	-	2
-	-	-	-	-	・	-	-	-	-	-
11	22	21	15	-	・	-	-	-	-	-
3	4	5	2	40	・	4	15	21	23	17
5	8	9	5	1	・	-	1	-	1	-
1	-	1	-	4	・	1	-	3	1	3
11	8	10	11	6	・	1	4	1	2	4
-	-	-	-	-	・	-	-	-	-	-
-	-	-	-	-	・	-	-	-	-	-
3	2	8	1	7	・	1	3	3	1	1
13	12	10	11	1	・	-	-	1	-	-
19	12	15	18	12	・	2	4	6	4	8
1	1	1	1	-	・	-	-	-	-	-
11	1	7	5	-	・	-	-	-	-	-
2	3	1	8	-	・	-	-	-	-	-
-	-	1	-	3	・	-	2	1	-	3
14	5	15	7	3	・	…	1	2	…	3
104	138	95	152	16	・	4	2	10	7	7
2	-	2	-	-	・	-	-	-	-	-
-	-	-	-	1	・	-	-	1	-	1
2	5	…	…	1	・	-	-	1	…	…
9	25	23	14	8	・	-	-	8	4	4
-	-	-	-	-	・	-	-	-	-	-
1	1	2	-	1	・	-	1	-	1	-
-	2	1	1	-	・	-	-	-	-	-
1	-	-	2	1	・	-	-	1	-	1
-	-	-	-	-	・	-	-	-	-	-
1	3	2	2	1	・	-	-	1	1	-
38	100	56	87	19	・	2	1	16	9	10
2	1	-	-	1	・	-	-	1	-	-
-	-	-	-	-	・	-	-	-	-	-
-	-	-	-	-	・	-	-	-	-	-
-	-	-	-	-	・	-	-	-	-	-
9	11	16	6	-	・	-	-	-	-	-
2	4	4	2	38	・	4	14	20	21	17
-	-	…	…	-	・	-	-	-	…	…
-	-	-	-	2	・	1	-	1	-	-
-	-	-	-	-	・	-	-	-	-	-

第26表（12－4） 平成28年度における肺がん（喀痰細胞診）検診受診者数・要精密検査者数・

	喀痰細胞診									
	B区分							C		
	総数	40～49歳	50～59歳	60～69歳	70歳以上	（再掲）初回	（再掲）非初回	総数	40～49歳	50～59歳
中核市（再掲）										
旭川市	167	・	27	82	58	111	56	－	・	－
函館市	151	・	19	77	55	128	23	－	・	－
青森市	46	・	3	34	9	13	33	－	・	－
八戸市	405	・	31	158	216	238	167	1	・	－
盛岡市	787	・	47	301	439	139	648	9	・	－
秋田市	194	・	16	74	104	65	129	－	・	－
郡山市	1 172	・	123	557	492	298	874	12	・	2
いわき市	1 640	・	69	591	980	469	1 171	8	・	－
宇都宮市	2 252	・	202	860	1 190	1 184	1 068	9	・	1
前橋市	2 659	・	211	961	1 487	638	2 021	23	・	1
高崎市	818	・	44	247	527	…	…	…	・	…
川越市	391	・	37	186	168	94	297	－	・	－
越谷市	1 103	・	71	260	772	399	704	4	・	－
船橋市	1 690	・	181	528	981	－	－	169	・	18
柏市	341	・	19	90	232	69	272	－	・	－
八王子市	2 186	・	264	786	1 136	1 018	1 168	9	・	2
横須賀市	－	・	－	－	－	－	－	－	・	－
富山市	744	・	59	229	456	…	…	15	・	1
金沢市	1 631	・	118	822	691	…	…	7	・	－
長野市	145	・	11	31	103	34	111	－	・	－
岐阜市	108	・	13	54	41	58	50	－	・	－
豊橋市	563	・	42	212	309	310	253	－	・	－
豊田市	1 091	・	115	400	576	236	855	3	・	－
岡崎市	253	・	15	117	121	62	191	3	・	－
大津市	1 622	・	109	648	865	844	778	4	・	－
高槻市	1 497	・	125	564	808	526	971	2	・	－
東大阪市	856	・	119	371	366	507	349	9	・	1
豊中市	193	・	27	69	97	70	123	1	・	1
枚方市	－	・	－	－	－	－	－	－	・	－
姫路市	236	・	24	97	115	133	103	－	・	－
西宮市	287	・	49	109	129	133	154	10	・	－
尼崎市	49	・	8	19	22	38	11	－	・	－
奈良市	156	・	11	72	73	71	85	－	・	－
和歌山市	－	・	－	－	－	－	－	－	・	－
倉敷市	365	・	25	122	218	171	194	1	・	－
福山市	102	・	5	49	48	72	30	－	・	－
呉市	…	・	…	…	…	…	…	…	・	…
下関市	141	・	6	75	60	92	49	－	・	－
高松市	398	・	42	172	184	122	276	2	・	1
松山市	－	・	－	－	－	－	－	－	・	－
高知市	－	・	－	－	－	－	－	－	・	－
久留米市	－	・	－	－	－	－	－	－	・	－
長崎市	203	・	25	116	62	117	86	4	・	－
佐世保市	30	・	1	14	15	25	5	1	・	－
大分市	224	・	16	106	102	140	84	－	・	－
宮崎市	367	・	32	158	177	74	293	6	・	3
鹿児島市	528	・	37	203	288	302	226	－	・	－
那覇市	379	・	54	175	150	140	239	6	・	2
その他政令市（再掲）										
小樽市	34	・	4	14	16	19	15	1	・	－
町田市	－	・	－	－	－	－	－	－	・	－
藤沢市	1 469	・	102	362	1 005	237	1 232	9	・	2
茅ヶ崎市	717	・	60	184	473	374	343	4	・	－
四日市市	380	・	29	137	214	156	224	－	・	－
大牟田市	15	・	2	9	4	13	2	－	・	－

注：初回・非初回及び年齢階級別については、計数不詳の市区町村があるため、総数と一致しない場合がある。
1）喀痰容器は喀痰細胞診対象者（胸部エックス線検査受診者中高危険群者）への配布状況である。
2）喀痰容器の回収数は喀痰細胞診対象者（胸部エックス線検査受診者中高危険群者）からの回収状況である。
3）喀痰細胞診の判定別人数については、計数不詳の市区町村があるため、喀痰容器回収数（受診者数）と一致しない場合がある。

精密検査受診の有無別人数，都道府県－指定都市・特別区－中核市－その他政令市、年齢階級・検診回数別

の　判　定　別　人　数[3]										
区　分				D　区　分						
60～69歳	70歳以上	(再掲)初回	(再掲)非初回	総　数	40～49歳	50～59歳	60～69歳	70歳以上	(再掲)初回	(再掲)非初回
－	－	－	－	－	・	－	－	－	－	－
－	－	－	－	－	・	－	－	－	－	－
－	－	－	－	－	・	－	－	－	－	－
1	－	－	1	－	・	－	－	－	－	－
2	7	－	9	2	・	－	1	1	1	1
－	－	－	－	2	・	－	－	2	1	1
7	3	5	7	－	・	－	－	－	－	－
5	3	3	5	2	・	－	－	2	－	2
3	5	4	5	1	・	－	－	1	1	－
13	9	7	16	1	・	－	－	1	－	1
…	…	…	…	…	・	…	…	…	…	…
－	－	－	－	－	・	－	－	－	－	－
1	3	2	2	－	・	－	－	－	－	－
49	102	－	－	1	・	－	1	－	－	－
－	－	－	－	1	・	－	1	－	－	1
3	4	3	6	2	・	1	－	1	－	2
－	－	－	－	－	・	－	－	－	－	－
1	13	－	－	29	・	3	5	21	－	－
5	2	…	…	2	・	－	1	1	…	…
－	－	－	－	－	・	－	－	－	－	－
－	－	－	－	－	・	－	－	－	－	－
－	－	－	－	－	・	－	－	－	－	－
3	－	－	3	－	・	－	－	－	－	－
2	1	1	2	1	・	－	1	－	－	1
1	3	2	2	1	・	－	1	－	1	－
－	2	1	1	1	・	－	1	－	1	－
5	3	6	3	3	・	1	1	1	2	1
－	－	－	1	－	・	－	－	－	－	－
－	－	－	－	－	・	－	－	－	－	－
－	－	－	－	－	・	－	－	－	－	－
4	6	6	4	－	・	－	－	－	－	－
－	－	－	－	－	・	－	－	－	－	－
－	－	－	－	－	・	－	－	－	－	－
－	－	－	－	－	・	－	－	－	－	－
－	1	1	－	－	・	－	－	－	－	－
－	－	－	－	－	・	－	－	－	－	－
…	…	…	…	2	・	…	1	1	2	…
－	－	－	－	－	・	－	－	－	－	－
－	1	2	－	－	・	－	－	－	－	－
－	－	－	－	－	・	－	－	－	－	－
－	－	－	－	－	・	－	－	－	－	－
－	－	－	－	－	・	－	－	－	－	－
3	1	2	2	2	・	－	1	1	1	1
1	－	1	－	－	・	－	－	－	－	－
－	－	－	－	－	・	－	－	－	－	－
1	2	1	5	－	・	－	－	－	－	－
－	－	－	－	－	・	－	－	－	－	－
3	1	5	1	2	・	－	－	2	－	2
－	1	1	－	－	・	－	－	－	－	－
－	－	－	－	－	・	－	－	－	－	－
2	5	4	5	－	・	－	－	－	－	－
1	3	4	－	－	・	－	－	－	－	－
－	－	－	－	－	・	－	－	－	－	－
－	－	－	－	－	・	－	－	－	－	－

第26表（12－5） 平成28年度における肺がん（喀痰細胞診）検診受診者数・要精密検査者数・

	喀痰細胞診の判定別人数[3]							要精密		
	E区分									
	総数	40～49歳	50～59歳	60～69歳	70歳以上	(再掲)初回	(再掲)非初回	総数	40～49歳	50～59歳
全国	**152**	**・**	**4**	**41**	**107**	**72**	**66**	**470**	**・**	**31**
北海道	1	・	…	…	1	1	…	8	・	－
青森	4	・	－	2	2	3	1	9	・	－
岩手	5	・	－	2	3	3	2	14	・	1
宮城	24	・	2	3	19	10	14	33	・	2
秋田	1	・	－	－	1	…	1	8	・	－
山形	－	・	－	－	－	…	…	2	・	－
福島	4	・	－	1	3	1	3	11	・	－
茨城	－	・	－	－	－	－	－	5	・	－
栃木	3	・	－	－	3	2	1	8	・	－
群馬	1	・	…	1	…	1	…	4	・	1
埼玉	5	・	－	2	3	1	3	29	・	－
千葉	16	・	－	4	12	11	4	38	・	－
東京	18	・	…	6	12	7	4	42	・	5
神奈川	7	・	…	1	6	4	3	9	・	…
新潟	12	・	1	3	8	6	6	21	・	1
富山	－	・	－	－	－	－	－	31	・	3
石川	8	・	－	2	6	3	1	11	・	－
福井	…	・	…	…	…	…	…	…	・	…
山梨	－	・	－	－	－	－	－	3	・	－
長野	…	・	…	…	…	…	…	…	・	…
岐阜	1	・	－	－	1	1	－	2	・	－
静岡	3	・	…	2	1	3	…	8	・	－
愛知	20	・	1	6	13	7	13	47	・	3
三重	1	・	－	－	1	－	1	2	・	－
滋賀	1	・	－	1	－	－	1	3	・	－
京都	2	・	－	－	2	1	1	8	・	2
大阪	4	・	－	－	4	4	－	14	・	1
兵庫	1	・	…	1	…	…	1	3	・	…
奈良	1	・	－	－	1	－	1	1	・	－
和歌山	2	・	－	1	1	－	2	10	・	2
鳥取	－	・	－	－	－	－	－	2	・	1
島根	－	・	－	－	－	－	－	－	・	－
岡山	－	・	－	－	－	－	－	－	・	－
広島	…	・	…	…	…	…	…	40	・	4
山口	1	・	－	－	1	1	－	2	・	－
徳島	－	・	－	－	－	－	－	4	・	1
香川	1	・	－	1	－	－	1	7	・	1
愛媛	－	・	－	－	－	－	－	－	・	－
高知	－	・	－	－	－	－	－	－	・	－
福岡	1	・	－	－	1	1	…	8	・	1
佐賀	1	・	－	1	－	－	－	2	・	－
長崎	2	・	－	1	1	1	1	14	・	2
熊本	1	・	－	－	1	－	1	1	・	－
大分	－	・	－	－	－	－	－	－	・	－
宮崎	－	・	－	－	－	－	－	－	・	－
鹿児島	－	・	－	－	－	－	－	3	・	－
沖縄	…	・	…	…	…	…	…	3	・	…
指定都市・特別区(再掲)										
東京都区部	16	・	…	6	10	6	3	32	・	4
札幌市	－	・	－	－	－	－	－	－	・	－
仙台市	10	・	1	1	8	6	4	11	・	1
さいたま市	－	・	－	－	－	…	…	1	・	－
千葉市	8	・	－	1	7	5	3	16	・	－
横浜市	－	・	－	－	－	－	－	－	・	－
川崎市	1	・	－	－	1	1	－	2	・	－
相模原市	－	・	－	－	－	－	－	－	・	－
新潟市	1	・	1	－	－	－	1	2	・	1
静岡市	－	・	－	－	－	－	－	－	・	－
浜松市	－	・	－	－	－	－	－	1	・	－
名古屋市	14	・	1	6	7	4	10	33	・	3
京都市	－	・	－	－	－	－	－	1	・	－
大阪市	－	・	－	－	－	－	－	－	・	－
堺市	－	・	－	－	－	－	－	－	・	－
神戸市	－	・	－	－	－	－	－	－	・	－
岡山市	－	・	－	－	－	－	－	－	・	－
広島市	－	・	－	－	－	－	－	38	・	4
北九州市	－	・	－	－	－	…	…	－	・	－
福岡市	－	・	－	－	－	－	－	2	・	1
熊本市	1	・	－	－	1	－	1	1	・	－

精密検査受診の有無別人数，都道府県－指定都市・特別区－中核市－その他政令市、年齢階級・検診回数別

検査者数				精密検査受診の有無別人数						
				異常認めず						
60～69歳	70歳以上	(再掲)初回	(再掲)非初回	総数	40～49歳	50～59歳	60～69歳	70歳以上	(再掲)初回	(再掲)非初回
129	310	182	218	80	・	10	26	44	23	49
5	3	6	1	2	・	－	1	1	…	1
2	7	3	5	2	・	－	－	2	－	2
5	8	7	7	4	・	1	2	1	2	2
5	26	11	22	1	・	－	－	1	－	1
2	6	3	5	－	・	－	－	－	…	…
1	1	…	1	2	・	－	1	1	…	1
3	8	4	7	4	・	－	2	2	1	3
－	5	3	2	2	・	－	－	2	－	2
3	5	6	2	2	・	－	－	2	1	1
1	2	1	3	1	・	1	…	…	…	1
7	22	6	17	2	・	…	1	1	1	1
9	29	18	18	1	・	－	－	1	－	1
9	28	16	16	8	・	2	2	4	1	5
2	7	5	4	1	・	…	1	…	…	1
6	14	10	11	3	・	－	2	1	2	1
6	22	1	1	1	・	－	－	1	－	－
4	7	3	2	－	・	－	－	－	－	－
…	…	…	…	…	・	…	…	…	…	…
－	3	2	1	－	・	－	－	－	－	－
…	…	…	…	…	・	…	…	…	…	…
－	2	1	1	－	・	－	－	－	－	－
3	5	6	1	1	・	－	－	1	1	…
9	35	17	26	8	・	1	2	5	3	5
1	1	－	2	－	・	－	－	－	－	－
3	－	2	1	－	・	－	－	－	－	－
1	5	3	4	2	・	1	－	1	－	2
5	8	11	3	2	・	－	1	1	1	1
2	1	1	1	1	・	…	1	…	…	…
－	1	－	1	3	・	－	－	3	－	3
2	6	1	9	1	・	－	－	1	－	1
－	1	－	2	2	・	1	－	1	－	2
－	－	－	－	－	・	－	－	－	－	－
－	－	－	－	－	・	－	－	－	－	－
15	21	23	17	17	・	2	5	10	9	8
1	1	2	－	－	・	－	－	－	－	－
－	3	1	3	－	・	－	－	－	－	－
5	1	2	5	1	・	－	1	－	－	1
－	－	－	－	－	・	－	－	－	－	－
－	－	－	－	－	・	－	－	－	－	－
3	4	2	1	3	・	1	1	1	1	…
1	1	－	－	－	・	－	－	－	－	－
5	7	5	9	－	・	－	－	－	－	－
－	1	－	1	－	・	－	－	－	－	－
－	－	－	－	－	・	－	－	－	－	－
－	－	－	－	－	・	－	－	－	－	－
2	1	－	3	2	・	－	2	－	－	2
1	2	…	3	1	・	…	1	…	…	1
8	20	13	10	7	・	2	2	3	1	4
－	－	－	－	－	・	－	－	－	－	－
1	9	6	5	－	・	－	－	－	－	－
－	1	…	…	－	・	－	－	－	…	…
1	15	9	7	－	・	－	－	－	－	－
－	－	－	－	－	・	－	－	－	－	－
1	1	2	－	－	・	－	－	－	－	－
－	－	－	－	－	・	－	－	－	－	－
－	1	－	2	－	・	－	－	－	－	－
－	－	－	－	－	・	－	－	－	－	－
－	1	1	－	－	・	－	－	－	－	－
7	23	13	20	7	・	1	2	4	3	4
－	1	－	－	－	・	－	－	－	－	－
－	－	－	－	－	・	－	－	－	－	－
－	－	－	－	－	・	－	－	－	－	－
－	－	－	－	－	・	－	－	－	－	－
－	－	－	－	－	・	－	－	－	－	－
14	20	21	17	16	・	2	5	9	8	8
－	－	…	…	－	・	－	－	－	…	…
－	1	－	－	1	・	1	－	－	－	－
－	1	－	1	－	・	－	－	－	－	－

第26表（12－6） 平成28年度における肺がん（喀痰細胞診）検診受診者数・要精密検査者数・

	喀痰細胞診の判定別人数[3] E区分							要精密		
	総数	40～49歳	50～59歳	60～69歳	70歳以上	(再掲)初回	(再掲)非初回	総数	40～49歳	50～59歳
中核市(再掲)										
旭川市	1	·	−	−	1	1	−	1	·	−
函館市	−	·	−	−	−	−	−	−	·	−
青森市	1	·	−	−	1	1	−	1	·	−
八戸市	−	·	−	−	−	−	−	−	·	−
盛岡市	−	·	−	−	−	−	−	2	·	−
秋田市	−	·	−	−	−	−	−	2	·	−
郡山市	−	·	−	−	−	−	−	−	·	−
いわき市	1	·	−	−	1	−	1	3	·	−
宇都宮市	−	·	−	−	−	−	−	1	·	−
前橋市	1	·	−	1	−	1	−	2	·	−
高崎市	…	·	…	…	…	…	…	…	·	…
川越市	−	·	−	−	−	−	−	−	·	−
越谷市	−	·	−	−	−	−	−	−	·	−
船橋市	1	·	−	1	−	−	−	2	·	−
柏市	−	·	−	−	−	−	−	1	·	−
八王子市	1	·	−	−	1	−	1	3	·	1
横須賀市	−	·	−	−	−	−	−	−	·	−
富山市	−	·	−	−	−	−	−	29	·	3
金沢市	4	·	−	1	3	…	…	6	·	−
長野市	−	·	−	−	−	−	−	−	·	−
岐阜市	−	·	−	−	−	−	−	−	·	−
豊橋市	−	·	−	−	−	−	−	−	·	−
豊田市	−	·	−	−	−	−	−	−	·	−
岡崎市	−	·	−	−	−	−	−	1	·	−
大津市	1	·	−	1	−	−	1	2	·	−
高槻市	−	·	−	−	−	−	−	1	·	−
東大阪市	1	·	−	−	1	1	−	4	·	1
豊中市	−	·	−	−	−	−	−	−	·	−
枚方市	−	·	−	−	−	−	−	−	·	−
姫路市	−	·	−	−	−	−	−	−	·	−
西宮市	−	·	−	−	−	−	−	−	·	−
尼崎市	−	·	−	−	−	−	−	−	·	−
奈良市	−	·	−	−	−	−	−	−	·	−
和歌山市	−	·	−	−	−	−	−	−	·	−
倉敷市	−	·	−	−	−	−	−	−	·	−
福山市	−	·	−	−	−	−	−	−	·	−
呉市	…	·	…	…	…	…	…	2	·	−
下関市	−	·	−	−	−	−	−	−	·	−
高松市	−	·	−	−	−	−	−	−	·	−
松山市	−	·	−	−	−	−	−	−	·	−
高知市	−	·	−	−	−	−	−	−	·	−
久留米市	−	·	−	−	−	−	−	−	·	−
長崎市	−	·	−	−	−	−	−	2	·	−
佐世保市	−	·	−	−	−	−	−	−	·	−
大分市	−	·	−	−	−	−	−	−	·	−
宮崎市	−	·	−	−	−	−	−	−	·	−
鹿児島市	−	·	−	−	−	−	−	−	·	−
那覇市	−	·	−	−	−	−	−	2	·	−
その他政令市(再掲)										
小樽市	−	·	−	−	−	−	−	−	·	−
町田市	−	·	−	−	−	−	−	−	·	−
藤沢市	2	·	−	−	2	1	1	2	·	−
茅ヶ崎市	2	·	−	1	1	1	1	2	·	−
四日市市	−	·	−	−	−	−	−	−	·	−
大牟田市	−	·	−	−	−	−	−	−	·	−

注：初回・非初回及び年齢階級別については、計数不詳の市区町村があるため、総数と一致しない場合がある。
1）喀痰容器は喀痰細胞診対象者（胸部エックス線検査受診者中高危険群者）への配布状況である。
2）喀痰容器の回収数は喀痰細胞診対象者（胸部エックス線検査受診者中高危険群者）からの回収状況である。
3）喀痰細胞診の判定別人数については、計数不詳の市区町村があるため、喀痰容器回収数（受診者数）と一致しない場合がある。

精密検査受診の有無別人数，都道府県－指定都市・特別区－中核市－その他政令市、年齢階級・検診回数別

検査者数				精密検査受診の有無別人数						
				異常認めず						
60～69歳	70歳以上	(再掲)初回	(再掲)非初回	総数	40～49歳	50～59歳	60～69歳	70歳以上	(再掲)初回	(再掲)非初回
–	1	1	–	–	·	–	–	–	–	–
–	–	–	–	–	·	–	–	–	–	–
–	1	1	–	–	·	–	–	–	–	–
–	–	–	–	–	·	–	–	–	–	–
1	1	1	1	2	·	–	1	1	1	1
–	2	1	1	–	·	–	–	–	–	–
–	–	–	–	–	·	–	–	–	–	–
–	3	–	3	2	·	–	–	2	–	2
–	1	1	–	1	·	–	–	1	1	–
1	1	1	1	–	·	–	–	–	–	–
…	…	…	…	…	·	…	…	…	…	…
–	–	–	–	–	·	–	–	–	–	–
–	–	–	–	–	·	–	–	–	–	–
2	–	–	–	–	·	–	–	–	–	–
1	–	–	1	–	·	–	–	–	–	–
–	2	–	3	–	·	–	–	–	–	–
–	–	–	–	–	·	–	–	–	–	–
5	21	–	–	1	·	–	–	1	–	–
2	4	–	–	–	·	–	–	–	–	–
–	–	–	–	–	·	–	–	–	–	–
–	–	–	–	–	·	–	–	–	–	–
–	–	–	–	–	·	–	–	–	–	–
–	–	–	–	–	·	–	–	–	–	–
1	–	–	1	–	·	–	–	–	–	–
2	–	1	1	–	·	–	–	–	–	–
1	–	1	–	1	·	–	1	–	1	–
1	2	3	1	1	·	–	–	1	–	1
–	–	–	–	–	·	–	–	–	–	–
–	–	–	–	–	·	–	–	–	–	–
–	–	–	–	–	·	–	–	–	–	–
–	–	–	–	–	·	–	–	–	–	–
–	–	–	–	–	·	–	–	–	–	–
–	–	–	–	–	·	–	–	–	–	–
–	–	–	–	–	·	–	–	–	–	–
–	–	–	–	–	·	–	–	–	–	–
–	–	–	–	–	·	–	–	–	–	–
1	1	2	–	1	·	–	–	1	1	–
–	–	–	–	–	·	–	–	–	–	–
–	–	–	–	–	·	–	–	–	–	–
–	–	–	–	–	·	–	–	–	–	–
–	–	–	–	–	·	–	–	–	–	–
–	–	–	–	–	·	–	–	–	–	–
1	1	1	1	–	·	–	–	–	–	–
–	–	–	–	–	·	–	–	–	–	–
–	–	–	–	–	·	–	–	–	–	–
–	–	–	–	–	·	–	–	–	–	–
–	–	–	–	–	·	–	–	–	–	–
–	2	–	2	–	·	–	–	–	–	–
–	–	–	–	–	·	–	–	–	–	–
–	–	–	–	–	·	–	–	–	–	–
–	2	1	1	–	·	–	–	–	–	–
1	1	1	1	1	·	–	1	–	–	1
–	–	–	–	–	·	–	–	–	–	–
–	–	–	–	–	·	–	–	–	–	–

第26表（12－7） 平成28年度における肺がん（喀痰細胞診）検診受診者数・要精密検査者数・

	精密検査受診									
	異常を									
	肺がんであった者（転移性を含まない）							（再掲）肺がんのうち		
	総数	40～49歳	50～59歳	60～69歳	70歳以上	（再掲）初回	（再掲）非初回	総数	40～49歳	50～59歳
全国	**92**	**・**	**2**	**21**	**69**	**37**	**36**	**32**	**・**	**1**
北海道	－	・	－	－	－	…	…	－	・	－
青森	4	・	－	1	3	1	2	2	・	－
岩手	2	・	－	－	2	1	1	－	・	－
宮城	11	・	1	1	9	4	7	7	・	1
秋田	6	・	－	1	5	3	3	3	・	－
山形	－	・	－	－	－	…	…	－	・	－
福島	2	・	－	－	2	1	1	1	・	－
茨城	1	・	－	－	1	1	－	－	・	－
栃木	2	・	－	－	2	1	1	1	・	－
群馬	2	・	…	1	1	1	1	1	・	…
埼玉	3	・	…	1	2	…	1	2	・	…
千葉	5	・	－	2	3	4	－	1	・	－
東京	7	・	…	1	6	3	3	2	・	…
神奈川	…	・	…	…	…	…	…	…	・	…
新潟	5	・	－	1	4	1	4	3	・	－
富山	6	・	1	1	4	1	－	1	・	－
石川	8	・	－	3	5	－	2	3	・	－
福井	…	・	…	…	…	…	…	…	・	…
山梨	1	・	－	－	1	1	－	－	・	－
長野	…	・	…	…	…	…	…	…	・	…
岐阜	1	・	－	－	1	1	－	－	・	－
静岡	－	・	－	－	－	…	…	－	・	－
愛知	10	・	－	4	6	6	3	－	・	－
三重	1	・	－	－	1	－	1	1	・	－
滋賀	2	・	－	2	－	1	1	－	・	－
京都	－	・	－	－	－	－	－	－	・	－
大阪	3	・	－	1	2	3	－	2	・	－
兵庫	1	・	…	…	1	1	…	1	・	…
奈良	－	・	－	－	－	－	－	－	・	－
和歌山	－	・	－	－	－	－	－	－	・	－
鳥取	－	・	－	－	－	－	－	－	・	－
島根	－	・	－	－	－	－	－	－	・	－
岡山	－	・	－	－	－	－	－	－	・	－
広島	－	・	－	…	－	－	－	－	・	－
山口	1	・	－	－	1	1	－	－	・	－
徳島	－	・	－	－	－	－	－	－	・	－
香川	－	・	－	－	－	－	－	－	・	－
愛媛	－	・	－	－	－	－	－	－	・	－
高知	－	・	－	－	－	－	－	－	・	－
福岡	1	・	－	－	1	…	…	－	・	－
佐賀	1	・	－	－	1	－	－	－	・	－
長崎	4	・	－	1	3	1	3	1	・	－
熊本	1	・	－	－	1	－	1	－	・	－
大分	－	・	－	－	－	－	－	－	・	－
宮崎	－	・	－	－	－	－	－	－	・	－
鹿児島	1	・	－	－	1	－	1	－	・	－
沖縄	…	・	…	…	…	…	…	…	・	…
指定都市・特別区(再掲)										
東京都区部	2	・	…	…	2	1	1	1	・	…
札幌市	－	・	－	－	－	－	－	－	・	－
仙台市	6	・	－	－	6	2	4	3	・	－
さいたま市	－	・	－	－	－	…	…	－	・	－
千葉市	－	・	－	－	－	－	－	－	・	－
横浜市	－	・	－	－	－	－	－	－	・	－
川崎市	－	・	－	－	－	－	－	－	・	－
相模原市	－	・	－	－	－	－	－	－	・	－
新潟市	1	・	－	－	1	－	1	1	・	－
静岡市	－	・	－	－	－	－	－	－	・	－
浜松市	－	・	－	－	－	－	－	－	・	－
名古屋市	5	・	－	3	2	3	2	－	・	－
京都市	－	・	－	－	－	－	－	－	・	－
大阪市	－	・	－	－	－	－	－	－	・	－
堺市	－	・	－	－	－	－	－	－	・	－
神戸市	－	・	－	－	－	－	－	－	・	－
岡山市	－	・	－	－	－	－	－	－	・	－
広島市	－	・	－	－	－	－	－	－	・	－
北九州市	－	・	－	－	－	…	…	－	・	－
福岡市	1	・	－	－	1	－	－	－	・	－
熊本市	1	・	－	－	1	－	1	－	・	－

精密検査受診の有無別人数，都道府県－指定都市・特別区－中核市－その他政令市、年齢階級・検診回数別

の有無別人数										
認める										
喀痰細胞診のみで発見された者				（再掲）肺がんのうち臨床病期０～Ⅰ期						
60～69歳	70歳以上	(再掲)初回	(再掲)非初回	総数	40～49歳	50～59歳	60～69歳	70歳以上	(再掲)初回	(再掲)非初回
3	28	8	20	18	・	…	4	14	5	10
–	–	…	…	–	・	–	–	–	…	…
–	2	–	2	1	・	–	–	1	–	1
–	–	–	–	–	・	–	–	–	–	–
–	6	2	5	2	・	–	–	2	–	2
–	3	1	2	1	・	–	–	1	1	…
–	–	…	…	–	・	–	–	–	…	…
–	1	–	1	–	・	–	–	–	–	–
–	–	–	–	1	・	–	–	1	1	–
–	1	–	1	–	・	–	–	–	–	–
…	1	…	1	…	・	…	…	…	…	…
…	2	…	…	…	・	…	…	…	…	…
1	–	1	–	–	・	–	–	–	–	–
…	2	…	2	…	・	…	…	…	…	…
…	…	…	…	…	・	…	…	…	…	…
–	3	–	3	3	・	–	1	2	1	2
–	1	1	–	–	・	–	–	–	–	–
1	2	–	1	5	・	–	2	3	–	2
…	…	…	…	…	・	…	…	…	…	…
–	–	–	–	–	・	–	–	–	–	–
…	…	…	…	…	・	…	…	…	…	…
–	–	–	–	–	・	–	–	–	–	–
–	–	…	…	–	・	–	–	–	…	…
–	–	…	…	–	・	–	–	–	…	…
–	1	–	1	1	・	–	–	1	–	1
–	–	–	–	–	・	–	–	–	–	–
–	–	–	–	–	・	–	–	–	–	–
1	1	2	–	–	・	–	–	–	–	–
…	1	1	…	1	・	…	…	1	1	…
–	–	–	–	–	・	–	–	–	–	–
–	–	–	–	–	・	–	–	–	–	–
–	–	–	–	–	・	–	–	–	–	–
–	–	–	–	–	・	–	–	–	–	–
–	–	–	–	–	・	–	–	–	–	–
…	–	–	–	–	・	–	…	–	–	–
–	–	–	–	–	・	–	–	–	–	–
–	–	–	–	–	・	–	–	–	–	–
–	–	–	–	–	・	–	–	–	–	–
–	–	–	–	–	・	–	–	–	–	–
–	–	–	–	–	・	–	–	–	–	–
–	–	…	…	–	・	–	–	–	…	…
–	–	–	–	–	・	–	–	–	–	–
–	1	–	1	3	・	–	1	2	1	2
–	–	–	–	–	・	–	–	–	–	–
–	–	–	–	–	・	–	–	–	–	–
–	–	–	–	–	・	–	–	–	–	–
–	–	–	–	–	・	–	–	–	–	–
…	…	…	…	…	・	…	…	…	…	…
…	1	…	1	…	・	…	…	…	…	…
–	–	–	–	–	・	–	–	–	–	–
–	3	1	2	1	・	–	–	1	–	1
–	–	…	…	–	・	–	–	–	…	…
–	–	–	–	–	・	–	–	–	–	–
–	–	–	–	–	・	–	–	–	–	–
–	–	–	–	–	・	–	–	–	–	–
–	–	–	–	–	・	–	–	–	–	–
–	1	–	1	–	・	–	–	–	–	–
–	–	–	–	–	・	–	–	–	–	–
–	–	–	–	–	・	–	–	–	–	–
–	–	–	–	–	・	–	–	–	–	–
–	–	–	–	–	・	–	–	–	–	–
–	–	–	–	–	・	–	–	–	–	–
–	–	–	–	–	・	–	–	–	–	–
–	–	–	–	–	・	–	–	–	–	–
–	–	–	–	–	・	–	–	–	–	–
–	–	–	–	–	・	–	–	–	–	–
–	–	…	…	–	・	–	–	–	…	…
–	–	–	–	–	・	–	–	–	–	–
–	–	–	–	–	・	–	–	–	–	–

第26表（12－8） 平成28年度における肺がん（喀痰細胞診）検診受診者数・要精密検査者数・

	精密検査受診									
	異常を									
	肺がんであった者（転移性を含まない）							（再掲）肺がんのうち		
	総数	40～49歳	50～59歳	60～69歳	70歳以上	（再掲）初回	（再掲）非初回	総数	40～49歳	50～59歳
中核市（再掲）										
旭川市	－	・	－	－	－	－	－	－	・	－
函館市	－	・	－	－	－	－	－	－	・	－
青森市	－	・	－	－	－	－	－	－	・	－
八戸市	－	・	－	－	－	－	－	－	・	－
盛岡市	－	・	－	－	－	－	－	－	・	－
秋田市	2	・	－	－	2	1	1	2	・	－
郡山市	－	・	－	－	－	－	－	－	・	－
いわき市	－	・	－	－	－	－	－	－	・	－
宇都宮市	－	・	－	－	－	－	－	－	・	－
前橋市	2	・	－	1	1	1	1	1	・	－
高崎市	…	・	…	…	…	…	…	…	・	…
川越市	－	・	－	－	－	－	－	－	・	－
越谷市	－	・	－	－	－	－	－	－	・	－
船橋市	1	・	－	1	－	－	－	－	・	－
柏市	－	・	－	－	－	－	－	－	・	－
八王子市	1	・	－	－	1	－	1	1	・	－
横須賀市	－	・	－	－	－	－	－	－	・	－
富山市	5	・	1	1	3	－	－	－	・	－
金沢市	6	・	－	2	4	－	－	2	・	－
長野市	－	・	－	－	－	－	－	－	・	－
岐阜市	－	・	－	－	－	－	－	－	・	－
豊橋市	－	・	－	－	－	－	－	－	・	－
豊田市	－	・	－	－	－	－	－	－	・	－
岡崎市	－	・	－	－	－	－	－	－	・	－
大津市	2	・	－	2	－	1	1	－	・	－
高槻市	－	・	－	－	－	－	－	－	・	－
東大阪市	－	・	－	－	－	－	－	－	・	－
豊中市	－	・	－	－	－	－	－	－	・	－
枚方市	－	・	－	－	－	－	－	－	・	－
姫路市	－	・	－	－	－	－	－	－	・	－
西宮市	－	・	－	－	－	－	－	－	・	－
尼崎市	－	・	－	－	－	－	－	－	・	－
奈良市	－	・	－	－	－	－	－	－	・	－
和歌山市	－	・	－	－	－	－	－	－	・	－
倉敷市	－	・	－	－	－	－	－	－	・	－
福山市	－	・	－	－	－	－	－	－	・	－
呉市	－	・	－	－	－	－	－	－	・	－
下関市	－	・	－	－	－	－	－	－	・	－
高松市	－	・	－	－	－	－	－	－	・	－
松山市	－	・	－	－	－	－	－	－	・	－
高知市	－	・	－	－	－	－	－	－	・	－
久留米市	－	・	－	－	－	－	－	－	・	－
長崎市	1	・	－	1	－	－	1	－	・	－
佐世保市	－	・	－	－	－	－	－	－	・	－
大分市	－	・	－	－	－	－	－	－	・	－
宮崎市	－	・	－	－	－	－	－	－	・	－
鹿児島市	－	・	－	－	－	－	－	－	・	－
那覇市	－	・	－	－	－	－	－	－	・	－
その他政令市（再掲）										
小樽市	－	・	－	－	－	－	－	－	・	－
町田市	－	・	－	－	－	－	－	－	・	－
藤沢市	－	・	－	－	－	－	－	－	・	－
茅ヶ崎市	－	・	－	－	－	－	－	－	・	－
四日市市	－	・	－	－	－	－	－	－	・	－
大牟田市	－	・	－	－	－	－	－	－	・	－

注：初回・非初回及び年齢階級別については、計数不詳の市区町村があるため、総数と一致しない場合がある。
1）喀痰容器は喀痰細胞診対象者（胸部エックス線検査受診者中高危険群者）への配布状況である。
2）喀痰容器の回収数は喀痰細胞診対象者（胸部エックス線検査受診者中高危険群者）からの回収状況である。
3）喀痰細胞診の判定別人数については、計数不詳の市区町村があるため、喀痰容器回収数（受診者数）と一致しない場合がある。

精密検査受診の有無別人数，都道府県－指定都市・特別区－中核市－その他政令市、年齢階級・検診回数別

の有無別人数										
認める										
喀痰細胞診のみで発見された者				(再掲)肺がんのうち臨床病期0～I期						
60～69歳	70歳以上	(再掲)初回	(再掲)非初回	総数	40～49歳	50～59歳	60～69歳	70歳以上	(再掲)初回	(再掲)非初回
-	-	-	-	-	・	-	-	-	-	-
-	-	-	-	-	・	-	-	-	-	-
-	-	-	-	-	・	-	-	-	-	-
-	-	-	-	-	・	-	-	-	-	-
-	-	-	-	-	・	-	-	-	-	-
-	2	1	1	1	・	-	-	1	1	-
-	-	-	-	-	・	-	-	-	-	-
-	-	-	-	-	・	-	-	-	-	-
-	-	-	-	-	・	-	-	-	-	-
-	1	-	1	-	・	-	-	-	-	-
…	…	…	…	…	・	…	…	…	…	…
-	-	-	-	-	・	-	-	-	-	-
-	-	-	-	-	・	-	-	-	-	-
-	-	-	-	-	・	-	-	-	-	-
-	-	-	-	-	・	-	-	-	-	-
-	1	-	1	-	・	-	-	-	-	-
-	-	-	-	-	・	-	-	-	-	-
-	-	-	-	-	・	-	-	-	-	-
1	1	-	-	3	・	-	1	2	-	-
-	-	-	-	-	・	-	-	-	-	-
-	-	-	-	-	・	-	-	-	-	-
-	-	-	-	-	・	-	-	-	-	-
-	-	-	-	-	・	-	-	-	-	-
-	-	-	-	-	・	-	-	-	-	-
-	-	-	-	-	・	-	-	-	-	-
-	-	-	-	-	・	-	-	-	-	-
-	-	-	-	-	・	-	-	-	-	-
-	-	-	-	-	・	-	-	-	-	-
-	-	-	-	-	・	-	-	-	-	-
-	-	-	-	-	・	-	-	-	-	-
-	-	-	-	-	・	-	-	-	-	-
-	-	-	-	-	・	-	-	-	-	-
-	-	-	-	-	・	-	-	-	-	-
-	-	-	-	-	・	-	-	-	-	-
-	-	-	-	-	・	-	-	-	-	-
-	-	-	-	-	・	-	-	-	-	-
-	-	-	-	-	・	-	-	-	-	-
-	-	-	-	-	・	-	-	-	-	-
-	-	-	-	-	・	-	-	-	-	-
-	-	-	-	-	・	-	-	-	-	-
-	-	-	-	-	・	-	-	-	-	-
-	-	-	-	-	・	-	-	-	-	-
-	-	-	-	1	・	-	1	-	-	1
-	-	-	-	-	・	-	-	-	-	-
-	-	-	-	-	・	-	-	-	-	-
-	-	-	-	-	・	-	-	-	-	-
-	-	-	-	-	・	-	-	-	-	-
-	-	-	-	-	・	-	-	-	-	-
-	-	-	-	-	・	-	-	-	-	-
-	-	-	-	-	・	-	-	-	-	-
-	-	-	-	-	・	-	-	-	-	-
-	-	-	-	-	・	-	-	-	-	-
-	-	-	-	-	・	-	-	-	-	-
-	-	-	-	-	・	-	-	-	-	-

第26表（12－9） 平成28年度における肺がん（喀痰細胞診）検診受診者数・要精密検査者数・

	精密検査受診						
	異常を						
	肺がんの疑いのある者又は未確定						
	総数	40～49歳	50～59歳	60～69歳	70歳以上	(再掲)初回	(再掲)非初回
全国	57	·	2	16	39	19	32
北海道	－	·	－	－	－	…	…
青森	1	·	－	－	1	－	1
岩手	5	·	－	2	3	3	2
宮城	10	·	1	2	7	2	8
秋田	－	·	－	－	－	…	…
山形	－	·	－	－	－	…	…
福島	－	·	－	－	－	－	－
茨城	2	·	－	－	2	2	－
栃木	－	·	－	－	－	－	－
群馬	…	·	…	…	…	…	…
埼玉	9	·	…	5	4	1	7
千葉	12	·	－	1	11	5	7
東京	2	·	1	…	1	1	1
神奈川	…	·	…	…	…	…	…
新潟	2	·	－	－	2	1	1
富山	－	·	…	…	…	－	－
石川	1	·	－	1	－	1	－
福井	…	·	…	…	…	…	…
山梨	－	·	－	－	－	－	－
長野	…	·	…	…	…	…	…
岐阜	－	·	－	－	－	－	－
静岡	2	·	－	－	2	1	…
愛知	4	·	－	－	4	…	2
三重	－	·	－	－	－	－	－
滋賀	－	·	－	－	－	－	－
京都	1	·	－	－	1	1	－
大阪	－	·	－	－	－	－	－
兵庫	…	·	…	…	…	…	…
奈良	－	·	－	－	－	－	－
和歌山	－	·	－	－	－	－	－
鳥取	－	·	－	－	－	－	－
島根	－	·	－	－	－	－	－
岡山	－	·	－	－	－	－	－
広島	2	·	－	1	1	1	1
山口	－	·	－	－	－	－	－
徳島	－	·	－	－	－	－	－
香川	1	·	－	1	－	－	1
愛媛	－	·	－	－	－	－	－
高知	－	·	－	－	－	－	－
福岡	2	·	－	2	－	…	…
佐賀	－	·	－	－	－	－	－
長崎	1	·	－	1	－	－	1
熊本	－	·	－	－	－	－	－
大分	－	·	－	－	－	－	－
宮崎	－	·	－	－	－	－	－
鹿児島	－	·	－	－	－	－	－
沖縄	…	·	…	…	…	…	…
指定都市・特別区(再掲)							
東京都区部	1	·	…	…	1	1	…
札幌市	－	·	－	－	－	－	－
仙台市	1	·	1	－	－	1	－
さいたま市	－	·	－	－	－	…	…
千葉市	7	·	－	－	7	4	3
横浜市	－	·	－	－	－	－	－
川崎市	－	·	－	－	－	－	－
相模原市	－	·	－	－	－	－	－
新潟市	－	·	－	－	－	－	－
静岡市	－	·	－	－	－	－	－
浜松市	－	·	－	－	－	－	－
名古屋市	－	·	－	－	－	－	－
京都市	－	·	－	－	－	－	－
大阪市	－	·	－	－	－	－	－
堺市	－	·	－	－	－	－	－
神戸市	－	·	－	－	－	－	－
岡山市	－	·	－	－	－	－	－
広島市	2	·	－	1	1	1	1
北九州市	－	·	－	－	－	…	…
福岡市	－	·	－	－	－	－	－
熊本市	－	·	－	－	－	－	－

精密検査受診の有無別人数，都道府県－指定都市・特別区－中核市－その他政令市、年齢階級・検診回数別

の有無別人数						
認める						
肺がん以外の疾患であった者（転移性の肺がんを含む）						
総数	40 ～ 49歳	50 ～ 59歳	60 ～ 69歳	70 歳 以 上	(再掲)初　回	(再掲)非初回
112	・	8	36	68	45	43
5	・	–	4	1	5	…
1	・	–	1	–	1	–
2	・	–	1	1	–	2
8	・	–	2	6	4	4
1	・	–	–	1	…	1
–	・	–	–	–	…	…
1	・	–	–	1	–	1
–	・	–	–	–	–	–
2	・	–	2	–	2	–
1	・	…	…	1	…	1
4	・	…	…	4	1	2
7	・	–	5	2	5	2
7	・	1	1	5	4	2
1	・	…	…	1	1	…
5	・	1	1	3	2	3
23	・	2	5	16	–	1
–	・	–	–	–	–	–
…	・	…	…	…	…	…
–	・	–	–	–	–	–
…	・	…	…	…	…	…
–	・	–	–	–	–	–
1	・	–	1	–	1	…
6	・	–	–	6	1	5
–	・	–	–	–	–	–
1	・	–	1	–	1	–
–	・	–	–	–	–	–
6	・	1	2	3	4	2
…	・	…	…	…	…	…
–	・	–	–	–	–	–
2	・	–	1	1	–	2
–	・	–	–	–	–	–
–	・	–	–	–	–	–
–	・	–	–	–	–	–
14	・	1	6	7	7	7
1	・	–	1	–	1	–
5	・	1	–	4	1	4
1	・	–	–	1	–	1
–	・	–	–	–	–	–
–	・	–	–	–	–	–
2	・	–	–	2	1	1
–	・	–	–	–	–	–
5	・	1	2	2	3	2
–	・	–	–	–	–	–
–	・	–	–	–	–	–
–	・	–	–	–	–	–
–	・	–	–	–	–	–
…	・	…	…	…	…	…
5	・	1	1	3	3	1
–	・	–	–	–	–	–
4	・	–	1	3	3	1
–	・	–	–	–	…	…
2	・	–	1	1	2	–
–	・	–	–	–	–	–
–	・	–	–	–	–	–
–	・	–	–	–	–	–
1	・	1	–	–	–	1
–	・	–	–	–	–	–
–	・	–	–	–	–	–
6	・	–	–	6	1	5
–	・	–	–	–	–	–
–	・	–	–	–	–	–
–	・	–	–	–	–	–
–	・	–	–	–	–	–
–	・	–	–	–	–	–
13	・	1	5	7	6	7
–	・	–	–	–	…	…
–	・	–	–	–	–	–
–	・	–	–	–	–	–

15(8)－22〜23, 28〜29 肺がん 精密検査

第26表（12－10）　平成28年度における肺がん（喀痰細胞診）検診受診者数・要精密検査者数・

	精密　　密　　検　　査　　受　　診						
	異　　　　　　常　　　　　　を						
	肺　が　ん　の　疑　い　の　あ　る　者　又　は　未　確　定						
	総　数	40 〜 49歳	50 〜 59歳	60 〜 69歳	70 歳 以 上	(再掲)初　回	(再掲)非初回
中核市(再掲)							
旭　川　市	-	・	-	-	-	-	-
函　館　市	-	・	-	-	-	-	-
青　森　市	-	・	-	-	-	-	-
八　戸　市	-	・	-	-	-	-	-
盛　岡　市	-	・	-	-	-	-	-
秋　田　市	-	・	-	-	-	-	-
郡　山　市	-	・	-	-	-	-	-
い わ き 市	-	・	-	-	-	-	-
宇 都 宮 市	-	・	-	-	-	-	-
前　橋　市	-	・	-	-	-	-	-
高　崎　市	…	・	…	…	…	…	…
川　越　市	-	・	-	-	-	-	-
越　谷　市	-	・	-	-	-	-	-
船　橋　市	-	・	-	-	-	-	-
柏　　　市	1	・	-	1	-	-	1
八 王 子 市	1	・	1	-	-	-	1
横 須 賀 市	-	・	…	…	…	-	-
富　山　市	-	・	-	-	-	-	-
金　沢　市	-	・	-	-	-	-	-
長　野　市	-	・	-	-	-	-	-
岐　阜　市	-	・	-	-	-	-	-
豊　橋　市	-	・	-	-	-	-	-
豊　田　市	-	・	-	-	-	-	-
岡　崎　市	-	・	-	-	-	-	-
大　津　市	-	・	-	-	-	-	-
高　槻　市	-	・	-	-	-	-	-
東 大 阪 市	-	・	-	-	-	-	-
豊　中　市	-	・	-	-	-	-	-
枚　方　市	-	・	-	-	-	-	-
姫　路　市	-	・	-	-	-	-	-
西　宮　市	-	・	-	-	-	-	-
尼　崎　市	-	・	-	-	-	-	-
奈　良　市	-	・	-	-	-	-	-
和 歌 山 市	-	・	-	-	-	-	-
倉　敷　市	-	・	-	-	-	-	-
福　山　市	-	・	-	-	-	-	-
呉　　　市	-	・	-	-	-	-	-
下　関　市	-	・	-	-	-	-	-
高　松　市	-	・	-	-	-	-	-
松　山　市	-	・	-	-	-	-	-
高　知　市	-	・	-	-	-	-	-
久 留 米 市	-	・	-	-	-	-	-
長　崎　市	-	・	-	-	-	-	-
佐 世 保 市	-	・	-	-	-	-	-
大　分　市	-	・	-	-	-	-	-
宮　崎　市	-	・	-	-	-	-	-
鹿 児 島 市	-	・	-	-	-	-	-
那　覇　市	-	・	-	-	-	-	-
その他政令市(再掲)							
小　樽　市	-	・	-	-	-	-	-
町　田　市	-	・	-	-	-	-	-
藤　沢　市	-	・	-	-	-	-	-
茅 ヶ 崎 市	-	・	-	-	-	-	-
四 日 市 市	-	・	-	-	-	-	-
大 牟 田 市	-	・	-	-	-	-	-

注：初回・非初回及び年齢階級別については、計数不詳の市区町村があるため、総数と一致しない場合がある。
　1）喀痰容器は喀痰細胞診対象者（胸部エックス線検査受診者中高危険群者）への配布状況である。
　2）喀痰容器の回収数は喀痰細胞診対象者（胸部エックス線検査受診者中高危険群者）からの回収状況である。
　3）喀痰細胞診の判定別人数については、計数不詳の市区町村があるため、喀痰容器回収数（受診者数）と一致しない場合がある。

精密検査受診の有無別人数，都道府県－指定都市・特別区－中核市－その他政令市、年齢階級・検診回数別

の有無別人数						
認める						
肺がん以外の疾患であった者（転移性の肺がんを含む）						
総数	40 ～ 49歳	50 ～ 59歳	60 ～ 69歳	70 歳 以 上	(再掲)初 回	(再掲)非初回
-	・	-	-	-	-	-
-	・	-	-	-	-	-
-	・	-	-	-	-	-
-	・	-	-	-	-	-
-	・	-	-	-	-	-
-	・	-	-	-	-	-
-	・	-	-	-	-	-
1	・	-	-	1	-	1
-	・	-	-	-	-	-
-	・	-	-	-	-	-
…	・	…	…	…	…	…
-	・	-	-	-	-	-
-	・	-	-	-	-	-
-	・	-	-	-	-	-
-	・	-	-	-	-	-
1	・	-	-	1	-	1
-	・	-	-	-	-	-
22	・	2	4	16	-	-
-	・	-	-	-	-	-
-	・	-	-	-	-	-
-	・	-	-	-	-	-
-	・	-	-	-	-	-
-	・	-	-	-	-	-
-	・	-	-	-	-	-
-	・	-	-	-	-	-
-	・	-	-	-	-	-
2	・	1	-	1	2	-
-	・	-	-	-	-	-
-	・	-	-	-	-	-
-	・	-	-	-	-	-
-	・	-	-	-	-	-
-	・	-	-	-	-	-
-	・	-	-	-	-	-
-	・	-	-	-	-	-
-	・	-	-	-	-	-
-	・	-	-	-	-	-
1	・	-	1	-	1	-
-	・	-	-	-	-	-
-	・	-	-	-	-	-
-	・	-	-	-	-	-
-	・	-	-	-	-	-
-	・	-	-	-	-	-
-	・	-	-	-	-	-
-	・	-	-	-	-	-
-	・	-	-	-	-	-
-	・	-	-	-	-	-
-	・	-	-	-	-	-
-	・	-	-	-	-	-
-	・	-	-	-	-	-
-	・	-	-	-	-	-
-	・	-	-	-	-	-
1	・	-	-	1	1	-
-	・	-	-	-	-	-
-	・	-	-	-	-	-

第26表（12－11） 平成28年度における肺がん（喀痰細胞診）検診受診者数・要精密検査者数・

	精密検査受診						
	未受診						
	総数	40～49歳	50～59歳	60～69歳	70歳以上	(再掲)初回	(再掲)非初回
全国	32	・	3	4	25	10	18
北海道	1	・	－	－	1	1	…
青森	－	・	－	－	－	－	－
岩手	－	・	－	－	－	－	－
宮城	1	・	－	－	1	－	1
秋田	1	・	－	1	－	…	1
山形	－	・	－	－	－	…	…
福島	1	・	－	－	1	－	1
茨城	－	・	－	－	－	－	－
栃木	1	・	－	1	－	1	－
群馬	…	・	…	…	…	…	…
埼玉	2	・	…	…	2	1	…
千葉	－	・	－	－	－	－	－
東京	1	・	…	…	1	…	1
神奈川	2	・	…	…	2	1	1
新潟	4	・	－	－	4	3	1
富山	1	・	－	－	1	－	－
石川	2	・	－	－	2	1	－
福井	…	・	…	…	…	…	…
山梨	1	・	－	－	1	－	1
長野	…	・	…	…	…	…	…
岐阜	－	・	－	－	－	－	－
静岡	－	・	－	－	－	…	…
愛知	3	・	－	－	3	1	2
三重	1	・	－	1	－	－	1
滋賀	－	・	－	－	－	－	－
京都	1	・	－	－	1	－	－
大阪	－	・	－	－	－	－	－
兵庫	…	・	…	…	…	…	…
奈良	1	・	－	－	1	－	1
和歌山	6	・	2	－	4	1	5
鳥取	－	・	－	－	－	－	－
島根	－	・	－	－	－	－	－
岡山	－	・	－	－	－	－	－
広島	－	・	－	…	－	－	－
山口	－	・	－	－	－	－	－
徳島	－	・	－	－	－	－	－
香川	1	・	－	1	－	－	1
愛媛	－	・	－	－	－	－	－
高知	－	・	－	－	－	－	－
福岡	－	・	－	－	－	…	…
佐賀	－	・	－	－	－	－	－
長崎	1	・	1	－	－	－	1
熊本	－	・	－	－	－	－	－
大分	－	・	－	－	－	－	－
宮崎	－	・	－	－	－	－	－
鹿児島	－	・	－	－	－	－	－
沖縄	…	・	…	…	…	…	…
指定都市・特別区(再掲)							
東京都区部	…	・	…	…	…	…	…
札幌市	－	・	－	－	－	－	－
仙台市	－	・	－	－	－	－	－
さいたま市	－	・	－	－	－	…	…
千葉市	－	・	－	－	－	－	－
横浜市	－	・	－	－	－	－	－
川崎市	－	・	－	－	－	－	－
相模原市	－	・	－	－	－	－	－
新潟市	－	・	－	－	－	－	－
静岡市	－	・	－	－	－	－	－
浜松市	－	・	－	－	－	－	－
名古屋市	2	・	－	－	2	1	1
京都市	1	・	－	－	1	－	－
大阪市	－	・	－	－	－	－	－
堺市	－	・	－	－	－	－	－
神戸市	－	・	－	－	－	－	－
岡山市	－	・	－	－	－	－	－
広島市	－	・	－	－	－	－	－
北九州市	－	・	－	－	－	…	…
福岡市	－	・	－	－	－	－	－
熊本市	－	・	－	－	－	－	－

精密検査受診の有無別人数，都道府県－指定都市・特別区－中核市－その他政令市、年齢階級・検診回数別

の　有　無　別　人　数						
未　把　握						
総　数	40 ～ 49歳	50 ～ 59歳	60 ～ 69歳	70 歳 以 上	(再掲)初　回	(再掲)非初回
101	·	6	25	70	47	44
–	·	–	–	–	…	…
1	·	–	–	1	1	–
1	·	–	–	1	1	–
2	·	–	–	2	1	1
–	·	–	–	–	…	…
–	·	–	–	–	…	…
3	·	–	1	2	2	1
–	·	–	–	–	–	–
1	·	–	–	1	1	–
…	·	…	…	…	…	…
9	·	…	…	9	2	6
13	·	–	1	12	4	8
17	·	1	5	11	7	4
5	·	…	1	4	3	2
1	·	–	1	–	1	–
–	·	–	–	–	–	–
–	·	–	–	–	–	–
…	·	…	…	…	…	…
1	·	–	–	1	1	–
…	·	…	…	…	…	…
1	·	–	–	1	–	1
4	·	–	2	2	3	1
16	·	2	3	11	6	9
–	·	–	–	–	–	–
–	·	–	–	–	–	–
4	·	1	1	2	2	2
3	·	–	1	2	3	–
1	·	…	1	…	…	1
–	·	–	–	–	–	–
2	·	–	1	1	–	2
–	·	–	–	–	–	–
–	·	–	–	–	–	–
–	·	–	–	–	–	–
7	·	1	3	3	6	1
–	·	–	–	–	–	–
–	·	–	–	–	–	–
3	·	1	2	–	2	1
–	·	–	–	–	–	–
–	·	–	–	–	–	–
–	·	–	–	–	…	…
1	·	–	1	–	–	–
3	·	–	1	2	1	2
–	·	–	–	–	–	–
–	·	–	–	–	–	–
–	·	–	–	–	–	–
–	·	–	–	–	–	–
2	·	…	…	2	…	2
17	·	1	5	11	7	4
–	·	–	–	–	–	–
–	·	–	–	–	–	–
1	·	–	–	1	…	…
7	·	–	–	7	3	4
–	·	–	–	–	–	–
2	·	–	1	1	2	–
–	·	–	–	–	–	–
–	·	–	–	–	–	–
–	·	–	–	–	–	–
1	·	–	–	1	1	–
13	·	2	2	9	5	8
–	·	–	–	–	–	–
–	·	–	–	–	–	–
–	·	–	–	–	–	–
–	·	–	–	–	–	–
–	·	–	–	–	–	–
7	·	1	3	3	6	1
–	·	–	–	–	…	…
–	·	–	–	–	–	–
–	·	–	–	–	–	–

第26表（12－12） 平成28年度における肺がん（喀痰細胞診）検診受診者数・要精密検査者数・

	精密検査受診						
	未受診						
	総数	40 ～ 49歳	50 ～ 59歳	60 ～ 69歳	70 歳 以 上	(再掲)初 回	(再掲)非初回
中核市(再掲)							
旭川市	1	・	－	－	1	1	－
函館市	－	・	－	－	－	－	－
青森市	－	・	－	－	－	－	－
八戸市	－	・	－	－	－	－	－
盛岡市	－	・	－	－	－	－	－
秋田市	－	・	－	－	－	－	－
郡山市	－	・	－	－	－	－	－
いわき市	－	・	－	－	－	－	－
宇都宮市	－	・	－	－	－	－	－
前橋市	－	・	－	－	－	－	－
高崎市	…	・	…	…	…	…	…
川越市	－	・	－	－	－	－	－
越谷市	－	・	－	－	－	－	－
船橋市	－	・	－	－	－	－	－
柏市	－	・	－	－	－	－	－
八王子市	－	・	－	－	－	－	－
横須賀市	－	・	－	－	－	－	－
富山市	1	・	－	－	1	－	－
金沢市	－	・	－	－	－	－	－
長野市	－	・	－	－	－	－	－
岐阜市	－	・	－	－	－	－	－
豊橋市	－	・	－	－	－	－	－
豊田市	－	・	－	－	－	－	－
岡崎市	－	・	－	－	－	－	－
大津市	－	・	－	－	－	－	－
高槻市	－	・	－	－	－	－	－
東大阪市	－	・	－	－	－	－	－
豊中市	－	・	－	－	－	－	－
枚方市	－	・	－	－	－	－	－
姫路市	－	・	－	－	－	－	－
西宮市	－	・	－	－	－	－	－
尼崎市	－	・	－	－	－	－	－
奈良市	－	・	－	－	－	－	－
和歌山市	－	・	－	－	－	－	－
倉敷市	－	・	－	－	－	－	－
福山市	－	・	－	－	－	－	－
呉市	－	・	－	－	－	－	－
下関市	－	・	－	－	－	－	－
高松市	－	・	－	－	－	－	－
松山市	－	・	－	－	－	－	－
高知市	－	・	－	－	－	－	－
久留米市	－	・	－	－	－	－	－
長崎市	－	・	－	－	－	－	－
佐世保市	－	・	－	－	－	－	－
大分市	－	・	－	－	－	－	－
宮崎市	－	・	－	－	－	－	－
鹿児島市	－	・	－	－	－	－	－
那覇市	－	・	－	－	－	－	－
その他政令市(再掲)							
小樽市	－	・	－	－	－	－	－
町田市	－	・	－	－	－	－	－
藤沢市	1	・	－	－	1	1	－
茅ヶ崎市	－	・	－	－	－	－	－
四日市市	－	・	－	－	－	－	－
大牟田市	－	・	－	－	－	－	－

注：初回・非初回及び年齢階級別については、計数不詳の市区町村があるため、総数と一致しない場合がある。
1）喀痰容器は喀痰細胞診対象者（胸部エックス線検査受診者中高危険群者）への配布状況である。
2）喀痰容器の回収数は喀痰細胞診対象者（胸部エックス線検査受診者中高危険群者）からの回収状況である。
3）喀痰細胞診の判定別人数については、計数不詳の市区町村があるため、喀痰容器回収数（受診者数）と一致しない場合がある。

精密検査受診の有無別人数，都道府県－指定都市・特別区－中核市－その他政令市、年齢階級・検診回数別

の有無別人数						
未把握						
総数	40 ～ 49歳	50 ～ 59歳	60 ～ 69歳	70 歳 以 上	(再掲)初回	(再掲)非初回
–	·	–	–	–	–	–
–	·	–	–	–	–	–
1	·	–	–	1	1	–
–	·	–	–	–	–	–
–	·	–	–	–	–	–
–	·	–	–	–	–	–
–	·	–	–	–	–	–
–	·	–	–	–	–	–
–	·	–	–	–	–	–
–	·	–	–	–	–	–
…	·	…	…	…	…	…
–	·	–	–	–	–	–
–	·	–	–	–	–	–
1	·	–	1	–	–	–
–	·	–	–	–	–	–
–	·	–	–	–	–	–
–	·	–	–	–	–	–
–	·	–	–	–	–	–
–	·	–	–	–	–	–
–	·	–	–	–	–	–
–	·	–	–	–	–	–
–	·	–	–	–	–	–
–	·	–	–	–	–	–
1	·	–	1	–	–	1
–	·	–	–	–	–	–
–	·	–	–	–	–	–
1	·	–	1	–	1	–
–	·	–	–	–	–	–
–	·	–	–	–	–	–
–	·	–	–	–	–	–
–	·	–	–	–	–	–
–	·	–	–	–	–	–
–	·	–	–	–	–	–
–	·	–	–	–	–	–
–	·	–	–	–	–	–
–	·	–	–	–	–	–
–	·	–	–	–	–	–
–	·	–	–	–	–	–
–	·	–	–	–	–	–
–	·	–	–	–	–	–
–	·	–	–	–	–	–
–	·	–	–	–	–	–
–	·	–	–	–	–	–
1	·	–	–	1	1	–
–	·	–	–	–	–	–
–	·	–	–	–	–	–
–	·	–	–	–	–	–
–	·	–	–	–	–	–
2	·	–	–	2	–	2
–	·	–	–	–	–	–
–	·	–	–	–	–	–
1	·	–	–	1	–	1
–	·	–	–	–	–	–
–	·	–	–	–	–	–
–	·	–	–	–	–	–

第27表（14－1） 平成28年度における子宮頸がん検診受診者数・要精密検査者数・精密検査

	受診者数									2年連続		
	総数	20～29歳	30～39歳	40～49歳	50～59歳	60～69歳	70歳以上	(再掲)初回	(再掲)非初回	総数	20～29歳	30～39歳
全国	**4 360 694**	**387 840**	**861 827**	**984 529**	**700 002**	**870 516**	**555 980**	**1 463 600**	**2 638 549**	**1 270 546**	**38 460**	**162 251**
北海道	158 789	15 569	28 925	36 857	27 197	30 882	19 359	39 502	62 562	18 359	273	1 747
青森	49 901	2 849	6 927	9 429	9 000	12 869	8 827	17 582	30 549	10 386	214	811
岩手	51 943	2 815	7 465	9 664	9 208	13 664	9 127	8 938	43 005	12 076	376	1 768
宮城	156 043	6 745	23 843	28 280	27 610	41 642	27 923	27 528	128 515	79 874	1 850	11 735
秋田	32 270	1 797	6 866	4 754	4 786	8 631	5 436	10 308	21 327	7 844	340	2 075
山形	61 432	1 912	5 935	8 807	10 598	21 374	12 806	7 871	41 889	33 406	339	1 867
福島	69 059	4 155	10 086	12 163	12 134	19 227	11 294	20 858	47 879	15 723	459	1 560
茨城	102 970	4 685	18 701	24 969	18 628	24 533	11 454	25 616	77 354	61 137	1 038	7 747
栃木	92 109	5 433	16 888	19 021	15 428	22 524	12 815	27 751	64 262	44 350	730	5 229
群馬	96 284	5 875	16 432	23 689	16 672	20 996	12 620	24 117	72 133	51 348	1 632	6 866
埼玉	220 514	25 154	53 928	53 859	33 709	34 688	19 176	79 226	141 288	58 781	3 339	12 443
千葉	260 360	14 306	49 687	64 924	41 971	52 081	37 391	57 747	175 741	99 267	1 799	13 301
東京	392 175	40 095	94 492	104 443	64 433	53 817	34 895	166 095	181 941	54 380	2 885	10 892
神奈川	293 176	35 764	71 307	66 535	42 005	43 569	33 996	151 116	142 040	68 809	3 010	10 186
新潟	73 760	5 893	12 078	14 138	12 005	18 065	11 581	25 735	48 025	11 233	415	1 168
富山	41 419	2 448	6 786	8 560	6 226	10 288	7 111	8 963	22 443	15 667	288	1 730
石川	40 474	3 491	8 114	11 003	7 323	7 258	3 285	14 937	25 305	11 389	309	1 352
福井	28 842	3 593	7 113	5 713	3 991	5 381	3 051	11 464	17 378	3 013	279	751
山梨	41 698	2 148	5 923	8 609	7 946	11 074	5 998	8 405	31 639	23 057	433	2 139
長野	70 841	4 238	11 693	17 182	13 058	15 355	9 315	19 901	43 518	24 394	582	2 587
岐阜	74 161	6 362	15 751	18 104	12 747	14 483	6 714	20 925	53 236	30 704	886	4 377
静岡	140 495	9 133	24 102	33 315	25 515	30 460	17 970	41 524	98 457	49 372	1 440	6 177
愛知	254 282	32 249	59 714	61 474	37 081	38 882	24 882	106 889	144 756	50 788	1 736	6 269
三重	87 505	8 726	18 122	19 337	13 996	17 743	9 581	22 779	62 635	45 641	1 704	6 393
滋賀	42 339	4 598	10 281	10 294	6 858	7 519	2 789	21 190	21 149	70	24	27
京都	58 928	5 505	11 594	15 630	9 970	10 460	5 769	25 493	33 435	13 600	364	1 543
大阪	247 066	31 936	54 355	67 592	38 213	34 053	20 917	125 315	121 751	23 626	1 659	4 005
兵庫	113 308	8 539	22 230	31 591	18 237	20 429	12 282	40 858	67 275	20 789	623	2 274
奈良	35 279	2 613	6 503	8 345	6 253	7 250	4 315	15 527	19 752	989	68	96
和歌山	41 048	4 867	8 650	9 914	7 528	6 832	3 257	14 380	26 668	12 481	788	2 049
鳥取	31 450	1 707	5 033	6 140	5 496	7 940	5 134	7 414	24 036	18 627	531	2 219
島根	18 901	2 642	4 656	3 645	2 792	3 257	1 909	7 690	7 376	2 612	268	552
岡山	70 946	3 046	9 796	15 244	11 636	17 732	13 492	17 214	53 732	41 334	545	3 884
広島	93 946	11 961	19 799	19 151	12 215	18 410	12 410	34 054	59 845	21 203	850	2 156
山口	41 462	5 771	9 968	8 606	5 586	6 911	4 620	17 007	24 455	5 478	644	1 194
徳島	23 159	3 176	6 558	4 634	3 007	3 517	2 267	10 169	12 990	1 611	307	706
香川	36 111	2 671	6 536	7 636	5 251	8 152	5 865	12 618	23 493	5 424	134	504
愛媛	42 591	3 312	7 790	6 845	5 556	10 658	8 430	12 089	30 502	16 251	339	1 361
高知	19 159	1 007	1 963	3 891	3 258	4 890	4 150	6 561	12 598	1 435	28	113
福岡	161 514	20 080	31 964	32 864	23 416	32 576	20 614	27 387	56 512	43 476	1 693	4 695
佐賀	38 383	3 679	6 508	6 609	5 682	9 755	6 150	12 935	25 448	14 365	552	1 557
長崎	49 830	5 850	9 620	9 235	8 200	10 859	6 066	17 954	31 876	11 728	395	1 142
熊本	69 769	4 142	9 537	10 196	10 750	19 976	15 168	21 209	48 560	33 029	328	2 104
大分	47 577	2 138	5 838	7 390	6 594	13 716	11 901	16 941	30 630	22 498	186	1 052
宮崎	41 230	4 553	9 368	7 333	5 785	8 433	5 758	16 276	24 886	12 019	533	1 752
鹿児島	90 216	4 416	12 597	16 125	15 741	24 554	16 783	22 683	67 533	51 249	852	4 397
沖縄	55 980	4 196	9 805	10 790	8 711	13 151	9 327	14 859	36 170	15 654	393	1 699
指定都市・特別区(再掲)												
東京都区部	291 342	30 934	73 347	78 872	47 263	36 418	24 508	125 844	127 222	38 598	2 511	9 402
札幌市	66 366	8 939	13 557	16 078	10 865	10 320	6 607	5 222	9 620	1 851	12	22
仙台市	52 595	2 441	9 569	9 918	8 546	12 517	9 604	12 678	39 917	7 823	458	4 109
さいたま市	40 196	4 786	10 770	10 100	6 371	4 942	3 227	10 360	29 836	5 612	932	3 947
千葉市	31 595	2 023	6 236	7 989	4 827	5 676	4 844	11 736	19 859	1	－	－
横浜市	114 276	20 095	35 156	23 595	14 187	12 990	8 253	68 561	45 715	4 769	862	2 044
川崎市	37 008	5 121	10 629	8 905	5 130	3 943	3 280	37 008	－	－	－	－
相模原市	30 297	2 206	5 715	7 617	4 915	5 198	4 646	8 683	21 614	15 824	580	2 222
新潟市	21 525	2 697	5 351	4 415	2 832	3 917	2 313	10 706	10 819	…	…	…
静岡市	20 435	2 232	3 975	4 985	3 494	3 555	2 194	9 231	11 204	1 634	225	369
浜松市	26 225	898	2 305	6 499	5 525	6 875	4 123	6 595	19 630	14 322	123	741
名古屋市	91 405	16 454	25 477	23 205	12 106	8 410	5 753	52 191	39 214	－	－	－
京都市	19 314	2 716	4 769	5 762	2 990	2 036	1 041	12 454	6 860	1 478	98	242
大阪市	50 957	9 204	12 329	13 580	7 150	5 287	3 407	33 859	17 098	2 208	274	461
堺市	24 804	2 999	5 553	7 453	3 627	3 115	2 057	13 035	11 769	2 072	173	421
神戸市	26 759	2 747	5 211	8 631	4 160	3 686	2 324	7 203	19 556	2 796	126	467
岡山市	18 541	700	2 226	5 478	4 058	4 039	2 040	5 624	12 917	8 632	29	769
広島市	35 248	5 767	9 400	7 813	4 426	5 216	2 626	12 876	22 372	…	…	…
北九州市	27 107	5 189	6 901	6 001	3 661	3 200	2 155	…	…	11 427	1 204	2 531
福岡市	48 054	9 951	13 359	11 024	5 987	4 158	3 575	－	－	－	－	－
熊本市	13 095	1 909	3 024	2 709	2 091	2 290	1 072	8 544	4 551	283	30	25

受診の有無別人数，都道府県－指定都市・特別区－中核市－その他政令市、年齢階級・検診回数別

受診者数				初回検体の適正・不適正[1]								
				適正								
40～49歳	50～59歳	60～69歳	70歳以上	総数	20～29歳	30～39歳	40～49歳	50～59歳	60～69歳	70歳以上	(再掲)初回	(再掲)非初回
262 838	236 550	345 998	224 449	4 295 228	377 767	846 797	969 512	690 248	861 160	549 744	1 409 273	2 553 006
3 669	3 856	5 405	3 409	153 635	14 823	28 033	35 794	26 308	29 972	18 705	39 175	62 292
1 658	2 037	3 223	2 443	49 885	2 842	6 927	9 429	8 996	12 868	8 823	17 572	30 543
2 348	2 310	3 225	2 049	51 942	2 815	7 464	9 664	9 208	13 664	9 127	8 937	43 005
13 655	14 803	23 164	14 667	155 928	6 741	23 835	28 265	27 582	41 607	27 898	27 514	128 414
1 143	1 137	2 009	1 140	32 231	1 795	6 864	4 753	4 786	8 600	5 433	10 302	21 294
3 847	5 896	13 405	8 052	61 402	1 909	5 931	8 803	10 593	21 364	12 802	7 744	41 120
2 461	2 946	5 354	2 943	68 945	4 147	10 067	12 134	12 111	19 205	11 281	19 717	45 206
14 376	12 179	17 338	8 459	102 966	4 685	18 698	24 969	18 628	24 533	11 453	25 613	77 353
8 657	8 493	13 527	7 714	92 105	5 432	16 886	19 021	15 427	22 524	12 815	27 750	64 259
12 533	9 595	12 844	7 878	96 206	5 872	16 428	23 682	16 652	20 970	12 602	24 100	72 072
15 406	10 992	10 756	5 845	220 399	25 138	53 901	53 847	33 682	34 666	19 165	68 058	109 559
24 456	18 625	24 766	16 320	260 129	14 302	49 663	64 883	41 913	52 006	37 362	57 698	175 587
14 166	10 154	9 730	6 553	385 238	39 646	93 326	102 226	63 253	52 773	34 014	158 749	172 007
15 356	12 101	15 217	12 939	293 058	35 758	71 288	66 513	41 983	43 541	33 975	144 163	132 346
2 198	2 278	3 240	1 934	73 739	5 893	12 076	14 136	12 002	18 057	11 575	25 727	48 012
3 128	2 608	4 854	3 059	41 419	2 448	6 786	8 560	6 226	10 288	7 111	8 963	22 443
2 619	2 207	3 197	1 705	40 472	3 491	8 113	11 003	7 323	7 257	3 285	14 937	25 303
529	393	634	427	28 757	3 580	7 088	5 705	3 983	5 356	3 045	11 433	17 324
4 471	4 688	7 272	4 054	41 658	2 146	5 916	8 599	7 934	11 067	5 996	8 338	30 808
5 833	5 259	6 208	3 925	70 822	4 238	11 692	17 178	13 054	15 348	9 312	19 890	43 510
7 601	6 444	7 750	3 646	74 144	6 360	15 749	18 099	12 742	14 480	6 714	20 921	53 223
11 457	10 126	12 549	7 623	120 003	6 900	20 112	28 312	22 011	26 894	15 774	32 273	87 216
12 443	10 511	12 349	7 480	254 228	32 243	59 707	61 461	37 071	38 871	24 875	103 161	135 994
10 162	9 014	11 844	6 524	84 594	7 570	16 562	19 193	13 983	17 716	9 570	22 337	62 177
7	4	5	3	42 335	4 598	10 281	10 291	6 858	7 518	2 789	21 187	21 148
3 357	2 884	3 504	1 948	58 920	5 505	11 593	15 627	9 969	10 458	5 768	13 037	26 569
6 853	4 369	4 275	2 465	246 979	31 926	54 339	67 577	38 195	34 032	20 910	125 259	121 720
4 836	4 261	5 424	3 371	112 331	8 476	22 044	31 326	18 077	20 259	12 149	40 598	66 566
170	174	291	190	35 262	2 613	6 500	8 342	6 251	7 245	4 311	15 521	19 741
3 114	2 778	2 595	1 157	41 017	4 867	8 649	9 899	7 518	6 828	3 256	14 363	26 654
3 233	3 374	5 509	3 761	31 376	1 706	5 026	6 129	5 471	7 916	5 128	7 397	23 979
411	401	564	416	18 863	2 641	4 645	3 636	2 786	3 251	1 904	7 680	7 366
8 333	7 401	12 063	9 108	70 945	3 046	9 796	15 244	11 635	17 732	13 492	17 214	53 731
3 839	3 218	6 201	4 939	93 946	11 961	19 799	19 151	12 215	18 410	12 410	34 054	59 845
1 152	890	972	626	41 459	5 771	9 968	8 606	5 585	6 909	4 620	17 006	24 453
342	138	90	28	23 159	3 176	6 558	4 634	3 007	3 517	2 267	10 169	12 990
820	792	1 738	1 436	36 104	2 669	6 534	7 635	5 251	8 150	5 865	12 616	23 488
1 846	2 406	5 574	4 725	42 588	3 312	7 790	6 844	5 555	10 658	8 429	12 089	30 499
73	147	497	577	19 056	969	1 911	3 881	3 257	4 889	4 149	6 463	12 593
7 890	7 785	13 368	8 045	134 162	14 792	25 008	26 815	19 741	29 350	18 456	26 747	55 580
2 064	2 236	4 811	3 145	38 359	3 674	6 504	6 604	5 677	9 750	6 150	12 921	25 438
1 704	2 250	3 896	2 341	49 818	5 849	9 619	9 233	8 197	10 855	6 065	17 950	31 868
3 674	5 341	11 875	9 707	69 766	4 142	9 536	10 195	10 749	19 976	15 168	21 207	48 559
2 171	2 809	8 116	8 164	47 561	2 138	5 838	7 388	6 590	13 709	11 898	16 939	30 616
2 307	2 003	3 207	2 217	41 191	4 553	9 363	7 330	5 774	8 424	5 747	16 261	24 882
7 677	9 453	16 938	11 932	90 162	4 413	12 585	16 109	15 730	24 548	16 777	22 667	67 495
2 793	2 784	4 625	3 360	55 964	4 196	9 799	10 787	8 709	13 149	9 324	14 856	36 159
10 372	6 820	5 668	3 825	284 497	30 493	72 190	76 663	46 103	35 397	23 651	118 540	117 338
214	434	720	449	66 355	8 939	13 557	16 076	10 862	10 314	6 607	5 218	9 613
1 321	769	746	420	52 575	2 441	9 568	9 914	8 543	12 512	9 597	12 675	39 900
637	46	26	24	40 196	4 786	10 770	10 100	6 371	4 942	3 227	...	...
1	–	–	–	31 541	2 022	6 234	7 981	4 815	5 659	4 830	11 716	19 825
746	399	454	264	114 206	20 090	35 143	23 583	14 174	12 974	8 242	68 523	45 683
–	–	–	–	37 008	5 121	10 629	8 905	5 130	3 943	3 280	37 008	–
3 859	2 946	3 225	2 992	30 283	2 205	5 713	7 614	4 913	5 195	4 643	8 682	21 601
...	...	...	...	21 517	2 697	5 349	4 415	2 831	3 915	2 310	10 702	10 815
369	292	250	129	–	–	–	–	–	–	–	–	–
3 398	3 381	4 212	2 467	26 225	898	2 305	6 499	5 525	6 875	4 123	6 595	19 630
–	–	–	–	91 405	16 454	25 477	23 205	12 106	8 410	5 753	52 191	39 214
491	299	227	121	19 314	2 716	4 769	5 762	2 990	2 036	1 041	...	...
693	384	258	138	50 957	9 204	12 329	13 580	7 150	5 287	3 407	33 859	17 098
680	365	261	172	24 795	2 999	5 552	7 449	3 625	3 115	2 055	13 030	11 765
1 018	544	431	210	26 090	2 697	5 055	8 410	4 050	3 605	2 273	7 022	19 068
2 980	2 582	2 092	180	18 541	700	2 226	5 478	4 058	4 039	2 040	5 624	12 917
...	...	...	...	35 248	5 767	9 400	7 813	4 426	5 216	2 626	12 876	22 372
2 987	2 062	1 702	941	...	...	...	...	...	...	...	...	...
–	–	–	–	48 033	9 951	13 352	11 015	5 985	4 155	3 575	–	–
55	49	102	22	13 092	1 909	3 023	2 708	2 090	2 290	1 072	8 542	4 550

15(8)－30,31 子宮頸がん 精密検査

第27表 (14－2)　平成28年度における子宮頸がん検診受診者数・要精密検査者数・精密検査

| | 受　　　診　　　者　　　数 | | | | | | | | | 2　年　連　続 | | |
	総　数	20～29歳	30～39歳	40～49歳	50～59歳	60～69歳	70歳以上	(再掲)初回	(再掲)非初回	総　数	20～29歳	30～39歳
中核市(再掲)												
旭　川　市	18 747	851	3 389	4 515	3 385	3 874	2 733	5 181	13 566	8 576	13	1 045
函　館　市	5 273	736	1 084	1 320	886	817	430	2 711	2 562	63	39	20
青　森　市	5 517	329	1 078	1 166	887	1 303	754	2 803	2 714	283	3	25
八　戸　市	9 510	638	1 319	1 957	1 833	2 253	1 510	2 705	6 805	4 811	138	442
盛　岡　市	10 561	631	1 868	2 403	1 979	2 257	1 423	1 412	9 149	6 038	141	820
秋　田　市	7 340	692	2 969	1 074	1 034	1 023	548	3 517	3 823	777	111	611
郡　山　市	8 740	941	2 254	1 826	1 240	1 628	851	3 759	4 981	264	37	33
い わ き 市	4 884	244	422	798	859	1 499	1 062	1 977	2 907	65	31	34
宇 都 宮 市	23 841	1 808	5 338	5 111	3 668	4 942	2 974	7 645	16 196	11 164	402	2 057
前　橋　市	22 825	1 612	3 722	5 389	4 046	5 107	2 949	5 183	17 642	14 167	564	1 755
高　崎　市	16 596	897	3 059	4 492	2 860	3 175	2 113	4 588	12 008	9 018	244	1 212
川　越　市	4 955	281	458	1 363	917	1 287	649	1 197	3 758	1	1	－
越　谷　市	11 202	1 347	2 625	3 167	1 853	1 313	897	2 861	8 341	5 969	342	1 002
船　橋　市	26 312	1 825	5 539	6 756	3 931	4 019	4 242	－	－	－	－	－
柏　　　市	10 230	755	2 637	2 447	1 303	1 805	1 283	3 240	6 990	13	2	2
八 王 子 市	20 516	1 332	3 490	5 481	3 859	3 881	2 473	5 488	15 028	8 344	116	482
横 須 賀 市	14 254	1 386	2 241	2 912	2 076	3 078	2 561	4 764	9 490	6 504	221	575
富　山　市	10 013	412	1 266	2 284	1 613	2 296	2 142	…	…	258	8	12
金　沢　市	10 342	899	2 327	3 868	2 465	627	156	5 109	5 233	8	－	3
長　野　市	11 995	682	2 126	3 281	2 402	2 206	1 298	4 002	7 993	5 864	90	632
岐　阜　市	14 067	2 510	4 525	3 152	1 871	1 387	622	5 744	8 323	4 667	267	1 041
豊　橋　市	11 479	637	1 887	2 468	2 016	2 363	2 108	3 152	8 327	20	20	－
豊　田　市	8 393	777	1 655	1 549	1 016	2 062	1 334	2 294	6 099	221	30	100
岡　崎　市	9 472	701	1 910	2 278	1 415	2 003	1 165	4 155	5 317	4	4	－
大　津　市	16 381	2 225	4 713	4 001	2 667	2 393	382	10 537	5 844	－	－	－
高　槻　市	13 671	1 866	3 246	3 590	1 960	1 885	1 124	7 574	6 097	147	19	51
東 大 阪 市	14 193	1 684	2 530	3 687	2 127	2 368	1 797	6 272	7 921	968	73	150
豊　中　市	12 684	1 395	3 437	3 627	1 992	1 413	820	6 021	6 663	833	73	199
枚　方　市	14 011	1 725	2 831	4 016	2 205	2 099	1 135	5 719	8 292	5 207	251	730
姫　路　市	14 206	290	4 392	5 621	1 549	1 663	691	6 415	7 791	284	1	5
西　宮　市	5 705	663	1 178	1 893	845	675	451	3 714	1 991	96	16	32
尼　崎　市	3 236	252	523	932	612	626	291	2 089	1 147	32	3	14
奈　良　市	11 301	789	1 994	2 676	2 159	2 231	1 452	4 278	7 023	210	37	50
和 歌 山 市	11 099	1 664	2 564	2 956	1 886	1 429	600	5 193	5 906	1 239	147	273
倉　敷　市	21 074	1 279	4 197	4 818	3 109	4 435	3 236	5 220	15 854	12 295	337	1 817
福　山　市	12 225	956	1 712	2 857	1 961	2 781	1 958	4 314	7 911	5 692	148	488
呉　　　市	11 116	1 660	2 405	2 411	1 483	1 931	1 226	3 460	7 656	5 256	420	805
下　関　市	10 419	1 441	2 197	2 381	1 669	1 683	1 048	3 881	6 538	4 252	331	655
高　松　市	13 619	1 340	3 168	3 359	2 070	2 318	1 364	5 767	7 852	223	36	67
松　山　市	13 464	2 458	4 706	2 231	1 078	1 742	1 249	6 567	6 897	777	265	466
高　知　市	6 843	202	397	2 417	1 877	1 392	558	2 711	4 132	－	－	－
久 留 米 市	13 998	1 380	2 545	3 146	2 494	2 898	1 535	4 399	9 599	6 945	230	706
長　崎　市	12 432	2 338	3 191	2 574	1 788	1 801	740	6 282	6 150	…	…	…
佐 世 保 市	10 957	1 692	2 491	2 198	1 572	1 992	1 012	3 948	7 009	3 999	263	615
大　分　市	10 869	643	2 071	2 704	1 943	2 277	1 231	8 129	2 740	383	－	28
宮　崎　市	18 982	2 193	4 840	4 215	2 662	3 103	1 969	7 329	11 653	7 373	332	1 194
鹿 児 島 市	28 273	2 303	5 054	6 200	4 896	5 795	4 025	10 282	17 991	12 135	386	1 394
那　覇　市	10 143	606	1 658	2 092	1 470	2 382	1 935	2 351	7 792	2 206	45	147
その他政令市(再掲)												
小　樽　市	2 134	171	275	438	280	443	527	1 245	889	22	2	6
町　田　市	11 198	1 035	2 258	2 831	1 807	1 944	1 323	4 586	6 612	4 240	122	511
藤　沢　市	17 763	1 594	4 150	4 777	2 727	2 385	2 130	6 344	11 419	8 183	344	1 439
茅 ヶ 崎 市	8 454	502	1 751	1 936	1 294	1 701	1 270	4 366	4 088	4 088	116	570
四 日 市 市	15 068	1 728	3 053	3 215	2 111	3 007	1 954	3 480	11 588	8 537	440	1 150
大 牟 田 市	2 333	277	399	483	380	509	285	1 309	1 024	25	3	7

注：初回・非初回及び年齢階級別については、計数不詳の市区町村があるため、総数と一致しない場合がある。
　　1) 初回検体の適正・不適正及び細胞診の判定別人数については、計数不詳の市区町村があるため、受診者数と一致しない場合がある。
　　2) 精密検査受診の有無別人数については、計数不詳の市区町村がある場合、要精密検査者数と一致しないことがある。

受診の有無別人数，都道府県－指定都市・特別区－中核市－その他政令市、年齢階級・検診回数別

受診者数				初回検体の適正・不適正[1) 適正]								
40～49歳	50～59歳	60～69歳	70歳以上	総数	20～29歳	30～39歳	40～49歳	50～59歳	60～69歳	70歳以上	(再掲)初回	(再掲)非初回
1 913	1 724	2 302	1 579	18 747	851	3 389	4 515	3 385	3 874	2 733	5 181	13 566
4	-	-	-	5 273	736	1 084	1 320	886	817	430	2 711	2 562
45	44	115	51	5 513	329	1 078	1 166	886	1 303	751	2 801	2 712
909	1 088	1 243	991	9 510	638	1 319	1 957	1 833	2 253	1 510	2 705	6 805
1 292	1 306	1 484	995	10 561	631	1 868	2 403	1 979	2 257	1 423	1 412	9 149
55	-	-	-	7 339	691	2 969	1 074	1 034	1 023	548	3 516	3 823
60	50	62	22	8 725	941	2 249	1 821	1 238	1 625	851	3 754	4 971
-	-	-	-	4 877	244	421	796	858	1 498	1 060	1 972	2 905
2 366	1 905	2 656	1 778	23 839	1 808	5 337	5 111	3 667	4 942	2 974	7 645	16 194
3 280	2 770	3 665	2 133	22 777	1 610	3 722	5 385	4 033	5 090	2 937	5 176	17 601
2 414	1 714	2 041	1 393	16 595	897	3 059	4 492	2 860	3 174	2 113	4 587	12 008
-	-	-	-	4 955	281	458	1 363	917	1 287	649	1 197	3 758
1 869	1 302	893	561	11 201	1 347	2 625	3 166	1 853	1 313	897	2 861	8 340
-	-	-	-	26 284	1 825	5 536	6 755	3 923	4 006	4 239	-	-
5	1	2	1	10 230	755	2 637	2 447	1 303	1 805	1 283	3 240	6 990
1 900	1 779	2 368	1 699	20 505	1 332	3 490	5 481	3 853	3 877	2 472	5 484	15 021
1 165	1 052	1 900	1 591	14 249	1 386	2 241	2 910	2 075	3 076	2 561	4 762	9 487
68	66	66	38	10 013	412	1 266	2 284	1 613	2 296	2 142	…	…
3	1	1	-	10 342	899	2 327	3 868	2 465	627	156	5 109	5 233
1 547	1 420	1 360	815	11 995	682	2 126	3 281	2 402	2 206	1 298	4 002	7 993
1 230	1 010	773	346	14 064	2 510	4 524	3 152	1 871	1 385	622	5 744	8 320
-	-	-	-	11 477	637	1 886	2 468	2 015	2 363	2 108	3 151	8 326
91	-	-	-	8 393	777	1 655	1 549	1 016	2 062	1 334	2 294	6 099
-	-	-	-	9 472	701	1 910	2 278	1 415	2 003	1 165	4 155	5 317
-	-	-	-	16 381	2 225	4 713	4 001	2 667	2 393	382	10 537	5 844
38	16	13	10	13 671	1 866	3 246	3 590	1 960	1 885	1 124	7 574	6 097
283	138	185	139	14 186	1 683	2 528	3 686	2 125	2 368	1 796	6 267	7 919
270	127	100	64	12 682	1 395	3 437	3 627	1 992	1 411	820	6 020	6 662
1 528	1 061	1 090	547	14 011	1 725	2 831	4 016	2 205	2 099	1 135	5 719	8 292
-	48	147	83	14 206	290	4 392	5 621	1 549	1 663	691	6 415	7 791
47	1	-	-	5 704	663	1 178	1 893	845	674	451	3 713	1 991
4	5	4	2	3 236	252	523	932	612	626	291	2 089	1 147
51	30	28	14	11 300	789	1 994	2 675	2 159	2 231	1 452	4 278	7 022
369	235	156	59	11 080	1 664	2 563	2 951	1 877	1 425	600	5 186	5 894
2 667	1 932	3 106	2 436	21 074	1 279	4 197	4 818	3 109	4 435	3 236	5 220	15 854
1 165	993	1 677	1 221	12 225	956	1 712	2 857	1 961	2 781	1 958	4 314	7 911
1 188	848	1 235	760	11 116	1 660	2 405	2 411	1 483	1 931	1 226	3 460	7 656
1 003	833	872	558	10 419	1 441	2 197	2 381	1 669	1 683	1 048	3 881	6 538
41	39	26	14	13 619	1 340	3 168	3 359	2 070	2 318	1 364	5 767	7 852
46	-	-	-	13 464	2 458	4 706	2 231	1 078	1 742	1 249	6 567	6 897
-	-	-	-	6 842	202	397	2 417	1 876	1 392	558	2 710	4 132
1 498	1 488	2 003	1 020	13 998	1 380	2 545	3 146	2 494	2 898	1 535	4 399	9 599
…	…	…	…	12 431	2 338	3 191	2 574	1 788	1 800	740	6 282	6 149
740	711	1 131	539	10 955	1 691	2 491	2 197	1 572	1 992	1 012	3 948	7 007
81	77	125	72	10 866	643	2 071	2 704	1 940	2 277	1 231	8 128	2 738
1 800	1 286	1 658	1 103	18 982	2 193	4 840	4 215	2 662	3 103	1 969	7 329	11 653
2 381	2 374	3 223	2 377	28 269	2 303	5 051	6 200	4 895	5 795	4 025	10 279	17 990
419	374	651	570	10 143	606	1 658	2 092	1 470	2 382	1 935	2 351	7 792
5	1	6	2	2 133	171	275	438	280	443	526	1 244	889
1 062	885	1 027	633	11 174	1 033	2 256	2 827	1 804	1 939	1 315	4 574	6 600
2 244	1 524	1 406	1 226	17 746	1 594	4 150	4 773	2 722	2 382	2 125	6 340	11 406
889	676	1 051	786	8 454	502	1 751	1 936	1 294	1 701	1 270	721	709
1 635	1 523	2 245	1 544	15 055	1 728	3 052	3 210	2 107	3 005	1 953	3 478	11 577
9	3	2	1	2 328	277	399	481	379	508	284	1 307	1 021

第27表（14－3） 平成28年度における子宮頸がん検診受診者数・要精密検査者数・精密検査

	初回検体の適正・不適正[1]												
	不適正									精検			
	総数	20～29歳	30～39歳	40～49歳	50～59歳	60～69歳	70歳以上	（再掲）初回	（再掲）非初回	総数	20～29歳	30～39歳	40～49歳
全国	**2 929**	**190**	**474**	**601**	**598**	**676**	**390**	**967**	**1 813**	**4 255 634**	**369 177**	**830 798**	**956 128**
北海道	34	…	…	6	7	15	6	15	19	154 736	14 685	27 686	35 783
青森	16	7	－	－	4	1	4	10	6	48 891	2 695	6 643	9 169
岩手	1	－	1	－	－	－	－	1	－	51 116	2 705	7 242	9 397
宮城	115	4	8	15	28	35	25	14	101	153 156	6 410	22 982	27 557
秋田	16	2	2	1	－	8	3	6	10	31 914	1 775	6 721	4 666
山形	30	3	4	4	5	10	4	8	17	60 704	1 815	5 731	8 637
福島	108	7	19	29	23	18	12	28	69	68 242	4 022	9 829	11 922
茨城	4	－	3	－	－	－	1	3	1	100 945	4 403	18 066	24 407
栃木	4	1	2	－	1	－	－	1	3	90 126	5 201	16 282	18 489
群馬	78	3	4	7	20	26	18	17	61	94 200	5 544	15 789	23 052
埼玉	115	16	27	12	27	22	11	66	49	215 689	24 223	52 391	52 546
千葉	231	4	24	41	58	75	29	49	154	256 191	13 770	48 354	63 748
東京	367	26	42	37	90	97	75	162	169	376 001	37 505	89 397	99 948
神奈川	118	6	19	22	22	28	21	48	68	286 296	34 279	69 208	64 752
新潟	21	－	2	2	3	8	6	8	13	72 127	5 541	11 583	13 757
富山	－	－	－	－	－	－	－	－	－	41 062	2 394	6 669	8 446
石川	3	－	1	1	－	1	－	－	3	38 996	3 196	7 688	10 520
福井	85	13	25	8	8	25	6	31	54	27 971	3 396	6 840	5 526
山梨	40	2	7	10	12	7	2	10	23	41 105	2 076	5 768	8 473
長野	19	－	1	4	4	7	3	11	8	69 458	4 042	11 322	16 761
岐阜	17	2	2	5	5	3	－	4	13	73 027	6 232	15 450	17 810
静岡	57	1	15	18	10	11	2	20	37	137 936	8 801	23 437	32 500
愛知	54	6	7	13	10	11	7	21	32	248 533	31 043	58 033	59 756
三重	25	－	6	5	5	7	2	7	18	77 357	6 780	15 233	17 309
滋賀	4	－	－	3	－	1	－	3	1	41 551	4 460	10 040	10 058
京都	7	－	1	3	－	2	1	2	5	57 857	5 304	11 310	15 279
大阪	87	10	16	15	18	21	7	56	31	240 827	30 561	52 671	65 663
兵庫	887	62	174	248	148	146	109	246	633	110 114	8 182	21 398	30 542
奈良	17	－	3	3	2	5	4	6	11	34 795	2 540	6 372	8 192
和歌山	23	－	1	7	10	4	1	9	14	40 277	4 691	8 461	9 690
鳥取	74	1	7	11	25	24	6	17	57	31 229	1 679	4 959	6 068
島根	19	1	5	6	2	3	2	1	…	18 299	2 528	4 487	3 514
岡山	1	－	－	－	1	－	－	－	1	70 137	2 935	9 566	14 974
広島	－	－	－	－	－	－	－	－	－	92 069	11 595	19 328	18 605
山口	3	－	－	－	1	2	－	1	2	40 380	5 516	9 666	8 341
徳島	－	－	－	－	－	－	－	－	－	22 594	3 043	6 358	4 503
香川	5	－	2	1	－	2	－	2	3	35 433	2 570	6 320	7 450
愛媛	3	－	－	1	1	－	1	－	3	42 051	3 181	7 599	6 724
高知	2	－	－	－	1	－	1	1	1	18 924	980	1 905	3 810
福岡	95	4	16	32	14	26	3	27	37	158 522	19 369	31 116	32 150
佐賀	24	5	4	5	5	5	－	14	10	37 435	3 503	6 232	6 375
長崎	12	1	1	2	3	4	1	4	8	48 615	5 538	9 263	8 951
熊本	3	－	1	1	1	－	－	2	1	68 356	3 906	9 187	9 856
大分	16	－	－	2	4	7	3	2	14	46 713	2 015	5 591	7 167
宮崎	19	－	4	2	7	1	5	15	4	39 712	4 234	8 892	6 966
鹿児島	54	3	12	16	11	6	6	16	38	89 155	4 300	12 274	15 815
沖縄	16	－	6	3	2	2	3	3	11	54 810	4 014	9 459	10 504
指定都市・特別区(再掲)													
東京都区部	275	18	33	29	70	74	51	120	119	277 239	28 743	68 870	74 989
札幌市	11	－	－	2	3	6	－	4	7	64 371	8 399	12 931	15 595
仙台市	20	－	1	4	3	5	7	3	17	50 797	2 239	9 028	9 483
さいたま市	－	－	－	－	－	－	－	…	…	39 279	4 592	10 435	9 869
千葉市	54	1	2	8	12	17	14	20	34	31 090	1 947	6 070	7 855
横浜市	70	5	13	12	13	16	11	38	32	111 357	19 317	34 201	22 935
川崎市	－	－	－	－	－	－	－	－	－	35 917	4 843	10 290	8 637
相模原市	14	1	2	3	2	3	3	1	13	29 591	2 094	5 489	7 407
新潟市	8	－	2	－	1	2	3	4	4	20 935	2 538	5 144	4 297
静岡市	－	－	－	－	－	－	－	－	－	19 868	2 107	3 838	4 840
浜松市	－	－	－	－	－	－	－	－	－	25 927	868	2 235	6 410
名古屋市	－	－	－	－	－	－	－	－	－	88 531	15 721	24 669	22 386
京都市	－	－	－	－	－	－	－	－	－	18 837	2 613	4 628	5 608
大阪市	－	－	－	－	－	－	－	－	－	49 271	8 740	11 853	13 109
堺市	9	－	1	4	2	－	2	5	4	23 888	2 818	5 307	7 158
神戸市	669	50	156	221	110	81	51	181	488	25 558	2 606	4 893	8 226
岡山市	－	－	－	－	－	－	－	－	－	18 281	677	2 165	5 372
広島市	－	－	－	－	－	－	－	－	－	34 509	5 634	9 205	7 580
北九州市	…	…	…	…	…	…	…	…	…	26 710	5 071	6 778	5 908
福岡市	21	－	7	9	2	3	－	－	－	46 688	9 551	12 932	10 736
熊本市	3	－	1	1	1	－	－	2	1	12 660	1 798	2 892	2 603

受診の有無別人数，都道府県－指定都市・特別区－中核市－その他政令市、年齢階級・検診回数別

細胞診の判定別人数[1)]

不要					要精検（1）								
50～59歳	60～69歳	70歳以上	（再掲）初回	（再掲）非初回	総数	20～29歳	30～39歳	40～49歳	50～59歳	60～69歳	70歳以上	（再掲）初回	（再掲）非初回
687 013	861 661	550 857	1 361 432	2 494 331	85 341	15 857	25 960	24 035	10 033	5 887	3 569	38 276	37 808
26 737	30 640	19 205	35 536	59 134	3 972	882	1 235	1 063	443	210	139	1 010	862
8 871	12 756	8 757	17 053	30 109	917	148	266	235	109	100	59	481	395
9 083	13 596	9 093	8 699	42 417	817	110	222	263	125	64	33	232	585
27 226	41 311	27 670	26 565	126 591	2 850	334	857	715	377	321	246	947	1 903
4 750	8 578	5 424	9 380	19 967	324	20	143	86	36	28	11	143	151
10 485	21 290	12 746	7 553	40 601	694	94	199	165	107	72	57	192	352
12 034	19 172	11 263	19 349	44 917	782	132	250	231	92	50	27	384	344
18 354	24 342	11 373	24 693	76 252	2 014	282	632	559	273	188	80	914	1 100
15 166	22 288	12 700	24 490	57 435	1 946	227	595	527	256	229	112	822	1 029
16 426	20 863	12 526	23 300	70 866	2 044	330	637	628	235	126	88	790	1 254
33 149	34 391	18 989	63 179	102 528	4 545	910	1 494	1 254	492	241	154	1 718	1 738
41 456	51 701	37 162	56 244	173 507	4 023	532	1 316	1 156	489	331	199	1 453	2 147
62 575	52 508	34 068	151 785	166 187	9 178	1 823	3 204	2 656	919	334	242	4 677	3 251
41 214	43 169	33 674	140 088	130 080	6 619	1 475	2 070	1 722	732	350	270	3 938	2 258
11 831	17 923	11 492	24 857	47 270	1 565	347	480	367	163	130	78	833	732
6 193	10 264	7 096	8 842	22 297	356	54	117	114	32	24	15	120	146
7 123	7 204	3 265	10 337	16 942	1 460	294	420	479	197	51	19	531	563
3 899	5 296	3 014	11 029	16 942	785	182	248	179	83	62	31	401	384
7 837	10 999	5 952	8 169	30 459	555	67	151	130	95	68	44	167	354
12 851	15 241	9 241	18 718	42 076	1 328	190	365	407	197	104	65	479	706
12 560	14 327	6 648	20 526	52 501	1 115	129	297	289	182	152	66	392	723
25 119	30 255	17 824	40 232	95 912	2 450	329	646	789	361	192	133	998	1 423
36 403	38 610	24 688	100 246	133 578	5 657	1 204	1 671	1 695	663	251	173	2 868	2 429
12 519	16 446	9 070	20 462	56 815	1 020	145	295	308	136	90	46	375	645
6 759	7 463	2 771	20 724	20 827	766	137	239	228	98	46	18	450	316
9 845	10 389	5 730	12 790	26 230	1 023	179	274	341	122	69	38	219	342
37 483	33 735	20 714	121 568	119 259	6 067	1 368	1 654	1 894	700	283	168	3 591	2 476
17 824	20 102	12 066	39 529	65 463	2 056	274	596	735	237	129	85	1 013	992
6 189	7 210	4 292	15 254	19 541	459	73	128	146	62	34	16	264	195
7 425	6 786	3 224	14 030	26 247	732	175	186	214	90	38	29	327	405
5 470	7 924	5 129	7 328	23 901	187	27	71	61	20	4	4	72	115
2 709	3 191	1 870	7 463	7 189	524	112	163	120	64	38	27	201	153
11 539	17 666	13 457	16 864	53 273	787	109	230	264	95	58	31	341	446
11 996	18 235	12 310	33 196	58 826	1 839	365	468	536	211	165	94	841	998
5 451	6 835	4 571	16 463	23 917	1 062	253	301	263	134	67	44	530	532
2 954	3 484	2 252	9 311	12 166	563	133	200	131	53	32	14	264	273
5 190	8 083	5 820	12 293	23 140	649	99	215	184	61	56	34	316	333
5 511	10 621	8 415	11 815	30 236	518	131	187	116	41	31	12	261	257
3 227	4 865	4 137	6 446	12 478	224	25	54	81	29	23	12	104	120
23 079	32 326	20 482	26 313	55 062	2 879	701	834	695	302	227	120	582	537
5 567	9 660	6 098	12 430	25 005	927	176	273	230	109	89	50	488	439
8 063	10 772	6 028	17 296	31 319	1 168	310	352	275	127	74	30	631	537
10 572	19 769	15 066	20 495	47 861	1 390	234	339	337	176	203	101	707	683
6 505	13 595	11 840	16 369	30 338	849	122	246	222	85	115	59	566	283
5 614	8 321	5 685	15 452	24 213	1 464	316	472	360	161	99	56	793	670
15 598	24 447	16 721	22 235	66 920	1 041	116	323	308	137	102	55	436	605
8 582	13 012	9 239	14 436	35 537	1 151	182	345	277	125	137	85	414	627
45 631	35 230	23 776	112 654	112 380	7 192	1 432	2 600	2 050	711	235	164	3 604	2 377
10 656	10 246	6 544	5 114	9 535	1 976	540	625	480	205	65	61	97	77
8 307	12 310	9 430	12 034	38 763	1 785	202	539	433	238	202	171	637	1 148
6 279	4 903	3 201	…	…	907	194	335	229	89	36	24	…	…
4 763	5 640	4 815	11 468	19 622	491	75	164	132	64	30	26	260	231
13 905	12 855	8 144	66 529	44 828	2 810	772	939	640	262	111	86	1 956	854
5 007	3 899	3 241	35 917	–	1 022	275	333	243	103	35	33	1 022	–
4 833	5 156	4 612	8 443	21 148	684	111	224	205	77	38	29	234	450
2 792	3 881	2 283	10 316	10 619	577	159	205	117	37	33	26	382	195
3 392	3 527	2 164	8 938	10 930	527	124	131	140	80	26	26	261	266
5 465	6 854	4 095	6 471	19 456	294	30	70	88	60	21	25	121	173
11 789	8 306	5 660	50 416	38 115	2 831	733	805	808	310	95	80	1 734	1 097
2 944	2 015	1 029	–	–	462	102	136	148	45	20	11	–	–
6 981	5 224	3 364	32 676	16 595	1 639	463	465	462	156	57	36	1 137	502
3 532	3 052	2 021	12 463	11 425	902	181	245	291	93	58	34	561	341
3 994	3 585	2 254	6 856	18 702	507	91	158	174	53	16	15	157	350
4 020	4 019	2 028	5 509	12 772	255	23	61	104	38	17	12	111	144
4 321	5 161	2 608	12 562	21 947	734	133	193	232	105	54	17	313	421
3 619	3 186	2 148	…	…	397	118	123	93	42	14	7	…	…
5 845	4 091	3 533	–	–	1 309	397	418	277	122	60	35	–	–
2 054	2 254	1 059	8 211	4 449	430	111	131	105	35	35	13	329	101

第27表（14－4） 平成28年度における子宮頸がん検診受診者数・要精密検査者数・精密検査

	初回検体の適正・不適正[1]												
	不適正									精検			
	総数	20～29歳	30～39歳	40～49歳	50～59歳	60～69歳	70歳以上	(再掲)初回	(再掲)非初回	総数	20～29歳	30～39歳	40～49歳
中核市(再掲)													
旭川市	-	-	-	-	-	-	-	-	-	18 309	805	3 218	4 395
函館市	-	-	-	-	-	-	-	-	-	5 165	710	1 054	1 285
青森市	4	-	-	-	1	-	3	2	2	5 396	312	1 033	1 132
八戸市	-	-	-	-	-	-	-	-	-	9 307	593	1 270	1 913
盛岡市	-	-	-	-	-	-	-	-	-	10 353	605	1 805	2 324
秋田市	1	1	-	-	-	-	-	1	-	7 272	686	2 920	1 065
郡山市	15	-	5	5	2	3	-	5	10	8 569	898	2 187	1 790
いわき市	7	-	1	2	1	1	2	5	2	4 845	236	414	786
宇都宮市	2	-	1	-	1	-	-	-	2	23 518	1 762	5 238	5 022
前橋市	48	2	-	4	13	17	12	7	41	22 411	1 547	3 620	5 247
高崎市	1	-	-	-	-	1	-	1	-	16 056	826	2 877	4 313
川越市	-	-	-	-	-	-	-	-	-	4 840	269	447	1 318
越谷市	1	-	-	1	-	-	-	-	1	10 939	1 294	2 548	3 084
船橋市	28	-	3	1	8	13	3	-	-	25 884	1 754	5 373	6 634
柏市	-	-	-	-	-	-	-	-	-	9 965	700	2 543	2 382
八王子市	11	-	-	-	6	4	1	4	7	20 040	1 252	3 367	5 317
横須賀市	5	-	-	2	1	2	-	2	3	13 933	1 340	2 167	2 835
富山市	-	-	-	-	-	-	-	-	-	9 923	404	1 236	2 252
金沢市	-	-	-	-	-	-	-	-	-	9 821	800	2 195	3 680
長野市	-	-	-	-	-	-	-	-	-	11 876	667	2 086	3 244
岐阜市	3	-	1	-	-	2	-	-	3	13 972	2 488	4 487	3 136
豊橋市	2	-	1	-	1	-	-	1	1	11 354	629	1 856	2 424
豊田市	-	-	-	-	-	-	-	-	-	8 287	755	1 624	1 522
岡崎市	-	-	-	-	-	-	-	-	-	9 191	662	1 807	2 181
大津市	-	-	-	-	-	-	-	-	-	16 058	2 157	4 605	3 933
高槻市	-	-	-	-	-	-	-	-	-	13 401	1 807	3 165	3 505
東大阪市	7	1	2	1	2	-	1	5	2	13 911	1 626	2 465	3 598
豊中市	2	-	-	-	-	2	-	1	1	12 487	1 364	3 360	3 563
枚方市	-	-	-	-	-	-	-	-	-	13 687	1 660	2 748	3 896
姫路市	-	-	-	-	-	-	-	-	-	13 887	281	4 272	5 459
西宮市	1	-	-	-	-	1	-	1	-	5 643	657	1 158	1 867
尼崎市	-	-	-	-	-	-	-	-	-	3 141	234	496	903
奈良市	1	-	-	1	-	-	-	-	1	11 159	766	1 959	2 636
和歌山市	19	-	1	5	9	4	-	7	12	10 838	1 600	2 493	2 895
倉敷市	-	-	-	-	-	-	-	-	-	20 760	1 222	4 091	4 727
福山市	-	-	-	-	-	-	-	-	-	11 974	890	1 640	2 785
呉市	-	-	-	-	-	-	-	-	-	10 916	1 605	2 345	2 365
下関市	-	-	-	-	-	-	-	-	-	9 981	1 356	2 077	2 259
高松市	-	-	-	-	-	-	-	-	-	13 298	1 285	3 051	3 273
松山市	-	-	-	-	-	-	-	-	-	13 175	2 364	4 585	2 181
高知市	1	-	-	-	1	-	-	1	-	6 743	193	385	2 367
久留米市	-	-	-	-	-	-	-	-	-	13 756	1 324	2 481	3 080
長崎市	1	-	-	-	-	1	-	-	1	11 987	2 209	3 043	2 481
佐世保市	2	1	-	1	-	-	-	-	2	10 690	1 619	2 425	2 121
大分市	3	-	-	-	3	-	-	1	2	10 538	592	1 984	2 598
宮崎市	-	-	-	-	-	-	-	-	-	18 113	2 009	4 561	3 984
鹿児島市	4	-	3	-	1	-	-	3	1	27 872	2 243	4 937	6 076
那覇市	-	-	-	-	-	-	-	-	-	9 885	581	1 578	2 019
その他政令市(再掲)													
小樽市	1	-	-	-	-	-	1	1	-	2 081	161	261	425
町田市	24	2	2	4	3	5	8	12	12	10 965	976	2 189	2 771
藤沢市	17	-	-	4	5	3	5	4	13	17 331	1 528	4 014	4 656
茅ヶ崎市	-	-	-	-	-	-	-	…	…	8 234	476	1 673	1 875
四日市市	13	-	1	5	4	2	1	2	11	14 862	1 697	3 005	3 158
大牟田市	5	-	-	2	1	1	1	2	3	2 302	271	390	473

注：初回・非初回及び年齢階級別については、計数不詳の市区町村があるため、総数と一致しない場合がある。
1）初回検体の適正・不適正及び細胞診の判定別人数については、計数不詳の市区町村があるため、受診者数と一致しない場合がある。
2）精密検査受診の有無別人数については、計数不詳の市区町村がある場合、要精密検査者数と一致しないことがある。

受診の有無別人数，都道府県－指定都市・特別区－中核市－その他政令市、年齢階級・検診回数別

| 細　胞　診　の　判　定　別　人　数[1] | | | | | | | | | | | | | |
| 不　　　　　　　　要 | | | | | 要　　精　　検　　（1） | | | | | | | | |
50～59歳	60～69歳	70歳以上	(再掲)初回	(再掲)非初回	総　数	20～29歳	30～39歳	40～49歳	50～59歳	60～69歳	70歳以上	(再掲)初回	(再掲)非初回
3 337	3 846	2 708	5 016	13 293	432	46	170	119	45	27	25	159	273
873	815	428	27	139	104	26	30	34	12	2	–	–	–
874	1 295	750	2 714	2 682	117	17	45	34	11	7	3	87	30
1 805	2 230	1 496	2 619	6 688	191	45	48	44	23	20	11	82	109
1 951	2 252	1 416	1 362	8 991	205	26	63	77	28	4	7	47	158
1 031	1 022	548	3 476	3 796	67	5	49	9	3	1	–	40	27
1 229	1 621	844	3 654	4 915	167	43	67	35	11	6	5	104	63
856	1 495	1 058	1 951	2 894	38	8	8	12	3	3	4	25	13
3 617	4 922	2 957	7 511	16 007	315	46	98	89	48	18	16	128	187
3 991	5 076	2 930	5 012	17 399	399	64	98	139	51	30	17	159	240
2 793	3 156	2 091	4 391	11 665	537	71	181	179	66	18	22	194	343
901	1 268	637	1 166	3 674	115	12	11	45	16	19	12	31	84
1 816	1 304	893	2 778	8 161	254	53	77	81	33	8	2	77	177
3 895	4 006	4 222	–	–	419	71	166	120	32	11	19	–	–
1 273	1 787	1 280	3 130	6 835	263	54	94	65	30	17	3	109	154
3 800	3 854	2 450	5 285	14 755	464	80	123	164	52	23	22	198	266
2 024	3 037	2 530	4 604	9 329	314	46	73	75	51	39	30	153	161
1 603	2 293	2 135	...	...	90	8	30	32	10	3	7	–	–
2 374	616	156	4 816	5 005	513	98	129	187	88	11	–	287	226
2 390	2 199	1 290	3 940	7 936	116	15	39	37	11	7	7	60	56
1 866	1 379	616	5 694	8 278	92	22	37	16	5	6	6	50	42
1 993	2 355	2 097	3 104	8 250	124	8	31	44	22	8	11	47	77
999	2 056	1 331	2 261	6 026	106	22	31	27	17	6	3	33	73
1 387	1 993	1 161	3 993	5 198	275	39	102	94	27	9	4	159	116
2 618	2 369	376	10 314	5 744	317	68	107	66	48	22	6	217	100
1 937	1 874	1 113	7 403	5 998	261	58	79	84	22	9	9	163	98
2 085	2 351	1 786	6 110	7 801	275	58	63	89	41	15	9	157	118
1 977	1 411	812	5 908	6 579	194	31	76	64	15	1	7	112	82
2 178	2 081	1 124	5 548	8 139	313	65	81	117	27	15	8	160	153
1 524	1 661	690	6 229	7 658	316	9	120	160	24	2	1	183	133
841	671	449	3 672	1 971	59	6	19	26	4	2	2	39	20
601	619	288	1 995	1 146	92	18	26	28	10	7	3	92	–
2 132	2 221	1 445	4 206	6 953	139	23	35	38	27	9	7	71	68
1 848	1 413	589	5 045	5 793	235	63	69	55	28	10	10	134	101
3 078	4 413	3 229	5 085	15 675	308	57	106	87	31	20	7	133	175
1 938	2 773	1 948	4 177	7 797	245	66	71	71	21	8	8	131	114
1 469	1 916	1 216	3 377	7 539	195	55	60	45	12	13	10	79	116
1 607	1 654	1 028	3 692	6 289	433	85	119	122	62	27	18	185	248
2 037	2 300	1 352	5 605	7 693	318	55	117	86	33	17	10	159	159
1 066	1 734	1 245	6 400	6 775	280	94	121	47	9	7	2	161	119
1 861	1 381	556	2 665	4 078	98	9	12	50	15	10	2	44	54
2 464	2 879	1 528	4 269	9 487	239	56	64	64	30	19	6	127	112
1 742	1 778	734	5 986	6 001	430	129	146	89	42	20	4	286	144
1 548	1 973	1 004	3 819	6 871	255	71	66	74	23	14	7	120	135
1 903	2 240	1 221	7 845	2 693	327	50	87	106	37	37	10	282	45
2 565	3 058	1 936	6 873	11 240	861	182	279	229	94	45	32	448	413
4 847	5 764	4 005	10 098	17 774	394	60	117	124	47	31	15	178	216
1 430	2 356	1 921	2 267	7 618	251	25	80	68	39	26	13	79	172
273	439	522	1 208	873	46	10	14	12	6	–	4	30	16
1 788	1 929	1 312	4 442	6 523	224	57	66	58	19	14	10	136	88
2 667	2 356	2 110	6 161	11 170	407	66	136	115	54	24	12	172	235
1 267	1 684	1 259	708	703	220	26	78	61	27	17	11	13	6
2 084	2 984	1 934	3 421	11 441	193	31	47	52	23	21	19	57	136
377	508	283	1 283	1 019	30	6	9	10	3	–	2	25	5

第27表（14－5） 平成28年度における子宮頸がん検診受診者数・要精密検査者数・精密検査

	細胞診の判定別人数[1]												
	要精検（2）									判定			
	総数	20～29歳	30～39歳	40～49歳	50～59歳	60～69歳	70歳以上	（再掲）初回	（再掲）非初回	総数	20～29歳	30～39歳	40～49歳
全国	**1 439**	**50**	**208**	**363**	**292**	**282**	**244**	**973**	**295**	**2 483**	**222**	**424**	**485**
北海道	43	…	3	8	9	14	9	30	6	27	…	…	3
青森	72	6	18	25	11	6	6	42	30	21	－	－	－
岩手	10	－	1	4	－	4	1	7	3	－	－	－	－
宮城	22	－	4	5	6	5	2	11	11	15	1	－	3
秋田	2	－	－	1	－	1	－	1	1	7	2	2	1
山形	9	－	1	2	2	2	2	2	3	25	3	4	3
福島	20	－	5	4	4	4	3	9	11	15	1	2	6
茨城	7	－	－	3	1	3	－	6	1	4	－	3	－
栃木	33	4	9	5	5	7	3	29	3	4	1	2	－
群馬	28	－	6	8	7	3	4	22	6	12	1	－	1
埼玉	92	5	11	22	29	14	11	35	8	73	10	18	6
千葉	60	2	10	11	11	18	8	29	24	62	1	6	9
東京	112	1	19	36	19	16	21	87	20	412	46	72	48
神奈川	149	4	13	40	37	24	31	139	10	110	6	16	20
新潟	63	5	15	14	11	10	8	44	19	4	－	－	－
富山	1	…	…	…	1	…	…	1	…	－	－	－	－
石川	18	1	5	5	3	3	1	10	5	1	－	1	－
福井	－	－	－	－	－	－	－	－	－	86	15	25	8
山梨	11	3	1	2	3	2	－	4	2	27	2	3	4
長野	22	1	5	4	6	2	4	14	6	22	－	1	4
岐阜	5	－	2	－	1	2	－	4	1	14	1	2	5
静岡	28	－	2	7	5	4	10	18	8	50	2	13	17
愛知	72	－	5	19	11	18	19	58	10	20	2	5	4
三重	7	－	－	1	2	3	1	6	1	289	45	34	42
滋賀	13	－	2	5	1	5	－	12	1	5	1	－	3
京都	23	1	8	10	2	1	1	7	1	4	1	2	－
大阪	145	4	22	30	26	30	33	133	12	27	3	8	5
兵庫	52	3	7	19	11	6	6	27	24	880	64	183	253
奈良	9	－	1	3	1	2	2	6	3	16	－	2	2
和歌山	17	1	2	4	3	4	3	15	2	22	－	1	6
鳥取	3	－	1	1	－	－	1	3	－	31	1	2	10
島根	8	－	－	2	1	4	1	3	1	70	2	6	9
岡山	16	1	－	6	1	5	3	9	7	5	－	－	－
広島	27	－	3	7	7	7	3	14	13	7	1	－	2
山口	13	－	1	1	－	6	5	11	2	6	1	－	1
徳島	2	－	－	－	－	1	1	2	－	－	－	－	－
香川	7	－	1	2	－	1	3	5	2	20	－	－	－
愛媛	22	－	4	5	4	6	3	13	9	－	－	－	－
高知	5	－	－	－	2	2	1	5	－	6	2	4	－
福岡	77	3	10	15	27	12	10	18	1	34	5	4	4
佐賀	19	－	3	4	5	5	2	15	4	2	－	－	－
長崎	30	1	4	7	5	8	5	21	9	16	1	1	2
熊本	8	1	－	1	1	4	1	3	5	3	－	1	1
大分	5	1	1	－	－	2	1	4	1	10	－	－	1
宮崎	21	2	2	5	4	2	6	20	1	11	1	1	1
鹿児島	12	－	－	1	3	2	6	10	2	8	－	－	1
沖縄	19	－	1	9	4	2	3	9	6	－	－	－	－
指定都市・特別区（再掲）													
東京都区部	92	1	12	32	16	12	19	70	17	347	38	65	46
札幌市	8	－	1	1	1	3	2	7	1	11	－	－	2
仙台市	10	－	2	2	1	4	1	7	3	3	－	－	－
さいたま市	10	－	－	2	3	3	2	…	…	－	－	－	－
千葉市	8	1	－	1	－	3	3	6	2	6	－	2	1
横浜市	39	1	3	8	7	8	12	38	1	70	5	13	12
川崎市	69	3	6	25	20	9	6	69	－	－	－	－	－
相模原市	8	－	－	2	3	1	2	5	3	14	1	2	3
新潟市	11	－	2	1	3	2	3	8	3	1	－	－	－
静岡市	7	－	1	1	1	1	3	5	2	7	－	1	3
浜松市	4	－	－	1	－	－	3	3	1	－	－	－	－
名古屋市	43	－	3	11	7	9	13	41	2	－	－	－	－
京都市	15	1	5	6	1	1	1	－	－	－	－	－	－
大阪市	47	1	11	9	13	6	7	46	1	－	－	－	－
堺市	14	－	1	4	2	5	2	11	3	－	－	－	－
神戸市	25	－	4	10	3	4	4	9	16	669	50	156	221
岡山市	5	－	－	2	－	3	－	4	1	－	－	－	－
広島市	5	－	2	1	－	1	1	1	4	－	－	－	－
北九州市	…	…	…	…	…	…	…	…	…	…	…	…	…
福岡市	54	3	6	11	20	7	7	－	－	3	－	3	－
熊本市	2	－	－	－	1	1	－	2	－	3	－	1	1

受診の有無別人数，都道府県－指定都市・特別区－中核市－その他政令市、年齢階級・検診回数別

不能					要精密検査者数								
50～59歳	60～69歳	70歳以上	（再掲）初回	（再掲）非初回	総数	20～29歳	30～39歳	40～49歳	50～59歳	60～69歳	70歳以上	（再掲）初回	（再掲）非初回
463	588	301	885	1 526	84 713	15 422	25 369	23 723	10 095	6 273	3 831	38 657	36 967
8	14	2	10	17	3 740	842	1 102	991	437	231	137	944	689
9	7	5	6	15	989	147	284	255	126	107	70	515	433
–	–	–	–	–	826	109	223	267	125	68	34	241	585
1	5	5	5	10	2 875	334	862	722	383	326	248	960	1 915
–	1	1	4	3	334	22	145	90	36	30	11	166	160
4	10	1	5	15	717	97	205	166	111	79	59	202	361
4	1	1	3	9	804	131	256	237	97	54	29	289	292
–	–	1	3	1	2 027	282	635	564	274	191	81	925	1 102
1	–	–	1	3	1 829	228	565	481	242	207	106	781	928
4	4	2	5	7	2 078	333	642	638	242	130	93	812	1 266
17	12	10	40	33	3 843	749	1 234	1 067	435	221	137	1 674	1 632
14	23	9	15	45	4 065	527	1 321	1 158	497	354	208	1 480	2 153
91	91	64	197	181	9 424	1 825	3 240	2 702	971	390	296	5 078	3 118
21	26	21	47	63	6 694	1 438	2 045	1 753	755	393	310	4 001	2 270
–	1	3	1	3	1 629	352	495	381	174	141	86	879	750
–	–	–	–	–	338	47	105	114	33	24	15	103	145
–	–	–	–	–	1 296	275	381	418	154	48	20	456	509
9	23	6	34	52	870	199	273	187	91	83	37	436	434
11	5	2	8	16	571	74	154	131	94	70	48	168	364
4	8	5	12	10	1 325	188	353	397	202	110	75	486	702
4	2	–	3	11	1 094	125	282	281	185	155	66	390	704
6	9	3	19	31	1 851	203	519	601	253	173	102	676	957
4	3	2	10	9	5 770	1 201	1 676	1 730	688	280	195	2 944	2 461
40	108	20	86	203	1 061	160	294	329	140	90	48	399	662
–	1	–	4	1	768	136	238	232	95	49	18	455	313
–	1	–	3	1	1 048	181	284	351	124	69	39	229	342
4	5	2	23	4	6 236	1 375	1 682	1 928	730	318	203	3 744	2 492
144	137	99	248	631	2 203	276	615	754	268	169	121	1 058	1 092
3	4	5	3	13	470	71	129	148	64	38	20	270	200
10	4	1	8	14	579	136	139	171	70	36	27	251	328
6	12	–	11	20	206	27	72	64	24	12	7	77	129
18	24	11	23	33	503	101	167	117	59	36	23	193	149
1	3	1	–	5	784	108	222	266	90	67	31	343	441
–	3	1	3	4	1 857	349	449	550	229	182	98	855	1 002
1	3	–	3	3	1 070	248	300	264	133	75	50	533	537
–	–	–	–	–	564	133	199	131	53	33	15	266	272
–	12	8	4	16	669	99	216	187	64	61	42	322	347
–	–	–	–	–	542	130	191	122	46	37	16	273	269
–	–	–	6	–	227	26	51	80	31	25	14	107	120
8	11	2	9	17	2 969	709	839	712	332	247	130	606	546
1	1	–	2	–	950	176	275	234	114	98	53	505	445
5	4	3	6	10	1 156	293	337	273	130	87	36	635	521
1	–	–	2	1	1 419	234	337	341	179	220	108	715	704
4	4	1	2	8	864	123	247	222	90	120	62	572	292
2	3	3	9	2	1 394	307	440	335	154	99	59	776	617
3	3	1	2	6	1 050	116	323	304	142	105	60	443	607
–	–	–	–	–	1 135	180	326	277	129	135	88	424	610
76	73	49	167	146	7 383	1 427	2 624	2 093	753	280	206	3 977	2 217
3	6	–	4	7	1 995	540	626	483	209	74	63	108	85
–	1	2	–	3	1 795	202	541	435	239	206	172	644	1 151
–	–	–	…	…	483	115	182	111	41	21	13	…	…
–	3	–	2	4	506	76	167	134	64	36	29	269	237
13	16	11	38	32	2 696	727	890	617	253	113	96	1 883	813
–	–	–	–	–	1 091	278	339	268	123	44	39	1 091	–
2	3	3	1	13	735	118	243	223	80	39	32	255	480
–	–	1	–	1	588	159	207	118	40	35	29	390	198
1	1	1	4	3	184	10	34	66	34	24	16	–	–
–	–	–	–	–	296	29	70	85	61	23	28	109	187
–	–	–	–	–	2 874	733	808	819	317	104	93	1 775	1 099
–	–	–	–	–	477	103	141	154	46	21	12	–	–
–	–	–	–	–	1 686	464	476	471	169	63	43	1 183	503
–	–	–	–	–	916	181	246	295	95	63	36	572	344
110	81	51	181	488	532	91	162	184	56	20	19	166	366
–	–	–	–	–	221	21	51	93	31	16	9	106	115
–	–	–	–	–	728	118	174	239	115	65	17	315	413
…	…	…	…	…	397	118	123	93	42	14	7	…	…
–	–	–	–	–	1 362	400	424	287	142	67	42	–	–
1	–	–	2	1	432	111	131	105	36	36	13	331	101

第27表（14−6） 平成28年度における子宮頸がん検診受診者数・要精密検査者数・精密検査

	細胞診の判定別人数[1]												
	要精検（2）									判定			
	総数	20〜29歳	30〜39歳	40〜49歳	50〜59歳	60〜69歳	70歳以上	（再掲）初回	（再掲）非初回	総数	20〜29歳	30〜39歳	40〜49歳
中核市(再掲)													
旭川市	6	−	1	1	3	1	−	6	−	−	−	−	−
函館市	4	−	−	1	1	−	2	−	−	−	−	−	−
青森市	2	−	−	−	1	1	−	1	1	2	−	−	−
八戸市	4	−	1	−	2	−	1	3	1	8	−	−	−
盛岡市	3	−	−	2	−	1	−	3	−	−	−	−	−
秋田市	−	−	−	−	−	−	−	−	−	1	1	−	−
郡山市	3	−	−	1	−	−	2	1	2	1	−	−	−
いわき市	1	−	−	−	−	1	−	1	−	−	−	−	−
宇都宮市	6	−	1	−	2	2	1	6	−	2	−	1	−
前橋市	11	−	4	3	2	1	1	10	1	4	1	−	−
高崎市	2	−	1	−	1	−	−	2	−	1	−	−	−
川越市	−	−	−	−	−	−	−	−	−	−	−	−	−
越谷市	8	−	−	1	4	1	2	6	2	1	−	−	1
船橋市	7	−	−	2	3	1	1	−	−	2	−	−	−
柏市	1	−	−	−	−	1	−	−	1	1	1	−	−
八王子市	1	−	−	−	1	−	−	1	−	11	−	−	−
横須賀市	5	−	1	1	1	1	1	5	−	2	−	−	1
富山市	…	…	…	…	…	…	…	…	…	−	−	−	−
金沢市	8	1	3	1	3	−	−	6	2	−	−	−	−
長野市	3	−	1	−	1	−	1	2	1	−	−	−	−
岐阜市	−	−	−	−	−	−	−	−	−	3	−	1	−
豊橋市	−	−	−	−	−	−	−	−	−	1	−	−	−
豊田市	−	−	−	−	−	−	−	−	−	−	−	−	−
岡崎市	6	−	1	3	1	1	−	3	3	−	−	−	−
大津市	6	−	1	2	1	2	−	6	−	−	−	−	−
高槻市	9	1	2	1	1	2	2	8	1	−	−	−	−
東大阪市	5	−	1	−	1	2	1	4	1	2	−	1	−
豊中市	2	−	1	−	−	−	1	1	1	1	−	−	−
枚方市	11	−	2	3	−	3	3	11	−	−	−	−	−
姫路市	3	−	−	2	1	−	−	3	−	−	−	−	−
西宮市	2	−	1	−	−	1	−	2	−	1	−	−	−
尼崎市	2	−	−	1	1	−	−	1	1	1	−	1	−
奈良市	2	−	−	1	−	1	−	1	1	1	−	−	1
和歌山市	7	1	1	1	1	2	1	7	−	19	−	1	5
倉敷市	6	−	−	4	−	2	−	2	4	−	−	−	−
福山市	6	−	1	1	2	−	2	6	−	−	−	−	−
呉市	5	−	−	1	2	2	−	4	1	−	−	−	−
下関市	5	−	1	−	−	2	2	4	1	−	−	−	−
高松市	3	−	−	−	−	1	2	3	−	−	−	−	−
松山市	9	−	−	3	3	1	2	6	3	−	−	−	−
高知市	2	−	−	−	1	1	−	2	−	−	−	−	−
久留米市	3	−	−	2	−	−	1	3	−	−	−	−	−
長崎市	10	−	2	4	2	1	1	8	2	4	−	−	−
佐世保市	10	1	−	2	1	5	1	9	1	2	1	−	1
大分市	1	1	−	−	−	−	−	1	−	3	−	−	−
宮崎市	8	2	−	2	3	−	1	8	−	−	−	−	−
鹿児島市	7	−	−	−	2	−	5	6	1	−	−	−	−
那覇市	7	−	−	5	1	−	1	5	2	−	−	−	−
その他政令市(再掲)													
小樽市	7	−	−	1	1	4	1	7	−	−	−	−	−
町田市	5	−	2	2	−	−	1	5	−	4	2	1	−
藤沢市	8	−	−	2	1	2	3	7	1	17	−	−	4
茅ヶ崎市	−	−	−	−	−	−	−	…	…	−	−	−	−
四日市市	−	−	−	−	−	−	−	−	−	13	−	1	5
大牟田市	1	−	−	−	−	1	−	1	−	−	−	−	−

注：初回・非初回及び年齢階級別については、計数不詳の市区町村があるため、総数と一致しない場合がある。
1）初回検体の適正・不適正及び細胞診の判定別人数については、計数不詳の市区町村があるため、受診者数と一致しない場合がある。
2）精密検査受診の有無別人数については、計数不詳の市区町村がある場合、要精密検査者数と一致しないことがある。

受診の有無別人数, 都道府県－指定都市・特別区－中核市－その他政令市、年齢階級・検診回数別

	不		能		要 精 密 検 査 者 数								
50～59歳	60～69歳	70歳以上	(再掲)初回	(再掲)非初回	総数	20～29歳	30～39歳	40～49歳	50～59歳	60～69歳	70歳以上	(再掲)初回	(再掲)非初回
–	–	–	–	–	149	9	43	41	26	17	13	70	79
–	–	–	–	–	108	26	30	35	13	2	2	–	–
1	–	1	1	1	119	17	45	34	12	8	3	88	31
3	3	2	1	7	203	45	49	44	28	23	14	86	117
–	–	–	–	–	208	26	63	79	28	5	7	50	158
–	–	–	1	–	68	6	49	9	3	1	–	41	27
–	1	–	–	1	170	43	67	36	11	6	7	1	…
–	–	–	–	–	39	8	8	12	3	4	4	26	13
1	–	–	–	2	318	46	97	88	50	20	17	133	185
2	–	1	2	2	414	65	102	142	55	31	19	171	243
–	1	–	1	–	540	71	182	179	67	19	22	197	343
–	–	–	–	–	114	12	11	43	16	20	12	30	84
–	–	–	–	1	263	53	77	83	37	9	4	83	180
1	1	–	–	–	428	71	166	122	36	13	20	–	–
–	–	–	1	–	264	54	94	65	30	18	3	109	155
6	4	1	4	7	465	80	123	164	53	23	22	199	266
–	1	–	2	–	321	46	74	77	52	41	31	160	161
–	–	–	–	–	90	8	30	32	10	3	7	–	–
–	–	–	–	–	337	79	89	119	45	5	–	166	126
–	–	–	–	–	119	15	40	37	12	7	8	62	57
–	2	–	–	3	91	21	37	16	5	6	6	49	42
1	–	–	1	–	124	8	31	44	22	8	11	47	77
–	–	–	–	–	106	22	31	27	17	6	3	33	73
–	–	–	–	–	281	39	103	97	28	10	4	162	119
–	–	–	–	–	323	68	108	68	49	24	6	223	100
–	–	–	–	–	270	59	81	85	23	11	11	171	99
–	–	1	1	1	282	58	65	89	42	17	11	162	120
–	1	–	–	1	197	31	77	64	15	2	8	113	84
–	–	–	–	–	324	65	83	120	27	18	11	171	153
–	–	–	–	–	319	9	120	162	25	2	1	186	133
–	1	–	1	–	62	6	20	26	4	4	2	42	20
–	–	–	1	–	97	18	29	29	11	7	3	97	–
–	–	–	–	1	142	23	35	40	27	10	7	71	71
9	4	–	7	12	104	30	29	23	9	6	7	65	39
–	–	–	–	–	314	57	105	91	31	23	7	134	180
–	–	–	–	–	251	66	72	72	23	8	10	137	114
–	–	–	–	–	200	55	60	46	14	15	10	83	117
–	–	–	–	–	438	85	120	122	62	29	20	189	249
–	–	–	–	–	321	55	117	86	33	18	12	162	159
–	–	–	–	–	289	94	121	50	12	8	4	167	122
–	–	–	–	–	100	9	12	50	16	11	2	46	54
–	–	–	–	–	242	56	64	66	30	19	7	130	112
2	1	1	2	2	438	129	148	91	44	21	5	293	145
–	–	–	–	2	264	69	67	75	26	19	8	127	137
3	–	–	1	2	331	51	87	106	40	37	10	284	47
–	–	–	–	–	769	172	243	202	86	41	25	409	360
–	–	–	–	–	401	60	117	124	49	31	20	184	217
–	–	–	–	–	258	25	80	73	40	26	14	84	174
–	–	–	–	–	53	10	14	13	7	4	5	37	16
–	1	–	3	1	233	59	69	60	19	15	11	144	89
5	3	5	4	13	437	66	136	123	62	30	20	183	254
–	–	–	…	–	221	26	79	61	27	17	11	14	6
4	2	1	2	11	193	31	47	52	23	21	19	57	136
–	–	–	–	–	31	6	9	10	3	1	2	26	5

第27表（14－7） 平成28年度における子宮頸がん検診受診者数・要精密検査者数・精密検査

	精密検査受診												
	異常認めず									子宮頸がんであった			
	総数	20～29歳	30～39歳	40～49歳	50～59歳	60～69歳	70歳以上	(再掲)初回	(再掲)非初回	総数	20～29歳	30～39歳	40～49歳
全国	**18 561**	**2 466**	**4 657**	**5 496**	**2 976**	**1 894**	**1 072**	**7 441**	**9 298**	**1 531**	**78**	**347**	**467**
北海道	613	113	139	181	96	63	21	197	161	68	6	16	19
青森	309	29	75	85	48	45	27	161	144	21	－	5	6
岩手	91	9	26	34	6	10	6	21	70	10	－	－	4
宮城	1 050	84	285	249	171	148	113	318	732	39	－	12	10
秋田	58	3	20	21	6	6	2	23	33	13	－	4	7
山形	265	26	72	60	49	35	23	71	142	29	1	13	10
福島	173	20	42	58	29	16	8	56	81	12	1	7	1
茨城	485	50	123	144	96	49	23	171	314	14	－	3	4
栃木	505	58	135	116	88	68	40	186	295	27	－	6	8
群馬	469	60	117	174	66	30	22	112	199	31	4	7	12
埼玉	829	109	198	280	144	62	36	317	450	62	4	11	23
千葉	725	62	175	205	135	102	46	217	493	61	3	14	14
東京	1 841	283	541	584	277	94	62	954	598	123	6	33	43
神奈川	1 232	182	302	365	204	94	85	680	414	105	9	21	28
新潟	488	83	127	121	65	62	30	248	240	29	1	10	6
富山	66	3	14	28	8	6	7	15	32	7	1	3	1
石川	292	41	88	99	43	15	6	52	99	33	1	9	15
福井	282	60	76	56	26	47	17	128	154	8	1	2	4
山梨	130	18	24	26	26	25	11	44	75	3	－	1	1
長野	200	23	48	48	41	29	11	66	124	23	1	3	9
岐阜	200	24	51	56	29	28	12	55	145	21	－	6	7
静岡	448	42	106	139	76	52	33	145	253	38	1	6	17
愛知	1 725	264	426	576	280	114	65	755	850	83	5	17	21
三重	317	27	77	109	68	27	9	101	216	18	1	9	3
滋賀	107	9	31	30	18	13	6	51	56	13	－	7	4
京都	369	35	83	128	71	32	20	60	165	17	－	6	6
大阪	502	99	108	163	82	33	17	289	213	128	9	25	32
兵庫	445	37	105	165	67	42	29	253	181	51	1	17	16
奈良	93	13	24	29	17	8	2	52	41	14	1	－	5
和歌山	112	16	25	36	20	10	5	37	75	18	－	1	7
鳥取	43	4	11	14	8	2	4	9	34	8	－	4	2
島根	131	21	35	31	23	12	9	51	50	19	2	5	5
岡山	293	31	81	102	32	34	13	109	184	15	－	－	8
広島	590	81	115	177	95	80	42	222	368	54	3	10	17
山口	276	45	59	81	47	27	17	110	166	14	2	1	3
徳島	97	22	34	20	11	8	2	44	41	9	－	1	3
香川	178	17	47	53	27	18	16	79	99	11	－	3	4
愛媛	105	33	24	28	11	7	2	46	59	11	－	1	4
高知	46	5	10	13	5	8	5	19	27	11	－	－	4
福岡	493	77	108	132	67	76	33	100	166	103	8	19	27
佐賀	168	25	38	46	18	24	17	66	102	28	1	5	7
長崎	264	54	72	73	29	22	14	119	145	33	2	6	7
熊本	380	34	62	101	67	84	32	154	226	19	1	3	8
大分	194	23	53	41	33	29	15	109	85	10	－	3	4
宮崎	350	57	103	73	63	39	15	162	187	25	－	5	10
鹿児島	366	36	102	109	61	35	23	144	222	18	－	3	5
沖縄	166	19	40	37	27	24	19	63	92	24	2	4	6
指定都市・特別区（再掲）													
東京都区部	1 484	224	448	476	224	68	44	781	423	94	5	24	33
札幌市	228	54	54	63	38	15	4	4	13	10	2	1	3
仙台市	1 037	83	284	244	169	145	112	316	721	27	－	9	6
さいたま市	36	6	12	8	5	3	2	…	…	5	2	1	1
千葉市	54	6	13	18	9	5	3	27	27	2	－	－	－
横浜市	542	98	143	146	91	34	30	336	206	31	2	6	9
川崎市	244	44	53	77	42	15	13	244	－	9	1	1	2
相模原市	37	4	9	14	5	1	4	12	25	15	2	3	4
新潟市	171	39	56	39	14	14	9	113	58	11	－	4	2
静岡市	42	1	5	16	10	4	6	－	－	2	－	－	1
浜松市	111	8	22	31	27	13	10	37	74	5	－	－	3
名古屋市	811	145	198	261	133	42	32	445	366	43	3	4	13
京都市	144	19	33	54	26	8	4	－	－	13	－	6	5
大阪市	149	43	31	34	32	5	4	108	41	40	2	10	11
堺市	41	12	14	10	3	2	－	32	9	10	1	1	4
神戸市	14	1	3	3	6	1	－	6	8	8	－	2	3
岡山市	93	6	20	39	14	8	6	40	53	2	－	－	－
広島市	236	22	48	80	51	29	6	89	147	21	2	7	5
北九州市	98	26	29	22	10	7	4	…	…	15	2	2	4
福岡市	119	28	32	30	17	7	5	－	－	63	6	15	14
熊本市	89	13	11	33	16	13	3	56	33	1	－	－	1

受診の有無別人数，都道府県－指定都市・特別区－中核市－その他政令市、年齢階級・検診回数別

の 有 無 別 人 数2)													
異 常 を 認 め る													
者（転移性を含まない）					（再掲）子宮頸がんのうち微小浸潤がん								
50～59歳	60～69歳	70歳以上	（再掲）初回	（再掲）非初回	総数	20～29歳	30～39歳	40～49歳	50～59歳	60～69歳	70歳以上	（再掲）初回	（再掲）非初回
251	212	176	933	407	225	9	61	80	36	27	12	147	63
13	8	6	35	10	11	…	4	3	4	…	…	6	5
6	2	2	13	8	3	－	－	1	1	－	1	3	－
1	3	2	6	4	4	－	－	2	－	2	－	4	－
5	4	8	20	19	－	－	－	－	－	－	－	－	－
1	－	1	4	5	－	－	－	－	－	－	－	－	－
3	2	－	10	6	2	－	2	－	－	－	－	…	…
1	－	2	5	5	4	1	2	－	1	－	－	2	2
2	4	1	11	3	4	－	1	1	1	1	－	4	－
6	5	2	18	6	7	－	1	4	2	－	－	4	3
3	2	3	18	9	9	－	2	5	－	1	1	5	2
12	8	4	43	14	17	…	3	6	3	4	1	13	4
12	11	7	37	23	8	1	3	2	2	－	－	6	2
17	11	13	85	27	20	－	9	6	4	1	－	16	3
20	16	11	73	25	2	1	－	－	1	－	－	1	1
3	6	3	21	8	6	－	4	1	－	1	－	4	2
1	－	1	2	2	1	－	1	－	－	－	－	－	－
6	2	－	15	13	1	－	－	1	－	－	－	1	－
－	－	1	5	3	6	1	1	3	－	－	1	4	2
－	－	1	2	1	－	－	－	－	－	－	－	…	…
4	3	3	14	6	3	－	－	2	－	1	－	…	1
1	4	3	14	7	4	－	1	1	1	－	1	4	－
6	5	3	20	13	9	－	1	5	1	1	1	5	2
8	19	13	59	19	－	－	－	－	－	－	－	…	…
2	1	2	7	11	4	－	4	－	－	－	－	3	1
－	2	－	12	1	6	－	2	2	－	2	－	6	－
3	2	－	3	1	－	－	－	－	－	－	－	－	－
22	21	19	109	19	28	2	8	7	6	2	3	21	7
6	5	6	33	16	4	－	1	1	1	1	…	3	1
3	4	1	8	6	2	－	－	1	－	1	－	2	－
－	3	7	12	6	5	－	－	3	－	1	1	2	3
－	1	1	6	2	1	－	－	1	－	－	－	1	－
－	4	3	13	6	－	－	－	－	－	－	－	…	…
1	3	3	8	7	2	－	－	1	－	1	－	1	1
9	8	7	37	17	4	－	1	3	－	－	－	2	2
2	4	2	14	－	8	2	－	2	2	1	1	8	－
1	2	2	6	2	2	－	1	－	－	1	－	1	－
2	－	2	7	4	3	－	1	2	－	－	－	1	2
2	3	1	5	6	1	－	－	1	－	－	－	－	1
3	2	2	5	6	4	－	－	3	1	－	－	－	4
26	11	12	19	5	6	1	－	2	1	1	1	2	1
8	3	4	22	6	3	－	2	1	－	－	－	3	－
10	5	3	21	12	7	－	3	2	2	－	－	3	4
3	3	1	6	13	7	－	1	3	1	2	－	2	5
2	1	－	7	3	－	－	－	－	－	－	－	－	－
4	3	3	21	4	－	－	－	－	－	－	－	－	－
6	2	2	12	6	－	－	－	－	－	－	－	－	－
5	4	3	10	12	7	－	2	2	1	2	－	4	2
14	7	11	63	20	17	－	7	6	3	1	－	14	2
2	1	1	－	1	1	－	－	1	－	－	－	－	1
3	4	5	14	13	－	－	－	－	－	－	－	－	－
1	－	－	…	…	…	…	…	…	…	…	…	…	…
1	－	1	2	－	－	－	－	－	－	－	－	－	－
5	5	4	26	5	1	1	－	－	－	－	－	－	1
2	1	2	9	－	－	－	－	－	－	－	－	－	－
3	1	2	9	6	1	－	－	－	1	－	－	1	－
2	2	1	9	2	3	－	3	－	－	－	－	3	－
－	－	1	－	－	2	－	－	1	－	－	1	－	－
－	1	1	3	2	4	－	－	3	－	1	－	3	1
4	10	9	37	6	－	－	－	－	－	－	－	－	－
1	1	－	－	－	－	－	－	－	－	－	－	－	－
7	5	5	35	5	5	－	2	3	－	－	－	4	1
1	3	－	8	2	1	－	－	－	1	－	－	1	－
－	1	2	5	3	1	－	－	1	－	－	－	1	－
－	1	1	2	－	－	－	－	－	－	－	－	－	－
2	3	2	12	9	－	－	－	－	－	－	－	－	－
6	1	－	…	…	3	1	－	1	－	1	－	…	…
16	6	6	－	－	－	－	－	－	－	－	－	－	－
－	－	－	1	－	1	－	－	1	－	－	－	1	－

第27表（14－8） 平成28年度における子宮頸がん検診受診者数・要精密検査者数・精密検査

	精密検査受診												
	異常認めず												
	総数	20～29歳	30～39歳	40～49歳	50～59歳	60～69歳	70歳以上	(再掲)初回	(再掲)非初回	子宮頸がんであった 総数	子宮頸がんであった 20～29歳	子宮頸がんであった 30～39歳	子宮頸がんであった 40～49歳
中核市(再掲)													
旭川市	4	－	－	1	－	3	－	3	1	4	－	1	－
函館市	40	11	13	11	3	2	－	－	－	9	1	2	5
青森市	36	4	11	12	2	4	3	23	13	1	－	－	－
八戸市	83	9	19	26	12	13	4	32	51	4	－	－	1
盛岡市	28	3	10	12	2	－	1	4	24	2	－	－	1
秋田市	9	－	6	3	－	－	－	4	5	2	－	1	1
郡山市	25	5	10	6	2	1	1	－	－	1	－	1	－
いわき市	6	1	2	2	－	1	－	4	2	1	－	－	－
宇都宮市	91	11	27	23	15	8	7	31	60	10	－	2	2
前橋市	88	9	9	41	16	13	－	25	63	16	2	4	6
高崎市	158	14	44	71	22	1	6	…	…	4	1	1	1
川越市	68	5	6	23	13	14	7	11	57	－	－	－	－
越谷市	77	10	19	26	19	3	－	13	64	6	－	1	1
船橋市	14	2	5	5	1	1	－	－	－	1	－	－	－
柏市	65	11	22	17	10	4	1	20	45	3	1	1	－
八王子市	48	11	9	15	8	3	2	23	25	1	－	－	－
横須賀市	11	－	3	3	2	1	2	5	6	7	－	1	2
富山市	19	－	5	9	－	1	4	－	－	3	1	2	－
金沢市	12	2	5	2	3	－	－	6	3	17	－	3	11
長野市	6	－	2	1	1	1	1	4	2	6	－	1	3
岐阜市	17	3	6	2	2	2	2	8	9	6	－	2	2
豊橋市	19	－	3	9	3	－	4	6	13	2	－	－	－
豊田市	29	1	10	5	8	3	2	9	20	－	－	－	－
岡崎市	86	11	28	33	6	6	2	46	40	3	1	1	1
大津市	47	4	17	9	11	4	2	23	24	7	－	5	2
高槻市	19	1	6	7	1	4	－	13	6	11	2	4	2
東大阪市	44	7	6	17	8	4	2	23	21	7	－	1	2
豊中市	7	1	1	3	－	－	2	3	4	1	－	－	－
枚方市	44	8	9	21	2	4	－	19	25	9	－	1	5
姫路市	87	2	29	47	9	－	－	49	38	10	－	5	5
西宮市	8	－	1	4	2	－	1	4	4	4	－	3	1
尼崎市	54	11	15	14	6	6	2	54	－	4	－	2	1
奈良市	25	3	7	8	6	－	1	11	14	1	－	－	－
和歌山市	11	2	4	3	1	－	1	3	8	6	－	1	1
倉敷市	98	13	35	28	8	11	3	29	69	6	－	－	4
福山市	87	24	20	27	9	5	2	37	50	11	－	1	4
呉市	63	18	17	10	5	7	6	24	39	7	－	－	1
下関市	135	17	20	46	28	13	11	48	87	7	2	1	－
高松市	97	12	28	29	14	9	5	48	49	8	－	2	2
松山市	58	25	17	11	2	3	－	31	27	3	－	－	2
高知市	18	2	2	8	3	2	1	9	9	3	－	－	2
久留米市	39	5	8	11	7	7	1	15	24	6	－	－	3
長崎市	96	25	32	26	6	5	2	58	38	9	－	3	2
佐世保市	56	12	13	19	5	4	3	20	36	17	2	3	5
大分市	79	9	22	20	14	11	3	59	20	4	－	1	2
宮崎市	162	26	41	43	35	13	4	77	85	18	－	4	9
鹿児島市	130	17	35	45	20	9	4	63	67	15	－	2	4
那覇市	55	6	20	14	12	2	1	14	41	10	1	1	2
その他政令市(再掲)													
小樽市	18	4	6	4	2	－	2	11	7	7	－	－	1
町田市	37	9	9	10	2	6	1	16	21	2	－	1	－
藤沢市	69	5	14	19	16	8	7	22	47	14	1	4	7
茅ヶ崎市	45	2	17	8	4	9	5	2	2	－	－	－	－
四日市市	49	11	5	19	12	1	1	14	35	4	－	2	1
大牟田市	11	3	2	5	1	－	－	7	4	－	－	－	－

注：初回・非初回及び年齢階級別については、計数不詳の市区町村があるため、総数と一致しない場合がある。
1）初回検体の適正・不適正及び細胞診の判定別人数については、計数不詳の市区町村があるため、受診者数と一致しない場合がある。
2）精密検査受診の有無別人数については、計数不詳の市区町村がある場合、要精密検査者数と一致しないことがある。

受診の有無別人数，都道府県－指定都市・特別区－中核市－その他政令市、年齢階級・検診回数別

の有無別人数[2)]													
異常を認める													
者（転移性を含まない）					（再掲）子宮頸がんのうち微小浸潤がん								
50～59歳	60～69歳	70歳以上	(再掲)初回	(再掲)非初回	総数	20～29歳	30～39歳	40～49歳	50～59歳	60～69歳	70歳以上	(再掲)初回	(再掲)非初回
2	1	－	3	1	－	－	－	－	－	－	－	－	－
－	－	1	－	－	－	－	－	－	－	－	－	－	－
1	－	－	1	－	－	－	－	－	－	－	－	－	－
2	－	1	3	1	－	－	－	－	－	－	－	－	－
－	1	－	2	－	2	－	－	1	－	1	－	2	－
－	－	－	1	1	－	－	－	－	－	－	－	－	－
－	－	－	－	－	－	－	－	－	－	－	－	－	－
－	－	1	1	－	－	－	－	－	－	－	－	－	－
3	2	1	7	3	1	－	－	－	1	－	－	1	－
1	2	1	10	6	5	－	1	2	－	1	1	3	2
1	－	－	…	…	2	－	1	1	－	－	－	…	…
－	－	－	－	－	－	－	－	－	－	－	－	－	－
2	1	1	6	－	6	－	1	1	2	1	1	6	－
1	－	－	－	－	－	－	－	－	－	－	－	－	－
－	1	－	2	1	－	－	－	－	－	－	－	－	－
1	－	－	1	－	－	－	－	－	－	－	－	－	－
2	2	－	6	1	－	－	－	－	－	－	－	－	－
－	－	－	－	－	1	－	1	－	－	－	－	－	－
3	－	－	10	5	1	－	－	1	－	－	－	1	－
2	－	－	6	－	－	－	－	－	－	－	－	－	－
－	1	1	4	2	－	－	－	－	－	－	－	－	－
1	1	－	2	－	－	－	－	－	－	－	－	－	－
－	－	－	－	－	－	－	－	－	－	－	－	－	－
－	－	－	2	1	－	－	－	－	－	－	－	－	－
－	－	－	7	－	2	－	1	1	－	－	－	2	－
2	－	1	8	3	4	1	3	－	－	－	－	2	2
1	2	1	7	－	1	－	－	1	－	－	－	1	－
－	－	1	1	－	－	－	－	－	－	－	－	－	－
－	2	1	9	－	－	－	－	－	－	－	－	－	－
－	－	－	7	3	－	－	－	－	－	－	－	－	－
－	－	－	4	－	－	－	－	－	－	－	－	－	－
1	－	－	4	－	－	－	－	－	－	－	－	－	－
－	1	－	1	－	－	－	－	－	－	－	－	－	－
－	1	3	5	1	－	－	－	－	－	－	－	－	－
1	1	－	4	2	1	－	－	1	－	－	－	1	－
2	－	4	11	－	2	－	－	2	－	－	－	2	－
3	2	1	7	－	－	－	－	－	－	－	－	－	－
1	2	1	7	－	4	2	－	－	1	－	1	4	－
2	－	2	6	2	2	－	1	1	－	－	－	1	1
1	－	－	1	2	1	－	－	1	－	－	－	－	1
1	－	－	1	2	2	－	－	2	－	－	－	－	2
2	－	1	6	－	1	－	－	－	1	－	－	1	－
3	－	1	6	3	4	－	2	1	1	－	－	2	2
2	3	2	10	7	3	－	1	1	1	－	－	1	2
1	－	－	4	－	－	－	－	－	－	－	－	－	－
4	－	1	15	3	－	－	－	－	－	－	－	－	－
5	2	2	9	6	－	－	－	－	－	－	－	－	－
3	2	1	4	6	3	－	1	－	1	1	－	2	1
2	3	1	6	1	1	－	－	－	1	－	－	－	1
1	－	－	2	－	－	－	－	－	－	－	－	－	－
1	1	－	10	4	－	－	－	－	－	－	－	－	－
－	－	－	…	…	－	－	－	－	－	－	－	…	…
－	－	1	1	3	1	－	1	－	－	－	－	－	1
－	－	－	－	－	－	－	－	－	－	－	－	－	－

第27表（14－9） 平成28年度における子宮頸がん検診受診者数・要精密検査者数・精密検査

	精密検査受診												
	異常を												
	CIN3又はAISであった者									CIN2			
	総数	20～29歳	30～39歳	40～49歳	50～59歳	60～69歳	70歳以上	(再掲)初回	(再掲)非初回	総数	20～29歳	30～39歳	40～49歳
全国	**5 050**	**533**	**2 049**	**1 623**	**403**	**275**	**167**	**2 950**	**1 729**	**6 368**	**1 124**	**2 362**	**1 763**
北海道	120	7	48	43	11	10	1	87	30	60	9	26	14
青森	63	4	34	14	3	6	2	45	14	88	18	25	23
岩手	60	3	27	23	3	2	2	26	34	62	6	23	21
宮城	156	13	63	43	11	14	12	73	83	351	42	119	104
秋田	23	2	9	6	5	1	－	13	8	38	2	27	6
山形	37	3	17	7	6	1	3	9	14	66	10	29	14
福島	86	11	40	26	3	4	2	28	27	124	22	44	42
茨城	107	8	53	31	9	2	4	79	28	160	29	57	49
栃木	104	11	37	32	9	9	6	61	38	200	24	79	49
群馬	137	11	66	42	5	7	6	54	61	176	23	66	55
埼玉	261	31	112	84	18	12	4	117	69	291	55	119	73
千葉	206	22	83	72	12	9	8	102	80	313	38	140	82
東京	458	41	217	149	30	12	9	260	146	733	132	327	207
神奈川	236	37	101	70	15	9	4	167	47	444	104	178	101
新潟	117	13	54	26	14	6	4	83	34	129	28	49	32
富山	44	6	12	19	3	2	2	20	16	27	5	10	10
石川	45	6	17	16	4	2	…	18	10	89	22	27	29
福井	58	12	24	14	3	3	2	34	24	72	9	39	15
山梨	32	2	21	4	3	2	－	8	22	36	2	12	15
長野	89	9	28	34	10	5	3	41	43	123	24	42	31
岐阜	62	5	25	19	5	3	5	31	31	196	17	35	32
静岡	72	8	21	29	9	4	1	44	28	101	15	35	31
愛知	219	22	74	83	21	10	9	131	78	379	54	140	120
三重	42	4	17	13	5	1	2	23	19	49	6	16	20
滋賀	123	16	45	41	13	8	－	87	36	88	26	29	21
京都	106	16	38	42	5	3	2	33	33	56	7	19	22
大阪	681	89	253	233	59	31	16	491	190	519	139	159	153
兵庫	150	6	65	54	11	8	6	76	73	117	16	39	42
奈良	48	3	14	19	4	7	1	32	16	34	4	12	8
和歌山	40	8	13	10	6	1	2	27	13	54	22	10	15
鳥取	16	2	7	4	2	－	1	13	3	15	3	7	5
島根	23	2	10	5	2	3	1	12	6	39	8	21	9
岡山	43	5	12	20	2	3	1	17	26	58	5	22	24
広島	71	9	30	20	6	4	2	46	25	91	22	25	33
山口	55	8	23	15	7	1	1	31	24	63	15	17	12
徳島	41	3	25	8	3	2	－	26	14	42	12	13	10
香川	67	7	29	22	3	6	－	49	18	50	8	24	10
愛媛	69	7	34	15	5	6	2	42	27	47	11	19	11
高知	33	1	10	12	6	3	1	21	12	21	3	5	9
福岡	102	10	31	31	11	12	7	50	28	168	28	64	41
佐賀	66	3	23	23	6	5	6	45	21	96	10	39	31
長崎	98	14	41	27	9	6	1	59	39	94	22	33	24
熊本	99	8	42	35	3	8	3	66	33	81	18	32	17
大分	51	3	23	13	1	6	5	37	14	51	4	14	15
宮崎	104	11	35	36	9	5	8	69	35	84	19	29	20
鹿児島	90	6	35	28	10	7	4	44	46	134	16	45	43
沖縄	40	5	11	11	3	4	6	23	13	59	10	21	13
指定都市・特別区(再掲)													
東京都区部	346	33	165	111	20	10	7	188	106	582	103	268	160
札幌市	15	－	2	6	3	4	－	11	4	2	1	－	－
仙台市	53	5	20	15	4	5	4	26	27	174	20	60	55
さいたま市	75	12	34	19	4	4	2	…	…	91	26	32	21
千葉市	35	3	14	13	3	－	2	23	12	49	10	24	7
横浜市	93	18	37	27	6	4	1	65	28	177	48	74	32
川崎市	63	12	29	15	3	3	1	63	－	95	29	32	23
相模原市	19	－	11	4	3	1	－	8	11	56	12	21	15
新潟市	59	8	29	10	7	3	2	47	12	31	11	11	7
静岡市	－	－	－	－	－	－	－	－	－	－	－	－	－
浜松市	23	3	4	9	5	1	1	11	12	16	－	7	4
名古屋市	95	12	32	35	6	5	5	72	23	136	24	56	40
京都市	40	7	16	14	1	1	1	－	－	32	5	12	10
大阪市	226	36	98	68	16	5	3	184	42	186	55	54	57
堺市	69	5	23	31	4	4	2	52	17	38	9	13	9
神戸市	54	2	21	23	4	1	3	12	42	47	7	14	22
岡山市	10	－	－	9	－	1	－	4	6	30	1	8	17
広島市	2	－	1	1	－	－	－	1	1	－	－	－	－
北九州市	18	2	7	6	2	－	1	…	…	51	8	21	12
福岡市	－	－	－	－	－	－	－	－	－	－	－	－	－
熊本市	35	2	11	16	2	3	1	27	8	30	10	13	5

受診の有無別人数，都道府県－指定都市・特別区－中核市－その他政令市、年齢階級・検診回数別

の 有 無 別 人 数²⁾ ／ 認 め る

であった者					CIN1であった者								
50～59歳	60～69歳	70歳以上	(再掲)初回	(再掲)非初回	総数	20～29歳	30～39歳	40～49歳	50～59歳	60～69歳	70歳以上	(再掲)初回	(再掲)非初回
546	381	192	3 126	2 704	15 135	3 524	4 805	4 036	1 521	809	440	6 870	6 933
6	1	4	34	19	82	27	22	20	10	2	1	44	23
12	6	4	45	41	217	58	64	50	20	16	9	108	93
4	5	3	24	38	138	38	46	30	11	10	3	41	97
21	32	33	138	213	729	130	227	168	94	72	38	255	474
1	2	–	18	16	44	5	27	7	4	–	1	20	18
6	4	3	17	23	112	21	39	24	13	6	9	26	60
9	6	1	56	38	142	34	40	37	16	9	6	44	52
16	5	4	91	69	459	79	160	126	57	21	16	211	248
21	20	7	90	103	558	75	191	160	55	56	21	263	289
14	12	6	56	76	549	104	169	160	64	34	18	160	251
25	15	4	114	85	554	148	172	149	46	23	16	190	221
27	21	5	142	143	869	137	327	231	85	56	33	312	454
47	12	8	400	249	1 715	468	597	443	144	38	25	873	599
30	20	11	274	128	984	317	327	212	79	34	15	614	307
10	6	4	70	59	430	130	131	105	29	19	16	218	212
2	–	–	9	11	66	10	26	15	10	4	1	24	18
8	1	2	30	32	386	95	99	142	37	8	5	130	145
4	2	3	37	35	174	56	42	43	19	10	4	90	84
4	2	1	10	23	67	12	23	19	7	5	1	13	51
12	9	5	52	65	291	49	75	98	40	15	14	98	170
38	54	20	60	136	243	30	75	64	46	20	8	82	161
10	6	4	48	51	259	47	95	65	25	20	7	111	139
38	18	9	198	159	733	169	214	220	88	24	18	318	325
4	1	2	19	30	148	26	44	50	16	7	5	44	104
9	1	2	52	36	140	38	51	33	11	5	2	85	55
1	5	2	9	15	131	30	40	41	12	4	4	22	40
42	19	7	335	184	1 372	408	392	383	127	40	22	829	543
12	6	2	56	60	212	39	62	73	24	9	5	99	111
8	1	1	20	14	84	19	27	18	11	3	6	46	38
3	3	1	19	35	94	25	27	26	11	2	3	36	58
–	–	–	7	8	37	4	17	12	3	1	–	11	26
1	–	–	12	19	86	22	31	18	13	–	2	45	24
5	2	–	35	23	149	29	48	39	23	6	4	70	79
7	2	2	40	51	231	49	60	74	23	17	8	105	126
9	7	3	32	31	211	35	56	64	31	14	11	100	111
3	2	2	22	20	80	24	26	19	5	5	1	33	39
6	1	1	28	22	171	35	69	40	4	14	9	77	94
4	2	–	21	26	133	38	46	28	8	10	3	66	67
1	2	1	7	14	25	4	4	14	2	1	–	14	11
18	14	3	66	44	406	100	122	111	36	27	10	127	118
4	9	3	54	42	285	69	89	52	38	30	7	150	135
9	4	2	52	42	247	81	69	60	22	15	–	129	118
6	5	3	46	35	148	22	36	43	17	22	8	72	76
7	8	3	43	8	195	27	60	55	18	21	14	129	66
6	7	3	52	32	352	97	106	91	32	17	9	178	174
13	14	3	66	68	221	34	74	61	24	19	9	92	129
3	7	5	20	33	176	30	61	43	11	18	13	66	100
40	7	4	316	182	1 261	354	459	312	102	22	12	614	404
1	–	–	2	–	–	–	–	–	–	–	–	–	–
9	14	16	75	99	358	73	127	80	39	23	16	158	200
5	6	1	…	…	136	49	44	21	12	8	2	…	…
5	3	–	32	17	92	15	35	26	10	2	4	47	45
11	9	3	125	52	334	126	102	70	23	9	4	227	107
6	2	3	95	–	274	109	98	43	16	6	2	274	–
3	3	2	24	32	141	28	50	40	12	9	2	37	104
1	1	–	21	10	185	64	60	38	8	8	7	113	72
–	–	–	–	–	–	–	–	–	–	–	–	–	–
3	1	1	6	10	46	8	12	13	9	2	2	17	29
13	3	–	90	46	262	70	81	77	24	4	6	159	103
1	2	2	–	–	69	19	24	18	6	2	–	–	–
9	8	3	139	47	441	152	129	110	37	8	5	300	141
4	3	–	28	10	107	28	35	25	17	2	–	73	34
1	3	–	11	36	57	13	16	21	4	1	2	18	39
2	2	–	19	11	39	9	11	12	5	2	–	16	23
–	–	–	…	…	83	17	22	26	9	9	–	37	46
6	3	1	…	…	151	53	49	34	12	2	1	…	…
–	–	–	–	–	–	–	–	–	–	–	–	–	–
2	–	–	23	7	34	1	9	14	2	7	1	19	15

第27表（14－10） 平成28年度における子宮頸がん検診受診者数・要精密検査者数・精密検査

	精密検査受診												
	異常を												
	CIN3又はAISであった者									CIN2			
	総数	20～29歳	30～39歳	40～49歳	50～59歳	60～69歳	70歳以上	(再掲)初回	(再掲)非初回	総数	20～29歳	30～39歳	40～49歳
中核市(再掲)													
旭川市	-	-	-	-	-	-	-	-	-	-	-	-	-
函館市	3	-	-	2	1	-	-	-	-	7	1	3	1
青森市	11	-	6	3	1	1	-	10	1	20	5	6	3
八戸市	4	-	3	-	-	1	-	3	1	15	5	2	4
盛岡市	16	1	7	5	1	1	1	6	10	13	1	7	4
秋田市	10	-	5	3	2	-	-	7	3	12	-	12	-
郡山市	28	6	13	6	2	1	-	-	-	27	5	9	11
いわき市	3	-	-	-	-	1	2	2	1	6	1	1	3
宇都宮市	21	2	6	9	2	-	2	13	8	37	6	15	11
前橋市	43	3	21	10	2	3	4	22	21	35	5	14	11
高崎市	22	-	10	9	2	1	-	…	…	44	3	17	14
川越市	8	-	-	7	-	1	-	4	4	5	-	1	1
越谷市	19	4	6	8	1	-	-	8	11	33	4	17	7
船橋市	24	2	12	7	1	-	2	-	-	28	1	17	6
柏市	10	2	3	4	1	-	-	6	4	15	2	11	-
八王子市	36	2	11	18	2	2	1	21	15	51	13	15	19
横須賀市	23	3	8	8	2	-	2	18	5	23	4	11	4
富山市	8	-	1	5	1	-	1	-	-	7	1	2	4
金沢市	19	3	8	6	1	1	-	10	4	33	9	10	12
長野市	15	1	7	6	-	1	-	9	6	18	2	6	7
岐阜市	4	2	2	-	-	-	-	2	2	8	2	4	2
豊橋市	11	-	4	5	2	-	-	3	8	18	2	4	6
豊田市	5	1	2	1	1	-	-	2	3	15	4	4	5
岡崎市	8	1	3	3	1	-	-	6	2	30	6	13	9
大津市	60	9	25	11	9	6	-	45	15	53	17	16	11
高槻市	42	6	15	13	2	3	3	34	8	23	12	4	5
東大阪市	55	7	16	22	8	2	-	31	24	20	6	7	3
豊中市	27	1	9	12	4	-	1	17	10	11	1	6	4
枚方市	32	6	10	9	3	2	2	24	8	31	6	8	13
姫路市	15	-	4	7	2	1	1	11	4	16	1	8	7
西宮市	13	-	6	5	-	2	-	10	3	3	-	1	2
尼崎市	-	-	-	-	-	-	-	-	-	-	-	-	-
奈良市	16	2	6	4	1	3	-	8	8	15	3	3	3
和歌山市	15	7	5	2	1	-	-	11	4	8	5	1	2
倉敷市	20	3	10	6	-	1	-	9	11	18	4	10	3
福山市	29	5	13	8	1	-	2	23	6	27	9	7	10
呉市	15	3	8	3	-	1	-	9	6	26	5	12	8
下関市	24	4	10	6	4	-	-	11	13	27	5	9	7
高松市	31	3	11	12	2	3	-	23	8	24	1	13	5
松山市	36	5	17	8	2	2	2	21	15	26	10	9	5
高知市	14	-	2	7	3	2	-	9	5	9	1	2	5
久留米市	22	2	8	7	2	2	1	16	6	22	6	10	5
長崎市	47	7	22	11	4	3	-	34	13	28	8	13	5
佐世保市	19	3	8	6	1	1	-	9	10	23	4	7	9
大分市	19	3	8	7	-	1	-	18	1	26	4	5	10
宮崎市	64	8	23	19	7	2	5	40	24	51	14	16	12
鹿児島市	48	4	17	16	6	3	2	20	28	60	9	19	21
那覇市	6	1	2	2	-	-	1	5	1	5	-	1	1
その他政令市(再掲)													
小樽市	11	1	5	3	2	-	-	10	1	-	-	-	-
町田市	11	-	7	4	-	-	-	9	2	21	2	9	5
藤沢市	-	-	-	-	-	-	-	-	-	-	-	-	-
茅ヶ崎市	12	2	8	2	-	-	-	…	…	21	3	9	5
四日市市	3	-	3	-	-	-	-	1	2	13	1	6	4
大牟田市	1	-	1	-	-	-	-	1	-	6	-	3	2

注：初回・非初回及び年齢階級別については、計数不詳の市区町村があるため、総数と一致しない場合がある。
1）初回検体の適正・不適正及び細胞診の判定別人数については、計数不詳の市区町村があるため、受診者数と一致しない場合がある。
2）精密検査受診の有無別人数については、計数不詳の市区町村がある場合、要精密検査者数と一致しないことがある。

受診の有無別人数，都道府県－指定都市・特別区－中核市－その他政令市、年齢階級・検診回数別

の 有 無 別 人 数²⁾													
認 め る													
で あ っ た 者					CIN1 で あ っ た 者								
50～59歳	60～69歳	70歳以上	(再掲)初回	(再掲)非初回	総数	20～29歳	30～39歳	40～49歳	50～59歳	60～69歳	70歳以上	(再掲)初回	(再掲)非初回
-	-	-	-	-	-	-	-	-	-	-	-	-	-
2	-	-	-	-	15	5	2	4	4	-	-	-	-
4	2	-	13	7	27	3	12	11	1	-	-	21	6
3	1	-	7	8	56	20	16	9	5	4	2	23	33
-	-	1	5	8	31	7	12	10	2	-	-	10	21
-	-	-	6	6	19	2	15	1	1	-	-	11	8
1	1	-	1	-	40	15	17	4	2	1	1	-	-
1	-	-	2	4	10	3	2	4	1	-	-	7	3
4	1	-	21	16	66	9	18	27	7	4	1	27	39
3	1	1	18	17	118	24	33	35	16	7	3	55	63
6	2	2	…	…	138	21	44	39	20	6	8	…	…
2	1	-	2	3	16	3	3	6	-	2	2	7	9
3	2	-	10	23	57	14	14	20	6	2	1	16	41
1	3	-	-	-	102	17	45	28	9	2	1	-	-
2	-	-	7	8	48	11	19	7	4	6	1	21	27
2	1	1	22	29	139	31	35	51	15	4	3	59	80
1	2	1	9	14	61	16	17	13	7	4	4	32	29
-	-	-	-	-	24	3	8	8	5	-	-	-	-
2	-	-	17	11	153	37	33	61	20	2	-	70	65
-	3	-	10	8	30	6	4	12	4	2	2	13	17
-	-	-	6	2	13	3	5	2	1	2	-	7	6
1	-	5	7	11	21	4	6	6	3	1	1	10	11
2	-	-	7	8	19	5	6	4	2	1	1	6	13
2	-	-	15	15	56	9	18	16	9	3	1	34	22
6	1	2	34	19	73	23	25	12	8	4	1	50	23
2	-	-	10	13	93	20	27	38	4	1	3	53	40
2	1	1	12	8	80	23	16	24	11	4	2	46	34
-	-	-	2	9	50	12	25	9	2	1	1	33	17
4	-	-	18	13	70	23	18	21	4	3	1	35	35
-	-	-	10	6	24	2	8	9	4	1	-	13	11
-	-	-	2	1	12	5	1	5	-	-	1	8	4
-	-	-	-	-	-	-	-	-	-	-	-	-	-
5	-	1	8	7	29	10	5	6	5	2	1	13	16
-	-	-	5	3	18	9	4	3	2	-	-	10	8
1	-	-	9	9	78	15	27	19	12	4	1	40	38
1	-	-	15	12	42	13	16	11	2	-	-	21	21
1	-	-	9	17	30	8	10	9	2	1	-	10	20
3	2	1	10	17	112	18	29	36	17	8	4	42	70
5	-	-	15	9	78	21	38	14	3	1	1	35	43
2	-	-	14	12	72	24	34	9	2	2	1	42	30
1	-	-	2	7	16	2	1	10	2	1	-	8	8
1	-	-	13	9	80	22	20	23	7	6	2	41	39
2	-	-	18	10	131	50	44	25	8	4	-	85	46
2	1	-	13	10	34	15	4	9	4	2	-	15	19
3	3	1	25	1	86	16	26	28	7	7	2	75	11
4	4	1	31	20	231	61	77	60	17	9	7	106	125
3	6	2	28	32	89	18	29	22	10	5	5	43	46
1	-	2	3	2	2	-	-	1	1	-	-	-	2
-	-	-	-	-	-	-	-	-	-	-	-	-	-
2	2	1	15	6	55	18	17	10	5	2	3	33	22
-	-	-	-	-	-	-	-	-	-	-	-	-	-
3	1	-	…	1	37	9	13	10	5	-	-	…	…
1	-	1	4	9	38	6	12	15	1	2	2	12	26
1	-	-	5	1	8	2	3	3	-	-	-	8	-

第27表（14－11） 平成28年度における子宮頸がん検診受診者数・要精密検査者数・精密検査

	精密検査受診												
	異常を												
	腺異形成であった者									子宮頸がんの疑い			
	総数	20～29歳	30～39歳	40～49歳	50～59歳	60～69歳	70歳以上	（再掲）初回	（再掲）非初回	総数	20～29歳	30～39歳	40～49歳
全国	**1 462**	**294**	**462**	**421**	**153**	**81**	**51**	**415**	**415**	**6 622**	**1 250**	**1 905**	**1 873**
北海道	11	4	2	2	3	…	…	10	1	489	83	125	155
青森	3	－	－	1	1	1	－	2	1	19	1	6	9
岩手	2	1	1	－	－	－	－	1	1	4	1	1	1
宮城	8	－	－	6	－	1	1	3	5	－	－	－	－
秋田	6	－	3	3	－	－	－	4	2	5	2	3	－
山形	…	…	…	…	…	…	…	…	…	10	2	4	－
福島	5	－	1	1	2	1	－	3	2	163	19	50	49
茨城	4	－	2	1	－	－	1	2	2	162	32	42	35
栃木	27	1	7	12	3	3	1	2	9	3	1	1	1
群馬	7	－	2	1	2	1	1	3	4	160	32	45	42
埼玉	55	4	19	16	6	8	2	33	20	154	34	50	42
千葉	112	15	32	37	19	1	8	36	75	95	15	28	17
東京	210	43	91	48	20	6	2	128	67	1 019	180	326	305
神奈川	56	12	12	22	6	3	1	20	26	715	118	190	208
新潟	－	－	－	－	－	－	－	－	－	73	13	30	12
富山	4	…	1	3	…	…	…	1	3	17	5	3	8
石川	7	2	1	3	1	－	－	1	－	12	2	7	2
福井	1	－	1	－	－	－	－	－	1	－	－	－	－
山梨	3	－	1	－	－	2	－	1	2	68	6	24	14
長野	15	3	2	6	2	－	2	5	10	54	9	18	13
岐阜	7	－	3	3	1	－	－	2	5	63	6	15	19
静岡	69	8	17	25	10	4	5	…	7	108	12	28	28
愛知	57	9	19	25	2	2	－	27	23	95	8	30	26
三重	6	4	－	2	－	－	－	2	4	76	13	27	22
滋賀	2	1	1	－	－	－	－	1	1	117	12	31	46
京都	13	3	2	8	－	－	－	12	1	2	－	－	1
大阪	5	－	3	2	－	－	－	2	3	1 558	328	401	491
兵庫	11	1	…	4	4	2	…	4	7	239	43	78	73
奈良	4	－	1	1	1	1	－	3	1	36	7	7	12
和歌山	－	－	－	－	－	－	－	－	－	32	2	10	8
鳥取	5	－	1	3	1	－	－	3	2	11	3	5	2
島根	1	1	－	－	－	－	－	…	1	24	4	8	7
岡山	8	1	3	3	－	1	－	3	5	37	9	12	6
広島	9	2	1	3	2	1	－	2	7	120	27	37	25
山口	1	－	－	－	－	－	1	1	－	59	16	21	14
徳島	9	1	5	2	1	－	－	4	5	164	34	55	42
香川	2	－	－	1	1	－	－	2	－	－	－	－	－
愛媛	5	－	2	1	－	2	－	4	1	32	11	17	2
高知	－	－	－	－	－	－	－	－	－	6	4	－	2
福岡	540	156	174	126	50	21	13	13	15	318	85	106	65
佐賀	2	－	－	2	－	－	－	1	1	113	32	19	27
長崎	18	2	6	4	3	1	2	9	9	70	16	18	16
熊本	10	2	2	2	2	1	1	2	8	15	1	1	3
大分	8	－	2	3	－	3	－	2	6	9	1	2	1
宮崎	5	1	－	3	－	－	1	5	－	27	11	5	6
鹿児島	6	－	1	3	－	1	1	3	3	57	8	14	14
沖縄	123	17	41	33	10	14	8	53	69	12	2	5	2
指定都市・特別区(再掲)													
東京都区部	183	38	82	40	16	6	1	109	59	696	134	240	197
札幌市	－	－	－	－	－	－	－	－	－	207	30	41	74
仙台市	7	－	－	6	－	1	－	3	4	－	－	－	－
さいたま市	－	－	－	－	－	－	－	…	…	2	－	－	2
千葉市	－	－	－	－	－	－	－	－	－	4	1	1	－
横浜市	5	1	1	2	1	－	－	3	2	36	17	9	1
川崎市	2	－	－	1	1	－	－	2	－	70	13	23	21
相模原市	－	－	－	－	－	－	－	－	－	328	47	103	106
新潟市	－	－	－	－	－	－	－	－	－	69	13	30	11
静岡市	62	7	16	22	9	4	4	－	－	3	－	－	2
浜松市	－	－	－	－	－	－	－	－	－	27	5	9	5
名古屋市	18	1	4	11	1	1	－	11	7	－	－	－	－
京都市	－	－	－	－	－	－	－	－	－	－	－	－	－
大阪市	2	－	1	1	－	－	－	－	2	353	89	96	102
堺市	－	－	－	－	－	－	－	－	－	262	65	80	76
神戸市	－	－	－	－	－	－	－	－	－	185	29	65	55
岡山市	－	－	－	－	－	－	－	－	－	8	1	3	2
広島市	－	－	－	－	－	－	－	－	－	81	18	25	17
北九州市	1	－	－	－	1	－	－	…	…	9	1	4	3
福岡市	511	151	169	118	46	17	10	－	－	260	72	89	54
熊本市	1	－	－	－	－	－	1	－	1	1	－	－	1

受診の有無別人数，都道府県－指定都市・特別区－中核市－その他政令市、年齢階級・検診回数別

の有無別人数[2)]													
認める													
がある者又は未確定					子宮頸がん及びＣＩＮ（異形成等）以外の疾患であった者（転移性の子宮頸がんを含む）								
50～59歳	60～69歳	70歳以上	(再掲)初回	(再掲)非初回	総数	20～29歳	30～39歳	40～49歳	50～59歳	60～69歳	70歳以上	(再掲)初回	(再掲)非初回
819	476	299	2 994	3 090	9 165	1 442	2 419	2 598	1 296	881	529	3 456	4 498
60	43	23	215	171	391	96	116	88	47	30	14	100	81
1	2	–	9	8	83	9	22	19	11	14	8	43	36
1	–	–	3	1	356	32	79	119	84	29	13	86	270
–	–	–	–	–	369	37	103	104	63	38	24	81	288
–	–	–	2	…	108	7	40	27	14	17	3	56	49
1	–	3	2	8	69	11	11	21	9	8	9	26	36
26	12	7	58	63	11	1	–	1	5	1	3	3	3
12	34	7	72	90	262	35	76	75	39	31	6	96	166
–	–	–	2	1	82	13	15	19	12	12	11	25	46
20	13	8	65	95	322	58	97	81	47	23	16	69	118
10	7	11	77	75	220	45	54	63	29	17	12	93	88
11	19	5	43	52	675	71	220	185	86	71	42	226	408
113	53	42	495	457	495	87	142	158	59	31	18	225	161
105	55	39	321	381	467	84	121	141	60	27	34	224	226
6	7	5	48	25	158	36	39	35	22	17	9	76	82
…	1	…	4	13	51	5	15	16	5	6	4	6	29
1	–	–	1	1	241	46	72	64	40	14	5	83	116
–	–	–	–	–	153	33	56	25	21	13	5	70	83
12	6	6	25	42	48	4	6	10	10	6	12	11	32
7	5	2	24	25	296	35	71	95	46	27	22	89	139
11	8	4	24	39	106	18	17	31	22	10	8	42	64
15	12	13	44	59	365	32	102	135	48	32	16	98	201
17	9	5	37	56	647	109	184	201	92	35	26	331	276
5	8	1	26	50	114	5	21	29	20	21	18	31	83
22	6	–	64	53	138	25	36	39	21	11	6	73	65
–	–	1	2	–	128	27	33	41	14	12	1	27	42
222	69	47	833	725	300	56	69	82	41	30	22	196	104
23	11	11	81	154	336	38	94	133	38	21	12	152	165
2	6	2	18	18	53	5	15	21	5	3	4	29	24
6	3	3	12	20	51	12	11	20	5	2	1	17	34
1	–	–	4	7	45	10	16	13	5	–	1	13	32
1	2	2	8	13	34	7	8	7	2	8	2	18	11
4	4	2	21	16	82	15	21	30	8	6	2	35	47
19	10	2	48	72	217	27	47	80	26	25	12	92	125
4	3	1	31	28	125	33	24	35	13	12	8	60	65
19	9	5	69	95	30	8	8	8	4	2	–	13	17
–	–	–	–	–	81	12	14	24	11	12	8	31	50
1	–	1	22	10	63	9	20	13	12	6	3	27	36
–	–	–	2	4	34	2	8	7	6	6	5	13	21
24	24	14	32	15	403	102	98	82	62	33	26	39	74
15	10	10	55	58	24	5	6	3	6	4	–	11	13
9	5	6	40	30	118	23	30	27	18	14	6	70	48
2	7	1	9	6	300	45	50	74	44	55	32	134	166
2	2	1	5	4	144	21	30	39	12	28	14	88	56
2	1	2	16	11	85	9	26	20	14	9	7	37	48
6	8	7	20	37	75	9	21	15	12	12	6	21	54
1	2	–	5	2	210	33	55	43	26	40	13	70	120
64	35	26	361	274	378	66	109	118	49	22	14	163	108
29	18	15	69	51	117	43	45	19	7	2	1	8	2
–	–	–	–	–	–	–	–	–	–	–	–	–	–
–	–	–	…	…	37	7	9	11	8	–	2	…	…
–	2	–	2	2	106	12	29	28	16	9	12	48	58
5	2	2	25	11	103	26	24	25	13	7	8	58	45
7	5	1	70	–	18	4	2	3	3	2	4	18	–
43	18	11	106	222	49	8	16	17	4	2	2	15	34
6	5	4	45	24	28	10	8	4	2	1	3	19	9
–	1	–	–	–	62	2	11	21	13	11	4	–	–
2	2	4	11	16	3	–	–	1	2	–	–	3	–
–	–	–	–	–	321	64	93	97	40	13	14	198	123
–	–	–	–	–	59	13	19	21	3	3	–	–	–
43	14	9	217	136	102	26	16	30	14	7	9	74	28
20	15	6	153	109	25	4	4	6	4	3	4	16	9
20	8	8	51	134	17	4	3	7	2	1	–	2	15
–	1	1	5	3	12	2	5	2	2	1	–	8	4
11	8	2	28	53	91	11	23	36	14	4	3	35	56
1	–	–	…	…	9	2	1	4	1	1	–	…	…
21	16	8	–	–	273	89	76	50	34	13	11	–	–
–	–	–	1	–	73	14	12	21	10	11	5	45	28

第27表（14－12） 平成28年度における子宮頸がん検診受診者数・要精密検査者数・精密検査

	精密検査受診												
	異常を												
	腺異形成であった者									子宮頸がんの疑い			
	総数	20～29歳	30～39歳	40～49歳	50～59歳	60～69歳	70歳以上	（再掲）初回	（再掲）非初回	総数	20～29歳	30～39歳	40～49歳
中核市（再掲）													
旭川市	－	－	－	－	－	－	－	－	－	10	－	4	2
函館市	－	－	－	－	－	－	－	－	－	16	2	6	7
青森市	－	－	－	－	－	－	－	－	－	2	－	－	2
八戸市	－	－	－	－	－	－	－	－	－	1	1	－	－
盛岡市	－	－	－	－	－	－	－	－	－	－	－	－	－
秋田市	－	－	－	－	－	－	－	－	－	－	－	－	－
郡山市	－	－	－	－	－	－	－	－	－	30	8	10	5
いわき市	－	－	－	－	－	－	－	－	－	11	3	3	2
宇都宮市	6	－	4	1	1	－	－	－	6	1	－	1	－
前橋市	2	－	1	－	－	－	1	－	2	5	1	1	－
高崎市	－	－	－	－	－	－	－	…	…	－	－	－	－
川越市	7	2	1	1	1	2	－	3	4	2	－	－	－
越谷市	1	－	－	1	－	－	－	－	1	25	7	6	8
船橋市	－	－	－	－	－	－	－	－	－	－	－	－	－
柏市	－	－	－	－	－	－	－	－	－	21	5	9	4
八王子市	－	－	－	－	－	－	－	－	－	175	16	50	60
横須賀市	－	－	－	－	－	－	－	－	－	142	19	24	33
富山市	－	…	…	…	…	…	…	－	－	－	…	…	…
金沢市	－	－	－	－	－	－	－	－	－	－	－	－	－
長野市	－	－	－	－	－	－	－	－	－	－	－	－	－
岐阜市	－	－	－	－	－	－	－	－	－	－	－	－	－
豊橋市	－	－	－	－	－	－	－	－	－	48	1	12	17
豊田市	－	－	－	－	－	－	－	－	－	－	－	－	－
岡崎市	－	－	－	－	－	－	－	－	－	－	－	－	－
大津市	1	－	1	－	－	－	－	－	1	43	7	12	12
高槻市	1	－	1	－	－	－	－	1	－	48	14	13	13
東大阪市	1	－	1	－	－	－	－	1	－	28	6	9	7
豊中市	－	－	－	－	－	－	－	－	－	54	4	21	23
枚方市	－	－	－	－	－	－	－	－	－	85	13	22	33
姫路市	－	－	－	－	－	－	－	－	－	1	－	1	－
西宮市	－	－	－	－	－	－	－	－	－	－	－	－	－
尼崎市	－	－	－	－	－	－	－	－	－	3	1	2	－
奈良市	2	－	1	1	－	－	－	1	1	23	5	4	6
和歌山市	－	－	－	－	－	－	－	－	－	2	－	2	－
倉敷市	－	－	－	－	－	－	－	－	－	18	7	2	4
福山市	1	－	－	－	1	－	－	1	－	21	4	8	4
呉市	6	2	1	2	－	1	－	1	5	5	3	－	1
下関市	1	－	－	－	－	－	1	1	－	－	－	－	－
高松市	－	－	－	－	－	－	－	－	－	－	－	－	－
松山市	－	－	－	－	－	－	－	－	－	25	9	16	－
高知市	－	－	－	－	－	－	－	－	－	－	－	－	－
久留米市	－	－	－	－	－	－	－	－	－	－	－	－	－
長崎市	－	－	－	－	－	－	－	－	－	15	－	2	5
佐世保市	11	2	4	2	2	1	－	3	8	13	7	3	－
大分市	－	－	－	－	－	－	－	－	－	5	1	1	1
宮崎市	－	－	－	－	－	－	－	－	－	3	1	－	1
鹿児島市	1	－	－	1	－	－	－	1	－	27	5	5	8
那覇市	74	8	29	23	5	8	1	25	49	1	－	－	1
その他政令市（再掲）													
小樽市	－	－	－	－	－	－	－	－	－	3	－	1	1
町田市	－	－	－	－	－	－	－	－	－	11	2	2	3
藤沢市	－	－	－	－	－	－	－	－	－	3	－	1	1
茅ヶ崎市	15	1	6	6	2	－	－	4	2	4	－	－	3
四日市市	－	－	－	－	－	－	－	－	－	7	1	5	1
大牟田市	1	－	－	－	－	－	1	1	－	2	1	－	－

注：初回・非初回及び年齢階級別については、計数不詳の市区町村があるため、総数と一致しない場合がある。
　1）初回検体の適正・不適正及び細胞診の判定別人数については、計数不詳の市区町村があるため、受診者数と一致しない場合がある。
　2）精密検査受診の有無別人数については、計数不詳の市区町村がある場合、要精密検査者数と一致しないことがある。

受診の有無別人数，都道府県－指定都市・特別区－中核市－その他政令市、年齢階級・検診回数別

の有無別人数[2)]													
認める													
がある者又は未確定					子宮頸がん及びＣＩＮ（異形成等）以外の疾患であった者（転移性の子宮頸がんを含む）								
50～59歳	60～69歳	70歳以上	(再掲)初回	(再掲)非初回	総数	20～29歳	30～39歳	40～49歳	50～59歳	60～69歳	70歳以上	(再掲)初回	(再掲)非初回
1	1	2	4	6	17	1	6	6	–	3	1	6	11
1	–	–	–	–	1	–	–	–	–	–	1	–	–
–	–	–	2	–	13	3	5	2	2	1	–	10	3
–	–	–	–	1	9	2	5	1	–	1	–	3	6
–	–	–	–	–	91	5	20	41	21	1	3	20	71
–	–	–	–	–	15	4	10	–	–	1	–	11	4
3	2	2	–	–	4	–	–	–	1	–	3	–	–
1	1	1	9	2	1	–	–	–	–	1	–	1	–
–	–	–	–	1	13	5	2	3	2	–	1	3	10
1	–	2	2	3	33	5	5	12	8	2	1	11	22
–	–	–	…	…	135	24	45	38	15	7	6	…	…
–	–	2	–	2	4	1	–	3	–	–	–	2	2
3	–	1	8	17	23	10	8	2	1	1	1	13	10
–	–	–	–	–	41	4	26	7	1	1	2	–	–
2	1	–	14	7	31	5	12	8	3	3	–	12	19
24	11	14	64	111	1	–	–	–	–	1	–	1	–
25	22	19	59	83	13	1	3	2	3	3	1	8	5
…	…	…	–	–	16	2	5	3	3	1	2	–	–
–	–	–	–	–	73	15	26	16	15	1	–	40	30
–	–	–	–	–	32	2	15	6	4	–	5	13	19
–	–	–	–	–	19	6	5	4	–	1	3	7	12
11	6	1	17	31	1	–	–	1	–	–	–	–	1
–	–	–	–	–	12	5	1	3	2	1	–	2	10
–	–	–	–	–	16	–	4	8	3	1	–	10	6
11	1	–	35	8	24	5	4	4	4	6	1	17	7
6	–	2	34	14	18	1	5	4	5	3	–	11	7
4	1	1	11	17	7	2	1	2	2	–	–	5	2
4	–	2	30	24	6	–	2	2	1	–	1	2	4
9	5	3	37	48	6	–	1	2	1	1	1	5	1
–	–	–	1	–	108	1	45	56	6	–	–	55	53
–	–	–	–	–	17	–	7	7	2	1	–	10	7
–	–	–	3	–	7	1	2	1	3	–	–	7	–
2	4	2	12	11	11	–	3	4	2	–	2	7	4
–	–	–	1	1	–	–	–	–	–	–	–	–	–
3	1	1	12	6	53	11	14	18	5	3	2	20	33
4	1	–	11	10	16	5	2	5	2	1	1	9	7
1	–	–	2	3	6	–	1	4	–	–	1	3	3
–	–	–	–	–	25	2	4	12	3	2	2	10	15
–	–	–	–	–	20	5	4	4	2	3	2	8	12
–	–	–	18	7	18	6	7	4	1	–	–	10	8
–	–	–	–	–	20	1	4	7	3	4	1	6	14
–	–	–	–	–	40	4	13	9	8	4	2	20	20
4	2	2	10	5	19	2	7	3	4	3	–	15	4
–	2	1	5	8	74	18	21	20	8	5	2	43	31
1	1	–	5	–	50	6	9	18	6	8	3	43	7
–	–	1	1	2	34	4	12	9	5	3	1	15	19
4	3	2	8	19	10	1	2	1	1	3	2	4	6
–	–	–	–	1	62	8	18	17	7	9	3	18	44
1	–	–	1	2	3	–	1	1	–	1	–	2	1
2	1	1	7	4	15	2	3	4	5	–	1	8	7
–	–	1	3	–	173	30	56	52	22	5	8	78	95
–	1	–	3	1	8	–	1	2	3	1	1	3	…
–	–	–	1	6	51	1	6	8	7	16	13	10	41
–	–	1	2	–	2	–	–	–	1	1	–	2	–

第27表（14－13） 平成28年度における子宮頸がん検診受診者数・要精密検査者数・精密検査

	精密検査受診								
	未受診								
	総数	20～29歳	30～39歳	40～49歳	50～59歳	60～69歳	70歳以上	(再掲)初回	(再掲)非初回
全国	**5 917**	**1 163**	**1 676**	**1 690**	**680**	**419**	**289**	**2 719**	**2 415**
北海道	380	58	89	122	54	35	22	138	139
青森	69	10	22	15	10	6	6	40	22
岩手	90	16	18	31	13	7	5	29	61
宮城	152	23	47	33	17	15	17	58	94
秋田	20	1	10	4	3	1	1	11	9
山形	63	9	11	15	12	14	2	21	40
福島	17	6	7	3	－	1	－	12	5
茨城	350	44	115	88	41	43	19	175	175
栃木	54	8	17	12	13	3	1	14	7
群馬	199	37	64	61	18	7	12	63	97
埼玉	252	60	80	59	29	19	5	125	77
千葉	85	13	23	24	13	5	7	25	31
東京	355	69	127	104	38	7	10	208	96
神奈川	315	65	96	88	36	14	16	170	71
新潟	133	34	40	29	13	10	7	78	55
富山	30	3	16	7	1	3	－	7	10
石川	158	49	49	40	14	4	2	69	40
福井	31	5	13	8	4	1	－	15	16
山梨	69	13	13	20	9	8	6	22	41
長野	127	22	38	32	22	5	8	63	58
岐阜	51	3	19	15	7	5	2	24	27
静岡	129	11	35	60	10	9	4	59	66
愛知	311	69	112	75	35	11	9	173	128
三重	83	15	16	30	9	11	2	39	44
滋賀	32	6	6	17	－	2	1	22	10
京都	159	48	37	46	13	7	8	19	20
大阪	862	172	202	282	97	63	46	468	394
兵庫	160	32	43	53	18	9	5	76	71
奈良	57	10	11	21	11	2	2	33	24
和歌山	93	27	22	26	11	5	2	39	54
鳥取	15	－	3	4	1	7	－	7	8
島根	35	5	13	9	3	3	2	14	11
岡山	27	2	4	6	5	5	5	10	17
広島	75	15	13	22	9	9	7	33	42
山口	85	23	20	25	9	3	5	46	39
徳島	37	13	15	6	1	1	1	22	11
香川	85	13	27	28	8	6	3	40	45
愛媛	16	3	3	8	1	－	1	7	9
高知	14	2	5	4	2	1	－	10	4
福岡	185	68	54	40	11	10	2	17	16
佐賀	41	6	15	10	4	4	2	26	15
長崎	70	24	25	11	7	3	－	40	30
熊本	89	11	16	17	17	13	15	31	58
大分	61	11	15	19	2	7	7	35	26
宮崎	48	8	11	15	7	4	3	34	14
鹿児島	49	4	15	15	8	6	1	20	29
沖縄	99	17	24	31	14	5	8	32	59
指定都市・特別区(再掲)									
東京都区部	312	59	115	89	36	4	9	185	77
札幌市	28	1	3	14	4	5	1	14	14
仙台市	133	20	40	27	15	14	17	50	83
さいたま市	48	6	22	14	3	－	3	…	…
千葉市	－	－	－	－	－	－	－	－	－
横浜市	20	7	8	4	1	－	－	11	9
川崎市	97	28	31	25	10	1	2	97	－
相模原市	90	17	30	23	7	4	9	44	46
新潟市	34	14	9	7	－	1	3	23	11
静岡市	－	－	－	－	－	－	－	－	－
浜松市	8	1	5	2	－	－	－	3	5
名古屋市	157	42	51	35	21	4	4	95	62
京都市	120	40	31	32	8	4	5	－	－
大阪市	129	39	29	42	6	8	5	82	47
堺市	364	57	76	134	42	31	24	210	154
神戸市	68	17	15	22	11	1	2	27	41
岡山市	－	－	－	－	－	－	－	－	－
広島市	8	－	1	4	3	－	－	－	8
北九州市	18	9	6	3	－	－	－	…	…
福岡市	134	53	43	21	7	8	2	－	－
熊本市	13	4	2	4	2	－	1	11	2

受診の有無別人数，都道府県－指定都市・特別区－中核市－その他政令市、年齢階級・検診回数別

の　有　無　別　人　数[2)]								
未			把			握		
総　数	20～29歳	30～39歳	40～49歳	50～59歳	60～69歳	70歳以上	(再掲)初回	(再掲)非初回
14 904	**3 539**	**4 697**	**3 758**	**1 451**	**844**	**615**	**7 498**	**5 076**
1 526	439	519	347	137	39	45	84	54
117	18	31	33	14	9	12	49	66
13	3	2	4	2	2	－	4	9
21	5	6	5	1	2	2	14	7
19	－	2	9	2	3	3	8	8
66	14	9	15	12	9	7	20	32
71	17	25	19	6	4	－	24	16
24	5	4	11	2	2	－	17	7
269	37	77	72	36	30	17	120	134
28	4	9	10	3	1	1	14	14
1 165	259	419	278	116	50	43	565	533
924	151	279	291	97	59	47	340	394
2 475	516	839	661	226	126	107	1 450	718
2 139	500	707	518	200	121	93	1 457	645
72	14	15	15	12	8	8	37	35
26	9	5	7	3	2	－	15	11
33	11	12	8	－	2	－	6	4
91	23	20	22	14	7	5	57	34
115	17	29	22	23	14	10	32	75
107	13	28	31	18	12	5	34	62
148	23	36	37	25	23	4	58	90
262	27	74	72	44	29	16	107	140
1 521	492	460	383	107	38	41	915	547
208	59	67	51	11	13	7	107	101
8	3	1	1	1	1	1	8	－
67	15	26	16	5	4	1	42	25
309	75	70	107	38	12	7	192	117
482	63	112	141	65	56	45	228	254
47	9	18	14	2	3	1	29	18
85	24	20	23	8	7	3	52	33
11	1	1	5	3	1	－	4	7
111	29	36	26	14	4	2	20	8
72	11	19	28	10	3	1	35	37
399	114	111	99	33	26	16	230	169
181	71	79	15	11	4	1	108	73
55	16	17	13	5	2	2	27	28
24	7	3	5	2	4	3	9	15
61	18	25	12	2	1	3	33	28
37	5	9	15	6	2	－	16	21
251	75	63	57	27	19	10	143	65
127	25	41	33	15	9	4	75	52
144	55	37	24	14	12	2	96	48
278	92	93	41	18	22	12	195	83
141	33	45	32	13	15	3	117	24
314	94	120	61	17	14	8	202	112
34	3	13	11	2	1	4	21	13
226	45	64	58	29	17	13	82	110
2 047	411	714	557	188	99	78	1 197	564
1 388	409	480	304	125	29	41	－	－
6	1	1	2	－	－	2	2	4
53	7	28	14	3	－	1	…	…
164	29	51	42	20	15	7	88	76
1 354	374	496	301	97	43	43	1 006	348
219	38	70	58	33	9	11	219	－
－	－	－	－	－	－	－	－	－
－	－	－	－	－	－	－	－	－
13	－	2	4	2	4	1	－	－
57	4	11	17	13	3	9	18	39
1 031	372	289	250	75	22	23	668	363
－	－	－	－	－	－	－	－	－
58	22	12	16	5	3	－	44	14
－	－	－	－	－	－	－	－	－
82	18	23	28	8	3	2	34	48
27	2	4	12	8	－	1	12	15
206	48	47	70	25	12	4	113	93
27	15	4	5	3	－	－	…	…
2	1	－	－	1	－	－	－	－
155	67	73	10	2	2	1	148	7

第27表（14－14） 平成28年度における子宮頸がん検診受診者数・要精密検査者数・精密検査

	精密検査受診								
	未受診								
	総数	20～29歳	30～39歳	40～49歳	50～59歳	60～69歳	70歳以上	（再掲）初回	（再掲）非初回
中核市（再掲）									
旭川市	114	8	32	32	23	9	10	54	60
函館市	17	6	4	5	2	－	－	－	－
青森市	2	－	1	1	－	－	－	2	－
八戸市	13	6	2	2	2	－	1	9	4
盛岡市	27	9	7	6	2	2	1	3	24
秋田市	－	－	－	－	－	－	－	－	－
郡山市	－	－	－	－	－	－	－	－	－
いわき市	－	－	－	－	－	－	－	－	－
宇都宮市	5	1	2	－	2	－	－	3	2
前橋市	74	16	14	27	8	3	6	28	46
高崎市	39	8	21	7	1	2	－	…	…
川越市	2	1	－	1	－	－	－	1	1
越谷市	9	1	2	5	1	－	－	3	6
船橋市	29	3	15	5	2	3	1	－	－
柏市	－	－	－	－	－	－	－	－	－
八王子市	7	3	2	1	－	1	－	3	4
横須賀市	20	－	3	7	6	3	1	12	8
富山市	13	1	7	3	1	1	－	－	－
金沢市	30	13	4	11	1	1	－	13	8
長野市	12	4	5	2	1	－	－	7	5
岐阜市	－	－	－	－	－	－	－	－	－
豊橋市	3	1	1	－	1	－	－	2	1
豊田市	17	4	7	4	1	1	－	5	12
岡崎市	15	1	10	3	1	－	－	10	5
大津市	15	3	3	7	－	2	－	12	3
高槻市	15	3	6	3	1	－	2	7	8
東大阪市	24	4	5	6	4	3	2	16	8
豊中市	16	4	6	3	2	1	－	9	7
枚方市	47	9	14	16	4	1	3	24	23
姫路市	－	－	－	－	－	－	－	－	－
西宮市	2	－	－	1	－	1	－	2	－
尼崎市	－	－	－	－	－	－	－	－	－
奈良市	16	－	5	5	6	－	－	8	8
和歌山市	6	2	1	3	－	－	－	3	3
倉敷市	2	－	2	－	－	－	－	－	2
福山市	11	5	2	1	1	1	1	5	6
呉市	18	5	5	5	1	2	－	6	12
下関市	26	8	2	11	5	－	－	16	10
高松市	60	10	21	20	5	2	2	26	34
松山市	4	1	－	2	1	－	－	3	1
高知市	－	－	－	－	－	－	－	－	－
久留米市	1	－	－	1	－	－	－	1	－
長崎市	21	10	6	2	3	－	－	14	7
佐世保市	8	3	1	2	2	－	－	5	3
大分市	2	1	1	－	－	－	－	2	－
宮崎市	－	－	－	－	－	－	－	－	－
鹿児島市	11	3	5	3	－	－	－	3	8
那覇市	15	－	2	6	3	2	2	4	11
その他政令市（再掲）									
小樽市	3	1	－	1	－	－	1	1	2
町田市	13	3	5	4	－	1	－	7	6
藤沢市	2	1	1	－	－	－	－	1	1
茅ヶ崎市	44	7	15	11	6	3	2	…	…
四日市市	10	3	1	2	1	2	1	2	8
大牟田市	－	－	－	－	－	－	－	－	－

注：初回・非初回及び年齢階級別については、計数不詳の市区町村があるため、総数と一致しない場合がある。
1）初回検体の適正・不適正及び細胞診の判定別人数については、計数不詳の市区町村があるため、受診者数と一致しない場合がある。
2）精密検査受診の有無別人数については、計数不詳の市区町村がある場合、要精密検査者数と一致しないことがある。

受診の有無別人数，都道府県－指定都市・特別区－中核市－その他政令市、年齢階級・検診回数別

の有無別人数[2]								
未把握								
総数	20～29歳	30～39歳	40～49歳	50～59歳	60～69歳	70歳以上	(再掲) 初回	(再掲) 非初回
-	-	-	-	-	-	-	-	-
-	-	-	-	-	-	-	-	-
7	2	4	-	1	-	-	6	1
18	2	2	1	4	3	6	6	12
-	-	-	-	-	-	-	-	-
1	-	-	1	-	-	-	1	-
15	4	7	4	-	-	-	-	-
1	-	-	1	-	-	-	-	1
68	12	20	12	14	5	5	28	40
-	-	-	-	-	-	-	-	-
-	-	-	-	-	-	-	…	…
2	-	-	1	-	-	1	-	2
13	3	4	5	1	-	-	6	7
189	42	46	64	20	3	14	-	-
71	17	17	25	8	3	1	27	44
7	4	1	-	1	-	1	5	2
21	3	4	5	4	4	1	11	10
-	-	-	-	-	-	-	-	-
-	-	-	-	-	-	-	-	-
-	-	-	-	-	-	-	-	-
24	5	13	4	2	-	-	15	9
1	-	1	-	-	-	-	-	1
9	2	1	5	1	-	-	2	7
67	10	26	24	6	-	1	39	28
-	-	-	-	-	-	-	-	-
-	-	-	-	-	-	-	-	-
16	3	3	6	2	-	2	10	6
25	8	7	8	2	-	-	16	9
-	-	-	-	-	-	-	-	-
58	3	20	31	4	-	-	40	18
3	1	1	1	-	-	-	2	1
29	5	8	13	1	1	1	29	-
4	-	1	3	-	-	-	2	2
38	5	11	9	5	5	3	27	11
21	4	5	9	1	2	-	11	10
6	1	3	2	-	-	-	4	2
24	11	6	3	1	1	2	12	12
81	29	45	4	1	2	-	44	37
3	3	-	-	-	-	-	1	2
47	14	21	9	1	1	1	27	20
20	3	1	11	3	2	-	11	9
32	17	5	7	3	-	-	18	14
72	27	19	12	10	4	-	53	19
9	3	3	3	-	-	-	4	5
60	11	14	20	8	6	1	53	7
206	58	70	49	14	10	5	124	82
10	3	3	3	-	-	1	5	5
28	1	7	6	8	3	3	11	17
8	4	1	2	-	-	1	6	2
68	23	16	20	2	3	4	47	21
176	29	60	44	23	16	4	69	107
35	2	10	14	4	2	3	2	…
18	8	7	2	1	-	-	12	6
-	-	-	-	-	-	-	-	-

15(8)-32,33 乳がん 精密検査

第28表（13－1） 平成28年度における乳がん検診受診者数・要精密検査者数・精密検査

	受　診　者　数							2　年　連　続　受		
	総　数	40～49歳	50～59歳	60～69歳	70歳以上	(再掲)初回	(再掲)非初回	総　数	40～49歳	50～59歳
全　　国	3 187 771	969 569	692 988	921 882	603 332	1 049 564	1 943 362	625 152	144 808	127 362
北　海　道	117 756	36 457	26 370	33 663	21 266	36 030	53 935	9 628	2 318	2 266
青　　森	40 750	9 343	8 625	13 375	9 407	13 659	25 736	3 686	905	636
岩　　手	48 640	11 099	10 698	15 901	10 942	10 209	38 342	4 078	1 139	924
宮　　城	95 485	22 740	19 697	30 817	22 231	25 392	70 093	6 766	2 683	1 341
秋　　田	30 310	7 699	6 492	10 010	6 109	9 179	20 064	6 133	1 494	1 347
山　　形	49 981	8 215	9 961	19 966	11 839	7 463	33 179	17 976	2 082	3 576
福　　島	56 455	12 884	12 032	19 543	11 996	18 365	37 571	6 361	1 834	1 310
茨　　城	61 994	20 375	14 350	18 549	8 720	24 111	37 790	5 494	1 978	1 077
栃　　木	80 362	19 364	17 065	27 708	16 225	17 608	62 641	45 047	8 626	9 615
群　　馬	63 504	18 442	14 271	18 414	12 377	19 450	44 022	19 393	4 814	4 409
埼　　玉	166 636	57 430	36 263	44 426	28 517	60 791	105 562	22 137	7 236	4 876
千　　葉	231 431	60 752	47 655	69 642	53 382	45 271	168 519	100 137	16 109	20 335
東　　京	289 648	114 468	73 193	62 093	39 894	121 086	147 882	15 823	8 649	3 426
神　奈　川	174 171	63 440	37 649	41 561	31 521	89 634	84 519	20 327	6 726	4 492
新　　潟	69 382	17 650	14 453	22 547	14 732	21 412	47 970	5 761	1 522	1 170
富　　山	34 387	8 166	5 971	11 469	8 781	5 499	20 139	14 734	2 892	2 581
石　　川	32 339	10 352	7 302	10 414	4 271	10 510	21 829	8 180	1 902	1 729
福　　井	20 911	6 468	4 788	6 272	3 383	8 290	12 621	425	264	74
山　　梨	38 546	8 333	7 829	13 167	9 217	6 935	30 300	17 037	2 468	3 197
長　　野	44 381	14 170	10 452	13 164	6 595	15 333	21 332	4 141	1 621	976
岐　　阜	67 820	21 331	16 456	20 042	9 991	18 392	49 428	24 900	6 506	6 143
静　　岡	90 969	27 769	20 397	26 274	16 529	31 169	59 483	6 167	3 030	1 080
愛　　知	167 434	58 884	37 190	43 860	27 500	65 884	99 587	33 785	8 931	6 650
三　　重	54 976	16 271	11 514	17 141	10 050	14 309	40 667	24 672	5 714	5 395
滋　　賀	25 735	9 195	5 734	7 243	3 563	11 389	14 346	466	427	26
京　　都	49 161	16 953	10 781	13 084	8 343	10 968	19 828	1 106	404	245
大　　阪	163 906	63 552	36 806	39 168	24 380	75 560	88 346	11 760	5 561	2 521
兵　　庫	104 002	37 209	24 948	26 192	15 653	36 006	40 978	6 335	2 162	1 485
奈　　良	30 800	9 938	6 829	8 694	5 339	13 029	17 771	1 491	871	168
和　歌　山	32 493	9 079	7 837	10 019	5 558	9 564	22 929	12 033	2 717	2 874
鳥　　取	19 223	4 531	3 998	6 214	4 480	6 059	13 164	1 625	530	351
島　　根	16 438	4 375	3 940	5 228	2 895	5 663	7 796	1 563	345	368
岡　　山	53 150	14 513	9 961	16 242	12 434	16 078	36 390	25 507	4 798	4 573
広　　島	62 734	18 878	11 360	19 145	13 351	22 185	40 170	16 979	3 945	2 828
山　　口	26 256	8 179	5 101	7 565	5 411	10 524	15 732	1 160	566	183
徳　　島	15 486	4 585	3 260	4 482	3 159	6 451	9 035	941	538	244
香　　川	32 001	9 031	6 195	9 668	7 107	11 088	20 913	3 961	851	656
愛　　媛	38 214	8 806	7 267	12 433	9 708	11 101	27 113	10 974	1 483	2 002
高　　知	19 629	4 710	3 640	5 767	5 512	7 537	12 092	413	83	52
福　　岡	97 802	30 315	19 282	30 131	18 074	22 577	40 125	12 296	2 879	2 221
佐　　賀	27 159	6 195	5 430	9 632	5 902	8 706	18 453	8 896	1 515	1 661
長　　崎	32 506	8 342	7 360	10 751	6 053	9 881	22 480	9 242	1 432	1 908
熊　　本	56 586	11 856	10 786	19 352	14 592	15 650	40 859	24 484	3 648	4 506
大　　分	36 340	8 156	6 439	11 806	9 939	12 319	22 037	11 586	1 587	1 804
宮　　崎	22 512	5 811	5 017	7 333	4 351	7 852	14 647	4 478	1 115	1 029
鹿　児　島	64 592	14 298	13 588	21 544	15 162	14 451	43 809	27 725	4 252	5 528
沖　　縄	32 778	8 960	6 756	10 171	6 891	8 945	21 138	7 343	1 656	1 504
指定都市・特別区（再掲） 東京都区部	207 179	83 191	51 824	43 043	29 121	86 575	103 293	13 799	7 385	3 059
札　幌　市	40 962	14 105	9 132	10 803	6 922	5 697	10 830	2 225	362	528
仙　台　市	38 421	9 688	7 789	11 485	9 459	10 482	27 939	–	–	–
さいたま市	34 596	11 061	7 708	8 281	7 546	12 828	21 768	170	61	39
千　葉　市	28 053	8 813	5 315	6 902	7 023	10 220	17 833	–	–	–
横　浜　市	68 824	28 175	15 181	16 014	9 454	38 426	30 398	3 537	1 344	895
川　崎　市	22 361	8 275	5 433	4 702	3 951	22 361		–	–	–
相模原市	15 018	5 073	3 151	3 560	3 234	5 724	9 294	65	14	12
新　潟　市	17 987	5 761	3 980	5 110	3 136	7 290	10 697	–	–	–
静　岡　市	13 357	4 359	3 148	3 730	2 120	5 931	7 426	529	307	91
浜　松　市	15 197	5 257	2 951	4 051	2 938	6 222	8 975	872	769	103
名　古　屋　市	51 397	20 573	13 930	10 886	6 008	28 499	22 898	–	–	–
京　都　市	18 365	7 184	4 324	4 126	2 731			–	–	–
大　阪　市	33 088	15 179	7 013	6 714	4 182	18 667	14 421	2 108	1 304	303
堺　　市	16 463	7 017	3 702	3 498	2 246	8 089	8 374	1 577	828	313
神　戸　市	27 915	9 200	6 840	7 068	4 807	4 206	3 202	93	63	23
岡　山　市	12 812	5 198	2 524	3 265	1 825	6 884	5 928	1 305	667	219
広　島　市	24 231	9 643	5 123	6 167	3 298	7 847	16 384	8 908	2 795	1 725
北　九　州　市	13 448	5 270	2 976	3 312	1 890	…	…	531	243	100
福　岡　市	19 402	8 198	3 860	4 740	2 604	–		–	–	–
熊　本　市	9 287	3 590	1 984	2 409	1 304	4 673	4 614	651	443	69

受診の有無別人数，都道府県－指定都市・特別区－中核市－その他政令市、年齢階級・検診回数別

診者数		マンモグラフィの判定別人数1)						
		（判定不能）カテゴリーN－1						
60～69歳	70歳以上	総数	40～49歳	50～59歳	60～69歳	70歳以上	(再掲)初回	(再掲)非初回
211 786	141 196	161	70	60	23	8	59	89
3 161	1 883	3	3	…	…	…	3	…
1 344	801	–	…	…	…	…	…	…
1 337	678	–	…	–	…	…	…	–
1 851	891	–	–	…	–	–	–	–
2 164	1 128	–	…	…	…	…	…	–
8 247	4 071	2	1	…	…	1	…	2
2 207	1 010	1	…	1	…	…	1	…
1 576	863	8	4	3	1	–	5	3
16 875	9 931	–	…	…	…	…	…	…
6 274	3 896	1	…	1	…	…	…	1
6 191	3 834	15	7	2	5	1	8	6
36 524	27 169	–	…	–	–	…	…	–
2 356	1 392	2	…	2	…	…	…	2
4 959	4 150	–	…	…	…	…	…	…
2 041	1 028	1	–	–	1	–	–	1
5 481	3 780	…	…	…	…	…	…	–
2 970	1 579	–	…	…	…	…	…	…
71	16	8	–	8	–	–	4	4
6 462	4 910	–	…	…	…	…	…	…
1 103	441	37	9	27	1	…	1	29
8 136	4 115	8	3	2	3	–	6	2
1 287	770	2	…	…	2	–	1	1
10 999	7 205	–	…	…	–	–	…	…
8 620	4 943	–	–	–	–	–	–	–
9	4	3	–	–	1	2	–	3
302	155	–	–	–	–	–	–	–
2 425	1 253	–	–	…	…	…	…	…
1 920	768	14	9	2	2	1	7	7
270	182	4	–	–	3	1	3	1
4 085	2 357	1	–	–	–	1	–	1
577	167	–	–	–	–	–	–	–
556	294	–	–	…	…	…	…	…
8 655	7 481	1	–	1	–	–	1	–
5 758	4 448	–	–	…	–	–	–	–
228	183	–	…	…	…	…	…	…
139	20	1	1	…	–	…	–	1
1 456	998	–	–	–	–	–	–	–
4 022	3 467	–	–	–	–	…	…	–
142	136	–	…	…	…	…	…	…
4 392	2 804	14	14	…	–	–	13	1
3 451	2 269	–	–	–	–	–	–	–
3 560	2 342	5	1	2	2	–	–	–
9 195	7 135	–	…	…	…	–	–	–
4 253	3 942	10	10	–	–	–	–	10
1 434	900	–	–	–	–	–	–	–
10 317	7 628	3	–	2	1	–	3	–
2 404	1 779	17	8	7	1	1	3	14
2 062	1 293	1	…	1	…	…	…	1
792	543	–	–	–	–	–	–	–
–	–	–	–	–	–	–	–	–
43	27	1	…	…	1	–	–	…
–	–	–	–	–	–	–	–	–
869	429	–	–	–	–	–	–	–
–	–	–	–	–	–	–	–	–
19	20	–	–	–	–	–	–	–
–	–	1	–	–	1	–	–	1
85	46	–	–	–	–	–	–	–
–	–	–	–	–	–	–	–	–
–	–	–	–	–	–	–	–	–
314	187	–	–	–	–	–	–	–
271	165	–	–	–	–	–	–	–
7	–	–	–	–	–	–	–	–
260	159	–	–	–	–	–	–	–
2 656	1 732	–	…	…	…	…	…	…
125	63	–	–	…	…	…	…	…
–	–	–	–	–	–	–	–	–
116	23	–	–	–	–	–	–	…

15(8)－32,33 乳がん 精密検査

第28表（13－2） 平成28年度における乳がん検診受診者数・要精密検査者数・精密検査

	受　診　者　数							2　年　連　続　受		
	総　数	40～49歳	50～59歳	60～69歳	70歳以上	(再掲)初回	(再掲)非初回	総　数	40～49歳	50～59歳
中核市(再掲)										
旭　川　市	9 596	2 369	2 146	2 909	2 172	3 177	6 419	320	87	84
函　館　市	3 756	1 500	922	960	374	1 900	1 856	128	113	13
青　森　市	5 652	1 615	1 231	1 799	1 007	2 458	3 194	333	70	58
八　戸　市	5 736	1 490	1 088	1 801	1 357	1 920	3 816	650	247	114
盛　岡　市	6 937	2 109	1 687	1 875	1 266	1 805	5 132	98	95	2
秋　田　市	5 190	2 272	1 599	884	435	2 663	2 527	354	296	49
郡　山　市	7 430	1 987	1 426	2 411	1 606	2 823	4 607	431	246	72
い わ き 市	4 524	1 135	786	1 478	1 125	1 878	2 646	265	239	26
宇 都 宮 市	8 522	2 457	1 755	2 998	1 312	4 067	4 455	18	3	2
前　橋　市	18 941	5 123	4 184	5 761	3 873	3 780	15 161	12 696	2 863	2 833
高　崎　市	7 700	2 655	1 623	1 881	1 541	3 267	4 433	...	...	...
川　越　市	5 926	2 219	1 058	1 645	1 004	1 878	4 048	62	62	－
越　谷　市	8 606	3 393	1 968	2 078	1 167	2 338	6 268	1 059	532	241
船　橋　市	17 123	6 063	3 704	3 846	3 510	－	－	－	－	－
柏　　　市	20 647	5 976	3 796	5 777	5 098	2 276	18 371	16 005	4 208	2 863
八 王 子 市	13 157	4 436	3 450	3 716	1 555	4 654	8 503	142	136	4
横 須 賀 市	7 284	2 010	1 167	2 117	1 990	3 216	4 068	71	52	5
富　山　市	8 749	2 045	1 502	2 542	2 660	－	...	437	159	139
金　沢　市	9 326	3 824	2 568	2 755	179	3 821	5 505	332	157	105
長　野　市	3 770	1 681	947	898	244	2 608	1 162	10	8	－
岐　阜　市	9 235	3 411	2 537	2 228	1 059	4 141	5 094	1 373	472	406
豊　橋　市	6 777	2 019	1 217	1 870	1 671	2 295	4 482	194	194	－
豊　田　市	4 919	1 501	931	1 688	799	1 683	3 236	388	223	57
岡　崎　市	7 767	2 477	1 519	2 333	1 438	3 141	4 626	163	163	－
大　津　市	4 241	1 674	906	1 110	551	2 592	1 649	29	29	－
高　槻　市	7 431	2 807	1 584	1 866	1 174	3 675	3 756	28	11	8
東 大 阪 市	9 899	3 174	1 888	2 625	2 212	4 300	5 599	79	37	18
豊　中　市	6 542	2 518	1 591	1 521	912	2 877	3 665	359	156	81
枚　方　市	7 902	2 830	1 993	1 988	1 091	3 934	3 968	882	254	341
姫　路　市	12 358	5 910	3 795	1 858	795	5 764	6 594	188	6	－
西　宮　市	6 520	3 346	1 500	1 085	589	3 738	2 782	418	369	40
尼　崎　市	3 790	1 763	784	821	422	2 122	1 668	19	7	11
奈　良　市	9 173	2 976	1 992	2 475	1 730	3 443	5 730	600	501	46
和 歌 山 市	7 001	2 657	1 777	1 806	761	3 231	3 770	756	315	190
倉　敷　市	14 723	4 281	2 910	4 270	3 262	3 621	11 102	8 641	1 948	1 723
福　山　市	6 140	1 907	839	1 955	1 439	3 028	3 112	74	42	3
呉　　　市	5 231	1 311	879	1 811	1 230	1 605	3 626	2 825	418	462
下　関　市	4 084	1 329	818	1 135	802	2 006	2 078	423	151	71
高　松　市	11 386	3 869	2 570	3 026	1 921	4 722	6 664	212	79	64
松　山　市	9 710	2 884	2 038	2 717	2 071	4 673	5 037	89	88	1
高　知　市	6 854	2 775	1 871	1 540	668	3 992	2 862	39	39	－
久 留 米 市	6 701	2 072	1 903	1 677	1 049	2 842	3 859	433	351	52
長　崎　市	5 549	2 113	1 383	1 504	549	2 841	2 708	－	－	－
佐 世 保 市	7 145	1 977	1 518	2 399	1 251	2 235	4 910	3 397	610	683
大　分　市	9 753	3 615	2 165	2 557	1 416	7 010	2 743	516	204	93
宮　崎　市	5 960	2 131	1 631	1 626	572	2 031	3 929	974	368	337
鹿 児 島 市	15 507	4 275	3 149	4 738	3 345	2 955	6 220	4 660	527	656
那　覇　市	6 663	1 864	1 329	1 952	1 518	1 635	5 028	1 356	312	251
その他政令市(再掲)										
小　樽　市	1 887	512	321	540	514	1 000	887	18	9	7
町　田　市	7 556	3 031	2 330	1 406	789	4 809	2 747	115	94	8
藤　沢　市	12 594	4 680	2 786	2 701	2 427	4 031	8 563	6 545	2 056	1 505
茅 ヶ 崎 市	3 269	1 179	714	878	498	1 746	1 523	...	...	...
四 日 市 市	7 707	2 486	1 059	2 210	1 952	1 883	5 824	4 093	508	591
大 牟 田 市	1 659	502	373	507	277	930	729	33	20	8

注：初回・非初回及び年齢階級別については、計数不詳の市区町村があるため、総数と一致しない場合がある。
　　1）マンモグラフィの判定別人数については、計数不詳の市区町村があるため、受診者数と一致しない場合がある。
　　2）精密検査受診の有無別人数については、計数不詳の市区町村がある場合、要精密検査者数と一致しないことがある。

受診の有無別人数，都道府県－指定都市・特別区－中核市－その他政令市、年齢階級・検診回数別

診者数		マンモグラフィの判定別人数[1]						
		（判定不能）カテゴリーN－1						
60～69歳	70歳以上	総数	40～49歳	50～59歳	60～69歳	70歳以上	(再掲)初回	(再掲)非初回
104	45	–	–	–	–	–	–	–
2	–	–	–	…	…	…	–	–
149	56	–	–	–	–	–	–	–
163	126	–	–	–	–	–	–	–
…	1	–	…	–	…	…	…	–
9	–	–	–	–	–	–	–	–
77	36	–	…	–	…	–	–	–
–	–	–	–	–	–	–	–	–
9	4	–	–	–	–	–	–	–
4 171	2 829	1	–	1	–	–	–	1
–	…	–	…	…	…	…	…	…
–	–	–	–	–	–	–	–	–
201	85	–	–	–	–	–	–	–
–	–	–	–	–	–	–	–	–
4 621	4 313	–	–	–	–	–	–	–
1	1	–	–	–	–	–	–	–
9	5	–	–	–	–	–	–	–
87	52	…	…	…	…	…	…	–
69	1	–	–	–	–	–	–	–
1	1	–	–	–	–	–	–	–
363	132	1	–	–	1	–	1	–
–	–	–	–	–	–	–	–	–
108	–	–	–	–	–	–	–	–
–	–	–	–	–	–	–	–	–
–	–	–	–	–	–	–	–	–
4	5	–	–	–	–	–	–	–
10	14	–	–	–	–	–	–	–
74	48	–	–	–	–	–	–	–
233	54	–	–	–	–	–	–	–
101	81	–	–	–	–	–	–	–
9	–	–	–	–	–	–	–	–
1	–	–	–	–	–	–	–	–
32	21	1	–	–	–	1	–	1
172	79	–	–	–	–	–	–	–
2 681	2 289	–	–	–	–	–	–	–
17	12	–	–	–	–	–	–	–
1 155	790	–	–	–	–	–	–	–
100	101	–	–	–	–	–	–	–
37	32	–	–	–	–	–	–	–
–	–	–	–	–	–	–	–	–
–	–	–	–	–	–	–	–	–
26	4	–	–	–	–	–	–	–
–	–	–	–	–	–	–	–	–
1 374	730	–	–	–	–	–	–	–
151	68	–	–	–	–	–	–	–
166	103	–	–	–	–	–	–	–
1 855	1 622	–	–	–	–	–	–	–
402	391	2	1	1	–	–	–	2
1	1	–	–	–	–	–	–	–
9	4	–	–	–	–	–	–	–
1 570	1 414	–	–	–	–	–	–	–
…	…	–	…	…	…	…	…	…
1 497	1 497	–	–	–	–	–	–	–
5	–	–	–	–	–	–	–	–

第28表（13－3） 平成28年度における乳がん検診受診者数・要精密検査者数・精密検査

	マンモグラフィ									
	（判定不能）カテゴリーN－2							カテ		
	総数	40～49歳	50～59歳	60～69歳	70歳以上	（再掲）初回	（再掲）非初回	総数	40～49歳	50～59歳
全国	**458**	**230**	**83**	**58**	**87**	**204**	**234**	**2 595 608**	**763 616**	**557 497**
北海道	1	…	…	1	…	…	1	75 779	19 370	16 366
青森	8	3	4	…	1	3	5	37 056	8 174	7 731
岩手	－	…	－	…	…	…	－	44 831	9 626	9 977
宮城	1	－	1	－	－	1	－	88 395	20 533	18 073
秋田	－	…	…	…	…	－	…	24 462	6 090	5 281
山形	11	11	…	…	…	…	11	45 653	7 293	9 027
福島	31	2	5	…	24	6	25	53 370	11 867	11 229
茨城	8	4	2	2	－	5	3	54 891	17 695	12 608
栃木	2	2	…	…	…	2	…	69 544	16 254	14 519
群馬	1	…	1	…	…	1	…	58 024	16 550	12 966
埼玉	25	17	6	1	1	8	9	141 335	48 175	30 542
千葉	21	17	2	2	…	18	3	201 574	51 518	41 487
東京	18	8	7	3	…	11	5	201 812	79 304	50 772
神奈川	147	104	23	8	12	69	78	124 743	46 560	26 559
新潟	1	1	－	－	－	1	－	56 144	13 818	11 475
富山	－	…	…	…	…	…	－	28 702	6 817	5 022
石川	6	4	1	…	1	3	3	19 420	5 732	3 991
福井	－	－	－	－	－	－	－	18 096	5 427	4 144
山梨	4	2	…	2	…	1	3	33 760	7 278	6 857
長野	18	8	6	4	…	5	12	38 909	12 069	9 136
岐阜	3	1	2	－	－	1	2	59 253	18 344	14 347
静岡	11	2	2	2	5	5	6	76 907	23 117	17 040
愛知	9	2	1	3	3	1	1	138 892	47 952	30 574
三重	1	－	1	－	－	－	1	47 163	13 700	9 612
滋賀	3	1	2	－	－	3	－	18 265	6 629	4 109
京都	6	2	－	3	1	4	2	41 548	14 334	9 068
大阪	9	6	3	－	－	7	2	138 439	53 048	30 930
兵庫	5	1	…	1	3	1	3	70 679	24 760	16 535
奈良	5	－	2	3	－	4	1	22 814	7 457	5 122
和歌山	7	3	1	1	2	3	4	26 714	7 474	6 419
鳥取	8	－	－	－	8	8	－	15 405	3 524	3 180
島根	7	…	1	6	…	1	6	14 695	3 822	3 505
岡山	42	1	5	12	24	11	31	47 244	12 585	8 858
広島	2	1	1	－	－	1	1	44 646	13 768	8 169
山口	－	…	－	…	…	－	－	19 929	6 184	3 854
徳島	1	1	…	－	－	1	－	12 520	3 660	2 596
香川	1	－	－	－	1	－	1	26 650	7 434	5 174
愛媛	1	－	－	－	1	1	－	35 712	7 920	6 720
高知	－	…	…	…	…	…	－	17 856	4 104	3 242
福岡	4	4	…	…	…	4	…	72 213	20 819	13 931
佐賀	－	－	－	－	－	－	－	23 053	5 106	4 538
長崎	－	－	－	－	－	－	－	25 226	6 206	5 686
熊本	1	1	－	…	…	1	－	50 485	10 324	9 570
大分	－	－	－	－	－	－	－	31 357	6 828	5 518
宮崎	－	－	－	－	－	－	－	19 509	4 925	4 273
鹿児島	1	1	－	－	－	1	－	54 648	12 147	11 525
沖縄	28	20	4	4	…	12	15	27 286	7 295	5 640
指定都市・特別区(再掲)										
東京都区部	4	…	4	…	…	2	…	141 138	55 849	35 012
札幌市	－	－	－	－	－	－	－	15 425	2 974	3 074
仙台市	1	－	1	－	－	1	－	34 182	8 438	6 830
さいたま市	2	…	2	…	…	－	…	29 134	9 361	6 409
千葉市	－	－	－	－	－	－	－	19 339	6 096	3 727
横浜市	－	－	－	－	－	－	－	58 165	23 723	12 831
川崎市	－	－	－	－	－	－	－	13 231	5 492	3 094
相模原市	145	103	23	8	11	69	76	12 195	4 064	2 532
新潟市	1	1	－	－	－	1	－	15 093	4 493	3 253
静岡市	－	－	－	－	－	－	－	11 693	3 760	2 714
浜松市	1	－	1	－	－	－	1	13 881	4 687	2 656
名古屋市	－	－	－	－	－	－	－	41 320	16 428	11 202
京都市	－	－	－	－	－	－	－	16 577	6 387	3 870
大阪市	7	4	3	－	－	5	2	30 485	13 752	6 493
堺市	－	－	－	－	－	－	－	13 862	5 861	3 098
神戸市	－	－	－	－	－	－	－	5 229	996	1 028
岡山市	－	－	－	－	－	－	－	10 908	4 360	2 176
広島市	－	－	－	－	－	－	－	18 721	7 360	3 861
北九州市	－	…	…	…	…	…	…	－	…	…
福岡市	－	－	－	－	－	－	－	16 108	6 713	3 206
熊本市	－	－	－	－	－	－	－	8 027	3 036	1 710

受診の有無別人数，都道府県－指定都市・特別区－中核市－その他政令市、年齢階級・検診回数別

の 判 定 別 人 数1)										
ゴ リ ー 1				カ テ ゴ リ ー 2						
60～69歳	70歳以上	(再掲)初回	(再掲)非初回	総数	40～49歳	50～59歳	60～69歳	70歳以上	(再掲)初回	(再掲)非初回
767 970	506 525	813 197	1 584 295	254 008	76 127	57 032	73 302	47 547	90 852	146 190
24 002	16 041	28 871	46 643	4 060	1 152	942	1 195	771	1 691	2 363
12 384	8 767	11 932	23 806	1 517	437	412	406	262	650	863
14 934	10 294	9 155	35 592	2 617	1 145	450	610	412	642	1 970
28 844	20 945	22 873	65 522	4 152	1 154	967	1 218	813	1 184	2 968
8 105	4 986	7 310	16 182	1 096	228	198	408	262	379	677
18 397	10 936	6 483	29 153	1 853	267	400	760	426	290	1 558
18 702	11 572	17 112	35 588	345	93	96	103	53	112	225
16 736	7 852	20 642	34 170	4 293	1 555	1 068	1 113	557	1 932	2 352
24 347	14 424	13 118	48 522	3 515	905	826	1 162	622	599	2 566
17 081	11 427	14 315	36 766	1 735	541	397	450	347	504	878
38 055	24 563	37 637	64 920	13 169	4 385	2 976	3 519	2 289	3 904	5 993
61 727	46 842	36 569	149 315	16 515	4 542	3 351	4 677	3 945	4 759	11 432
43 378	28 358	81 412	95 588	35 403	12 569	9 179	8 458	5 197	13 646	15 244
30 050	21 574	64 352	60 375	21 736	7 044	4 784	5 576	4 332	13 424	8 312
18 675	12 176	16 739	39 405	9 083	2 546	2 058	2 699	1 780	3 014	6 069
9 527	7 336	4 527	16 462	3 560	669	600	1 329	962	524	2 598
6 477	3 220	5 989	13 431	4 025	1 142	912	1 293	678	1 080	2 945
5 515	3 010	7 006	11 090	1 615	535	381	480	219	675	940
11 410	8 215	5 539	23 738	1 794	420	373	629	372	372	1 303
11 739	5 965	11 262	16 178	1 802	600	458	516	228	702	854
17 719	8 843	15 383	43 870	3 808	1 140	945	1 165	558	1 185	2 623
22 459	14 291	25 428	50 437	6 671	1 885	1 545	2 047	1 194	2 084	4 581
36 998	23 368	50 447	80 322	11 408	3 918	2 747	2 899	1 844	4 438	6 178
14 653	9 198	11 914	35 249	3 765	1 113	971	1 277	404	909	2 856
5 086	2 441	8 053	10 212	5 657	1 747	1 219	1 770	921	2 291	3 366
11 145	7 001	9 042	15 929	1 944	747	461	488	248	568	836
33 423	21 038	62 955	75 484	14 409	5 177	3 378	3 663	2 191	6 302	8 107
18 477	10 907	29 126	34 849	6 761	1 992	1 576	1 930	1 263	3 180	3 472
6 397	3 838	9 555	13 216	5 730	1 553	1 198	1 770	1 209	2 251	3 439
8 223	4 598	7 622	19 092	3 692	831	913	1 248	700	995	2 697
5 050	3 651	4 727	10 678	1 729	418	372	542	397	527	1 202
4 712	2 656	4 914	7 042	870	258	228	256	128	372	455
14 612	11 189	13 715	32 901	3 132	930	569	954	679	1 119	1 988
13 370	9 339	16 130	28 403	9 029	2 508	1 632	2 823	2 066	2 828	6 197
5 726	4 165	7 810	12 119	3 480	1 008	674	1 082	716	1 355	2 125
3 661	2 603	4 782	6 959	1 885	501	392	587	405	737	1 148
8 103	5 939	9 019	17 631	3 623	971	679	1 117	856	1 182	2 441
11 790	9 282	9 865	25 847	911	293	202	260	156	414	497
5 335	5 175	6 745	11 111	783	262	180	185	156	320	463
23 357	14 106	18 416	34 578	6 537	1 860	1 232	2 124	1 321	1 553	3 010
8 268	5 141	7 163	15 890	2 296	529	510	824	433	751	1 545
8 497	4 837	7 266	17 854	4 746	1 092	1 094	1 654	906	1 280	3 432
17 393	13 198	13 432	36 986	3 627	651	694	1 305	977	1 051	2 576
10 292	8 719	10 567	17 324	2 186	439	394	739	614	500	1 218
6 440	3 871	6 759	12 740	1 876	472	453	631	320	579	1 295
18 159	12 817	12 215	37 456	7 037	1 310	1 453	2 516	1 758	1 331	4 653
8 540	5 811	7 304	17 670	2 531	593	493	845	600	667	1 680
29 624	20 653	56 081	63 536	24 485	9 079	6 255	5 521	3 630	8 759	9 289
5 304	4 073	5 208	10 217	731	132	165	247	187	263	468
10 250	8 664	9 098	25 084	3 254	886	751	991	626	889	2 365
6 980	6 384	–	–	2 873	786	678	744	665	–	–
4 745	4 771	6 782	12 557	6 072	1 748	1 091	1 579	1 654	2 232	3 840
13 609	8 002	32 221	25 944	6 400	2 474	1 411	1 555	960	3 525	2 875
2 772	1 873	13 231	–	7 392	2 497	1 726	1 841	1 328	7 392	–
2 931	2 668	4 610	7 585	1 239	353	261	332	293	402	837
4 575	2 772	5 787	9 306	1 815	870	476	285	184	943	872
3 322	1 897	5 087	6 606	763	247	192	222	102	330	433
3 805	2 733	5 572	8 309	667	255	163	157	92	274	393
8 850	4 840	22 665	18 655	5 481	2 033	1 455	1 254	739	2 896	2 585
3 794	2 526	–	–	540	240	144	100	56	–	–
6 292	3 948	17 055	13 430	597	305	119	119	54	340	257
2 956	1 947	6 720	7 142	1 328	558	293	298	179	677	651
1 825	1 380	2 986	2 243	1 643	261	316	561	505	849	794
2 805	1 567	5 738	5 170	1 039	436	173	273	157	584	455
4 806	2 694	6 070	12 651	3 913	1 518	892	1 049	454	1 118	2 795
...	...	–	–	...	...	...	...	...	...	...
3 982	2 207	–	–	1 742	738	323	452	229	–	–
2 144	1 137	3 939	4 088	596	217	134	156	89	303	293

15(8)－32, 33 乳がん　精密検査

第28表（13－4）　平成28年度における乳がん検診受診者数・要精密検査者数・精密検査

| | マ ン モ グ ラ フ ィ | | | | | | | | |
| | （ 判 定 不 能 ）カ テ ゴ リ ー　N － 2 | | | | | | カ テ | | |
	総 数	40～49歳	50～59歳	60～69歳	70歳以上	(再掲)初回	(再掲)非初回	総 数	40～49歳	50～59歳
中核市（再掲）										
旭 川 市	-	-	-	-	-	-	-	8 288	1 909	1 850
函 館 市	-	-	…	-	…	-	-	189	16	27
青 森 市	-	-	-	-	-	-	-	4 677	1 326	1 035
八 戸 市	-	-	-	-	-	-	-	5 197	1 321	960
盛 岡 市	-	-	…	-	-	…	-	6 435	1 909	1 571
秋 田 市	-	-	-	-	-	-	-	4 679	1 986	1 445
郡 山 市	-	-	-	-	-	-	-	7 069	1 859	1 342
い わ き 市	-	-	-	-	-	-	-	4 272	1 064	737
宇 都 宮 市	-	-	-	-	-	-	-	8 005	2 257	1 661
前 橋 市	-	-	-	-	-	-	-	17 870	4 797	3 935
高 崎 市	-	…	…	…	…	…	…	6 915	2 331	1 459
川 越 市	5	4	1	-	-	1	4	5 133	1 892	905
越 谷 市	2	1	-	-	1	2	-	7 598	3 054	1 729
船 橋 市	-	-	-	-	-	-	-	15 204	5 288	3 313
柏 市	-	-	-	-	-	-	-	18 676	5 335	3 361
八 王 子 市	3	2	-	1	-	2	1	9 372	3 383	2 481
横 須 賀 市	1	1	-	-	-	-	1	6 525	1 815	1 060
富 山 市	-	…	…	…	…	…	-	7 713	1 672	1 306
金 沢 市	-	-	-	-	-	-	-	1 917	901	429
長 野 市	5	3	1	1	-	2	3	3 215	1 403	804
岐 阜 市	-	-	-	-	-	-	-	7 568	2 786	2 099
豊 橋 市	-	-	-	-	-	-	-	6 089	1 772	1 081
豊 田 市	-	-	-	-	-	-	-	4 241	1 298	768
岡 崎 市	-	-	-	-	-	-	-	6 511	1 915	1 270
大 津 市	2	1	1	-	-	2	-	2 932	1 199	625
高 槻 市	-	-	-	-	-	-	-	6 266	2 327	1 322
東 大 阪 市	-	-	-	-	-	-	-	8 042	2 633	1 571
豊 中 市	-	-	-	-	-	-	-	5 059	1 953	1 201
枚 方 市	-	-	-	-	-	-	-	6 330	2 177	1 584
姫 路 市	-	-	-	-	-	-	-	10 800	5 090	3 311
西 宮 市	-	-	-	-	-	-	-	5 792	2 953	1 328
尼 崎 市	-	-	-	-	-	-	-	3 297	1 561	678
奈 良 市	-	-	-	-	-	-	-	7 204	2 278	1 563
和 歌 山 市	1	-	1	-	-	1	-	5 842	2 237	1 473
倉 敷 市	42	1	5	12	24	11	31	13 826	3 997	2 717
福 山 市	-	-	-	-	-	-	-	5 490	1 648	757
呉 市	-	-	-	-	-	-	-	954	469	219
下 関 市	-	-	-	-	-	-	-	3 308	1 071	688
高 松 市	-	-	-	-	-	-	-	9 808	3 316	2 253
松 山 市	1	-	-	-	1	1	-	8 606	2 416	1 767
高 知 市	-	-	-	-	-	-	-	6 004	2 380	1 623
久 留 米 市	-	-	-	-	-	-	-	5 469	1 691	1 533
長 崎 市	-	-	-	-	-	-	-	3 967	1 457	1 002
佐 世 保 市	-	-	-	-	-	-	-	6 001	1 585	1 290
大 分 市	-	-	-	-	-	-	-	8 621	3 117	1 925
宮 崎 市	-	-	-	-	-	-	-	4 857	1 725	1 313
鹿 児 島 市	-	-	-	-	-	-	-	12 874	3 562	2 579
那 覇 市	16	11	4	1	-	10	6	5 307	1 474	1 056
その他政令市(再掲)										
小 樽 市	-	-	-	-	-	-	-	1 694	457	294
町 田 市	11	6	3	2	-	7	4	5 231	2 146	1 560
藤 沢 市	-	-	-	-	-	-	-	9 575	3 644	2 065
茅 ヶ 崎 市	-	…	…	…	…	…	…	758	258	172
四 日 市 市	-	-	-	-	-	-	-	7 190	2 212	1 006
大 牟 田 市	1	1	-	-	-	1	-	1 391	428	324

注：初回・非初回及び年齢階級別については、計数不詳の市区町村があるため、総数と一致しない場合がある。
　　1）マンモグラフィの判定別人数については、計数不詳の市区町村があるため、受診者数と一致しない場合がある。
　　2）精密検査受診の有無別人数については、計数不詳の市区町村がある場合、要精密検査者数と一致しないことがある。

受診の有無別人数，都道府県－指定都市・特別区－中核市－その他政令市、年齢階級・検診回数別

| の　　　　判　　　　定 | | | | 別　　　　人　　　　数[1] | | | | | | |
| ゴ　リ　ー　1 | | | | カ　テ　ゴ　リ　ー　2 | | | | | | |
60～69歳	70歳以上	(再掲)初回	(再掲)非初回	総　数	40～49歳	50～59歳	60～69歳	70歳以上	(再掲)初回	(再掲)非初回
2 567	1 962	2 643	5 645	768	228	175	234	131	254	514
93	53	31	158	4	–	…	2	2	1	3
1 519	797	1 970	2 707	499	106	99	162	132	206	293
1 646	1 270	1 677	3 520	221	47	64	76	34	77	144
1 779	1 176	1 634	4 801	207	82	50	39	36	50	157
836	412	2 323	2 356	13	5	3	5	–	4	9
2 323	1 545	2 656	4 413	49	15	14	13	7	23	26
1 406	1 065	1 750	2 522	44	15	6	14	9	17	27
2 839	1 248	3 748	4 257	66	14	12	30	10	30	36
5 484	3 654	3 478	14 392	268	72	58	82	56	63	205
1 713	1 412	…	…	351	137	80	68	66	…	…
1 451	885	1 586	3 547	330	147	55	78	50	117	213
1 827	988	2 058	5 540	696	210	162	184	140	169	527
3 473	3 130	–	–	324	100	52	85	87	–	–
5 257	4 723	1 950	16 726	895	282	199	249	165	126	769
2 488	1 020	3 244	6 128	3 207	821	820	1 100	466	1 121	2 086
1 901	1 749	2 874	3 651	474	99	64	140	171	184	290
2 306	2 429	…	…	438	178	97	107	56	…	…
438	149	1 119	798	311	136	73	78	24	157	154
793	215	2 171	1 044	177	85	49	32	11	144	33
1 819	864	3 340	4 228	710	210	174	214	112	304	406
1 689	1 547	1 966	4 123	294	83	57	100	54	104	190
1 470	705	1 449	2 792	359	99	92	123	45	111	248
2 038	1 288	2 489	4 022	152	44	26	51	31	53	99
755	353	1 804	1 128	993	333	217	286	157	570	423
1 596	1 021	3 026	3 240	665	238	162	175	90	357	308
2 102	1 736	3 482	4 560	1 274	298	199	397	380	501	773
1 168	737	2 177	2 882	1 091	406	288	271	126	487	604
1 627	942	3 097	3 233	907	356	233	220	98	440	467
1 681	718	4 978	5 822	602	286	206	78	32	272	330
974	537	3 258	2 534	332	167	76	63	26	182	150
701	357	1 798	1 499	303	110	70	77	46	190	113
1 976	1 387	2 642	4 562	1 251	409	272	342	228	443	808
1 507	625	2 668	3 174	597	175	166	170	86	211	386
4 040	3 072	3 355	10 471	471	149	104	130	88	116	355
1 777	1 308	2 641	2 849	300	109	34	89	68	153	147
189	77	527	427	1	1	–	–	–	1	–
911	638	1 606	1 702	423	123	64	138	98	205	218
2 580	1 659	3 980	5 828	971	330	199	275	167	397	574
2 491	1 932	3 967	4 639	462	197	117	99	49	284	178
1 393	608	3 524	2 480	380	169	119	61	31	200	180
1 384	861	2 279	3 190	790	210	231	215	134	281	509
1 101	407	1 968	1 999	849	273	222	266	88	398	451
2 056	1 070	1 784	4 217	647	187	120	228	112	204	443
2 299	1 280	6 135	2 486	391	150	78	107	56	263	128
1 338	481	1 639	3 218	735	247	206	216	66	244	491
3 931	2 802	2 503	5 394	1 874	465	410	599	400	232	589
1 561	1 216	1 300	4 007	696	165	144	218	169	146	550
477	466	875	819	81	19	18	28	16	48	33
986	539	3 309	1 922	1 382	482	484	262	154	867	515
2 090	1 776	3 057	6 518	2 232	664	565	495	508	643	1 589
197	131	742	16	102	18	21	34	29	102	…
2 097	1 875	1 661	5 529	237	108	24	58	47	83	154
417	222	776	615	132	25	26	50	31	64	68

15(8)－32,33 乳がん 精密検査

第28表（13－5）　平成28年度における乳がん検診受診者数・要精密検査者数・精密検査

| | マ ン モ グ ラ フ ィ | | | | | | | カ テ | | |
| | カ テ ゴ リ ー 3 | | | | | | | | | |
	総　数	40～49歳	50～59歳	60～69歳	70歳以上	(再掲)初回	(再掲)非初回	総　数	40～49歳	50～59歳
全　国	173 711	69 984	39 790	39 902	24 035	76 401	81 693	10 172	3 024	2 352
北海道	3 472	1 378	801	838	455	1 978	1 481	307	84	81
青森	2 031	696	450	539	346	989	1 009	116	28	23
岩手	910	291	219	245	155	334	576	136	29	31
宮城	2 648	985	594	657	412	1 202	1 446	248	63	51
秋田	1 538	630	356	359	193	712	772	70	19	16
山形	1 566	397	387	514	268	415	1 000	530	162	79
福島	1 566	538	396	409	223	653	875	142	41	40
茨城	2 636	1 068	632	650	286	1 425	1 206	130	45	30
栃木	2 538	996	540	676	326	994	1 327	163	56	40
群馬	3 461	1 261	834	809	557	1 243	1 820	194	56	47
埼玉	11 096	4 542	2 525	2 543	1 486	3 625	4 423	692	215	151
千葉	12 843	4 546	2 711	3 106	2 480	3 708	7 547	359	96	82
東京	20 585	9 257	5 431	3 723	2 174	9 946	7 757	945	299	264
神奈川	9 334	4 010	2 092	1 889	1 343	5 491	3 841	443	133	90
新潟	3 941	1 230	873	1 113	725	1 566	2 375	180	47	41
富山	2 060	660	335	593	472	420	1 042	57	18	13
石川	1 617	704	338	421	154	821	796	75	26	18
福井	1 118	485	238	252	143	553	565	59	19	14
山梨	1 338	462	331	345	200	380	763	102	30	22
長野	3 421	1 407	796	856	362	1 276	1 102	157	71	25
岐阜	4 550	1 792	1 130	1 097	531	1 712	2 838	134	44	25
静岡	5 378	2 236	1 320	1 120	702	2 501	2 769	240	69	54
愛知	12 296	5 354	2 908	2 549	1 485	5 842	5 603	460	155	110
三重	3 180	1 320	776	780	304	1 257	1 923	127	32	36
滋賀	1 691	779	376	364	172	964	727	103	35	24
京都	2 491	1 104	570	511	306	709	622	145	46	38
大阪	10 379	5 100	2 322	1 906	1 051	5 887	4 492	568	187	149
兵庫	5 228	2 296	1 256	1 087	589	2 853	1 904	489	168	124
奈良	2 073	879	470	464	260	1 065	1 002	141	41	34
和歌山	1 915	729	458	505	223	860	1 055	128	36	34
鳥取	996	345	225	253	173	435	561	62	12	9
島根	811	284	196	229	102	345	282	39	7	7
岡山	2 561	922	507	674	458	1 187	1 345	90	21	26
広島	3 403	1 379	680	856	488	1 609	1 784	202	48	54
山口	2 668	948	532	707	481	1 244	1 424	134	26	29
徳島	936	384	233	198	121	503	433	131	37	35
香川	1 619	605	322	418	274	814	805	88	17	18
愛媛	1 397	546	316	325	210	734	663	168	41	26
高知	897	324	194	220	159	421	476	87	20	22
福岡	4 922	1 950	1 010	1 256	706	1 707	1 466	236	84	51
佐賀	1 459	513	327	383	236	676	783	87	18	24
長崎	2 375	1 003	536	551	285	1 236	1 139	104	29	36
熊本	2 118	796	438	524	360	1 018	1 090	162	32	26
大分	2 317	726	420	663	508	1 007	999	439	147	100
宮崎	1 062	398	283	240	141	480	581	44	11	6
鹿児島	2 696	794	557	805	540	821	1 600	184	39	46
沖縄	2 574	935	549	680	410	783	1 604	275	85	51
指定都市・特別区(再掲) 東京都区部	14 355	6 561	3 741	2 536	1 517	6 751	5 087	661	220	183
札幌市	318	114	66	84	54	194	124	40	7	11
仙台市	900	343	192	215	150	452	448	74	19	11
さいたま市	2 414	873	579	509	453	－	－	134	33	30
千葉市	2 511	938	464	548	561	1 133	1 378	107	26	30
横浜市	3 214	1 559	732	591	332	1 978	1 236	199	71	47
川崎市	1 651	706	411	322	212	1 651	－	59	18	11
相模原市	1 361	537	323	263	238	585	776	56	13	11
新潟市	1 024	379	237	236	172	527	497	40	14	11
静岡市	838	339	223	166	110	469	369	50	11	15
浜松市	567	305	116	68	78	334	233	21	6	4
名古屋市	4 345	2 029	1 204	719	393	2 757	1 588	203	71	55
京都市	1 160	529	288	215	128	－	－	73	24	19
大阪市	1 922	1 093	380	290	159	1 214	708	62	17	18
堺市	1 239	583	303	235	118	673	566	28	13	5
神戸市	513	131	111	150	121	354	159	17	3	2
岡山市	823	388	162	179	94	530	293	35	12	11
広島市	1 486	729	344	284	129	597	889	84	26	23
北九州市	－	...	...	...	...	...	...	－	...	...
福岡市	1 494	720	318	296	160	－	－	53	25	12
熊本市	609	320	129	95	65	388	221	38	13	7

受診の有無別人数，都道府県－指定都市・特別区－中核市－その他政令市、年齢階級・検診回数別

の判定別人数[1)]										
ゴリー4				カテゴリー5						
60～69歳	70歳以上	(再掲)初回	(再掲)非初回	総数	40～49歳	50～59歳	60～69歳	70歳以上	(再掲)初回	(再掲)非初回
2 790	2 006	4 797	4 120	2 157	454	474	714	515	1 388	609
73	69	192	114	71	7	13	36	15	56	15
39	26	66	50	22	5	5	7	5	19	3
42	34	54	82	39	4	7	15	13	23	16
81	53	103	145	41	5	11	17	8	29	12
15	20	34	33	9	2	3	3	1	5	4
183	106	39	77	16	2	3	8	3	8	6
33	28	71	68	28	4	8	11	5	18	10
36	19	83	47	28	4	7	11	6	19	9
37	30	72	77	30	7	6	9	8	16	9
56	35	86	77	37	8	9	11	9	21	9
201	125	244	239	184	38	36	61	49	74	63
93	88	147	181	92	16	19	30	27	55	29
207	175	471	331	265	61	67	70	67	167	65
128	92	311	132	134	25	35	54	20	112	22
48	44	71	109	32	8	6	11	7	21	11
15	11	21	36	8	2	1	5	…	7	1
20	11	47	28	18	2	4	6	6	13	5
17	9	41	18	15	2	3	8	2	11	4
32	18	22	72	12	4	3	2	3	5	3
37	24	55	45	17	3	5	6	3	10	–
42	23	83	51	31	7	5	16	3	18	13
73	44	125	115	155	23	27	49	56	79	76
122	73	247	169	117	32	32	32	21	84	25
36	23	58	69	18	3	1	6	8	13	5
20	24	67	36	13	4	4	2	3	11	2
30	31	38	34	33	5	9	12	7	13	5
148	84	330	238	102	34	24	28	16	79	23
116	81	240	207	62	11	22	19	10	46	12
42	24	89	52	33	8	4	14	7	29	4
32	26	52	76	36	6	12	10	8	32	4
23	18	16	46	10	3	3	1	3	5	5
19	6	21	8	16	4	3	6	3	10	3
23	20	49	41	17	5	4	5	3	10	7
61	39	111	89	48	16	4	14	14	34	14
40	39	82	52	41	9	12	10	10	32	9
33	26	44	26	12	1	4	3	4	9	3
22	31	56	32	20	4	2	8	6	17	3
50	51	70	98	25	6	3	8	8	18	7
26	19	46	41	6	…	2	1	3	5	1
64	37	105	76	32	11	5	8	8	22	5
31	14	40	47	15	2	1	7	5	10	5
24	15	59	45	36	7	4	17	8	28	8
62	42	77	85	64	16	17	20	11	31	33
103	89	235	181	31	6	7	9	9	10	16
15	12	24	20	21	5	2	7	7	10	11
57	42	64	98	21	6	4	6	5	14	2
83	56	139	127	44	11	6	15	12	30	12
136	122	318	202	157	29	46	43	39	99	27
15	7	23	17	13	3	3	5	2	9	4
27	17	34	40	10	2	4	2	2	8	2
37	34	–	–	38	8	10	10	10	…	–
22	29	57	50	24	5	3	8	8	16	8
58	23	147	52	58	14	16	23	5	45	13
18	12	59	–	28	2	12	9	5	28	–
13	19	38	18	22	3	1	13	5	20	2
9	6	22	18	13	4	3	4	2	10	3
18	6	33	17	13	2	4	2	5	12	1
4	7	15	6	60	4	11	17	28	27	33
49	28	139	64	48	12	14	14	8	42	6
12	18	–	–	15	4	3	5	3	–	–
10	17	42	20	15	8	–	3	4	11	4
9	1	16	12	6	2	3	–	1	3	3
8	4	11	6	6	–	1	5	–	6	–
7	5	27	8	7	2	2	1	2	5	2
21	14	43	41	27	10	3	7	7	19	8
…	…	–	…	–	…	…	…	…	…	–
10	6	–	–	5	2	1	–	2	–	–
8	10	29	9	17	4	4	6	3	14	3

15(8)−32,33 乳がん 精密検査

第28表（13−6） 平成28年度における乳がん検診受診者数・要精密検査者数・精密検査

| | マンモグラフィ | | | | | | | | | |
| | カテゴリー 3 | | | | | | カテ | | |
	総　数	40～49歳	50～59歳	60～69歳	70歳以上	(再掲)初回	(再掲)非初回	総　数	40～49歳	50～59歳
中核市（再掲）										
旭　川　市	464	211	107	85	61	226	238	56	18	11
函　館　市	3	–	1	2	…	2	1	–	–	…
青　森　市	444	175	94	108	67	261	183	28	7	3
八　戸　市	290	116	56	72	46	147	143	22	6	6
盛　岡　市	264	111	59	50	44	103	161	22	6	6
秋　田　市	486	278	143	43	22	328	158	11	3	7
郡　山　市	266	90	63	66	47	117	149	30	10	6
い わ き 市	189	53	37	53	46	98	91	14	2	5
宇 都 宮 市	419	178	74	119	48	266	153	24	7	6
前　橋　市	750	237	176	182	155	214	536	44	15	10
高　崎　市	396	174	77	89	56	–	…	31	12	6
川　越　市	413	166	86	103	58	154	259	42	9	11
越　谷　市	296	126	75	60	35	100	196	13	2	2
船　橋　市	1 557	666	331	277	283	–	–	30	8	6
柏　　　市	1 049	354	231	265	199	185	864	17	3	4
八 王 子 市	532	222	137	114	59	256	276	31	4	11
横 須 賀 市	270	92	41	70	67	151	119	10	2	2
富　山　市	598	195	99	129	175	…	…	…	…	…
金　沢　市	150	76	37	32	5	113	37	6	1	3
長　野　市	355	180	90	67	18	277	78	15	9	2
岐　阜　市	936	409	261	186	80	478	458	16	6	2
豊　橋　市	366	157	69	76	64	212	154	20	7	6
豊　田　市	300	101	65	87	47	116	184	11	2	3
岡　崎　市	1 079	503	221	239	116	579	500	19	10	2
大　津　市	291	136	61	62	32	198	93	22	4	2
高　槻　市	461	227	88	86	60	265	196	33	14	9
東 大 阪 市	534	224	110	113	87	288	246	44	19	6
豊　中　市	370	152	95	76	47	196	174	18	6	6
枚　方　市	584	274	151	117	42	343	241	72	21	23
姫　路　市	907	517	259	90	41	487	420	44	16	16
西　宮　市	377	218	88	47	24	281	96	13	5	5
尼　崎　市	175	89	31	40	15	122	53	12	3	4
奈　良　市	675	281	148	145	101	327	348	33	6	8
和 歌 山 市	528	238	128	120	42	326	202	23	6	5
倉　敷　市	373	131	80	87	75	132	241	10	3	4
福　山　市	333	144	45	84	60	223	110	12	4	2
呉　　　市	115	64	16	27	8	79	36	3	–	2
下　関　市	314	125	57	75	57	165	149	31	9	8
高　松　市	567	216	107	159	85	315	252	29	4	9
松　山　市	603	260	149	120	74	395	208	29	9	5
高　知　市	443	215	118	83	27	251	192	26	11	10
久 留 米 市	422	165	133	75	49	266	156	17	4	5
長　崎　市	685	371	143	125	46	439	246	27	7	12
佐 世 保 市	466	200	98	106	62	229	237	23	4	10
大　分　市	697	335	145	142	75	574	123	40	11	17
宮　崎　市	353	155	109	66	23	140	213	10	3	1
鹿 児 島 市	709	235	146	194	134	208	226	43	11	13
那　覇　市	616	207	121	165	123	166	450	23	6	3
その他政令市（再掲）										
小　樽　市	93	33	9	30	21	61	32	15	3	–
町　田　市	890	388	271	142	89	597	293	34	6	11
藤　沢　市	744	363	145	105	131	306	438	36	8	8
茅 ヶ 崎 市	56	23	11	14	8	52	4	7	1	…
四 日 市 市	265	160	28	51	26	130	135	13	5	1
大 牟 田 市	127	47	21	38	21	84	43	8	1	2

注：初回・非初回及び年齢階級別については、計数不詳の市区町村があるため、総数と一致しない場合がある。
　　1）マンモグラフィの判定別人数については、計数不詳の市区町村があるため、受診者数と一致しない場合がある。
　　2）精密検査受診の有無別人数については、計数不詳の市区町村がある場合、要精密検査者数と一致しないことがある。

受診の有無別人数，都道府県－指定都市・特別区－中核市－その他政令市、年齢階級・検診回数別

の判定別人数[1]										
ゴリー4				カテゴリー5						
60～69歳	70歳以上	(再掲)初回	(再掲)非初回	総数	40～49歳	50～59歳	60～69歳	70歳以上	(再掲)初回	(再掲)非初回
14	13	35	21	20	3	3	9	5	19	1
-	…	-	-	-	-	…	…	…	-	-
9	9	17	11	4	1	-	1	2	4	-
5	5	13	9	6	-	2	2	2	6	-
5	5	10	12	9	1	1	2	5	8	1
-	1	7	4	1	-	1	-	-	1	-
9	5	16	14	1	-	…	-	1	1	-
4	3	9	5	5	1	1	1	2	4	1
7	4	18	6	8	1	2	3	2	5	3
13	6	18	26	8	2	4	-	2	7	1
7	6	-	…	7	1	1	4	1	-	-
12	10	17	25	3	1	-	1	1	3	-
6	3	8	5	1	-	-	1	-	1	-
9	7	-	-	8	1	2	2	3	-	-
4	6	7	10	10	2	1	2	5	8	2
9	7	21	10	12	4	1	4	3	10	2
3	3	4	6	4	1	-	3	-	3	1
…	…	-	…	…	…	…	…	…	…	-
1	1	6	-	1	-	-	1	-	1	-
4	-	11	4	3	1	1	1	-	3	-
5	3	15	1	4	-	1	3	-	3	1
2	5	7	13	8	-	4	3	1	6	2
5	1	3	8	8	1	3	3	1	4	4
4	3	15	4	6	5	-	1	-	5	1
7	9	17	5	1	1	-	-	-	1	-
7	3	21	12	6	1	3	2	-	6	-
12	7	26	18	5	-	2	1	2	3	2
4	2	13	5	4	1	1	2	-	4	-
21	7	45	27	9	2	2	3	2	9	-
8	4	22	22	5	1	3	1	-	5	-
1	2	11	2	6	3	3	-	-	6	-
2	3	10	2	3	-	1	1	1	2	1
10	9	23	10	9	2	1	2	4	8	1
7	5	15	8	10	1	4	2	3	10	-
-	3	6	4	1	-	-	1	-	1	-
3	3	8	4	5	2	1	2	-	3	2
1	-	3	-	-	-	-	-	-	-	-
8	6	22	9	8	1	1	3	3	8	-
8	8	21	8	11	3	2	4	2	9	2
5	10	21	8	9	2	-	2	5	5	4
3	2	16	10	1	-	1	-	-	1	-
3	5	13	4	3	2	1	-	-	3	-
3	5	18	9	7	1	2	3	1	6	1
5	4	11	12	8	1	-	4	3	7	1
8	4	34	6	4	2	-	1	1	4	-
5	1	4	6	5	1	2	1	1	4	1
13	6	10	11	7	2	1	1	3	2	-
6	8	11	12	3	-	-	1	2	2	1
3	9	13	2	4	-	-	2	2	3	1
12	5	22	12	8	3	1	2	2	7	1
9	11	19	17	7	1	3	2	1	6	1
4	2	7	…	…	…	…	…	…	…	-
4	3	7	6	2	1	-	-	1	2	-
2	3	5	3	-	-	-	-	-	-	-

15(8)－32,33 乳がん 精密検査

第28表（13－7） 平成28年度における乳がん検診受診者数・要精密検査者数・精密検査

	要　精　密　検　査　者　数							精		
								異	常	
	総　数	40～49歳	50～59歳	60～69歳	70歳以上	（再掲）初回	（再掲）非初回	総　数	40～49歳	50～59歳
全　　　国	205 844	83 324	46 584	46 928	29 008	87 399	92 499	77 668	26 791	17 270
北 海 道	5 930	2 573	1 349	1 294	714	2 384	1 643	1 878	736	445
青　森	2 504	880	571	637	416	1 237	1 234	1 106	332	238
岩　手	1 188	380	281	310	217	436	747	304	107	66
宮　城	3 980	1 381	912	1 009	678	1 719	2 261	1 538	474	350
秋　田	1 965	774	480	451	260	850	935	644	192	140
山　形	2 680	717	584	881	498	617	1 417	1 281	274	251
福　島	1 985	689	496	509	291	863	1 071	885	275	208
茨　城	2 867	1 166	694	687	320	1 562	1 300	989	329	227
栃　木	3 086	1 191	670	803	422	1 253	1 611	981	333	198
群　馬	3 922	1 458	941	913	610	1 435	2 062	1 604	491	372
埼　玉	12 424	5 086	2 804	2 844	1 690	4 275	5 250	3 981	1 361	873
千　葉	13 975	4 946	2 915	3 394	2 720	4 129	8 219	5 391	1 647	1 116
東　京	25 116	11 417	6 496	4 455	2 748	11 282	9 085	8 533	3 450	2 220
神奈川	12 353	5 356	2 665	2 507	1 825	6 859	4 920	4 558	1 712	945
新　潟	4 059	1 277	904	1 126	752	1 636	2 423	1 830	448	383
富　山	2 189	703	353	635	498	469	1 122	927	244	149
石　川	2 000	841	438	536	185	750	752	840	310	177
福　井	1 223	518	267	282	156	618	605	434	166	89
山　梨	1 452	484	350	384	234	367	893	642	187	147
長　野	3 608	1 487	833	906	382	1 384	1 190	1 534	535	336
岐　阜	5 211	2 122	1 272	1 226	591	2 041	3 170	2 206	747	528
静　岡	5 592	2 282	1 311	1 209	790	2 267	2 567	2 018	700	470
愛　知	13 421	5 966	3 045	2 770	1 640	6 323	5 967	5 798	2 244	1 346
三　重	3 561	1 433	851	906	371	1 413	2 148	1 287	465	289
滋　賀	1 919	879	417	410	213	1 096	823	849	336	197
京　都	3 204	1 445	704	630	425	841	787	1 357	520	293
大　阪	11 203	5 407	2 525	2 107	1 164	6 392	4 811	4 509	1 979	1 019
兵　庫	8 285	3 652	1 971	1 666	996	3 373	2 354	2 177	748	514
奈　良	2 579	1 069	579	590	341	1 325	1 254	1 056	384	236
和歌山	2 143	798	517	552	276	959	1 184	922	322	215
鳥　取	1 241	423	274	319	225	540	701	529	147	120
島　根	930	317	242	256	115	449	284	355	96	92
岡　山	3 077	1 160	609	780	528	1 440	1 608	1 237	373	223
広　島	4 007	1 547	782	1 058	620	1 948	2 048	1 734	578	327
山　口	3 002	1 088	589	764	561	1 451	1 551	1 091	283	203
徳　島	1 142	457	282	239	164	583	498	324	103	87
香　川	1 758	682	332	428	316	891	867	754	252	145
愛　媛	1 608	599	347	391	271	828	780	635	198	152
高　知	895	327	200	219	149	464	431	383	126	81
福　岡	7 072	2 923	1 455	1 733	961	1 976	1 627	2 466	806	504
佐　賀	1 633	570	367	435	261	768	865	647	176	145
長　崎	2 619	1 076	585	630	328	1 334	1 280	1 005	355	227
熊　本	2 295	869	468	563	395	1 142	1 143	785	271	167
大　分	2 727	860	521	765	581	1 211	1 201	1 321	337	246
宮　崎	621	237	152	147	85	336	284	185	64	52
鹿 児 島	2 956	856	621	877	602	1 044	1 912	1 268	291	269
沖　縄	2 637	956	563	695	423	839	1 614	890	287	193
指定都市・特別区（再掲）　東京都区部	18 221	8 438	4 659	3 137	1 987	7 772	6 069	5 755	2 388	1 472
札　幌　市	1 906	977	394	347	188	247	160	493	231	107
仙　台　市	1 743	617	387	420	319	794	949	687	216	158
さいたま市	2 589	914	621	557	497	…	－	606	184	144
千　葉　市	2 672	1 002	503	576	591	1 230	1 442	806	241	157
横　浜　市	3 774	1 799	829	737	409	2 369	1 405	1 106	450	252
川　崎　市	1 741	726	436	349	230	1 741	－	489	163	117
相 模 原 市	1 655	691	364	310	290	740	915	1 029	426	204
新　潟　市	1 076	396	251	249	180	559	517	472	147	106
静　岡　市	652	229	149	145	129	－	－	193	62	41
浜　松　市	679	353	128	94	104	417	262	218	108	44
名 古 屋 市	4 467	2 100	1 186	750	431	2 933	1 534	2 073	868	574
京　都　市	1 576	740	378	277	181	…	－	689	297	155
大　阪　市	2 003	1 120	400	303	180	1 270	733	831	413	176
堺　　　市	1 273	598	311	244	120	692	581	398	154	113
神　戸　市	2 536	1 022	573	535	406	424	195	232	44	44
岡　山　市	950	473	195	184	98	631	319	310	124	64
広　島　市	1 599	773	359	314	153	696	903	647	280	149
北 九 州 市	1 436	645	300	320	171	…	－	551	201	119
福　岡　市	1 762	847	363	358	194	－	－	564	209	123
熊　本　市	704	359	146	114	85	452	252	234	112	41

受診の有無別人数，都道府県－指定都市・特別区－中核市－その他政令市、年齢階級・検診回数別

密検査受診の有無別人数2)										
認 め ず				異 常 を 認 め る						
				乳がんであった者（転移性を含まない）						
60～69歳	70歳以上	(再掲)初回	(再掲)非初回	総数	40～49歳	50～59歳	60～69歳	70歳以上	(再掲)初回	(再掲)非初回
20 658	12 949	29 640	38 238	9 680	2 151	1 966	3 219	2 344	4 673	3 899
467	230	688	576	415	94	82	139	100	212	120
317	219	483	611	114	27	25	40	22	62	48
72	59	102	200	170	21	33	64	52	67	103
409	305	597	941	317	43	53	121	100	119	198
197	115	208	296	54	15	17	9	13	17	23
479	277	239	722	130	24	18	60	28	38	62
245	157	346	523	122	22	29	47	24	64	56
301	132	481	507	171	37	35	64	35	90	81
283	167	389	495	156	24	32	54	46	62	73
441	300	512	979	210	44	40	67	59	88	73
1 113	634	1 270	1 829	453	109	85	145	114	197	137
1 445	1 183	1 307	3 342	548	100	115	198	135	200	321
1 757	1 106	3 288	3 055	1 003	272	232	278	221	450	303
1 067	834	2 224	2 080	538	139	107	173	119	366	151
589	410	636	1 194	214	61	37	59	57	102	112
292	242	172	478	97	17	15	29	36	26	39
251	102	177	227	92	24	20	35	13	35	33
110	69	193	241	66	20	14	20	12	38	28
185	123	135	415	69	15	18	19	17	19	37
477	186	513	560	126	26	27	45	28	53	41
631	300	741	1 465	191	39	31	82	39	92	99
525	323	745	1 016	236	52	44	79	61	106	91
1 388	820	2 570	2 801	572	160	136	159	117	314	218
374	159	504	783	103	27	18	35	23	52	51
220	96	433	416	76	18	16	23	19	54	22
321	223	320	348	139	26	35	40	38	45	48
970	541	2 383	2 126	634	170	150	197	117	389	245
581	334	1 035	885	276	53	62	95	66	150	96
277	159	499	557	115	20	17	44	34	71	44
249	136	382	540	124	29	25	44	26	77	47
141	121	192	337	60	8	11	24	17	25	35
120	47	152	122	62	16	11	21	14	34	18
388	253	527	697	170	44	43	52	31	94	75
511	318	748	982	225	46	43	90	46	125	98
329	276	459	632	139	27	21	47	44	90	49
85	49	159	152	79	19	16	20	24	48	23
216	141	368	386	139	33	21	43	42	80	59
179	106	295	340	104	18	13	33	40	54	50
92	84	169	214	58	10	15	20	13	30	28
756	400	603	652	330	62	64	133	71	77	68
198	128	257	390	75	14	10	32	19	40	35
275	148	480	525	131	30	27	37	37	76	55
194	153	365	416	130	25	20	49	36	61	68
414	324	544	643	87	13	14	26	34	30	40
49	20	96	89	86	14	14	29	29	42	44
411	297	376	892	147	24	30	54	39	63	84
267	143	278	561	127	20	25	45	37	49	70
1 154	741	2 001	1 733	730	208	171	194	157	302	195
104	51	24	19	138	34	32	44	28	43	32
165	148	283	404	122	21	20	41	40	46	76
154	124	...	–	113	29	17	32	35	...	–
192	216	319	487	104	30	14	39	21	60	44
247	157	639	467	206	67	44	62	33	156	50
125	84	489	–	68	14	19	23	12	68	–
203	196	425	604	55	14	8	16	17	40	15
130	89	221	251	82	25	15	24	18	49	33
45	45	–	–	39	6	6	14	13	–	–
31	35	123	95	35	7	7	11	10	25	10
396	235	1 271	802	234	74	57	66	37	177	57
145	92	–	–	46	9	10	10	17	–	–
159	83	460	371	106	30	23	24	29	67	39
90	41	202	196	38	13	13	8	4	24	14
81	63	146	86	34	2	3	12	17	23	11
82	40	199	111	100	37	28	20	15	67	33
146	72	251	396	99	25	23	38	13	55	44
156	75	...	...	85	17	21	25	22	...	...
149	83	–	–	86	20	19	31	16	–	–
49	32	142	92	40	5	12	12	11	24	16

15(8)−32,33 乳がん 精密検査

第28表 (13−8)　平成28年度における乳がん検診受診者数・要精密検査者数・精密検査

| | 要　精　密　検　査　者　数 | | | | | | | 精 | | |
| | | | | | | | | | 異　常 | |
	総　数	40～49歳	50～59歳	60～69歳	70歳以上	(再掲)初回	(再掲)非初回	総　数	40～49歳	50～59歳
中核市（再掲）										
旭 川 市	442	176	103	98	65	250	192	32	7	9
函 館 市	259	121	70	54	14	2	1	140	68	40
青 森 市	510	206	108	118	78	301	209	184	56	37
八 戸 市	484	179	90	128	87	244	240	255	86	54
盛 岡 市	347	147	76	61	63	145	202	155	66	32
秋 田 市	614	331	193	61	29	398	216	114	53	43
郡 山 市	331	114	75	82	60	150	181	166	47	37
い わ き 市	208	56	43	58	51	111	97	91	24	17
宇 都 宮 市	510	212	93	140	65	319	191	203	74	25
前 橋 市	862	294	204	202	162	254	608	369	113	84
高 崎 市	423	185	84	95	59	－	－	113	33	25
川 越 市	533	210	108	134	81	199	334	182	46	38
越 谷 市	388	162	93	85	48	131	257	154	58	39
船 橋 市	1 595	675	339	288	293	－	－	731	281	155
柏 市	1 077	360	237	272	208	200	877	440	135	94
八 王 子 市	536	217	136	116	67	267	269	185	80	48
横 須 賀 市	285	96	43	76	70	157	128	125	31	18
富 山 市	598	195	99	129	175	－	－	277	70	45
金 沢 市	395	168	115	106	6	205	190	115	49	32
長 野 市	383	196	95	74	18	298	85	128	57	30
岐 阜 市	1 083	487	287	213	96	566	517	429	165	116
豊 橋 市	371	160	79	75	57	209	162	189	72	39
豊 田 市	250	100	52	62	36	112	138	94	39	9
岡 崎 市	1 104	518	223	244	119	599	505	429	183	92
大 津 市	372	167	73	83	49	252	120	176	69	33
高 槻 市	500	242	100	95	63	292	208	189	75	36
東 大 阪 市	583	243	118	126	96	317	266	264	88	58
豊 中 市	392	159	102	82	49	213	179	102	30	24
枚 方 市	665	297	176	141	51	397	268	282	118	69
姫 路 市	1 078	603	303	121	51	566	512	293	124	90
西 宮 市	438	252	102	54	30	323	115	112	63	23
尼 崎 市	269	137	56	53	23	206	63	102	40	23
奈 良 市	837	335	189	179	134	414	423	366	127	91
和 歌 山 市	531	234	134	115	48	332	199	195	80	50
倉 敷 市	745	272	147	181	145	290	455	314	92	52
福 山 市	374	156	51	96	71	241	133	198	77	23
呉 市	383	137	64	114	68	202	181	178	43	27
下 関 市	366	139	66	92	69	203	163	143	45	25
高 松 市	604	258	101	150	95	327	277	230	68	43
松 山 市	642	271	154	127	90	422	220	269	101	71
高 知 市	458	220	126	85	27	270	188	187	84	49
久 留 米 市	587	237	182	102	66	354	233	187	61	53
長 崎 市	739	394	158	133	54	477	262	271	120	65
佐 世 保 市	497	205	108	115	69	247	250	229	94	46
大 分 市	705	328	153	144	80	578	127	333	128	78
宮 崎 市	144	61	48	26	9	85	59	32	14	14
鹿 児 島 市	782	250	166	212	154	349	433	312	84	66
那 覇 市	642	218	124	171	129	187	455	210	63	43
その他政令市（再掲）										
小 樽 市	195	66	28	55	46	133	62	58	18	9
町 田 市	943	403	286	158	96	633	310	323	119	101
藤 沢 市	876	428	165	130	153	374	502	176	73	34
茅 ヶ 崎 市	286	120	65	62	39	72	4	104	47	22
四 日 市 市	280	166	29	55	30	139	141	101	50	13
大 牟 田 市	144	51	24	44	25	96	48	50	15	6

注：初回・非初回及び年齢階級別については、計数不詳の市区町村があるため、総数と一致しない場合がある。
　1）マンモグラフィの判定別人数については、計数不詳の市区町村があるため、受診者数と一致しない場合がある。
　2）精密検査受診の有無別人数については、計数不詳の市区町村がある場合、要精密検査者数と一致しないことがある。

受診の有無別人数, 都道府県−指定都市・特別区−中核市−その他政令市、年齢階級・検診回数別

密検査受診の有無別人数[2]				異常を認める						
認めず				乳がんであった者(転移性を含まない)						
60～69歳	70歳以上	(再掲)初回	(再掲)非初回	総数	40～49歳	50～59歳	60～69歳	70歳以上	(再掲)初回	(再掲)非初回
10	6	16	16	60	16	8	24	12	35	25
27	5	1	1	11	4	3	2	2	–	–
49	42	90	94	40	11	8	11	10	23	17
68	47	129	126	–	–	–	–	–	–	–
27	30	59	96	39	6	8	9	16	24	15
10	8	70	44	13	4	8	–	1	7	6
43	39	73	93	16	4	3	6	3	8	8
27	23	43	48	12	–	3	3	6	9	3
68	36	110	93	25	4	4	12	5	17	8
96	76	66	303	56	13	13	13	17	29	27
38	17	–	–	49	12	7	17	13	–	–
62	36	62	120	26	9	1	6	10	18	8
37	20	51	103	19	4	5	7	3	8	11
159	136	–	–	26	5	5	9	7	–	–
118	93	74	366	33	5	8	11	9	11	22
35	22	74	111	47	10	10	16	11	31	16
35	41	66	59	17	1	2	11	3	7	10
68	94	…	–	32	5	3	10	14	…	–
31	3	23	36	28	7	6	14	1	17	11
33	8	99	29	15	3	5	6	1	10	5
98	50	201	228	35	9	8	14	4	25	10
47	31	96	93	19	3	8	4	4	10	9
24	22	38	56	28	5	10	10	3	10	18
103	51	230	199	12	6	2	4	–	8	4
47	27	113	63	16	3	3	5	5	15	1
48	30	97	92	24	9	7	7	1	20	4
64	54	130	134	29	8	6	11	4	17	12
31	17	50	52	25	7	4	12	2	20	5
77	18	155	127	44	8	11	15	10	31	13
49	30	151	142	41	12	13	12	4	17	24
18	8	82	30	17	5	4	4	4	16	1
28	11	69	33	15	5	4	3	3	11	4
85	63	178	188	32	7	2	11	12	22	10
43	22	120	75	34	9	11	7	7	27	7
92	78	123	191	25	2	6	13	4	8	17
53	45	116	82	21	3	4	10	4	11	10
72	36	77	101	17	2	4	7	4	8	9
42	31	60	83	17	2	1	8	6	15	2
78	41	106	124	68	18	11	20	19	41	27
63	34	168	101	40	11	4	7	18	26	14
39	15	97	90	27	7	10	9	1	18	9
46	27	105	82	25	6	5	11	3	17	8
60	26	173	98	27	10	6	7	4	18	9
57	32	111	118	31	6	7	8	10	25	6
76	51	259	74	19	6	4	6	3	16	3
4	–	21	11	16	2	6	4	4	10	6
92	70	128	184	56	10	13	20	13	29	27
60	44	57	153	28	3	7	9	9	9	19
16	15	43	15	24	6	2	5	11	19	5
63	40	207	116	16	4	4	4	4	14	2
25	44	76	100	25	7	4	4	10	14	11
22	13	23	2	14	4	2	6	2	3	–
28	10	40	61	15	4	1	7	3	6	9
17	12	29	21	–	–	–	–	–	–	–

第28表（13－9） 平成28年度における乳がん検診受診者数・要精密検査者数・精密検査

	精密検査受診									
	異常を									
	（再掲）乳がんのうち早期がん							（再掲）早期がん		
	総数	40～49歳	50～59歳	60～69歳	70歳以上	(再掲)初回	(再掲)非初回	総数	40～49歳	50～59歳
全国	**4 308**	**906**	**894**	**1 443**	**1 065**	**2 070**	**1 962**	**1 041**	**286**	**201**
北海道	143	18	29	55	41	88	55	51	7	9
青森	58	14	13	19	12	31	25	13	4	3
岩手	113	12	22	44	35	38	75	14	2	2
宮城	139	15	23	59	42	51	88	47	7	7
秋田	9	1	5	1	2	3	6	1	－	－
山形	31	6	3	14	8	7	6	14	4	2
福島	78	13	16	33	16	36	42	12	3	1
茨城	96	21	16	34	25	50	46	22	5	3
栃木	108	16	23	36	33	39	57	12	4	3
群馬	114	26	18	40	30	34	42	28	6	5
埼玉	180	46	37	51	46	95	73	25	10	6
千葉	225	40	58	69	58	89	135	51	14	13
東京	412	109	106	112	85	203	149	106	39	26
神奈川	219	62	49	57	51	146	67	71	26	17
新潟	58	14	9	15	20	26	32	12	3	2
富山	9	1	2	3	3	1	8	3	－	…
石川	43	10	7	21	5	16	18	13	4	4
福井	46	14	9	15	8	24	22	11	5	－
山梨	16	2	5	4	5	5	7	5	－	1
長野	26	2	6	11	7	12	10	10	－	2
岐阜	100	21	18	39	22	46	54	21	4	4
静岡	76	17	13	30	16	35	41	13	2	3
愛知	154	37	42	41	34	53	84	30	10	5
三重	51	13	7	21	10	23	28	17	5	2
滋賀	59	15	14	18	12	43	16	6	1	1
京都	90	14	25	26	25	25	29	22	5	5
大阪	436	109	101	140	86	254	182	133	45	20
兵庫	99	18	20	38	23	46	50	25	6	7
奈良	54	8	8	21	17	32	22	17	3	4
和歌山	89	23	17	28	21	57	32	12	7	2
鳥取	27	1	5	9	12	10	17	－	－	－
島根	26	7	4	12	3	11	7	6	3	1
岡山	67	8	19	23	17	30	36	21	5	5
広島	61	13	12	27	9	34	26	12	4	3
山口	40	10	5	9	16	26	14	5	－	1
徳島	44	11	9	12	12	27	15	17	5	3
香川	72	22	11	19	20	40	32	13	5	－
愛媛	70	13	10	24	23	35	35	9	2	3
高知	33	4	6	13	10	16	17	6	2	1
福岡	111	17	16	55	23	35	37	16	2	4
佐賀	35	9	7	10	9	18	17	10	4	2
長崎	71	21	16	14	20	42	29	16	4	3
熊本	74	14	10	30	20	35	39	23	4	1
大分	31	3	3	12	13	14	17	6	2	1
宮崎	50	11	3	17	19	24	26	13	2	2
鹿児島	102	14	24	39	25	41	61	27	6	7
沖縄	63	11	13	23	16	24	36	24	5	5
指定都市・特別区(再掲)										
東京都区部	327	90	85	86	66	158	109	86	31	21
札幌市	37	6	6	16	9	19	18	11	3	1
仙台市	－	－	－	－	－	－	－	－	－	－
さいたま市	…	－	…	…	…	…	－	…	－	…
千葉市	59	13	12	21	13	30	29	15	6	5
横浜市	114	38	27	30	19	78	36	45	17	12
川崎市	37	9	10	10	8	37	－	11	4	2
相模原市	－	－	－	－	－	－	－	－	－	－
新潟市	44	12	7	12	13	22	22	10	3	1
静岡市	－	－	－	－	－	－	－	－	－	－
浜松市	21	3	4	9	5	13	8	1	－	1
名古屋市	－	－	－	－	－	－	－	－	－	－
京都市	36	6	8	10	12	－	－	10	3	2
大阪市	78	21	18	17	22	44	34	23	10	4
堺市	18	6	6	3	3	10	8	7	3	－
神戸市	19	1	1	7	10	12	7	3	－	－
岡山市	24	5	7	5	7	16	8	12	4	2
広島市	8	5	1	1	1	4	4	3	1	1
北九州市	…	…	…	…	…	…	－	…	…	…
福岡市	32	5	6	14	7	－	－	－	－	－
熊本市	18	3	6	4	5	12	6	4	1	－

受診の有無別人数，都道府県－指定都市・特別区－中核市－その他政令市、年齢階級・検診回数別

の有無別人数[2)]										
認める										
のうち非浸潤がん				乳がんの疑いのある者又は未確定						
60～69歳	70歳以上	(再掲)初回	(再掲)非初回	総数	40～49歳	50～59歳	60～69歳	70歳以上	(再掲)初回	(再掲)非初回
323	**231**	**496**	**477**	**4 228**	**1 672**	**995**	**911**	**650**	**1 947**	**1 586**
22	13	36	15	513	215	123	114	61	235	147
3	3	6	7	19	5	6	5	3	9	8
6	4	6	8	3	－	1	－	2	1	2
19	14	13	34	18	6	6	4	2	11	7
…	1	1	－	60	18	10	15	17	18	38
6	2	5	2	21	4	5	9	3	5	15
5	3	3	9	50	15	14	14	7	24	25
8	6	13	9	26	10	1	8	7	10	16
2	3	6	5	41	18	4	11	8	18	22
12	5	13	7	64	26	19	9	10	38	26
6	3	14	9	428	171	97	94	66	153	171
13	11	16	35	364	127	76	83	78	140	206
26	15	43	37	652	243	198	120	91	221	170
17	11	46	22	556	249	136	106	65	385	165
4	3	3	9	17	6	5	5	1	6	11
…	3	－	3	…	－	…	…	…	…	…
4	1	6	5	15	3	2	7	3	10	5
5	1	6	5	－	－	－	－	－	－	－
1	3	…	5	41	10	12	13	6	13	28
5	3	4	5	223	89	70	43	21	103	70
6	7	9	12	36	15	5	8	8	15	21
5	3	6	7	175	81	39	31	24	78	70
8	7	14	11	31	9	7	5	10	13	11
8	2	6	11	64	27	7	19	11	25	39
3	1	4	2	35	16	8	7	4	19	16
4	8	3	9	54	21	7	12	14	14	14
36	32	76	57	35	16	10	1	8	25	10
8	4	12	13	101	68	19	9	5	75	24
8	2	10	7	55	23	6	20	6	36	19
2	1	7	5	9	3	3	3	－	3	6
－	－	－	－	8	1	－	5	2	3	5
2	…	3	3	13	－	4	5	4	10	3
5	6	11	10	63	22	15	13	13	27	36
4	1	7	5	92	42	19	18	13	46	46
2	2	2	3	17	7	3	3	4	9	8
4	5	9	7	13	3	2	3	5	6	5
5	3	7	6	13	5	2	－	6	11	2
1	3	4	5	30	10	9	4	7	19	11
2	1	5	1	－	－	…	－	…	－	－
8	2	7	8	91	44	11	19	17	25	19
3	1	6	4	14	6	2	2	4	7	7
－	9	8	8	36	3	11	17	5	16	20
14	4	11	12	6	1	1	3	1	5	1
2	1	2	4	22	7	4	6	5	11	10
3	6	7	6	17	4	2	4	7	11	6
10	4	14	13	58	16	11	21	10	30	28
6	8	6	17	29	7	3	13	6	8	17
21	13	33	27	507	189	162	83	73	156	116
4	3	6	5	279	122	68	58	31	107	72
－	－	－	－	11	3	3	3	2	6	5
…	…	…	－	42	12	8	11	11	…	－
3	1	6	9	203	87	40	40	36	86	117
9	7	30	15	417	198	102	76	41	282	135
4	1	11	－	58	20	15	16	7	58	－
－	－	－	－	25	7	5	6	7	12	13
3	3	3	7	5	2	2	－	1	2	3
－	－	－	－	26	9	6	4	7	－	－
－	－	－	1	20	8	4	3	5	13	7
－	－	－	－	－	－	－	－	－	－	－
－	5	－	－	26	10	2	6	8	－	－
4	5	13	10	5	1	1	－	3	－	5
2	2	5	2	8	2	3	－	3	5	3
1	2	3	－	13	4	3	2	4	8	5
2	4	8	4	12	6	3	2	1	7	5
1	－	2	1	51	30	9	6	6	22	29
…	…	…	－	30	15	4	3	8	…	…
－	－	－	－	9	5	－	2	2	－	－
2	1	2	2	5	－	1	3	1	4	1

第28表（13－10） 平成28年度における乳がん検診受診者数・要精密検査者数・精密検査

	精密検査受診									
	異常を									
	（再掲）乳がんのうち早期がん							（再掲）早期がん		
	総数	40～49歳	50～59歳	60～69歳	70歳以上	(再掲)初回	(再掲)非初回	総数	40～49歳	50～59歳
中核市(再掲)										
旭川市	-	-	-	-	-	-	-	-	-	-
函館市	-	-	…	…	-	-	-	-	-	-
青森市	26	8	6	6	6	15	11	7	4	1
八戸市	-	-	-	-	-	-	-	-	-	-
盛岡市	24	2	5	5	12	15	9	2	-	1
秋田市	4	1	2	-	1	3	1	1	-	-
郡山市	12	3	1	6	2	5	7	2	-	-
いわき市	7	-	2	1	4	5	2	2	-	-
宇都宮市	16	3	2	7	4	10	6	-	-	-
前橋市	26	8	3	8	7	10	16	7	2	2
高崎市	38	10	5	15	8	-	-	8	2	1
川越市	20	6	1	5	8	13	7	-	-	-
越谷市	8	1	4	2	1	2	6	1	1	-
船橋市	-	-	-	-	-	-	-	-	-	-
柏市	25	3	7	7	8	8	17	3	1	-
八王子市	28	7	6	9	6	16	12	2	1	1
横須賀市	8	1	1	5	1	3	5	2	-	-
富山市	…	-	…	…	…	…	-	-	-	…
金沢市	14	4	2	8	-	7	7	5	2	1
長野市	-	-	-	-	-	-	-	-	-	-
岐阜市	25	4	7	10	4	16	9	6	2	1
豊橋市	15	2	8	3	2	8	7	-	-	-
豊田市	24	5	8	9	2	8	16	6	2	2
岡崎市	-	-	-	-	-	-	-	-	-	-
大津市	12	2	3	3	4	11	1	-	-	-
高槻市	15	4	6	4	1	13	2	2	1	1
東大阪市	19	5	3	9	2	12	7	7	2	-
豊中市	20	6	2	10	2	16	4	6	2	-
枚方市	32	6	9	9	8	22	10	11	3	2
姫路市	23	7	6	7	3	7	16	9	1	4
西宮市	11	3	3	3	2	10	1	4	2	1
尼崎市	-	-	-	-	-	-	-	-	-	-
奈良市	20	4	1	8	7	13	7	5	-	1
和歌山市	25	9	9	3	4	20	5	5	3	1
倉敷市	23	2	6	11	4	8	15	6	1	2
福山市	10	2	2	6	-	5	5	1	-	1
呉市	1	-	1	-	-	1	-	-	-	-
下関市	-	-	-	-	-	-	-	-	-	-
高松市	52	16	8	14	14	27	25	8	4	-
松山市	28	8	4	5	11	17	11	5	2	1
高知市	9	1	3	4	1	6	3	2	1	1
久留米市	15	4	3	6	2	9	6	2	-	1
長崎市	20	9	4	3	4	13	7	4	1	1
佐世保市	14	5	3	3	3	9	5	7	2	2
大分市	10	2	2	4	2	9	1	2	1	-
宮崎市	6	2	2	1	1	4	2	2	1	1
鹿児島市	40	6	10	16	8	21	19	11	4	2
那覇市	16	3	5	5	3	6	10	4	-	2
その他政令市(再掲)										
小樽市	7	1	1	2	3	5	2	1	-	-
町田市	6	1	3	1	1	6	-	3	1	1
藤沢市	10	3	2	2	3	4	6	-	-	-
茅ヶ崎市	9	3	2	2	2	3	-	4	2	…
四日市市	9	-	-	7	2	4	5	3	-	-
大牟田市	-	-	-	-	-	-	-	-	-	-

注：初回・非初回及び年齢階級別については、計数不詳の市区町村があるため、総数と一致しない場合がある。
1）マンモグラフィの判定別人数については、計数不詳の市区町村があるため、受診者数と一致しない場合がある。
2）精密検査受診の有無別人数については、計数不詳の市区町村がある場合、要精密検査者数と一致しないことがある。

受診の有無別人数，都道府県－指定都市・特別区－中核市－その他政令市、年齢階級・検診回数別

の有無別人数[2]											
認める											
のうち非浸潤がん				乳がんの疑いのある者又は未確定							
60～69歳	70歳以上	(再掲)初回	(再掲)非初回	総数	40～49歳	50～59歳	60～69歳	70歳以上	(再掲)初回	(再掲)非初回
–	–	–	–	5	1	1	2	1	4	1
…	–	–	–	31	11	7	10	3	–	–
1	1	4	3	2	–	1	1	–	2	–
–	–	–	–	1	–	–	1	–	1	–
–	1	1	1	–	–	…	–	…	–	–
–	1	1	–	–	–	–	–	–	–	–
2	–	1	1	–	–	…	–	…	…	–
1	1	1	1	–	–	–	–	–	–	–
–	–	–	–	8	4	–	3	1	3	5
2	1	3	4	23	11	6	2	4	11	12
3	2	–	–	–	–	…	…	…	–	–
–	–	–	–	15	8	3	1	3	3	12
–	–	–	1	24	9	7	3	5	12	12
–	–	–	–	18	9	2	4	3	–	–
2	–	–	3	19	1	2	9	7	8	11
–	–	1	1	12	3	5	3	1	5	7
2	–	–	2	1	1	–	–	–	1	–
…	…	–	–	…	–	…	…	…	…	…
2	–	3	2	5	–	1	4	–	4	1
–	–	–	–	58	22	22	12	2	45	13
2	1	4	2	2	1	1	–	–	2	–
–	–	–	–	7	3	–	2	2	4	3
2	–	4	2	–	–	–	–	–	–	–
–	–	–	–	–	–	–	–	–	–	–
–	–	–	–	1	–	1	–	–	1	–
–	–	2	–	1	–	1	–	–	1	–
3	2	3	4	2	2	–	–	–	1	1
3	1	4	2	–	–	–	–	–	–	–
1	5	7	4	4	2	1	–	1	4	–
3	1	3	6	1	1	–	–	–	–	1
1	–	3	1	1	1	–	–	–	1	–
–	–	–	–	2	2	–	–	–	2	–
3	1	3	2	19	6	2	8	3	12	7
1	–	5	–	5	2	1	2	–	3	2
2	1	2	4	24	9	6	5	4	9	15
–	–	1	–	11	5	3	3	–	8	3
–	–	–	–	2	1	1	–	–	1	1
–	–	–	–	1	–	–	–	1	–	1
3	1	3	5	11	5	2	–	4	10	1
–	2	2	3	8	3	5	–	–	7	1
–	–	2	–	–	–	–	–	–	–	–
1	–	1	1	–	–	–	–	–	–	–
–	2	3	1	1	–	–	1	–	–	1
–	3	4	3	1	1	–	–	–	1	–
1	–	1	1	5	4	–	1	–	5	–
–	–	1	1	2	1	–	–	1	1	1
4	1	8	3	24	7	6	7	4	14	10
–	2	1	3	8	2	2	3	1	1	7
–	1	–	1	5	–	2	3	–	3	2
1	–	3	–	20	5	8	6	1	16	4
–	–	–	–	31	15	4	4	8	20	11
2	…	1	–	3	2	…	1	…	…	1
2	1	2	1	3	3	–	–	–	1	2
–	–	–	–	10	3	1	2	4	7	3

第28表（13－11） 平成28年度における乳がん検診受診者数・要精密検査者数・精密検査

	精密検査受診						
	異常を認める						
	乳がん以外の疾患であった者（転移性の乳がんを含む）						
	総数	40～49歳	50～59歳	60～69歳	70歳以上	(再掲)初回	(再掲)非初回
全国	**89 396**	**41 531**	**20 373**	**17 363**	**10 129**	**39 521**	**38 894**
北海道	2 300	1 117	508	432	243	1 002	652
青森	1 061	435	253	229	144	566	484
岩手	662	236	167	163	96	241	419
宮城	1 981	817	475	442	247	919	1 062
秋田	997	460	258	181	98	456	402
山形	1 038	361	234	272	171	266	512
福島	742	312	197	149	84	350	382
茨城	1 302	598	343	248	113	745	553
栃木	1 549	671	356	363	159	595	822
群馬	1 851	816	465	363	207	707	897
埼玉	5 433	2 493	1 255	1 075	610	1 712	1 962
千葉	6 586	2 605	1 383	1 479	1 119	2 059	3 906
東京	10 013	5 034	2 575	1 523	881	4 648	3 608
神奈川	4 882	2 500	1 042	792	548	2 808	1 851
新潟	1 868	723	436	439	270	824	1 044
富山	1 037	394	164	277	202	221	550
石川	947	461	211	216	59	184	268
福井	610	273	139	138	60	326	284
山梨	543	218	131	132	62	145	322
長野	1 408	711	328	263	106	600	437
岐阜	2 413	1 148	600	450	215	1 014	1 399
静岡	2 381	1 133	579	415	254	1 048	1 032
愛知	5 335	2 758	1 160	930	487	2 528	2 271
三重	1 247	588	275	261	123	535	712
滋賀	916	486	191	151	88	563	353
京都	1 422	751	317	221	133	416	341
大阪	5 369	2 926	1 200	814	429	3 215	2 154
兵庫	3 043	1 535	750	494	264	1 661	1 084
奈良	1 216	580	290	222	124	640	576
和歌山	800	341	210	172	77	354	446
鳥取	561	224	130	134	73	274	287
島根	469	193	121	106	49	236	132
岡山	1 313	579	271	263	200	614	686
広島	1 442	670	276	317	179	751	687
山口	1 575	689	329	351	206	792	783
徳島	653	293	159	120	81	327	292
香川	782	369	153	150	110	404	378
愛媛	761	330	162	160	109	411	350
高知	417	177	93	97	50	245	172
福岡	3 565	1 686	754	719	406	1 001	757
佐賀	793	336	180	184	93	403	390
長崎	1 259	597	278	263	121	645	614
熊本	1 151	474	232	271	174	604	546
大分	1 069	422	203	261	183	508	427
宮崎	199	94	49	38	18	120	78
鹿児島	1 362	480	274	366	242	509	853
沖縄	1 073	437	217	257	162	329	677
指定都市・特別区(再掲)							
東京都区部	7 474	3 811	1 873	1 123	667	3 302	2 503
札幌市	632	380	119	87	46	67	35
仙台市	850	355	189	194	112	417	433
さいたま市	1 520	599	387	284	250	…	-
千葉市	1 207	486	229	241	251	573	634
横浜市	1 265	771	254	163	77	875	390
川崎市	749	370	184	122	73	749	-
相模原市	449	203	120	66	60	207	242
新潟市	495	217	116	91	71	271	224
静岡市	292	119	77	55	41	-	-
浜松市	297	177	54	35	31	192	105
名古屋市	1 552	845	405	206	96	1 022	530
京都市	665	341	176	93	55	-	-
大阪市	917	584	176	101	56	646	271
堺市	721	394	159	111	57	401	320
神戸市	274	83	65	70	56	189	85
岡山市	370	212	73	50	35	249	121
広島市	570	307	118	101	44	253	317
北九州市	715	384	144	124	63	…	…
福岡市	955	526	197	153	79	-	-
熊本市	391	216	88	48	39	260	131

受診の有無別人数，都道府県－指定都市・特別区－中核市－その他政令市、年齢階級・検診回数別

の　有　無　別　人　数[2)]						
未　受　診						
総　数	40 ～ 49 歳	50 ～ 59 歳	60 ～ 69 歳	70 歳 以 上	(再掲)初　回	(再掲)非初回
6 820	**2 935**	**1 600**	**1 442**	**843**	**3 046**	**2 519**
337	143	87	71	36	163	103
81	38	16	15	12	46	32
35	13	8	10	4	17	17
26	9	7	6	4	20	6
29	9	6	11	3	10	16
108	25	38	31	14	34	67
82	31	19	22	10	33	46
311	152	73	59	27	192	119
57	24	13	13	7	22	15
153	60	36	28	29	75	73
818	359	189	179	91	352	361
131	65	28	21	17	55	59
662	301	165	120	76	186	163
279	110	72	57	40	180	63
101	28	36	25	12	60	41
76	26	16	21	13	23	30
87	35	24	21	7	43	17
70	36	13	9	12	37	33
81	28	23	21	9	29	51
155	63	36	41	15	43	39
106	52	25	19	10	43	63
201	75	38	44	44	48	48
424	195	108	71	50	241	144
177	64	40	47	26	94	83
31	17	3	6	5	21	10
186	102	42	29	13	15	21
409	200	83	82	44	243	166
143	61	35	34	13	66	46
72	30	21	13	8	42	30
144	54	31	39	20	65	79
55	27	9	12	7	33	22
13	8	5	…	…	9	3
52	16	15	11	10	27	24
86	23	15	33	15	45	40
56	26	10	11	9	33	23
43	21	12	9	1	24	15
34	10	4	10	10	13	21
33	11	6	12	4	14	19
29	12	11	6	－	17	12
224	121	43	41	19	26	22
55	23	11	9	12	28	27
68	40	13	10	5	49	19
74	41	12	10	11	46	28
138	48	29	37	24	58	54
21	11	6	3	1	17	4
85	28	27	17	13	43	42
182	64	41	46	31	66	103
527	240	134	96	57	117	104
8	4	3	1	－	6	2
－	－	－	－	－	－	－
101	33	19	23	26	…	－
－	－	－	－	－	－	－
4	2	2	－	－	3	1
91	37	24	18	12	91	－
97	41	27	19	10	56	41
23	6	12	4	1	16	7
74	21	9	22	22	－	－
11	7	1	－	3	5	6
127	59	35	19	14	98	29
150	83	35	23	9	－	－
116	74	18	16	8	81	35
108	35	23	35	15	60	48
－	－	－	－	－	－	－
－	－	－	－	－	－	－
9	4	2	1	2	7	2
29	16	8	5	…	…	－
147	87	24	23	13	－	－
23	18	3	1	1	16	7

15(8)－32,33 乳がん 精密検査

第28表（13－12） 平成28年度における乳がん検診受診者数・要精密検査者数・精密検査

	精　　密　　検　　査　　受　　診						
	異　　常　　を　　認　　め　　る						
	乳 が ん 以 外 の 疾 患 で あ っ た 者 （ 転 移 性 の 乳 が ん を 含 む ）						
	総　　数	40 ～ 49 歳	50 ～ 59 歳	60 ～ 69 歳	70 歳 以 上	（再掲）初　回	（再掲）非初回
中核市（再掲）							
旭　川　市	243	109	60	39	35	134	109
函　館　市	49	24	10	12	3	1	－
青　森　市	263	134	55	50	24	174	89
八　戸　市	208	84	34	53	37	102	106
盛　岡　市	151	75	35	24	17	61	90
秋　田　市	432	241	125	48	18	287	145
郡　山　市	131	55	31	29	16	60	71
い わ き 市	85	26	20	21	18	45	40
宇 都 宮 市	232	109	53	49	21	156	76
前　橋　市	355	140	88	78	49	126	229
高　崎　市	247	131	49	40	27	…	－
川　越　市	300	139	66	63	32	112	188
越　谷　市	183	86	40	38	19	58	125
船　橋　市	605	299	136	92	78	－	－
柏　　　市	525	195	119	122	89	92	433
八 王 子 市	282	119	71	59	33	152	130
横 須 賀 市	127	56	22	26	23	76	51
富　山　市	266	108	46	48	64	…	－
金　沢　市	222	102	68	51	1	43	100
長　野　市	168	110	33	19	6	132	36
岐　阜　市	568	290	140	97	41	299	269
豊　橋　市	128	71	21	18	18	80	48
豊　田　市	116	49	31	26	10	56	60
岡　崎　市	335	199	49	59	28	226	109
大　津　市	170	91	34	29	16	118	52
高　槻　市	264	145	51	39	29	163	101
東 大 阪 市	259	135	48	45	31	153	106
豊　中　市	226	104	63	33	26	120	106
枚　方　市	316	160	89	46	21	196	120
姫　路　市	633	389	177	51	16	339	294
西　宮　市	293	175	68	32	18	214	79
尼　崎　市	86	47	18	16	5	67	19
奈　良　市	404	188	91	71	54	195	209
和 歌 山 市	194	102	51	31	10	115	79
倉　敷　市	349	151	75	66	57	133	216
福　山　市	121	57	17	26	21	89	32
呉　　　市	161	84	26	28	23	101	60
下　関　市	166	81	36	30	19	104	62
高　松　市	278	161	40	48	29	161	117
松　山　市	308	145	72	54	37	208	100
高　知　市	218	119	57	31	11	141	77
久 留 米 市	313	143	101	39	30	191	122
長　崎　市	387	240	78	51	18	251	136
佐 世 保 市	217	94	51	47	25	99	118
大　分　市	300	162	60	54	24	255	45
宮　崎　市	76	38	22	13	3	43	33
鹿 児 島 市	364	137	73	89	65	160	204
那　覇　市	287	113	51	67	56	76	211
その他政令市（再掲）							
小　樽　市	105	41	14	30	20	65	40
町　田　市	442	206	134	65	37	301	141
藤　沢　市	544	293	101	76	74	213	331
茅 ヶ 崎 市	110	47	26	24	13	41	1
四 日 市 市	132	88	12	18	14	68	64
大 牟 田 市	71	28	13	23	7	49	22

注：初回・非初回及び年齢階級別については、計数不詳の市区町村があるため、総数と一致しない場合がある。
　　1）マンモグラフィの判定別人数については、計数不詳の市区町村があるため、受診者数と一致しない場合がある。
　　2）精密検査受診の有無別人数については、計数不詳の市区町村がある場合、要精密検査者数と一致しないことがある。

受診の有無別人数，都道府県－指定都市・特別区－中核市－その他政令市、年齢階級・検診回数別

の有無別人数[2)]						
未受診						
総数	40 ～ 49 歳	50 ～ 59 歳	60 ～ 69 歳	70 歳 以 上	(再掲)初回	(再掲)非初回
102	43	25	23	11	61	41
28	14	10	3	1	-	-
12	4	2	5	1	7	5
12	6	1	2	3	7	5
2	-	1	1	-	1	1
-	-	-	-	-	-	-
-	-	-	…	…	-	-
1	-	-	1	-	1	-
10	4	2	3	1	8	2
59	17	13	13	16	22	37
5	3	1	…	1	…	-
2	2	-	-	-	1	1
2	-	1	-	1	1	1
17	8	5	2	2	-	-
1	-	1	-	-	-	1
6	2	1	3	-	4	2
4	1	-	2	1	3	1
23	12	5	3	3	-	-
25	10	8	6	1	17	8
14	4	5	4	1	12	2
4	2	-	2	-	4	-
28	11	11	4	2	19	9
7	4	2	-	1	4	3
23	13	4	6	-	19	4
9	4	2	2	1	5	4
16	9	4	-	3	9	7
18	5	2	4	7	9	9
5	4	-	-	1	4	1
16	8	4	3	1	9	7
-	-	-	-	-	-	-
7	3	4	-	-	4	3
-	-	-	-	-	-	-
12	4	2	4	2	5	7
21	10	4	5	2	15	6
1	1	-	-	-	-	1
14	10	-	3	1	12	2
-	-	-	-	-	-	-
19	6	3	6	4	12	7
1	-	-	-	1	1	-
7	4	1	2	-	5	2
26	10	10	6	-	14	12
2	-	1	-	1	1	1
12	7	-	3	2	7	5
15	8	3	2	2	10	5
10	8	-	2	-	10	-
-	-	-	-	-	-	-
16	5	7	2	2	9	7
60	17	14	19	10	25	35
-	-	-	-	-	-	-
6	4	2	-	-	3	3
9	3	1	2	3	3	6
32	6	11	8	7	1	-
8	4	-	1	3	8	-
-	-	-	-	-	-	-

第28表（13－13） 平成28年度における乳がん検診受診者数・要精密検査者数・精密検査

	精密検査受診の有無別人数[2]						
	未把握						
	総数	40～49歳	50～59歳	60～69歳	70歳以上	(再掲)初回	(再掲)非初回
全国	**18 055**	**8 243**	**4 385**	**3 346**	**2 081**	**7 500**	**6 311**
北海道	493	268	104	77	44	87	48
青森	123	43	33	31	16	71	51
岩手	14	3	6	1	4	8	6
宮城	100	32	21	27	20	53	47
秋田	181	80	49	38	14	82	82
山形	106	29	42	30	5	35	43
福島	109	39	28	33	9	51	39
茨城	75	40	15	14	6	44	31
栃木	302	121	67	79	35	143	128
群馬	40	21	9	5	5	15	14
埼玉	1 314	593	310	240	171	529	510
千葉	953	401	196	168	188	367	384
東京	4 253	2 117	1 106	657	373	1 849	1 349
神奈川	1 537	646	363	312	216	897	606
新潟	30	12	7	9	2	8	22
富山	52	22	9	16	5	27	25
石川	19	8	4	6	1	10	5
福井	43	23	12	5	3	24	19
山梨	63	21	15	13	14	19	34
長野	159	63	36	34	26	70	42
岐阜	268	123	86	38	21	141	127
静岡	574	239	139	113	83	239	306
愛知	1 261	600	288	217	156	657	522
三重	683	262	222	170	29	203	480
滋賀	12	7	2	2	1	8	4
京都	46	25	10	7	4	32	14
大阪	247	116	63	43	25	137	110
兵庫	2 545	1 187	591	453	314	386	219
奈良	61	30	10	14	7	37	24
和歌山	144	49	33	45	17	78	66
鳥取	28	16	4	3	5	13	15
島根	18	4	9	4	1	8	6
岡山	242	126	42	53	21	151	90
広島	428	188	102	89	49	233	195
山口	124	56	23	23	22	68	56
徳島	30	18	6	2	4	19	11
香川	36	13	7	9	7	15	21
愛媛	45	32	5	3	5	35	10
高知	8	2	－	4	2	3	5
福岡	396	204	79	65	48	244	109
佐賀	49	15	19	10	5	33	16
長崎	120	51	29	28	12	68	47
熊本	149	57	36	36	20	61	84
大分	90	33	25	21	11	60	27
宮崎	113	50	29	24	10	50	63
鹿児島	36	17	10	8	1	23	13
沖縄	336	141	84	67	44	109	186
指定都市・特別区(再掲)							
東京都区部	3 228	1 602	847	487	292	1 254	981
札幌市	356	206	65	53	32	－	－
仙台市	73	22	17	17	17	42	31
さいたま市	207	57	46	53	51	…	－
千葉市	352	158	63	64	67	192	160
横浜市	775	311	175	189	100	414	361
川崎市	286	122	77	45	42	286	－
相模原市	－	－	－	－	－	－	－
新潟市	－	－	－	－	…	－	－
静岡市	28	12	10	5	1	－	－
浜松市	98	46	18	14	20	59	39
名古屋市	481	254	115	63	49	365	116
京都市	－	－	－	－	－	－	－
大阪市	28	18	6	3	1	16	12
堺市	－	－	－	－	－	－	－
神戸市	1 983	889	458	370	266	58	8
岡山市	158	94	27	30	7	109	49
広島市	223	127	58	22	16	108	115
北九州市	26	12	4	7	3	…	－
福岡市	1	－	－	－	1	－	－
熊本市	11	8	1	1	1	6	5

受診の有無別人数，都道府県－指定都市・特別区－中核市－その他政令市、年齢階級・検診回数別

	精密検査受診の有無別人数[2)]						
	未把握						
	総数	40～49歳	50～59歳	60～69歳	70歳以上	(再掲)初回	(再掲)非初回
中核市(再掲)							
旭川市	-	-	-	-	-	-	-
函館市	-	-	-	-	-	-	-
青森市	9	1	5	2	1	5	4
八戸市	8	3	1	4	-	5	3
盛岡市	-	-	-	-	-	-	-
秋田市	55	33	17	3	2	34	21
郡山市	18	8	4	4	2	9	9
いわき市	19	6	3	6	4	13	6
宇都宮市	32	17	9	5	1	25	7
前橋市	-	-	-	-	-	-	-
高崎市	9	6	2	…	1	…	-
川越市	8	6	-	2	-	3	5
越谷市	6	5	1	-	-	1	5
船橋市	198	73	36	22	67	-	-
柏市	59	24	13	12	10	15	44
八王子市	4	3	1	-	-	1	3
横須賀市	11	6	1	2	2	4	7
富山市	-	-	-	…	-	-	-
金沢市	-	-	-	-	-	-	-
長野市	-	-	-	-	-	-	-
岐阜市	45	20	22	2	1	35	10
豊橋市	-	-	-	-	-	-	-
豊田市	5	3	-	2	-	4	1
岡崎市	305	117	76	72	40	116	189
大津市	-	-	-	-	-	-	-
高槻市	6	4	1	1	-	2	4
東大阪市	11	5	4	2	-	7	4
豊中市	34	14	11	6	3	19	15
枚方市	3	1	2	-	-	2	1
姫路市	110	77	23	9	1	59	51
西宮市	8	5	3	-	-	6	2
尼崎市	64	43	11	6	4	57	7
奈良市	4	3	1	-	-	2	2
和歌山市	82	31	17	27	7	52	30
倉敷市	32	17	8	5	2	17	15
福山市	9	4	4	1	-	5	4
呉市	25	7	6	7	5	15	10
下関市	20	5	1	6	8	12	8
高松市	16	6	5	4	1	8	8
松山市	10	7	1	1	1	8	2
高知市	-	-	-	-	-	-	-
久留米市	60	27	22	6	5	40	20
長崎市	41	17	9	11	4	28	13
佐世保市	4	2	1	1	-	1	3
大分市	38	20	11	5	2	33	5
宮崎市	18	6	6	5	1	10	8
鹿児島市	10	7	1	2	-	9	1
那覇市	49	20	7	13	9	19	30
その他政令市(再掲)							
小樽市	3	1	1	1	-	3	-
町田市	136	65	37	20	14	92	44
藤沢市	91	37	21	19	14	48	43
茅ヶ崎市	23	14	4	1	4	4	-
四日市市	21	17	3	1	-	16	5
大牟田市	13	5	4	2	2	11	2

注：初回・非初回及び年齢階級別については、計数不詳の市区町村があるため、総数と一致しない場合がある。
1）マンモグラフィの判定別人数については、計数不詳の市区町村があるため、受診者数と一致しない場合がある。
2）精密検査受診の有無別人数については、計数不詳の市区町村がある場合、要精密検査者数と一致しないことがある。

15(9)－01 肝炎ウイルス検診

第29－1表（11－1） 肝炎ウイルス検診受診者数・判定別人員数,

	B型肝炎ウイルス検診（総数）			B型肝炎ウイルス検診（40歳検診）			
	受診者数	判定		受診者数	判定		
		陽性	陰性		陽性	陰性	総数
全国	**731 209**	**4 641**	**726 530**	**90 705**	**237**	**90 457**	**640 504**
北海道	22 192	298	21 894	1 762	7	1 755	20 430
青森	6 948	92	6 856	830	6	824	6 118
岩手	11 127	81	11 046	1 266	3	1 263	9 861
宮城	8 740	64	8 676	2 366	4	2 362	6 374
秋田	4 340	33	4 307	622	1	621	3 718
山形	7 482	47	7 435	764	－	764	6 718
福島	15 513	124	15 380	1 381	2	1 370	14 132
茨城	20 636	85	20 551	2 790	3	2 787	17 846
栃木	18 591	94	18 497	2 747	1	2 746	15 844
群馬	13 732	53	13 679	2 384	2	2 382	11 348
埼玉	37 152	260	36 892	4 594	10	4 584	32 558
千葉	79 327	392	78 935	10 768	32	10 736	68 559
東京	92 699	567	92 131	12 801	54	12 747	79 898
神奈川	29 227	190	29 037	2 430	8	2 422	26 797
新潟	8 569	43	8 526	742	－	742	7 827
富山	4 310	36	4 274	1 271	3	1 268	3 039
石川	6 994	48	6 946	1 691	7	1 684	5 303
福井	7 823	47	7 776	859	－	859	6 964
山梨	15 996	101	15 895	767	3	764	15 229
長野	13 944	51	13 865	2 093	4	2 087	11 851
岐阜	11 359	51	11 308	1 990	3	1 987	9 369
静岡	38 399	204	38 195	4 715	7	4 708	33 684
愛知	34 635	179	34 456	6 414	22	6 392	28 221
三重	8 222	44	8 178	1 051	1	1 050	7 171
滋賀	8 834	20	8 814	1 994	2	1 992	6 840
京都	6 925	17	6 908	1 670	1	1 669	5 255
大阪	24 390	153	24 237	2 237	7	2 230	22 153
兵庫	50 910	285	50 625	3 298	4	3 294	47 612
奈良	4 337	14	4 323	982	－	982	3 355
和歌山	4 736	25	4 711	871	3	868	3 865
鳥取	5 637	68	5 569	535	1	534	5 102
島根	3 632	25	3 607	461	1	460	3 171
岡山	16 052	78	15 974	462	2	460	15 590
広島	10 934	139	10 795	485	3	482	10 449
山口	1 476	8	1 468	189	2	187	1 287
徳島	2 029	5	2 024	292	1	291	1 737
香川	6 207	26	6 181	1 115	3	1 112	5 092
愛媛	5 659	36	5 623	621	1	620	5 038
高知	1 508	5	1 503	127	1	126	1 381
福岡	7 737	62	7 675	1 200	3	1 197	6 537
佐賀	3 961	46	3 915	313	1	312	3 648
長崎	5 892	66	5 826	299	1	298	5 593
熊本	7 895	65	7 830	790	3	787	7 105
大分	5 466	30	5 436	407	1	406	5 059
宮崎	6 141	47	6 094	635	3	632	5 506
鹿児島	15 713	110	15 603	1 722	3	1 719	13 991
沖縄	7 181	127	7 054	902	7	895	6 279
指定都市・特別区(再掲)							
東京都区部	65 340	438	64 901	7 095	41	7 054	58 245
札幌市	－	－	－	－	－	－	－
仙台市	－	－	－	－	－	－	－
さいたま市	12 744	99	12 645	1 833	3	1 830	10 911
千葉市	10 062	73	9 989	1 226	2	1 224	8 836
横浜市	－	－	－	－	－	－	－
川崎市	－	－	－	－	－	－	－
相模原市	6 260	44	6 216	636	2	634	5 624
新潟市	－	－	－	－	－	－	－
静岡市	5 406	26	5 380	184	－	184	5 222
浜松市	8 052	30	8 022	2 092	3	2 089	5 960
名古屋市	－	－	－	－	－	－	－
京都市	－	－	－	－	－	－	－
大阪市	3 886	21	3 865	122	－	122	3 764
堺市	－	－	－	－	－	－	－
神戸市	10 772	73	10 699	711	2	709	10 061
岡山市	7 811	32	7 779	47	－	47	7 764
広島市	－	－	－	－	－	－	－
北九州市	－	－	－	－	－	－	－
福岡市	－	－	－	－	－	－	－
熊本市	－	－	－	－	－	－	－

都道府県－指定都市・特別区－中核市－その他政令市、年齢別

平成29年度

Ｂ 型 肝 炎 ウ イ ル ス 検 診 （ 41 歳 以 上 の 者 ） 受 診 者 数

41 〜 44 歳	45 〜 49 歳	50 〜 54 歳	55 〜 59 歳	60 〜 64 歳	65 〜 69 歳	70 〜 74 歳	75 〜 79 歳	80 歳以上
61 637	**66 152**	**57 622**	**59 155**	**88 177**	**128 766**	**97 107**	**44 811**	**37 077**
2 681	1 995	1 866	2 357	3 245	4 222	2 664	894	506
358	543	558	712	964	1 408	992	352	231
1 115	1 076	1 082	1 208	1 776	1 725	1 204	366	309
300	786	715	776	1 191	1 423	875	185	123
209	407	373	390	655	639	669	235	141
559	547	527	785	1 236	1 740	803	342	179
696	762	840	1 107	2 344	3 856	2 213	1 183	1 131
1 933	1 898	1 595	1 598	2 609	3 986	2 712	950	565
1 848	1 926	1 561	1 489	2 186	3 505	1 928	840	561
940	1 359	1 099	1 020	1 614	2 111	1 684	822	699
2 965	3 279	2 635	2 449	3 697	6 906	5 409	3 082	2 136
3 722	7 905	6 819	6 082	7 780	12 737	12 803	5 940	4 771
8 957	9 102	7 617	6 758	8 574	12 605	9 470	7 975	8 840
2 498	2 288	1 973	1 981	2 491	4 433	4 886	3 415	2 832
709	624	630	738	1 304	2 113	1 317	267	125
39	271	572	308	1 121	518	141	30	39
248	775	892	996	1 192	637	551	10	2
513	670	616	660	958	1 504	813	608	622
1 190	1 050	1 108	1 272	2 331	3 974	3 229	760	315
383	1 101	1 135	1 046	1 437	2 667	2 548	1 088	446
1 038	1 129	834	799	1 428	1 981	1 280	427	453
2 522	3 836	3 223	3 528	4 805	6 716	4 538	2 154	2 362
2 373	2 759	2 382	2 251	3 582	5 041	4 837	2 659	2 337
582	853	755	888	1 263	1 345	852	408	225
645	1 120	1 014	958	1 217	866	646	266	108
663	981	647	635	906	570	482	217	154
2 792	2 190	1 821	1 775	2 594	4 090	3 726	1 767	1 398
7 522	4 967	3 889	4 263	5 830	9 775	7 028	2 735	1 603
526	374	323	329	526	641	416	147	73
772	337	345	366	617	737	520	106	65
538	554	440	499	882	1 054	783	182	170
154	256	185	219	489	901	572	200	195
2 625	1 806	1 530	1 641	2 427	3 221	1 286	624	430
629	500	456	564	1 292	2 991	2 718	732	567
141	115	94	138	207	298	183	67	44
122	149	123	152	270	468	347	56	50
544	559	527	546	876	929	639	208	264
664	510	409	455	856	1 160	640	206	138
100	109	94	92	196	387	280	55	68
956	730	564	752	1 115	1 364	835	151	70
356	319	298	326	668	1 005	434	129	113
636	437	460	541	953	1 353	776	213	224
776	498	531	722	1 313	1 823	829	337	276
391	332	316	407	723	1 394	963	322	211
368	546	452	611	916	1 347	1 017	142	107
886	1 026	1 045	1 186	2 422	3 401	2 755	679	591
453	796	652	780	1 099	1 199	814	278	208
6 650	6 493	5 477	4 823	6 038	8 810	6 727	6 178	7 049
–	–	–	–	–	–	–	–	–
1 074	1 137	873	791	1 206	2 072	1 631	1 152	975
68	816	1 036	633	794	1 302	2 245	1 045	897
–	–	–	–	–	–	–	–	–
344	555	453	386	542	1 029	1 364	659	292
594	672	520	522	530	712	613	450	609
13	1 027	807	931	1 230	1 927	15	4	6
–	–	–	–	–	–	–	–	–
268	272	260	260	356	748	927	408	265
884	781	624	690	1 234	2 279	1 711	1 214	644
1 685	1 014	848	962	1 286	1 525	225	127	92
–	–	–	–	–	–	–	–	–
–	–	–	–	–	–	–	–	–
–	–	–	–	–	–	–	–	–

第29－１表（11－2） 肝炎ウイルス検診受診者数・判定別人員数,

	B型肝炎ウイルス検診（総数）			B型肝炎ウイルス検診（40歳検診）			
	受診者数	判定		受診者数	判定		
		陽性	陰性		陽性	陰性	総数
中核市(再掲)							
旭川市	-	-	-	-	-	-	-
函館市	2 099	27	2 072	56	-	56	2 043
青森市	-	-	-	-	-	-	-
八戸市	501	10	491	52	1	51	449
盛岡市	3 522	14	3 508	147	1	146	3 375
秋田市	-	-	-	-	-	-	-
郡山市	2 137	14	2 123	255	1	254	1 882
いわき市	3 363	34	3 329	40	-	40	3 323
宇都宮市	5 168	27	5 141	861	-	861	4 307
前橋市	1 597	3	1 594	557	-	557	1 040
高崎市	2 174	13	2 161	289	-	289	1 885
川越市	-	-	-	-	-	-	-
越谷市	2 231	9	2 222	154	1	153	2 077
船橋市	8 778	49	8 729	1 614	5	1 609	7 164
柏市	7 074	26	7 048	639	2	637	6 435
八王子市	2 306	4	2 302	13	-	13	2 293
横須賀市	1 043	6	1 037	52	-	52	991
富山市	811	8	803	241	-	241	570
金沢市	3 626	22	3 604	848	2	846	2 778
長野市	179	1	178	6	-	6	173
岐阜市	76	-	76	76	-	76	-
豊橋市	767	2	765	709	1	708	58
豊田市	3 544	29	3 515	345	4	341	3 199
岡崎市	4 529	16	4 513	717	1	716	3 812
大津市	1 958	7	1 951	517	1	516	1 441
高槻市	1 147	7	1 140	291	-	291	856
東大阪市	1 695	12	1 683	254	1	253	1 441
豊中市	2 145	14	2 131	51	-	51	2 094
枚方市	335	5	330	12	-	12	323
姫路市	6 211	46	6 165	14	-	14	6 197
西宮市	5 286	38	5 248	41	-	41	5 245
尼崎市	2 796	16	2 780	1 168	-	1 168	1 628
奈良市	358	3	355	188	-	188	170
和歌山市	1 004	2	1 002	350	-	350	654
倉敷市	2 852	17	2 835	62	-	62	2 790
福山市	1 319	21	1 298	65	-	65	1 254
呉市	844	6	838	56	-	56	788
下関市	249	2	247	4	-	4	245
高松市	1 089	5	1 084	531	2	529	558
松山市	-	-	-	-	-	-	-
高知市	-	-	-	-	-	-	-
久留米市	-	-	-	-	-	-	-
長崎市	-	-	-	-	-	-	-
佐世保市	-	-	-	-	-	-	-
大分市	1 412	6	1 406	115	-	115	1 297
宮崎市	-	-	-	-	-	-	-
鹿児島市	6 300	35	6 265	456	-	456	5 844
那覇市	1 376	11	1 365	362	1	361	1 014
その他政令市(再掲)							
小樽市	-	-	-	-	-	-	-
町田市	6 406	23	6 383	601	-	601	5 805
藤沢市	5 209	11	5 198	289	-	289	4 920
茅ヶ崎市	281	1	280	119	-	119	162
四日市市	-	-	-	-	-	-	-
大牟田市	-	-	-	-	-	-	-

注：判定別は、計数不詳の市区町村があるため、総数と一致しない場合がある。
　1）C型肝炎ウイルス検診の判定①・②は、いずれも「現在C型肝炎ウイルスに感染している可能性が高い」と判定された者であり、判定③～⑤は、「現在C型肝炎ウイルスに感染している可能性が低い」と判定された者である。

都道府県－指定都市・特別区－中核市－その他政令市、年齢別

平成29年度

B 型 肝 炎 ウ イ ル ス 検 診 （ 41 歳 以 上 の 者 ） 受 診 者 数

41 ～ 44 歳	45 ～ 49 歳	50 ～ 54 歳	55 ～ 59 歳	60 ～ 64 歳	65 ～ 69 歳	70 ～ 74 歳	75 ～ 79 歳	80 歳以上
－	－	－	－	－	－	－	－	－
400	380	286	430	547	－	－	－	－
－	－	－	－	－	－	－	－	－
17	31	30	36	77	129	92	30	7
660	339	299	386	509	367	369	197	249
－	－	－	－	－	－	－	－	－
144	133	145	152	317	417	288	138	148
75	98	116	173	408	793	613	517	530
401	539	428	362	527	978	435	348	289
121	115	79	70	134	184	147	101	89
240	224	188	152	244	427	339	71	－
－	－	－	－	－	－	－	－	－
92	169	212	159	199	440	508	212	86
1 388	898	742	596	715	1 145	838	450	392
8	626	484	500	467	1 016	1 702	1 085	547
851	414	293	271	361	50	33	12	8
114	55	56	57	101	181	207	116	104
6	140	128	101	153	18	19	3	2
－	500	669	755	854	－	－	－	－
16	11	7	9	17	33	34	19	27
－	－	－	－	－	－	－	－	－
11	7	2	4	12	10	6	3	3
－	153	246	93	289	553	1 023	481	361
477	335	243	279	577	916	406	237	342
263	248	216	222	316	92	66	13	5
301	56	37	31	70	97	166	53	45
396	88	77	55	62	117	322	185	139
106	126	120	117	196	398	413	330	288
24	40	33	22	49	65	46	28	16
1 529	952	655	682	741	922	619	66	31
1 334	614	387	502	503	969	683	246	7
127	148	239	105	277	230	359	82	61
23	28	22	15	21	31	20	7	3
377	25	23	24	41	73	81	6	4
367	208	171	149	327	595	492	280	201
121	106	98	91	173	285	244	72	64
84	46	46	49	130	224	135	39	35
13	15	16	33	38	62	40	19	9
42	39	54	59	88	107	81	52	36
－	－	－	－	－	－	－	－	－
－	－	－	－	－	－	－	－	－
－	－	－	－	－	－	－	－	－
－	－	－	－	－	－	－	－	－
168	106	92	93	197	399	185	46	11
－	－	－	－	－	－	－	－	－
200	310	333	318	867	1 514	1 610	325	367
15	236	214	255	261	13	12	5	3
－	－	－	－	－	－	－	－	－
264	578	641	513	630	1 057	982	602	538
486	372	329	362	392	761	749	703	766
11	7	10	11	20	46	22	25	10
－	－	－	－	－	－	－	－	－
－	－	－	－	－	－	－	－	－

第29－1表（11－3） 肝炎ウイルス検診受診者数・判定別人員数，

	B型肝炎ウイルス検診								
	陽性								
	総数	41～44歳	45～49歳	50～54歳	55～59歳	60～64歳	65～69歳	70～74歳	75～79歳	80歳以上
全国	**4 404**	**227**	**319**	**340**	**394**	**662**	**1 097**	**835**	**319**	**211**
北海道	291	11	16	26	30	41	94	50	15	8
青森	86	-	4	4	7	14	19	28	8	2
岩手	78	-	14	11	6	13	15	16	3	-
宮城	60	1	6	6	6	15	12	12	-	2
秋田	32	-	2	2	3	9	5	9	2	-
山形	47	-	3	1	4	8	19	9	3	-
福島	122	2	3	6	9	14	47	22	10	9
茨城	82	2	6	7	3	12	22	18	7	5
栃木	93	6	6	7	10	8	34	8	12	2
群馬	51	4	3	6	6	6	6	9	6	5
埼玉	250	23	25	17	14	31	66	39	22	13
千葉	360	18	32	22	28	39	88	76	34	23
東京	513	44	59	47	47	58	98	76	42	42
神奈川	182	6	7	11	17	22	37	42	26	14
新潟	43	3	1	5	1	7	14	10	2	-
富山	33	1	2	3	5	11	7	3	1	-
石川	41	1	4	8	5	11	7	5	-	-
福井	47	2	2	3	5	4	16	7	3	5
山梨	98	2	5	9	8	18	27	21	6	2
長野	47	2	1	2	4	8	13	12	4	1
岐阜	48	1	-	1	9	5	15	10	4	3
静岡	197	9	12	19	14	31	42	43	15	12
愛知	157	4	10	12	10	18	30	25	30	18
三重	43	8	2	7	2	5	10	6	2	1
滋賀	18	3	4	2	1	2	2	3	1	-
京都	16	1	1	3	-	2	2	5	2	-
大阪	146	13	11	12	10	23	30	25	11	11
兵庫	281	22	24	25	23	39	72	54	15	7
奈良	14	2	2	1	-	3	1	5	-	-
和歌山	22	-	1	3	6	2	5	4	1	-
鳥取	67	4	3	6	12	17	9	15	-	1
島根	24	2	2	-	2	5	7	6	-	-
岡山	76	5	4	7	11	18	23	5	3	-
広島	136	5	4	5	4	20	41	46	8	3
山口	6	1	1	-	1	1	1	-	-	1
徳島	4	-	-	-	-	-	2	1	1	-
香川	23	-	2	2	3	5	6	2	2	1
愛媛	35	2	5	2	3	5	11	4	1	2
高知	4	-	-	-	-	-	3	1	-	-
福岡	59	4	5	9	3	15	9	11	1	2
佐賀	45	-	1	3	2	11	14	13	1	-
長崎	65	3	2	-	8	13	15	17	4	3
熊本	62	5	4	2	6	17	18	5	2	3
大分	29	-	3	-	5	3	10	7	-	1
宮崎	44	-	5	-	8	7	10	11	-	3
鹿児島	107	2	6	6	11	19	37	19	3	4
沖縄	120	3	4	10	22	27	26	20	6	2
指定都市・特別区(再掲)										
東京都区部	397	36	54	39	39	39	81	50	26	33
札幌市	-	-	-	-	-	-	-	-	-	-
仙台市	-	-	-	-	-	-	-	-	-	-
さいたま市	96	8	10	5	6	9	29	14	8	7
千葉市	71	1	5	4	5	9	9	24	8	6
横浜市	-	-	-	-	-	-	-	-	-	-
川崎市	-	-	-	-	-	-	-	-	-	-
相模原市	42	3	1	2	5	5	6	12	6	2
新潟市	-	-	-	-	-	-	-	-	-	-
静岡市	26	1	2	2	1	6	3	5	4	2
浜松市	27	-	5	4	3	4	11	-	-	-
名古屋市	-	-	-	-	-	-	-	-	-	-
京都市	-	-	-	-	-	-	-	-	-	-
大阪市	21	1	4	1	1	3	6	2	2	1
堺市	-	-	-	-	-	-	-	-	-	-
神戸市	71	7	9	3	1	13	18	15	3	2
岡山市	32	2	2	3	8	4	12	1	-	-
広島市	-	-	-	-	-	-	-	-	-	-
北九州市	-	-	-	-	-	-	-	-	-	-
福岡市	-	-	-	-	-	-	-	-	-	-
熊本市	-	-	-	-	-	-	-	-	-	-

都道府県－指定都市・特別区－中核市－その他政令市、年齢別

平成29年度

	(41 歳 以 上 の 者) 判 定								
	陰					性			
総　数	41～44歳	45～49歳	50～54歳	55～59歳	60～64歳	65～69歳	70～74歳	75～79歳	80歳以上
636 073	61 409	65 830	57 278	58 760	87 514	127 665	96 268	44 491	36 858
20 139	2 670	1 979	1 840	2 327	3 204	4 128	2 614	879	498
6 032	358	539	554	705	950	1 389	964	344	229
9 783	1 115	1 062	1 071	1 202	1 763	1 710	1 188	363	309
6 314	299	780	709	770	1 176	1 411	863	185	121
3 686	209	405	371	387	646	634	660	233	141
6 671	559	544	526	781	1 228	1 721	794	339	179
14 010	694	759	834	1 098	2 330	3 809	2 191	1 173	1 122
17 764	1 931	1 892	1 588	1 595	2 597	3 964	2 694	943	560
15 751	1 842	1 920	1 554	1 479	2 178	3 471	1 920	828	559
11 297	936	1 356	1 093	1 014	1 608	2 105	1 675	816	694
32 308	2 942	3 254	2 618	2 435	3 666	6 840	5 370	3 060	2 123
68 199	3 704	7 873	6 797	6 054	7 741	12 649	12 727	5 906	4 748
79 384	8 913	9 043	7 570	6 711	8 516	12 507	9 393	7 933	8 798
26 615	2 492	2 281	1 962	1 964	2 469	4 396	4 844	3 389	2 818
7 784	706	623	625	737	1 297	2 099	1 307	265	125
3 006	38	269	569	303	1 110	511	138	29	39
5 262	247	771	884	991	1 181	630	546	10	2
6 917	511	668	613	655	954	1 488	806	605	617
15 131	1 188	1 045	1 099	1 264	2 313	3 947	3 208	754	313
11 778	380	1 097	1 129	1 041	1 428	2 650	2 533	1 083	437
9 321	1 037	1 129	833	790	1 423	1 966	1 270	423	450
33 487	2 513	3 824	3 204	3 514	4 774	6 674	4 495	2 139	2 350
28 064	2 369	2 749	2 370	2 241	3 564	5 011	4 812	2 629	2 319
7 128	574	851	748	886	1 258	1 335	846	406	224
6 822	642	1 116	1 012	957	1 215	864	643	265	108
5 239	662	980	644	635	904	568	477	215	154
22 007	2 779	2 179	1 809	1 765	2 571	4 060	3 701	1 756	1 387
47 331	7 500	4 943	3 864	4 240	5 791	9 703	6 974	2 720	1 596
3 341	524	372	322	329	523	640	411	147	73
3 843	772	336	342	360	615	732	516	105	65
5 035	534	551	434	487	865	1 045	768	182	169
3 147	152	254	185	217	484	894	566	200	195
15 514	2 620	1 802	1 523	1 630	2 409	3 198	1 281	621	430
10 313	624	496	451	560	1 272	2 950	2 672	724	564
1 281	140	114	94	137	206	297	183	67	43
1 733	122	149	123	152	270	466	346	55	50
5 069	544	557	525	543	871	923	637	206	263
5 003	662	505	407	452	851	1 149	636	205	136
1 377	100	109	94	92	196	384	279	55	68
6 478	952	725	555	749	1 100	1 355	824	150	68
3 603	356	318	295	324	657	991	421	128	113
5 528	633	435	460	533	940	1 338	759	209	221
7 043	771	494	529	716	1 296	1 805	824	335	273
5 030	391	329	316	402	720	1 384	956	322	210
5 462	368	541	452	603	909	1 337	1 006	142	104
13 884	884	1 020	1 039	1 175	2 403	3 364	2 736	676	587
6 159	450	792	642	758	1 072	1 173	794	272	206
57 847	6 614	6 439	5 438	4 784	5 999	8 729	6 676	6 152	7 016
－	－	－	－	－	－	－	－	－	－
10 815	1 066	1 127	868	785	1 197	2 043	1 617	1 144	968
8 765	67	811	1 032	628	785	1 293	2 221	1 037	891
－	－	－	－	－	－	－	－	－	－
5 582	341	554	451	381	537	1 023	1 352	653	290
5 196	593	670	518	521	524	709	608	446	607
5 933	13	1 022	803	928	1 226	1 916	15	4	6
－	－	－	－	－	－	－	－	－	－
3 743	267	268	259	259	353	742	925	406	264
9 990	877	772	621	689	1 221	2 261	1 696	1 211	642
7 732	1 683	1 012	845	954	1 282	1 513	224	127	92
－	－	－	－	－	－	－	－	－	－
－	－	－	－	－	－	－	－	－	－

第29－１表（11－4） 肝炎ウイルス検診受診者数・判定別人員数，

	B型肝炎ウイルス検診									
	陽性									
	総数	41～44歳	45～49歳	50～54歳	55～59歳	60～64歳	65～69歳	70～74歳	75～79歳	80歳以上
中核市(再掲)										
旭川市	－	－	－	－	－	－	－	－	－	－
函館市	27	－	1	6	9	11	－	－	－	－
青森市	－	－	－	－	－	－	－	－	－	－
八戸市	9	－	－	－	1	1	4	2	1	－
盛岡市	13	－	4	－	2	1	2	3	1	－
秋田市	－	－	－	－	－	－	－	－	－	－
郡山市	13	－	3	2	1	2	4	1	－	－
いわき市	34	－	－	－	3	5	13	5	3	5
宇都宮市	27	－	－	1	3	3	11	2	6	1
前橋市	3	1	－	－	1	－	－	－	1	－
高崎市	13	1	1	1	3	2	1	1	3	－
川越市	－	－	－	－	－	－	－	－	－	－
越谷市	8	－	－	1	－	1	4	2	－	－
船橋市	44	6	5	1	4	6	10	7	3	2
柏市	24	－	－	1	2	1	4	6	7	3
八王子市	4	－	－	2	－	2	－	－	－	－
横須賀市	6	－	－	1	－	－	5	－	－	－
富山市	8	－	2	1	3	1	－	1	－	－
金沢市	20	－	2	6	4	8	－	－	－	－
長野市	1	－	－	－	1	－	－	－	－	－
岐阜市	－	－	－	－	－	－	－	－	－	－
豊橋市	1	－	－	－	－	－	1	－	－	－
豊田市	25	－	－	2	－	1	2	9	9	2
岡崎市	15	－	－	－	1	3	5	－	3	3
大津市	6	2	1	1	－	1	1	－	－	－
高槻市	7	1	－	－	－	－	2	3	－	1
東大阪市	11	3	－	1	－	1	4	1	1	－
豊中市	14	－	－	2	－	1	3	4	2	2
枚方市	5	－	－	－	－	－	2	1	2	－
姫路市	46	3	6	8	5	7	8	8	1	－
西宮市	38	3	2	2	4	5	14	6	2	－
尼崎市	16	－	2	2	2	3	3	2	2	－
奈良市	3	1	1	－	－	－	－	1	－	－
和歌山市	2	－	－	1	－	－	－	1	－	－
倉敷市	17	－	－	2	3	5	2	3	2	－
福山市	21	2	1	1	－	3	4	7	3	－
呉市	6	－	1	－	－	－	4	1	－	－
下関市	2	－	－	－	1	－	1	－	－	－
高松市	3	－	－	－	1	1	1	－	－	－
松山市	－	－	－	－	－	－	－	－	－	－
高知市	－	－	－	－	－	－	－	－	－	－
久留米市	－	－	－	－	－	－	－	－	－	－
長崎市	－	－	－	－	－	－	－	－	－	－
佐世保市	－	－	－	－	－	－	－	－	－	－
大分市	6	－	－	－	2	1	1	1	－	1
宮崎市	－	－	－	－	－	－	－	－	－	－
鹿児島市	35	1	1	1	3	5	10	8	2	4
那覇市	10	－	1	2	4	3	－	－	－	－
その他政令市(再掲)										
小樽市	－	－	－	－	－	－	－	－	－	－
町田市	23	－	－	2	1	3	5	8	4	－
藤沢市	11	－	1	1	2	1	3	1	2	－
茅ヶ崎市	1	－	－	－	－	－	1	－	－	－
四日市市	－	－	－	－	－	－	－	－	－	－
大牟田市	－	－	－	－	－	－	－	－	－	－

注：判定別は、計数不詳の市区町村があるため、総数と一致しない場合がある。

1）C型肝炎ウイルス検診の判定①・②は、いずれも「現在C型肝炎ウイルスに感染している可能性が高い」と判定された者であり、判定③～⑤は、「現在C型肝炎ウイルスに感染している可能性が低い」と判定された者である。

都道府県－指定都市・特別区－中核市－その他政令市、年齢別

平成29年度

（ 41 歳 以 上 の 者 ） 判 定									
陰								性	
総　　数	41～44歳	45～49歳	50～54歳	55～59歳	60～64歳	65～69歳	70～74歳	75～79歳	80歳以上
–	–	–	–	–	–	–	–	–	–
2 016	400	379	280	421	536	–	–	–	–
–	–	–	–	–	–	–	–	–	–
440	17	31	30	35	76	125	90	29	7
3 362	660	335	299	384	508	365	366	196	249
–	–	–	–	–	–	–	–	–	–
1 869	144	130	143	151	315	413	287	138	148
3 289	75	98	116	170	403	780	608	514	525
4 280	401	539	427	359	524	967	433	342	288
1 037	120	115	79	69	134	184	147	100	89
1 872	239	223	187	149	242	426	338	68	–
–	–	–	–	–	–	–	–	–	–
2 069	92	169	211	159	198	436	506	212	86
7 120	1 382	893	741	592	709	1 135	831	447	390
6 411	8	626	483	498	466	1 012	1 696	1 078	544
2 289	851	414	291	271	359	50	33	12	8
985	114	55	55	57	101	176	207	116	104
562	6	138	127	98	152	18	18	3	2
2 758	–	498	663	751	846	–	–	–	–
172	16	11	7	8	17	33	34	19	27
–	–	–	–	–	–	–	–	–	–
57	11	7	2	4	12	9	6	3	3
3 174	–	153	244	93	288	551	1 014	472	359
3 797	477	335	243	278	574	911	406	234	339
1 435	261	247	215	222	315	91	66	13	5
849	300	56	37	31	70	95	163	53	44
1 430	393	88	76	55	61	113	321	184	139
2 080	106	126	118	117	195	395	409	328	286
318	24	40	33	22	49	63	45	26	16
6 151	1 526	946	647	677	734	914	611	65	31
5 207	1 331	612	385	498	498	955	677	244	7
1 612	127	146	237	103	274	227	357	80	61
167	22	27	22	15	21	31	19	7	3
652	377	25	22	24	41	73	80	6	4
2 773	367	208	169	146	322	593	489	278	201
1 233	119	105	97	91	170	281	237	69	64
782	84	45	46	49	130	220	134	39	35
243	13	15	16	32	38	61	40	19	9
555	42	39	54	58	87	106	81	52	36
–	–	–	–	–	–	–	–	–	–
–	–	–	–	–	–	–	–	–	–
–	–	–	–	–	–	–	–	–	–
–	–	–	–	–	–	–	–	–	–
1 291	168	106	92	91	196	398	184	46	10
–	–	–	–	–	–	–	–	–	–
5 809	199	309	332	315	862	1 504	1 602	323	363
1 004	15	235	212	251	258	13	12	5	3
–	–	–	–	–	–	–	–	–	–
5 782	264	578	639	512	627	1 052	974	598	538
4 909	486	371	328	360	391	758	748	701	766
161	11	7	10	11	20	45	22	25	10
–	–	–	–	–	–	–	–	–	–
–	–	–	–	–	–	–	–	–	–

第29－1表（11－5） 肝炎ウイルス検診受診者数・判定別人員数，

	C型肝炎ウイルス検診（総数）						C型肝炎ウイルス検診（40歳検診）				
	受診者数	判定[1]					受診者数	判			
		判定①	判定②	判定③	判定④	判定⑤		判定①	判定②	判定③	判定④
全国	**727 118**	**1 750**	**453**	**3 028**	**521 614**	**196 609**	**90 298**	**56**	**19**	**190**	**64 694**
北海道	22 252	39	16	55	14 751	7 390	1 764	4	-	1	1 032
青森	6 953	15	2	21	5 762	1 153	832	2	-	-	555
岩手	11 132	18	1	25	7 382	3 706	1 266	-	-	3	1 142
宮城	8 732	18	4	26	8 418	266	2 366	-	-	-	2 321
秋田	4 340	5	2	12	229	4 092	622	-	-	-	31
山形	5 901	4	-	6	3 597	2 294	754	1	-	-	169
福島	15 508	38	17	43	7 126	8 274	1 384	2	-	1	617
茨城	20 633	47	14	78	18 097	2 397	2 791	1	-	2	2 514
栃木	18 553	45	12	50	12 782	5 664	2 745	-	3	3	2 141
群馬	13 734	53	8	57	8 835	4 781	2 387	-	-	1	1 806
埼玉	37 152	111	21	200	19 090	17 730	4 594	5	-	12	2 210
千葉	79 287	185	49	253	66 900	11 873	10 780	5	2	5	9 225
東京	92 772	272	69	492	88 374	3 565	12 841	3	-	24	12 271
神奈川	29 430	83	29	112	23 581	5 621	2 494	1	1	-	1 542
新潟	8 569	4	1	14	3 899	4 651	742	-	-	-	364
富山	4 309	3	1	2	1 626	2 677	1 271	1	-	-	525
石川	6 992	9	3	42	1 383	1 964	1 690	4	-	16	424
福井	7 822	10	2	37	7 676	97	859	-	-	1	858
山梨	15 947	42	3	21	4 625	11 256	765	1	-	2	377
長野	13 966	29	1	23	7 100	6 785	2 093	-	1	1	1 121
岐阜	11 388	13	7	60	10 010	1 298	1 993	3	-	2	1 605
静岡	36 721	115	21	187	35 224	1 169	4 141	2	-	11	4 035
愛知	34 830	94	23	139	26 996	7 578	6 443	6	1	4	3 423
三重	8 228	18	1	37	5 777	2 394	1 048	-	-	1	851
滋賀	8 834	4	-	61	8 251	518	1 994	-	-	39	1 865
京都	6 948	8	1	12	6 648	279	1 671	-	-	1	1 670
大阪	24 431	60	26	74	18 766	5 508	2 239	-	1	2	1 722
兵庫	50 915	111	20	190	28 890	21 704	3 297	2	-	6	920
奈良	4 339	3	1	10	2 901	1 424	982	-	-	2	501
和歌山	4 600	12	2	30	3 432	1 124	870	1	1	2	496
鳥取	5 771	10	4	98	4 828	831	535	-	-	15	453
島根	3 630	13	4	17	3 253	343	463	-	-	-	441
岡山	16 144	25	6	33	5 327	10 753	460	-	-	-	236
広島	10 639	20	21	48	5 525	5 025	478	-	-	1	309
山口	1 482	3	-	11	944	524	191	-	-	-	106
徳島	2 031	1	2	6	1 413	609	292	-	-	-	239
香川	6 205	12	1	37	4 760	1 395	1 116	-	-	4	855
愛媛	5 242	9	2	17	2 981	2 233	619	-	-	-	351
高知	1 499	3	2	9	41	1 444	127	-	-	-	-
福岡	7 733	42	3	56	4 931	2 701	1 201	1	-	2	783
佐賀	3 866	27	2	32	2 028	1 777	318	-	-	-	206
長崎	5 872	10	4	13	3 986	1 859	299	-	2	1	237
熊本	7 890	17	11	149	3 985	3 728	788	-	-	18	312
大分	5 465	15	2	20	3 615	1 813	408	-	-	-	239
宮崎	5 845	9	5	13	1 521	4 297	640	-	-	-	71
鹿児島	15 842	25	12	59	8 376	7 370	1 745	1	1	1	757
沖縄	6 744	41	15	41	5 972	675	900	10	6	6	766
指定都市・特別区(再掲)											
東京都区部	65 368	215	50	390	62 291	2 422	7 100	2	-	19	6 951
札幌市	-	-	-	-	-	-	-	-	-	-	-
仙台市	-	-	-	-	-	-	-	-	-	-	-
さいたま市	12 744	43	6	51	65	12 579	1 833	1	-	5	3
千葉市	10 062	34	8	33	9 987	-	1 226	-	1	-	1 225
横浜市	-	-	-	-	-	-	-	-	-	-	-
川崎市	-	-	-	-	-	-	-	-	-	-	-
相模原市	6 260	21	6	23	6 210	-	636	-	-	-	636
新潟市	-	-	-	-	-	-	-	-	-	-	-
静岡市	5 406	34	7	19	5 346	-	184	-	-	-	184
浜松市	6 322	8	-	24	6 290	-	1 521	1	-	5	1 515
名古屋市	-	-	-	-	-	-	-	-	-	-	-
京都市	-	-	-	-	-	-	-	-	-	-	-
大阪市	3 886	5	1	15	3 865	-	122	-	-	-	122
堺市	-	-	-	-	-	-	-	-	-	-	-
神戸市	10 772	21	6	41	31	10 673	711	1	-	1	2
岡山市	7 890	12	-	11	26	7 841	47	-	-	-	-
広島市	-	-	-	-	-	-	-	-	-	-	-
北九州市	-	-	-	-	-	-	-	-	-	-	-
福岡市	-	-	-	-	-	-	-	-	-	-	-
熊本市	-	-	-	-	-	-	-	-	-	-	-

都道府県－指定都市・特別区－中核市－その他政令市、年齢別

平成29年度

定[1)	C型肝炎ウイルス検診（41歳以上の者）受診者数									
判 定 ⑤	総 数	41～44歳	45～49歳	50～54歳	55～59歳	60～64歳	65～69歳	70～74歳	75～79歳	80歳以上
24 472	**636 820**	**61 648**	**65 878**	**57 431**	**58 914**	**87 621**	**127 448**	**96 534**	**44 443**	**36 903**
727	20 488	2 693	2 002	1 872	2 368	3 254	4 229	2 669	893	508
275	6 121	358	542	559	713	968	1 407	993	350	231
121	9 866	1 114	1 076	1 079	1 208	1 780	1 728	1 203	369	309
45	6 366	298	782	715	776	1 191	1 422	874	185	123
591	3 718	209	407	373	390	655	639	669	235	141
584	5 147	525	515	476	690	1 016	1 222	478	151	74
755	14 124	696	762	840	1 107	2 343	3 856	2 211	1 184	1 125
274	17 842	1 933	1 897	1 595	1 597	2 609	3 986	2 711	949	565
598	15 808	1 852	1 921	1 559	1 487	2 182	3 489	1 922	841	555
580	11 347	941	1 358	1 100	1 021	1 621	2 109	1 682	820	695
2 367	32 558	2 965	3 279	2 636	2 448	3 696	6 907	5 409	3 082	2 136
1 516	68 507	3 728	7 911	6 824	6 091	7 774	12 730	12 810	5 879	4 760
543	79 931	8 964	9 111	7 634	6 766	8 576	12 613	9 473	7 961	8 833
950	26 936	2 500	2 296	1 977	1 993	2 495	4 460	4 909	3 446	2 860
378	7 827	709	624	630	738	1 304	2 113	1 317	267	125
745	3 038	39	271	572	306	1 121	519	141	30	39
417	5 302	248	775	892	996	1 192	636	551	10	2
–	6 963	514	671	616	662	956	1 506	810	607	621
385	15 182	1 182	1 047	1 107	1 270	2 325	3 961	3 217	757	316
968	11 873	385	1 103	1 140	1 051	1 443	2 676	2 549	1 082	444
383	9 395	1 044	1 134	837	806	1 433	1 980	1 280	428	453
93	32 580	2 526	3 644	3 101	3 393	4 607	6 249	4 545	2 155	2 360
3 009	28 387	2 373	2 769	2 387	2 261	3 605	5 093	4 871	2 677	2 351
196	7 180	582	854	758	890	1 266	1 345	852	408	225
90	6 840	645	1 120	1 015	959	1 216	866	644	266	109
–	5 277	665	981	654	641	912	571	482	217	154
514	22 192	2 800	2 194	1 829	1 784	2 597	4 101	3 734	1 761	1 392
2 369	47 618	7 523	4 968	3 890	4 264	5 829	9 778	7 028	2 736	1 602
479	3 357	526	374	323	330	528	641	415	147	73
370	3 730	766	324	319	357	593	706	504	100	61
67	5 236	552	560	451	506	900	1 094	815	189	169
22	3 167	154	254	186	223	493	916	546	200	195
224	15 684	2 649	1 824	1 542	1 657	2 446	3 224	1 289	625	428
168	10 161	627	487	451	552	1 258	2 899	2 627	702	558
85	1 291	141	116	94	140	208	298	183	67	44
53	1 739	122	147	124	157	271	466	346	56	50
257	5 089	544	557	527	547	877	928	638	207	264
268	4 623	647	483	382	430	806	1 060	559	147	109
127	1 372	99	107	94	91	194	386	278	56	67
415	6 532	956	730	563	752	1 114	1 362	833	151	71
112	3 548	357	319	286	308	631	1 000	418	119	110
59	5 573	635	437	458	542	946	1 347	771	213	224
458	7 102	776	498	531	721	1 311	1 824	828	337	276
169	5 057	392	332	317	408	723	1 389	962	323	211
569	5 205	357	510	437	568	879	1 232	971	144	107
985	14 097	897	1 030	1 049	1 190	2 439	3 416	2 782	691	603
112	5 844	440	775	630	759	1 038	1 069	735	223	175
128	58 268	6 657	6 498	5 492	4 827	6 036	8 814	6 731	6 170	7 043
–	–	–	–	–	–	–	–	–	–	–
–	–	–	–	–	–	–	–	–	–	–
1 824	10 911	1 074	1 137	873	791	1 206	2 072	1 631	1 152	975
–	8 836	68	816	1 036	633	794	1 303	2 245	1 044	897
–	–	–	–	–	–	–	–	–	–	–
–	–	–	–	–	–	–	–	–	–	–
–	5 624	344	555	453	386	542	1 029	1 364	659	292
–	–	–	–	–	–	–	–	–	–	–
–	5 222	594	672	520	522	530	712	613	450	609
–	4 801	13	822	679	787	1 026	1 454	11	3	6
–	–	–	–	–	–	–	–	–	–	–
–	–	–	–	–	–	–	–	–	–	–
–	3 764	268	272	260	260	356	748	927	408	265
–	–	–	–	–	–	–	–	–	–	–
707	10 061	884	781	624	690	1 234	2 279	1 711	1 214	644
47	7 843	1 702	1 030	860	975	1 299	1 532	226	127	92
–	–	–	–	–	–	–	–	–	–	–
–	–	–	–	–	–	–	–	–	–	–
–	–	–	–	–	–	–	–	–	–	–
–	–	–	–	–	–	–	–	–	–	–

第29－1表（11－6） 肝炎ウイルス検診受診者数・判定別人員数，

	C型肝炎ウイルス検診（総数）						C型肝炎ウイルス検診（40歳検診）				
	受診者数	判定[1]					受診者数	判定			
		判定①	判定②	判定③	判定④	判定⑤		判定①	判定②	判定③	判定④
中核市(再掲)											
旭川市	-	-	-	-	-	-	-	-	-	-	-
函館市	2 097	4	2	6	2 085	-	56	1	-	-	55
青森市	-	-	-	-	-	-	-	-	-	-	-
八戸市	498	1	-	4	493	-	52	-	-	-	52
盛岡市	3 522	7	-	8	72	3 435	147	-	-	2	36
秋田市	-	-	-	-	-	-	-	-	-	-	-
郡山市	2 137	3	-	6	2 021	107	255	-	-	-	248
いわき市	3 358	12	2	11	2 417	916	40	-	-	-	29
宇都宮市	5 176	10	3	17	3 568	1 578	865	-	1	2	710
前橋市	1 593	7	2	7	1 577	-	557	-	-	-	557
高崎市	2 187	6	-	3	8	2 170	292	-	-	-	-
川越市	-	-	-	-	-	-	-	-	-	-	-
越谷市	2 231	6	-	5	2 220	-	154	2	-	-	152
船橋市	8 789	16	11	39	8 723	-	1 615	-	-	1	1 614
柏市	7 155	6	1	16	7 132	-	646	-	-	-	646
八王子市	2 312	5	1	4	2 302	-	13	-	-	-	13
横須賀市	1 043	5	2	5	1 031	-	52	-	-	-	52
富山市	808	-	-	-	-	808	241	-	-	-	-
金沢市	3 626	8	-	27	…	…	848	4	-	15	…
長野市	179	1	-	2	98	78	6	-	-	1	2
岐阜市	76	-	-	-	-	76	76	-	-	-	-
豊橋市	767	3	-	-	-	764	709	-	-	-	-
豊田市	3 544	10	4	31	3 499	-	345	-	-	-	345
岡崎市	4 519	7	3	20	4 489	-	724	-	-	-	724
大津市	1 958	1	-	5	1 952	-	517	-	-	1	516
高槻市	1 154	1	1	4	767	381	292	-	-	-	159
東大阪市	1 695	6	3	12	1 674	-	256	-	-	2	254
豊中市	2 143	7	-	7	2 129	-	51	-	-	-	51
枚方市	335	2	-	-	333	-	12	-	-	-	12
姫路市	6 211	23	-	37	6 151	-	14	-	-	-	14
西宮市	5 286	9	1	21	5 064	191	41	-	-	-	38
尼崎市	2 796	6	-	26	22	2 742	1 168	-	-	4	4
奈良市	358	-	-	-	3	355	188	-	-	-	-
和歌山市	1 004	1	1	3	4	995	350	-	1	1	-
倉敷市	2 852	9	5	4	2 834	-	63	-	-	-	63
福山市	1 319	4	-	6	1 165	144	65	-	-	-	58
呉市	828	5	-	7	815	1	57	-	-	1	56
下関市	253	-	-	1	1	251	4	-	-	-	-
高松市	1 089	3	1	4	1 081	-	531	-	-	3	528
松山市	-	-	-	-	-	-	-	-	-	-	-
高知市	-	-	-	-	-	-	-	-	-	-	-
久留米市	-	-	-	-	-	-	-	-	-	-	-
長崎市	-	-	-	-	-	-	-	-	-	-	-
佐世保市	-	-	-	-	-	-	-	-	-	-	-
大分市	1 414	1	-	4	4	1 405	116	-	-	-	1
宮崎市	-	-	-	-	-	-	-	-	-	-	-
鹿児島市	6 300	9	6	21	6 264	-	456	-	-	-	456
那覇市	1 381	31	15	30	1 114	191	362	10	6	6	274
その他政令市(再掲)											
小樽市	-	-	-	-	-	-	-	-	-	-	-
町田市	6 424	12	2	24	6 386	-	605	1	-	-	604
藤沢市	5 210	12	8	14	2 825	2 351	289	1	-	-	141
茅ヶ崎市	281	-	-	1	280	-	119	-	-	-	119
四日市市	-	-	-	-	-	-	-	-	-	-	-
大牟田市	-	-	-	-	-	-	-	-	-	-	-

注：判定別は、計数不詳の市区町村があるため、総数と一致しない場合がある。
1）C型肝炎ウイルス検診の判定①・②は、いずれも「現在C型肝炎ウイルスに感染している可能性が高い」と判定された者であり、判定③～⑤は、「現在C型肝炎ウイルスに感染している可能性が低い」と判定された者である。

都道府県－指定都市・特別区－中核市－その他政令市、年齢別

平成29年度

定[1]	C型肝炎ウイルス検診（41歳以上の者）受診者数									
判定⑤	総数	41～44歳	45～49歳	50～54歳	55～59歳	60～64歳	65～69歳	70～74歳	75～79歳	80歳以上
-	-	-	-	-	-	-	-	-	-	-
-	2 041	400	380	287	430	544	-	-	-	-
-	-	-	-	-	-	-	-	-	-	-
-	446	17	31	30	36	76	128	92	29	7
109	3 375	660	339	299	386	509	367	369	197	249
-	-	-	-	-	-	-	-	-	-	-
7	1 882	144	133	145	152	317	417	288	138	148
11	3 318	75	98	116	173	408	793	612	518	525
152	4 311	403	540	429	361	528	980	436	348	286
-	1 036	121	115	79	70	133	183	146	100	89
292	1 895	241	223	191	152	250	428	339	71	-
-	-	-	-	-	-	-	-	-	-	-
-	2 077	92	169	212	159	199	440	508	212	86
-	7 174	1 393	899	745	595	716	1 145	840	449	392
-	6 509	7	633	488	508	473	1 033	1 724	1 097	546
-	2 299	853	414	294	274	362	50	32	12	8
-	991	114	55	56	57	101	181	207	116	104
241	567	6	140	128	99	152	18	19	3	2
…	2 778	-	500	669	755	854	-	-	-	-
3	173	16	11	7	9	17	33	34	19	27
76	-	-	-	-	-	-	-	-	-	-
709	58	11	7	2	4	12	10	6	3	3
-	3 199	-	153	246	93	289	553	1 023	481	361
-	3 795	476	332	242	275	577	911	410	234	338
-	1 441	263	248	216	222	316	92	66	13	5
133	862	302	58	38	32	69	96	169	53	45
-	1 439	395	88	76	55	62	117	322	185	139
-	2 092	105	126	120	117	196	398	412	330	288
-	323	24	40	33	22	49	65	46	28	16
-	6 197	1 529	952	655	682	741	922	619	66	31
3	5 245	1 334	614	387	502	503	969	683	246	7
1 160	1 628	127	148	239	105	277	230	359	82	61
188	170	23	28	22	15	21	31	20	7	3
348	654	377	25	23	24	41	73	81	6	4
-	2 789	371	209	168	150	325	593	494	280	199
7	1 254	121	106	98	91	173	285	244	72	64
-	771	84	45	46	47	129	218	137	34	31
4	249	13	16	16	35	39	62	40	19	9
-	558	42	39	54	59	88	107	81	52	36
-	-	-	-	-	-	-	-	-	-	-
-	-	-	-	-	-	-	-	-	-	-
-	-	-	-	-	-	-	-	-	-	-
-	-	-	-	-	-	-	-	-	-	-
-	-	-	-	-	-	-	-	-	-	-
115	1 298	168	106	93	95	198	396	185	46	11
-	-	-	-	-	-	-	-	-	-	-
-	5 844	200	310	334	316	867	1 514	1 607	328	368
66	1 019	15	236	216	256	263	13	12	5	3
-	-	-	-	-	-	-	-	-	-	-
-	5 819	264	582	644	515	634	1 061	986	598	535
147	4 921	486	372	328	363	391	762	748	705	766
-	162	11	7	10	11	20	46	22	25	10
-	-	-	-	-	-	-	-	-	-	-
-	-	-	-	-	-	-	-	-	-	-

第29－1表（11－7） 肝炎ウイルス検診受診者数・判定別人員数,

	C型肝炎ウイルス検診									
	判定①									
	総数	41～44歳	45～49歳	50～54歳	55～59歳	60～64歳	65～69歳	70～74歳	75～79歳	80歳以上
全国	**1 694**	**70**	**97**	**129**	**185**	**173**	**294**	**276**	**168**	**302**
北海道	35	2	2	3	10	3	5	6	1	3
青森	13	－	1	1	2	1	5	1	1	1
岩手	18	－	2	2	－	4	3	5	1	1
宮城	18	－	2	3	1	2	4	5	1	－
秋田	5	－	－	－	－	2	3	－	－	－
山形	3	－	－	－	1	－	2	－	－	－
福島	36	1	1	6	4	3	8	3	2	8
茨城	46	3	6	4	4	8	7	7	3	4
栃木	45	1	4	3	10	2	9	9	1	6
群馬	53	2	1	4	4	5	12	10	8	7
埼玉	106	4	4	3	14	9	23	20	10	19
千葉	180	3	11	21	19	13	27	26	20	40
東京	269	11	17	16	23	20	37	48	33	64
神奈川	82	4	5	－	4	4	11	11	14	29
新潟	4	－	－	－	－	2	1	－	－	1
富山	2	－	－	－	－	2	－	－	－	－
石川	5	－	1	1	1	1	－	1	－	－
福井	10	－	－	－	－	1	1	1	3	4
山梨	41	1	1	2	3	6	8	16	1	3
長野	29	1	－	－	3	4	7	9	4	1
岐阜	10	－	－	－	3	1	1	1	1	3
静岡	113	7	3	9	12	15	10	13	17	27
愛知	88	3	2	3	11	6	11	15	11	26
三重	18	－	1	1	3	4	2	4	1	2
滋賀	4	1	－	－	－	－	1	－	1	1
京都	8	1	1	1	－	1	2	1	－	1
大阪	60	3	6	4	3	3	11	9	6	15
兵庫	109	8	4	14	13	13	19	11	13	14
奈良	3	－	－	－	1	－	－	－	2	－
和歌山	11	2	1	－	－	－	3	4	1	－
鳥取	10	－	2	－	1	2	1	2	－	2
島根	13	－	－	1	－	1	9	2	－	－
岡山	25	1	2	2	2	6	5	1	3	3
広島	20	1	2	1	－	1	9	3	2	1
山口	3	－	－	－	－	－	2	1	－	－
徳島	1	－	1	－	－	－	－	－	－	－
香川	12	－	－	2	3	3	－	3	－	1
愛媛	9	1	－	－	1	1	3	3	－	－
高知	3	－	－	1	－	－	2	－	－	－
福岡	41	3	3	7	6	4	7	9	1	1
佐賀	27	1	1	1	5	3	4	3	2	7
長崎	10	－	－	1	－	3	1	4	－	1
熊本	17	－	－	2	1	3	6	1	1	3
大分	15	4	2	1	3	2	1	1	1	－
宮崎	9	－	2	1	1	3	1	1	－	－
鹿児島	24	1	－	－	2	4	8	5	1	3
沖縄	31	－	6	8	11	2	2	1	1	－
指定都市・特別区(再掲)										
東京都区部	213	7	13	15	18	16	27	40	30	47
札幌市	－	－	－	－	－	－	－	－	－	－
仙台市	－	－	－	－	－	－	－	－	－	－
さいたま市	42	3	3	2	5	3	7	8	3	8
千葉市	34	－	2	2	3	1	5	7	2	12
横浜市	－	－	－	－	－	－	－	－	－	－
川崎市	－	－	－	－	－	－	－	－	－	－
相模原市	21	1	2	－	－	2	1	7	3	5
新潟市	－	－	－	－	－	－	－	－	－	－
静岡市	34	1	1	1	6	6	1	3	6	9
浜松市	7	－	－	－	－	1	6	－	－	－
名古屋市	－	－	－	－	－	－	－	－	－	－
京都市	－	－	－	－	－	－	－	－	－	－
大阪市	5	－	1	－	－	－	3	－	1	－
堺市	－	－	－	－	－	－	－	－	－	－
神戸市	20	3	1	2	3	1	3	1	3	3
岡山市	12	1	2	1	2	3	2	－	－	1
広島市	－	－	－	－	－	－	－	－	－	－
北九州市	－	－	－	－	－	－	－	－	－	－
福岡市	－	－	－	－	－	－	－	－	－	－
熊本市	－	－	－	－	－	－	－	－	－	－

都道府県－指定都市・特別区－中核市－その他政令市、年齢別

平成29年度

（ 41 歳 以 上 の 者 ） 判 定[1]

| | 判　定 | | | | | | ② | | |
総　　数	41～44歳	45～49歳	50～54歳	55～59歳	60～64歳	65～69歳	70～74歳	75～79歳	80歳以上
434	17	21	27	27	46	68	74	49	105
16	4	-	-	1	3	3	3	-	2
2	-	-	-	-	1	-	1	-	-
1	-	-	-	-	-	-	1	-	-
4	-	-	-	-	1	1	2	-	-
2	-	-	1	-	1	-	-	-	-
-	-	-	-	-	-	-	-	-	-
17	-	1	2	-	1	3	2	3	5
14	-	-	2	3	2	1	4	-	2
9	1	-	1	1	2	2	1	1	-
8	-	1	1	1	1	1	2	-	1
21	1	2	2	-	2	4	3	4	3
47	2	1	2	4	2	8	7	7	14
69	1	5	3	4	2	9	5	16	24
28	2	2	-	2	4	3	6	-	9
1	-	-	-	-	1	-	-	-	-
1	-	-	-	-	-	-	-	-	1
3	-	-	-	-	-	2	1	-	-
2	-	-	-	-	1	-	-	-	1
3	1	-	-	-	-	-	1	1	-
-	-	-	-	-	-	-	-	-	-
7	-	-	-	-	-	-	2	1	4
21	-	2	3	1	2	3	2	1	7
22	1	-	2	-	3	2	2	1	11
1	-	-	1	-	-	-	-	-	-
-	-	-	-	-	-	-	-	-	-
1	-	-	-	-	-	-	-	1	-
25	3	1	1	1	1	4	1	4	9
20	-	1	-	-	4	4	4	3	4
1	-	-	-	-	-	-	-	1	-
1	-	-	-	-	1	-	-	-	-
4	-	1	-	1	1	-	1	-	-
4	-	-	-	-	-	2	-	-	2
6	1	1	1	1	-	1	1	-	-
21	-	1	1	1	2	6	10	-	-
-	-	-	-	-	-	-	-	-	-
2	-	-	-	-	-	2	-	-	-
1	-	-	-	-	-	-	-	-	1
2	-	-	-	-	-	-	-	2	-
2	-	-	-	1	-	-	-	1	-
3	-	-	-	-	-	-	3	-	-
2	-	-	-	-	1	1	-	-	-
2	-	-	-	-	-	-	1	-	1
11	-	-	-	2	2	4	2	-	1
2	-	-	-	-	-	-	-	-	2
5	-	-	1	-	1	1	2	-	-
11	-	-	1	-	2	1	4	2	1
9	-	2	2	3	2	-	-	-	-
50	-	4	3	1	2	8	5	11	16
-	-	-	-	-	-	-	-	-	-
6	-	-	1	-	1	-	2	-	2
7	-	-	-	-	-	1	3	2	1
-	-	-	-	-	-	-	-	-	-
-	-	-	-	-	-	-	-	-	-
6	-	1	-	-	1	1	1	-	2
-	-	-	-	-	-	-	-	-	-
7	-	1	-	-	1	1	1	1	2
-	-	-	-	-	-	-	-	-	-
1	-	-	-	-	1	-	-	-	-
-	-	-	-	-	-	-	-	-	-
6	-	1	-	-	1	-	1	2	1
-	-	-	-	-	-	-	-	-	-
-	-	-	-	-	-	-	-	-	-
-	-	-	-	-	-	-	-	-	-

15(9)－01 肝炎ウイルス検診

第29－1表（11－8） 肝炎ウイルス検診受診者数・判定別人員数，

| | C 型 肝 炎 ウ イ ル ス 検 診 | | | | | | | | |
| | 判　定 | | | | | | ① | | |
	総　数	41～44歳	45～49歳	50～54歳	55～59歳	60～64歳	65～69歳	70～74歳	75～79歳	80歳以上
中核市（再掲）										
旭　川　市	－	－	－	－	－	－	－	－	－	－
函　館　市	3	－	－	－	2	1	－	－	－	－
青　森　市	－	－	－	－	－	－	－	－	－	－
八　戸　市	1	－	1	－	－	－	－	－	－	－
盛　岡　市	7	－	－	1	－	1	－	3	1	1
秋　田　市	－	－	－	－	－	－	－	－	－	－
郡　山　市	3	1	－	1	－	－	1	－	－	－
い わ き 市	12	－	－	－	1	1	2	1	2	5
宇 都 宮 市	10	－	1	－	2	－	4	1	－	2
前　橋　市	7	－	－	－	1	1	3	1	1	－
高　崎　市	6	－	－	1	1	1	2	1	－	－
川　越　市	－	－	－	－	－	－	－	－	－	－
越　谷　市	4	－	－	－	－	－	1	1	1	1
船　橋　市	16	－	－	1	3	1	2	1	4	4
柏　　　市	6	－	－	－	1	－	－	2	3	－
八 王 子 市	5	1	－	－	－	1	3	－	－	－
横 須 賀 市	5	－	1	－	1	－	2	－	－	1
富　山　市	－	－	－	－	－	－	－	－	－	－
金　沢　市	4	－	1	1	1	1	－	－	－	－
長　野　市	1	1	－	－	－	－	－	－	－	－
岐　阜　市	－	－	－	－	－	－	－	－	－	－
豊　橋　市	3	1	－	－	1	－	－	1	－	－
豊　田　市	10	－	－	－	－	1	－	2	－	7
岡　崎　市	7	－	－	－	－	1	1	2	－	3
大　津　市	1	1	－	－	－	－	－	－	－	－
高　槻　市	1	－	－	－	－	－	－	－	1	－
東 大 阪 市	6	－	－	1	－	－	1	1	2	1
豊　中　市	7	－	－	1	1	－	1	1	－	3
枚　方　市	2	－	－	－	－	－	2	－	－	－
姫　路　市	23	3	2	4	4	3	3	3	－	1
西　宮　市	9	－	－	1	1	－	4	1	2	－
尼　崎　市	6	－	－	－	－	2	2	－	－	2
奈　良　市	－	－	－	－	－	－	－	－	－	－
和 歌 山 市	1	1	－	－	－	－	－	－	－	－
倉　敷　市	9	－	－	1	－	1	2	1	2	2
福　山　市	4	－	－	－	－	－	1	1	1	1
呉　　　市	5	1	－	1	－	1	2	－	－	－
下　関　市	－	－	－	－	－	－	－	－	－	－
高　松　市	3	－	－	－	1	1	－	1	－	－
松　山　市	－	－	－	－	－	－	－	－	－	－
高　知　市	－	－	－	－	－	－	－	－	－	－
久 留 米 市	－	－	－	－	－	－	－	－	－	－
長　崎　市	－	－	－	－	－	－	－	－	－	－
佐 世 保 市	－	－	－	－	－	－	－	－	－	－
大　分　市	1	1	－	－	－	－	－	－	－	－
宮　崎　市	－	－	－	－	－	－	－	－	－	－
鹿 児 島 市	9	1	－	－	－	1	3	2	1	1
那　覇　市	21	－	5	6	9	1	－	－	－	－
その他政令市（再掲）										
小　樽　市	－	－	－	－	－	－	－	－	－	－
町　田　市	11	1	－	－	2	2	1	－	－	5
藤　沢　市	11	－	－	－	－	－	1	1	1	8
茅 ヶ 崎 市	－	－	－	－	－	－	－	－	－	－
四 日 市 市	－	－	－	－	－	－	－	－	－	－
大 牟 田 市	－	－	－	－	－	－	－	－	－	－

注：判定別は、計数不詳の市区町村があるため、総数と一致しない場合がある。
　1）C型肝炎ウイルス検診の判定①・②は、いずれも「現在C型肝炎ウイルスに感染している可能性が高い」と判定された者であり、判定③～⑤は、「現在C型肝炎ウイルスに感染している可能性が低い」と判定された者である。

都道府県－指定都市・特別区－中核市－その他政令市、年齢別

平成29年度

(41 歳 以 上 の 者) 判 定[1]									
判	定						②		
総　数	41～44歳	45～49歳	50～54歳	55～59歳	60～64歳	65～69歳	70～74歳	75～79歳	80歳以上
–	–	–	–	–	–	–	–	–	–
2	1	–	–	–	1	–	–	–	–
–	–	–	–	–	–	–	–	–	–
–	–	–	–	–	–	–	–	–	–
–	–	–	–	–	–	–	–	–	–
–	–	–	–	–	–	–	–	–	–
2	–	1	–	–	–	–	–	1	–
2	–	–	1	–	–	–	–	1	–
2	–	–	–	1	1	–	–	–	–
–	–	–	–	–	–	–	–	–	–
–	–	–	–	–	–	–	–	–	–
11	1	–	–	1	–	1	2	2	4
1	–	–	–	1	–	–	–	–	–
1	1	–	–	–	–	–	–	–	–
2	1	–	–	–	–	–	–	–	1
–	–	–	–	–	–	–	–	–	–
–	–	–	–	–	–	–	–	–	–
–	–	–	–	–	–	–	–	–	–
–	–	–	–	–	–	–	–	–	–
4	–	–	1	–	–	–	1	–	2
3	–	–	–	–	–	–	–	–	3
–	–	–	–	–	–	–	–	–	–
1	–	–	1	–	–	–	–	–	–
3	–	–	–	–	–	1	–	2	–
–	–	–	–	–	–	–	–	–	–
–	–	–	–	–	–	–	–	–	–
–	–	–	–	–	–	–	–	–	–
1	–	–	–	–	–	–	1	–	–
–	–	–	–	–	–	–	–	–	–
–	–	–	–	–	–	–	–	–	–
5	1	1	1	–	–	1	1	–	–
–	–	–	–	–	–	–	–	–	–
–	–	–	–	–	–	–	–	–	–
1	–	–	–	–	–	–	–	–	1
–	–	–	–	–	–	–	–	–	–
–	–	–	–	–	–	–	–	–	–
–	–	–	–	–	–	–	–	–	–
–	–	–	–	–	–	–	–	–	–
–	–	–	–	–	–	–	–	–	–
6	–	–	–	–	2	1	3	–	–
9	–	2	2	3	2	–	–	–	–
–	–	–	–	–	–	–	–	–	–
2	–	–	–	–	–	–	–	–	2
8	–	1	–	–	–	–	2	–	5
–	–	–	–	–	–	–	–	–	–
–	–	–	–	–	–	–	–	–	–

第29－1表（11－9） 肝炎ウイルス検診受診者数・判定別人員数,

	C型肝炎ウイルス検診									
	判定 ③									
	総数	41～44歳	45～49歳	50～54歳	55～59歳	60～64歳	65～69歳	70～74歳	75～79歳	80歳以上
全国	**2 838**	**122**	**155**	**175**	**253**	**373**	**520**	**539**	**290**	**411**
北海道	54	2	3	9	5	5	13	13	3	1
青森	21	−	2	2	2	4	8	2	1	−
岩手	22	1	1	−	1	2	7	7	2	1
宮城	26	−	2	−	5	8	8	1	−	2
秋田	12	−	−	2	2	3	1	2	1	1
山形	6	−	−	−	1	1	2	−	−	2
福島	42	1	−	4	−	10	3	7	7	10
茨城	76	6	3	8	9	12	14	14	5	5
栃木	47	5	2	5	2	5	9	10	5	4
群馬	56	2	2	2	4	11	10	5	6	14
埼玉	188	11	10	8	11	32	35	37	20	24
千葉	248	5	21	15	21	23	36	43	26	58
東京	468	25	31	34	43	49	75	64	53	94
神奈川	112	7	9	7	7	8	11	25	15	23
新潟	14	2	−	−	1	1	2	4	3	1
富山	2	−	−	−	−	−	1	−	−	1
石川	26	−	4	1	6	5	5	3	−	2
福井	36	−	1	−	1	8	7	7	6	6
山梨	19	1	1	3	2	3	3	5	1	−
長野	22	−	−	2	−	5	6	7	2	−
岐阜	58	2	2	2	6	7	16	10	3	10
静岡	176	6	8	9	18	19	34	32	11	39
愛知	135	3	2	4	6	9	20	35	29	27
三重	36	1	1	1	2	8	5	6	7	5
滋賀	22	1	3	1	3	3	1	5	3	2
京都	11	−	−	1	2	3	2	1	2	−
大阪	72	6	5	4	7	9	9	10	6	16
兵庫	184	8	10	9	22	23	39	45	18	10
奈良	8	−	−	−	−	2	3	3	−	−
和歌山	28	−	1	1	1	5	9	9	1	1
鳥取	83	4	5	8	13	25	11	16	−	1
島根	17	1	−	−	−	3	1	7	4	1
岡山	33	2	−	3	6	6	5	4	3	4
広島	47	−	1	1	4	2	10	11	12	6
山口	11	−	−	−	1	1	3	3	2	1
徳島	6	−	−	−	−	4	1	1	−	−
香川	33	2	3	3	5	1	5	5	2	7
愛媛	17	1	−	−	2	3	7	3	1	−
高知	9	−	−	−	−	−	3	5	−	1
福岡	54	2	3	3	5	7	11	19	1	3
佐賀	32	1	1	−	4	5	5	7	4	5
長崎	12	−	−	−	−	3	6	3	−	−
熊本	131	7	8	16	13	7	40	19	8	13
大分	20	2	−	−	2	3	3	3	5	2
宮崎	13	3	−	−	−	2	3	3	2	−
鹿児島	58	1	1	4	2	9	10	16	8	7
沖縄	35	1	9	3	6	9	2	2	2	1
指定都市・特別区(再掲)										
東京都区部	371	21	25	23	32	34	60	53	41	82
札幌市	−	−	−	−	−	−	−	−	−	−
仙台市	−	−	−	−	−	−	−	−	−	−
さいたま市	46	−	1	1	1	9	10	8	5	11
千葉市	33	−	2	1	3	3	4	9	3	8
横浜市	−	−	−	−	−	−	−	−	−	−
川崎市	−	−	−	−	−	−	−	−	−	−
相模原市	23	1	4	3	1	3	1	5	2	3
新潟市	−	−	−	−	−	−	−	−	−	−
静岡市	19	1	1	−	4	1	2	1	3	6
浜松市	19	1	1	1	4	3	9	−	−	−
名古屋市	−	−	−	−	−	−	−	−	−	−
京都市	−	−	−	−	−	−	−	−	−	−
大阪市	15	−	−	2	1	1	2	2	1	6
堺市	−	−	−	−	−	−	−	−	−	−
神戸市	40	−	2	3	3	5	10	8	7	2
岡山市	11	2	−	1	2	2	2	1	−	1
広島市	−	−	−	−	−	−	−	−	−	−
北九州市	−	−	−	−	−	−	−	−	−	−
福岡市	−	−	−	−	−	−	−	−	−	−
熊本市	−	−	−	−	−	−	−	−	−	−

都道府県－指定都市・特別区－中核市－その他政令市、年齢別

平成29年度

（41歳以上の者）判定[1)									
判定④									
総数	41～44歳	45～49歳	50～54歳	55～59歳	60～64歳	65～69歳	70～74歳	75～79歳	80歳以上
456 920	**45 815**	**48 709**	**41 343**	**41 753**	**60 533**	**88 374**	**69 183**	**32 822**	**28 388**
13 719	2 140	1 342	1 212	1 595	2 165	2 749	1 690	530	296
5 207	316	442	459	606	830	1 190	866	298	200
6 240	455	705	697	789	1 234	1 329	807	162	62
6 097	290	764	686	739	1 127	1 332	858	183	118
198	5	8	8	15	30	39	43	40	10
3 428	463	313	294	459	707	678	344	113	57
6 509	330	312	346	419	901	1 527	1 039	797	838
15 583	1 678	1 711	1 432	1 431	2 339	3 421	2 297	807	467
10 641	1 301	1 418	1 110	1 033	1 539	2 370	1 249	405	216
7 029	619	897	737	682	1 097	1 285	849	416	447
16 880	1 491	1 788	1 451	1 355	1 903	3 623	2 976	1 433	860
57 675	3 463	6 623	5 624	4 859	6 107	10 536	10 896	5 295	4 272
76 103	8 639	8 773	7 351	6 504	8 182	11 902	8 941	7 489	8 322
22 039	2 055	1 802	1 573	1 541	1 976	3 569	4 220	2 914	2 389
3 535	266	236	238	287	561	1 092	638	145	72
1 101	25	72	77	84	501	199	95	21	27
959	44	101	101	92	135	243	241	2	…
6 818	491	667	612	652	927	1 471	790	598	610
4 248	434	334	361	387	730	1 012	873	99	18
5 979	201	656	571	561	717	1 377	1 343	369	184
8 405	933	1 032	736	716	1 236	1 759	1 163	402	428
31 189	2 410	3 508	2 984	3 225	4 393	6 006	4 319	2 084	2 260
23 573	2 102	2 291	1 975	1 853	2 922	4 216	4 145	2 171	1 898
4 926	319	653	579	703	926	821	545	268	112
6 386	606	1 036	933	886	1 142	803	622	256	102
4 978	611	933	617	598	833	556	470	208	152
17 044	2 222	1 652	1 359	1 343	1 906	3 015	2 972	1 457	1 118
27 970	5 580	3 123	2 323	2 706	3 349	5 722	3 563	1 009	595
2 400	352	268	232	237	363	477	326	97	48
2 936	381	292	279	318	523	605	404	83	51
4 375	462	485	359	417	722	900	681	186	163
2 812	135	234	167	203	433	803	469	187	181
5 091	617	463	394	365	689	1 171	751	397	244
5 216	396	304	278	312	732	1 490	1 335	228	141
838	113	82	69	93	126	177	105	43	30
1 174	83	99	88	107	188	299	227	48	35
3 905	483	399	404	400	668	654	487	188	222
2 630	391	253	201	210	504	607	331	82	51
41	2	1	5	1	8	8	6	3	7
4 148	727	480	346	483	718	794	441	107	52
1 822	228	172	159	167	331	512	194	39	20
3 749	346	310	314	350	646	1 017	540	127	99
3 673	549	240	255	347	662	828	503	161	128
3 376	204	209	214	290	465	893	664	260	177
1 450	168	119	116	184	233	338	252	21	19
7 619	319	425	466	485	1 194	1 984	1 930	388	428
5 206	370	682	551	664	913	975	683	206	162
55 340	6 407	6 229	5 268	4 632	5 748	8 266	6 318	5 821	6 651
–	–	–	–	–	–	–	–	–	–
–	–	–	–	–	–	–	–	–	–
62	–	8	2	4	8	12	8	9	11
8 762	68	812	1 033	627	790	1 293	2 226	1 037	876
–	–	–	–	–	–	–	–	–	–
–	–	–	–	–	–	–	–	–	–
5 574	342	548	450	385	536	1 026	1 351	654	282
–	–	–	–	–	–	–	–	–	–
5 162	592	669	519	512	522	708	608	440	592
4 775	12	821	678	783	1 022	1 439	11	3	6
–	–	–	–	–	–	–	–	–	–
–	–	–	–	–	–	–	–	–	–
3 743	268	271	258	259	354	743	925	406	259
–	–	–	–	–	–	–	–	–	–
29	–	2	1	2	5	4	5	2	8
26	4	3	2	3	2	9	1	1	1
–	–	–	–	–	–	–	–	–	–
–	–	–	–	–	–	–	–	–	–
–	–	–	–	–	–	–	–	–	–
–	–	–	–	–	–	–	–	–	–

第29－１表（11－10） 肝炎ウイルス検診受診者数・判定別人員数,

	C型肝炎ウイルス検診									
	判定③									
	総数	41～44歳	45～49歳	50～54歳	55～59歳	60～64歳	65～69歳	70～74歳	75～79歳	80歳以上
中核市(再掲)										
旭川市	-	-	-	-	-	-	-	-	-	-
函館市	6	-	1	4	1	-	-	-	-	-
青森市	-	-	-	-	-	-	-	-	-	-
八戸市	4	-	2	-	-	-	1	1	-	-
盛岡市	6	-	-	-	-	-	-	5	1	-
秋田市	-	-	-	-	-	-	-	-	-	-
郡山市	6	-	-	2	-	1	-	-	-	3
いわき市	11	-	-	1	-	2	-	2	4	2
宇都宮市	15	1	1	2	-	2	3	2	2	2
前橋市	7	-	-	1	-	1	-	-	2	3
高崎市	3	-	-	-	-	1	1	1	-	-
川越市	-	-	-	-	-	-	-	-	-	-
越谷市	5	-	-	-	-	-	1	2	1	1
船橋市	38	1	5	3	3	7	3	3	8	5
柏市	16	-	-	-	1	-	2	4	4	5
八王子市	4	1	-	1	1	1	-	-	-	-
横須賀市	5	1	-	-	2	1	1	-	-	-
富山市	-	-	-	-	-	-	-	-	-	-
金沢市	12	-	3	-	6	3	-	-	-	-
長野市	1	-	-	-	-	-	-	-	1	-
岐阜市	-	-	-	-	-	-	-	-	-	-
豊橋市	-	-	-	-	-	-	-	-	-	-
豊田市	31	-	1	1	2	-	2	12	10	3
岡崎市	20	1	1	1	1	-	5	3	2	6
大津市	4	1	-	-	2	1	-	-	-	-
高槻市	4	-	1	-	1	-	-	-	1	1
東大阪市	10	2	1	-	-	-	2	3	-	2
豊中市	7	2	-	-	-	-	-	1	2	2
枚方市	-	-	-	-	-	-	-	-	-	-
姫路市	37	3	4	2	2	6	7	12	1	-
西宮市	21	1	-	-	4	2	9	3	2	-
尼崎市	22	1	1	2	3	4	3	5	2	1
奈良市	-	-	-	-	-	-	-	-	-	-
和歌山市	2	-	1	-	1	-	-	-	-	-
倉敷市	4	-	-	-	2	-	-	1	-	1
福山市	6	-	-	-	-	-	1	-	2	3
呉市	6	-	-	-	-	-	1	2	2	1
下関市	1	-	-	-	1	-	-	-	-	-
高松市	1	-	-	-	-	-	1	-	-	-
松山市	-	-	-	-	-	-	-	-	-	-
高知市	-	-	-	-	-	-	-	-	-	-
久留米市	-	-	-	-	-	-	-	-	-	-
長崎市	-	-	-	-	-	-	-	-	-	-
佐世保市	-	-	-	-	-	-	-	-	-	-
大分市	4	2	-	-	1	1	-	-	-	-
宮崎市	-	-	-	-	-	-	-	-	-	-
鹿児島市	21	-	-	1	-	2	3	6	5	4
那覇市	24	-	9	2	5	8	-	-	-	-
その他政令市(再掲)										
小樽市	-	-	-	-	-	-	-	-	-	-
町田市	24	-	2	4	3	2	-	6	5	2
藤沢市	14	1	-	1	1	1	2	2	3	3
茅ヶ崎市	1	-	-	-	-	-	-	-	1	-
四日市市	-	-	-	-	-	-	-	-	-	-
大牟田市	-	-	-	-	-	-	-	-	-	-

注：判定別は、計数不詳の市区町村があるため、総数と一致しない場合がある。
1）C型肝炎ウイルス検診の判定①・②は、いずれも「現在C型肝炎ウイルスに感染している可能性が高い」と判定された者であり、判定③～⑤は、「現在C型肝炎ウイルスに感染している可能性が低い」と判定された者である。

都道府県－指定都市・特別区－中核市－その他政令市、年齢別

平成29年度

| | （ 41 歳 以 上 の 者 ） 判 定1) | | | | | | | | |
| | 判　定 | | | | | | | ④ | |
総　数	41～44歳	45～49歳	50～54歳	55～59歳	60～64歳	65～69歳	70～74歳	75～79歳	80歳以上
–	–	–	–	–	–	–	–	–	–
2 030	399	379	283	427	542	–	–	–	–
–	–	–	–	–	–	–	–	–	–
441	17	28	30	36	76	127	91	29	7
36	5	1	2	–	6	10	6	3	3
–	–	–	–	–	–	–	–	–	–
1 773	130	128	135	147	298	397	267	131	' 140
2 388	40	63	78	113	256	550	441	412	435
2 858	359	438	330	275	406	605	249	127	69
1 020	121	115	78	68	130	180	145	97	86
8	1	1	–	1	2	2	1	–	–
–	–	–	–	–	–	–	–	–	–
2 068	92	169	212	159	199	438	505	210	84
7 109	1 391	894	741	588	708	1 139	834	435	379
6 486	7	633	488	505	473	1 031	1 718	1 090	541
2 289	850	414	293	273	360	47	32	12	8
979	112	54	56	54	100	178	207	116	102
–	–	–	–	–	–	–	–	–	–
…	…	…	…	…	…	…	…	…	…
96	10	6	4	4	13	17	24	8	10
–	–	–	–	–	–	–	–	–	–
–	–	–	–	–	–	–	–	–	–
3 154	–	152	244	91	288	551	1 008	471	349
3 765	475	331	241	274	576	905	405	232	326
1 436	261	248	216	220	315	92	66	13	5
608	177	42	28	26	51	74	140	37	33
1 420	393	87	75	55	62	113	318	181	136
2 078	103	126	119	116	196	397	410	328	283
321	24	40	33	22	49	63	46	28	16
6 137	1 523	946	649	676	732	912	604	65	30
5 026	1 301	591	370	483	487	915	639	235	5
18	1	–	–	2	4	4	4	2	1
3	1	–	–	–	–	1	1	–	–
4	2	–	–	1	–	–	1	–	–
2 771	370	208	166	148	324	590	491	278	196
1 107	112	95	93	77	151	245	216	63	55
759	83	45	45	47	127	215	135	32	30
1	–	–	–	1	–	–	–	–	–
553	42	39	54	58	87	106	80	52	35
–	–	–	–	–	–	–	–	–	–
–	–	–	–	–	–	–	–	–	–
–	–	–	–	–	–	–	–	–	–
–	–	–	–	–	–	–	–	–	–
3	–	–	1	–	–	2	–	–	–
–	–	–	–	–	–	–	–	–	–
5 808	199	310	333	316	862	1 507	1 596	322	363
840	15	193	174	204	222	12	12	5	3
5 782	263	580	640	510	630	1 060	980	593	526
2 684	242	197	170	194	190	429	424	379	459
161	11	7	10	11	20	46	22	24	10
–	–	–	–	–	–	–	–	–	–
–	–	–	–	–	–	–	–	–	–

15(9)-01 肝炎ウイルス検診

第29-1表 (11-11) 肝炎ウイルス検診受診者数・判定別人員数,

| | C 型 肝 炎 ウ イ ル ス 検 診 （ 41 歳 以 上 の 者 ） 判定[1] | | | | | | | | |
| | 判 | | | 定 | | | | ⑤ | |
	総　数	41〜44歳	45〜49歳	50〜54歳	55〜59歳	60〜64歳	65〜69歳	70〜74歳	75〜79歳	80歳以上
全　国	172 137	15 623	16 396	15 086	15 948	25 644	38 185	26 457	11 110	7 688
北　海　道	6 663	545	655	648	757	1 078	1 459	957	358	206
青　森	878	42	97	97	103	132	204	123	50	30
岩　手	3 585	658	368	380	418	540	389	383	204	245
宮　城	221	8	14	26	31	53	77	8	1	3
秋　田	3 501	204	399	362	373	619	596	624	194	130
山　形	1 710	62	202	182	229	308	540	134	38	15
福　島	7 519	364	448	482	684	1 428	2 315	1 159	375	264
茨　城	2 123	246	177	149	150	248	543	389	134	87
栃　木	5 066	544	497	440	441	634	1 099	653	429	329
群　馬	4 201	318	457	356	330	507	801	816	390	226
埼　玉	15 363	1 458	1 475	1 172	1 068	1 750	3 222	2 373	1 615	1 230
千　葉	10 357	255	1 255	1 162	1 188	1 629	2 123	1 838	531	376
東　京	3 022	288	285	230	192	323	590	415	370	329
神　奈　川	4 671	432	478	397	439	503	864	646	502	410
新　潟	4 273	441	388	392	450	739	1 018	675	119	51
富　山	1 932	14	199	495	222	618	319	46	9	10
石　川	1 547	204	173	121	149	201	386	305	8	…
福　井	97	23	3	4	9	19	27	12	–	–
山　梨	10 871	745	711	741	878	1 586	2 938	2 322	655	295
長　野	5 817	182	444	563	486	716	1 282	1 187	706	251
岐　阜	915	109	100	99	81	189	204	104	21	8
静　岡	1 076	103	122	96	137	178	195	178	41	26
愛　知	4 569	264	474	403	391	665	844	674	465	389
三　重	2 198	262	199	176	182	327	517	297	132	106
滋　賀	428	37	81	81	70	71	61	17	6	4
京　都	279	53	47	35	41	75	11	10	6	1
大　阪	4 994	566	530	462	431	678	1 062	743	288	234
兵　庫	19 335	1 927	1 830	1 544	1 523	2 440	3 994	3 405	1 693	979
奈　良	945	174	106	91	92	163	161	86	47	25
和　歌　山	754	383	30	39	38	64	89	87	15	9
鳥　取	764	86	67	84	74	150	182	115	3	3
島　根	321	18	20	18	20	56	101	68	9	11
岡　山	10 529	2 028	1 358	1 142	1 283	1 745	2 042	532	222	177
広　島	4 857	230	179	170	235	521	1 384	1 268	460	410
山　口	439	28	34	25	46	81	116	74	22	13
徳　島	556	39	47	36	50	79	164	118	8	15
香　川	1 138	59	155	118	139	205	269	143	17	33
愛　媛	1 965	254	230	181	217	298	443	222	62	58
高　知	1 317	97	106	88	89	186	373	267	52	59
福　岡	2 286	224	244	207	258	385	550	361	42	15
佐　賀	1 665	127	145	126	132	291	478	214	74	78
長　崎	1 800	289	127	143	192	294	323	223	86	123
熊　本	3 270	220	250	258	358	637	946	303	167	131
大　分	1 644	182	121	102	113	253	492	294	57	30
宮　崎	3 728	186	389	319	383	640	889	713	121	88
鹿　児　島	6 385	576	604	578	701	1 230	1 413	827	292	164
沖　縄	563	69	76	66	75	112	90	49	14	12
指定都市・特別区(再掲) 東京都区部	2 294	222	227	183	144	236	453	315	267	247
札　幌　市	–	–	–	–	–	–	–	–	–	–
仙　台　市	–	–	–	–	–	–	–	–	–	–
さいたま市	10 755	1 071	1 125	867	781	1 185	2 043	1 605	1 135	943
千　葉　市	–	–	–	–	–	–	–	–	–	–
横　浜　市	–	–	–	–	–	–	–	–	–	–
川　崎　市	–	–	–	–	–	–	–	–	–	–
相　模　原　市	–	–	–	–	–	–	–	–	–	–
新　潟　市	–	–	–	–	–	–	–	–	–	–
静　岡　市	–	–	–	–	–	–	–	–	–	–
浜　松　市	–	–	–	–	–	–	–	–	–	–
名　古　屋　市	–	–	–	–	–	–	–	–	–	–
京　都　市	–	–	–	–	–	–	–	–	–	–
大　阪　市	–	–	–	–	–	–	–	–	–	–
堺　市	–	–	–	–	–	–	–	–	–	–
神　戸　市	9 966	881	775	618	682	1 222	2 262	1 696	1 200	630
岡　山　市	7 794	1 695	1 025	856	968	1 292	1 519	224	126	89
広　島　市	–	–	–	–	–	–	–	–	–	–
北　九　州　市	–	–	–	–	–	–	–	–	–	–
福　岡　市	–	–	–	–	–	–	–	–	–	–
熊　本　市	–	–	–	–	–	–	–	–	–	–

都道府県－指定都市・特別区－中核市－その他政令市、年齢別

平成29年度

	C型肝炎ウイルス検診（41歳以上の者）判定[1)									
	判定⑤									
	総数	41～44歳	45～49歳	50～54歳	55～59歳	60～64歳	65～69歳	70～74歳	75～79歳	80歳以上
中核市(再掲)										
旭川市	-	-	-	-	-	-	-	-	-	-
函館市	-	-	-	-	-	-	-	-	-	-
青森市	-	-	-	-	-	-	-	-	-	-
八戸市	-	-	-	-	-	-	-	-	-	-
盛岡市	3 326	655	338	296	386	502	357	355	192	245
秋田市	-	-	-	-	-	-	-	-	-	-
郡山市	100	13	5	7	5	18	19	21	7	5
いわき市	905	35	34	37	59	149	241	168	99	83
宇都宮市	1 426	43	100	96	84	120	368	184	218	213
前橋市	-	-	-	-	-	-	-	-	-	-
高崎市	1 878	240	222	190	150	246	423	336	71	-
川越市	-	-	-	-	-	-	-	-	-	-
越谷市	-	-	-	-	-	-	-	-	-	-
船橋市	-	-	-	-	-	-	-	-	-	-
柏市	-	-	-	-	-	-	-	-	-	-
八王子市	-	-	-	-	-	-	-	-	-	-
横須賀市	-	-	-	-	-	-	-	-	-	-
富山市	567	6	140	128	99	152	18	19	3	2
金沢市	…	…	…	…	…	…	…	…	…	…
長野市	75	5	5	3	5	4	16	10	10	17
岐阜市	-	-	-	-	-	-	-	-	-	-
豊橋市	55	10	7	2	3	12	10	5	3	3
豊田市	-	-	-	-	-	-	-	-	-	-
岡崎市	-	-	-	-	-	-	-	-	-	-
大津市	-	-	-	-	-	-	-	-	-	-
高槻市	248	125	15	9	5	18	22	29	14	11
東大阪市	-	-	-	-	-	-	-	-	-	-
豊中市	-	-	-	-	-	-	-	-	-	-
枚方市	-	-	-	-	-	-	-	-	-	-
姫路市	-	-	-	-	-	-	-	-	-	-
西宮市	188	32	23	16	14	14	41	39	7	2
尼崎市	1 582	125	147	237	100	267	221	350	78	57
奈良市	167	22	28	22	15	21	30	19	7	3
和歌山市	647	374	24	23	22	41	73	80	6	4
倉敷市	-	-	-	-	-	-	-	-	-	-
福山市	137	9	11	5	14	22	38	27	6	5
呉市	1	-	-	-	-	1	-	-	-	-
下関市	247	13	16	16	33	39	62	40	19	9
高松市	-	-	-	-	-	-	-	-	-	-
松山市	-	-	-	-	-	-	-	-	-	-
高知市	-	-	-	-	-	-	-	-	-	-
久留米市	-	-	-	-	-	-	-	-	-	-
長崎市	-	-	-	-	-	-	-	-	-	-
佐世保市	-	-	-	-	-	-	-	-	-	-
大分市	1 290	165	106	92	94	197	394	185	46	11
宮崎市	-	-	-	-	-	-	-	-	-	-
鹿児島市	-	-	-	-	-	-	-	-	-	-
那覇市	125	-	27	32	35	30	1	-	-	-
その他政令市(再掲)										
小樽市	-	-	-	-	-	-	-	-	-	-
町田市	-	-	-	-	-	-	-	-	-	-
藤沢市	2 204	243	174	157	168	200	330	319	322	291
茅ヶ崎市	-	-	-	-	-	-	-	-	-	-
四日市市	-	-	-	-	-	-	-	-	-	-
大牟田市	-	-	-	-	-	-	-	-	-	-

注：判定別は、計数不詳の市区町村があるため、総数と一致しない場合がある。

1）C型肝炎ウイルス検診の判定①・②は、いずれも「現在C型肝炎ウイルスに感染している可能性が高い」と判定された者であり、判定③～⑤は、「現在C型肝炎ウイルスに感染している可能性が低い」と判定された者である。

第29－２表　肝炎ウイルスに関する健康教育及び健康相談の開催回数・

	健康教育		健康相談	
	開催回数	参加延人員	開催回数	参加延人員
全国	**992**	**42 942**	**1 961**	**9 758**
北海道	105	2 117	100	404
青森	92	4 198	57	1 063
岩手	1	12	6	9
宮城	25	403	11	40
秋田	3	15	1	1
山形	－	－	24	33
福島	1	120	18	221
茨城	74	3 436	100	581
栃木	－	－	93	330
群馬	－	－	19	19
埼玉	…	…	32	32
千葉	12	2 034	41	184
東京	－	－	99	464
神奈川	1	35	3	3
新潟	－	－	－	－
富山	－	－	37	40
石川	－	－	172	174
福井	12	267	1	1
山梨	－	－	23	54
長野	195	1 736	26	272
岐阜	33	481	27	210
静岡	－	－	112	557
愛知	2	38	…	…
三重	－	－	－	－
滋賀	－	－	1	1
京都	－	－	2	2
大阪	59	2 008	101	390
兵庫	24	743	10	11
奈良	3	121	7	7
和歌山	－	－	20	70
鳥取	6	167	－	－
島根	19	702	29	41
岡山	57	17 406	32	390
広島	2	20	254	276
山口	1	10	－	－
徳島	－	－	1	1
香川	－	－	－	－
愛媛	2	49	25	42
高知	－	－	－	－
福岡	2	15	27	131
佐賀	6	209	62	62
長崎	7	30	－	－
熊本	－	－	－	－
大分	－	－	2	159
宮崎	－	－	49	127
鹿児島	248	6 570	249	1 733
沖縄	…	…	88	1 623
指定都市・特別区(再掲)				
東京都区部	－	－	96	453
札幌市	－	－	－	－
仙台市	－	－	－	－
さいたま市	－	－	9	9
千葉市	－	－	－	－
横浜市	－	－	－	－
川崎市	－	－	－	－
相模原市	－	－	－	－
新潟市	－	－	－	－
静岡市	－	－	20	425
浜松市	－	－	－	－
名古屋市	－	－	－	－
京都市	－	－	－	－
大阪市	48	1 815	－	－
堺市	－	－	－	－
神戸市	－	－	－	－
岡山市	－	－	－	－
広島市	－	－	－	－
北九州市	－	－	－	－
福岡市	－	－	－	－
熊本市	－	－	－	－

参加延人員，都道府県－指定都市・特別区－中核市－その他政令市別

平成29年度

	健康教育 開催回数	健康教育 参加延人員	健康相談 開催回数	健康相談 参加延人員
中核市（再掲）				
旭川市	-	-	-	-
函館市	-	-	3	6
青森市	-	-	-	-
八戸市	-	-	-	-
盛岡市	-	-	1	3
秋田市	-	-	-	-
郡山市	-	-	-	-
いわき市	-	-	-	-
宇都宮市	-	-	-	-
前橋市	-	-	-	-
高崎市	-	-	-	-
川越市	-	-	-	-
越谷市	-	-	-	-
船橋市	-	-	-	-
柏市	-	-	-	-
八王子市	-	-	-	-
横須賀市	-	-	-	-
富山市	-	-	-	-
金沢市	-	-	159	161
長野市	1	13	-	-
岐阜市	-	-	-	-
豊橋市	-	-	-	-
豊田市	-	-	-	-
岡崎市	-	-	-	-
大津市	-	-	-	-
高槻市	-	-	-	-
東大阪市	-	-	67	296
豊中市	-	-	-	-
枚方市	-	-	-	-
姫路市	1	150	-	-
西宮市	1	13	-	-
尼崎市	-	-	-	-
奈良市	-	-	-	-
和歌山市	-	-	-	-
倉敷市	1	24	15	18
福山市	-	-	95	95
呉市	2	20	1	1
下関市	-	-	-	-
高松市	-	-	-	-
松山市	-	-	-	-
高知市	-	-	-	-
久留米市	-	-	-	-
長崎市	-	-	-	-
佐世保市	-	-	-	-
大分市	-	-	-	-
宮崎市	-	-	-	-
鹿児島市	200	4 648	197	373
那覇市	-	-	-	-
その他政令市（再掲）				
小樽市	-	-	-	-
町田市	-	-	-	-
藤沢市	-	-	-	-
茅ヶ崎市	-	-	-	-
四日市市	-	-	-	-
大牟田市	-	-	-	-

Ⅳ 用 語 の 解 説

健康増進編

　平成20年度の老人保健法の改正により、これまで市区町村が担ってきた老人保健事業のうち、医療保険者に義務づけられない事業は、市区町村が健康増進法に基づき実施することとなった。

　健康増進事業の対象者は、当該市区町村の区域内に居住地を有する40歳以上の者（職域等においてこれらの事業に相当する事業の対象となる場合を除く。）をいう。

　なお、介護保険法の改正に伴う地域支援事業の創設（平成18年4月1日施行）により、65歳以上の「健康教育」、「健康相談」、「訪問指導」、「介護家族健康教育」及び「介護家族健康相談」は、地域支援事業で実施のため、平成18年度より対象者を変更した。

「健康診査」

　当該市区町村の区域内に居住地を有する40歳以上74歳以下の特定健康診査非対象者及び75歳以上の生活保護世帯に属する者等を対象として行う生活習慣病予防に着目した健康診査をいう。

「歯周疾患検診」

　当該市区町村の区域内に居住地を有する40歳、50歳、60歳及び70歳の者を対象として行う問診及び歯周組織検査をいう。

「骨粗鬆症検診」

　当該市区町村の区域内に居住地を有する40歳、45歳、50歳、55歳、60歳、65歳及び70歳の女性を対象として行う問診及び骨量測定をいう。

「健康教育」

　健康教育は、当該市区町村の区域内に居住地を有する40歳から64歳までの者を対象とした、心身の健康についての自覚を高め、かつ、心身の健康に関する知識を普及啓発するために行われる指導及び教育をいう。

「健康相談」

　健康相談は、当該市区町村の区域内に居住地を有する40歳から64歳までの者を対象とした、心身の健康に関し、相談に応じて行われる指導及び助言をいう。

「重点健康相談」

　当該市区町村の区域内に居住地を有する40歳から64歳までの者を対象とした、心身の健康に関し、重点課題とされる「高血圧」、「脂質異常症」、「糖尿病」、「歯周疾患」、「骨粗鬆症」、「女性の健康」及び「病態別」のうち、市区町村が地域の実情等を勘案し、課題を選定し医師、歯科医師、保健師等を担当者として行う、健康に関する指導及び助言をいう。

「総合健康相談」

　対象者の心身の健康に関する一般的事項について、総合的な指導・助言を行うことを主たる目的とする相談をいう。

「訪問指導」

　訪問指導は、当該市区町村の区域内に居住地を有する40歳から64歳までの者を対象とした、その心身の状況、その置かれている環境等に照らして療養上の保健指導が必要であると認められる者について、保健師その他の者を訪問させて行われる指導をいう。

「がん検診」

　がん検診は、「がん予防重点健康教育及びがん検診実施のための指針(健発第0331058号平成20年3月31日健康局長通知別添)」（以下、「指針」という。）に基づき実施されている。

　平成28年2月に「指針」の改正が行われ、胃がん検診及び乳がん検診について、検診方法、受診対象、受診間隔等に変更があった。

　健康増進法に基づくがん検診の対象年齢は、上限の年齢制限を設けず、ある一定年齢以上の者としているが、受診率の算定にあたっては、「がん対策推進基本計画」（平成24年6月8日閣議決定）及び「指針」に基づき、40〜69歳（胃がん検診は平成28年度以降50歳〜69歳、子宮頸がんは20〜69歳）を対象として算出している。

・胃がん検診

　　受診対象　50歳以上の男女

　（ただし、胃部エックス線検査は40歳以上の者を対象としても差し支えない）

　　受診間隔　平成28年度以降2年に1度

　（ただし、胃部エックス線検査は年1回実施しても差し支えない）

　　問診及び胃部エックス線検査又は胃内視鏡検査

　　なお、受診率算出のための受診者数は次のとおりである。

　　　平成28年度以降　「50歳以上69歳までの胃部エックス線検査又は胃内視鏡検査受診者」

・肺がん検診

　　受診対象　40歳以上の男女（喀痰細胞診は50歳以上）

　　問診、胸部エックス線検査及び喀痰細胞診

　　なお、受診率算出のための受診者数は次のとおりである。

　　　平成20年度以降　「胸部エックス線検査受診者」

・大腸がん検診

　　受診対象　40歳以上の男女

　　問診及び便潜血検査

・子宮頸がん検診（平成24年度までは「子宮がん検診」として報告されている。）

　　受診対象　平成16年度以降20歳以上の女

　　受診間隔　平成16年度以降2年に1度

　　問診、視診、子宮頸部の細胞診及び内診とし、必要に応じてコルポスコープ検査

　　なお、受診率算出のための受診者数は次のとおりである。

　　　平成17年度以降　「頸部細胞診受診者」

・乳がん検診

　　受診対象　平成16年度以降40歳以上の女

　　受診間隔　平成16年度以降２年に１度

　　問診及び乳房エックス線検査（マンモグラフィ）

　　なお、受診率算出のための受診者数は次のとおりである。

　　　　平成28年度以降　「マンモグラフィ受診者」

「がん検診受診率」（平成29年度）

※40〜69歳（胃がんは50〜69歳、子宮頸がんは20〜69歳）を対象として算定

　・肺がん及び大腸がん

　　受診率＝（受診者数／対象者数）×100

　・胃がん、子宮頸がん及び乳がん（平成18年度「がん予防重点健康教育及びがん検診実施のための指針」の改正に伴い、平成17年度から受診率の算出方法を変更している。）

　　受診率＝（前年度の受診者数＋当該年度の受診者数－２年連続の受診者数）／（当該年度の対象者数）×100

「精密検査受診率」（平成28年度）

※40〜69歳（胃がんは50〜69歳、子宮頸がんは20〜69歳）を対象として算定

　精密検査受診率＝（要精密検査者数－精密検査未受診者数－精密検査未把握者数）／要精密検査者数×100

「精密検査未受診率」（平成28年度）

※40〜69歳（胃がんは50〜69歳、子宮頸がんは20〜69歳）を対象として算定

　精密検査未受診率＝精密検査未受診者数／要精密検査者数×100

「精密検査未把握率」（平成28年度）

※40〜69歳（胃がんは50〜69歳、子宮頸がんは20〜69歳）を対象として算定

　精密検査未把握率＝精密検査未把握者数／要精密検査者数×100

「肝炎ウイルス検診」

　肝炎ウイルス検診は、当該市区町村の区域内に居住地を有する当該年度に満40歳となる者及び満41歳以上となる者であって過去に肝炎ウイルス検診を受けたことがない希望者を対象とした、Ｂ型肝炎ウイルス検査及びＣ型肝炎ウイルス検査をいう。

Ⅴ 報 告 表 の 様 式

地域保健・健康増進事業報告

| 種別 | 2 | 政令市（特別区）以外の市町村 |

市区町村符号	表番号
	15100

15(1) 健康増進（健康増進事業等の対象者）

都道府県名　　　　　　市区町村名

平成 29 年度分

		健康診査 (1)	胃がん (2)	肺がん (3)	大腸がん (4)	子宮頸がん (5)	乳がん (6)
男	40～44歳(01)					／	／
	45～49歳(02)					／	／
	50～54歳(03)					／	／
	55～59歳(04)					／	／
	60～64歳(05)					／	／
	65～69歳(06)					／	／
	70～74歳(07)					／	／
	75歳以上(08)					／	／
	計　(09)					／	／
女	20～24歳(10)	／	／	／	／		／
	25～29歳(11)	／	／	／	／		／
	30～34歳(12)	／	／	／	／		／
	35～39歳(13)	／	／	／	／		／
	40～44歳(14)						
	45～49歳(15)						
	50～54歳(16)						
	55～59歳(17)						
	60～64歳(18)						
	65～69歳(19)						
	70～74歳(20)						
	75歳以上(21)						
	計　(22)						

地域保健・健康増進事業報告

種別 2 政令市（特別区）以外の市町村

市区町村符号	表番号
	1 5 2 0 0

15(2) 健康増進（健康教育）

政府統計

統計法に基づく国の一般統計調査です。
調査票情報の秘密の保護に万全を期します。

都道府県名　　　　　市区町村名

平成 29 年度分

15(2)-01　個別健康教育の実施状況

	個別健康教育対象者(ア)				個別健康教育対象者(イ)			
	個別健康教育を開始した者		個別健康教育を終了した者		個別健康教育を開始した者		個別健康教育を終了した者	
	市町村実施 (1)	医療機関委託 (2)	市町村実施 (3)	医療機関委託 (4)	市町村実施 (5)	医療機関委託 (6)	市町村実施 (7)	医療機関委託 (8)
高血圧 (01)								
脂質異常症 (02)								
糖尿病 (03)								
喫煙 (04)								
計 (05)								

15(2)-02　集団健康教育の実施状況

	一般 (1)	歯周疾患 (2)	ロコモティブシンドローム（運動器症候群）(3)	慢性閉塞性肺疾患（COPD）(4)	病態別 (5)	薬 (6)	計 (7)
開催回数 (01)							
参加延人員 (02)							

地域保健・健康増進事業報告

種別	2	政令市（特別区）以外の市町村

市区町村符号	表番号
	15300

政府統計
統計法に基づく国の一般統計調査です。
調査票情報の秘密の保護に万全を期します。

都道府県名　　　　市区町村名

平成 29 年度分

15(3)　健康増進（健康相談）

			開催回数 (1)	被指導延人員 (2)
重点健康相談	高血圧	(01)		
	脂質異常症	(02)		
	糖尿病	(03)		
	歯周疾患	(04)		
	骨粗鬆症	(05)		
	女性の健康	(06)		
	病態別	(07)		
総合健康相談		(08)		
計		(09)		

種別 2 政令市（特別区）以外の市町村

地域保健・健康増進事業報告

政府統計

市区町村符号　表番号　15400

都道府県名　　　市区町村名

15(4) 健康増進（健康増進法施行規則第4条の2に基づく健康診査）

平成 29 年度分

15(4)-01 受診者及び保健指導区分等の状況

		受診者数（年度中）				保健指導区分別実人員				内臓脂肪症候群	
		健康診査 (1)	詳細な項目実施（再掲）(2)	訪問健康診査 (3)	介護家族訪問健康診査 (4)	保健指導非対象者 (5)	服薬中のため保健指導の対象から除外した者 (6)	保健指導対象者 動機付け支援 (7)	積極的支援 (8)	内臓脂肪症候群予備群 (9)	内臓脂肪症候群該当者 (10)
男	40～49歳 (01)										
	50～59歳 (02)										
	60～64歳 (03)										
	65～69歳 (04)										
	70～74歳 (05)										
	75歳以上 (06)										
	計 (07)										
健診方式（再掲）	個別 (08)										
	集団 (09)										
女	40～49歳 (10)										
	50～59歳 (11)										
	60～64歳 (12)										
	65～69歳 (13)										
	70～74歳 (14)										
	75歳以上 (15)										
	計 (16)										
健診方式（再掲）	個別 (17)										
	集団 (18)										

15(4)-02 主な検査項目別の受診者数及び検査結果別人員

		血圧 (1)	高血圧症個別健康教育対象者(ア)（再掲）(2)	高血圧症個別健康教育対象者(イ)(3)	脂質異常 (4)	脂質異常症個別健康教育対象者(ア)（再掲）(5)	脂質異常症個別健康教育対象者(イ)(6)	糖尿病 (7)	糖尿病個別健康教育対象者(ア)（再掲）(8)	糖尿病個別健康教育対象者(イ)(9)
男	40～49歳 (01)									
	50～59歳 (02)									
	60～64歳 (03)									
	65～69歳 (04)									
	70～74歳 (05)									
	75歳以上 (06)									
	計 (07)									
女	40～49歳 (08)									
	50～59歳 (09)									
	60～64歳 (10)									
	65～69歳 (11)									
	70～74歳 (12)									
	75歳以上 (13)									
	計 (14)									

		貧血（疑いを含む）(10)	肝疾患（疑いを含む）(11)	うちアルコール性（疑いを含む）（再掲）(12)	腎機能障害（疑いを含む）(13)	血清クレアチニン検査（再掲）(14)	たばこ 習慣的に吸っていない (15)	習慣的に吸っている (16)
男	40～49歳 (01)							
	50～59歳 (02)							
	60～64歳 (03)							
	65～69歳 (04)							
	70～74歳 (05)							
	75歳以上 (06)							
	計 (07)							
女	40～49歳 (08)							
	50～59歳 (09)							
	60～64歳 (10)							
	65～69歳 (11)							
	70～74歳 (12)							
	75歳以上 (13)							
	計 (14)							

15(4)-03 保健指導利用区分別延人員・利用実人員

		動機付け支援				積極的支援				
		利用区分別延人員			利用実人員 (4)	利用区分別延人員				利用実人員 (9)
		年度中に全て終了 (1)	年度を越えて保健指導を行う場合 初回面接 (2)	実績評価 (3)		年度中に全て終了 (5)	年度を越えて保健指導を行う場合 初回面接 (6)	継続的支援 (7)	実績評価 (8)	
男	40～49歳 (01)									
	50～59歳 (02)									
	60～64歳 (03)									
	65～69歳 (04)									
	70～74歳 (05)									
	計 (06)									
女	40～49歳 (07)									
	50～59歳 (08)									
	60～64歳 (09)									
	65～69歳 (10)									
	70～74歳 (11)									
	計 (12)									

地 域 保 健 ・ 健 康 増 進 事 業 報 告

種別	2	政令市（特別区）以外の市町村

市 区 町 村 符 号					表番号
					15500

政府統計

統計法に基づく国の一般統計調査です。
調査票情報の秘密の保護に万全を期します。

都道府県名　　　　　　　　　　　市区町村名

平成　29　年度分

15(5)　健康増進（歯周疾患検診・骨粗鬆症検診）

15(5)－01　歯周疾患検診受診者の状況及び指導区分別状況

	受 診 者 数		要 精 検 者	要 指 導 者	異常認めず
	男 (1)	女 (2)	(3)	(4)	(5)
40　歳　(01)					
50　歳　(02)					
60　歳　(03)					
70　歳　(04)					
計　(05)					

15(5)－02　骨粗鬆症検診受診者の状況及び指導区分別状況

	受診者数（女） (1)	要 精 検 者 (2)	要 指 導 者 (3)	異常認めず (4)
40　歳　(01)				
45　歳　(02)				
50　歳　(03)				
55　歳　(04)				
60　歳　(05)				
65　歳　(06)				
70　歳　(07)				
計　(08)				

地 域 保 健 ・ 健 康 増 進 事 業 報 告

種別	2	政令市（特別区）以外の市町村

市区町村符号	表番号
	15500

政府統計

統計法に基づく国の一般統計調査です。
調査票情報の秘密の保護に万全を期します。

都道府県名 　　　　　　　　市区町村名

平成 29 年度分

15(5) 健康増進（歯周疾患検診・骨粗鬆症検診）

15(5)－03 歯周疾患検診受診者の状況（28年度の精密検査結果）

	受診者数（年度中）		要精密検査者数（年度中）	精密検査受診の有無別人数				
				精密検査受診者			未受診	未把握
	男 (1)	女 (2)	(3)	異常認めず (4)	歯周疾患であった者 (5)	歯周疾患以外であった者 (6)	(7)	(8)
40 歳 (01)								
50 歳 (02)								
60 歳 (03)								
70 歳 (04)								
計 (05)								

15(5)－04 骨粗鬆症検診受診者の状況（28年度の精密検査結果）

	受診者数（年度中）	要精密検査者数（年度中）	精密検査受診の有無別人数				
			精密検査受診者			未受診	未把握
	女 (1)	(2)	異常認めず (3)	骨粗鬆症であった者 (4)	骨粗鬆症以外であった者 (5)	(6)	(7)
40 歳 (01)							
45 歳 (02)							
50 歳 (03)							
55 歳 (04)							
60 歳 (05)							
65 歳 (06)							
70 歳 (07)							
計 (08)							

地 域 保 健 ・ 健 康 増 進 事 業 報 告

種別	2	政令市（特別区）以外の市町村

市 区 町 村 符 号	表番号
	1 5 7 0 0

15(7)　健康増進（訪問指導）

政府統計

統計法に基づく国の一般統計調査です。
調査票情報の秘密の保護に万全を期します。

都道府県名 ＿＿＿＿＿＿＿　　市区町村名 ＿＿＿＿＿＿＿

平成　29　年度分

15(7)－01　訪問指導実施状況

	被 訪 問 指 導 実 人 員 (1)	被 訪 問 指 導 延 人 員 (2)
要　指　導　者　等　(01)		
個 別 健 康 教 育 対 象 者 (02)		
閉 じ こ も り 予 防 (03)		
介　護　家　族　者　(04)		
寝たきり者　計　(05)		
寝たきり者　口腔衛生指導（再掲）(06)		
寝たきり者　栄養指導（再掲）(07)		
認　知　症　の　者　(08)		
そ　の　他　(09)		

15(7)－02　訪問指導従事者の状況

	医　師 (1)	保 健 師 (2)	看 護 師 (3)	管理栄養士及び栄養士 (4)	歯科衛生士 (5)	そ の 他 (6)	計 (7)
訪問指導従事者延人員							

地域保健・健康増進事業報告

種別	2	政令市（特別区）以外の市

市区町村符号	表番号
	15801

15(8)　健康増進（がん検診）

政府統計

統計法に基づく国の一般統計調査です。
調査票情報の秘密の保護に万全を期します。

都道府県名　　　　市区町村名

平成 29 年度分

15(8)－01　胃がん・大腸がん

	検診回数	胃がん																大腸がん			
		胃部エックス線検査				胃内視鏡検査				計				2年連続受診者数（年度中）							
		受診者数（年度中）				受診者数（年度中）				受診者数（年度中）								受診者数（年度中）			
		集団検診		個別検診		集団検診		個別検診		集団検診		個別検診		集団検診		個別検診		集団検診		個別検診	
		男 (1)	女 (2)	男 (3)	女 (4)	男 (5)	女 (6)	男 (7)	女 (8)	男 (9)	女 (10)	男 (11)	女 (12)	男 (13)	女 (14)	男 (15)	女 (16)	男 (17)	女 (18)	男 (19)	女 (20)
40～44歳	初回(01)																				
	非初回(02)																				
	計(03)																				
45～49歳	初回(04)																				
	非初回(05)																				
	計(06)																				
50～54歳	初回(07)																				
	非初回(08)																				
	計(09)																				
55～59歳	初回(10)																				
	非初回(11)																				
	計(12)																				
60～64歳	初回(13)																				
	非初回(14)																				
	計(15)																				
65～69歳	初回(16)																				
	非初回(17)																				
	計(18)																				
70～74歳	初回(19)																				
	非初回(20)																				
	計(21)																				
75～79歳	初回(22)																				
	非初回(23)																				
	計(24)																				
80歳以上	初回(25)																				
	非初回(26)																				
	計(27)																				
計	初回(28)																				
	非初回(29)																				
	計(30)																				

地 域 保 健 ・ 健 康 増 進 事 業 報 告

種別	2	政令市（特別区）以外の市町村

市区町村符号					表番号
					15802

政府統計

統計法に基づく国の一般統計調査です。
調査票情報の秘密の保護に万全を期します。

15(8)　健康増進（がん検診）

都道府県名　　　　　　　　市区町村名

平成 29 年度分

15(8)－02　男－肺がん

	検診回数	問診（質問）者数（年度中）		胸部エックス線検査		喀痰細胞診（喀痰細胞診のみ受診は除く）					
				受診者数（年度中）		喀痰細胞診対象者数（胸部ｴｯｸｽ線検査受診者中高危険群者数）（年度中）		喀痰容器配布回収状況			
								配布数（年度中）		回収数（受診者数）（年度中）	
		集団検診 (1)	個別検診 (2)	集団検診 (3)	個別検診 (4)	集団検診 (5)	個別検診 (6)	集団検診 (7)	個別検診 (8)	集団検診 (9)	個別検診 (10)
40～44歳	初　回(01)										
	非初回(02)										
	計　(03)										
45～49歳	初　回(04)										
	非初回(05)										
	計　(06)										
50～54歳	初　回(07)										
	非初回(08)										
	計　(09)										
55～59歳	初　回(10)										
	非初回(11)										
	計　(12)										
60～64歳	初　回(13)										
	非初回(14)										
	計　(15)										
65～69歳	初　回(16)										
	非初回(17)										
	計　(18)										
70～74歳	初　回(19)										
	非初回(20)										
	計　(21)										
75～79歳	初　回(22)										
	非初回(23)										
	計　(24)										
80歳以上	初　回(25)										
	非初回(26)										
	計　(27)										
計	初　回(28)										
	非初回(29)										
	計　(30)										

地域保健・健康増進事業報告

種別 2 政令市（特別区）以外の市町村

市区町村符号　表番号　15803

15(8) 健康増進（がん検診）

政府統計

統計法に基づく国の一般統計調査です。
調査票情報の秘密の保護に万全を期します。

都道府県名　　　市区町村名
平成 29 年度分

15(8)-03 女-肺がん

	検診回数	問診(質問)者数 (年度中)		胸部エックス線検査 受診者数 (年度中)		喀痰細胞診（喀痰細胞診のみ受診は除く）					
						喀痰細胞診対象者数 (胸部エックス線検査受診者中高危険群者数) (年度中)		喀痰容器配布回収状況			
								配布数 (年度中)		回収数（受診者数） (年度中)	
		集団検診 (1)	個別検診 (2)	集団検診 (3)	個別検診 (4)	集団検診 (5)	個別検診 (6)	集団検診 (7)	個別検診 (8)	集団検診 (9)	個別検診 (10)
40～44歳	初　回(01)					/	/	/	/	/	/
	非初回(02)					/	/	/	/	/	/
	計　(03)					/	/	/	/	/	/
45～49歳	初　回(04)					/	/	/	/	/	/
	非初回(05)					/	/	/	/	/	/
	計　(06)					/	/	/	/	/	/
50～54歳	初　回(07)										
	非初回(08)										
	計　(09)										
55～59歳	初　回(10)										
	非初回(11)										
	計　(12)										
60～64歳	初　回(13)										
	非初回(14)										
	計　(15)										
65～69歳	初　回(16)										
	非初回(17)										
	計　(18)										
70～74歳	初　回(19)										
	非初回(20)										
	計　(21)										
75～79歳	初　回(22)										
	非初回(23)										
	計　(24)										
80歳以上	初　回(25)										
	非初回(26)										
	計　(27)										
計	初　回(28)										
	非初回(29)										
	計　(30)										

地域保健・健康増進事業報告

種別	2	政令市（特別区）以外の市町村

市区町村符号					表番号
					15804

政府統計

統計法に基づく国の一般統計調査です。
調査票情報の秘密の保護に万全を期します。

15(8)　健康増進（がん検診）

都道府県名　　　　　　市区町村名

平成　29　年度分

15(8)－04　子宮頸がん

	検診回数	受診者数（年度中）		2年連続受診者数（年度中）	
		集団検診 (1)	個別検診 (2)	集団検診 (3)	個別検診 (4)
20～24歳	初　回(01)				
	非初回(02)				
	計　(03)				
25～29歳	初　回(04)				
	非初回(05)				
	計　(06)				
30～34歳	初　回(07)				
	非初回(08)				
	計　(09)				
35～39歳	初　回(10)				
	非初回(11)				
	計　(12)				
40～44歳	初　回(13)				
	非初回(14)				
	計　(15)				
45～49歳	初　回(16)				
	非初回(17)				
	計　(18)				
50～54歳	初　回(19)				
	非初回(20)				
	計　(21)				
55～59歳	初　回(22)				
	非初回(23)				
	計　(24)				
60～64歳	初　回(25)				
	非初回(26)				
	計　(27)				
65～69歳	初　回(28)				
	非初回(29)				
	計　(30)				
70～74歳	初　回(31)				
	非初回(32)				
	計　(33)				
75～79歳	初　回(34)				
	非初回(35)				
	計　(36)				
80歳以上	初　回(37)				
	非初回(38)				
	計　(39)				
計	初　回(40)				
	非初回(41)				
	計　(42)				

地 域 保 健 ・ 健 康 増 進 事 業 報 告

種別	2	政令市（特別区）以外の市町村

市 区 町 村 符 号	表 番 号
	1 5 8 0 5

15(8)　健康増進（がん検診）

政府統計
統計法に基づく国の一般統計調査です。
調査票情報の秘密の保護に万全を期します。

都道府県名　　　　　　　　市区町村名

平成　29　年度分

15(8)－05　乳がん

		マンモグラフィ			
	検診回数	受 診 者 数 （ 年 度 中 ）		2年連続受診者数 （ 年 度 中 ）	
		集 団 検 診 (1)	個 別 検 診 (2)	集 団 検 診 (3)	個 別 検 診 (4)
40～44歳	初　回(01)				
	非初回(02)				
	計　(03)				
45～49歳	初　回(04)				
	非初回(05)				
	計　(06)				
50～54歳	初　回(07)				
	非初回(08)				
	計　(09)				
55～59歳	初　回(10)				
	非初回(11)				
	計　(12)				
60～64歳	初　回(13)				
	非初回(14)				
	計　(15)				
65～69歳	初　回(16)				
	非初回(17)				
	計　(18)				
70～74歳	初　回(19)				
	非初回(20)				
	計　(21)				
75～79歳	初　回(22)				
	非初回(23)				
	計　(24)				
80歳以上	初　回(25)				
	非初回(26)				
	計　(27)				
計	初　回(28)				
	非初回(29)				
	計　(30)				

地 域 保 健 ・ 健 康 増 進 事 業 報 告

種別　2　政令市（特別区）以外の市町村

市 区 町 村 符 号	表番号
	15806

15(8)　健康増進（がん検診）

政府統計

統計法に基づく国の一般統計調査です。
調査票情報の秘密の保護に万全を期します。

都道府県名　　　　市区町村名

15(8)-06　胃がん－男（胃部エックス線検査・個別検診・28年度の精密検査結果）　　　　平成　29　年度分

	検診回数	受診者数（年度中）(1)	要精密検査者数（年度中）(2)	精密検査受診の有無別人数								偶発症の有無別人数			
				精密検査受診者						未受診 (9)	未把握 (10)	検診中／検診後		精密検査中／精密検査後	
				異常認めず (3)	異常を認める							重篤な偶発症を確認 (11)	偶発症による死亡あり (12)	重篤な偶発症を確認 (13)	偶発症による死亡あり (14)
					胃がんであった者（転移性を含まない）(4)	胃がんのうち早期がん (5)	早期がんのうち粘膜内がん (6)	胃がんの疑いのある者又は未確定 (7)	胃がん以外の疾患であった者（転移性の胃がんを含む）(8)						
40～44歳	初　回(01)														
	非初回(02)														
	計　(03)														
45～49歳	初　回(04)														
	非初回(05)														
	計　(06)														
50～54歳	初　回(07)														
	非初回(08)														
	計　(09)														
55～59歳	初　回(10)														
	非初回(11)														
	計　(12)														
60～64歳	初　回(13)														
	非初回(14)														
	計　(15)														
65～69歳	初　回(16)														
	非初回(17)														
	計　(18)														
70～74歳	初　回(19)														
	非初回(20)														
	計　(21)														
75～79歳	初　回(22)														
	非初回(23)														
	計　(24)														
80歳以上	初　回(25)														
	非初回(26)														
	計　(27)														
計	初　回(28)														
	非初回(29)														
	計　(30)														

地 域 保 健 ・ 健 康 増 進 事 業 報 告

政府統計

統計法に基づく国の一般統計調査です。
調査票情報の秘密の保護に万全を期します。

種別	2	政令市（特別区）以外の市町村

市区町村符号					表番号
					15807

15(8)　健康増進（がん検診）

都道府県名　　　　市区町村名

平成　29　年度分

15(8)－07　胃がん－男（胃部エックス線検査・集団検診・28年度の精密検査結果）

	検診回数	受診者数（年度中）	要精密検査者数（年度中）	精密検査受診の有無別人数								偶発症の有無別人数			
				精密検査受診者						未受診	未把握	検診中／検診後		精密検査中／精密検査後	
				異常認めず	異常を認める							重篤な偶発症を確認	偶発症による死亡あり	重篤な偶発症を確認	偶発症による死亡あり
					胃がんであった者（転移性を含まない）	胃がんのうち早期がん	早期がんのうち粘膜内がん	胃がんの疑いのある者又は未確定	胃がん以外の疾患であった者（転移性の胃がんを含む）						
		(1)	(2)	(3)	(4)	(5)	(6)	(7)	(8)	(9)	(10)	(11)	(12)	(13)	(14)
40～44歳	初　回(01)														
	非初回(02)														
	計　(03)														
45～49歳	初　回(04)														
	非初回(05)														
	計　(06)														
50～54歳	初　回(07)														
	非初回(08)														
	計　(09)														
55～59歳	初　回(10)														
	非初回(11)														
	計　(12)														
60～64歳	初　回(13)														
	非初回(14)														
	計　(15)														
65～69歳	初　回(16)														
	非初回(17)														
	計　(18)														
70～74歳	初　回(19)														
	非初回(20)														
	計　(21)														
75～79歳	初　回(22)														
	非初回(23)														
	計　(24)														
80歳以上	初　回(25)														
	非初回(26)														
	計　(27)														
計	初　回(28)														
	非初回(29)														
	計　(30)														

地 域 保 健 ・ 健 康 増 進 事 業 報 告

種別 2 政令市（特別区）以外の市町村

市区町村符号	表番号
	1 5 8 0 8

15(8) 健康増進（がん検診）

政府統計

統計法に基づく国の一般統計調査です。
調査票情報の秘密の保護に万全を期します。

都道府県名　　　　　市区町村名

15(8)-08　胃がん−男（胃内視鏡検査・個別検診・28年度の精密検査結果）　　　平成 29 年度分

	検診回数	受診者数（年度中）	要精密検査者数（年度中）	精密検査受診の有無別人数									偶発症の有無別人数			
				異常認めず	精密検査（生検または再検査）受診者						検診時生検未受診のうち再検査未受診	検診時生検未受診のうち再検査未把握	検診中／検診後		精密検査中／精密検査後	
					異常を認める								重篤な偶発症を確認	偶発症による死亡あり	重篤な偶発症を確認	偶発症による死亡あり
					胃がんであった者（転移性を含まない）	胃がんのうち早期がん	早期がんのうち粘膜内がん	胃がんの疑いのある者又は未確定	胃がん以外の疾患であった者（転移性の胃がんを含む）						
		(1)	(2)	(3)	(4)	(5)	(6)	(7)	(8)	(9)	(10)	(11)	(12)	(13)	(14)
40～44歳	初　回(01)														
	非初回(02)														
	計　(03)														
45～49歳	初　回(04)														
	非初回(05)														
	計　(06)														
50～54歳	初　回(07)														
	非初回(08)														
	計　(09)														
55～59歳	初　回(10)														
	非初回(11)														
	計　(12)														
60～64歳	初　回(13)														
	非初回(14)														
	計　(15)														
65～69歳	初　回(16)														
	非初回(17)														
	計　(18)														
70～74歳	初　回(19)														
	非初回(20)														
	計　(21)														
75～79歳	初　回(22)														
	非初回(23)														
	計　(24)														
80歳以上	初　回(25)														
	非初回(26)														
	計　(27)														
計	初　回(28)														
	非初回(29)														
	計　(30)														

504

地 域 保 健 ・ 健 康 増 進 事 業 報 告

種別	2	政令市（特別区）以外の市町村

市区町村符号					表番号
					15809

15(8)　健康増進（がん検診）

政府統計

統計法に基づく国の一般統計調査です。
調査票情報の秘密の保護に万全を期します。

都道府県名　　　　市区町村名

平成　29　年度分

15(8)－09　胃がん－男（胃内視鏡検査・集団検診・28年度の精密検査結果）

	検診回数	受診者数（年度中）	要精密検査者数（年度中）	精密検査受診の有無別人数								偶発症の有無別人数			
				精密検査（生検または再検査）受診者						検診時生検未受診のうち再検査未受診	検診時生検未受診のうち再検査未把握	検診中／検診後		精密検査中／精密検査後	
				異常認めず	異常を認める							重篤な偶発症を確認	偶発症による死亡あり	重篤な偶発症を確認	偶発症による死亡あり
					胃がんであった者（転移性を含まない）	胃がんのうち早期がん	早期がんのうち粘膜内がん	胃がんの疑いのある者又は未確定	胃がん以外の疾患であった者（転移性の胃がんを含む）						
		(1)	(2)	(3)	(4)	(5)	(6)	(7)	(8)	(9)	(10)	(11)	(12)	(13)	(14)
40～44歳	初　回(01)														
	非初回(02)														
	計　(03)														
45～49歳	初　回(04)														
	非初回(05)														
	計　(06)														
50～54歳	初　回(07)														
	非初回(08)														
	計　(09)														
55～59歳	初　回(10)														
	非初回(11)														
	計　(12)														
60～64歳	初　回(13)														
	非初回(14)														
	計　(15)														
65～69歳	初　回(16)														
	非初回(17)														
	計　(18)														
70～74歳	初　回(19)														
	非初回(20)														
	計　(21)														
75～79歳	初　回(22)														
	非初回(23)														
	計　(24)														
80歳以上	初　回(25)														
	非初回(26)														
	計　(27)														
計	初　回(28)														
	非初回(29)														
	計　(30)														

地 域 保 健 ・ 健 康 増 進 事 業 報 告

種別	2	政令市（特別区）以外の市町村

市 区 町 村 符 号	表番号
	1 5 8 1 0

15(8)　健康増進（がん検診）

政府統計

統計法に基づく国の一般統計調査です。
調査票情報の秘密の保護に万全を期します。

都道府県名　　　　　市区町村名

平成　29　年度分

15(8)-10　胃がん-女（胃部エックス線検査・個別検診・28年度の精密検査結果）

	検診回数	受診者数 （年度中） (1)	要精密 検査者数 （年度中） (2)	精密検査受診の有無別人数								偶発症の有無別人数			
				精密検査受診者						未受診 (9)	未把握 (10)	検診中／検診後		精密検査中／精密検査後	
				異常 認めず (3)	異常を認める							重篤な 偶発症を 確認 (11)	偶発症 による 死亡あり (12)	重篤な 偶発症を 確認 (13)	偶発症 による 死亡あり (14)
					胃がんで あった者 （転移性を 含まない） (4)	胃がんの う　ち 早期がん (5)	早期がん のうち粘 膜内がん (6)	胃がんの 疑いのある 者　又　は 未　確　定 (7)	胃がん以外 の疾患で あった者 （転移性の胃 がんを含む） (8)						
40～44歳	初　回(01)														
	非初回(02)														
	計　(03)														
45～49歳	初　回(04)														
	非初回(05)														
	計　(06)														
50～54歳	初　回(07)														
	非初回(08)														
	計　(09)														
55～59歳	初　回(10)														
	非初回(11)														
	計　(12)														
60～64歳	初　回(13)														
	非初回(14)														
	計　(15)														
65～69歳	初　回(16)														
	非初回(17)														
	計　(18)														
70～74歳	初　回(19)														
	非初回(20)														
	計　(21)														
75～79歳	初　回(22)														
	非初回(23)														
	計　(24)														
80歳以上	初　回(25)														
	非初回(26)														
	計　(27)														
計	初　回(28)														
	非初回(29)														
	計　(30)														

地域保健・健康増進事業報告

政府統計

統計法に基づく国の一般統計調査です。
調査票情報の秘密の保護に万全を期します。

種別	2	政令市（特別区）以外の市町村

市区町村符号					表番号
					15811

15(8)　健康増進（がん検診）

都道府県名　　　　市区町村名

平成 29 年度分

15(8)－11　胃がん－女（胃部エックス線検査・集団検診・28年度の精密検査結果）

	検診回数	受診者数（年度中）	要精密検査者数（年度中）	精密検査受診の有無別人数								偶発症の有無別人数			
				精密検査受診者						未受診	未把握	検診中／検診後		精密検査中／精密検査後	
				異常認めず	異常を認める							重篤な偶発症を確認	偶発症による死亡あり	重篤な偶発症を確認	偶発症による死亡あり
					胃がんであった者（転移性を含まない）	胃がんのうち早期がん	早期がんのうち粘膜内がん	胃がんの疑いのある者又は未確定	胃がん以外の疾患であった者（転移性の胃がんを含む）						
		(1)	(2)	(3)	(4)	(5)	(6)	(7)	(8)	(9)	(10)	(11)	(12)	(13)	(14)
40～44歳	初　回(01)														
	非初回(02)														
	計　(03)														
45～49歳	初　回(04)														
	非初回(05)														
	計　(06)														
50～54歳	初　回(07)														
	非初回(08)														
	計　(09)														
55～59歳	初　回(10)														
	非初回(11)														
	計　(12)														
60～64歳	初　回(13)														
	非初回(14)														
	計　(15)														
65～69歳	初　回(16)														
	非初回(17)														
	計　(18)														
70～74歳	初　回(19)														
	非初回(20)														
	計　(21)														
75～79歳	初　回(22)														
	非初回(23)														
	計　(24)														
80歳以上	初　回(25)														
	非初回(26)														
	計　(27)														
計	初　回(28)														
	非初回(29)														
	計　(30)														

地域保健・健康増進事業報告

政府統計

統計法に基づく国の一般統計調査です。
調査票情報の秘密の保護に万全を期します。

種別	2	政令市（特別区）以外の市町村

市区町村符号	表番号
	15812

15(8)　健康増進（がん検診）

都道府県名　　　　市区町村名

平成　29　年度分

15(8)－12　胃がん－女（胃内視鏡検査・個別検診・28年度の精密検査結果）

	検診回数	受診者数（年度中）	要精密検査者数（年度中）	精密検査受診の有無別人数								偶発症の有無別人数			
				精密検査（生検または再検査）受診者						検診時生検未受診のうち再検査未受診	検診時生検未受診のうち再検査未把握	検診中／検診後		精密検査中／精密検査後	
				異常認めず	異常を認める										
					胃がんであった者（転移性を含まない）	胃がんのうち早期がん	早期がんのうち粘膜内がん	胃がんの疑いのある者又は未確定	胃がん以外の疾患であった者（転移性の胃がんを含む）			重篤な偶発症を確認	偶発症による死亡あり	重篤な偶発症を確認	偶発症による死亡あり
		(1)	(2)	(3)	(4)	(5)	(6)	(7)	(8)	(9)	(10)	(11)	(12)	(13)	(14)
40～44歳	初　回(01)														
	非初回(02)														
	計　(03)														
45～49歳	初　回(04)														
	非初回(05)														
	計　(06)														
50～54歳	初　回(07)														
	非初回(08)														
	計　(09)														
55～59歳	初　回(10)														
	非初回(11)														
	計　(12)														
60～64歳	初　回(13)														
	非初回(14)														
	計　(15)														
65～69歳	初　回(16)														
	非初回(17)														
	計　(18)														
70～74歳	初　回(19)														
	非初回(20)														
	計　(21)														
75～79歳	初　回(22)														
	非初回(23)														
	計　(24)														
80歳以上	初　回(25)														
	非初回(26)														
	計　(27)														
計	初　回(28)														
	非初回(29)														
	計　(30)														

地 域 保 健 ・ 健 康 増 進 事 業 報 告

種別 2 政令市（特別区）以外の市町村

市 区 町 村 符 号 　 表番号
　　　　　　　　　1 5 8 1 3

15(8) 健康増進（がん検診）

都道府県名　　　　　　　市区町村名

15(8)－13 胃がん－女（胃内視鏡検査・集団検診・28年度の精密検査結果）

平成 29 年度分

	検診回数	受診者数 （年度中） (1)	要精密 検査者数 （年度中） (2)	精密検査受診の有無別人数							検診時生検 未受診の うち 再検査 未受診 (9)	検診時生検 未受診の うち 再検査 未把握 (10)	偶発症の有無別人数			
				精密検査（生検または再検査）受診者									検診中／検診後		精密検査中／精密検査後	
				異常 認めず (3)	異常を認める								重篤な 偶発症を 確　認 (11)	偶発症 による 死亡あり (12)	重篤な 偶発症を 確　認 (13)	偶発症 による 死亡あり (14)
					胃がんで あった者 （転移性を 含まない） (4)	胃がんの う　ち 早期がん (5)	早期がん のうち粘 膜内がん (6)	胃がんの 疑いのある 者又は 未確定 (7)	胃がん以外 の疾患で あった者 （転移性の胃 がんを含む） (8)							
40～44歳	初　回(01)															
	非初回(02)															
	計　(03)															
45～49歳	初　回(04)															
	非初回(05)															
	計　(06)															
50～54歳	初　回(07)															
	非初回(08)															
	計　(09)															
55～59歳	初　回(10)															
	非初回(11)															
	計　(12)															
60～64歳	初　回(13)															
	非初回(14)															
	計　(15)															
65～69歳	初　回(16)															
	非初回(17)															
	計　(18)															
70～74歳	初　回(19)															
	非初回(20)															
	計　(21)															
75～79歳	初　回(22)															
	非初回(23)															
	計　(24)															
80歳以上	初　回(25)															
	非初回(26)															
	計　(27)															
計	初　回(28)															
	非初回(29)															
	計　(30)															

地 域 保 健 ・ 健 康 増 進 事 業 報 告

種別 2 政令市（特別区）以外の市町村

市 区 町 村 符 号	表番号
	15814

15(8) 健康増進（がん検診）

政府統計
統計法に基づく国の一般統計調査です。
調査票情報の秘密の保護に万全を期します。

都道府県名　　　　　市区町村名

15(8)-14 大腸がん-男（個別検診・28年度の精密検査結果）

平成 29 年度分

検診回数	受診者数（年度中）(1)	要精密検査者数（年度中）(2)	異常認めず(3)	大腸がんであった者（転移性を含まない）(4)	大腸がんのうち早期がん(5)	早期がんのうち粘膜内がん(6)	大腸がんの疑いのある者又は未確定(7)	大腸がん以外の疾患であった者（転移性の大腸がんを含む）(8)	未受診(9)	未把握(10)	重篤な偶発症を確認(11)	偶発症による死亡あり(12)
初 回(01)												
40～44歳 非初回(02)												
計 (03)												
初 回(04)												
45～49歳 非初回(05)												
計 (06)												
初 回(07)												
50～54歳 非初回(08)												
計 (09)												
初 回(10)												
55～59歳 非初回(11)												
計 (12)												
初 回(13)												
60～64歳 非初回(14)												
計 (15)												
初 回(16)												
65～69歳 非初回(17)												
計 (18)												
初 回(19)												
70～74歳 非初回(20)												
計 (21)												
初 回(22)												
75～79歳 非初回(23)												
計 (24)												
初 回(25)												
80歳以上 非初回(26)												
計 (27)												
初 回(28)												
計 非初回(29)												
計 (30)												

地域保健・健康増進事業報告

種別	2	政令市（特別区）以外の市町村

市区町村符号					表番号
					15815

15(8)　健康増進（がん検診）

政府統計

統計法に基づく国の一般統計調査です。
調査票情報の秘密の保護に万全を期します。

都道府県名　　　　市区町村名

平成 29 年度分

15(8)－15　大腸がん－男（集団検診・28年度の精密検査結果）

				精密検査受診の有無別人数								偶発症の有無別人数	
				精密検査受診者								精密検査中／精密検査後	
					異常を認める								
	検診回数	受診者数（年度中）	要精密検査者数（年度中）	異常認めず	大腸がんであった者（転移性を含まない）	大腸がんのうち早期がん	早期がんのうち粘膜内がん	大腸がんの疑いのある者又は未確定	大腸がん以外の疾患であった者（転移性の大腸がんを含む）	未受診	未把握	重篤な偶発症を確認	偶発症による死亡あり
		(1)	(2)	(3)	(4)	(5)	(6)	(7)	(8)	(9)	(10)	(11)	(12)
40～44歳	初　回(01)												
	非初回(02)												
	計　(03)												
45～49歳	初　回(04)												
	非初回(05)												
	計　(06)												
50～54歳	初　回(07)												
	非初回(08)												
	計　(09)												
55～59歳	初　回(10)												
	非初回(11)												
	計　(12)												
60～64歳	初　回(13)												
	非初回(14)												
	計　(15)												
65～69歳	初　回(16)												
	非初回(17)												
	計　(18)												
70～74歳	初　回(19)												
	非初回(20)												
	計　(21)												
75～79歳	初　回(22)												
	非初回(23)												
	計　(24)												
80歳以上	初　回(25)												
	非初回(26)												
	計　(27)												
計	初　回(28)												
	非初回(29)												
	計　(30)												

地 域 保 健 ・ 健 康 増 進 事 業 報 告

政府統計

統計法に基づく国の一般統計調査です。
調査票情報の秘密の保護に万全を期します。

種別	2	政令市（特別区）以外の市町村

市 区 町 村 符 号	表番号
	1 5 8 1 6

15(8)　健康増進（がん検診）

都道府県名　　　　　　　　　市区町村名

15(8)－16　大腸がん－女（個別検診・28年度の精密検査結果）

平成　29　年度分

検診回数		受診者数 （年度中） (1)	要精密 検査者数 （年度中） (2)	精密検査受診の有無別人数						未受診 (9)	未把握 (10)	偶発症の有無別人数	
				精密検査受診者								精密検査中／精密検査後	
				異常 認めず (3)	異常を認める				大腸がん 以外の疾患 であった者 （転移性の 大腸がん を含む） (8)			重篤な 偶発症を 確認 (11)	偶発症 による 死亡あり (12)
					大腸がんで あった者 （転移性を 含まない） (4)	大腸がんの う　ち 早期がん (5)	早期がん のうち粘 膜内がん (6)	大腸がんの 疑いのある 者又は 未確定 (7)					
40〜44歳	初　回(01)												
	非初回(02)												
	計　(03)												
45〜49歳	初　回(04)												
	非初回(05)												
	計　(06)												
50〜54歳	初　回(07)												
	非初回(08)												
	計　(09)												
55〜59歳	初　回(10)												
	非初回(11)												
	計　(12)												
60〜64歳	初　回(13)												
	非初回(14)												
	計　(15)												
65〜69歳	初　回(16)												
	非初回(17)												
	計　(18)												
70〜74歳	初　回(19)												
	非初回(20)												
	計　(21)												
75〜79歳	初　回(22)												
	非初回(23)												
	計　(24)												
80歳以上	初　回(25)												
	非初回(26)												
	計　(27)												
計	初　回(28)												
	非初回(29)												
	計　(30)												

地 域 保 健 ・ 健 康 増 進 事 業 報 告

種別　2　政令市（特別区）以外の市町村

市 区 町 村 符 号	表 番 号
	1 5 8 1 7

15(8)　健康増進（がん検診）

政府統計

統計法に基づく国の一般統計調査です。
調査票情報の秘密の保護に万全を期します。

都道府県名　　　　　市区町村名

15(8)－17　大腸がん－女（集団検診・28年度の精密検査結果）

平成　29　年度分

	検診回数	受診者数 （年度中） (1)	要精密 検査者数 （年度中） (2)	精密検査受診の有無別人数								偶発症の有無別人数	
				精密検査受診者						未 受 診 (9)	未 把 握 (10)	精密検査中／精密検査後	
				異 常 認めず (3)	異常を認める							重 篤 な 偶発症を 確　　認 (11)	偶 発 症 に よ る 死亡あり (12)
					大腸がんで あった者 （転移性を 含まない） (4)	大腸がんの う　ち 早期がん (5)	早期がん のうち粘 膜内がん (6)	大腸がんの 疑いのある 者 又 は 未 確 定 (7)	大腸がん 以外の疾患 であった者 （転移性の 大腸がん を含む） (8)				
40～44歳	初　回(01)												
	非初回(02)												
	計　(03)												
45～49歳	初　回(04)												
	非初回(05)												
	計　(06)												
50～54歳	初　回(07)												
	非初回(08)												
	計　(09)												
55～59歳	初　回(10)												
	非初回(11)												
	計　(12)												
60～64歳	初　回(13)												
	非初回(14)												
	計　(15)												
65～69歳	初　回(16)												
	非初回(17)												
	計　(18)												
70～74歳	初　回(19)												
	非初回(20)												
	計　(21)												
75～79歳	初　回(22)												
	非初回(23)												
	計　(24)												
80歳以上	初　回(25)												
	非初回(26)												
	計　(27)												
計	初　回(28)												
	非初回(29)												
	計　(30)												

513

地 域 保 健 ・ 健 康 増 進 事 業 報 告

種別 2 政令市（特別区）以外の市町村

市 区 町 村 符 号	表番号
	1 5 8 1 8

15(8) 健康増進（がん検診）

政府統計

統計法に基づく国の一般統計調査です。
調査票情報の秘密の保護に万全を期します。

都道府県名　　　　　市区町村名

平成 29 年度分

15(8)-18 肺がん-男（全て・個別検診・28年度の精密検査結果）

	検診回数	受診者数（年度中）	要精密検査者数（年度中）	精密検査受診の有無別人数							偶発症の有無別人数			
				異常認めず	精密検査受診者 異常を認める				未受診	未把握	検診中／検診後		精密検査中／精密検査後	
					肺がんであった者（転移性を含まない）	肺がんのうち臨床病期0〜Ⅰ期	肺がんの疑いのある者又は未確定	肺がん以外の疾患であった者（転移性の肺がんを含む）			重篤な偶発症を確認	偶発症による死亡あり	重篤な偶発症を確認	偶発症による死亡あり
		(1)	(2)	(3)	(4)	(5)	(6)	(7)	(8)	(9)	(10)	(11)	(12)	(13)
40〜44歳	初　回(01)													
	非初回(02)													
	計　(03)													
45〜49歳	初　回(04)													
	非初回(05)													
	計　(06)													
50〜54歳	初　回(07)													
	非初回(08)													
	計　(09)													
55〜59歳	初　回(10)													
	非初回(11)													
	計　(12)													
60〜64歳	初　回(13)													
	非初回(14)													
	計　(15)													
65〜69歳	初　回(16)													
	非初回(17)													
	計　(18)													
70〜74歳	初　回(19)													
	非初回(20)													
	計　(21)													
75〜79歳	初　回(22)													
	非初回(23)													
	計　(24)													
80歳以上	初　回(25)													
	非初回(26)													
	計　(27)													
計	初　回(28)													
	非初回(29)													
	計　(30)													

514

地 域 保 健 ・ 健 康 増 進 事 業 報 告

種別　2　政令市（特別区）以外の市町村

市区町村符号　表番号　15819

15(8)　健康増進（がん検診）

政府統計

統計法に基づく国の一般統計調査です。
調査票情報の秘密の保護に万全を期します。

都道府県名　　市区町村名

平成　29　年度分

15(8)-19　肺がんー男（全て・集団検診・28年度の精密検査結果）

	検診回数	受診者数 （年度中） (1)	要精密 検査者数 （年度中） (2)	精密検査受診の有無別人数							偶発症の有無別人数			
				精密検査受診者					未受診 (8)	未把握 (9)	検診中／検診後		精密検査中／精密検査後	
				異常 認めず (3)	異常を認める						重篤な 偶発症を 確　認 (10)	偶発症 による 死亡あり (11)	重篤な 偶発症を 確　認 (12)	偶発症 による 死亡あり (13)
					肺がんで あった者 (転移性を 含まない) (4)	肺がんの う　ち 臨床病期 0～Ⅰ期 (5)	肺がんの 疑いのある 者又は 未確定 (6)	肺がん以外 の疾患で あった者 (転移性の 肺がんを 含む) (7)						
40～44歳	初　回(01)													
	非初回(02)													
	計　(03)													
45～49歳	初　回(04)													
	非初回(05)													
	計　(06)													
50～54歳	初　回(07)													
	非初回(08)													
	計　(09)													
55～59歳	初　回(10)													
	非初回(11)													
	計　(12)													
60～64歳	初　回(13)													
	非初回(14)													
	計　(15)													
65～69歳	初　回(16)													
	非初回(17)													
	計　(18)													
70～74歳	初　回(19)													
	非初回(20)													
	計　(21)													
75～79歳	初　回(22)													
	非初回(23)													
	計　(24)													
80歳以上	初　回(25)													
	非初回(26)													
	計　(27)													
計	初　回(28)													
	非初回(29)													
	計　(30)													

地域保健・健康増進事業報告

種別	2	政令市（特別区）以外の市町村

市区町村符号	表番号
	15820

政府統計

統計法に基づく国の一般統計調査です。
調査票情報の秘密の保護に万全を期します。

15(8)　健康増進（がん検診）

都道府県名　　　　市区町村名

平成 29 年度分

15(8)－20　肺がん－男（胸部エックス線検査・個別検診・28年度の精密検査結果）

			胸部エックス線検査の判定別人数						精密検査受診の有無別人数							偶発症の有無別人数			
									精密検査受診者							検診中／検診後		精密検査中／精密検査後	
										異常を認める									
	検診回数	受診者数（年度中）	A	B	C	D	E	要精密検査者数（年度中）	異常認めず	肺がんであった者（転移性を含まない）	肺がんのうち臨床病期0～Ⅰ期	肺がんの疑いのある者又は未確定	肺がん以外の疾患であった者（転移性の肺がんを含む）	未受診	未把握	重篤な偶発症を確認	偶発症による死亡あり	重篤な偶発症を確認	偶発症による死亡あり
		(1)	(2)	(3)	(4)	(5)	(6)	(7)	(8)	(9)	(10)	(11)	(12)	(13)	(14)	(15)	(16)	(17)	(18)
40～44歳	初　回(01)																		
	非初回(02)																		
	計　(03)																		
45～49歳	初　回(04)																		
	非初回(05)																		
	計　(06)																		
50～54歳	初　回(07)																		
	非初回(08)																		
	計　(09)																		
55～59歳	初　回(10)																		
	非初回(11)																		
	計　(12)																		
60～64歳	初　回(13)																		
	非初回(14)																		
	計　(15)																		
65～69歳	初　回(16)																		
	非初回(17)																		
	計　(18)																		
70～74歳	初　回(19)																		
	非初回(20)																		
	計　(21)																		
75～79歳	初　回(22)																		
	非初回(23)																		
	計　(24)																		
80歳以上	初　回(25)																		
	非初回(26)																		
	計　(27)																		
計	初　回(28)																		
	非初回(29)																		
	計　(30)																		

地 域 保 健 ・ 健 康 増 進 事 業 報 告

種別	2	政令市（特別区）以外の市町村

市区町村符号	表番号
	15821

政府統計

統計法に基づく国の一般統計調査です。
調査票情報の秘密の保護に万全を期します。

15(8)　健康増進（がん検診）

都道府県名　　市区町村名

平成　29　年度分

15(8)－21　肺がん－男（胸部エックス線検査・集団検診・28年度の精密検査結果）

	検診回数	受診者数（年度中）	胸部エックス線検査の判定別人数					要精密検査者数（年度中）	精密検査受診の有無別人数							偶発症の有無別人数			
									精密検査受診者					未受診	未把握	検診中／検診後		精密検査中／精密検査後	
									異常認めず	異常を認める									
			A	B	C	D	E			肺がんであった者（転移性を含まない）	肺がんのうち臨床病期0～Ⅰ期	肺がんの疑いのある者又は未確定	肺がん以外の疾患であった者（転移性の肺がんを含む）			重篤な偶発症を確認	偶発症による死亡あり	重篤な偶発症を確認	偶発症による死亡あり
		(1)	(2)	(3)	(4)	(5)	(6)	(7)	(8)	(9)	(10)	(11)	(12)	(13)	(14)	(15)	(16)	(17)	(18)
40～44歳	初回(01)																		
	非初回(02)																		
	計 (03)																		
45～49歳	初回(04)																		
	非初回(05)																		
	計 (06)																		
50～54歳	初回(07)																		
	非初回(08)																		
	計 (09)																		
55～59歳	初回(10)																		
	非初回(11)																		
	計 (12)																		
60～64歳	初回(13)																		
	非初回(14)																		
	計 (15)																		
65～69歳	初回(16)																		
	非初回(17)																		
	計 (18)																		
70～74歳	初回(19)																		
	非初回(20)																		
	計 (21)																		
75～79歳	初回(22)																		
	非初回(23)																		
	計 (24)																		
80歳以上	初回(25)																		
	非初回(26)																		
	計 (27)																		
計	初回(28)																		
	非初回(29)																		
	計 (30)																		

地域保健・健康増進事業報告

種別	2	政令市（特別区）以外の市町村

市区町村符号					表番号
					15822

政府統計

統計法に基づく国の一般統計調査です。
調査票情報の秘密の保護に万全を期します。

15(8)　健康増進（がん検診）

都道府県名　　市区町村名

平成 29 年度分

15(8)－22　肺がん－男（喀痰細胞診・個別検診・28年度の精密検査結果）

	検診回数	喀痰容器配布回収状況 配布数(年度中) (1)	喀痰容器配布回収状況 回収数(受診者数)(年度中) (2)	喀痰細胞診の判定別人数 A (3)	喀痰細胞診の判定別人数 B (4)	喀痰細胞診の判定別人数 C (5)	喀痰細胞診の判定別人数 D (6)	喀痰細胞診の判定別人数 E (7)	要精密検査者数(年度中) (8)	精密検査受診の有無別人数 精密検査受診者 異常認めず (9)	精密検査受診の有無別人数 精密検査受診者 異常を認める 肺がんであった者(転移性を含まない) (10)	精密検査受診の有無別人数 精密検査受診者 異常を認める 肺がんのうち喀痰細胞診のみで発見された者 (11)	精密検査受診の有無別人数 精密検査受診者 異常を認める 肺がんのうち臨床病期0～Ⅰ期 (12)	精密検査受診の有無別人数 精密検査受診者 異常を認める 肺がんの疑いのある者又は未確定 (13)	精密検査受診の有無別人数 精密検査受診者 異常を認める 肺がん以外の疾患であった者(転移性の肺がんを含む) (14)	精密検査受診の有無別人数 未受診 (15)	精密検査受診の有無別人数 未把握 (16)	偶発症の有無別人数 検診中／検診後 重篤な偶発症を確認 (17)	偶発症の有無別人数 検診中／検診後 偶発症による死亡あり (18)	偶発症の有無別人数 精密検査中／精密検査後 重篤な偶発症を確認 (19)	偶発症の有無別人数 精密検査中／精密検査後 偶発症による死亡あり (20)
40～44歳	初回(01)																				
	非初回(02)																				
	計(03)																				
45～49歳	初回(04)																				
	非初回(05)																				
	計(06)																				
50～54歳	初回(07)																				
	非初回(08)																				
	計(09)																				
55～59歳	初回(10)																				
	非初回(11)																				
	計(12)																				
60～64歳	初回(13)																				
	非初回(14)																				
	計(15)																				
65～69歳	初回(16)																				
	非初回(17)																				
	計(18)																				
70～74歳	初回(19)																				
	非初回(20)																				
	計(21)																				
75～79歳	初回(22)																				
	非初回(23)																				
	計(24)																				
80歳以上	初回(25)																				
	非初回(26)																				
	計(27)																				
計	初回(28)																				
	非初回(29)																				
	計(30)																				

地 域 保 健 ・ 健 康 増 進 事 業 報 告

種別	2	政令市（特別区）以外の市町村

市 区 町 村 符 号	表番号
	1 5 8 2 3

15(8)　健康増進（がん検診）

政府統計

統計法に基づく国の一般統計調査です。
調査票情報の秘密の保護に万全を期します。

都道府県名　　　　　　市区町村名

15(8)－23　肺がん－男（喀痰細胞診・集団検診・28年度の精密検査結果）

平成　29　年度分

	検診回数	喀痰容器配布回収状況		喀痰細胞診の判定別人数					要精密検査者数（年度中）	精密検査受診の有無別人数								偶発症の有無別人数			
												精密検査受診者						検診中／検診後		精密検査中／精密検査後	
										異常認めず	異常を認める					未受診	未把握				
		配布数（年度中）	回収数（受診者数）（年度中）	A	B	C	D	E				肺がんであった者（転移性を含まない）	肺がんのうち喀痰細胞診のみで発見された者	肺がんのうち臨床病期0～Ⅰ期	肺がんの疑いのある者又は未確定	肺がん以外の疾患であった者（転移性の肺がんを含む）			重篤な偶発症を確認	偶発症による死亡あり	重篤な偶発症を確認	偶発症による死亡あり
		(1)	(2)	(3)	(4)	(5)	(6)	(7)	(8)	(9)	(10)	(11)	(12)	(13)	(14)	(15)	(16)	(17)	(18)	(19)	(20)
40～44歳	初　回(01)																				
	非初回(02)																				
	計　(03)																				
45～49歳	初　回(04)																				
	非初回(05)																				
	計　(06)																				
50～54歳	初　回(07)																				
	非初回(08)																				
	計　(09)																				
55～59歳	初　回(10)																				
	非初回(11)																				
	計　(12)																				
60～64歳	初　回(13)																				
	非初回(14)																				
	計　(15)																				
65～69歳	初　回(16)																				
	非初回(17)																				
	計　(18)																				
70～74歳	初　回(19)																				
	非初回(20)																				
	計　(21)																				
75～79歳	初　回(22)																				
	非初回(23)																				
	計　(24)																				
80歳以上	初　回(25)																				
	非初回(26)																				
	計　(27)																				
計	初　回(28)																				
	非初回(29)																				
	計　(30)																				

519

地 域 保 健 ・ 健 康 増 進 事 業 報 告

種別 2 政令市（特別区）以外の市町村

市 区 町 村 符 号　表番号
　　　　　　　　　15824

15(8)　健康増進（がん検診）

政府統計

統計法に基づく国の一般統計調査です。
調査票情報の秘密の保護に万全を期します。

都道府県名　　　　　　　市区町村名

平成　29　年度分

15(8)－24　肺がん－女（全て・個別検診・28年度の精密検査結果）

	検診回数	受診者数（年度中）	要精密検査者数（年度中）	精密検査受診の有無別人数							偶発症の有無別人数			
					精密検査受診者				未受診	未把握	検診中／検診後		精密検査中／精密検査後	
				異常認めず	異常を認める						重篤な偶発症を確認	偶発症による死亡あり	重篤な偶発症を確認	偶発症による死亡あり
					肺がんであった者（転移性を含まない）	肺がんのうち臨床病期0～Ⅰ期	肺がんの疑いのある者又は未確定	肺がん以外の疾患であった者（転移性の肺がんを含む）						
		(1)	(2)	(3)	(4)	(5)	(6)	(7)	(8)	(9)	(10)	(11)	(12)	(13)
40～44歳	初　回(01)													
	非初回(02)													
	計　(03)													
45～49歳	初　回(04)													
	非初回(05)													
	計　(06)													
50～54歳	初　回(07)													
	非初回(08)													
	計　(09)													
55～59歳	初　回(10)													
	非初回(11)													
	計　(12)													
60～64歳	初　回(13)													
	非初回(14)													
	計　(15)													
65～69歳	初　回(16)													
	非初回(17)													
	計　(18)													
70～74歳	初　回(19)													
	非初回(20)													
	計　(21)													
75～79歳	初　回(22)													
	非初回(23)													
	計　(24)													
80歳以上	初　回(25)													
	非初回(26)													
	計　(27)													
計	初　回(28)													
	非初回(29)													
	計　(30)													

520

地 域 保 健 ・ 健 康 増 進 事 業 報 告

種別　2　政令市（特別区）以外の市町村

市区町村符号	表番号
	1 5 8 2 5

15(8)　健康増進（がん検診）

都道府県名　　　　　市区町村名

平成　29　年度分

15(8)－25　肺がん－女（全て・集団検診・28年度の精密検査結果）

検診回数		受診者数（年度中）	要精密検査者数（年度中）	精密検査受診の有無別人数							偶発症の有無別人数			
				精密検査受診者					未受診	未把握	検診中／検診後		精密検査中／精密検査後	
				異常認めず	異常を認める						重篤な偶発症を確認	偶発症による死亡あり	重篤な偶発症を確認	偶発症による死亡あり
					肺がんであった者（転移性を含まない）	うち肺がんの臨床病期0～Ⅰ期	肺がんの疑いのある者又は未確定	肺がん以外の疾患であった者（転移性の肺がんを含む）						
		(1)	(2)	(3)	(4)	(5)	(6)	(7)	(8)	(9)	(10)	(11)	(12)	(13)
40～44歳	初　回(01)													
	非初回(02)													
	計　(03)													
45～49歳	初　回(04)													
	非初回(05)													
	計　(06)													
50～54歳	初　回(07)													
	非初回(08)													
	計　(09)													
55～59歳	初　回(10)													
	非初回(11)													
	計　(12)													
60～64歳	初　回(13)													
	非初回(14)													
	計　(15)													
65～69歳	初　回(16)													
	非初回(17)													
	計　(18)													
70～74歳	初　回(19)													
	非初回(20)													
	計　(21)													
75～79歳	初　回(22)													
	非初回(23)													
	計　(24)													
80歳以上	初　回(25)													
	非初回(26)													
	計　(27)													
計	初　回(28)													
	非初回(29)													
	計　(30)													

地 域 保 健 ・ 健 康 増 進 事 業 報 告

種別	2	政令市（特別区）以外の市町村

市 区 町 村 符 号	表番号
	1 5 8 2 6

15(8)　健康増進（がん検診）

政府統計

統計法に基づく国の一般統計調査です。
調査票情報の秘密の保護に万全を期します。

都道府県名　　　　　　　市区町村名

15(8)－26　肺がん－女（胸部エックス線検査・個別検診・28年度の精密検査結果）

平成　29　年度分

検診回数	受診者数（年度中）	胸部エックス線検査の判定別人数					要精密検査者数（年度中）	精密検査受診の有無別人数							偶発症の有無別人数			
								異常認めず	精密検査受診者				未受診	未把握	検診中／検診後		精密検査中／精密検査後	
									異常を認める						重篤な偶発症を確認	偶発症による死亡あり	重篤な偶発症を確認	偶発症による死亡あり
		A	B	C	D	E			肺がんであった者（転移性を含まない）	肺がんのうち臨床病期0～Ⅰ期	肺がんの疑いのある者又は未確定	肺がん以外の疾患であった者（転移性の肺がんを含む）						
	(1)	(2)	(3)	(4)	(5)	(6)	(7)	(8)	(9)	(10)	(11)	(12)	(13)	(14)	(15)	(16)	(17)	(18)
40～44歳 初　回 (01)																		
非初回 (02)																		
計 (03)																		
45～49歳 初　回 (04)																		
非初回 (05)																		
計 (06)																		
50～54歳 初　回 (07)																		
非初回 (08)																		
計 (09)																		
55～59歳 初　回 (10)																		
非初回 (11)																		
計 (12)																		
60～64歳 初　回 (13)																		
非初回 (14)																		
計 (15)																		
65～69歳 初　回 (16)																		
非初回 (17)																		
計 (18)																		
70～74歳 初　回 (19)																		
非初回 (20)																		
計 (21)																		
75～79歳 初　回 (22)																		
非初回 (23)																		
計 (24)																		
80歳以上 初　回 (25)																		
非初回 (26)																		
計 (27)																		
計 初　回 (28)																		
非初回 (29)																		
計 (30)																		

地 域 保 健 ・ 健 康 増 進 事 業 報 告

種別　2　政令市（特別区）以外の市町村

市区町村符号	表番号
	15827

15(8)　健康増進（がん検診）

政府統計

統計法に基づく国の一般統計調査です。
調査票情報の秘密の保護に万全を期します。

都道府県名　　　　　市区町村名

平成　29　年度分

15(8)-27　肺がん－女（胸部エックス線検査・集団検診・28年度の精密検査結果）

検診回数		受診者数（年度中）	胸部エックス線検査の判定別人数						要精密検査者数（年度中）	精密検査受診の有無別人数								偶発症の有無別人数			
			A	B	C	D	E			精密検査受診者					未受診	未把握		検診中／検診後		精密検査中／精密検査後	
										異常認めず	異常を認める							重篤な偶発症を確認	偶発症による死亡あり	重篤な偶発症を確認	偶発症による死亡あり
											肺がんであった者（転移性を含まない）	肺がんのうち臨床病期0～I期	肺がんの疑いのある者又は未確定	肺がん以外の疾患であった者（転移性の肺がんを含む）						
		(1)	(2)	(3)	(4)	(5)	(6)	(7)	(8)	(9)	(10)	(11)	(12)	(13)	(14)	(15)	(16)	(17)	(18)
40～44歳	初　回(01)																		
	非初回(02)																		
	計　(03)																		
45～49歳	初　回(04)																		
	非初回(05)																		
	計　(06)																		
50～54歳	初　回(07)																		
	非初回(08)																		
	計　(09)																		
55～59歳	初　回(10)																		
	非初回(11)																		
	計　(12)																		
60～64歳	初　回(13)																		
	非初回(14)																		
	計　(15)																		
65～69歳	初　回(16)																		
	非初回(17)																		
	計　(18)																		
70～74歳	初　回(19)																		
	非初回(20)																		
	計　(21)																		
75～79歳	初　回(22)																		
	非初回(23)																		
	計　(24)																		
80歳以上	初　回(25)																		
	非初回(26)																		
	計　(27)																		
計	初　回(28)																		
	非初回(29)																		
	計　(30)																		

523

地域保健・健康増進事業報告

種別　2　政令市（特別区）以外の市町村

市区町村符号	表番号
	1 5 8 2 8

15（8）　健康増進（がん検診）

都道府県名　　　　　市区町村名

15（8）-28　肺がん-女（喀痰細胞診・個別検診・28年度の精密検査結果）　　　　　　　　　　　　　　　　　　　平成　29　年度分

検診回数		喀痰容器配布回収状況		喀痰細胞診の判定別人数						要精密検査者数（年度中）	精密検査受診の有無別人数									偶発症の有無別人数			
											異常認めず	精密検査受診者						未受診	未把握	検診中／検診後		精密検査中／精密検査後	
		配布数（年度中）	回収数（受診者数）（年度中）	A	B	C	D	E				異常を認める								重篤な偶発症を確認	偶発症による死亡あり	重篤な偶発症を確認	偶発症による死亡あり
												肺がんであった者（転移性を含まない）	肺がんのうち喀痰細胞診のみで発見された者	肺がんのうち臨床病期0～Ⅰ期	肺がんの疑いのある者又は未確定	肺がん以外の疾患であった者（転移性の肺がんを含む）							
		(1)	(2)	(3)	(4)	(5)	(6)	(7)	(8)	(9)	(10)	(11)	(12)	(13)	(14)	(15)	(16)	(17)	(18)	(19)	(20)
40～44歳	初　回(01)																				
	非初回(02)																				
	計　(03)																				
45～49歳	初　回(04)																				
	非初回(05)																				
	計　(06)																				
50～54歳	初　回(07)																				
	非初回(08)																				
	計　(09)																				
55～59歳	初　回(10)																				
	非初回(11)																				
	計　(12)																				
60～64歳	初　回(13)																				
	非初回(14)																				
	計　(15)																				
65～69歳	初　回(16)																				
	非初回(17)																				
	計　(18)																				
70～74歳	初　回(19)																				
	非初回(20)																				
	計　(21)																				
75～79歳	初　回(22)																				
	非初回(23)																				
	計　(24)																				
80歳以上	初　回(25)																				
	非初回(26)																				
	計　(27)																				
計	初　回(28)																				
	非初回(29)																				
	計　(30)																				

524

地 域 保 健 ・ 健 康 増 進 事 業 報 告

種別　2　政令市（特別区）以外の市町村

市 区 町 村 符 号	表番号
	1 5 8 2 9

15(8)　健康増進（がん検診）

政府統計

統計法に基づく国の一般統計調査です。
調査票情報の秘密の保護に万全を期します。

都道府県名

市区町村名

平成　29　年度分

15(8)－29　肺がん－女（喀痰細胞診・集団検診・28年度の精密検査結果）

検診回数		喀痰容器配布回収状況		喀痰細胞診の判定別人数						要精密検査者数（年度中）	精密検査受診の有無別人数									偶発症の有無別人数			
		配布数（年度中）	回収数（受診者数）（年度中）	A	B	C	D	E			異常認めず	精密検査受診者						未受診	未把握	検診中／検診後		精密検査中／精密検査後	
												異常を認める							重篤な偶発症を確認	偶発症による死亡あり	重篤な偶発症を確認	偶発症による死亡あり
												肺がんであった者（転移性を含まない）	肺がんのうち喀痰細胞診のみで発見された者	肺がんのうち臨床病期0〜Ⅰ期	肺がんの疑いのある者又は未確定	肺がん以外の疾患であった者（転移性の肺がんを含む）						
		(1)	(2)	(3)	(4)	(5)	(6)	(7)		(8)	(9)	(10)	(11)	(12)	(13)	(14)	(15)	(16)	(17)	(18)	(19)	(20)
40〜44歳	初　回(01)																					
	非初回(02)																					
	計　(03)																					
45〜49歳	初　回(04)																					
	非初回(05)																					
	計　(06)																					
50〜54歳	初　回(07)																					
	非初回(08)																					
	計　(09)																					
55〜59歳	初　回(10)																					
	非初回(11)																					
	計　(12)																					
60〜64歳	初　回(13)																					
	非初回(14)																					
	計　(15)																					
65〜69歳	初　回(16)																					
	非初回(17)																					
	計　(18)																					
70〜74歳	初　回(19)																					
	非初回(20)																					
	計　(21)																					
75〜79歳	初　回(22)																					
	非初回(23)																					
	計　(24)																					
80歳以上	初　回(25)																					
	非初回(26)																					
	計　(27)																					
計	初　回(28)																					
	非初回(29)																					
	計　(30)																					

地域保健・健康増進事業報告

15(8)-30 子宮頸がん一（個別検診・28年度の精密検査結果）

地 域 保 健 ・ 健 康 増 進 事 業 報 告

| 種別 | 2 | 政令市（特別区）以外の市町村 |

| 市 区 町 村 符 号 | 表番号 |
| | 15831 |

15(8) 健康増進（がん検診）

政府統計

統計法に基づく国の一般統計調査です。
調査票情報の秘密の保護に万全を期します。

都道府県名
市区町村名

平成 29 年度分

15(8)-31 子宮頸がん－（集団検診・28年度の精密検査結果）

	検診回数	受診者数（年度中）	2年連続受診者数（年度中）	初回検体の適正・不適正		補助診の判定別人数				要精密検査者数（年度中）	精密検査受診の有無別人数											未受診	未把握	偶発症の有無別人数			
				適正	不適正	精検不要	要精検(1)	要精検(2)	判定不能		異常認めず	異常を認める												検診中／検診後		精密検査中／精密検査後	
												子宮頸がんであった者（転移性を含まない）	子宮頸がんのうち微小浸潤がん	CIN3又はAISであった者	CIN2であった者	CIN1であった者	腺異形成であった者	子宮頸がんの疑いのある者又は未確定	子宮頸がん及びCIN（異形成等）以外の疾患であった者（転移性の子宮頸がんを含む）			重篤な偶発症を確認	偶発症による死亡あり	重篤な偶発症を確認	偶発症による死亡あり
		(1)	(2)	(3)	(4)	(5)	(6)	(7)	(8)	(9)	(10)	(11)	(12)	(13)	(14)	(15)	(16)	(17)	(18)	(19)	(20)	(21)	(22)	(23)	(24)
20〜24歳	初 回 (01)																								
	非初回 (02)																								
	計 (03)																								
25〜29歳	初 回 (04)																								
	非初回 (05)																								
	計 (06)																								
30〜34歳	初 回 (07)																								
	非初回 (08)																								
	計 (09)																								
35〜39歳	初 回 (10)																								
	非初回 (11)																								
	計 (12)																								
40〜44歳	初 回 (13)																								
	非初回 (14)																								
	計 (15)																								
45〜49歳	初 回 (16)																								
	非初回 (17)																								
	計 (18)																								
50〜54歳	初 回 (19)																								
	非初回 (20)																								
	計 (21)																								
55〜59歳	初 回 (22)																								
	非初回 (23)					*																			
	計 (24)																								
60〜64歳	初 回 (25)																								
	非初回 (26)																								
	計 (27)																								
65〜69歳	初 回 (28)																								
	非初回 (29)																								
	計 (30)																								
79〜74歳	初 回 (31)																								
	非初回 (32)																								
	計 (33)																								
75〜79歳	初 回 (34)																								
	非初回 (35)																								
	計 (36)																								
90歳以上	初 回 (37)																								
	非初回 (38)																								
	計 (39)																								
計	初 回 (40)																								
	非初回 (41)																								
	計 (42)																								

地 域 保 健 ・ 健 康 増 進 事 業 報 告

| 種別 | 2 | 政令市（特別区）以外の市町村 |

| 市 区 町 村 符 号 | 表番号 |
| | 15832 |

15(8)　健康増進（がん検診）

政府統計

統計法に基づく国の一般統計調査です。
調査票情報の秘密の保護に万全を期します。

都道府県名　　　　　　　　市区町村名

15(8)-32　乳がん－（マンモグラフィ・個別検診・28年度の精密検査結果）　　　　　　　　　　平成 29 年度分

検診回数	受診者数（年度中）	2年連続受診者数（年度中）	マンモグラフィの判定別人数								要精密検査者数（年度中）	精密検査受診の有無別人数								偶発症の有無別人数			
			判定不能		カテゴリー1	カテゴリー2	カテゴリー3	カテゴリー4	カテゴリー5			異常認めず	精密検査受診者					未受診・	未把握	検診中／検診後		精密検査中／精密検査後	
			カテゴリーN－1	カテゴリーN－2									異常を認める							重篤な偶発症を確認	偶発症による死亡あり	重篤な偶発症を確認	偶発症による死亡あり
													乳がんであった者（転移性を含まない）	乳がんのうち早期がん	早期がんのうち非浸潤がん	乳がんの疑いのある者又は未確定	乳がん以外の疾患であった者（転移性の乳がんを含む）						
	(1)	(2)	(3)	(4)	(5)	(6)	(7)	(8)	(9)	(10)	(11)	(12)	(13)	(14)	(15)	(16)	(17)	(18)	(19)	(20)	(21)	(22)
40～44歳 初 回 (01)																						
40～44歳 非初回 (02)																						
40～44歳 計 (03)																						
45～49歳 初 回 (04)																						
45～49歳 非初回 (05)																						
45～49歳 計 (06)																						
50～54歳 初 回 (07)																						
50～54歳 非初回 (08)																						
50～54歳 計 (09)																						
55～59歳 初 回 (10)																						
55～59歳 非初回 (11)																						
55～59歳 計 (12)																						
60～64歳 初 回 (13)																						
60～64歳 非初回 (14)																						
60～64歳 計 (15)																						
65～69歳 初 回 (16)																						
65～69歳 非初回 (17)																						
65～69歳 計 (18)																						
70～74歳 初 回 (19)																						
70～74歳 非初回 (20)																						
70～74歳 計 (21)																						
75～79歳 初 回 (22)																						
75～79歳 非初回 (23)																						
75～79歳 計 (24)																						
80歳以上 初 回 (25)																						
80歳以上 非初回 (26)																						
80歳以上 計 (27)																						
計 初 回 (28)																						
計 非初回 (29)																						
計 計 (30)																						

528

地 域 保 健 ・ 健 康 増 進 事 業 報 告

種別	2	政令市（特別区）以外の市町村

市 区 町 村 符 号				表番号
				15833

15(8) 健康増進（がん検診）

政府統計

統計法に基づく国の一般統計調査です。
調査票情報の秘密の保護に万全を期します。

都道府県名　　　　　市区町村名

平成 29 年度分

15(8)-33　乳がん―（マンモグラフィ・集団検診・28年度の精密検査結果）

検診回数		受診者数（年度中）	2年連続受診者数（年度中）	マンモグラフィの判定別人数							要精密検査者数（年度中）	精密検査受診の有無別人数									偶発症の有無別人数			
				判定不能		カテゴリー1	カテゴリー2	カテゴリー3	カテゴリー4	カテゴリー5		異常認めず	精密検査受診者						未受診	未把握	検診中／検診後		精密検査中／精密検査後	
				カテゴリーN-1	カテゴリーN-2								異常を認める								重篤な偶発症を確認	偶発症による死亡あり	重篤な偶発症を確認	偶発症による死亡あり
													乳がんであった者（転移性を含まない）	乳がんのうち早期がん	早期がんのうち非浸潤がん	乳がんの疑いのある者又は未確定	乳がん以外の疾患であった者（転移性の乳がんを含む）						
		(1)	(2)	(3)	(4)	(5)	(6)	(7)	(8)	(9)	(10)	(11)	(12)	(13)	(14)	(15)	(16)	(17)	(18)	(19)	(20)	(21)	(22)
40～44歳	初　回(01)																						
	非初回(02)																						
	計　(03)																						
45～49歳	初　回(04)																						
	非初回(05)																						
	計　(06)																						
50～54歳	初　回(07)																						
	非初回(08)																						
	計　(09)																						
55～59歳	初　回(10)																						
	非初回(11)																						
	計　(12)																						
60～64歳	初　回(13)																						
	非初回(14)																						
	計　(15)																						
65～69歳	初　回(16)																						
	非初回(17)																						
	計　(18)																						
70～74歳	初　回(19)																						
	非初回(20)																						
	計　(21)																						
75～79歳	初　回(22)																						
	非初回(23)																						
	計　(24)																						
80歳以上	初　回(25)																						
	非初回(26)																						
	計　(27)																						
計	初　回(28)																						
	非初回(29)																						
	計　(30)																						

529

地域保健・健康増進事業報告

種別	2	政令市（特別区）以外の市町村

市区町村符号					表番号
					15900

政府統計

統計法に基づく国の一般統計調査です。
調査票情報の秘密の保護に万全を期します。

都道府県名　　　　　　市区町村名

15(9)　健康増進（肝炎ウイルス検診）

平成 29 年度分

15(9)-01　肝炎ウイルス検診の受診者数及び項目別の検査結果別人員

	40歳検診								
	受診者		B型肝炎ウイルス検診		C型肝炎ウイルス検診				
	B型 (1)	C型 (2)	陽性 (3)	陰性 (4)	判定① (5)	判定② (6)	判定③ (7)	判定④ (8)	判定⑤ (9)
40歳 (01)									

	40歳検診以外の対象者への検診								
	受診者		B型肝炎ウイルス検診		C型肝炎ウイルス検診				
	B型 (1)	C型 (2)	陽性 (3)	陰性 (4)	判定① (5)	判定② (6)	判定③ (7)	判定④ (8)	判定⑤ (9)
41～44歳(02)									
45～49歳(03)									
50～54歳(04)									
55～59歳(05)									
60～64歳(06)									
65～69歳(07)									
70～74歳(08)									
75～79歳(09)									
80歳以上(10)									
計 (11)									

15(9)-02　肝炎ウイルスに関する健康教育の実施

開催回数(01)	参加延人員(02)

15(9)-03　肝炎ウイルスに関する健康相談の実施

開催回数(01)	参加延人員(02)

令和2年1月10日　　発行 　　　　定価は表紙に表示してあります

平 成 29 年 度
地域保健・健康増進事業報告
（健康増進編）

編　　集　　厚生労働省政策統括官（統計・情報政策、政策評価担当）
発　　行　　一般財団法人　厚生労働統計協会
　　　　　　郵便番号　103-0001
　　　　　　東京都中央区日本橋小伝馬町4－9
　　　　　　小伝馬町新日本橋ビルディング3F
　　　　　　電　話　03－5623－4123（代表）
印　　刷　　統 計 プ リ ン ト 株 式 会 社